HANYA YANAGIHARA

UMA VIDA PEQUENA

"A LITTLE LIFE"

Tradução de
Roberto Muggiati

21ª edição

EDITORA RECORD
RIO DE JANEIRO • SÃO PAULO
2025

CIP-BRASIL. CATALOGAÇÃO NA PUBLICAÇÃO
SINDICATO NACIONAL DOS EDITORES DE LIVROS, RJ

Y22u
21. ed.

Yanagihara, Hanya, 1975-
Uma vida pequena / Hanya Yanagihara; tradução de Roberto Muggiati. – 21. ed. – Rio de Janeiro: Record, 2025.

Tradução de: A Little Life
ISBN 978-85-01-07154-5

1. Ficção americana. I. Muggiati, Roberto. II. Título.

16-30446

CDD: 813
CDU: 821.111(73)-3

Título original: A Little Life

Copyright © Hanya Yanagihara, 2015

Texto revisado segundo o novo Acordo Ortográfico da Língua Portuguesa.

Todos os direitos reservados. Proibida a reprodução, no todo ou em parte, através de quaisquer meios. Os direitos morais da autora foram assegurados.

Capa adaptada da original de Cardon Webb.
Imagem de capa: Orgasmic Man by Peter Hujar © 1987 The Peter Hujar Archive LLC.
Cortesia Pace/MacGill Gallery, Nova York, e Fraenkel Gallery, São Francisco.

Editoração eletrônica: Abreu's System

Direitos exclusivos de publicação em língua portuguesa somente para
o Brasil adquiridos pela
EDITORA RECORD LTDA.
Rua Argentina, 171 – Rio de Janeiro, RJ – 20921-380 – Tel.: (21) 2585-2000,
que se reserva a propriedade literária desta tradução.

Impresso no Brasil

ISBN 978-85-01-07154-5

Seja um leitor preferencial Record.
Cadastre-se no site www.record.com.br e receba informações
sobre nossos lançamentos e nossas promoções.

Atendimento e venda direta ao leitor:
sac@record.com.br

Para Jared Hohlt
meu amigo, com amor

Sumário

I	LISPENARD STREET	7
II	O PÓS-HOMEM	93
III	VAIDADES	233
IV	O AXIOMA DA IGUALDADE	311
V	OS ANOS FELIZES	465
VI	CARO CAMARADA	685
VII	LISPENARD STREET	763

[I]

Lispenard Street

1

O DÉCIMO PRIMEIRO APARTAMENTO só dispunha de um armário, mas tinha uma porta de correr de vidro que dava para uma pequena sacada, da qual ele podia ver um homem sentado do outro lado da rua, ao ar livre, apenas de camiseta e short embora fosse outubro, fumando. Willem ergueu a mão para cumprimentá-lo, mas o homem não acenou em resposta.

No quarto, Jude sanfonava a porta do armário, abrindo e fechando, quando Willem entrou.

– Só tem um armário – falou.

– Tudo bem – disse Willem. – Eu não tenho nada para guardar mesmo.

– Nem eu. – Sorriram um para o outro. A corretora foi ao encontro deles. – Vamos ficar – disse Jude.

Mas, de volta ao escritório da corretora, foram informados de que não poderiam alugar o apartamento.

– Por que não? – perguntou Jude.

– Vocês não ganham o suficiente para cobrir seis meses de aluguel e não têm poupança – disse a corretora, subitamente ríspida. Ela verificara o crédito e a conta bancária deles e tinha concluído que devia haver algo de errado com dois homens na casa dos vinte anos, que não eram um casal, tentando alugar um apartamento de um quarto num trecho sem graça (mas mesmo assim caro) da rua 25. – Vocês têm alguém que possa ser seu fiador? Um chefe? Pais?

– Nossos pais já morreram – disse Willem rapidamente.

A corretora suspirou.

– Então sugiro que diminuam suas expectativas. Ninguém responsável por um edifício bem-administrado vai alugar para candidatos com o perfil financeiro de vocês.

Ela se levantou com um ar conclusivo e olhou fixamente para a porta.

Quando eles contaram o episódio a JB e Malcolm, porém, fizeram disso uma comédia: o piso do apartamento estava cheio de cocô de rato, o homem do apartamento em frente quase havia tirado a roupa toda, a corretora ficara transtornada porque estava flertando com Willem e ele não havia correspondido.

– E quem quer morar na 25 com a Segunda Avenida, no fim das contas? – perguntou JB.

Estavam no Pho Viet Huong, em Chinatown, onde se encontravam duas vezes por mês para jantar. O Pho Viet Huong não era grande coisa – o pho era curiosamente açucarado, o suco de limão tinha gosto de sabão e pelo menos um deles passava mal depois de cada refeição –, mas não deixavam de frequentá-lo, tanto por hábito como por necessidade. Dava para tomar uma tigela de sopa ou comer um sanduíche no Pho Viet Huong por cinco dólares, ou pedir um prato principal que custava entre oito e dez dólares, mas que era muito maior, e dava para guardar metade para o dia seguinte ou para um lanche mais tarde. Só Malcolm nunca comia a refeição toda e não guardava a outra metade, e, quando estava satisfeito, colocava o prato no centro da mesa, para que Willem e JB – sempre famintos – comessem o que sobrava.

– Claro que não *queremos* morar na 25 com a Segunda Avenida, JB – disse Willem pacientemente –, mas não temos escolha. Não temos nenhum dinheiro, lembra?

– Não entendo por que não ficam onde estão – disse Malcolm, que agora remexia seus cogumelos e o tofu (sempre pedia o mesmo prato: shimeji-preto e tofu refogado num molho marrom viscoso) sob os olhares de Willem e JB.

– Não posso – disse Willem. – Esqueceu? – Deve ter explicado aquilo a Malcolm uma dezena de vezes nos últimos três meses. – O namorado de Merritt está se mudando para lá, por isso eu tenho de sair.

– Mas por que *você* tem de sair?

– Porque o aluguel está no nome de Merritt, Malcolm! – exclamou JB.

– Ah, tá – disse Malcolm. Ficou em silêncio. Sempre esquecia detalhes que considerava sem importância, mas também nunca parecia se ressentir quando as pessoas perdiam a paciência com seus esquecimentos. – Certo. – E empurrou os cogumelos para o centro da mesa. – Mas você, Jude...

— Não posso ficar na sua casa para sempre, Malcolm. Seus pais vão me matar um dia desses.

— Meus pais adoram você.

— Legal da sua parte dizer isso. Mas vão deixar de me adorar se eu não sair, e logo.

Malcolm era o único dos quatro que morava com os pais e, como JB gostava de dizer, se tivesse a casa de Malcolm, também faria o mesmo. Não que a casa de Malcolm fosse particularmente incrível — era, na verdade, cheia de rangidos e malconservada, e Willem certa vez se ferira com uma farpa simplesmente ao deslizar o braço pelo corrimão –, mas era grande: um casarão de vários andares no Upper East Side. A irmã de Malcolm, Flora, três anos mais velha, mudara-se do porão recentemente, e Jude ocupara seu lugar como uma solução temporária: os pais de Malcolm acabariam requisitando o espaço para convertê-lo no escritório da agência literária de sua mãe, e isso significava que Jude (que de qualquer forma vinha tendo dificuldade para descer a escada até o porão) precisaria procurar seu próprio apartamento.

E era natural que ele fosse morar com Willem; tinham sido companheiros de quarto durante toda a faculdade. No primeiro ano, os quatro dividiram um espaço que consistia em uma sala comum de concreto, onde ficavam suas mesas e cadeiras e um sofá que as tias de JB tinham levado numa van alugada da U-Haul, e em um segundo cômodo, muito menor, onde havia dois beliches. Esse quarto era tão estreito que Malcolm e Jude, deitados nas camas inferiores, podiam estender o braço e pegar na mão um do outro. Malcolm e JB dividiam um dos beliches; Jude e Willem, o outro.

— Negros contra brancos — dizia JB.

— Jude não é branco — respondia Willem.

— E eu não sou negro — acrescentava Malcolm, mais para chatear JB do que por acreditar nisso.

— Muito bem — disse JB agora, puxando para si o prato de cogumelos com os dentes do garfo –, eu convidaria os dois para ficar na minha casa, mas acho que iam detestar.

JB vivia num loft enorme e encardido em Little Italy, cheio de corredores estranhos que terminavam em becos sem saída vazios e disformes, e em cômodos inacabados, com as paredes de gesso abandonadas pela metade. O lugar pertencia a outra pessoa que eles conheciam da época da faculdade. Ezra era artista, não dos bons mas também não precisava ser, porque, como JB gostava de frisar, jamais precisaria trabalhar em toda a sua vida. E não só *ele* jamais precisaria trabalhar, como os filhos dos filhos de seus filhos também nunca teriam de trabalhar: poderiam fazer arte ruim, invendável e sem valor durante gerações, e ainda assim teriam condições de comprar por capricho as melhores tintas que quisessem e lofts enormes e pouco práticos no Baixo Manhattan, os quais poderiam desfigurar com suas más decisões arquitetônicas, e, quando enjoassem da vida de artista – como JB tinha certeza de que aconteceria a Ezra um dia –, tudo que precisariam fazer seria chamar os curadores da sua fundação particular, e ganhariam uma montanha de dinheiro, quantia essa que nenhum deles quatro (bem, talvez Malcolm) jamais sonharia ver na vida. Ao mesmo tempo, valia a pena conhecer uma pessoa como Ezra, não só porque deixava JB e alguns de seus outros amigos de faculdade ficarem em seu apartamento – havia sempre quatro ou cinco pessoas entocadas em vários cantos do loft –, mas porque era uma pessoa de boa índole e generosa por natureza, que gostava de dar festas exageradas em que quantidades nababescas de comida, drogas e álcool eram liberadas.

– Peraí – disse JB, botando o hashi na mesa. – Acabei de me lembrar... tem uma pessoa na revista que está alugando o apartamento de uma tia. Para os lados de Chinatown.

– Quanto custa? – perguntou Willem.

– Provavelmente nada... ela não sabia quanto pedir. E quer botar alguém lá que ela conheça.

– Acha que podia falar com ela por nós?

– Melhor... vou apresentar vocês a ela. Podem dar um pulo no escritório amanhã?

Jude suspirou.

– Não vou poder sair do trabalho. – E olhou para Willem.

– Não se preocupe, eu posso. A que horas?

– Hora do almoço, por aí. Uma hora?

– Estarei lá.

Willem ainda estava com fome, mas deixou JB comer o restante dos cogumelos. Depois ficaram todos ali por um tempinho; às vezes, Malcolm pedia sorvete de jaca, a única unanimidade no cardápio, comia duas colheradas e parava; ele e JB acabavam com o restante. Mas, desta vez,

Malcolm não quis o sorvete, e eles pediram a conta para que pudessem conferi-la e dividi-la centavo por centavo.

—

No dia seguinte, Willem encontrou JB no escritório. JB trabalhava como recepcionista numa revista pequena, mas influente, localizada no SoHo, que cobria o mundo das artes no Baixo Manhattan. Era um emprego estratégico para ele; seu plano, como explicara a Willem certa noite, seria tentar fazer amizade com um dos editores e convencê-lo a publicar uma matéria sobre ele na revista. JB calculava que isso levaria cerca de seis meses, o que significava que ainda tinha outros três pela frente.

JB ostentava, no emprego, uma expressão perpétua de leve descrença, tanto por estar trabalhando, quanto por ninguém ter reconhecido ainda seu dom especial. Não era um bom recepcionista. Embora os telefones tocassem mais ou menos constantemente, ele quase nunca os atendia; quando alguém queria falar com ele (o sinal do celular no edifício era instável), tinha de seguir um código especial de deixar tocar duas vezes, desligar, depois ligar de novo. E ainda assim ele às vezes não conseguia atender – suas mãos estavam ocupadas debaixo da mesa, penteando e trançando cabelos emaranhados num saco preto que mantinha a seus pés.

JB atravessava, conforme definiu, sua fase capilar. Recentemente decidira tirar férias da pintura para fazer esculturas de cabelos negros. Cada um dos amigos passara um exaustivo fim de semana seguindo JB por barbearias e salões de beleza no Queens, no Brooklyn, no Bronx e em Manhattan, esperando do lado de fora enquanto JB entrava para pedir aos proprietários quaisquer restos de mechas que pudessem ter, para depois arrastar um saco de cabelos cada vez mais estranho pela rua. Entre suas primeiras obras estava "A maçã", uma bola de tênis que ele tinha esfolado, cortado pela metade e enchido de areia antes de cobri-la de cola e esfregá-la diversas vezes num tapete de cabelos, fazendo com que as cerdas se movessem como alga marinha debaixo d'água; e "O kwotidiano", no qual cobriu vários utensílios domésticos – um grampeador; uma espátula; uma xícara de chá – com cabelos. Agora vinha trabalhando num projeto em larga escala, que só revelava aos amigos em fragmentos, mas que envolvia pentear e trançar muitas peças a fim de formar uma corda aparentemente interminável de cabelos pretos encrespados. Na sexta-feira anterior, ele os atraíra com a promessa de pizza e cerveja para que o ajudassem a trançar, mas, depois de muitas horas de trabalho tedioso, ficara claro que não havia nenhuma pizza e cerveja à vista, e eles foram embora um pouco irritados, mas não completamente surpresos.

Todos já estavam cheios do projeto dos cabelos, embora Jude – o único entre eles – achasse as obras maravilhosas e dignas de serem consideradas significativas um dia. Como agradecimento, JB dera a Jude uma escova coberta de cabelos, mas depois pedira o presente de volta quando um amigo do pai de Ezra parecera interessado em comprá-la (o que não aconteceu, mas JB não devolveu a escova a Jude). O projeto de JB se mostrara difícil também em outros aspectos; numa outra noite, quando, sabe-se lá como, os três foram novamente ludibriados a ir até Little Italy para pentear mais cabelos, Malcolm havia comentado que os cabelos fediam. O que era verdade: não fediam a algo nojento, mas simplesmente ao odor metálico e penetrante de um couro cabeludo não lavado. Mas JB dera um de seus chiliques homéricos e chamara Malcolm de negro autodepreciativo, de Pai Tomás e traidor da raça, e Malcolm, que muito raramente perdia a calma, mas que se enraivecia diante de acusações como essas, jogara seu vinho na sacola de cabelos mais próxima, se levantara e saíra batendo os pés. Jude correra, da melhor maneira que podia, atrás de Malcolm, enquanto Willem ficara para trás para acalmar JB. Embora os dois tenham feito as pazes no dia seguinte, no final das contas Willem e Jude se sentiram (injustamente, eles sabiam) um pouco mais zangados com Malcolm, já que no fim de semana seguinte tiveram de voltar ao Queens, caminhando de barbearia em barbearia, para tentar substituir a sacola de cabelos que ele havia estragado.

– Como vai a vida no planeta negro? – perguntou Willem a JB agora.

– Negra – disse JB, enfiando a trança que desembaraçava de volta na sacola. – Vamos andando; eu disse a Annika que estaríamos lá à uma e meia.

O telefone em sua mesa começou a tocar.

– Não vai atender?

– Vão ligar de novo.

A caminho do Baixo Manhattan, JB se queixou. Até agora ele havia concentrado seu poder de sedução num editor sênior chamado Dean, que eles chamavam de DecAnn. Tinham ido a uma festa, os três, no apartamento dos pais de um editor júnior no edifício Dakota, onde cômodos cobertos de quadros se sucediam uns aos outros. Enquanto JB conversava com seus colegas de trabalho na cozinha, Malcolm e Willem passearam juntos pelo apartamento (onde estava Jude naquela noite? Trabalhando, provavelmente), observando uma série de fotos de Edward Burtynsky penduradas no quarto de hóspedes, um conjunto de caixas-d'água dos Becher montado em quatro fileiras de cinco fotos acima da escrivaninha no gabinete de trabalho, um enorme Gursky flutuando acima das meias estantes na biblioteca e, na suíte principal, uma parede inteira de Diane Arbuses, cobrindo o espaço de tal forma que sobravam apenas alguns centímetros de parede nua no alto e na soleira. Estavam admirando uma foto de duas garotas com síndrome de Down, com rostos tão meigos, brincando para a câmera em seus maiôs apertados demais e infantis demais, quando Dean se aproximara deles. Era um homem alto, mas tinha um rosto pequeno e esburacado, parecendo uma marmota, que lhe emprestava um ar selvagem e pouco confiável.

Os dois se apresentaram e explicaram que estavam ali porque eram amigos de JB. Dean contou que era editor sênior da revista e que cuidava de toda a cobertura de artes plásticas.

– Ah – disse Willem, com o cuidado de não olhar para Malcolm, antecipando sua reação. JB dissera a eles que tinha o editor de artes como alvo; devia ser ele.

– Já viram algo assim? – perguntou Dean, apontando para os Arbuses.

– Nunca – disse Willem. – Eu amo Diane Arbus.

Dean se retesou, e suas minúsculas feições pareceram formar um nó no centro do rosto pequeno.

– É DeeAnn.

– Hein?

– DeeAnn. O nome dela se pronuncia DeeAnn.

Quase não conseguiram sair da sala sem cair no riso.

– DeeAnn! – falara JB depois, quando lhe contaram a história. – Cristo! Que merdinha pretensioso.

– Mas é o *seu* merdinha pretensioso – dissera Jude. E desde então passaram a se referir a Dean como "DeeAnn".

Infelizmente, porém, parecia que, apesar das incansáveis investidas de JB em DeeAnn, ele não chegara mais perto de sair na revista do que três meses antes. JB até deixara DeeAnn chupá-lo na sauna da academia de ginástica e, ainda assim, nada. Todo dia JB achava um pretexto para passear pela redação e bisbilhotar o quadro de avisos em que as pautas dos próximos três meses ficavam escritas em cartões brancos, e todo dia ele estudava a seção dedicada aos jovens artistas em ascensão procurando seu nome, e todo dia ficava desapontado. Via, em vez disso, os nomes de gente sem talento e de artistas *hypados*, pessoas a quem se deviam favores ou pessoas que conheciam pessoas a quem se deviam favores.

– Se um dia encontrar o nome de Ezra ali, vou me matar – sempre dizia JB, ao que os outros retrucavam: "Não vai encontrar, JB" e "Não se preocupe, JB, você vai aparecer ali um dia" e "Para que você precisa deles, JB? Você vai encontrar outra coisa", ao que JB replicava, respectivamente: "Vocês têm certeza?" e "Não acredito nessa porra" e "Investi pra caralho dessa vez, três meses inteiros da porra da minha vida, é melhor eu aparecer na porra do quadro ou essa merda toda vai ter sido uma perda de tempo, como todo o resto", "todo o resto" significando, variavelmente, a pós-graduação, a volta a Nova York, a série dos cabelos ou a vida em geral, dependendo de quão niilista ele se sentia no dia.

JB ainda estava se queixando quando chegaram à Lispenard Street. Willem era relativamente novo na cidade – só vivia ali havia um ano – e ainda não tinha ouvido falar da rua, que não passava de uma viela com dois quarteirões de comprimento, situada em um quarteirão ao sul da Canal Street. Mas até JB, que crescera no Brooklyn, também não ouvira falar dela.

Encontraram o prédio e apertaram a campainha do 5C. Uma garota atendeu, sua voz cheia de estática e cavernosa pelo interfone, e abriu a porta do prédio. Dentro, o saguão era estreito, com o pé-direito alto e pintado num marrom-cocô malhado e brilhoso que os fez sentir como se estivessem no fundo de um poço.

A garota os esperava na porta do apartamento.

– Oi, JB – disse, e então olhou para Willem e ruborizou.

– Annika, este é o meu amigo Willem – disse JB. – Willem, Annika trabalha no departamento de arte. Gente boa.

Annika baixou o olhar e estendeu a mão ao mesmo tempo.

– Prazer em conhecê-lo – disse para o chão.

JB chutou o pé de Willem e sorriu para ele. Willem o ignorou.

– Legal conhecer você também – falou.

– Muito bem, esse é o apartamento. É da minha tia. Ela morou aqui por cinquenta anos e acabou de se mudar para um retiro de idosos.

Annika falava muito rápido e aparentemente tinha decidido que a melhor estratégia era tratar Willem como um eclipse e não olhar para ele. Ela falava cada vez mais rápido sobre a tia e como ela sempre dizia que a vizinhança tinha mudado e como nunca ouvira falar da Lispenard Street até que se mudara para o Baixo Manhattan e como lamentava que o apartamento ainda não tivesse sido pintado, mas sua tia literalmente acabara de se mudar e só tiveram oportunidade de fazer uma limpeza no último fim de semana. Ela olhava para tudo, menos para Willem – para o teto (estanho decorado), para o assoalho (rachado, mas de tacos), para as paredes (nas quais as molduras de quadros pendurados muito tempo atrás haviam deixado sombras fantasmagóricas) –, até que Willem teve de interromper gentilmente e perguntar se podia dar uma olhada no restante do apartamento.

– Ah, sim, à vontade – disse Annika. – Vou deixá-los a sós.

Mas começou a segui-los, falando rapidamente com JB sobre alguém chamado Jasper e como ele começara a usar a fonte Archer para *tudo*, e será que JB não achava que parecia um pouco arredondada demais e estranha para o corpo do texto? Agora que Willem estava de costas, ela olhava para ele, seu blá-blá-blá tornando-se mais genérico quanto mais ela falava.

JB observava Annika observando Willem. Ele nunca a vira assim, tão nervosa e adolescente (em geral era mal-humorada e silenciosa, chegando, na verdade, a ser temida no escritório por ter criado na parede acima de sua mesa uma elaborada escultura em forma de coração com lâminas de estilete), mas ele via uma porção de mulheres se comportando daquela maneira perto de Willem. Todas faziam o mesmo. Seu amigo Lionel costumava dizer que Willem devia ter sido pescador numa vida passada, pois atraía gatas por onde passava. E, no entanto, na maior parte do tempo (mas não sempre), Willem não se dava conta da atenção que despertava. JB perguntara certa vez a Malcolm por que ele achava que aquilo acontecia, e Malcolm dissera que era porque Willem não percebia. JB apenas grunhira em resposta, mas era assim que via as coisas: Malcolm era a pessoa mais obtusa que conhecia e, se até mesmo *Malcolm* reparava como as mulheres reagiam ao redor de Willem, era impossível que o próprio Willem não percebesse. Depois, Jude oferecera uma interpretação diferente: ele sugerira que Willem não reagia a todas as mulheres *de propósito*, para que os outros homens ao seu redor não se sentissem ameaçados por ele. Isso fazia mais sentido; Willem era querido por todo mundo e não gostava que as pessoas se sentissem mal, e por isso era possível, inconscientemente, pelo menos, que fingisse uma espécie de ignorância. Ainda assim, era fascinante de ver e os três nunca se cansavam daquilo, nem de zombar de Willem depois, por mais que ele apenas sorrisse e não dissesse nada.

– O elevador funciona bem aqui? – perguntou Willem abruptamente, virando-se.

– O quê? – respondeu Annika, assustada. – Sim, é bastante confiável – emendou, compondo um sorriso estreito com os lábios finos, que, como percebeu JB com um nó no estômago de constrangimento por ela, sugeria uma intenção de flerte. Ah, Annika, pensou ele. – O que exatamente você pretende trazer para o apartamento da minha tia?

– Nosso amigo – respondeu JB, antes que Willem pudesse fazê-lo. – Ele tem problemas para subir escadas e precisa que o elevador funcione.

– Ah – disse ela, corando de novo. Voltou a olhar para o chão. – Foi mal. Sim, ele funciona.

O apartamento não impressionava muito. Havia um pequeno vestíbulo, pouco maior que a área de um capacho, de onde se projetavam a cozinha (um cubículo quente e engordurado) à direita e uma sala de jantar à esquerda, que acomodaria talvez uma mesa de carteado. Uma mureta separava esse espaço da sala de estar, com suas quatro janelas, cada uma delas listrada com grades, dando para o sul com vista para a rua coberta de lixo, e, por um pequeno corredor à direita, se chegava ao banheiro com seus candeeiros leitosos e uma banheira de esmalte desgastado e, adiante, o quarto, que tinha outra janela e era comprido, mas estreito; aqui, dois estrados de madeira foram dispostos paralelamente, cada um encostado em uma parede. Sobre um dos estrados já havia um futon, uma coisa volumosa e sem graça, pesada como um cavalo morto.

– O futon nunca foi usado – disse Annika.

Contou uma longa história sobre como pretendera ir morar no apartamento e tinha até comprado o futon para isso, mas nunca chegara a usá-lo porque acabara se mudando com seu amigo Clement, que não era seu namorado, apenas um amigo e, nossa, que retardada ela era de dizer aquilo. Enfim, se Willem quisesse o apartamento, ela acrescentaria o futon no pacote, de graça.

Willem agradeceu.

— O que acha, JB? — perguntou ele.

O que ele achava? Achava que era um muquifo. Claro, ele também morava num muquifo, mas estava lá por escolha própria e porque era de graça, e o dinheiro economizado com o aluguel poderia ser gasto em tintas, suprimentos, drogas e um táxi de vez em quando. Mas, se Ezra decidisse um dia começar a cobrar aluguel dele, de jeito algum continuaria lá. Sua família podia não ter o dinheiro de Ezra, ou o dinheiro de Malcolm, mas em nenhuma circunstância permitiria que ele jogasse dinheiro fora morando num muquifo. Encontrariam algo melhor para ele ou lhe dariam uma graninha mensal para ir levando. Mas Willem e Jude não tinham esse tipo de escolha: precisavam pagar tudo sozinhos e não dispunham de dinheiro, por isso estavam condenados a morar num muquifo. Assim sendo, aquele era provavelmente o muquifo ideal — era barato, ficava no Baixo Manhattan e sua futura senhoria já estava apaixonada por cinquenta por cento deles.

Então "Acho perfeito" foi o que JB disse a Willem, que concordou. Annika deu um gritinho. E, depois de uma conversa rápida, estava fechado: Annika tinha um inquilino e Willem e Jude tinham um lugar para morar — tudo antes de JB lembrar a Willem que não se importaria se Willem lhe pagasse um prato de yakisoba no almoço, antes de voltar ao escritório.

—

JB não era dado à introspecção, mas, no trem, a caminho da casa da mãe naquele domingo, não pôde deixar de experimentar uma leve sensação autoparabenizatória, combinada a algo próximo de gratidão, por ter a vida e a família que tinha.

Seu pai, que havia emigrado para Nova York do Haiti, morrera quando JB tinha três anos, e, embora JB sempre gostasse de pensar que se lembrava de seu rosto — bondoso e gentil, com uma pequena tira de bigode e bochechas arredondadas como ameixas quando sorria —, ele nunca saberia se apenas achava que lembrava, tendo crescido vendo a fotografia do pai na mesinha de cabeceira da mãe, ou se lembrava de verdade. Ainda assim, aquela fora sua única tristeza quando criança e, no entanto, parecia mais uma tristeza obrigatória: não tinha pai e sabia que as crianças sem pai sofriam com essa ausência em suas vidas. Mas ele próprio jamais sentira esse tipo de anseio. Depois que o pai morrera, sua mãe, uma haitiano-americana de segunda geração, fizera doutorado em pedagogia, enquanto lecionava na escola pública perto de casa que não achava boa o bastante para JB. Quando ele entrara para o ensino médio como bolsista numa escola particular cara a uma hora de trem de onde moravam no Brooklyn, a mãe era diretora de outra instituição, uma escola técnica em Manhattan, e professora adjunta no Brooklyn College. Um artigo no *The New York Times* comentara sobre seus métodos de ensino inovadores e, embora fingisse aos amigos que não se importava, JB sentia orgulho da mãe.

Ela sempre estivera muito ocupada durante a infância do filho, mas JB nunca se sentira negligenciado, nunca sentira que a mãe amava seus alunos mais do que o amava. Em casa ficava também a sua avó, que cozinhava tudo o que ele quisesse, e cantava para ele em francês, e lhe dizia literalmente todo dia que ele era um tesouro, um gênio, o homem da sua vida. E havia suas tias, a irmã de sua mãe, que era detetive em Manhattan, e a namorada dela, uma farmacêutica e também americana de segunda geração (embora fosse de Porto Rico, não do Haiti), que não tinham filhos e o tratavam como seu próprio. A irmã de sua mãe gostava de esportes e o ensinou a pegar e arremessar uma bola (algo que, até na época, não lhe inspirava o menor interesse, mas acabou se tornando uma habilidade social útil depois), e a namorada se interessava por arte; uma de suas recordações mais antigas era a de uma visita com ela ao Museu de Arte Moderna, onde se lembrava claramente de olhar para *One: Number 31, 1950* emudecido de admiração, mal ouvindo a tia enquanto ela explicava como Pollock fizera a pintura.

Durante o ensino médio, quando um pouco de revisionismo pareceu necessário para ele se destacar e, especialmente, causar desconforto em seus colegas de turma ricos e brancos, ele deturpou a verdade de sua condição: tornou-se outro garoto negro sem pai cuja mãe só completara os estudos depois que ele nasceu (deixou de mencionar a graduação que ela completara, por isso as pessoas presumiam que fosse o ensino médio) e cuja tia trabalhava nas ruas (de novo, presumiam que fosse prostituta e não detetive). Sua foto de família favorita fora tirada por seu melhor amigo no ensino médio, um menino chamado Daniel, a quem ele revelara a verdade pouco antes de deixá-lo tirar o retrato da família. Daniel vinha trabalhando numa série de fotos sobre, como ele chamava, famílias "quase à margem da sociedade", e JB tivera que corrigir às pressas a percepção de que sua tia era meretriz e sua mãe tinha um nível de escolaridade baixo antes de deixar o amigo entrar na casa. A boca de Daniel se abrira, mas nenhum som emergira, e então a mãe de JB chegara à porta e mandara que saíssem logo do frio, e Daniel tivera de obedecer.

Daniel, ainda atônito, posicionara-os na sala de estar: a avó de JB, Yvette, sentada em sua cadeira favorita de espaldar alto, e, de pé, sua tia Christine e a namorada, Silvia, de um lado; e JB e sua mãe, do outro. Mas então, pouco antes de Daniel tirar a foto, Yvette exigira que JB ocupasse o seu lugar.

– Ele é o rei da casa – dissera a Daniel enquanto as filhas protestavam. – Jean-Baptiste! Sente-se!

Ele se sentou. Na foto ele apertava os dois braços da poltrona com suas mãos rechonchudas (já era rechonchudo na época), enquanto de cada lado as mulheres lhe lançavam olhares amorosos. Ele próprio olhava diretamente para a câmera, com um sorriso largo, sentado na cadeira que devia ter sido ocupada por sua avó.

A fé que elas depositavam nele, em seu triunfo, persistia inabalável, de maneira quase desconcertante. Estavam convencidas – mesmo quando a convicção do próprio JB era testada tantas vezes que tinha dificuldade em sustentá-la – de que um dia ele seria um artista importante, que seu trabalho seria exibido nos principais museus, que as pessoas que ainda não lhe tinham dado oportunidades não conheciam seu dom. Às vezes ele acreditava nelas e se deixava levar por toda aquela confiança. Outras vezes ficava desconfiado – a opinião delas parecia tão oposta à do resto do mundo, que ele se perguntava se não estariam sendo condescendentes com ele ou se eram simplesmente loucas. Ou talvez tivessem mau gosto. Como podia o julgamento de quatro mulheres diferir tanto do das outras pessoas? As chances de que a opinião delas fosse a certa não eram lá muito boas.

E, no entanto, ele se sentia aliviado todo domingo nessas visitas secretas à casa, onde a comida era abundante e gratuita e a avó lavava a sua roupa, e onde cada palavra que ele dizia e cada rascunho que mostrava era admirado e elogiado. A casa de sua mãe era território familiar, um lugar onde ele sempre seria reverenciado, onde cada costume e tradição pareciam feitos sob medida para ele e para suas necessidades particulares. A certa altura da noite – depois do jantar, mas antes da sobremesa, enquanto todos descansavam na sala de estar vendo televisão e o gato de sua mãe descansava no colo dele – JB olhava para suas mulheres e sentia algo inflar dentro de si. Pensava então em Malcolm, com seu pai incrivelmente inteligente e sua mãe afetuosa, mas desligada, e depois em Willem, com seus pais mortos (JB estivera com eles uma única vez, no fim de semana da mudança, no fim do primeiro ano de faculdade, e ficara surpreso ao ver como eram taciturnos, formais, tão *diferentes* de Willem), e finalmente, é claro, em Jude, com seus pais completamente inexistentes (o que era um mistério – conheciam Jude havia quase uma década e ainda não sabiam ao certo quando ou se chegara a ter pais, somente que a situação era triste e não devia ser comentada), e sentia uma onda calorosa e fluida de felicidade e gratidão, como se um oceano estivesse subindo em seu peito. Tenho sorte, pensava ele, e depois, porque era competitivo e avaliava sua posição diante de seus pares em cada aspecto da vida. Sou o mais sortudo de todos. Mas nunca pensava que não merecia aquilo, ou que deveria se esforçar mais para expressar sua apreciação; sua família ficava feliz quando ele estava feliz, e por isso sua única obrigação com elas era ser feliz, levar exatamente a vida que queria, nos termos que queria.

– Não temos as famílias que merecemos – dissera Willem certa vez, quando estavam muito chapados. Ele, naturalmente, falava de Jude.

– Concordo – respondera JB.

E concordava mesmo. Nenhum deles – nem Willem, nem Jude, nem mesmo Malcolm – tinha a família que merecia. Mas, secretamente, ele fazia uma exceção a si mesmo: ele *tinha* a família que merecia. Elas eram maravilhosas, verdadeiramente maravilhosas, e ele sabia disso. E, além do mais, ele as merecia, *sim*.

– Chegou meu garoto brilhante – dizia Yvette sempre que ele entrava em casa.

Nunca lhe ocorrera que ela pudesse não estar totalmente certa.

—

No dia da mudança, o elevador quebrou.

– Que merda – disse Willem. – Eu *perguntei* a Annika sobre isso. JB, você tem o número dela?

Mas JB não tinha.

– Deixa para lá – falou Willem. De que adiantaria mandar uma mensagem para Annika no fim das contas? – Foi mal, gente – falou para todo mundo. – Vamos ter de subir pelas escadas.

Ninguém pareceu se incomodar. Era um belo dia de meados do outono, frio, seco e com vento, e eles eram oito para transportar não muitas caixas e apenas uns poucos móveis – Willem, JB, Jude, Malcolm, o amigo de JB, Richard, a amiga de Willem, Carolina, e dois amigos dos quatro, que se chamavam ambos Henry Young, mas que eles denominavam de Henry Young Asiático e Henry Young Negro a fim de distingui-los.

Malcolm, que, quando as pessoas menos esperavam, se mostrava um administrador eficiente, designou as tarefas. Jude subiria até o apartamento e controlaria o tráfego e a localização das caixas. Carolina e Henry Young Negro, que eram fortes, mas baixos, carregariam as caixas de livros, de tamanho manejável. Willem, JB e Richard carregariam os móveis. Ele e Henry Young Asiático levariam todo o restante. A cada descida, todos deveriam levar as caixas achatadas por Jude e empilhá-las no meio-fio perto das lixeiras.

– Precisa de ajuda? – perguntou Willem a Jude em voz baixa quando todo mundo começou a se separar para cumprir as tarefas.

– Não – disse ele, secamente, e Willem observou sua subida vacilante e lenta pela escada, que era íngreme e com degraus altos, até o perder de vista.

Foi uma mudança fácil, rápida e sem drama, e depois de todos ficarem um tempinho por ali, desembrulhando pacotes de livros e comendo pizza, os outros partiram, para festas e bares, e Willem e Jude foram finalmente deixados a sós em seu novo apartamento. O lugar estava uma bagunça, mas só a ideia de arrumar as coisas já era muito cansativa. E assim relaxaram, surpresos pela rapidez com que a tarde caíra e pelo fato de que tinham um lugar para morar, um lugar em Manhattan, um lugar pelo qual podiam pagar. Ambos haviam notado os olhares educadamente inexpressivos nos rostos dos amigos ao verem o apartamento pela primeira vez (o quarto com suas duas camas estreitas – "Parece algo saído de um sanatório vitoriano" fora a descrição que Willem fizera a Jude – obtivera a maioria dos comentários), mas nenhum dos dois se importava: era deles e tinham um contrato de dois anos, e ninguém os poderia tirar dali. Conseguiriam até economizar um dinheirinho, e para que precisavam de mais espaço, afinal? Claro, ambos ansiavam por beleza, mas isso teria de esperar. Ou melhor, eles teriam de esperar por ela.

Os dois conversavam, mas os olhos de Jude estavam fechados e Willem sabia – pelo constante palpitar de suas pálpebras, igual às asas de um beija-flor, e pelo modo como sua mão estava fechada em um punho tão apertado que Willem podia ver os filamentos verde-mar de suas veias saltitando sob as costas da mão – que ele estava sentindo dor. Sabia pela postura rígida das pernas de Jude, pousadas sobre uma caixa de livros, que a dor era intensa, e sabia também que nada podia fazer por ele. Se dissesse "Jude, deixe eu pegar uma aspirina para você", Jude diria "Estou bem, Willem, não preciso de nada", e se dissesse "Jude, por que não se deita?", Jude diria "Willem, estou *bem*. Pare de se preocupar". Então fez o que todos eles aprenderam a fazer ao longo dos anos quando as pernas de Jude doíam, que era dar alguma desculpa, levantar-se e deixar o ambiente para que Jude pudesse ficar deitado sem se mexer e esperar a dor passar sem ter de conversar ou gastar energia fingindo que estava tudo bem e que se sentia apenas cansado, ou que tinha cãibras ou qualquer outra explicação furada que pudesse inventar.

No quarto, Willem encontrou o saco com seus lençóis e arrumou primeiro seu futon e depois o de Jude (que tinham comprado na semana anterior a preço de banana daquela que logo seria a ex-namorada de Carolina). Separou suas roupas em camisas, calças, cuecas e meias, destinando-as a caixas de papelão individuais (recém-esvaziadas de seus livros), que enfiou debaixo da cama. Deixou as roupas de Jude onde estavam e foi até o banheiro, que limpou e desinfetou antes de tirar da bolsa e separar as pastas de dente, os sabonetes, as lâminas de barbear e os xampus deles. Uma vez ou duas parou o trabalho para se esgueirar até a sala de estar, onde Jude continuava na mesma posição, de olhos ainda fechados, a mão ainda cerrada, a cabeça ainda virada de lado, impedindo Willem de ver sua expressão.

Seus sentimentos por Jude eram complicados. Ele o amava – aquela parte era simples – e receava por ele, e às vezes se sentia tanto como seu irmão mais velho e protetor quanto seu amigo. Sabia que Jude ficaria e já ficara bem sem ele, mas às vezes via coisas em Jude que o perturbavam e o faziam se sentir impotente e ao mesmo tempo, paradoxalmente, mais determinado a ajudá-lo (embora Jude raramente pedisse ajuda de qualquer tipo). Eles todos amavam Jude, e o admiravam, mas Willem sentia que Jude o deixara ver um pouco mais de si – só um pouquinho – do que mostrara aos outros, e sentia-se inseguro quanto ao que deveria fazer com aquele conhecimento.

A dor em suas pernas, por exemplo: desde que o conheciam, sabiam que tinha problemas nelas. Era difícil não perceber isso; ele usara bengala durante toda a faculdade e, quando mais jovem – era tão novo quando o conheceram, dois anos mais moço do que eles, que ainda estava em fase de crescimento –, só caminhava com a ajuda de uma muleta ortopédica e usava um aparelho atado com talas nas pernas, cujos parafusos externos, encravados em seus ossos, diminuíam sua capacidade de dobrar os joelhos. Mas nunca se queixara, nem uma vez sequer, embora também nunca desdenhasse das queixas do próximo; no segundo ano de faculdade, JB escorregara no gelo e quebrara o pulso, e todos eles se lembravam da rebordosa que se seguira e dos gemidos teatrais de JB, seus gritos de sofrimento, e como se recusara a deixar a enfermaria da universidade por uma semana, depois que botaram o gesso, recebendo tantas visitas que o jornal da faculdade publicara um artigo sobre ele. Havia outro sujeito no dormitório, um jogador de futebol que havia rompido o menisco, que dizia sem parar que JB não sabia o que era dor, mas Jude fora visitar JB todo dia, assim como Willem e Malcolm, e lhe demonstrara toda a compaixão pela qual ele ansiava.

Certa noite, pouco depois que JB se dignara a ter alta e voltara ao dormitório para desfrutar de outra salva de atenções, Willem acordara e encontrara o quarto vazio. Isso não era incomum, na verdade: JB estava na casa do namorado e Malcolm, que tinha aulas de astronomia em Harvard naquele semestre, estava no laboratório, onde agora dormia todas as noites de terças e quintas. O próprio Willem muitas vezes estava em outro lugar, normalmente no quarto da namorada, mas ela pegara uma gripe e ele tinha ficado em casa aquela noite. Mas Jude estava sempre lá. Nunca tivera namorada ou namorado e sempre passava a noite no quarto, e sua presença na cama debaixo da de Willem era tão familiar e constante quanto o mar.

Não sabia ao certo o que o levara a descer da cama e parar por um minuto, entorpecido, no centro do quarto silencioso, olhando ao redor como se Jude pudesse estar pendurado no teto como uma aranha. Mas notou então que a muleta havia sumido e começou a procurar por ele, chamando seu nome baixinho na área comum que dividiam e, quando não obteve resposta, deixou a sala e atravessou o corredor rumo ao banheiro comunitário. Saindo da escuridão do cômodo, encontrou o banheiro tão iluminado que chegou a sentir-se nauseado. As lâmpadas fluorescentes emitiam seu zunido suave e contínuo, e ele estava tão desorientado que foi surpreendido menos do que deveria quando viu, no último reservado, o pé de Jude estendido por baixo da porta, com a ponta da muleta ao seu lado.

– Jude? – sussurrou, batendo à porta, e, quando não ouviu resposta, disse: – Vou entrar.

Abriu a porta e encontrou Jude no chão, com uma perna encostada no peito. Tinha vomitado, e parte do vômito formava uma poça no chão à sua frente, e outras partes formavam uma crosta nos lábios e no queixo, uma leve mancha pontilhada adamascada. Seus olhos estavam fechados e ele suava, e com uma das mãos segurava o cabo encurvado da muleta com uma força que, como Willem reconheceria depois, só vem de um extremo desconforto.

Na ocasião, porém, ele estava assustado e confuso, e começou a fazer a Jude pergunta atrás de pergunta, nenhuma das quais ele estava em condição de responder, e só depois que tentou colocar Jude de pé foi que Jude soltou um grito, e Willem entendeu como era forte a dor.

Ele conseguiu, de algum jeito, meio arrastar e meio carregar Jude até o quarto, colocá-lo na cama e limpá-lo o melhor que pôde. Àquela altura o pior da dor parecia ter passado, e, quando Willem lhe perguntou se devia chamar um médico, Jude sacudiu a cabeça.

– Mas, Jude – disse, baixinho –, você está com dor. Temos de buscar ajuda.

– Nada vai adiantar – disse ele, ficando em silêncio por uns momentos. – Só preciso esperar.

Sua voz estava sussurrante e fraca, pouco familiar.

– O que posso fazer? – perguntou Willem.

– Nada – respondeu Jude. Os dois ficaram quietos. – Mas, Willem... pode ficar um pouco comigo?

– Claro – respondeu.

Ao seu lado, Jude tremia e se sacudia como se sentisse frio, e Willem tirou a manta da própria cama e o cobriu. A certa altura ele estendeu a mão debaixo da coberta e encontrou a mão de Jude, abrindo seu punho cerrado para poder segurar sua palma úmida e calejada. Fazia muito tempo que não segurava a mão de outro homem – desde a cirurgia do próprio irmão muito anos atrás – e se surpreendeu ao ver como era forte o aperto de Jude, como eram musculosos seus dedos. Jude tremeu e bateu o queixo durante horas, e Willem acabou se deitando ao seu lado e caindo no sono.

Na manhã seguinte, acordou na cama de Jude com a mão latejando e, quando a examinou, viu as manchas roxas onde os dedos de Jude o haviam apertado. Levantou-se, um pouco oscilante, e caminhou até a área comum, onde encontrou Jude lendo à sua mesa, com as feições indistintas sob a luz forte do fim da manhã.

Ele ergueu o olhar quando Willem se aproximou e então se levantou, e, por um tempo, eles simplesmente se entreolharam em silêncio.

– Willem, desculpe – disse Jude por fim.

– Jude – falou ele –, não há por que se desculpar.

E ele foi sincero; não havia.

– Desculpe, Willem, desculpe – repetia Jude, apesar disso, e, por mais que Willem tentasse tranquilizá-lo, ele não se aquietava.

– Só não conte para Malcolm e JB, tá? – pediu.

– Pode deixar – prometeu ele.

E nunca contou, embora não tenha feito nenhuma diferença, porque Malcolm e JB também acabariam vendo-o sofrendo de dor, embora só poucas vezes em episódios tão intensos como o que Willem presenciara naquela noite.

Ele nunca discutiu aquilo com Jude, mas, nos anos que se seguiram, ele o veria com todo tipo de dor, dores intensas e dores fracas, o veria estremecer diante de pequenos ferimentos e, às vezes, quando o desconforto era muito grande, o veria vomitar, ou se dobrar no chão, ou simplesmente apagar e ficar impassível, como fazia agora na sala de estar. Mas, embora fosse um homem que cumpria suas promessas, havia uma parte dele que se perguntava por que nunca tocara no assunto com Jude, por que nunca o fizera falar como era aquela sensação, por que nunca ousara fazer o que o instinto lhe mandara fazer uma centena de vezes: sentar-se ao lado dele e massagear suas pernas, tentar forçar de volta à submissão aqueles terminais nervosos rebeldes. Em vez disso, ali estava ele no banheiro, mantendo-se ocupado, enquanto a poucos metros um de seus melhores amigos estava sentado num sofá nojento, empreendendo a jornada lenta, triste e solitária de volta à consciência, de volta à terra dos vivos, sem ninguém ao seu lado.

– Você é um covarde – falou para seu reflexo no espelho do banheiro.

Seu rosto o encarou, exausto. Na sala de estar só havia silêncio, mas Willem parou na porta, onde não podia ser visto, e esperou que Jude voltasse para ele.

— O lugar é um muquifo — tinha dito JB a Malcolm, e, embora não estivesse errado (só o vestíbulo dava arrepios a Malcolm), ele ainda assim voltou para casa sentindo-se melancólico e pensando uma vez mais se continuar morando com os pais era realmente preferível a viver num muquifo só seu.

Logicamente, é claro, ele devia ficar onde estava. Ganhava muito pouco e trabalhava muito, e a casa dos pais era grande o bastante para que pudesse, em teoria, nunca os ver, se assim desejasse. Além de ocupar todo o quarto andar (que, para ser honesto, não era muito melhor que um muquifo, de tão bagunçado — sua mãe deixara de mandar a faxineira subir para limpar depois que Malcolm gritara com ela porque Inez havia quebrado uma de suas maquetes), ele tinha acesso à cozinha e à máquina de lavar e a toda gama de jornais e revistas que seus pais assinavam, e, uma vez por semana, acrescentava algumas roupas ao desgastado saco de pano que a mãe deixava na lavanderia a seco a caminho do escritório e que Inez recolhia no dia seguinte. Não tinha orgulho daquilo, é claro, nem do fato de ter 27 anos e sua mãe ainda ligar para o escritório dele quando fazia as compras da semana, a fim de perguntar se ele comeria morangos caso ela os comprasse ou para saber se ele queria truta ou outro peixe no jantar daquela noite.

As coisas seriam mais fáceis, porém, se seus pais respeitassem os mesmos limites de espaço e tempo que Malcolm. Além de esperarem que ele tomasse o café da manhã com eles diariamente e o brunch todo domingo, eles também passavam toda hora por seu andar para uma visita, batendo à porta e girando a maçaneta ao mesmo tempo, o que, como Malcolm lhes dissera inúmeras vezes, anulava o propósito da batida. Sabia que estava sendo malcriado e ingrato ao pensar assim, mas às vezes tinha pavor de voltar para casa por causa da inevitável conversa fiada que teria de aguentar antes que pudesse escapulir para o quarto como um adolescente. Tinha medo de como seria a vida na casa sem Jude por lá; embora o porão fosse mais reservado que o seu andar, seus pais também deram para passar por lá quando Jude estava em casa, e, certas vezes, quando Malcolm descia para ver Jude, encontrava o pai doutrinando Jude sobre algo chato. Seu pai gostava muito de Jude – dizia frequentemente a Malcolm que Jude possuía peso e profundidade intelectuais de verdade, ao contrário de seus outros amigos, que eram basicamente um bando de doidivanas – e, com ele indo embora, seria a Malcolm que o pai regalaria com suas histórias complicadas sobre o mercado e as realidades financeiras globais em transformação e vários outros tópicos que não interessavam muito a Malcolm. Na verdade, às vezes suspeitava de que o pai teria preferido Jude como filho: ele e Jude tinham frequentado a mesma faculdade de direito. O juiz para quem Jude trabalhara fora o mentor do seu pai em sua primeira firma. E Jude era promotor assistente na divisão criminal da Promotoria, exatamente o mesmo lugar onde seu pai trabalhara quando jovem.

"Escreva o que eu digo: aquele garoto vai longe" ou "É tão raro encontrar, no início da carreira, alguém que vai alcançar o sucesso por seu próprio mérito", anunciava seu pai com frequência para Malcolm e sua mãe depois de falar com Jude, parecendo satisfeito consigo mesmo, como se fosse de certa forma responsável pelo talento de Jude, e, naqueles momentos, Malcolm evitava olhar para o rosto da mãe e para a expressão consoladora que certamente encontraria.

As coisas também seriam mais fáceis se Flora ainda estivesse em casa. Enquanto ela se preparava para ir embora, Malcolm tentou sugerir que ele poderia dividir o novo apartamento de dois quartos em Bethune Street com ela, mas ela simplesmente não entendeu suas numerosas indiretas ou simplesmente preferiu não as entender. Flora não parecia se incomodar com o tempo excessivo que seus pais demandavam, o que significava que ele podia passar mais tempo em seu quarto trabalhando com suas maquetes e menos tempo no andar de baixo, na sala de estar, remexendo-se durante os intermináveis festivais de filmes de Ozu promovidos pelo pai. Quando era mais jovem, Malcolm ficava magoado e ressentido pela preferência do pai por Flora, e era tão óbvia que os amigos da família comentavam a respeito. "Flora Fabulosa", seu pai a chamava (ou, em vários momentos de sua adolescência, "Flora, a Firme", "Flora, a Furiosa" ou "Flora, a Fera", embora sempre de forma elogiosa), e até mesmo hoje – embora Flora tivesse quase 30 anos – ainda demonstrava um carinho especial por ela. "A Fabulosa fez um comentário muito espirituoso hoje", contava durante o jantar, como se Malcolm e sua mãe não falassem sempre com Flora, ou, depois de um brunch no Baixo Manhattan, perto do apartamento de Flora, "Por que a Fabulosa tinha de se mudar para tão longe de nós?", embora ela só estivesse a quinze minutos de carro de distância. (Malcolm achava isso particularmente irritante, pois o pai sempre lhe contava suas histórias sobre como se mudara das Granadinas para o Queens quando criança e como se sentira para sempre um homem encurralado entre dois países, e que um dia Malcolm também deveria ir morar fora, pois aquilo realmente o enriqueceria como pessoa e lhe daria uma nova visão de mundo, muito necessária etc. etc. E, no entanto, se Flora ousasse se mudar da ilha, para não dizer morar em outro país, Malcolm não tinha dúvida alguma de que o pai ficaria desolado.)

Malcolm não tinha apelido. Ocasionalmente, seu pai o chamava pelos sobrenomes de outros Malcolms famosos: "X", ou "McLaren", ou "McDowell", ou "Muggeridge", supostamente aquele que inspirara o nome de Malcolm – mas sempre parecia mais uma repreensão do que um gesto afetuoso, um lembrete do que Malcolm deveria ser e claramente não era.

Malcolm tinha a sensação de que era tolice ainda se importar com o fato de que o pai não parecia gostar muito dele, que dirá lastimar. Até sua mãe dizia o mesmo. "Você sabe que papai não fala por mal", argumentava ela de vez em quando, depois que o pai proferia um de seus solilóquios sobre a superioridade geral de Flora, e Malcolm – querendo acreditar nela, embora também notando com irritação que sua mãe ainda se referia a seu pai como "Papai" – rosnava ou resmungava qualquer coisa para mostrar a ela que não se importa. E às vezes – de novo, com uma incrível frequência – ele ficava irritado por passar tanto tempo pensando nos pais. Aquilo era normal? Não havia algo de patético nisso? Tinha 27 anos, afinal! Era isso o que acontecia quando você morava na casa dos pais? Ou seria só com ele? Seguramente este era o melhor argumento possível a favor de sair de casa: dar um jeito de deixar de ser tão criança. À noite, enquanto os pais encerravam sua rotina lá embaixo, com o estrondo dos canos velhos ao lavarem o rosto e o súbito baque do silêncio quando diminuíam a temperatura dos aquecedores da sala de estar, sons mais precisos do que qualquer relógio ao indicar que eram onze horas, onze e meia, meia-noite, Malcolm fazia listas daquilo que precisava resolver, e rápido, no ano seguinte: seu trabalho (que não ia para a frente), sua vida amorosa (inexistente), sua sexualidade (não resolvida), seu futuro (incerto).

Os quatro itens eram sempre os mesmos, embora às vezes a ordem de prioridade mudasse. Também consistente era sua capacidade de diagnosticar com precisão o estado de cada uma dessas questões, além de sua extrema incapacidade de encontrar soluções.

Na manhã seguinte ele acordaria decidido: ia sair de casa e dizer aos pais que largassem do seu pé. Mas, quando chegava ao andar de baixo, lá estava sua mãe preparando o café da manhã (enquanto o pai há muito saíra para o trabalho), dizendo que ia comprar hoje as passagens para a viagem anual que faziam a St. Barts e se ele podia dizer quantos dias gostaria de passar com eles por lá? (Seus pais ainda pagavam suas férias. Ele sempre evitara mencionar isso aos amigos.)

– Sim, mãe – dizia.

E então tomava o café da manhã e saía, entrando no mundo em que ninguém o conhecia e no qual podia ser qualquer um.

2

ÀS CINCO DA TARDE de todo dia útil e às onze da manhã de todo fim de semana, JB pegava o metrô e seguia para seu estúdio em Long Island City. A viagem dos dias úteis era sua favorita: pegava o metrô na Canal Street e via o trem se encher e esvaziar a cada parada com uma combinação sempre nova de diferentes pessoas e etnias, a população do vagão se reconstituindo mais ou menos a cada dez quarteirões em constelações improváveis de poloneses, chineses, coreanos, senegaleses; senegaleses, dominicanos, indianos, paquistaneses; paquistaneses, irlandeses, salvadorenhos, mexicanos; mexicanos, cingaleses, nigerianos e tibetanos – a única coisa que tinham em comum era seu pouco tempo nos Estados Unidos e suas expressões idênticas de exaustão no rosto, aquela mistura de determinação e resignação que só o imigrante possui.

Naqueles momentos, sentia-se igualmente agradecido pela própria sorte e sentimental em relação à sua cidade, sentimento este que não lhe vinha com muita frequência. Não era alguém que louvava sua cidade natal por ser um glorioso mosaico, e caçoava das pessoas que o faziam. Mas admirava – como alguém podia não admirar? – a quantidade coletiva de trabalho, trabalho *verdadeiro*, que seus companheiros de trem certamente haviam realizado naquele dia. E, no entanto, em vez de ficar constrangido por sua relativa indolência, sentia-se aliviado.

A única outra pessoa com a qual chegara a discutir essa sensação, ainda que de forma elíptica, fora Henry Young Asiático. Eles viajavam no metrô para Long Island City – fora Henry quem encontrara espaço para ele no estúdio, na verdade – quando um chinês, franzino e retesado, segurando uma sacola plástica vermelho-caqui pendurada na última articulação do dedo indicador direito, como se não tivesse mais forças ou vontade para carregá-la de maneira adequada, deu alguns passos e desabou no assento à frente deles, cruzando as pernas e dobrando os braços sobre o peito, e imediatamente caiu no sono. Henry, a quem conhecia desde o ensino médio, bolsista como ele e filho de uma costureira em Chinatown, havia olhado para JB e declarado: "Salvo pela graça de deus", e JB entendeu perfeitamente a mistura particular de culpa e prazer que ele sentia.

O outro aspecto que adorava naquelas viagens ao anoitecer era a luz em si, como ela enchia o trem como algo vivo à medida que os vagões chocalhavam ao atravessar a ponte, como ela lavava o cansaço do rosto de seus companheiros de viagem e os revelava como eram quando chegaram ao país, quando eram jovens e os Estados Unidos pareciam conquistáveis. Ele observava aquela luz generosa se alastrar pelo vagão como mel, apagando rugas das testas, transformando cabelos grisalhos em dourados, suavizando o brilho exagerado de tecidos baratos e os transformando em algo lustroso e fino. E então o sol ia embora, e o vagão seguia com indiferença, e o mundo voltava a suas formas e cores normais e tristes, as pessoas, ao seu estado normal e triste, uma mudança tão cruel e abrupta como se feita pela varinha de condão de uma bruxa.

Gostava de fingir que era um deles, mas sabia que não era. Às vezes havia haitianos no trem, e ele – sua audição, subitamente aguçada como a de um lobo, distinguia do murmúrio ao redor o som creole gorgolejante e cantarolado deles – se via olhando em sua direção, dos dois homens com o rosto redondo como o de seu pai ou das duas mulheres com narizinhos arrebitados como o de sua mãe. Sempre esperou que pudesse ser contemplado com uma oportunidade de falar com eles – talvez discutissem sobre como chegar a algum lugar e ele pudesse se interpor e oferecer a solução –, mas isso nunca acontecia. Às vezes deixavam os olhos viajarem pelos bancos, ainda falando entre si, e ele se retesava, preparando o rosto para sorrir, mas nunca pareciam reconhecê-lo como um dos seus.

O que ele não era, claro. Até ele sabia que tinha mais em comum com Henry Young Asiático, com Malcolm, com Willem ou mesmo com Jude do que com eles. Bastava uma análise mais atenta: desembarcava em Court Square e caminhava os três quarteirões até a antiga fábrica de garrafas onde agora dividia um espaço de estúdio com três outras pessoas. Será que *verdadeiros* haitianos tinham espaços em estúdios? Será que ocorreria a haitianos *verdadeiros* deixar seus grandes apartamentos, sem pagar aluguel, onde poderiam teoricamente ter encontrado seu próprio canto para pintar e rabiscar, para entrar num trem de metrô e viajar meia hora (pensem em quanto trabalho podia ser feito naqueles trinta minutos!) até um espaço ensolarado e sujo? Não, claro que não. Para conceber tal luxo era preciso ter uma mente americana.

O loft, que ficava no terceiro andar, era alcançado por uma escada de metal que repicava como um sino toda vez que se pisava nela; tinha paredes brancas e piso branco, embora o assoalho fosse tão extravagantemente cheio de farpas que, em certas áreas, parecia um tapete felpudo. Havia janelas altas e antiquadas pontuando cada lado e pelo menos estas os quatro mantinham limpas – cada inquilino era responsável por uma parede – porque a luz era boa demais para ser ofuscada pela sujeira, e nela residia toda a importância do espaço. Havia um banheiro (indescritível) e uma cozinha (um pouco menos horrenda) e, no exato centro do loft, uma grande laje que servia de mesa, feita com mármore de qualidade inferior e colocada sobre três cavaletes. Essa era uma área comum, que qualquer um podia usar para trabalhar num projeto que precisasse de um pouco de espaço extra, e, ao longo dos meses, o mármore recebera estrias de lilás e amarelo-laranja e salpicos do precioso vermelho-cádmio. Hoje, a mesa estava coberta por longas faixas de organza estampada à mão em várias cores, com livros dispostos como sobrepeso nas extremidades, suas pontas esvoaçando ao sopro dos ventiladores de teto. Um aviso em papel no centro dizia: SECANDO. NÃO MEXA. LIMPAREI ASSIM Q CHEGAR AMANHÃ À TARDE. OBG PELA PACIÊNCIA, H.Y.

Não havia paredes dividindo o espaço, mas ele fora separado em quatro seções iguais de 45 metros quadrados cada por fita isolante, as linhas azuis demarcando não só o chão, mas a parede e o teto acima do espaço de cada artista. Todo mundo era hipervigilante quanto a respeitar o território do outro; você fingia não ouvir o que acontecia no espaço do vizinho, mesmo que ele estivesse gritando com a namorada no telefone e você pudesse, obviamente, ouvir cada palavra. Quando queria entrar no território do outro, você chegava à beira da fita azul e o chamava baixinho, e só se ele não estivesse profundamente absorto, antes de pedir permissão para atravessar.

Às cinco e meia a luz era perfeita: um tanto amanteigada, densa e gorda, enchendo o ambiente como preenchera o trem, fazendo dele algo expansivo e otimista. Estava sozinho lá. Richard, cujo espaço ficava ao lado do seu, trabalhava como barman à noite e por isso passava seu tempo no estúdio pela manhã, assim como Ali, cuja área ficava em frente à sua. Sobrava Henry, cujo espaço era diagonal ao seu e que geralmente chegava às sete, depois de deixar seu trabalho diário na galeria. Ele tirou a jaqueta, que jogou no seu canto, descobriu sua tela e sentou-se no banquinho diante dela, suspirando.

Era o quinto mês de JB no estúdio e ele amava estar lá, mais do que achara que amaria. Gostava do fato de seus companheiros de estúdio serem todos artistas de verdade e sérios; ele jamais conseguiria trabalhar na casa de Ezra, não só porque acreditava no que seu professor favorito uma vez lhe dissera – nunca pinte no mesmo local onde trepa –, mas porque trabalhar na casa de Ezra significava ser constantemente cercado e interrompido por diletantes. Lá, a arte era apenas um acessório a um estilo de vida. Você pintava, esculpia ou fazia instalações de merda porque isso justificava um guarda-roupa de camisetas desbotadas e jeans sujos e uma dieta de cervejas americanas ironicamente baratas e de cigarros americanos enrolados à mão ironicamente caros. Aqui, porém, você fazia arte porque era a única coisa em que era bom; a única coisa, na verdade, em que pensava quando não vinham à sua mente lampejos breves das coisas em que todo mundo pensava: sexo, comida, sono, amigos, dinheiro e fama. Mas, em algum lugar dentro de você, se estivesse pegando alguém num bar ou jantando com amigos, havia sempre a sua tela, suas formas e possibilidades flutuando embrionariamente por trás de suas pupilas. Havia um período – ou pelo menos você esperava que houvesse – em cada pintura ou projeto, em que a vida daquela pintura se tornava mais real para você do que sua vida cotidiana, quando você se sentava onde quer que estivesse e pensava só em voltar ao estúdio, quando você, sem se dar conta, amontoava uma pilha de sal sobre a mesa de jantar e nela desenhava suas tramas e formas e planos, os grãos brancos movendo-se sob as pontas dos seus dedos como lodo.

JB também gostava do companheirismo específico e inesperado do lugar. Havia ocasiões nos fins de semana em que todo mundo estava lá ao mesmo tempo e, em certos momentos, ele emergia da névoa da sua pintura e sentia que todos ali respiravam no mesmo ritmo, ofegantes quase, pelo esforço da concentração. Podia sentir então a energia coletiva que eles despendiam enchendo o ar como gás, inflamável e doce, e desejava poder engarrafá-lo para que pudesse inspirá-lo quando se sentisse sem inspiração, para aqueles dias em que ficava sentado diante da tela literalmente durante horas, como se, ao encará-la por bastante tempo, ela pudesse explodir em algo brilhante e elétrico. Ele gostava da cerimônia de esperar à beira da fita azul e pigarrear na direção de Richard, para então atravessar a fronteira e olhar o trabalho dele, os dois parados diante da obra em silêncio, precisando trocar apenas pouquíssimas palavras e, no entanto, entendendo exatamente o que o outro queria dizer. Você passava tanto tempo se *explicando*, explicando seu trabalho, para os outros – o que ele significava, o que você queria alcançar, por que queria alcançar aquilo, por que havia escolhido as cores e o tema, os materiais, a aplicação e a técnica que usava – que era um alívio simplesmente estar com outra pessoa à qual não precisava explicar nada; bastava olhar e olhar, e quando você fazia perguntas, eram geralmente diretas, técnicas e literais. Era como discutir motores ou encanamentos: uma questão mecânica e direta, para a qual só havia uma ou duas respostas possíveis.

Todos trabalhavam em diferentes mídias, por isso não havia competição nem medo de que um videoartista encontrasse um agente antes de seu colega de estúdio, e menos medo de que um curador viesse ver o seu trabalho e se apaixonasse pelo do vizinho. E, no entanto – e isso era importante –, ele respeitava o trabalho de todo mundo também. Henry fazia o que chamava de esculturas desconstruídas, estranhos e elaborados arranjos ikebana de flores e galhos feitos com vários tipos de seda. Depois que terminava uma peça, porém, ele removia o arcabouço de tela de arame e a escultura caía ao chão como um objeto achatado e parecia uma poça abstrata de cores – só Henry sabia a aparência dela como objeto tridimensional.

Ali era fotógrafo e trabalhava numa série chamada "A História dos Asiáticos nos Estados Unidos", para a qual criava uma fotografia que representasse cada década dos asiáticos no país desde 1890. Para cada imagem, ele fazia um diferente diorama representando um evento ou tema marcante numa das três caixas de pinho de 30 centímetros quadrados que Richard construíra para ele, a qual povoava com bonequinhos de plástico que comprava em lojas de material de arte e pintava, árvores e estradas que fazia de argila, e panos de fundo que pintava com um pincel de cerdas tão finas que pareciam cílios. Ele então fotografava os dioramas e fazia fotos cromogênicas. Dos quatro, apenas Ali tinha agente, e faria uma mostra dali a sete meses, a qual os outros três evitavam mencionar, pois só de pensar ele já choramingava de ansiedade. Ali não progredia em ordem histórica – fizera os anos 2000 (um trecho do Baixo Broadway cheio de casais, todos formados por homens brancos e, caminhando poucos passos atrás deles, mulheres asiáticas) e os anos 1980 (um chinês minúsculo levando uma surra de dois brutamontes minúsculos e brancos com chaves inglesas, a parte inferior da caixa banhada com verniz para parecer o asfalto molhado de chuva de um estacionamento), e trabalhava agora nos anos 1940, para o qual pintava um elenco de cinquenta homens, mulheres e crianças que seriam prisioneiros do campo de concentração de Tule Lake. O trabalho de Ali era o mais cansativo de todos e, às vezes, quando estavam procrastinando em seus próprios projetos, os outros entravam no cubo de Ali e se sentavam ao lado dele, e Ali, sem tirar os olhos da lente de aumento sob a qual segurava uma boneca de sete centímetros, na qual pintava uma saia com estampa chevron e sapatos de montaria, passava a eles um emaranhado de lã de aço que precisava ser desfiado para que parecesse um arbusto do deserto, ou algum aramado fino que ele queria pontuado com pequenos nós para parecer arame farpado.

Mas era o trabalho de Richard que JB admirava mais. Ele também era escultor, mas trabalhava com materiais efêmeros. Desenhava formas impossíveis em papel de rascunho e então as produzia em gelo, ou manteiga, ou chocolate, ou banha de porco, e as filmava à medida que se dissolviam. Ele ficava feliz ao testemunhar a desintegração de suas obras, mas JB, ao observar no mês anterior uma enorme obra de dois metros e meio de altura que Richard fizera – uma asa de morcego curvilínea, parecida com uma vela de barco, esculpida com suco de uva congelado que parecia sangue coagulado – gotejando e depois se dissolvendo, se viu a ponto de chorar, embora fosse incapaz de saber se por causa da destruição de algo tão bonito ou pela mera profundidade banal do seu desaparecimento. Agora Richard estava menos interessado em substâncias que derretessem e mais interessado em substâncias que atrairiam agentes dizimadores; interessava-se em particular por traças, que aparentemente adoravam mel. Tivera uma visão, contou a JB, de uma escultura tão distorcida pelo acúmulo de traças que seria impossível ver a forma da coisa que elas estavam devorando. Os peitoris de suas janelas estavam cobertos por fileiras de potes de mel, nos quais os favos porosos flutuavam como fetos suspensos em formol.

JB era o classicista solitário entre eles. Ele pintava. Pior, era um pintor figurativo. Quando entrara para a faculdade, ninguém dava a mínima para trabalho figurativo: qualquer coisa – videoarte, arte performática, fotografia – era mais divertido do que pintura e, na verdade, *qualquer coisa* era melhor do que o trabalho figurativo.

– Tem sido assim desde os anos 1950 – suspirara um de seus professores quando JB se queixara a ele. – Conhece aquele lema dos fuzileiros navais? "Os poucos, os bravos..."? Somos nós, os perdedores solitários.

Não que, ao longo dos anos, ele não tivesse tentado outras coisas, outros formatos (aquele estúpido e fajuto projeto dos cabelos, inspirado por Meret Oppenheim! Haveria coisa mais vulgar? Ele e Malcolm tiveram uma grande briga, uma de suas maiores, quando Malcolm chamara a série de "imitação barata de Lorna Simpson", e o pior, é claro, é que Malcolm estava certo), mas, embora nunca admitisse a ninguém que achava haver algo de afetado, quase feminino, e certamente nada intenso em ser um pintor figurativo, tivera de aceitar que era aquilo o que era: ele amava pintar e amava fazer retratos, e era isso que faria.

Então: E agora? Conhecera pessoas – *conhecia* pessoas – que eram, tecnicamente, artistas muito melhores que ele. Desenhavam melhor, possuíam uma melhor noção de composição e cor, eram mais disciplinadas. Mas não tinham nenhuma ideia. Um artista, assim como um escritor, ou compositor, precisava de temas, precisava de ideias. E por muito tempo ele simplesmente não teve nenhuma. Tentou desenhar somente pessoas negras, mas uma porção de gente desenhava pessoas negras, e ele não sentia que tivesse algo de novo a acrescentar. Desenhou prostitutas por um tempo, mas aquilo também foi perdendo a graça. Desenhou as mulheres da sua família, mas se viu de volta ao problema negro. Começou uma série de cenas dos livros do Tintin, com os personagens retratados realisticamente, como humanos, mas aquilo logo pareceu irônico e vazio demais, e então parou. A partir daí vadiou de tela em tela, fazendo retratos de pessoas na rua, de pessoas no metrô, de cenas das muitas festas de Ezra (estas foram as que tiveram menor sucesso; todo mundo naquelas reuniões era do tipo que se vestia e se comportava como se estivesse constantemente sob observação, e ele acabou com páginas de estudos de garotas posando e rapazes se exibindo, todos com os olhos cuidadosamente desviados do seu olhar), até que, uma noite, sentado no apartamento deprimente de

Jude e Willem, em seu sofá deprimente, ficou observando os dois preparando o jantar, lutando por espaço em sua cozinha em miniatura como um agitado casal de lésbicas. Aquela tinha sido uma das raras noites de domingo em que não fora à casa da mãe, porque ela, sua avó e suas tias estavam em um cruzeiro brega no Mediterrâneo, do qual ele se recusara a participar. Mas se acostumara a visitar pessoas e a ter um jantar – um jantar de verdade – preparado para ele aos domingos, e por isso se convidara para a casa de Jude e Willem, sabendo que os encontraria lá porque não tinham dinheiro para sair.

Estava com a prancheta de rascunhos, como sempre, e quando Jude se sentou à mesa de carteado para picar cebolas (eles tinham de fazer todas as tarefas preliminares na mesa, porque não havia espaço no balcão da cozinha), começou a desenhá-lo quase sem perceber. Da cozinha vinha um barulho de pancadas e o cheiro de azeite fumegante, e, quando foi até lá e viu Willem esmurrando um pedaço de frango cortado ao meio com a base de uma frigideira de omelete, erguendo o braço sobre a carne como se fosse lhe dar umas palmadas e com uma expressão estranhamente pacífica no rosto, ele também o desenhou.

Não soube muito bem, naquele momento, se estava realmente trabalhando em algo concreto, mas no fim de semana seguinte, quando todos foram ao Pho Viet Huong, ele levou uma das velhas câmeras de Ali e fotografou os três comendo e, depois, caminhando pela rua sob a neve. Andavam particularmente devagar em consideração a Jude, porque as calçadas estavam escorregadias. Ele os mirou enfileirados no visor da câmera: Malcolm, Jude e Willem; Jude no meio, com Malcolm de um lado e Willem do outro, pertos o bastante (ele sabia, tendo ele mesmo ocupado a posição) para segurá-lo se escorregasse, mas não tão próximos que Jude pudesse suspeitar que esperavam sua queda. Nunca combinaram essa estratégia, na verdade: simplesmente a colocaram em prática.

Ele tirou a foto.

– O que está fazendo, JB? – perguntou Jude.

Ao mesmo tempo, Malcolm reclamou:

– Pare com isso, JB.

A festa naquela noite foi na Centre Street, no loft de uma mulher chamada Mirasol, cuja irmã gêmea, Phaedra, eles conheciam da faculdade. Assim que entraram no loft, cada um se dirigiu para seus diferentes subgrupos, e JB, depois de acenar para Richard do outro lado da sala e perceber com irritação que Mirasol tinha providenciado comida para a festa, significando que eles haviam desperdiçado catorze dólares no Pho Viet Huong quando podiam ter comido de graça ali, se viu caminhando até onde Jude conversava com Phaedra, com um cara gordo que podia ser o namorado de Phaedra e com um cara magro e barbudo que ele reconheceu como sendo um amigo de Jude do trabalho. Jude estava empoleirado no encosto de um dos sofás, Phaedra ao lado dele, os dois olhando para o cara gordo e o cara magro, e todos riam de alguma coisa: ele tirou a foto.

Normalmente, em festas, ele agarrava ou era agarrado por um grupo de pessoas, e passava a noite como o núcleo de uma variedade de trios ou quartetos, saltitando de um para outro, colhendo as fofocas, iniciando boatos inofensivos, fingindo trocar confidências, fazendo com que os outros lhe contassem quem odiavam em troca de divulgar quem ele próprio odiava. Mas, naquela noite, circulava pelo ambiente alerta, determinado e na maior parte do tempo sóbrio, tirando fotos de seus três amigos, que se moviam cada um do seu jeito, sem saber que ele os seguia. A certa altura, passadas já umas duas horas, ele os encontrou à janela, reunidos, Jude dizendo algo e os outros chegando perto dele para ouvi-lo e jogando o corpo para trás e rindo, e, embora por um momento tenha se sentido melancólico e um pouco enciumado, sentiu-se também triunfante porque conseguira captar as duas cenas. *Esta noite eu sou uma câmera,* disse a si mesmo, *e amanhã serei JB de novo.*

De certo modo, ele nunca curtira tanto uma festa, e ninguém parecia notar suas andanças deliberadas exceto Richard, que, no momento em que os quatro saíram, uma hora depois, a caminho do Alto Manhattan (os pais de Malcolm estavam no campo, e Malcolm achava que sabia onde a mãe escondia sua maconha), lhe deu um inesperado tapinha amigo no ombro.

— Trabalhando em algo novo?
— Acho que sim.
— Bom para você.

No dia seguinte ele se sentou diante do computador olhando as imagens da noite anterior na tela. Não era uma câmera boa, e ofuscara cada foto com uma luz amarela fumacenta que, somada à sua própria incapacidade de achar o foco, deixara todos com uma cor quente, forte e com linhas levemente suavizadas, como se tivessem sido fotografados através de um copo de uísque. Ele parou num close do rosto de Willem, sorrindo para alguém (uma garota, sem dúvida) que estava fora da visão da câmera, e outro de Jude com Phaedra no sofá: Jude usava um suéter azul-marinho que JB nunca sabia se pertencia a ele ou a Willem, já que ambos o usavam com frequência, e Phaedra trajava um vestido de lã vinho. Ela inclinava a cabeça na direção dele, e o tom escuro dos seus cabelos fazia os dele parecerem mais claros, e o azul-petróleo texturizado do sofá os deixava reluzentes como joias, suas cores envernizadas e esplêndidas, suas peles, deliciosas. Eram cores que qualquer um desejaria pintar, e foi isso que ele fez, esboçando a cena primeiro a lápis no caderno, depois, numa prancheta mais dura em aquarela, e finalmente, na tela em acrílico.

Isso acontecera quatro meses antes, e agora ele tinha quase onze quadros terminados – uma produção espantosa para ele –, todos a partir de cenas da vida de seus amigos. Lá estava Willem esperando para fazer um teste, estudando o roteiro uma última vez, apertando a sola da bota contra a parede vermelha grudenta atrás dele; e Jude numa peça, seu rosto meio sombreado, no segundo exato em que sorria (tirar aquela foto quase valeu a JB a expulsão do teatro); Malcolm sentado duro num sofá a poucos metros do pai, suas costas retas e as mãos agarrando os joelhos, os dois vendo um filme de Buñuel numa televisão localizada fora do quadro. Depois de alguma experimentação, ele se fixara em telas do tamanho de uma fotografia cromogênica padrão, 50 por 60 centímetros, todas na horizontal, imaginando que um dia pudessem ser expostas numa única fileira longa e serpenteante que correria ao longo das paredes de uma galeria, cada imagem seguindo a outra tão fluidamente como células numa tira de filme. O tratamento era realista, mas fotorrealista; ele nunca trocara a câmera de Ali por outra melhor e tentava fazer com que cada quadro capturasse aquele tom meio borrado que a câmera dava a tudo, como se alguém tivesse retirado a camada superior de claridade e deixado algo mais sutil do que os olhos pudessem captar.

Em seus momentos de insegurança, ele às vezes tinha medo de que o projeto fosse excêntrico demais, introspectivo demais – era nessas horas que ter um agente realmente ajudava, ao menos para lembrar a você que *alguém* gostava do seu trabalho, o achava importante ou, na pior das hipóteses, bonito –, mas ele não podia negar o prazer que sentia com aquilo, com a sensação de autoria e contentamento. Às vezes sentia falta de estar presente nas fotos; ali estava toda uma narrativa da vida dos amigos, e sua ausência era uma lacuna imensa, mas também curtia o papel divino que desempenhava. Começara a ver seus amigos de um jeito diferente, não apenas como apêndices de sua vida, mas como personagens distintos protagonizando suas próprias histórias; sentia com certa frequência que os via pela primeira vez, mesmo sendo amigos deles havia tantos anos.

Quando o projeto completou um mês e ele já sabia que era nisso que ia se concentrar, naturalmente teve de explicar aos amigos por que os vinha seguindo com uma câmera, fotografando os momentos mundanos de suas vidas, e por que era crucial que eles o deixassem continuar fazendo aquilo e que lhe proporcionassem o maior acesso possível. Estavam jantando num restaurante vietnamita especializado em macarrão de arroz na Orchard Street, na esperança de que se tornasse um sucessor do Pho Viet Huong, e depois que ele fez seu discurso explicativo – mostrando-se curiosamente nervoso –, todos se viram olhando para Jude, que, como ele já imaginava, seria o problema. Os outros dois concordariam, mas aquilo não era o bastante. Todos precisavam dizer sim ou a coisa não funcionaria, e Jude era de longe o mais travado deles; na faculdade, ele virava a cabeça ou escondia o rosto toda vez que alguém tentava tirar uma foto sua, e, sempre que sorria ou gargalhava, cobria instintivamente a boca com a mão, um tique que os amigos achavam inquietante e que ele só aprendera a controlar de poucos anos para cá.

Como receava, Jude ficou ressabiado.

– O que isso implicaria? – perguntava insistentemente, e JB, reunindo toda sua paciência, teve de assegurá-lo diversas vezes de que o objetivo não era humilhá-lo, ou explorá-lo, mas apenas registrar em fotos a crônica de suas vidas.

Os outros nada disseram, deixando-o fazer o trabalho, e Jude finalmente consentiu, embora não tivesse ficado muito feliz com aquilo.

– Quanto tempo isso vai durar? – perguntou Jude.

– Para sempre, espero.

E esperava mesmo. Seu único arrependimento era não ter começado antes, quando eram mais jovens.

Na saída, caminhou ao lado de Jude.

– Jude – disse em voz baixa, para que os outros não ouvissem. – Vou mostrar antes para você tudo o que tiver a sua imagem. Se você vetar, nunca vou exibir.

Jude olhou para ele.

— Promete?
— Juro por deus.

Ele se arrependeu da promessa no momento em que a fez, pois, na verdade, Jude era o seu favorito entre os três para pintar: era o mais bonito, o que tinha o rosto mais interessante e a cor mais incomum, e era o mais tímido, o que fazia os retratos dele parecerem mais preciosos que os dos outros.

No domingo seguinte, quando voltou à casa da mãe, remexeu em algumas das caixas da faculdade que guardara em seu antigo quarto em busca de uma fotografia que sabia ter. Até que finalmente a encontrou: era um retrato de Jude do primeiro ano de faculdade, que alguém tirara e revelara e que por algum motivo acabara em sua posse. Nele, Jude estava de pé na sala de estar do apartamento onde moravam, virado parcialmente para a câmera. Seu braço esquerdo cobria o peito, deixando à vista a cicatriz acetinada em forma de estrela nas costas da mão, e na direita segurava de maneira nada convincente um cigarro apagado. Usava uma camiseta listrada azul e branca de manga comprida que provavelmente não era sua de tão larga (embora talvez fosse mesmo sua; naquela época, todas as roupas de Jude eram largas, pois, como descobririam mais tarde, ele comprava peças maiores de propósito para poder usá-las nos anos seguintes, conforme crescia), e os cabelos, que mantinha compridos para se esconder por trás deles, chegavam até a altura da mandíbula. Mas o que JB sempre se lembrava da fotografia era a expressão no rosto de Jude: uma cautela que nunca o abandonava. Fazia anos que não olhava para a foto, mas vê-la agora o fez se sentir vazio, por motivos que não conseguia explicar.

Aquele era o quadro no qual trabalhava agora, e, para fazê-lo, quebrara o padrão e mudara para uma tela quadrada de um por um metro. Por dias fizera experimentos para acertar o tom preciso daquele verde traiçoeiro e serpenteoso das íris de Jude, e refizera a cor dos cabelos vez após vez até se dar por satisfeito. Era um belo quadro, e ele sabia, sabia com a certeza que às vezes sentia, e não tinha a menor intenção de mostrá-lo a Jude até que estivesse pendurado na parede de alguma galeria e Jude não pudesse fazer nada a respeito. Ele sabia que Jude detestaria o quanto o quadro o fazia parecer frágil, feminino, vulnerável e *jovem*, e sabia que também encontraria milhares de outras coisas imaginárias para detestar, coisas que JB não tinha condições de antecipar, pois não era um louco que odiava a si mesmo como Jude. Mas, para ele, o quadro expressava tudo o que esperava daquela série: era uma carta de amor, era um registro, era uma saga, era *dele*. Enquanto o pintava, às vezes sentia como se estivesse voando, como se o mundo das galerias de arte, das festas, dos outros artistas e das ambições tivesse virado um pontinho no chão, algo tão pequeno que poderia chutá-lo feito uma bola de futebol, observando-a girar até chegar a uma órbita distante que não tivesse nada a ver com ele.

Eram quase seis horas. A luz logo mudaria. Mas, por enquanto, o espaço ao seu redor ainda estava tranquilo, embora pudesse ouvir a distância o trem ribombando sobre os trilhos. À sua frente, a tela o esperava. Então pegou o pincel e começou.

—

Havia poesia no metrô. Acima das fileiras de bancos de plástico côncavos, preenchendo o espaço vazio entre anúncios de dermatologistas e empresas que prometiam diplomas universitários por correspondência, havia longas folhas laminadas com poemas impressos: Stevens de segunda categoria, Roethke de terceira e Lowell de quarta, versos que não despertavam emoção em ninguém, raiva e beleza reduzidos a aforismos vazios.

Pelo menos era o que JB sempre dizia. Ele era contra poemas. Estava no fim do ensino fundamental quando os versos apareceram, e passara os últimos quinze anos reclamando deles.

– Em vez de financiarem arte *de verdade* e artistas *de verdade*, estão dando dinheiro a um bando de bibliotecárias solteironas e de bichinhas de cardigã para selecionar essa merda – gritara para Willem em meio ao guincho do freio do trem F. – E todas essas porras parecem coisa de Edna St. Vincent Millay. Ou então é gente boa de verdade que eles conseguiram castrar. E são todos brancos, já percebeu? Que porra é essa?

Na semana seguinte, Willem vira um cartaz com versos de Langston Hughes e ligara para JB para contar.

– Langston *Hughes*?! – rosnara JB. – Deixa eu adivinhar: *A Dream Deferred*, certo? Eu sabia! Essa merda não conta. E, de qualquer jeito, se o sonho *realmente* explodisse, aquela merda duraria dois segundos.

Naquela tarde, Willem se viu diante de um poema de Thom Gunn: "A relação deles consistia / em discutir se ela existia." Embaixo, alguém escrevera com uma pilot preta, "Não esquenta, cara, também não arrumo boceta". Ele fechou os olhos.

Não era muito promissor o fato de ele estar cansado daquele jeito e serem só quatro horas, antes mesmo de começar seu turno no trabalho. Não deveria ter ido com JB ao Brooklyn na noite anterior, mas ninguém mais queria ir com ele, e JB dissera que ele lhe devia uma, já que acompanhara Willem ao horrendo monólogo de seu amigo no mês passado.

Então ele fora, é claro.

– De quem é a banda? – perguntou, enquanto esperavam na plataforma do trem. O casaco de Willem era muito fino, e ele perdera uma de suas luvas, o que o fazia assumir uma postura específica para conservar o calor: os braços cruzados sobre o peito e as mãos enfiadas nas axilas, balançando para a frente e para trás sobre os calcanhares enquanto era obrigado a esperar no frio.

– De Joseph – respondeu JB.

– Ah – disse ele.

Willem não tinha ideia de quem era Joseph. Ele admirava o comando felliniano de JB sobre seu vasto círculo social, no qual todos eram figurantes vestidos em trajes coloridos, e ele, Malcolm e Jude eram importantes, mas ainda assim humildes acessórios à sua visão – *key grips* ou assistentes do diretor de arte – a quem ele atribuía a responsabilidade tácita de levar a coisa toda adiante.

– Eles tocam *hardcore* – disse JB, animado, como se aquilo ajudasse a explicar quem era Joseph.

– Qual o nome da banda?

– Tudo bem, o negócio é o seguinte – disse JB, abrindo um sorriso. – O nome da banda é Bolo de Esmegma 2.

– O quê? – perguntou ele, às gargalhadas. – Bolo de Esmegma 2? Por quê? O que aconteceu ao Bolo de Esmegma 1?

– Pegou uma infecção por estafilococos – gritou JB em meio aos ruídos do trem que parava na estação.

Uma mulher mais velha que esperava perto deles fez cara feia para os dois.

Como esperado, o Bolo de Esmegma 2 não era lá muito bom. Não era nem mesmo *hardcore*, para dizer a verdade; parecia mais *ska*, animado e sinuoso.

– Aconteceu algo com o som deles! – gritara JB em seu ouvido durante uma das músicas mais longas, "Phantom Snatch 3000".

– Sei – gritara ele de volta. – Está uma bosta!

No meio do show (cada música parecia ter vinte minutos) ele foi ficando mais animado, tanto pela absurdidade da banda quanto pelo lugar abarrotado, e começou a pular desajeitadamente com JB. Os dois empurravam os outros ao seu redor, até que todos estavam pulando uns em cima dos outros, mas de um jeito alegre, como um bando de bebês embriagados. JB o segurava pelos ombros e os dois gargalhavam um na cara do outro. Era naqueles momentos que ele amava JB, por sua capacidade e sua disposição de ser bobo e frívolo, o que nunca podia fazer com Malcolm ou Jude – Malcolm, porque, apesar de sempre dizer o contrário, se importava em agir com decoro, e Jude, porque era sério.

Obviamente, na manhã seguinte, ele sofreu. Ele acordou no canto de JB no loft de Ezra, sobre o colchão desarrumado de JB (perto dele, no chão, JB roncava e babava sobre uma pilha de roupas sujas cheirando a turfa), sem saber ao certo como os dois haviam voltado do outro lado da ponte. Ele normalmente não era de beber nem de fumar maconha, mas, quando estava com JB, volta e meia se via fazendo essas coisas. Foi um alívio retornar ao apartamento da Lispenard Street, limpo e sossegado. A luz do sol que torrava o seu lado do quarto e o transformava em um canto quente e indolente entre onze da manhã e uma da tarde já se inclinava janela adentro e Jude havia muito saíra de casa. Depois de programar o despertador, caiu imediatamente no sono, acordando com tempo apenas para tomar banho e engolir uma aspirina antes de correr para pegar o trem.

O restaurante onde trabalhava conquistara sua reputação tanto pela comida – complicada, mas não desafiadora – quanto pelos funcionários, bem preparados e dispostos. No Ortolan, ensinavam-lhes a serem gentis, mas sem intimidade, e acessíveis, mas não informais.

– Aqui não é o Restaurante do Seu Melhor Amigo – gostava de dizer Findlay, seu chefe e gerente do restaurante. – Sorria, mas não diga seu nome aos clientes.

Havia um monte de regras como essa no Ortolan: as garçonetes podiam usar aliança, mas nenhum outro tipo de joia. Os homens não podiam ter cabelos mais longos que a altura da ponta da orelha. Nada de esmalte. Nada de passar mais de dois dias sem fazer a barba. Bigodes podiam ser tolerados diante de uma análise individual caso a caso, assim como tatuagens.

Willem trabalhava como garçom no Ortolan havia dois anos. Antes, trabalhara nos turnos do brunch nos fins de semana e do almoço nos dias úteis em um restaurante barulhento e popular em Chelsea, chamado Digits, onde os clientes (quase sempre homens, quase sempre mais velhos: na casa dos 40, pelo menos) perguntavam se ele fazia parte do menu, depois caíam na gargalhada, maldosos e felizes consigo mesmos, como se fossem os primeiros a lhe fazer aquela pergunta, e não o décimo primeiro ou décimo segundo, só naquele turno. Mesmo assim, ele sempre sorria e respondia:

– Só faço parte das entradas.

E eles rebatiam:

– Mas eu quero um prato principal.

E ele sorria outra vez e ganhava uma bela gorjeta no fim.

Fora um colega seu da pós-graduação, outro ator chamado Roman, que o recomendara a Findlay depois de ser chamado para fazer participações especiais recorrentes numa novela e deixar o emprego. (Ele estava em dúvida quanto a aceitar o papel, dissera a Willem, mas o que podia fazer? Era muita grana para dizer não.) Willem ficara contente com a recomendação, pois, além da comida e do serviço, outra característica pela qual o Ortolan era conhecido – ainda que por um grupo muito menor de pessoas – era sua flexibilidade de horários, especialmente se Findlay gostasse de você. Findlay gostava de morenas baixas e sem peito e de todos os tipos de homens, contanto que fossem altos, magros e, diziam as más línguas, não viessem da Ásia. Às vezes Willem parava na entrada da cozinha e observava os pares incompatíveis formados por garçonetes minúsculas de cabelos escuros e homens altos e magrelos circulando pelo salão principal, deslizando um diante do outro numa série de minuetos estranhamente coreografada.

Nem todos os garçons do Ortolan eram atores. Ou, mais precisamente, nem todos os garçons no Ortolan eram atores *ainda*. Havia determinados restaurantes em Nova York onde as pessoas iam de atores que eram garçons para, de alguma forma, virarem garçons que um dia foram atores. E se o restaurante fosse bom o bastante, respeitado o bastante, aquela não só era uma mudança profissional perfeitamente aceitável, era até preferível. Um garçom num restaurante renomado podia conseguir para os amigos uma cobiçada reserva, podia seduzir o pessoal da cozinha para mandar pratos de graça para esses mesmos amigos (ainda que Willem tenha aprendido que seduzir o pessoal da cozinha era menos fácil do que pensava). Mas o que um ator que trabalhava como garçom podia fazer pelos amigos? Conseguir ingressos para outro espetáculo off-off-

-Broadway, onde você tinha de levar seu próprio terno para interpretar um corretor da bolsa que podia ou não ser um zumbi, já que não havia verba para o figurino? (Fora exatamente isso que ele fizera no ano anterior, e, como não tinha terno, precisara pedir um emprestado a Jude. As pernas de Jude eram dois centímetros e meio mais longas que as dele e por toda a temporada tivera de dobrar as barras da calça e prendê-las com fita crepe.)

Era fácil identificar quem no Ortolan fora ator e agora era garçom de carreira. Os carreiristas eram mais velhos, para começo de conversa, e mais precisos e encrenqueiros quanto a aplicar as regras de Findlay, e, nos jantares dos funcionários, giravam ostensivamente na taça o vinho que o assistente do sommelier lhes servira para que experimentassem, e diziam coisas do tipo, "Parece aquele Linne Calodo Petite Sirah que você serviu na semana passada, não é, José?" ou "Tem um gosto um tantinho mineral, não acham? É da Nova Zelândia?". Ficava implicitamente estabelecido que você não os convidava para suas peças – os únicos que você convidava eram seus colegas atores-garçons, e, se alguém o convidasse, era considerado de bom-tom ao menos tentar ir – e tampouco se falava sobre testes, agentes ou qualquer coisa do gênero com eles. Atuar era como uma guerra, e eles eram veteranos: não queriam pensar na guerra, e certamente não queriam discuti-la com os ingênuos que ainda se lançavam com todo ímpeto em direção às trincheiras, ainda animados por estarem na ativa.

O próprio Findlay também era ex-ator, mas diferentemente dos outros ex-atores, ele gostava – ou talvez "gostar" não fosse bem o termo apropriado; talvez fosse melhor dizer que "não se importava" – de falar sobre o passado, ou pelo menos sobre uma versão dele. Segundo Findlay, certa vez ele quase, quase conseguira o papel de segundo ator principal na montagem no Public Theater de A *Bright Room Called Day* (mais tarde, uma das garçonetes contou a eles que todos os papéis de destaque na peça eram femininos). Fora também chamado para ser ator substituto na Broadway (em qual espetáculo era algo que nunca ficou claro). Findlay era um *memento mori* ambulante da carreira do ator, um exemplo triste num terno cinza de lã, e os atores ainda em atividade o evitavam, como se sua maldição fosse contagiosa, ou o estudavam minuciosamente, como se, ao permanecer em contato com ele, pudessem se imunizar.

Mas em que momento Findlay decidira desistir de atuar, e como isso acontecera? Teria sido só por causa da idade? Afinal, ele era velho:

tinha uns 45, 50 anos, mais ou menos por aí. Como saber a hora de desistir? Seria quando você já estava com 38 anos e ainda não encontrara um agente (como suspeitavam ter acontecido com Joel)? Ou quando tinha 40 anos, ainda dividia o apartamento com outra pessoa e ganhava mais como garçom num emprego de meio expediente do que ganhou no ano em que decidiu ser ator em tempo integral (como eles sabiam ter acontecido com Kevin)? Seria quando você ficava gordo, ou careca, ou passava por uma cirurgia plástica malfeita que não conseguia disfarçar o fato de ser gordo e careca? Em que ponto correr atrás de seus objetivos ultrapassava o limite entre ser corajoso e ser irresponsável? Como saber quando parar? Em décadas passadas, mais rígidas e menos encorajadoras (o que, no fim, acabava ajudando), as coisas eram mais claras: você parava aos 40, ou quando casava, ou quando tinha filhos, ou depois de cinco, dez, quinze anos. E então arrumava um trabalho de verdade, e tanto representar como seu sonho de uma carreira no ramo se perdiam pela noite, mesclando-se ao passado de maneira tão discreta quanto um cubo de gelo deslizando para dentro de uma banheira de água quente.

Mas estavam na era da realização pessoal, em que aceitar algo que não fosse sua primeira opção de vida parecia fraqueza, algo desprezível. Em algum ponto, aceitar o que parecia ser seu destino deixara de ser uma atitude digna e passara a ser sinal de covardia. Havia momentos em que a pressão para alcançar a felicidade era quase opressiva, como se a felicidade fosse algo que todos deviam e podiam conquistar, e que qualquer tipo de concessão na busca por ela fosse, de algum modo, culpa sua. Será que Willem trabalharia ano após ano no Ortolan, pegando os mesmos trens para fazer testes, lendo textos e mais textos e mais textos, talvez num ano avançando um centímetro ou dois, num progresso tão minúsculo que mal podia ser considerado progresso? Será que um dia teria coragem de desistir, e será que conseguiria reconhecer o momento certo, ou acordaria um dia e se olharia no espelho, descobrindo estar velho, ainda tentando chamar a si mesmo de ator, pois tinha pavor de admitir que talvez não o fosse, e talvez nunca viesse a ser?

Segundo JB, o motivo pelo qual Willem ainda não alcançara o sucesso era o próprio Willem. Um de seus sermões preferidos para o amigo começava com, "Se eu fosse bonito que nem você, Willem", e terminava com, "E você ficou tão mimado por ganhar as coisas de mão beijada que acha que tudo vai *cair* no seu colo. E quer saber de uma coisa, Willem? Você é bonitão, mas *todo mundo* aqui é bonitão, então vai ter que se esforçar mais".

Ainda que achasse irônico por vir de JB (Mimado? Veja só a família de JB, todas cacarejam atrás dele, levando suas comidas preferidas e as camisas passadas, envolvendo-o numa nuvem de elogios e afeto; uma vez ele ouvira JB ao telefone dizendo à mãe que ela precisava comprar cuecas novas para ele e que as pegaria quando fosse visitá-la no jantar de domingo, para o qual, a propósito, queria costelinhas), ele entendia o que ele queria dizer. Sabia que não era preguiçoso, mas a verdade é que lhe faltava a ambição que JB e Jude tinham, aquela determinação implacável que os mantinha no estúdio ou no escritório depois que os outros iam embora, que lhes emprestava aquele olhar levemente distante e que o fazia imaginar que parte deles já vivia num futuro imaginário, cujos contornos só eles conheciam. A ambição de JB era motivada por sua fome pelo futuro, por sua ascensão rápida; a de Jude, pensou, era motivada pelo medo de que, se não seguisse em frente, de alguma forma acabaria voltando ao passado, para a vida que deixara e sobre a qual não falava com nenhum deles. E não eram só Jude e JB que tinham essa qualidade: Nova York era habitada por gente ambiciosa. Muitas vezes, essa era a única coisa que todos na cidade tinham em comum.

Ambição e ateísmo.

– A ambição é minha única religião – lhe dissera JB ao fim de uma noite de bebedeira, e ainda que aos ouvidos de Willem a frase soasse um pouco forçada, como se a estivesse ensaiando, tentando aperfeiçoar o tom despojado e casual antes de dizê-la um dia a algum entrevistador, ele sabia que JB estava sendo sincero. Só aqui você se sentia obrigado a ter de justificar de alguma forma qualquer coisa que não fosse a paixão por sua profissão; só aqui você tinha de se desculpar por acreditar em algo além de si mesmo.

A cidade muitas vezes o fazia se sentir como se não estivesse percebendo algo fundamental, e que essa ignorância o condenaria eternamente a uma vida no Ortolan. (Ele sentira o mesmo na faculdade, quando sabia, sem qualquer sombra de dúvida, ser o aluno mais burro da turma, tido como uma espécie de representante não oficial dos caipiras pobres e brancos aceitos por cota.) Os outros, imaginava ele, também percebiam isso, ainda que só JB parecesse se incomodar de verdade.

— Você me deixa encucado às vezes, Willem — dissera-lhe JB certa vez, num tom que sugeria que o que o deixava encucado em relação a Willem não era algo bom.

Isso fora no fim do ano passado, pouco depois que Merritt, que dividia apartamento com Willem, conseguira um dos dois papéis principais numa remontagem de *True West*. O outro papel seria interpretado por um ator que estrelara recentemente num filme independente aclamado e desfrutava aquele curto período em que contava tanto com credibilidade no teatro quanto com a promessa de mais sucesso no circuito convencional. O diretor (um sujeito com quem Willem havia muito queria trabalhar) tinha prometido escalar um ator desconhecido para o outro papel principal. E foi o que fizera: só que o desconhecido era Merritt, e não Willem. Os dois foram os concorrentes finais ao papel.

Seus amigos tomaram suas dores.

— Mas Merritt nem sabe atuar! — resmungou JB. — Ele só fica parado no palco como decoração e acha que isso basta!

Os três começaram a conversar sobre a última peça em que viram Merritt — uma produção exclusivamente masculina off-off-Broadway de *La Traviata*, passada na Fire Island dos anos 1980 (Violetta, interpretada por Merritt, fora rebatizada de Victor, e morria de AIDS, não de tuberculose) — e todos concordaram que o espetáculo fora duro de assistir.

— Bem, ele é bonitão — alegou ele, numa tentativa esquálida de defender o ex-colega de apartamento em sua ausência.

— Ele não é *tão* bonito assim — disse Malcolm, com uma veemência que surpreendeu a todos.

— Willem, sua hora vai chegar. — Jude o consolou a caminho de casa depois do jantar. — Se houver algum tipo de justiça no mundo, ela vai chegar. Aquele diretor é um imbecil.

Mas Jude nunca culpava Willem por seus fracassos; JB sempre o fazia. E ele não sabia qual dos dois o ajudava menos.

Ficou agradecido pela indignação dos amigos, naturalmente, mas a verdade é que não achava Merritt tão ruim quanto eles. Certamente não era pior que o próprio Willem; na realidade, provavelmente era melhor. Mais tarde ele diria isso a JB, que respondeu com um longo silêncio, carregado de decepção, até começar seu sermão.

— Você me deixa encucado às vezes, Willem — disse ele. — Às vezes tenho a impressão de que você não quer realmente ser ator.

— Não é verdade — protestou Willem. — Só acho que nem toda rejeição é sem sentido, assim como não acho que todos que conseguem um papel que eu quero só sejam chamados por pura sorte.

Outro silêncio se seguiu.

— Você é muito bonzinho, Willem — disse JB, num tom sombrio. — Não vai chegar a lugar nenhum desse jeito.

— Obrigado, JB — respondeu.

Ele raramente se ofendia com as opiniões de JB — em muitos casos, o amigo tinha razão —, mas, naquele exato momento, não estava com muita vontade de ouvir o que JB pensava de seus defeitos nem sua previsão tenebrosa para o seu futuro caso não mudasse completamente sua personalidade. Desligou o telefone e deitou-se na cama, acordado, sentindo-se de mãos atadas e com pena de si mesmo.

De qualquer jeito, mudar sua personalidade parecia algo fora de questão — não seria tarde demais para isso? Afinal, antes de ser um homem bonzinho, Willem fora um menino bonzinho. Todos percebiam isso: seus professores, os colegas de turma, os pais dos colegas. "Willem é um menino muito solícito", escreviam os professores em seus boletins, boletins estes que o pai e a mãe olhavam uma vez, rápida e silenciosamente, para logo em seguida jogá-los sobre a pilha de jornais e envelopes vazios destinados ao centro de reciclagem. À medida que crescia, começou a perceber que as pessoas ficavam surpresas, e até chateadas, com seus pais; um professor do ensino médio certa vez lhe dissera abruptamente que, dado seu comportamento, esperava que seus pais fossem diferentes.

— Diferentes como? — perguntara.

— Mais simpáticos — respondera o professor.

Ele não se achava particularmente generoso nem excessivamente bondoso. A maioria das coisas lhe vinha com facilidade: esportes, escola, amigos, garotas. Não era um rapaz *legal*, necessariamente; não tentava se tornar amigo de todos, e não suportava falta de educação, mesquinharia nem crueldade. Era humilde e trabalhador, diligente, mais aplicado que brilhante, reconhecia.

— Saiba bem o seu lugar — dizia-lhe o pai com frequência.

E seu pai sabia o dele. Willem lembrava a ocasião em que, depois de uma onda de frio no fim da primavera ter matado vários filhotes de carneiro na região, seu pai fora entrevistado por uma repórter de jornal que escrevia sobre o impacto sofrido nas fazendas locais.

— Na condição de fazendeiro — começara a repórter, quando o pai de Willem a interrompeu.

— Não sou fazendeiro — dissera ele, com seu sotaque fazendo aquelas palavras, assim como todas as outras, soarem mais grosseiras do que deveriam —, sou um trabalhador rural.

Ele estava certo, é claro; ser fazendeiro significava algo específico — ser proprietário de terras —, e, segundo aquela definição, ele não era fazendeiro. Mas havia um monte de gente no condado que também não tinha o direito de se autodenominar como tal e mesmo assim o fazia. Willem nunca ouviu o pai dizer que eles não deviam — seu pai não dava a mínima para o que os demais faziam —, mas aquele tipo de presunção não era para ele nem para a esposa, mãe de Willem.

Talvez por isso sempre tivesse a sensação de saber quem e o que ele era, motivo esse que o levava, à medida que se afastava da fazenda e de sua infância, tanto no espaço quanto no tempo, a sentir-se muito pouco pressionado a mudar ou a se reinventar. Sentira-se como um convidado na faculdade, um convidado na pós-graduação, e agora era um convidado em Nova York, um convidado na vida dos belos e ricos. Nunca tentaria fingir que nascera naquele meio, pois sabia que não era verdade; era filho de um trabalhador rural do oeste de Wyoming, e sair de lá não significava que tudo o que fora um dia se apagara, obscurecido pelo tempo, pelas experiências e pela proximidade do dinheiro.

Ele era o quarto filho de seus pais, e o único ainda vivo. A primeira a nascer fora uma menina, Britte, que morrera de leucemia aos dois anos, bem antes de Willem vir ao mundo. Isso fora na Suécia, quando o pai, que era islandês, trabalhava com criação de peixes, onde conheceu sua mãe, uma dinamarquesa. Depois o casal se mudara para os Estados Unidos, onde nascera um menino, Hemming, com paralisia cerebral. Três anos mais tarde nascera outro menino, Aksel, que morrera enquanto dormia ainda pequeno, sem nenhum motivo aparente.

Hemming tinha oito anos quando Willem nasceu. Não sabia andar nem falar, mas Willem o amava e o enxergava simplesmente como seu irmão mais velho. Mas Hemming sabia sorrir, e quando o fazia levava a mão ao rosto, e os dedos tomavam a forma de um bico de pato, e os lábios se esticavam sobre as gengivas rosa-azaleia. Willem aprendeu a engatinhar, depois a andar e a correr — enquanto Hemming permanecia em sua cadeira, ano após ano —, e quando passou a ter idade e força suficientes, começou a empurrar a cadeira pesada de Hemming, com suas rodas gordas e teimosas (era uma cadeira projetada para ficar parada, não para ser empurrada sobre a grama ou em estradas de terra), pela fazenda onde moravam com os pais, numa casinha de madeira. No alto da ladeira ficava a casa principal, baixa e comprida, com uma varanda ampla que a circundava, e descendo a ladeira ficavam os estábulos onde seus pais passavam os dias. Ele foi o principal responsável por cuidar de Hemming e por lhe fazer companhia até terminar o ensino médio; pela manhã, era o primeiro a acordar, preparando café para os pais e esquentando a água para o mingau de Hemming, e à noite aguardava na beira da estrada pela van que trazia o irmão do centro de assistência, onde passava o dia, e que ficava a uma hora de distância. Willem sempre pensou não haver dúvida de que os dois pareciam irmãos: tinham os cabelos claros e brilhosos dos pais, os olhos cinza do pai, e ambos tinham um vinco, tal qual um longo parêntese, ao lado esquerdo da boca, dando-lhes a aparência de alguém que é facilmente entretido e está sempre pronto para rir – mas ninguém parecia ter essa percepção. Viam apenas que Hemming andava de cadeira de rodas e que sua boca estava sempre aberta, uma elipse vermelha e úmida, e que seus olhos, quase o tempo todo, desviavam-se para o céu, fixos em alguma nuvem que só ele via.

– O que está vendo, Hemming? – perguntava ele de tempos em tempos, quando saíam para suas caminhadas noturnas, mas é claro que Hemming nunca respondia.

Os pais eram eficazes e competentes nos cuidados com Hemming, mas não particularmente afetuosos. Quando Willem tinha de ficar até mais tarde na escola por causa de algum jogo de futebol americano, ou para participar de provas de atletismo, ou então quando lhe pediam para fazer hora extra na mercearia, era sua mãe quem esperava por Hemming à margem da estrada, quem colocava e tirava Hemming da banheira, quem lhe dava na boca o jantar de papa de frango e arroz, e trocava sua fralda antes de colocá-lo na cama. Mas ela não lia para ele, nem falava com ele, nem saía para caminhar com ele como fazia Willem. Ver os pais perto de Hemming o incomodava, em parte porque, apesar de nunca se comportarem de maneira reprovável, dava para ver que enxergavam Hemming como uma responsabilidade, e nada mais. Mais tarde ele argumentaria para si mesmo que aquilo era tudo que se poderia esperar deles;

qualquer coisa a mais seria sorte. Porém, ainda assim, ele desejava que os pais tivessem mais amor por Hemming, só um pouquinho mais.

(Embora amor talvez fosse pedir muito dos pais. Os dois tinham perdido tantos filhos que talvez simplesmente não quisessem ou não pudessem se entregar de peito aberto aos que sobraram. Algum dia, tanto Willem quanto Hemming também os deixariam, por opção ou não, e a perda dos pais seria total. Mas décadas se passariam até ele conseguir ver as coisas desse jeito.)

Quando Willem estava no segundo ano de faculdade, Hemming tivera que passar por uma apendicectomia de emergência.

– Disseram que foi descoberta bem na hora – contou-lhe a mãe pelo telefone.

Sua voz era fria, bem casual; não continha nenhum traço de alívio, de angústia, mas também não havia – e ele se forçara a pensar nisso, por mais que não quisesse, por mais que tivesse medo – sinal algum de decepção. A cuidadora de Hemming (uma mulher da área, paga para ficar com ele durante a noite, já que Willem não estava mais ali) o vira tatear a barriga e gemer, o que a fez identificar o caroço na base do abdômen. Enquanto Hemming era operado, os médicos encontraram um tumor com alguns centímetros de comprimento em seu intestino grosso e fizeram uma biópsia. Os raios X revelaram outros tumores, que também teriam de ser extraídos.

– Vou até aí – disse Willem.

– Não – respondeu a mãe. – Não tem nada que você possa fazer aqui. Avisaremos se for algo mais sério.

Ela e o pai ficaram mais surpresos que qualquer outra coisa quando ele foi aceito pela universidade – nenhum dos dois sabia que ele tinha se candidatado –, mas agora que entrara, estavam determinados a fazer o filho se formar e esquecer a fazenda o mais rápido possível.

Mas à noite Willem pensou em Hemming, sozinho numa cama de hospital. Pensou em como ele estaria com medo, que choraria e esperaria ouvir o som da sua voz. Quando Hemming estava com 21 anos, tivera uma hérnia removida e chorara até Willem segurar sua mão. Ele sabia que tinha de ir até lá.

Os voos eram caros, muito mais do que esperava. Tentou encontrar ônibus que fizessem o trajeto, mas levaria três dias para ir, três dias para voltar, e ele tinha provas que precisava fazer e se sair bem se quisesse continuar com sua bolsa de estudos, além de ter que trabalhar. Até que por fim, bêbado naquela sexta-feira à noite, ele se abriu com Malcolm, que sacou o talão e lhe deu um cheque.

– Não posso aceitar – disse ele, de imediato.
– Por que não? – perguntou Malcolm.

Os dois discutiram até Willem finalmente aceitar o cheque.

– Eu vou lhe devolver o dinheiro. Sabe disso, não sabe?

Malcolm deu de ombros.

– Não tem como eu dizer o que vou dizer sem parecer que sou um babaca – falou –, mas não faz a menor diferença para mim, Willem.

Mesmo assim, era importante para Willem devolver o dinheiro, por mais que soubesse que Malcolm não o aceitaria. Foi Jude quem teve a ideia de colocar o dinheiro na carteira de Malcolm, e, assim, a cada quinze dias, quando descontava o cheque do restaurante onde trabalhava nos fins de semana, Willem enfiava duas ou três notas de vinte na carteira do amigo enquanto ele dormia. Willem nunca soube se Malcolm chegara a perceber – ele gastava sempre tão rápido, e em geral com eles três –, mas Willem ficou orgulhoso e feliz com sua atitude.

Enquanto isso, havia Hemming. Willem ficou contente em voltar para casa (sua mãe apenas suspirou quando ele disse que estava indo), e contente em ver Hemming, ainda que tenha se assustado com sua magreza, com o modo como gemia e chorava quando as enfermeiras tocavam a área ao redor das suturas; para manter o controle e não gritar com elas, tinha que apertar as alças da cadeira. À noite, ele e os pais jantavam em silêncio; Willem quase podia senti-los se distanciarem, como se estivessem se desligando da vida de pais de dois filhos e se preparassem para assumir uma nova identidade em algum outro lugar.

Na terceira noite, ele pegou a chave da caminhonete para ir até o hospital. Na costa leste ainda era início de primavera, mas ali o ar sombrio parecia cintilar com o gelo, e pela manhã a grama ficava coberta por uma camada fina de cristais.

O pai apareceu na varanda enquanto ele descia a escada.

– Você vai encontrar Hemming dormindo – falou.
– Só achei que seria bom ir lá – respondeu Willem.

O pai olhou para ele.

– Willem – disse –, ele nem vai saber que você esteve lá.

Willem sentiu o rosto arder.

— Eu sei que você está pouco se lixando para ele — estourou —, mas eu me importo.

Era a primeira vez que confrontava o pai, e Willem não conseguiu se mexer por alguns instantes, com medo e ao mesmo tempo ansioso que ele respondesse e os dois começassem a discutir. Mas o pai só deu um gole no café, virou as costas e entrou, batendo levemente a porta de tela atrás de si.

Pelo resto da visita, todos se comportaram como sempre; dividiam-se em turnos para visitar Hemming e, quando não estava no hospital, Willem ajudava a mãe com os livros-razão, ou o pai a colocar as ferraduras nos cavalos. À noite ele voltava para o hospital e fazia os trabalhos da faculdade. Lia *Decamerão* em voz alta para Hemming, que fitava o teto e piscava, e lutava com os exercícios de cálculo, até finalmente terminar, chateado pela certeza de ter errado tudo. Os três amigos tinham se acostumado a contar com Jude para cuidar da matemática para eles, solucionando os problemas com tamanha rapidez que parecia estar executando um arpejo no violão. No primeiro ano, Willem se esforçara de verdade para entender a matéria e Jude sentara ao seu lado por várias noites, explicando repetidas vezes, mas ele jamais conseguira compreender.

— Acho que sou burro demais para isso — dissera após uma sessão que parecera durar horas, ao fim da qual sentia vontade de sair e correr alguns quilômetros, irritado de tanta impaciência e frustração.

Jude baixara o olhar.

— Você não é burro — respondera, com a voz serena. — Sou eu que não estou explicando direito. — Jude participava de seminários sobre matemática pura, exclusivos para convidados; os amigos não conseguiam nem imaginar o que ele fazia exatamente nesses eventos.

Relembrando agora, Willem ficou surpreso só com sua própria surpresa quando recebeu o telefonema da mãe três meses depois, dizendo que Hemming estava respirando por aparelhos. Isso foi no fim de maio, quando se encontrava em meio aos exames finais.

— Não venha — disse ela, quase como uma ordem. — Ouviu, Willem?

Falava com os pais em sueco, e só muitos anos depois, quando um diretor sueco com quem trabalhava comentou o quanto sua voz se tornava fria quando falava naquela língua, ele reconheceu que havia inconscientemente aprendido a adotar um certo tom quando falava com os pais, um tom sem emoção, brusco, que refletia o deles

Nos dias seguintes, preocupado, Willem se saiu mal nos exames: francês, literatura comparada, drama jacobeano, as sagas islandesas, o odiado cálculo, tudo se misturando numa coisa só. Também brigou com a namorada, uma veterana prestes a se formar. Ela chorou; ele se sentiu culpado, mas ao mesmo tempo incapaz de reverter a situação. Pensou em Wyoming, numa máquina soprando vida nos pulmões de Hemming. Não seria melhor ir? Ele *tinha* de ir até lá. Não poderia ficar muito: no dia 15 de junho, ele e Jude iriam se mudar para um apartamento sublocado para passar o verão – os dois haviam encontrado trabalho na cidade, Jude como amanuense de um professor de estudos clássicos durante a semana e nos fins de semana na panificadora onde trabalhara durante o ano letivo, Willem como assistente de um professor num programa para crianças deficientes –, mas, antes disso, os quatro iriam para a casa dos pais de Malcolm em Aquinnah, em Martha's Vineyard. Depois, Malcolm e JB seguiriam de carro para Nova York. À noite, Willem ligava para Hemming no hospital, fazendo com que os pais ou uma das enfermeiras segurassem o fone perto do ouvido do irmão, mesmo sabendo que ele provavelmente não o ouvia. Mas como poderia nem mesmo tentar?

E então, uma semana depois, a mãe ligou pela manhã: Hemming morrera. Não havia nada que ele pudesse dizer. Não podia perguntar a ela por que não lhe contara que a situação era grave, pois no fundo sabia que ela não faria isso. Não podia dizer que gostaria de ter estado lá, pois ela não teria nada para dizer em resposta. Não podia perguntar como a mãe se sentia, pois nada do que dissesse seria suficiente. Queria gritar com os pais, bater neles, arrancar deles *alguma coisa* – alguma comoção, alguma perda de compostura, algum reconhecimento de que algo grande acontecera, que na morte de Hemming eles perderam algo vital e necessário em suas vidas. Willem não se importava se eles de fato sentiam essas coisas ou não: só precisava que dissessem, precisava sentir que havia algo por trás daquela calma imperturbável, que em algum lugar dentro deles fluía uma corrente fina e veloz de água doce, abrigando inúmeras vidas delicadas, peixes, cercada por grama e flores pequeninas, tão tenras e tão vulneráveis que não dava para vê-las sem se compadecer.

Ele não contou aos amigos na época sobre Hemming. Foram para a casa de Malcolm – um lugar bonito, o lugar mais bonito que Willem já vira, quanto mais onde se hospedara –, e, tarde da noite, enquanto os outros dormiam, cada um em sua própria cama, em seu próprio quarto com seu próprio banheiro (a casa era enorme assim), ele se esgueirou para o lado de fora e caminhou por horas pelo emaranhado de estradas que cercavam a propriedade, vendo a lua tão grande e clara que parecia feita de algum líquido congelado. Enquanto caminhava, tentou não pensar em nada em particular. Em vez disso, concentrou-se no que via diante de seus olhos, notando à noite o que lhe escapara durante o dia: como a terra era tão fina que parecia areia e subia pelo ar em pequenas nuvens à medida que ele pisava, como as finas serpentes marrom-tronco ziguezagueavam em silêncio pelas moitas quando ele passava. Willem caminhou até o mar e lá no alto a lua desapareceu, encoberta por trapos esfarrapados de nuvens, e por alguns instantes ele só conseguia ouvir a água, sem vê-la, e o céu estava espesso e quente por causa da umidade, como se até o ar ali fosse mais denso, mais importante.

Talvez morrer seja assim, pensou ele, e percebeu que não era tão ruim, o que o fez se sentir melhor.

Ele achava que seria horrível passar o verão cercado por crianças que pudessem fazer com que se lembrasse de Hemming, mas, na verdade, a experiência acabou sendo agradável, até mesmo útil. Sua turma tinha sete alunos, todos por volta dos oito anos, todos com deficiências severas, nenhum capaz de se mover com facilidade, e embora parte do dia fosse dedicada a tentar ensinar-lhes as cores e as formas, a maior parte do tempo era destinada a brincadeiras: Willem lia para as crianças, passeava com elas pelo terreno, usava penas para lhes fazer cócegas. Durante o recreio, todas as salas de aula abriam as portas para o pátio central da escola, e o espaço era tomado por crianças montadas em uma vasta gama de engenhocas, aparatos e veículos sobre rodas que às vezes soavam como uma miríade de insetos mecânicos, todos rangendo, chiando e piando ao mesmo tempo. Havia crianças em cadeiras de rodas e crianças em ciclomotores em miniatura, que seguiam aos trancos pelas lajes do chão na velocidade de uma tartaruga, além de crianças amarradas de bruços sobre tábuas lisas de madeira que pareciam pranchas de surfe curtas sobre rodas, movendo-se pelo pátio apoiando os cotocos dos braços, e ainda algumas poucas crianças sem qualquer tipo de locomoção, que ficavam sentadas no colo dos cuidadores, que acomodavam suas nucas nas palmas das mãos. Estas eram as que mais o faziam se lembrar de Hemming.

Algumas das crianças nos ciclomotores e nas pranchas com rodas conseguiam falar, e Willem, com muita delicadeza, jogava grandes bolas de espuma para elas, além de organizar corridas pelo pátio. Ele sempre começava as corridas à frente do grupo, trotando com uma lentidão exagerada (mas não tão exagerada que o fizesse parecer descaradamente cômico; ele queria que as crianças achassem que estava correndo para valer), mas, em algum ponto, em geral depois de percorrer um terço do percurso em volta do pátio, ele fingia tropeçar e caía majestosamente no chão, enquanto os meninos passavam por ele e riam.

– Levante, Willem, levante! – gritavam, e ele obedecia, mas àquela altura as crianças já haviam completado a volta e ele chegava em último lugar.

Às vezes se perguntava se os meninos tinham inveja de sua capacidade de cair e se levantar e, caso sentissem, talvez devesse parar com aquilo. Quando consultou o supervisor, no entanto, ele apenas olhou para Willem e disse que as crianças o achavam engraçado e que era para ele continuar. E então seguiu caindo todo dia, e toda tarde, enquanto esperava com os alunos pelos pais que iam buscá-los, os que conseguiam falar perguntavam se ele iria cair no dia seguinte.

– De jeito nenhum – respondia com confiança, enquanto eles riam. – Estão de brincadeira comigo? Acham que sou tão desastrado assim?

Aquele foi, sob muitos aspectos, um verão bom. O apartamento ficava perto do MIT e pertencia ao professor de matemática de Jude, que fora passar a temporada em Leipzig e cobrava deles um aluguel tão desprezível que os dois se viram fazendo pequenos reparos pela casa para expressar sua gratidão: Jude organizou os livros, que estavam empilhados em torres precárias e trêmulas por todos os cantos, e passou gesso numa parte da parede danificada por uma infiltração; Willem apertou os parafusos das maçanetas e trocou a arruela da pia, que vazava, e a válvula do vaso sanitário. Ele começara a sair com uma das ajudantes do professor, uma garota que estudava em Harvard, e às vezes ela aparecia no apartamento à noite e os três preparavam panelas enormes de espaguete com mariscos. Jude contava como eram seus dias com o professor, que decidira se comunicar somente em latim ou grego antigo com Jude, mesmo quando suas instruções eram coisas do tipo, "Preciso de mais grampos" ou "Não se esqueça de colocar um pouco de leite de soja no meu cappuccino amanhã de manhã". Em agosto, seus amigos e conhecidos da faculdade (e de Harvard, e do MIT, e de Wellesley, e de Tufts) começaram a voltar para a cidade, e passavam uma noite ou duas com eles até poderem retornar para seus próprios apartamentos e dormitórios. Numa noite, já no fim da estada, eles convidaram cinquenta pessoas para o terraço e ajudaram Malcolm a fazer uma espécie de churrasco de frutos do mar, cobrindo espigas de milho, mexilhões e mariscos sob pilhas de folhas de bananeira umedecidas; na manhã seguinte, os quatro recolheram as conchas do chão, divertindo-se com o som de castanholas que faziam quando jogadas no saco de lixo.

Mas também foi naquele verão que ele se deu conta de que não voltaria mais para casa; de que, de alguma forma, sem Hemming, não havia por que ele e os pais fingirem que precisavam ficar juntos. Willem achava que eles também pensavam assim; os três nunca conversaram sobre o assunto, mas ele nunca sentiu qualquer necessidade de vê-los outra vez, e os pais nunca lhe pediram. Volta e meia eles se falavam, e as conversas, como sempre, eram educadas, limitadas a fatos, nada mais que o cumprimento de uma obrigação. Willem perguntava sobre a fazenda, os pais perguntavam sobre os estudos. No último ano, ele conseguiu um papel na montagem da universidade de *À margem da vida* (escalado como o pretendente, é claro), porém jamais mencionou isso aos pais, e quando disse que não precisavam se dar ao trabalho de ir até a costa leste para sua formatura, eles não insistiram: até porque a temporada de nascimento dos potros já estava quase no fim e Willem não sabia se os pais poderiam ir, mesmo se ele tivesse feito questão. Ele e Jude haviam sido adotados pelas famílias de Malcolm e JB nos fins de semana, e mesmo quando elas não estavam disponíveis, havia várias outras pessoas que os convidavam para almoços, jantares e saídas.

– Mas eles são seus *pais* – dizia Malcolm a Willem uma vez por ano, mais ou menos. – As pessoas não podem simplesmente parar de falar com os pais.

Mas podiam, e o faziam: ele era prova disso. Para Willem, era como qualquer outro tipo de relacionamento: eram precisos cuidados constantes, dedicação e atenção, e se nenhuma das partes estava disposta a fazer um esforço, por que a relação não haveria de murchar? A única coisa que lhe fazia falta, além de Hemming, era Wyoming em si, suas planícies extravagantes, suas árvores, que de tão verdes pareciam azuis, o cheiro de cavalo – uma mistura de açúcar e estrume, maçã e turfa – ao ser escovado antes de dormir.

Enquanto fazia pós-graduação, eles morreram, no mesmo ano: o pai, de ataque cardíaco em janeiro, a mãe, de derrame cerebral em outubro. Antes disso ele *tinha ido* para casa – os pais estavam mais velhos, mas ele se esquecera de como os dois sempre foram enérgicos, incansáveis, até ver o quanto haviam reduzido o ritmo. Os pais deixaram tudo para ele, mas, depois de Willem quitar as dívidas que tinham – e mais uma vez ele ficou perplexo, pois durante o tempo todo pensara que o tratamento e os remédios de Hemming haviam sido pagos pelo seguro, quando, na verdade, passados quatro anos da morte do irmão, os pais ainda enviavam cheques polpudos todo mês para o hospital –, pouco sobrou: algum dinheiro, alguns títulos; uma caneca de prata com o fundo pesado que pertencera ao avô paterno, morto havia muito tempo; a aliança deformada do pai, lisa, brilhante e desbotada pelo uso; um retrato em preto e branco de Hemming e Aksel que ele nunca vira antes. Willem ficou com essas coisas e algumas outras. O fazendeiro que dera emprego a seu pai morrera havia muito tempo, mas o filho, que agora era proprietário da fazenda, sempre os tratara bem, e os mantivera empregados por muito mais tempo do que seria sensato, e também foi quem pagou pelos enterros.

Com a morte dos pais, Willem conseguiu lembrar que os amara, apesar de tudo, e que eles lhe ensinaram coisas que ele adorava saber, e que nunca lhe pediram nada que ele não pudesse fazer ou dar. Em momentos menos afetuosos (momentos que remetiam a alguns anos antes de eles morrerem), Willem atribuíra a lassitude dos pais, o modo resignado de aceitarem o que quer que ele fosse ou não fazer, a uma falta de interesse por parte deles: que pai, perguntara Malcolm, meio com inveja e meio com pena, não diz nada quando o único filho (ele se desculpou depois) conta que quer ser ator? Mas agora, mais velho, Willem conseguia apreciá-los por nunca nem mesmo sugerirem que ele pudesse lhes dever alguma coisa – fosse sucesso, fidelidade, afeto ou até mesmo lealdade. Ele sabia que o pai se metera em alguma encrenca em Estocolmo – nunca saberia exatamente o que acontecera –, o que em parte encorajara sua ida com a esposa para os Estados Unidos. Os dois nunca exigiriam que Willem fosse como eles; mal queriam ser quem eram.

E assim ele embarcara na vida adulta, passando os últimos três anos batendo de margem em margem numa lagoa de fundo lamacento, com as árvores sobre sua cabeça e ao seu redor bloqueando a luz, deixando tudo tão escuro que ele não conseguia enxergar se o lago onde estava se abria num rio ou se era fechado, compondo um pequeno universo onde ele poderia passar anos, décadas – a vida inteira – numa busca atrapalhada por uma saída que não existia, que nunca existira.

Se tivesse uma agente, alguém que o guiasse, ela poderia lhe mostrar como escapar, como encontrar o caminho para descer seguindo a corrente. Mas não tinha, não ainda (e precisava manter o otimismo para achar que era só uma questão de "ainda"), e assim ele fora deixado na companhia de outras pessoas que também estavam perdidas, todas elas em busca daquele afluente esquivo por meio do qual poucos deixavam o lago e pelo qual ninguém queria retornar.

Ele estava disposto a esperar. Ele *tinha* esperado. Mas ultimamente sentia a paciência adotar uma forma áspera e acidentada, lascando-se em pedacinhos secos.

Ainda assim – não era uma pessoa ansiosa nem inclinada a sentir pena de si mesma. Na verdade, havia momentos em que, voltando do Ortolan ou do ensaio para alguma peça em que lhe pagariam praticamente nada por uma semana de trabalho, um cachê tão irrisório que não conseguiria nem bancar o *table d'hôte* no restaurante, ele entrava no apartamento com uma sensação de dever cumprido. Só ele e Jude conseguiam considerar Lispenard Street uma realização positiva – pois, apesar de todo o trabalho que fizera na casa, e por mais que Jude a limpasse, ainda era um lugar triste, de certa maneira, e furtivo, como se tivesse vergonha de chamar a si próprio de um apartamento de verdade – mas nessas horas ele às vezes se pegava pensando, *Para mim é o bastante, é mais do que eu esperava ter*. Morar em Nova York, ser adulto, andar por uma plataforma de madeira e dizer as palavras de outras pessoas! – era uma vida absurda, uma "não vida", uma vida que os pais e o irmão nunca teriam sonhado para si próprios, entretanto ele a sonhava para si mesmo todo dia.

Mas a sensação logo se dissipava e ele se via sozinho, esquadrinhando a seção de artes do jornal, e lia sobre outras pessoas que faziam coisas que ele não tinha nem a coragem, a arrogância de sonhar em fazer, e nessas horas o mundo parecia muito grande, e o lago, muito vazio, e a noite, muito escura, e tinha vontade de estar de novo em Wyoming, esperando ao lado da estrada por Hemming, onde o único caminho que tinha de percorrer era o de volta para a casa dos pais, onde a luz da varanda lambuzava a noite de mel.

Primeiro você via a vida do escritório em si: eram quarenta deles no salão principal, cada um em sua mesa, a sala de Rausch com suas paredes de vidro de um lado, perto da mesa de Malcolm, e a sala de Thomasson com suas paredes de vidro do outro. Entre eles: duas paredes de janelas, uma dando para a Quinta Avenida, na direção do Madison Square Park, e a outra espreitando a Broadway e sua calçada sorumbática, cinzenta e pintalgada de chiclete. Aquela vida existia oficialmente das dez da manhã às sete da noite, de segunda a sexta. Nessa vida, faziam o que lhes mandavam: ajustavam modelos, esboçavam e redesenhavam, interpretavam os garranchos esotéricos de Rausch e as ordens explícitas, em letras garrafais, de Thomasson. Não conversavam. Não interagiam. Quando os clientes apareciam para reuniões com Rausch e Thomasson na longa mesa de vidro que ficava no centro do salão principal, não erguiam o olhar. Quando o cliente era famoso, algo cada vez mais frequente, eles se inclinavam tanto sobre a mesa e faziam tanto silêncio que até mesmo Rausch começava a sussurrar e sua voz – finalmente – se ajustava ao volume do escritório.

Mas havia também a segunda vida do escritório, a vida real. Thomasson cada vez se mostrava menos presente, então era pela saída de Rausch que todos esperavam, e às vezes era uma longa espera; Rausch, por trás de todas as festas a que ia, da corte à imprensa, das opiniões e das viagens, era na verdade bastante trabalhador, e por mais que pudesse sair para algum evento (uma estreia, uma palestra), também poderia retornar de repente, e então as coisas tinham de ser colocadas no lugar às pressas, de modo que o escritório que encontrasse ao chegar parecesse com o escritório que deixara ao sair. Era melhor esperar pelas noites em que ele desaparecia completamente, mesmo que isso significasse esperar até as nove ou dez. Eles haviam conquistado a assistente de Rausch, comprando-lhe café e croissants, e sabiam poder confiar nas informações dela quanto a suas saídas e chegadas.

Mas uma vez confirmado que Rausch saíra para não mais voltar, o escritório se transformava instantaneamente, como uma abóbora numa carruagem. Ligavam o som (os quinze com o privilégio de escolher a música faziam um rodízio) e comidas pedidas pelo telefone se materializavam. Em todos os computadores, os projetos da Ratstar Architects eram sugados para dentro de pastas digitais e colocados para dormir, abandonados e esquecidos até a manhã seguinte. Eles se concediam uma hora de tempo livre, na qual imitavam o estranho temperamento teutônico de Rausch (alguns acreditavam que ele na verdade fosse de Paramus e tivesse inventado o nome – Joop Rausch, como não poderia ser falso? – e o sotaque extravagante para encobrir o fato de ser chato, vir de Nova Jersey e provavelmente se chamar Jesse Rosenberg), reproduziam a carranca de Thomasson e o modo como marchava para cima e para baixo no escritório quando queria aparecer para alguém, esbravejando, sem ter um alvo em particular (que, supunham os funcionários, eram eles próprios), "É o tarrabaio, senhores! O tarrabaio!". Zombavam do diretor mais antigo do escritório, Dominick Cheung, que tinha talento mas vinha se tornando azedo (todos, exceto ele, já haviam percebido que Cheung jamais seria convidado para ser sócio, não importava quantas vezes Rausch e Thomasson lhe prometessem), e até dos projetos em que trabalhavam: a igreja neocopta de travertino na Capadócia que nunca saíra do papel; a casa sem vigas à mostra em Karuizawa, que agora derramava ferrugem por suas superfícies de vidro sem personalidade; o museu dos alimentos em Sevilha, que devia ter recebido um prêmio mas não recebera; o museu de bonecas em Santa Catarina, que nunca deveria ter recebido prêmio algum mas recebera. Zombavam das universidades que frequentaram – MIT, Yale, Escola de Design de Rhode Island, Columbia, Harvard – e de como, apesar de obviamente terem sido alertados que suas vidas seriam terríveis por anos, todo e cada um deles pensara que seria a exceção à regra (e agora todo e cada um deles acreditava, em segredo, que ainda viria a ser). Zombavam de como ganhavam pouco, de como tinham 27, 30, 32 anos e ainda moravam com os pais ou dividiam o apartamento com um amigo, com a namorada que trabalhava no banco, com o namorado que trabalhava na área editorial (o que era triste, ter de viver à custa do namorado que trabalhava na área editorial porque ele ganhava mais do que você). Todos se vangloriavam do que estariam fazendo se não tivessem entrado naquele maldito ramo: seriam curadores (provavelmente o único trabalho em que ganhariam menos do que onde estavam agora), sommeliers (vá lá, o segundo trabalho em que ganhariam menos), proprietários de galeria (muito bem, o terceiro), escritores (tudo bem, o quarto – claramente, nenhum deles estava pronto para fazer dinheiro, jamais, em nenhuma circunstância). Brigavam sobre os prédios que amavam e os prédios que odiavam. Conversavam sobre uma exposição de fotos numa galeria, sobre uma exposição de vídeos de arte em outra. Gritavam, para cima e para baixo, sobre críticos, restaurantes, filosofias e materiais. Queixavam-se uns com os outros sobre colegas que alcançaram o sucesso e se regozijavam pelos colegas que haviam largado aquele ramo de vez, tornando-se criadores de lhamas em Mendoza, assistentes sociais em Ann Arbor, professores de matemática em Chengdu.

Durante o dia, brincavam de ser arquitetos. De vez em quando um cliente, cujo olhar flutuava lentamente pelo escritório, mirava um deles, normalmente Margaret ou Eduard, os mais bonitos do grupo, e Rausch, sempre sintonizado quando o foco da atenção se desviava dele próprio, convocava o escolhido, como se convidasse uma criança para um jantar de adultos.

– Ah, sim, essa é Margaret – dizia ele, e o cliente a examinava com um olhar de admiração, o mesmo que usara minutos antes enquanto estudava as plantas de Rausch (plantas finalizadas por Margaret, na verdade). – Qualquer dia desses, ela vai me aposentar, tenho certeza. – E então soltava sua risada triste, forçada, semelhante ao pranto de uma morsa: – Ah! Rá! Rá! Rá!

Margaret sorria e cumprimentava o cliente, revirando os olhos para os colegas no momento em que dava as costas. Mas os outros sabiam que ela estava pensando o que todos eles pensavam: Vai se foder, Rausch. E: Quando? Quando vou tomar o seu lugar? Quando chegará minha vez?

Enquanto esse momento não chegava, tudo o que podiam fazer era brincar: depois de conversar, de gritar e de comer, o silêncio caía e o escritório era tomado pelos cliques secos dos mouses e por trabalhos pessoais sendo arrastados de pastas e abertos, e o ruído granuloso de lápis passando pelo papel. Embora todos trabalhassem no mesmo horário e usassem os mesmos recursos da empresa, ninguém jamais pedia para ver o projeto do outro; era como se tivessem combinado coletivamente fingir que não existiam. Você trabalhava, desenhando estruturas oníricas e modelando parábolas em formas de sonhos até meia-noite, quando ia embora, sempre fazendo a mesma piada boba:

– Vejo vocês em dez horas. – Ou nove, ou oito, se estivesse com sorte, se conseguisse fazer bastante aquela noite.

Esta era uma das noites em que Malcolm ia embora sozinho, e cedo. Mesmo quando deixava o escritório acompanhado, nunca conseguia pegar o trem com a pessoa; todos moravam no Baixo Manhattan ou no Brooklyn, e ele morava no Alto Manhattan. A vantagem de ir embora sozinho é que ninguém o veria pegando um táxi. Malcolm não era o único no escritório com pais ricos – os pais de Katharine também eram ricos, assim como, acreditava ele, os de Margaret e os de Frederick –, mas ele morava com os pais ricos, e os outros, não.

Acenou para um táxi.

– Rua 71 com Lex – instruiu ao motorista. Se o taxista fosse negro, ele sempre dizia Lexington. Caso contrário, era mais honesto: "Entre Lex e Park, mais perto da Park."

JB achava aquilo ridículo, para dizer o mínimo, e ofensivo, para dizer a verdade.

– Você acha que eles vão te achar mais malandro por pensar que mora na Lex e não na Park? – perguntava ele. – Malcolm, você é um imbecil.

Essa discussão por causa de táxis era uma das muitas que tinha com JB ao longo dos anos sobre a negritude, e, mais especificamente, sua falta de negritude. Outra discussão motivada por táxis começara quando Malcolm (de maneira estúpida; ele reconhecera o erro no mesmo instante em que se ouvira dizendo as palavras) comentou que nunca tivera problemas para pegar um táxi em Nova York e que talvez houvesse certo exagero por parte das pessoas que reclamavam. Era calouro na universidade e isso aconteceu durante a primeira e última visita que fez com JB ao encontro da União dos Alunos Negros. Os olhos de JB quase saltaram para fora da órbita, de tão chocado e exultante que ficou. Mas, quando outro cara, um babaca prepotente de Atlanta, disse a Malcolm que ele, em primeiro lugar, não era negro, em segundo, era pardo, e em terceiro, era incapaz de compreender por completo o desafio de ser negro *de verdade,* já que sua mãe era branca, JB o defendeu – JB sempre implicava com ele por causa de sua negritude relativa, mas não gostava quando outras pessoas faziam o mesmo, e gostava menos ainda quando a provocação era feita na presença de estranhos, o que, para JB, significava qualquer um que não Jude e Willem, ou, mais especificamente, outras pessoas negras.

De volta à casa dos pais na rua 71 (mais para o lado da Park Avenue), Malcolm enfrentou o interrogatório materno de toda noite, berrado do segundo andar ("Malcolm, é você?" "Sim!" "Você comeu?" "Sim!" "Ainda está com fome?" "Não!"), e se arrastou para sua toca lá em cima para refletir mais uma vez sobre os dilemas centrais de sua vida.

Por mais que JB não estivesse com ele naquela noite para ouvir a conversa com o taxista, a culpa e o ódio que Malcolm sentia de si mesmo por falar o que falara colocou o tema racial no topo da lista. Raça sempre fora uma questão complicada para Malcolm, mas, no segundo ano de faculdade, chegara a uma saída que considerava brilhante: ele não era negro; era pós-negro. (O pós-modernismo entrara na consciência de Malcolm muito depois das outras pessoas, já que ele tentara evitar as aulas de literatura numa espécie de rebelião passiva contra a mãe.) Infelizmente, ninguém se convencia daquela explicação, muito menos JB, a quem Malcolm começara a ver nem tanto como negro, mas sim como *pré*-negro, como se a negritude, assim como o nirvana, fosse um estado idealizado que ele vinha constantemente buscando alcançar.

E, de qualquer forma, JB encontrara outro modo de superar Malcolm, pois enquanto este acabava de descobrir a identidade pós-moderna, JB descobria a arte (a aula que ele frequentava, Identidade na Arte: Transformações Performáticas e o Corpo Contemporâneo, atraía um certo tipo de lésbicas bigodudas que horrorizavam Malcolm, mas que, por algum motivo, se juntava em bando em torno de JB). Ele ficou tão emocionado com a obra de Lee Lozano que resolveu homenageá-la com seu projeto de meio de ano, intitulado *Decida Boicotar os Brancos (Tributo a Lee Lozano)*, no qual parou de falar com todas as pessoas brancas. Quase como se pedisse desculpas, mas principalmente com orgulho, ele explicou o plano aos amigos num sábado: a partir da meia-noite, não dirigiria uma só palavra a Willem e reduziria às metade seu papo com Malcolm. Como a raça de Jude era indeterminada, continuaria falando com ele, mas somente por meio de charadas ou *koans* zen, como forma de reconhecer a incognoscibilidade de suas origens étnicas.

Malcolm pôde perceber pelo olhar que Jude e Willem trocaram, breve e sério, porém, como observou com certa irritação, também cheio de significado (ele sempre suspeitara que os dois conduziam uma amizade extracurricular da qual não fazia parte), que os dois se divertiram com a ideia e estavam dispostos a satisfazer às vontades de JB. Já de sua parte, Malcolm sentiu que devia ficar grato pelo que poderia se tornar uma folga das provocações de JB, mas não estava grato, na verdade, nem achava graça: estava chateado, tanto pelo modo como JB brincava com a questão racial quanto por ele usar aquele projeto estúpido e pretensioso (pelo qual provavelmente receberia nota máxima) para comentar a identidade racial de Malcolm, que não era da conta dele.

Morar com JB sob os termos de seu projeto (mas, para dizer a verdade, quando é que *não* viviam segundo os caprichos e vontades de JB?) não era muito diferente de viver com JB em circunstâncias normais. Minimizar suas conversas com Malcolm não reduzia o número de vezes que JB perguntava se ele podia comprar algo no mercado ou recarregar seu cartão da lavanderia, já que Malcolm estava mesmo saindo, ou se podia pegar emprestado seu exemplar de *Dom Quixote* para a aula de espanhol, pois esquecera o seu no banheiro masculino no subsolo da biblioteca. O fato de JB não falar com Willem também não significava o fim da comunicação não oral, o que incluía um monte de textos e bilhetes que ele escrevia ("Vai passar *O poderoso chefão* no Rex – quer ir?") e entregava ao amigo, o que, Malcolm tinha certeza, não era a intenção de Lozano. E suas conversas ionesquianas com Jude logo foram esquecidas quando JB precisou que Jude fizesse seu dever de cálculo, quando Ionesco se transformou de repente em Mussolini, especialmente depois que Ionesco se deu conta de que havia uma série de problemas que ele nem começara a resolver porque estivera ocupado no banheiro masculino na biblioteca, e a aula começaria em quarenta e três minutos ("Mas isso é tempo de sobra para você, não é, Judy?").

Naturalmente, sendo JB do jeito que era, e os colegas, presas fáceis para qualquer coisa que fosse lisonjeira e bajuladora, seu pequeno experimento foi mencionado no jornal da universidade, e depois numa nova revista literária negra, *Existe remorso*, e se tornou, por um curto e tedioso período, o assunto do campus. A atenção reavivou o ânimo já esmaecido de JB pelo projeto – só haviam se passado oito dias e Malcolm podia vê-lo morrendo de vontade de conversar com Willem – e ele conseguiu resistir por mais dois dias, para então encerrar majestosamente a experiência, classificando-a como um sucesso e anunciando que a mensagem fora dada.

– Que mensagem? – perguntou Malcolm. – Que você consegue irritar os brancos sem falar com eles tanto quanto fala?

– Ah, vai se foder, Mal – disse JB, mas de um modo indolente, triunfante demais para se dar ao trabalho de entrar no assunto com ele. – Você não entenderia – acrescentou, saindo em seguida para encontrar o namorado, um sujeito branquelo com cara de louva-deus, que sempre olhava para JB com uma expressão fervente de idolatria que enojava Malcolm de leve.

Na época, Malcolm se convencera de que aquele desconforto racial era algo passageiro, uma sensação puramente contextual despertada em todos durante a faculdade, mas que depois evaporava à medida que você ia crescendo. Ele nunca sentira qualquer inquietação ou orgulho particular por ser negro, exceto de jeitos mais remotos: sabia que devia ter determinados sentimentos sobre certas coisas na vida (motoristas de táxi, por exemplo), mas de alguma forma aquele conhecimento era puramente teórico, nada que ele de fato tivesse vivido. E, ainda assim, a cor da pele era uma parte importante da história de sua família, que fora contada e recontada até cansar: como seu pai fora o terceiro negro a chegar ao cargo de presidente na sociedade de investimento onde trabalhava, o terceiro administrador negro na escola preparatória majoritariamente para alunos brancos onde Malcolm estudara, o segundo diretor financeiro negro de um grande banco comercial. (O pai de Malcolm nascera um pouco atrasado para ser o *primeiro* negro em alguma coisa, mas, no corredor por onde se movia – ao sul da rua 96 e ao norte da 57; a leste da Quinta Avenida e a oeste da Lexington –, ainda era uma figura rara como o gavião-de-cauda-vermelha que às vezes se aninhava no parapeito de um dos prédios em frente ao dele na Park Avenue.) Conforme crescia, a negritude do pai (e a sua também, ele supunha) fora posta de lado em prol de outras questões mais significativas, fatores que contavam mais na sua região de Nova York do que sua raça: o papel de destaque de sua esposa na cena literária de Manhattan, por exemplo, e, mais importante ainda, sua fortuna. A Nova York onde Malcolm e a família habitavam não era dividida por linhas raciais, mas sim pela incidência de impostos, e Malcolm crescera isolado de tudo o que o dinheiro conseguia protegê-lo, incluindo a própria intolerância – ou pelo menos assim parecia agora. Na verdade, foi só na universidade que ele teve de enfrentar de fato os diferentes modos como a condição de negro era vivida por outras pessoas e, o que talvez fosse mais surpreendente, o quanto o dinheiro da família o separava do restante do país (ainda que para isso você devesse considerar que seus colegas representassem o restante do país, o que obviamente não era verdade). Mesmo hoje, quase uma década após conhecê-lo, Malcolm ainda tinha dificuldade para entender o tipo de pobreza em meio à qual Jude fora criado – sua incredulidade quando finalmente se dera conta de que a mochila com a qual Jude chegara à universidade continha todos os seus bens fora tão intensa que se tornara uma experiência quase física, tão profunda que chegara a mencioná-la ao pai, e ele não tinha o hábito de revelar ao pai provas de sua ingenuidade, pois temia que isso pudesse desencadear um sermão sobre ela Mas até mesmo o pai, que tivera uma infância pobre no Queens – ainda que seu pai e sua mãe trabalhassem e ele ganhasse um conjunto de roupas novas todo ano –, ficara chocado, Malcolm percebera, embora tenha tentado esconder a surpresa contando uma história sobre as privações que sofrera quando criança (algo sobre uma árvore de Natal que teve de ser comprada um dia após o Natal), como se a falta de privilégios fosse uma competição que ele ainda estivesse determinado a vencer, mesmo diante do triunfo claro e indiscutível de outra pessoa.

De qualquer forma, raça parecia cada vez menos uma característica definidora quando a pessoa estava fora da universidade havia seis anos, e aqueles que ainda a tinham como o cerne de sua identidade acabavam parecendo um pouco infantis e até patéticos, como se agarrados a um fascínio juvenil com a Anistia Internacional ou a tuba: uma preocupação datada e constrangedora com algo que alcançara sua apoteose no momento das redações de vestibular. Na sua idade, os únicos aspectos realmente importantes da identidade de alguém eram as proezas sexuais, as conquistas profissionais e o dinheiro. E Malcolm também estava fracassando nesses três aspectos.

Com o dinheiro ele não se importava. Algum dia herdaria uma enorme fortuna. Não sabia quanto, e nunca sentira vontade de perguntar, e ninguém sentira vontade de lhe dizer, e era por isso que sabia que se tratava mesmo de uma fortuna. Não enorme como a de Ezra, é claro, mas – bem, talvez *fosse* enorme como a de Ezra. Os pais de Malcolm viviam de maneira muito mais modesta do que podiam, graças à aversão da mãe a grandes ostentações de riqueza, por isso ele nunca soube se moravam entre as avenidas Lexington e Park porque não podiam bancar um apartamento entre a Madison e a Quinta, ou se moravam entre a Lexington e a Park porque a mãe achava muito ostensivo morar entre a Madison e a Quinta. Ele gostaria de ganhar seu próprio dinheiro, sem dúvida. Mas não era um daqueles garotos ricos que se torturava por causa disso. Tentaria bancar a si mesmo, mas isso não dependia exclusivamente dele.

Já o sexo e a satisfação sexual eram coisas pelas quais ele *tinha* de assumir a responsabilidade. Não podia botar a culpa pela falta de uma vida sexual no fato de ter escolhido uma profissão que pagava pouco, ou de os pais não o incentivarem o bastante. (Ou será que podia? Quando criança, Malcolm era forçado a assistir aos longos amassos entre os pais – muitas vezes conduzidos na frente dele e de Flora –, e agora se perguntava se o exibicionismo dos dois amortecera seu espírito de competitividade.) Seu último relacionamento de verdade acontecera mais de três anos atrás, com uma mulher chamada Imogene, que lhe dera um pé na bunda para virar lésbica. Ele ainda não sabia bem, mesmo agora, se realmente sentia alguma atração física por Imogene ou se apenas ficava aliviado por ter alguém para tomar decisões que ele seguia alegremente. Há pouco tempo, encontrara Imogene (que também era arquiteta, mas numa organização sem fins lucrativos que construía habitações experimentais para a população de baixa renda – exatamente o tipo de trabalho que Malcolm sentia que deveria *querer* fazer, embora no fundo não quisesse) e a provocara – estava só brincando! – dizendo que achava que fora ele quem a levara ao lesbianismo. Mas Imogene ficara irritada e respondera que *sempre* fora lésbica e que ficara com ele só porque Malcolm parecia tão confuso quanto à sexualidade que ela achou que poderia ajudá-lo em sua formação.

Mas, depois de Imogene, não houve mais ninguém. O que havia de errado com ele? Sexo, sexualidade; essas também eram coisas que devia ter resolvido na faculdade, o último lugar por onde se passa em que aquele tipo de insegurança não só era tolerado como encorajado. Quando tinha vinte e poucos anos, Malcolm tentara se apaixonar e desapaixonar por várias pessoas – as amigas de Flora, colegas de turma, uma das clientes da mãe, uma romancista iniciante que escrevera um *roman à clef* no qual era uma bombeira sexualmente confusa – e ainda não sabia por quem poderia sentir atração. Ele muitas vezes pensava que ser gay (por mais que também não conseguisse nem pensar nisso; de alguma forma, assim como acontecia com a questão racial, aquilo parecia pertencer ao âmbito da universidade, uma identidade a ser vivida por um período antes de amadurecer e adentrar numa realidade mais prática e adequada) seria uma escolha atraente mais pelos acessórios que acompanhavam essa escolha, como o repertório de opiniões e causas políticas e a adoção da estética. Ele não tinha, aparentemente, o senso de vitimização, as feridas e a raiva perpétua necessários para ser negro, mas estava convicto de possuir os atributos necessários para ser gay.

Ele já se via meio que apaixonado por Willem, e em diversos momentos também sentia uma queda por Jude, e no trabalho às vezes se pegava fitando Eduard. Às vezes ele notava que Dominick Cheung também encarava Eduard, o que o fazia parar, pois a última pessoa com quem queria parecer era o triste Dominick, do alto de seus 45 anos, devorando com os olhos um funcionário numa firma que jamais seria sua. Algumas semanas atrás, estivera na casa de Willem e Jude com o pretexto de tirar algumas medidas para poder projetar uma estante de livros para os dois. Quando Willem se curvou diante dele para pegar a fita métrica no sofá, a proximidade do amigo se tornou algo repentinamente insuportável e Malcolm inventou uma desculpa sobre ter de ir ao escritório e foi embora de repente, enquanto Willem gritava seu nome.

Ele de fato foi ao escritório, ignorando as mensagens de texto de Willem, e se sentou diante do computador, fitando o arquivo à sua frente sem realmente vê-lo e se perguntando mais uma vez por que fora trabalhar na Ratstar. O pior de tudo era que a resposta era tão óbvia que ele nem precisava ter feito a pergunta: trabalhava na Ratstar para impressionar os pais. No último ano da faculdade de arquitetura, Malcolm se vira diante de uma escolha: poderia optar por trabalhar com dois colegas de turma, Jason Kim e Sonal Mars, que estavam abrindo seu próprio escritório com o dinheiro dos avós de Sonal, ou poderia ir trabalhar na Ratstar.

– Você só pode estar de brincadeira comigo – disse Jason quando Malcolm lhe contou sua decisão. – Você sabe que tipo de vida espera por você num lugar como aquele, não sabe?

– É uma firma grande – respondeu ele, com convicção, soando como sua mãe. Jason revirou os olhos. – Quero dizer, é uma experiência boa para o meu currículo.

Mas, no mesmo instante em que falou aquilo, sabia (e pior ainda, temia que Jason também soubesse) o que realmente queria dizer: aquele era um nome importante, um nome que os pais poderiam mencionar nas festas que frequentavam. E de fato os pais gostavam de mencioná-lo.

– Dois filhos – Malcolm ouvira o pai dizer a alguém durante um jantar em homenagem a um dos clientes da mãe. – Minha filha é editora na Farrar, Straus and Giroux e meu filho trabalha na Ratstar Architects.

A mulher fez um ruído de aprovação e Malcolm, que vinha buscando um modo de dizer ao pai que queria largar o emprego, sentiu algo dentro de si murchar. Em ocasiões como aquela, ele invejava os amigos exatamente pelas mesmas coisas que antes o faziam sentir pena: o fato de que ninguém esperava nada deles, o mundanismo de suas famílias (ou a própria falta de uma), o modo como conduziam suas vidas de acordo com suas próprias ambições.

E agora? Agora dois projetos de Jason e Sonal tinham aparecido na revista *New York* e um outro no *The New York Times*, enquanto ele ainda fazia o mesmo tipo de trabalho que costumava fazer no primeiro ano da faculdade de arquitetura, empregado por dois homens pretensiosos numa firma batizada pretensiosamente em homenagem a um poema pretensioso de Anne Sexton, sem receber quase nada por isso.

Ele aparentemente escolhera a faculdade de Arquitetura pelo pior motivo possível: porque amava prédios. Aquela fora uma paixão respeitável, e, quando criança, seus pais o presenteavam com excursões por casas e monumentos toda vez que viajavam. Mesmo quando era um rapazinho, Malcolm sempre desenhava prédios imaginários, construía estruturas imaginárias: eram um conforto e um refúgio para ele – tudo aquilo que não conseguia articular, tudo que era incapaz de decidir podia, aparentemente, se materializar num prédio.

E de uma maneira fundamental, aquilo era o que mais o envergonhava: não seu pouco entendimento do sexo, não suas tendências raciais desleais, não sua incapacidade de se separar dos pais, ganhar seu próprio dinheiro ou se comportar como uma criatura autônoma. Seu maior problema era que, quando trabalhava ao lado de seus colegas à noite e o grupo se enfurnava em seus próprios sonhos e ambições, quando todos desenhavam e planejavam suas construções improváveis, ele ficava ali sem fazer nada. Perdera a capacidade de imaginar qualquer coisa. Assim, todas as noites, enquanto os outros criavam, ele copiava: desenhava os prédios que vira em suas viagens, prédios que outras pessoas haviam sonhado e construído, prédios onde vivera ou por onde passara. Vez após vez, fazia o que já fora feito, nem mesmo se dando ao trabalho de melhorá-los, mas simplesmente imitando-os. Estava com 28 anos; sua imaginação o abandonara; nada mais era que um copiador.

Aquilo o assustava. JB tinha suas séries. Jude tinha seu trabalho, Willem, também. Mas e se Malcolm nunca mais criasse nada? Sentia saudade dos anos em que bastava estar em seu quarto com a mão passeando sobre a folha de papel quadriculado, antes dos anos de decisões e identidades, quando seus pais faziam as escolhas por ele, e a única coisa em que tinha de se concentrar era no traço limpo de uma linha, na perfeição da borda da régua.

3

Foi JB quem resolveu que Willem e Jude deviam dar uma festa de Ano-Novo em seu apartamento. A decisão foi tomada no Natal, evento este dividido em três partes: a véspera do Natal foi comemorada na casa da mãe de JB em Fort Greene, o jantar de Natal em si (uma celebração formal e organizada, para a qual se exigia traje passeio completo) foi na casa de Malcolm, que por sua vez foi sucedido por um almoço casual na casa das tias de JB. Eles sempre seguiam esse ritual – quatro anos antes, haviam acrescentado o Dia de Ação de Graças na casa de Harold e Julia, amigos de Jude, em Cambridge, à lista de eventos –, mas o lugar onde passariam a noite de Ano-Novo nunca fora estipulado. No ano anterior, no primeiro Ano-Novo pós-universidade em que todos estavam na mesma cidade ao mesmo tempo, os quatro acabaram separados e infelizes – JB passou a data numa festa chata na casa de Ezra, Malcolm, preso em um jantar na casa de amigos dos pais no Alto Manhattan, Willem foi pego por Finlay para trabalhar no Ortolan, Jude, estirado na cama com gripe no apartamento de Lispenard Street –, e decidiram se planejar melhor para o ano seguinte. Mas eles adiaram, adiaram, e então dezembro chegou e ainda não tinham pensado em nada.

Por isso não se importaram quando JB tomou a decisão por eles, não nesse caso. Calcularam que daria para acomodar vinte e cinco pessoas com conforto, ou quarenta sem.

– Vamos chamar quarenta, então – disse JB de bate-pronto, como já esperavam os amigos.

Mais tarde, já de volta ao apartamento, eles fizeram uma lista com vinte nomes, só com os amigos deles e de Malcolm, sabendo que JB convidaria um número maior de pessoas do que estipulava sua cota, estendendo o convite a amigos e a amigos de amigos e a conhecidos e a colegas e balconistas de bar e vendedores de loja, até o lugar ficar tão lotado de corpos que nem se abrissem todas as janelas e deixassem o ar da noite entrar seria suficiente para dispersar a neblina de calor e fumaça que inevitavelmente se acumularia.

– Não compliquem as coisas – foi o outro conselho de JB, embora Willem e Malcolm soubessem que aquele era um aviso direcionado somente a Jude, que tinha a tendência de fazer tudo de um modo mais elaborado do que o necessário, como passar noites e noites preparando *gougères* quando todos ficariam felizes em comer pizza, ou fazer uma boa limpeza antes da festa, como se alguém fosse dar importância caso o piso estivesse cheio de cascalho, ou a pia, manchada de detergente seco e migalhas do café da manhã dos dias anteriores.

A noite antes da festa foi estranhamente quente para a estação, quente o bastante para Willem fazer a pé o percurso de três quilômetros do Ortolan até o apartamento, que estava completamente tomado pelos aromas amanteigados de queijo, massa e erva-doce, fazendo-o se sentir como se ainda estivesse no restaurante. Parou por um tempo na cozinha, levantando as bolinhas infladas de massa folheada da bandeja para que não grudassem, olhando para a pilha de recipientes de plástico cheios de biscoitos com ervas e cookies de gengibre feitos com farinha de trigo, e sentiu-se um tiquinho triste – a mesma tristeza que sentira quando vira que Jude havia realmente feito uma faxina na casa –, sabendo que tudo aquilo seria devorado sem o menor sinal de apreciação, engolido numa só mordida e empurrado goela abaixo junto com a cerveja, e que começariam o ano novo achando as migalhas daqueles belos biscoitos por toda a parte, pisoteados e esmigalhados entre os tacos. Jude já dormia no quarto, com a janela aberta, e o ar pesado fez Willem sonhar com a primavera, as árvores cheias de flores amarelas, e uma revoada de melros com suas asas que pareciam envernizadas de piche, planando silenciosamente por um céu azul-mar.

Quando acordou, porém, o tempo havia mudado outra vez, e ele levou alguns segundos até perceber que estava tremendo, e que os barulhos em seu sonho eram do vento, e que alguém o estava sacudindo, e que seu nome estava sendo repetido, não pelos pássaros, mas por uma voz humana:

– Willem, Willem.

Virou-se e se apoiou nos cotovelos, mas só conseguiu enxergar Jude por partes: primeiro o rosto, depois, a mão direita segurando o braço esquerdo, que por sua vez estava envolto em algo – uma toalha, identificou – que, de tão branca em meio à escuridão, parecia até uma fonte de luz, o que o fez olhar fixamente para ela, paralisado.

– Willem, desculpe – disse Jude. Sua voz era tão calma que por alguns segundos Willem achou que ainda estava sonhando e parou de ouvir, obrigando Jude a repetir. – Aconteceu um acidente, Willem; desculpe. Preciso que me leve até Andy.

Finalmente ele despertou.

– Que tipo de acidente?

– Eu me cortei. Foi um acidente. – Ele fez uma pausa. – Pode me levar?

– Posso, claro – respondeu, ainda confuso, ainda com sono, e foi ainda sem entender direito que se vestiu atrapalhadamente e encontrou Jude no corredor, onde o aguardava. Os dois caminharam juntos até Canal Street, onde Willem seguiu para o metrô, mas Jude o segurou.

– Acho que precisamos de um táxi.

No táxi – Jude deu o endereço ao motorista naquele mesmo tom de voz sofrido e abafado – Willem finalmente recobrou a consciência e viu que Jude ainda segurava a toalha.

– Por que trouxe a toalha? – perguntou.

– Eu te disse. Me cortei.

– Mas... foi feio?

Jude deu de ombros e Willem percebeu que seus lábios estavam com uma cor estranha, ou melhor, sem cor, embora pudesse ser apenas efeito da luz dos postes, que deslizavam pelo seu rosto, tingindo-o de amarelo, ocre e um pálido branco larval enquanto o táxi avançava para o norte. Jude apoiou a cabeça na janela e fechou os olhos, e foi então que Willem sentiu o início da náusea, do medo, ainda que não conseguisse explicar por quê. Sabia apenas que estava num táxi indo na direção norte e que algo acontecera, mas não entendia o que exatamente, mas era algo sério, e que não estava compreendendo algo importante e fundamental, e que o calor aconchegante e úmido de algumas horas atrás desaparecera e o mundo recobrara sua gelidez impetuosa, sua crueldade implacável de fim de ano.

O consultório de Andy ficava na esquina da rua 78 com a Park Avenue, perto da casa dos pais de Malcolm, e só quando já estavam lá dentro, sob a luz clara, foi que Willem percebeu que a mancha escura na camisa de Jude era sangue, e que a toalha ficara pegajosa, quase envernizada, com as pequenas fibras de algodão emaranhadas como pelo molhado.

– Desculpe – disse Jude a Andy, que abrira a porta para eles entrarem.

Quando Andy tirou a toalha, tudo o que Willem pôde ver foi o que parecia ser uma crise de tosse de sangue, como se o braço de Jude tivesse uma boca e estivesse vomitando sangue, com tanto ímpeto que chegava a formar pequenas borbulhas, que estouravam e explodiam como se estivessem alegres.

– Puta que pariu, Jude – disse Andy, levando-o para dentro do consultório, enquanto Willem aguardava na recepção.

Ai meu deus, pensou, ai meu deus. Mas era como se sua mente fosse uma máquina funcionando num *looping* e ele não conseguia pensar em nada além daquelas palavras. A luz era muito clara na sala de espera e ele tentou relaxar, mas não conseguiu. A frase martelava no ritmo do seu coração, batendo dentro do corpo feito uma segunda pulsação: *Ai meu deus. Ai meu deus. Ai meu deus.*

Ele esperou por uma longa hora até Andy chamar seu nome. Andy era oito anos mais velho que Willem, e eles o conheciam desde o segundo ano de faculdade, quando Jude teve um episódio de dor tão duradouro que os três amigos decidiram levá-lo ao hospital ligado à universidade, onde Andy era o residente de plantão. Era o único médico que Jude aceitou visitar outras vezes, e agora, por mais que Andy fosse cirurgião ortopédico, ainda atendia Jude sempre que havia algo de errado, fossem as costas, as pernas ou uma gripe ou resfriado. Todos gostavam de Andy, e também confiavam nele.

– Ele já pode ir para casa – disse Andy. Estava furioso. Com um estalo, tirou as luvas, cobertas de sangue seco, e empurrou o banco para trás. No chão havia uma faixa vermelha longa e borrada, como se alguém tivesse tentado limpar algo derramado e desistido no meio da empreitada, frustrado. Havia manchas vermelhas também pelas paredes, e o agasalho de Andy enrijecera com o sangue. Jude estava sentado na maca, com um ar cabisbaixo e tristonho, segurando uma garrafa de vidro de suco de laranja. Os cabelos pareciam uma massa única e a camisa tinha uma aparência rígida e engomada, como se feita de metal, e não de tecido. – Jude, espere um pouco na recepção – ordenou Andy, e Jude obedeceu mansamente.

Quando ele saiu, Andy fechou a porta e olhou para Willem.

– Você percebeu alguma tendência suicida nele?
– O quê? Não. – Willem sentiu seu corpo enrijecer. – Foi isso que ele tentou fazer?
Andy soltou um suspiro.
– Ele disse que não. Mas... não sei. Não. Não sei dizer. Não ao certo. – Andy foi até a pia e começou a esfregar as mãos. – Por outro lado, se fosse levado ao pronto-socorro, que é o que vocês deveriam ter feito, porra, você sabe... eles o teriam internado. Que é provavelmente o motivo pelo qual ele não quis ser levado para lá. – Andy agora falava em voz alta consigo mesmo. Colocando um pequeno lago de sabão nas mãos, lavou-as mais uma vez. – Você sabe que ele se corta, não sabe?
Por um instante, Willem não conseguiu responder.
– Não – falou.
Secando cada dedo lentamente, Andy girou e fitou Willem.
– Ele não anda meio depressivo? – perguntou. – Está se alimentando regularmente, dormindo? Parece apático, doente?
– Ele aparentava estar bem – falou Willem, embora na verdade não soubesse ao certo. Será que Jude *estava* se alimentando? Será que *estava* dormindo? Será que ele deveria ter percebido algo no amigo? Será que deveria ter prestado mais atenção? – Quero dizer, estava se comportando normalmente.
– Muito bem – disse Andy, parecendo desanimado por um instante. Os dois ficaram ali parados em silêncio, de frente um para o outro, mas sem trocar olhares. – Vou acreditar no que ele disse desta vez – falou. – Estive com ele há uma semana e concordo com você, não havia nada de incomum. Mas, se ele começar a se comportar de maneira estranha, ligue para mim na mesma hora. Estou falando sério, Willem.
– Prometo – respondeu ele.
Willem vira Andy algumas vezes ao longo dos anos e sempre sentira sua frustração, que normalmente parecia direcionada a muitas pessoas ao mesmo tempo: a si próprio, a Jude e especialmente aos amigos de Jude, já que nenhum deles, como Andy sempre deixava a entender (sem jamais dizê-lo em voz alta), cuidava bem do rapaz. Willem gostava daquilo em Andy, da sensação de ultraje que sentia por causa de Jude, ainda que temesse a desaprovação do médico e também a considerasse um tanto injusta.

E então, como quase sempre acontecia quando acabava de repreendê-los, a voz de Andy mudava e se tornava quase delicada.

– Acredito em você – disse ele. – Está tarde. Vá para casa. Não se esqueça de dar algo para ele comer quando acordar. Feliz Ano Novo.

—

Os dois voltaram para casa em silêncio. O taxista deu uma única e silenciosa olhada em Jude e falou:

– Vou ter de acrescentar vinte dólares à corrida.

– Tudo bem – respondeu Willem.

O céu já estava quase claro, mas ele sabia que não conseguiria dormir. No táxi, Jude evitou Willem e ficou olhando pela janela. Já de volta ao apartamento, atravessou a porta cambaleando e seguiu lentamente até o banheiro, onde, como bem sabia Willem, tentaria limpar a bagunça toda.

– Nem pense nisso – falou Willem. – Vá dormir. – E Jude, obedecendo desta vez, mudou de direção e se arrastou para o quarto, onde caiu no sono quase de imediato.

Willem sentou na própria cama e ficou observando o amigo. De um momento para o outro, tomou consciência de cada articulação, músculo e osso em seu próprio corpo, o que o fez se sentir muito, muito velho, e por longos minutos nada mais fez além de olhar.

– Jude – chamou ele, e depois insistiu mais algumas vezes.

Como Jude não respondeu, Willem foi até a cama do amigo e o virou de costas, e, depois de hesitar por um instante, ergueu a manga direita de sua camisa. Ao seu toque, o tecido não esticou, mas dobrou e amassou feito papelão, e, embora só tivesse conseguido levantar a manga até o cotovelo de Jude, foi o bastante para ver as três colunas de cicatrizes brancas precisas, cada uma delas com uns dois centímetros e meio de largura, com um leve relevo, subindo pelo braço. Willem enfiou o dedo por baixo da manga e sentiu que as feridas continuavam até a parte superior do braço, mas parou ao alcançar o bíceps, relutante em continuar a exploração, e tirou a mão. Não conseguiu examinar o braço esquerdo – Andy cortara aquela manga, e tanto a mão quanto o antebraço inteiro de Jude estavam cobertos por gazes brancas –, mas sabia que encontraria o mesmo ali.

Willem mentira quando dissera a Andy que não sabia que Jude se cortava. Ou, para ser mais preciso, ele não tinha certeza, embora aquilo fosse uma mera tecnicalidade; ele sabia, e fazia muito tempo. Durante o verão que passaram na casa de Malcolm após a morte de Hemming, ele e Malcolm encheram a cara em uma tarde e, ao sentarem para observar JB e Jude, que voltavam de um passeio pelas dunas, arremessando areia um no outro, Malcolm perguntou:

— Já reparou que Jude sempre usa manga comprida?

Willem apenas grunhiu como resposta. Ele percebera, é claro — era difícil não perceber, ainda mais nos dias de calor —, mas nunca se permitira questionar o porquê. Parecia a Willem que grande parte de sua amizade com Jude consistia em se controlar para não fazer as perguntas que ele sabia que deveriam ser feitas, pois tinha medo das respostas.

Fez-se um silêncio, então, e os dois observaram quando JB, também embriagado, caiu de costas na areia e Jude se curvou sobre ele e começou a enterrá-lo.

— Flora tinha uma amiga que sempre usava manga comprida — continuou Malcolm. — Ela se chamava Maryam. Tinha o hábito de se cortar.

Ele deixou o silêncio se infiltrar entre eles, até quase poder ouvi-lo ganhar vida. Havia uma garota no dormitório deles que também se cortava. Ela cursara o primeiro ano de universidade com eles, mas Willem se deu conta de que não a vira durante o último ano inteiro.

— Por quê? — perguntou a Malcolm. Na areia, Jude já alcançara a cintura de JB. Com a voz desafinada e estridente, JB cantarolava algo.

— Não sei — respondeu Malcolm. — Ela era cheia de problemas.

Ele esperou um pouco, mas parecia que Malcolm não tinha mais nada a acrescentar.

— O que aconteceu com ela?

— Não sei. Elas perderam o contato quando Flora entrou na universidade; nunca mais falou dela.

Os dois ficaram em silêncio mais uma vez. Em algum lugar no meio do caminho, como ele sabia bem, uma espécie de pacto velado fora firmado entre os três, no qual se estipulara que Willem seria o principal responsável por Jude. Aquela conversa, ele reconheceu, era o jeito que Malcolm encontrara para expor um problema que precisava de uma solução, ainda que, qual seria exatamente o problema – ou qual poderia ser a resposta – ele não soubesse dizer, e apostava que Malcolm também não sabia.

Nos dias seguintes ele tratou de evitar Jude, pois sabia que se ficasse a sós com ele não conseguiria deixar de ter uma conversa com o amigo, e não sabia bem se queria fazer isso, ou que tipo de conversa seria aquela. Não foi muito difícil: durante o dia, todos andavam sempre em grupo, e à noite cada um ia para o seu próprio quarto. Mas certa noite, Malcolm e JB saíram juntos para buscar lagostas e ele e Jude ficaram sozinhos na cozinha, cortando tomates e lavando alface. O dia fora longo, ensolarado e cansativo, e Jude estava de bom humor, quase despreocupado, e no momento em que fez a pergunta, Willem sentiu uma melancolia profética ao estragar um momento tão perfeito, um momento em que tudo – do céu rosado sobre eles ao modo como a faca deslizava suavemente pelas verduras debaixo deles – conspirara para funcionar bem, até ele vir e estragá-lo.

– Quer uma camiseta emprestada? – perguntou a Jude.

Ele não respondeu até terminar de descaroçar o tomate à sua frente, quando lançou um olhar inexpressivo e firme para Willem.

– Não.

– Não está com calor?

Jude abriu um meio sorriso repreensivo.

– Vai esfriar logo, logo. – E era verdade. Quando o último pedacinho de sol desaparecesse, a temperatura cairia e o próprio Willem teria de ir até o quarto pegar um agasalho.

– Mas – e sabia antes mesmo de falar o quanto aquilo soaria absurdo, como o controle da situação escapara feito um gato de suas mãos no momento em que dera início ao confronto – você vai sujar a manga toda de lagosta.

Ouvindo isso, Jude fez um ruído, uma espécie de grasnido engraçado, alto e espalhafatoso demais para ser uma risada de verdade, e voltou sua atenção para a tábua de cortar.

– Acho que consigo me virar, Willem – retrucou ele, e por mais que seu tom de voz fosse tranquilo, Willem percebeu a força com a qual segurava o cabo da faca, quase o espremendo, de tal modo que os nós dos dedos assumiram um tom amarelo gorduroso.

Eles tiveram sorte, os dois, por Malcolm e JB voltarem antes que tivessem de continuar o papo, mas não antes que Willem ouvisse Jude começar a perguntar:

– Por que você...

E por mais que ele não tivesse completado a frase (nem dirigido a palavra uma só vez a Willem durante o jantar, no qual manteve as mangas completamente limpas), Willem sabia que a pergunta não seria "Por que você está me perguntando isso?", mas sim "Por que *você* está me perguntando isso?", já que Willem sempre tivera o cuidado de não expressar muito interesse em explorar o armário cheio de portas onde Jude se escondia.

Se fosse qualquer outra pessoa, disse a si mesmo, não teria nem hesitado. Teria exigido uma resposta, teria chamado amigos em comum, teria sentado ao seu lado e berrado e insistido e ameaçado até conseguir extrair uma confissão. Mas aquilo fazia parte do pacote da amizade com Jude: ele sabia, Andy sabia, todos sabiam. Você deixava algumas coisas passarem, coisas que seu instinto dizia que mereciam atenção, você tangenciava suas suspeitas. Você entendia que a prova da sua amizade estava em manter a distância, em aceitar o que era dito, em dar as costas e ir embora quando a porta era fechada na sua cara, em vez de tentar abri-la outra vez. As conversas de sala de guerra que os quatro tinham sobre outras pessoas – sobre Henry Young Negro, quando acharam que a garota com quem estava saindo o traía e tentaram decidir se deviam contar a ele; sobre Ezra, quando *souberam* que a garota com quem estava saindo o traía e tentaram decidir como contar a ele – eram algo que nunca teriam sobre Jude. Ele consideraria aquilo uma traição, e não ajudaria em nada, de qualquer forma.

Durante o resto da noite, um evitou o outro. Quando foi dormir, no entanto, Willem se viu parado em frente ao quarto de Jude. Sua mão pairou diante da porta, pronta para bater, antes de refletir: O que diria? O que queria ouvir? E então foi embora, voltou para o quarto, e no dia seguinte, como Jude não fez qualquer menção à semiconversa da noite anterior, ele também se manteve calado, e logo o dia virou noite, e outro dia se passou, e mais um, e os dois ficaram cada vez mais distantes da ocasião em que Willem tentara, ainda que em vão, fazer Jude responder a uma pergunta que ele não conseguira fazer.

Mas ela estava sempre no ar, a pergunta, e em momentos inesperados forçava o caminho para dentro de sua consciência, postando-se com teimosia bem na parte da frente de sua mente, impassível feito um *troll*.

Quatro anos antes, Willem e JB dividiam um apartamento e cursavam a pós-graduação, e Jude, que permanecera em Boston por causa da faculdade de direito, foi visitá-los. Aquilo aconteceu à noite também, e a porta do banheiro estava trancada, e ele a esmurrou abruptamente, inexplicavelmente aterrorizado, e Jude a abriu, parecendo irritado, mas também (ou será que estava imaginando?) estranhamente culpado, perguntando "O que foi, Willem?", e mais uma vez ele não conseguiu responder, mas sabia que havia algo de errado. De dentro do banheiro vinha um odor tânico pungente, o cheiro enferrujado de sangue, e Willem chegou a remexer no cesto de lixo, onde encontrou um pedaço de bandagem, mas será que aquilo estava ali desde a hora do jantar, quando JB se cortara com a faca tentando descascar uma cenoura na mão (Willem suspeitava que ele exagerava em sua incompetência na cozinha para não precisar ajudar), ou faria parte dos castigos noturnos de Jude? Só que mais uma vez (mais uma!) ele não fez nada, e quando passou por Jude no sofá (fingindo dormir ou dormindo de verdade?) na sala de estar, não falou nada, e no dia seguinte também não disse nada, e os dias se desenrolaram à sua frente tal e qual um papel em branco, e a cada dia que passava ele não falava nada e nada e nada.

E agora isto. Se tivesse feito algo (o quê?) três anos atrás, oito anos atrás, será que isto teria acontecido? E o que exatamente era *isto*?

Mas, desta vez, ele falaria, pois desta vez tinha provas. Desta vez, deixar que Jude escapasse e o evitasse significaria que ele próprio teria culpa se algo acontecesse.

Depois de tomar sua decisão, ele sentiu a fadiga tomar conta de seu corpo, sentiu-a apagar toda a preocupação, a ansiedade e a frustração daquela noite. Era o último dia do ano e, deitado em sua cama de olhos fechados, a última coisa que lembrava de ter sentido foi a surpresa de pegar no sono tão rápido.

—

Eram quase duas da tarde quando Willem finalmente acordou, e a primeira coisa em que pensou foi na decisão que tomara aquela manhã. As coisas certamente haviam se realinhado para desencorajar seu senso de iniciativa: a cama de Jude estava arrumada. Jude não estava nela. O banheiro, quando ele entrou, cheirava a água sanitária. E atrás da mesa de carteado estava o próprio Jude, fazendo círculos com a massa com uma austeridade que deixava Willem ao mesmo tempo irritado e aliviado. Se fosse mesmo confrontar Jude, não poderia, ou pelo menos assim parecia, contar com a vantagem da bagunça, com as provas do desastre.

Willem se esparramou na cadeira diante do amigo.

– O que está fazendo?

Jude não levantou a cabeça.

– Estou preparando mais *gougères* – respondeu calmamente. – Uma das fornadas que fiz ontem não ficou boa.

– Ninguém vai ligar para essa porra, Jude – disse ele com maldade, lançando o corpo para a frente num impulso e acrescentando: – A gente pode servir palitinhos de queijo que dá na mesma.

Jude deu de ombros e Willem sentiu sua irritação se transformar em raiva. Ali estava Jude após o que, como podia admitir agora, fora uma noite assustadora, agindo como se nada tivesse acontecido, mesmo que sua mão enfaixada repousasse inutilmente sobre a mesa. Estava prestes a abrir a boca quando Jude colocou de lado o copo que estava usando para cortar a massa e olhou em sua direção.

– Desculpe, Willem – disse ele, com a voz tão baixa que Willem mal conseguiu ouvi-lo. Ele viu que Willem olhava para sua mão e a colocou no colo. – Eu nunca deveria... – Fez uma pausa. – Desculpe. Não fique zangado comigo.

Sua raiva se dissolveu.

– Jude – perguntou ele –, o que você estava fazendo?

– Não o que você está pensando. Eu juro, Willem.

Anos depois, Willem recontaria essa conversa – não palavra por palavra, mas em linhas gerais – a Malcolm como prova de sua própria incompetência, de seu fracasso. Como as coisas poderiam ter sido diferentes se ele tivesse dito ao menos uma frase? E aquela frase poderia ter sido "Jude, você está tentando se matar?" ou "Jude, você precisa me falar o que está acontecendo" ou "Jude, por que está fazendo isso com você mesmo?". Qualquer uma delas seria aceitável; qualquer uma delas levaria a uma conversa mais aprofundada, que teria uma função reparadora ou ao menos preventiva.

Não teria?

Mas ali, naquele exato momento, tudo o que disse foi:

– Tudo bem.

Os dois ficaram sentados em silêncio pelo que pareceu muito tempo, ouvindo os murmúrios de uma das televisões dos vizinhos, e só bem mais tarde foi que Willem se perguntou se Jude teria ficado triste ou aliviado por ele ter acreditado tão prontamente em suas palavras.

– *Está* zangado comigo?

– Não. – Willem pigarreou. E não estava zangado. Ou pelo menos *zangado* não era a palavra que teria escolhido, mas naquele momento não sabia qual seria o termo correto. – Mas obviamente teremos de cancelar a festa.

Ouvindo isso, Jude ficou surpreso.

– Por quê?

– *Por quê?* Está brincando comigo?

– Willem – disse Jude, adotando o que Willem via como seu tom litigioso –, não podemos cancelar a festa. As pessoas vão chegar daqui a sete horas, ou menos. E não temos a menor ideia de quem JB convidou. Essa gente vai aparecer de qualquer maneira, mesmo se avisássemos todos os outros. E além disso... – Ele respirou fundo, como se tivesse uma infecção no pulmão e tentasse provar que estava curado. – Estou perfeitamente bem. Vai ser mais complicado cancelar tudo do que seguir em frente.

Ah, como e por que ele sempre dava ouvidos a Jude? Mas foi o que fez, mais uma vez, e logo já eram oito horas, e as janelas foram abertas mais uma vez, e a cozinha mais uma vez se encheu com o calor do forno – como se a noite anterior não tivesse acontecido, como se aquelas horas tivessem sido apenas uma ilusão – e Malcolm e JB já estavam ali. Willem parou na porta do quarto, abotoando a camisa e ouvindo Jude contar a eles que queimara o braço assando os *gougères* e que Andy tivera de aplicar uma pomada.

– Falei para não fazer essas porras de *gougères* – ouviu JB dizer, todo alegre. Ele adorava a comida de Jude.

Willem então foi assolado por uma sensação poderosa: podia fechar a porta, ir dormir e, quando acordasse, seria um novo ano, tudo recomeçaria do zero, e ele não sentiria aquele desconforto profundo se retorcendo dentro de seu corpo. A ideia de ver Malcolm e JB, de interagir com eles e sorrir e brincar, lhe pareceu excruciante de uma hora para outra.

Mas é claro que se uniu ao grupo e, quando JB exigiu que todos subissem ao terraço para que ele pudesse respirar um pouco de ar fresco e fumar um cigarro, Willem deixou que Malcolm, desanimado, reclamasse inutilmente do frio que fazia sem se intrometer, até se resignar e seguir os outros três pela escadaria estreita que levava ao terraço com piso de piche.

Willem sabia que estava de mau humor e se isolou nos fundos do terraço, deixando os outros conversarem longe dele. No alto, o céu já estava completamente escuro, como se fosse meia-noite. Se olhasse para o norte, podia ver bem aos seus pés a loja de materiais de arte onde JB vinha trabalhando por meio período desde que pedira as contas na revista um mês atrás, e, a distância, a massa espalhafatosa e deselegante do Empire State Building, com a torre iluminada por uma luz azul berrante que o fazia lembrar de postos de gasolina e do longo caminho entre o leito de hospital de Hemming e a casa dos pais tantos anos antes.

— Pessoal — gritou para os outros —, está frio. — Willem não estava de agasalho; nenhum deles estava. — Vamos nessa. — Mas, quando chegou à porta que dava para a escadaria do prédio, a maçaneta não girava. Tentou mais uma vez, mas ela não se moveu. Estavam trancados. — Caralho! — gritou ele. — Caralho, caralho, *caralho*!

— Deus do céu, Willem — disse Malcolm, assustado, pois Willem raramente se irritava. — Jude? Você está com a chave?

Mas Jude não estava.

— Caralho! — Willem não conseguia se controlar. Tudo parecia errado. Não conseguia olhar para Jude. Culpou o amigo, o que era injusto. Culpou a si mesmo, o que era mais justo, mas que o fez se sentir pior. — Alguém está com o telefone?

Mas estupidamente ninguém levara o aparelho consigo: deixaram todos no apartamento, onde os quatro deveriam estar, se não fosse pela porra do JB, e pela porra do Malcolm, que fazia tudo o que JB queria sem nem questionar, todas as suas ideias idiotas e mal planejadas, e pela porra do Jude também, pela noite passada, pelos últimos nove anos, por se machucar, por não aceitar ajuda, por assustá-lo e enervá-lo, por fazê-lo se sentir tão inútil: por tudo.

Tentaram gritar por um tempo; bateram os pés no chão com a esperança de que alguém embaixo deles, um dos três vizinhos que ainda não haviam conhecido, pudesse ouvi-los. Malcolm sugeriu jogar alguma coisa nas janelas dos prédios próximos, mas não tinham nada para jogar (até mesmo suas carteiras estavam lá embaixo, guardadas comodamente nos bolsos dos casacos), e além do mais todas as janelas estavam com as luzes apagadas.

— Ouçam — disse finalmente Jude, embora a última coisa que Willem quisesse fosse ouvir Jude. — Tive uma ideia. Me ajudem a descer até a escada de incêndio para eu entrar pela janela do quarto.

A ideia era tão estúpida que de início Willem nem conseguiu reagir: parecia algo que JB pensaria, não Jude.

— Não — disse ele, firme. — Isso é maluquice.

— Por quê? — perguntou JB. — Achei a ideia ótima.

A escada de incêndio era uma estrutura insegura, mal projetada e inútil, um esqueleto de metal enferrujado preso à fachada do prédio entre o quinto e o terceiro andar como uma espécie de decoração de mau gosto — havia uma altura de quase três metros entre o terraço e a plataforma da escada, que tinha metade da largura da sala de estar deles; mesmo se conseguissem descer Jude com segurança até a escada sem que isso o fizesse ter um de seus episódios de dor ou quebrar uma perna, ele ainda teria de se inclinar sobre a beirada da grade para alcançar a janela do quarto.

— De jeito nenhum — disse ele a JB, e os dois discutiram por um tempo até Willem aceitar, com uma sensação crescente de desalento, que aquela era a única solução possível. — Mas Jude fica aqui — falou. — Deixa que eu vou.

— Você não pode ir.

— Por quê? Não preciso nem mesmo entrar pelo quarto. Posso passar por uma das janelas da sala. — As janelas da sala tinham grades, mas faltava uma barra, e Willem achou que conseguiria se espremer entre as outras duas. Tinha que conseguir.

— Eu fechei as janelas antes de subirmos aqui — admitiu Jude em voz baixa, e Willem percebeu que ele quis dizer que as havia trancado, já que trancava tudo o que era possível: portas, janelas, armários. Era instintivo para ele.

O trinco da janela do quarto estava quebrado, no entanto, e Jude bolara um mecanismo — um amontoado complexo de parafusos e arame — que, segundo ele, funcionava perfeitamente.

Willem sempre se sentira intrigado pela extrema prontidão de Jude, por sua devoção em procurar desastre por todos os lados. Há muito tempo notara o hábito de Jude de, ao entrar em qualquer sala ou ambiente novo, procurar pela saída mais próxima e se colocar junto a ela, o que no início achara divertido, mas isso de alguma forma fora perdendo a graça — e uma dedicação similar para implementar medidas preventivas sempre que podia. Numa certa noite em que os dois ficaram acordados até tarde no quarto, conversando, Jude lhe contara (em voz baixa, como se estivesse confessando um segredo) que na verdade o mecanismo da janela podia ser aberto pelo lado de fora, mas que ele era o único que sabia como destrancá-lo.

– Por que está me contando isso? – perguntara ele.

– Porque – respondera Jude – acho que devíamos consertar a tranca da janela.

– Mas, se você é o único que sabe abrir, qual a importância?

Os dois não tinham dinheiro sobrando para chamar um chaveiro, não para resolver um problema que não era um problema. Não podiam pedir ao zelador do prédio: depois que eles se mudaram, Annika confessara que tecnicamente não tinha permissão para sublocar o apartamento, mas, contanto que não causassem problemas, achava que o senhorio os deixaria em paz. Por isso, eles tentavam não criar caso: faziam seus próprios consertos, ajeitavam as próprias paredes e eles mesmos reparavam a tubulação.

– Só por garantia – dissera Jude. – Só quero ter certeza de que estamos seguros.

– Jude – rebatera Willem. – Nós estamos seguros. Não vai acontecer nada. Ninguém vai entrar aqui. – E então, quando Jude ficara em silêncio, ele soltara um suspiro e cedera. – Vou chamar o chaveiro amanhã – falara.

– Obrigado, Willem – agradecera Jude.

Mas, no fim, ele acabara não fazendo isso.

Aquilo fora dois meses atrás, e agora eles estavam no terraço, com frio, e aquela janela era a única esperança que lhes restara.

– Caralho, caralho – resmungou. Sua cabeça doía. – Me explique o que fazer, eu vou lá e abro.

– É muito complicado – disse Jude. Àquela altura os dois haviam esquecido que Malcolm e JB estavam ali parados, olhando para eles. JB, pelo menos dessa vez, manteve o silêncio. – Não vou conseguir explicar.

– Tudo bem, eu sei que você acha que sou um imbecil de merda, mas acho que posso entender se você explicar usando apenas palavras simples – explodiu ele.

– Willem – disse Jude, surpreso, e todos ficaram em silêncio. – Não foi isso que eu quis dizer.

– Eu sei – falou. – Me desculpe. – Willem respirou fundo. – Mesmo se resolvêssemos colocar esse plano em prática, o que não acho certo, como vamos fazer você descer?

Jude foi até a beira do terraço, que era delimitado por uma mureta lisa na altura da canela, e espiou para baixo.

– Vou sentar na mureta virado para fora, bem em cima da saída de incêndio – explicou. – Depois você e JB sentam ao lado da mureta. Daí cada um segura um dos meus braços com as duas mãos e vão me abaixando. Quando não der mais, vocês me soltam e eu caio em cima da plataforma.

Willem caiu no riso. Era uma ideia arriscada e estúpida.

– E, se fizermos isso, como você alcançaria a janela do quarto?

Jude olhou para ele.

– Você vai ter que acreditar que sou capaz.

– Isso é uma idiotice.

JB o interrompeu.

– Só temos esse plano, Willem. Está frio pra caralho aqui fora.

E estava; só a raiva que sentia o mantinha aquecido.

– Você não reparou que a porra do braço dele está todo enfaixado, JB?

– Mas eu estou bem, Willem – disse Jude, antes que JB pudesse responder.

Os dois passaram mais dez minutos discutindo, até que Jude finalmente voltou para a beirada do terraço.

– Se não quiser colaborar, Willem, o Malcolm pode me ajudar – disse ele, embora Malcolm também parecesse aterrorizado.

– Não – falou. – Pode deixar que eu ajudo.

E então ele e JB se ajoelharam e se apoiaram contra a mureta, cada um segurando um braço de Jude com ambas as mãos. Àquela altura o frio era tanto que ele mal sentia os dedos fecharem em volta da palma de Jude. Ele segurava a mão esquerda de Jude, mas, de qualquer forma, tudo o que conseguia sentir era o bolo de gaze. Ao apertá-lo, a imagem do rosto de Andy flutuou à sua frente e Willem foi acometido por uma sensação de culpa.

Jude saiu de cima da mureta e Malcolm soltou um gemidinho que acabou num ganido. Willem e JB se curvaram o máximo que conseguiram, até eles próprios ficarem perto de cair, e, quando Jude gritou para que o soltassem, os dois obedeceram, vendo o amigo aterrissar fazendo barulho sobre as ripas da escada de incêndio abaixo deles.

JB comemorou e Willem teve vontade de estapeá-lo.

— Estou bem! — gritou Jude para eles, acenando a mão enfaixada no ar como uma bandeira, antes de seguir para a borda da escada de incêndio, subindo na grade para começar a desemaranhar o implemento. Estava com uma das pernas enrolada numa das hastes da grade, mas sua posição era precária e Willem o viu oscilar um pouco, tentando manter o equilíbrio, enquanto os dedos trabalhavam lentamente por causa da dormência e do frio.

— Me ajudem a descer também — disse Willem a Malcolm e JB, ignorando os protestos agitados de Malcolm, e então seguiu até a beirada, alertando Jude com um grito antes de descer, de modo a não fazer que o amigo perdesse o equilíbrio.

A queda foi mais assustadora, e a aterrissagem, mais brusca do que ele imaginara, mas Willem se obrigou a não perder tempo e seguiu até onde estava Jude, abraçando a cintura dele e dobrando uma perna em torno de uma das barras para se apoiar.

— Estou te segurando — disse ele, e Jude se inclinou sobre a borda da grade, chegando mais longe do que poderia se estivesse por conta própria.

Willem o segurava com tanta força que conseguia sentir as vértebras de Jude por baixo do suéter, sentia sua barriga encolher e aumentar no ritmo da respiração, sentia o eco dos movimentos dos dedos através dos músculos enquanto ele retorcia e desfazia os laços de arame que atavam a janela ao batente. Quando Jude conseguiu abrir, Willem subiu na grade e entrou no quarto primeiro, esticando o corpo mais uma vez para puxar Jude pelos braços, tendo cuidado para evitar as bandagens.

Os dois ficaram parados do lado de dentro, arfando de cansaço e olhando um para o outro. O quarto estava deliciosamente quente, mesmo com as lufadas de ar frio que entravam pela janela, fazendo Willem finalmente ceder à sensação de alívio. Estavam a salvo, haviam sido poupados. Jude abriu um sorriso para ele, que sorriu de volta — se fosse JB à sua frente, ele o teria abraçado pela absurda sensação de felicidade que sentia, mas Jude não era muito de abraços, e Willem se conteve. Mas então Jude ergueu a mão para tirar os fragmentos de ferrugem que grudaram nos cabelos e Willem notou que na parte de dentro do pulso a atadura estava manchada com um borrão vermelho-escuro, e se deu conta, tardiamente, de que a velocidade da respiração de Jude não era causada apenas pelo esforço, mas também pela dor. Ele viu Jude sentar pesadamente na cama, levando a mão com as faixas brancas para trás para se certificar de que cairia sobre algo sólido.

Willem se agachou ao seu lado. Sua elação desaparecera, substituída por algo diferente. Sentiu-se estranhamente próximo de chorar, mas não sabia explicar por quê.

– Jude – começou ele, sem saber como continuar.

– É melhor você ir lá buscá-los – disse Jude, e embora cada palavra tenha saído como um suspiro, ele sorriu para Willem mais uma vez.

– Eles que se fodam – falou. – Vou ficar aqui com você. – E Jude sorriu um pouco, embora tenha tremido ao fazê-lo, e foi se inclinando com cuidado para trás até deitar de lado. Willem ajudou a colocar suas pernas sobre a cama. Seu suéter estava sujo com mais fragmentos de ferrugem, e Willem tirou alguns deles da roupa do amigo. Depois sentou na cama a seu lado, sem saber por onde começar. – Jude – tentou outra vez..

– Vá – disse Jude, e fechou os olhos, embora ainda estivesse sorrindo.

Relutante, Willem se colocou de pé, fechou a janela e apagou a luz do quarto ao sair, fechando a porta e seguindo na direção do terraço para resgatar Malcolm e JB, enquanto lá embaixo, bem longe, o barulho do interfone reverberava pela escadaria, anunciando a chegada dos primeiros convidados da noite.

[II]

O Pós-Homem

1

Os sábados eram dedicados ao trabalho, mas os domingos eram para caminhar. As caminhadas começaram por necessidade cinco anos antes, quando se mudara para a cidade e pouco sabia sobre ela: a cada semana, ele escolhia uma vizinhança diferente e caminhava de Lispenard Street até ela, para então circulá-la, cobrindo o perímetro com precisão, e depois voltar para casa. Ele nunca pulava um domingo sequer, a não ser que o tempo praticamente impossibilitasse sua saída e, mesmo agora, mesmo depois de ter caminhado por todas as vizinhanças de Manhattan, e por muitas no Brooklyn e no Queens também, ele ainda saía de casa todo domingo às dez e só voltava após completar sua rota. As caminhadas havia muito tinham deixado de ser um prazer, por mais que agora não lhe causassem nenhum *desprazer*, tampouco – era simplesmente algo que fazia. Por um período, também imaginou que pudessem ser mais que um exercício, talvez algo regenerativo, como uma sessão amadora de fisioterapia, apesar de Andy discordar dele e até mesmo desaprovar suas caminhadas.

– Não vejo problema em você querer exercitar as pernas – dissera ele. – Mas, nesse caso, deveria nadar, e não se arrastar de um lado para o outro pelas calçadas. – Ele não se importaria em nadar, na verdade, mas não havia um lugar reservado o bastante para isso, então não o fazia.

Willem ocasionalmente o acompanhava nessas caminhadas, e agora, caso sua rota o levasse a passar pelo teatro, ele calculava o tempo para poder encontrá-lo após a matinê na barraca de suco um quarteirão abaixo. Enquanto bebiam, Willem contava como fora o espetáculo e comprava uma salada para comer antes da sessão da noite, e depois ele partia para o sul, na direção de casa.

Ainda moravam em Lispenard Street, embora ambos pudessem ter se mudado para seus próprios apartamentos: ele, seguramente; Willem, provavelmente. Mas nenhum dos dois jamais mencionara para o outro a ideia de se mudar, e assim foram ficando. Tinham, no entanto, anexado a metade esquerda da sala de estar para fazer um novo quarto, e a turma se reuniu para construir uma parede grumosa de gesso num fim de semana, então agora, ao entrar no apartamento, só havia a luz cinzenta de duas janelas, e não de quatro, para recebê-lo. Willem ficou com o quarto novo e ele permaneceu no antigo.

Exceto quando o visitava na entrada de funcionários do teatro, parecia que nunca via Willem naqueles dias e, apesar de Willem sempre dizer que era preguiçoso, ele parecia estar constantemente trabalhando, ou tentando trabalhar: três anos atrás, em seu vigésimo nono aniversário, ele jurara deixar o Ortolan antes de completar trinta anos, e duas semanas antes de seu trigésimo aniversário, quando os dois estavam no apartamento, espremidos na sala de estar recém-dividida, e Willem refletia se poderia de fato deixar o emprego, o telefone tocou. Era o telefonema que ele vinha esperando havia anos. A peça que resultara daquele telefonema alcançou um certo sucesso e colocou Willem em destaque o suficiente para que pudesse pedir as contas no Ortolan treze meses mais tarde, apenas um ano após o prazo que ele mesmo estipulara. Ele assistira à peça de Willem – um drama familiar chamado *O teorema Malamud*, sobre um professor de literatura sofrendo os primeiros sinais de demência, e seu filho distante, um físico – cinco vezes, duas com Malcolm e JB, e uma com Harold e Julia, que foram passar o fim de semana na cidade. Toda vez ele conseguia se esquecer de que aquele era seu velho amigo, seu companheiro de apartamento, em cima do palco, e ao fim do espetáculo se sentia orgulhoso e melancólico, como se a própria altura do tablado anunciasse a ascendência de Willem a um novo plano de vida, um plano que não era de fácil acesso para ele.

Sua própria proximidade com os trinta não despertara nenhum pânico latente, nada de atividades afobadas, nenhuma necessidade de rearranjar os contornos de sua vida para que se parecesse um pouco mais com o que se esperava da vida de uma pessoa de trinta anos. O mesmo, porém, não valia para seus amigos, e ele passara os últimos três anos da casa dos vinte ouvindo seus louvores àquela década, suas narrativas detalhadas do que tinham e não tinham feito, e listas de suas autodepreciações e de suas promessas. As coisas tinham mudado, então. O segundo quarto, por exemplo, foi erguido parcialmente em razão do medo de Willem de ter vinte e oito anos e ainda dividir o mesmo dormitório com seu colega de quarto da faculdade, e aquela mesma ansiedade – o medo de que, como num conto de fadas, a entrada em sua quarta década de vida os transformasse em algo diferente, algo fora do controle, a não ser que evitassem aquilo por meio de suas próprias decisões radicais – inspirara a apressada saída do armário de Malcolm, que, depois de fazer o anúncio aos pais, mudara de ideia no ano seguinte quando começara a namorar uma mulher.

Mas, apesar das aflições dos amigos, ele sabia que adoraria chegar aos trinta, pelo mesmo motivo que eles detestavam: por ser uma época inegável de maturidade. (Estava ansioso para ter trinta e cinco, para poder dizer que já era adulto por mais que o dobro de tempo que fora criança.) Na infância, os trinta eram uma idade distante, inimaginável. Lembrava-se claramente de quando era um rapazinho bem jovem – isso foi quando vivia no mosteiro – e perguntara ao irmão Michael, que gostava de lhe contar sobre as viagens que fizera em sua outra vida, quando também poderia viajar.

– Quando for mais velho – respondera o irmão Michael.

– Quando? – perguntara. – No ano que vem? – Naquela época, até mesmo um mês parecia uma eternidade.

– Daqui a muitos anos – respondera o irmão Michael. – Quando for mais velho. Quando tiver trinta anos. – E agora, dentro de algumas poucas semanas, ele teria.

Naqueles domingos, enquanto se preparava para sair em sua caminhada, ele às vezes parava de pés descalços na cozinha, e o apartamentinho feio lhe parecia uma espécie de milagre. Ali, o tempo era todo seu, o espaço era seu, e todas as portas podiam ser fechadas, todas as janelas podiam ser trancadas. Parava diante do minúsculo armário no vestíbulo – para dizer a verdade, uma alcova, no alto da qual penduraram um saco de juta – e admirava os suprimentos mantidos ali dentro. Em Lispenard Street não dava para sair às pressas tarde da noite para comprar um rolo de papel higiênico em uma lojinha da West Broadway, não era possível torcer o nariz ao cheirar caixa de leite estragado há muito tempo, encontrada num canto dos fundos da geladeira: ali, sempre havia uma reserva de tudo. Ali, tudo era substituído quando necessário. Ele mesmo garantia que fosse assim. No primeiro ano que passaram em Lispenard Street, sentira uma certa vergonha de seus hábitos, os quais sabia pertencerem a alguém muito mais velho, provavelmente do sexo feminino, e escondia seu estoque de toalhas de papel embaixo da cama, enfiava cupons de desconto na pasta de trabalho para olhar melhor depois, quando Willem não estivesse em casa, como se fossem alguma forma exótica de pornografia. Mas, um dia, Willem descobrira seu segredo ao procurar uma meia perdida que chutara para baixo da cama.

Sentira-se envergonhado.

– Por quê? – perguntara-lhe Willem. – Acho ótimo. Graças a deus você está cuidando desse tipo de coisa.

Mas, ainda assim, ele se sentira vulnerável. Era mais uma prova somada ao arquivo abarrotado que atestava seu preciosismo exagerado, sua inabilidade natural e irreparável de ser o tipo de pessoa que tentava fazer os outros acreditarem que era.

E, mesmo assim – como em muitas outras coisas –, ele não conseguia evitar. A quem poderia explicar que encontrava tanta satisfação e segurança na desamada Lispenard Street, e em seus estoques dignos de um abrigo de guerra, quanto nos seus diplomas e no seu trabalho? Ou que o tempo em que ficava sozinho na cozinha era quase uma meditação, o único momento em que se via relaxado de verdade, e sua mente parava de rascunhar o futuro, planejando com antecedência os milhares de pequenos desvios e acobertamentos da verdade, dos fatos, que necessitava cada interação sua com o mundo e seus habitantes? Para ninguém, sabia ele, nem mesmo para Willem. Mas ele tivera anos para aprender a manter seus pensamentos para si; diferentemente dos amigos, aprendera a não compartilhar provas de suas esquisitices como forma de se distinguir dos outros, por mais que ficasse feliz e orgulhoso quando compartilhavam as suas com ele.

Caminharia hoje até o Upper East Side; subiria pela West Broadway até o Washington Square Park, pegaria a University e atravessaria o Union Square Park, seguindo pela Broadway até chegar à Quinta Avenida, na qual se manteria até a rua 86, voltando pela Madison até a 24, de onde partiria para o leste até a Lexington antes de seguir para o sul e depois a leste até a Irving, onde encontraria Willem do lado de fora do teatro. Fazia meses, quase um ano, que ele não seguia aquele percurso, tanto porque era longe quanto porque já passava todo sábado no Upper East Side, numa casa não muito longe da dos pais de Malcolm, onde dava aulas a um menino de doze anos chamado Felix. Mas agora estavam no meio de março, nas férias de primavera, e Felix e a família estavam em Utah, o que significava que não havia risco algum de esbarrar com eles.

O pai de Felix era amigo de amigos dos pais de Malcolm, e fora o pai de Malcolm quem lhe indicara para o trabalho.

– Não estão lhe pagando o bastante lá na Promotoria, não é mesmo? – perguntara o Sr. Irvine. – Não sei por que você não me deixa apresentá-lo a Gavin. – Gavin fora colega do Sr. Irvine na faculdade de direito, e agora dirigia uma das firmas mais importantes da cidade.

– Pai, ele não *quer* trabalhar numa firma privada – alegara Malcolm, mas o pai continuara como se o filho nem tivesse aberto a boca, e Malcolm se acomodara na cadeira. Ele se sentira mal por Malcolm, mas também irritado, pois pedira ao amigo que sondasse os pais *discretamente* para saber se conheciam alguém que tivesse um filho que precisasse de aulas particulares, e não que *perguntasse* diretamente a eles.

– Mas, na verdade – lhe dissera o pai de Malcolm –, acho sensacional você querer trilhar sua própria estrada sozinho. – (Malcolm se refestelou ainda mais na cadeira.) – Mas precisa tanto assim de dinheiro? Eu não sabia que o governo federal estava pagando *assim* tão mal, mas faz bastante tempo que trabalhei no serviço público. – Ele sorriu.

Ele sorriu também.

– Não – respondeu –, o salário é bom. – (E era. Não seria bom para o Sr. Irvine, é lógico, nem para Malcolm, mas era mais dinheiro que ele já sonhara ganhar, e recebia a cada duas semanas, num acúmulo constante de números.) – Só estou economizando para pagar uma entrada.

Ele viu o rosto de Malcolm girar em sua direção, e lembrou a si mesmo de contar a Willem a mentira que contara ao pai de Malcolm antes que o próprio Malcolm o fizesse.

– Ah, fico feliz por você – disse o Sr. Irvine. Aquela era uma meta que ele podia compreender. – E por acaso eu conheço a pessoa certa.

A pessoa era Howard Baker, que o contratara após entrevistá-lo distraidamente por quinze minutos para dar aulas ao filho de latim, matemática, alemão e piano. (Ele se perguntou por que o Sr. Baker não contratava profissionais para cada matéria – tinha condições de pagar –, mas não falou nada.) Sentia pena de Felix, pequeno e apático, com o hábito de coçar o interior de uma das narinas estreitas, explorando bem fundo com o indicador até se dar conta do que fazia e tirar o dedo rapidamente, esfregando-o na lateral da calça jeans. Passados oito meses, ele ainda não sabia com clareza as reais capacidades de Felix. Não era burro, mas sofria de uma falta de entusiasmo, como se, aos doze anos de idade, já tivesse se resignado ao fato de que a vida seria uma decepção, e ele, uma decepção para as pessoas em sua vida. Sempre o esperava, pontualmente e com os deveres feitos, todo sábado à uma da tarde, e respondia obedientemente a cada pergunta – suas respostas sempre terminavam num tom afoito e inquisitório, como se cada uma delas, inclusive as mais simples ("*Salve, Felix, quid agis?*" "Ah... *bene*??"), fossem um chute desesperado –, mas nunca fazia suas próprias perguntas, e quando ele perguntava a Felix se havia algum assunto em particular sobre o qual quisesse conversar em qualquer das duas línguas, Felix dava de ombros e balbuciava algo, enfiando o dedo no nariz. Sempre tinha a impressão, quando se despedia de Felix ao final da tarde – o garoto apenas levantava a mão indolentemente antes de se arrastar de volta pelo recesso da entrada –, de que ele nunca deixava a casa, nunca saía para passear, nunca recebia amigos. Pobre Felix: seu próprio nome era uma provocação.

No mês anterior, o Sr. Baker lhe pedira para ter uma conversa após o fim da lição, e ele seguira a empregada até o escritório depois de se despedir de Felix. Mancava de maneira pronunciada naquele dia, e estava envergonhado, sentindo – como acontecia muitas vezes – como se estivesse interpretando o papel de uma governanta pobretona num drama de Dickens.

Esperava ser recebido pelo Sr. Baker com impaciência, talvez raiva, embora Felix viesse se saindo notavelmente melhor na escola, e estava pronto para se defender caso fosse necessário – o Sr. Baker pagava bem melhor do que ele imaginara, e ele tinha planos para o dinheiro que vinha ganhando ali –, mas, em vez disso, o homem apontou com a cabeça para a cadeira em frente à sua mesa.

– O que você acha que é o problema de Felix? – questionara o Sr. Baker.

Ele não estivera esperando a pergunta, por isso teve de pensar antes de responder.

– Não vejo nada de errado com ele, senhor – dissera, cauteloso. – Só acho que ele não é... – *Feliz*, quase completou. Mas o que era a felicidade se não uma extravagância, um estado impossível de se manter, em parte por ser tão difícil de ser articulada? Não se lembrava de ser capaz de definir o que era felicidade durante a infância: havia apenas tristeza, ou medo, e a ausência da tristeza ou do medo, e este último estado era tudo que ele sempre quisera ou de que precisara. – Acho que é tímido – decretou.

O Sr. Baker grunhiu (aquela obviamente não era a resposta pela qual esperava).

– Mas você gosta dele, não gosta? – perguntara, com um desespero tão estranho e vulnerável que ele subitamente foi acometido por uma tristeza profunda, tanto por Felix quanto pelo Sr. Baker. Ser pai era assim? Ser um *filho* que tem os pais era assim? Tantas infelicidades, tantas decepções, tantas expectativas que não seriam expressas nem alcançadas!

– Mas é claro – dissera ele, e o Sr. Baker soltara um suspiro e lhe passara seu cheque, que normalmente a empregada lhe entregava quando ele ia embora.

Na semana seguinte, Felix não quisera tocar a canção que ficara de praticar. Estava mais desatento que o normal.

– Vamos tocar algo diferente? – perguntara ele.

Felix dera de ombros. Ele pensou.

– Quer que eu toque algo para você?

Felix dera de ombros mais uma vez. Mas ele tocou assim mesmo, pois era um belo piano e às vezes, enquanto observava Felix dedilhar lentamente suas teclas macias e fantásticas, desejava ficar a sós com o instrumento e deixar suas mãos se moverem pela superfície o mais rápido que conseguisse.

Tocou a Sonata nº 50 em Ré Maior, de Haydn, um de seus temas preferidos, tão ensolarada e adorável que ele imaginou que pudesse animar os dois. Mas, quando terminou, e só restava um menino em silêncio ao seu lado, sentiu vergonha, tanto do otimismo fanfarrão e enfático da música quanto de seu próprio ataque de egoísmo.

– Felix – começara ele, parando logo em seguida. Ao seu lado, Felix esperava. – Qual o problema?

E então, para sua surpresa, Felix começara a chorar e ele tentara consolá-lo.

– Felix – dissera, abraçando-o meio sem jeito. Fingiu ser Willem, que saberia exatamente o que fazer e o que dizer sem precisar nem pensar. – Vai ficar tudo bem. Eu prometo, vai ficar tudo bem. – Mas Felix só chorara ainda mais.

– Não tenho nenhum amigo – soluçara.

— Ah, Felix — dissera, e sua compaixão, que até então fora apenas algo objetivo e distante, agora se clarificara. — Eu lamento.

Sentiu então, de forma intensa, a solidão da vida de Felix, de um sábado passado ao lado de um advogado aleijado de quase trinta anos, que só estava ali para ganhar dinheiro e que sairia naquela noite com pessoas que amava e que até mesmo o amavam de volta, enquanto Felix continuaria sozinho, a mãe — a terceira esposa do Sr. Baker — perpetuamente em algum lugar que não em casa, o pai convicto de que havia algo de errado com o filho, algo que precisava de conserto. Depois, voltando a pé para casa (quando o tempo estava bom, ele recusava o carro do Sr. Baker e caminhava), refletiria sobre a improvável injustiça de tudo aquilo: Felix, que era, sob todas as definições possíveis, um garoto melhor do que ele fora, e que mesmo assim não tinha amigos, e ele, que era um nada, mas tinha.

— Felix, um dia você terá — dissera.

— Mas *quando*? — choramingara Felix com tanto desejo que ele chegara a estremecer.

— Logo, logo — respondera, acariciando as costas magras do menino. — Eu prometo.

E Felix concordara com a cabeça, embora mais tarde, ao acompanhá-lo até a porta, com seu rostinho de lagartixa ainda mais reptiliano por causa das lágrimas, tivera a sensação clara de que Felix sabia que ele estava mentindo. Quem poderia saber se Felix um dia teria amigos? Amizade, companheirismo: essas eram coisas que tantas vezes desafiavam a lógica, que tantas vezes passavam longe de quem as merecia, e que tantas vezes agraciavam os esquisitos, os maus, os excêntricos, os perturbados. Despediu-se, acenando para as pequenas costas de Felix, que já se recolhia para dentro de casa, e embora nunca fosse dizer aquilo ao menino, imaginou que aquele era o motivo pelo qual estava sempre abatido: era porque Felix já havia descoberto isso, fazia muito tempo; era porque já sabia.

—

Falava francês e alemão. Conhecia a tabela periódica. Lembrava-se — ao mesmo tempo que não dava a mínima — de longas passagens da bíblia quase de cor. Sabia como fazer o parto de um bezerro, trocar a fiação de uma lâmpada, desentupir um ralo e o modo mais eficiente de colher nozes e quais cogumelos eram venenosos e quais não eram, e como enfardar feno, e como saber se uma melancia, uma maçã, uma abóbora ou um melão estavam maduros, apertando nos pontos certos. (Mas também sabia coisas que não queria saber, coisas que esperava nunca mais ter de pôr em prática, coisas que, só de pensar ou sonhar com elas à noite, o faziam se encolher de ódio e vergonha.)

E ainda assim muitas vezes a sensação era de que não sabia nada que tivesse um valor ou uma utilidade real. Os idiomas e a matemática, tudo bem. Mas era lembrado diariamente de quanto não sabia. Nunca ouvira falar dos seriados cujos episódios eram constantemente citados. Nunca fora ao cinema. Nunca viajara a passeio. Nunca fora a uma colônia de férias. Nunca comera pizza ou picolé ou macarrão com queijo (e obviamente nunca experimentara – diferentemente de Malcolm e JB – foie gras, sushi ou tutano). Nunca tivera um computador ou um telefone e raramente tivera permissão para acessar a internet. Nunca tivera posse alguma, percebeu, não de verdade: os livros dos quais se orgulhava, as camisas que remendava sem parar, não significavam nada, eram só lixo, e o orgulho que tinha dessas coisas era mais vergonhoso do que não ter absolutamente nada. A sala de aula era o lugar mais seguro e o único onde se sentia confiante: qualquer outro lugar era uma avalanche incessante de curiosidades, cada uma mais surpreendente que a anterior, cada uma delas outra lembrança de sua ignorância sem fim. Ele se via fazendo listas mentais das coisas novas que ouvira e encontrara. Mas nunca podia pedir a ninguém as respostas. Pois fazer isso seria a admissão de uma alienação extrema, o que provocaria novas perguntas e o deixaria exposto, e que levaria ao tipo de conversa que ele definitivamente não estava pronto para ter. Muitas vezes não se sentia nem como um estrangeiro – pois até mesmo os alunos estrangeiros (até Odval, que vinha de uma aldeia nas redondezas de Ulan Bator) pareciam entender essas referências –, mas sim como alguém de outra época: sua infância poderia ter se passado no século XIX, não no XXI, diante de tudo que aparentemente lhe escapara, e por quão obscuro e meramente ilustrativo parecia ser o que ele de fato *sabia*. Como podiam aparentemente todos os seus colegas, tivessem eles nascido em Lagos ou em Los Angeles, ter passado mais ou menos pelas mesmas experiências, com as mesmas referências culturais? Certamente haveria alguém que soubesse tão pouco quanto ele. E, se não houvesse, como poderia recuperar todo aquele tempo perdido?

Durante as noites, quando um grupo deles se reunia no quarto de alguém (com uma vela queimando, e um baseado também), o papo muitas vezes se voltava para a infância de seus colegas, da qual haviam acabado de sair, mas que neles despertava uma curiosa nostalgia e pela qual eram obcecados. Recontavam o que pareciam ser os mínimos detalhes daqueles tempos, embora ele nunca soubesse se o objetivo era comparar as semelhanças ou se vangloriar das diferenças, pois pareciam se regozijar com ambas as situações. Falavam sobre toques de recolher, rebeldias e castigos (os pais de alguns batiam neles, e contavam essas histórias com algo próximo de orgulho, o que ele também achava curioso), e animais de estimação e irmãos, e as roupas que usavam e deixavam os pais loucos, e os grupos com os quais andavam no ensino médio, e com quem tinham perdido a virgindade, e onde, e como, e os carros que bateram e os ossos que quebraram, e os esportes que praticaram e as bandas que formaram. Falavam sobre desastrosas férias em família e parentes estranhos e peculiares, e sobre vizinhos de porta esquisitos e professores, tanto os que amavam quanto os que odiavam. Ele gostava mais daquelas revelações do que imaginava que gostaria – seus colegas eram adolescentes *de verdade*, que viveram vidas reais e plenas sobre as quais sempre tivera curiosidade – e ele achava relaxante e educativo ficar ali até tarde da noite a ouvi-los. Seu silêncio era tanto uma necessidade quanto uma proteção, e trazia o benefício extra de deixá-lo mais misterioso e mais interessante do que sabia ser.

– E quanto a você, Jude? – haviam lhe perguntado algumas pessoas no início do período.

Ele já sabia – aprendia rápido – que era melhor dar de ombros e, com um sorriso, dizer:

– Foi uma chatice que nem vale a pena mencionar.

Ele ficava surpreso, mas também aliviado em ver como os amigos aceitavam a resposta sem qualquer problema, além de grato por serem tão autocentrados. De qualquer forma, ninguém queria mesmo ouvir as histórias dos outros; só queriam contar as próprias.

Mas seu silêncio não passou despercebido por todos, e foi justamente esse silêncio que lhe rendeu seu apelido. Isso foi no ano em que Malcolm descobrira o pós-modernismo e JB fizera um escarcéu tão grande pelo atraso de Malcolm em conhecer aquela ideologia em particular que ele não admitiu que também nunca ouvira falar dela.

– Você não pode simplesmente *decidir* que é pós-negro, Malcolm – dissera JB. – E digo mais: você precisa *ter sido* negro um dia para poder ir *além* da negritude.

– Você é mesmo um babaca, JB – rebatera Malcolm.

– Ou – continuara JB – precisa ser realmente inclassificável, de modo que os termos normais de identidade não se apliquem a você. – JB se virara para ele, então, e ele congelara, sentindo um terror momentâneo. – Como o Judy aqui: nunca o vemos com ninguém, não sabemos a que raça pertence, não sabemos nada sobre ele. Pós-sexual, pós-racial, pós-identidade, pós--passado. – JB sorriu para ele, supostamente para demonstrar que em parte estava apenas brincando. – O pós-homem. Jude, o Pós-Homem.

– O Pós-Homem – repetira Malcolm: ele nunca deixava de aproveitar o desconforto dos outros para desviar a atenção do seu.

E por mais que o apelido não tenha colado – quando Willem entrara no quarto e o ouvira, sua reação fora simplesmente revirar os olhos, o que pareceu ter acabado um pouco com a graça para JB – aquilo o fazia se lembrar de que, por mais que tentasse se convencer de que estava enturmado, e por mais que tivesse feito um enorme esforço para esconder as partes estranhas do seu passado, na verdade não estava enganando ninguém. Sabiam que ele era estranho, e agora sua idiotice também englobava o fato de ter convencido a si mesmo de que convencera *os amigos* de que não era. Mesmo assim, continuou aparecendo para as reuniões da madrugada e visitando os colegas em seus quartos: era atraído por aqueles encontros, mesmo que agora soubesse dos riscos que corria ao frequentá-los.

Durante essas sessões (era assim que começara a encará-las, como lições intensivas por meio das quais corrigiria suas próprias deficiências culturais), ele às vezes flagrava Willem o observando com uma expressão indecifrável no rosto, e se perguntava o quanto Willem poderia ter descoberto sobre ele. Às vezes tinha de se controlar para não lhe contar nada. Talvez estivesse errado, pensava às vezes. Talvez fosse bom confessar a alguém que, na maior parte do tempo, mal conseguia se identificar com o que estava sendo discutido, que não sabia falar o idioma comum das humilhações e frustrações da infância que os outros compartilhavam. Mas então se segurava, pois admitir o desconhecimento daquele idioma significava ter de explicar *qual* idioma falava.

Se tivesse de contar a alguém, no entanto, sabia que seria para Willem. Admirava seus três colegas de quarto, mas era em Willem que confiava. No orfanato, aprendera rapidamente que havia três tipos de garotos: O primeiro tipo era o que causava a briga (aquele era JB). O segundo tipo não participava, mas também não saía correndo em busca de ajuda (esse era Malcolm). E o terceiro tipo era o que realmente tentaria ajudá-lo (esse era o tipo mais raro, obviamente representado por Willem). Talvez ocorresse o mesmo entre as meninas, mas não passara tempo o bastante junto delas para saber.

E cada vez mais ele achava que Willem sabia de algo. (*O que poderia saber?*, perguntava a si mesmo. *Você está só procurando um motivo para contar a ele. E depois, o que pensará de você? Seja esperto. Não diga nada. Tenha um pouco de autocontrole.*) Mas aquilo obviamente não fazia sentido. Sabia desde antes de entrar na universidade que sua infância fora atípica – bastava ler alguns livros para chegar àquela conclusão –, mas só recentemente se dera conta do quão atípica ela realmente fora. E aquela estranheza tanto o afastava quanto o isolava dos outros: era quase inconcebível que alguém pudesse imaginar suas formas e detalhes, o que significava que, caso o fizesse, seria porque ele deixara um rastro de pistas tal e qual bosta de vaca, verdadeiros apelos feios e chamativos em busca de atenção.

Ainda assim. A suspeita persistia, às vezes com uma intensidade perturbadora, como se fosse inevitável que acabasse dizendo algo e estivesse recebendo mensagens que eram mais difíceis de serem ignoradas do que obedecidas.

Certa noite, os quatro estavam sozinhos. Isso foi bem no início do terceiro ano deles, e era algo fora do comum o bastante para que todos eles se sentissem à vontade e um pouco sentimentais em relação à panelinha que haviam formado. E *eram* uma panelinha, e para sua surpresa, ele fazia parte daquilo: o prédio onde moravam se chamava Hood Hall, e eles eram conhecidos no campus como os Garotos do Hood. Todos tinham outros amigos (JB e Willem eram os que tinham mais), mas sabia-se (ou pelo menos presumia-se, o que dava na mesma) que os primeiros a quem deveriam ser leais eram uns aos outros. Nenhum deles falara sobre isso abertamente, mas todos apreciavam aquela suposição, todos gostavam do código de amizade que lhes fora infligido.

A refeição naquela noite fora pizza, pedida por JB e paga por Malcolm. JB levara a maconha, e lá fora chovia. Depois caíra granizo e o som das pedras martelava o vidro, e o vento chacoalhava as janelas em suas molduras de madeira cheias de farpas, compondo os toques finais para a felicidade do grupo. O baseado foi passado de mão em mão, e embora ele não tenha dado nem um só trago – nunca fumava; ficava com medo do que podia fazer ou falar se perdesse o controle de si mesmo –, podia sentir a fumaça lhe enchendo os olhos, apertando suas pálpebras feito uma fera quente e tresloucada. Tivera o cuidado, como sempre tinha quando um dos outros pagava pela comida, de comer o mínimo possível, e por mais que ainda sentisse fome (ainda havia duas fatias, e ele as fitava sem piscar os olhos, antes de se dar conta do que estava fazendo e virar a cabeça, decidido), também estava bastante contente. Eu poderia pegar no sono, pensou, e se espichou no sofá, cobrindo-se com a manta de Malcolm. Estava alegremente exausto, mas também vivia exausto naquela época: era como se o esforço diário para parecer normal fosse tão grande que sobrava pouca energia para qualquer outra coisa. (Tinha consciência de que às vezes parecia grosseiro, frio, tedioso, o que ele reconhecia ser considerado, naquele lugar, talvez pior do que seja lá quem ele era.) Em segundo plano, como se distante, ouvia Malcolm e JB discutirem sobre o mal.

– Só estou dizendo que não teríamos esta conversa se você lesse Platão.

– Tudo bem, mas *qual* Platão?

– Você leu Platão?

– Não sei por que...

– Você *leu*?

– Não, mas...

– Está vendo? Está vendo só?! – Isso veio de Malcolm, que pulava para cima e para baixo, apontando para JB, enquanto Willem gargalhava. Quando fumava maconha, Malcolm ficava mais bobo e pedante, e os outros três gostavam de começar discussões filosóficas bobas e pedantes com ele, das quais Malcolm nunca se lembrava na manhã seguinte.

Depois houve um interlúdio em que Willem e JB conversaram sobre algo – ele estava com muito sono para prestar atenção, acordado o bastante só para distinguir suas vozes – até que então a voz de JB atravessou sua manta:

– Jude!

– O quê? – respondeu, de olhos ainda fechados.

– Quero fazer uma pergunta.

Dentro de si, sentiu algo ficar alerta na mesma hora. Quando ficava doidão, JB tinha a incrível capacidade de fazer perguntas ou comentários devastadores e desconcertantes. Ele não *achava* que houvesse qualquer tipo de malícia por trás disso, mas ainda assim se perguntava o que se passava pelo subconsciente do amigo. Seria *aquele* o verdadeiro JB, o mesmo que perguntara à colega de dormitório, Tricia Park, como era crescer sendo a gêmea feia (a pobre Tricia se levantara e saíra correndo da sala), ou seria aquele que, depois de vê-lo em meio a um terrível episódio de dor, no qual perdia e recobrava a consciência, com uma sensação tão vertiginosa quanto uma queda íngreme numa montanha-russa, saíra escondido à noite com o namorado drogado e voltara pouco antes do dia amanhecer com um maço de galhos cobertos de brotos de magnólia, arrancados ilegalmente das árvores do pátio?

– O quê? – perguntou outra vez, com cautela.

– Sabe – disse JB, fazendo uma pausa e tomando outro trago –, todos nós nos conhecemos já há algum tempo...

– Nos conhecemos? – disse Willem, fingindo surpresa.

– Cala a boca, Willem – continuou JB. – E todos nós queremos saber por que você nunca nos contou o que aconteceu com as suas pernas.

– Ah, JB, nós nunca... – começou Willem.

Mas Malcolm, que costumava defender JB com unhas e dentes quando fumava maconha, o interrompeu:

– Você nos magoa desse jeito, Jude. Não confia em nós?

– Jesus Cristo, Malcolm – disse Willem, para em seguida imitar Malcolm com um falsete agudo: – "Você nos magoa desse jeito." Você parece uma menininha. Isso é assunto particular do Jude.

E aquilo fora pior, de alguma forma: precisava de Willem, sempre Willem, para defendê-lo. De Malcolm e JB! Naquele momento, odiou todos eles, mas obviamente não estava em posição de odiá-los. Eram seus amigos, seus primeiros amigos, e ele entendia que aquela amizade representava uma série de trocas: de afeto, de tempo, às vezes de dinheiro, sempre de informação. E ele não tinha dinheiro. Não tinha nada para dar a eles, nada a lhes oferecer. Não podia emprestar um suéter a Willem, como Willem lhe emprestava o seu, ou pagar os cem dólares que Malcolm o obrigara a aceitar, nem mesmo ajudar JB no dia da mudança, como JB o ajudara.

– Então – começou ele, ciente da expectativa silenciosa dos três, até mesmo de Willem. – Não é muito interessante. – Manteve os olhos fechados, pois era mais fácil contar sua história sem ter de olhar para eles, mas também porque simplesmente não achava que seria capaz de fazê-lo naquele momento. – Foi um carro. Eu tinha quinze anos. Aconteceu um ano antes de eu vir para cá.

– Ah – disse JB. Todos ficaram em silêncio; ele sentiu algo no ar esvaziar, sentiu que sua revelação fizera os outros retornarem a uma melancólica sobriedade. – Foi mal, cara. Que merda.

– Você andava antes? – perguntou Malcolm, como se ele não pudesse andar agora. E aquilo o deixou triste e envergonhado: o que ele considerava andar, pelo jeito, não era visto da mesma maneira pelos amigos.

– Sim – respondeu, e depois, porque era verdade, mesmo que eles não interpretassem de tal forma, acrescentou: – Eu costumava fazer *cross-country*.

– Uau – disse Malcolm. JB soltou um grunhido complacente.

Ele notou que Willem foi o único que não disse nada. Mas não tinha coragem de abrir os olhos para ver a expressão em seu rosto.

No fim, a história acabou se espalhando, como ele sabia que aconteceria. (Talvez as pessoas *realmente* sentissem curiosidade em saber o que acontecera às suas pernas. Tricia Park o abordou certa vez e disse que sempre achara que ele tinha paralisia cerebral. Como deveria responder *àquilo*?) De alguma forma, porém, depois de passar de boca em boca, a explicação foi mudada para um acidente de carro, e depois ainda, para um acidente de carro causado por um motorista bêbado.

– As explicações mais fáceis normalmente são as explicações certas – sempre dizia o Dr. Li, seu professor de matemática, e talvez o mesmo princípio pudesse ser aplicado ali. Mas ele sabia que não. A matemática era uma coisa. Nada mais era tão simples assim.

Só que o mais estranho era isto: quando sua história foi transformada num acidente de carro, ele ganhou uma oportunidade de se reinventar; tudo o que precisava fazer era aceitá-la. Mas nunca conseguiu. Nunca conseguiu chamar aquilo de acidente, pois não havia sido. Assim, teria sido por orgulho ou por burrice que não pegara a rota de saída que lhe fora oferecida? Não sabia dizer.

Depois viria a perceber outra coisa. Estava no meio de outro episódio de dor – e um bastante humilhante, quando saía de seu turno na biblioteca, e Willem aparecera ali por acaso alguns minutos antes, prestes a começar seu próprio turno – quando ouviu a bibliotecária, uma mulher simpática e culta de quem ele gostava, perguntar por que aquilo acontecia. Os dois, a Sra. Eakeley e Willem, o levaram para a sala dos funcionários nos fundos, e ele sentiu o cheiro de café velho, parecido com açúcar queimado, um odor que detestava, tão forte e intrusivo que quase o fez vomitar.

– Foi um carro – ouviu Willem responder, como se sua voz viesse do outro lado de um enorme lago preto.

Mas só à noite ele registrou o que Willem dissera, e a forma como explicara: foi um carro, não um acidente de carro. Teria sido proposital? O que Willem sabia? Estava tão confuso que poderia até ter perguntado ao amigo, caso ele estivesse por perto, mas não estava – estava com a namorada.

Não havia ninguém ali, percebeu. O quarto era todo dele. Sentiu a criatura dentro de si – que ele visualizava com uma forma esguia, esfarrapada e lemuriana, de reflexos rápidos e pronta para correr, com olhos escuros e úmidos que sempre espreitavam a paisagem em busca de possíveis perigos – relaxar e desabar no chão. Era naqueles momentos que mais valorizava a universidade: estava num quarto aquecido e, no dia seguinte faria três refeições, comeria o quanto quisesse, e entre elas assistiria às aulas e ninguém tentaria machucá-lo ou obrigá-lo a fazer algo que não quisesse. Em algum lugar ali perto estavam seus companheiros de quarto – seus amigos –, e ele sobrevivera a outro dia sem revelar seus segredos, e colocara mais um dia entre a pessoa que fora e a pessoa que era agora. Parecia, como sempre, um feito digno de sono, e foi o que ele fez, fechando os olhos e se preparando para outro dia no mundo.

—

Fora Ana, sua primeira e única assistente social, e a primeira pessoa que nunca o traíra, quem conversara seriamente com ele sobre a universidade – a universidade que ele acabaria frequentando –, convencida de que ele seria aceito. Não fora a primeira pessoa a sugerir isso, mas, sim, a que mais insistira.

– Não vejo por que não – disse ela. Aquela era uma de suas expressões preferidas.

Os dois estavam sentados na varanda de Ana, no quintal dos fundos de Ana, comendo o bolo de banana que a namorada de Ana fizera. Ana não era fã da natureza (é cheia de insetos, cheia de *desconfortos*, sempre dizia), mas, quando ele sugeriu que fossem lá para fora – hesitantemente, pois na época ainda não sabia bem certo até que ponto a tolerância dela em relação a ele chegava –, ela bateu nos braços da poltrona e se levantou.

– Não vejo por que não. Leslie! – gritou ela para dentro da cozinha, onde Leslie preparava limonada. – Leve lá para fora!

O rosto dela foi o primeiro que viu quando finalmente abriu os olhos no hospital. Por um longo momento, não conseguiu lembrar onde estava, quem era, ou o que acontecera, e então, de repente, o rosto de Ana surgiu sobre o seu, olhando para ele.

– Ora, ora! – disse ela. – Ele acordou.

Parecia que ela estava sempre ali, não importava a hora que ele acordasse. Às vezes era dia, e ele ouvia os sons do hospital – o chiado de rato dos sapatos das enfermeiras, o chacoalhar de um carrinho, e o zumbido dos anúncios pelos alto-falantes – nos momentos nebulosos e imprecisos pelos quais passava antes de recobrar a consciência plena. Mas às vezes era noite, quando tudo ao redor estava em silêncio, e ele levava mais tempo para entender onde estava, e por que estava ali, apesar de acabar lembrando, sempre, e diferentemente de outras memórias, aquelas lembranças nunca se tornavam mais fáceis ou mais distantes à medida que o tempo passava. E às vezes não era nem dia nem noite, mas algo entre um e outro, e havia algo estranho e árido na luz que o fazia imaginar, por um momento, que no fim das contas podia de fato haver um lugar como o céu, e que talvez tivesse conseguido chegar lá. E então ele ouvia a voz de Ana, lembrava outra vez por que estava ali e sentia vontade de fechar os olhos novamente.

Não conversavam sobre nada naqueles momentos. Ana perguntava se ele tinha fome e, qualquer que fosse a resposta, ela sempre tinha um sanduíche para ele comer. Perguntava se ele sentia dor e, caso sentisse, o quão forte era. Foi na presença dela que ele sofreu seu primeiro episódio, e a dor fora tanta – quase insuportável, como se alguém houvesse enfiado a mão em seu corpo, segurado sua coluna como uma serpente e estivesse tentando soltá-la da rede de nervos aos chacoalhões – que mais tarde, quando o cirurgião lhe disse que um ferimento como aquele era um "insulto" ao corpo, e que este nunca se recuperaria por completo, ele entendera o que a palavra queria dizer e percebera como estava certa e fora bem escolhida.

– Quer dizer que ele terá esses episódios de dor por toda a vida? – perguntara Ana, e ele se sentira grato pela indignação dela, especialmente porque estava cansado e assustado demais para juntar forças e se indignar.

– Gostaria de poder dizer que não é bem assim – disse o cirurgião. E, em seguida, para ele: – Mas talvez não sejam tão fortes no futuro. Você é jovem. A coluna tem um poder de regeneração espetacular.

– Jude – ela dissera a ele, quando sofreu o episódio seguinte, dois dias após o primeiro. Ouvia a voz dela, mas era como se estivesse longe, para logo depois aumentar repentinamente, ecoando em sua mente como explosões. – Segure minha mão – dissera, e mais uma vez a voz se aproximava e se afastava, mas ela lhe tomou a mão e ele a apertou com tanta força que dava para sentir seu dedo indicador deslizar estranhamente sobre o anelar, e quase podia sentir cada ossinho na palma de Ana se reposicionar sob seu punho, o que a fez parecer delicada e frágil, por mais que não houvesse nada de delicado nela, na aparência ou nos modos. – Conte – ordenou ela na terceira vez que aconteceu, e ele obedeceu, contando até cem uma vez após a outra, parcelando a dor em incrementos suportáveis.

Naquela época, antes de descobrir que era melhor ficar parado, ele se debatia na cama feito um peixe no convés de um barco, e sua mão livre tateava por uma corda à qual se agarrar em busca de segurança, sobre o colchão rígido e implacável do hospital, tentando achar uma posição em que o desconforto diminuísse. Tentava ficar quieto, mas se ouvia fazendo estranhos ruídos animalescos, de tal modo que às vezes uma floresta aparecia sob suas pálpebras, habitada por corujas barulhentas, cervos e ursos, e ele imaginava que era um deles e que os sons que fazia eram normais, parte da trilha sonora incessante do mato.

Quando acabava, ela lhe dava água, colocando sempre um canudo no copo para que ele não precisasse levantar a cabeça. Sob seu corpo, o chão se inclinava e balançava, e ele volta e meia se sentia enjoado. Nunca estivera no mar, mas imaginava que a sensação era aquela, imaginava a água transformando o piso de linóleo em ondulações tremulantes.

– Bom garoto – dizia ela. – Beba um pouco mais. Vai melhorar – continuava, e ele concordava com a cabeça, pois não conseguia imaginar como seria sua vida se aquilo *não* melhorasse.

Seus dias agora eram formados de horas: horas sem dor e horas com dor, e a imprevisibilidade com que elas vinham – e seu corpo, que só era seu no nome, já que não controlava nada nele – o deixava exausto, então ele dormia e dormia, enquanto os dias passavam sem que ele os habitasse.

Posteriormente, seria mais fácil dizer às pessoas que eram suas pernas que doíam, mas aquilo não era bem verdade: eram as costas. Às vezes conseguia saber o que provocaria os espasmos, a dor que desceria pela sua coluna para uma perna ou para a outra, como uma estaca de madeira em chamas enfiada em seu corpo: bastava um determinado movimento, erguer algo pesado ou alto demais, ou simplesmente o cansaço. Mas, às vezes, não sabia. E às vezes a dor era precedida por um interlúdio de dormência, ou uma pontada quase prazerosa, leve e vívida, um mero formigamento elétrico subindo e descendo pela coluna, que era o bastante para que soubesse que era melhor deitar e esperar que o ciclo terminasse, um castigo do qual não conseguia fugir ou evitar. Mas, às vezes, a dor se infiltrava, e estas eram as piores: ele passou a temer que se manifestassem em momentos completamente inoportunos, e antes de qualquer reunião importante, antes de uma entrevista importante, antes de qualquer comparecimento ao tribunal, ele implorava às próprias costas que se mantivessem firmes, que passassem as horas seguintes sem nenhum incidente. Mas tudo aquilo aconteceria no futuro, e cada lição era aprendida ao longo de horas e horas desses episódios, espalhados por dias, meses e anos.

À medida que as semanas se passavam, Ana levava livros e pedia que ele anotasse os títulos que lhe interessavam para que ela os buscasse na biblioteca – mas ele era tímido demais para fazer isso. Sabia que ela era sua assistente social, e que fora designada para cuidar dele, mas foi só depois de passado um mês, quando os médicos começaram a falar sobre remover seus gessos em questão de semanas, que ela perguntou pela primeira vez o que tinha acontecido.

– Não lembro – disse ele. Aquela era sua resposta padrão para tudo naqueles dias. Mas também não passava de uma mentira; em momentos inesperados, podia ver os faróis do carro, dois brilhos gêmeos brancos, avançando na sua direção, e lembrava que fechara os olhos e virara a cabeça para o lado, como se aquilo pudesse ter impedido o inevitável.

Ela esperou.

– Não tem problema, Jude – dizia. – Sabemos mais ou menos o que aconteceu. Mas preciso que uma hora você me conte, para que possamos conversar.

Ela o entrevistara antes, será que ele lembrava? Aparentemente houve um momento, logo depois que ele saíra de sua primeira cirurgia, em que ele acordara, lúcido, e respondera a todas as perguntas dela, não apenas sobre o que acontecera naquela noite, mas também nos anos que a precederam – mas ele realmente não se lembrava disso, e ficou preocupado com o que exatamente dissera, e qual teria sido a expressão de Ana quando lhe contara.

Quanto havia contado?, perguntou ele a certa altura.

– O bastante – respondeu ela – para eu ficar convencida de que o inferno existe e que aqueles homens têm de terminar lá.

Ela não parecia ter raiva, mas suas palavras, sim, e ele fechou os olhos, impressionado e um pouco assustado ao perceber que as coisas que aconteceram a ele – logo a ele! – poderiam inspirar tamanha ira, tamanha indignação.

Ana cuidou de sua transferência para um novo lar, seu último lar: a casa dos Douglass. Eles tinham outras duas meninas, também adotadas, ambas bem novas – Rosie tinha oito anos e era portadora de síndrome de Down, Agnes tinha nove e espinha bífida. A casa era um labirinto de rampas feias, mas robustas e planas, e diferentemente de Agnes, ele conseguia se movimentar com a cadeira de rodas sem precisar pedir ajuda.

Os Douglass eram luteranos evangélicos, mas não o obrigavam a acompanhá-los à igreja.

– São boas pessoas – disse Ana. – Não vão pegar no seu pé, e você estará seguro aqui. Acha que consegue rezar antes das refeições em troca de um pouquinho de privacidade e segurança? – Ela olhou para ele e sorriu. Ele fez que sim com a cabeça. – Além do mais – acrescentou –, sempre pode me ligar quando quiser falar de pecados.

E assim foi: passava mais tempo aos cuidados de Ana do que aos dos Douglass. Dormia na casa, comia por lá, e quando começou a aprender a andar com as muletas, era o Sr. Douglass quem sentava numa cadeira do lado de fora do banheiro, pronto para acudi-lo caso ele escorregasse e caísse ao entrar ou sair da banheira (ainda não conseguia manter o equilíbrio a ponto de tomar banho no chuveiro, nem mesmo com o andador). Mas era Ana quem o levava para a maioria de suas consultas médicas, e também quem esperava nos fundos do quintal de sua casa, com um cigarro na boca, enquanto ele dava seus primeiros passos lentos na direção dela, e ainda quem finalmente conseguiu convencê-lo a botar no papel o que acontecera com o Dr. Traylor, evitando assim que precisasse testemunhar no tribunal. Ele dissera que poderia ir até lá, mas Ana alegara que ele ainda não estava pronto e que tinham provas suficientes para colocar o Dr. Traylor atrás das grades por muitos anos, mesmo sem o seu testemunho. Ouvindo isso, pôde admitir seu alívio: alívio por não ter de dizer em voz alta palavras que não sabia como dizer, e principalmente por não ter de ver o Dr. Traylor outra vez. Quando finalmente deu o seu depoimento a Ana – escrito da forma mais clara possível, imaginando ao fazê-lo que na verdade estava falando de outra pessoa, alguém que conhecera antes, mas com quem nunca mais precisaria falar –, ela o leu uma vez, impassível, antes de acenar com a cabeça para ele.

– Perfeito – disse Ana bruscamente, dobrando o papel e colocando-o de volta no envelope. – Bom trabalho – acrescentou, e então repentinamente se pôs a chorar, quase incontrolavelmente, incapaz de segurar as lágrimas.

Dizia algo, mas chorava tanto que ele não conseguia entendê-la, até que finalmente ela foi embora, embora tenha telefonado naquela noite para se desculpar.

– Perdão, Jude – disse ela. – Não fui nada profissional hoje. Depois de ler o que você escreveu, não consegui... – Ela ficou em silêncio por alguns instantes e depois respirou fundo. – Não vai acontecer outra vez.

Também foi Ana quem, depois que os médicos determinaram que ele não teria forças para frequentar a escola, encontrou um tutor para que ele pudesse concluir o ensino médio, e foi ela quem o fez pensar em entrar na universidade.

– Você é muito esperto, sabia? – falou. – Poderia ir para a faculdade que quisesse. Conversei com alguns dos seus professores em Montana, e eles acham o mesmo. Já pensou nisso? Já? Onde gostaria de estudar?

E quando ele deu a resposta, preparando-se para ouvi-la cair no riso, ela apenas acenou com a cabeça.

– Não vejo por que não.

– Mas – começou ele – você acha que eles aceitariam alguém como eu?

Mais uma vez, ela não caiu no riso.

– É verdade, você não teve uma educação das mais... tradicionais – ela sorriu para ele –, mas se saiu muito bem nos exames e, embora provavelmente não acredite nisso, juro que sabe mais do que a maioria dos garotos da sua idade, senão todos. – Ela suspirou. – No fim das contas, talvez você possa agradecer ao irmão Luke alguma coisa. – Ela estudou seu rosto. – Então não vejo por que não.

Ela o ajudou com tudo: escreveu uma de suas recomendações, deixou que usasse seu computador para digitar sua dissertação (ele não escreveu sobre o ano anterior; escreveu sobre Montana, e como aprendera a procurar por brotos de mostarda e cogumelos em suas matas) e até pagou sua taxa de inscrição.

Quando foi aceito – com uma bolsa integral, como previra Ana – ele lhe disse que fora tudo por causa dela.

– Besteira – respondeu Ana. Ela estava tão doente àquela altura que tudo o que pôde fazer foi sussurrar. – Você conseguiu por seus próprios méritos.

Mais tarde, ele relembraria os meses anteriores e veria, como se destacados por um holofote, os sinais da doença dela, e como, em sua estupidez e egoísmo, ele deixara de perceber cada um: a perda de peso, os olhos amarelados, a fadiga, tudo que ele atribuíra a... o quê?

– Não deveria fumar – dissera a ela dois meses antes, confiante o bastante em sua companhia para começar a lhe dar ordens; ela era o primeiro adulto com quem ele falava assim.

– Tem razão – respondeu Ana, e apertou os olhos para ele dando um longo trago, sorrindo quando ele suspirou.

Mesmo então, ela não desistia.

– Jude, deveríamos conversar sobre aquele assunto – dizia ela num intervalo de alguns dias. Mas quando ele balançava a cabeça, ela ficava em silêncio. – Amanhã, então – negociava. – Promete? Amanhã conversamos.

– Não sei por que tenho de falar sobre aquilo – balbuciou certa vez para ela. Sabia que ela lera seus arquivos de Montana; sabia que ela sabia o que ele era.

Ela ficou em silêncio.

– Uma coisa eu aprendi – disse. – Precisamos falar sobre as coisas enquanto estão frescas. Ou nunca falaremos. Vou ensinar você a falar sobre elas, pois vai ficar cada vez mais difícil quanto mais você adiar, e isso vai apodrecer por dentro, e você sempre irá se culpar. Estará equivocado, é claro, mas sempre pensará assim.

Não sabia como responder, mas, no dia seguinte, quando ela levantou a questão mais uma vez, ele balançou a cabeça e lhe deu as costas, por mais que ela o tenha chamado.

– Jude – disse ela uma vez –, já deixei você passar muito tempo sem falar sobre isso. A culpa é minha.

E, em outra ocasião, pediu:

– Faça por mim, Jude.

Mas ele não conseguia; não conseguia encontrar o idioma certo para falar do assunto, nem mesmo com ela. Além do mais, não queria reviver aqueles anos. Queria esquecê-los, fingir que pertenciam a outra pessoa.

Quando junho chegou, ela estava tão fraca que nem conseguia sentar. Quatorze meses depois de se conhecerem, agora era ela quem estava numa cama e ele quem sentava ao seu lado. Leslie trabalhava no hospital durante o turno da manhã, então os dois muitas vezes ficavam sozinhos em casa.

– Ouça – disse Ana. A garganta estava seca por causa de um dos remédios, e ela estremecia ao falar. Ele estendeu o braço para pegar a jarra de água, mas ela balançou a mão, impaciente. – Leslie vai levar você para fazer compras antes da sua partida; preparei uma lista para ela com todas as coisas de que você vai precisar. – Ele começou a protestar, mas ela o interrompeu. – Não discuta, Jude. Não tenho forças para isso.

Ela engoliu em seco. Ele esperou.

– Você vai se sair muito bem na universidade – disse ela. Ana fechou os olhos. – Os outros garotos vão perguntar sobre o seu passado, já pensou nisso?

– Mais ou menos – disse ele. Era só nisso que pensava.

– Humpf – grunhiu ela. Também não acreditara no que ele acabara de falar. – O que vai dizer? – E então abriu os olhos e virou-se para ele.

– Não sei – admitiu.

– Ah, sim – respondeu ela. Os dois ficaram em silêncio. – Jude – começou, e então parou. – Você vai encontrar seu próprio jeito de falar sobre as coisas que aconteceram. Terá de encontrar, se um dia quiser ser íntimo de alguém. Mas a sua vida... não importa o que pense, você não tem nada do que se envergonhar, e nada foi culpa sua. Vai se lembrar disso?

Aquilo foi o mais próximo que chegaram de conversar não somente sobre o que se passara no ano anterior, mas também nos anos que o precederam.

– Sim – disse a ela.
Ana o olhou fixamente.
– Prometa.
– Eu prometo.
Mas nem mesmo naquele momento ele conseguiu acreditar nela. Ela suspirou.
– Eu devia ter feito você falar mais – afirmou.
Foi a última coisa que Ana disse a ele. Duas semanas depois – no dia 3 de julho – ela morreu. O funeral foi na semana seguinte. Na época, ele conseguira um emprego de verão numa padaria local, onde ficava sentado na sala dos fundos cobrindo bolos com glacê, e, nos dias após o funeral, ficava até tarde da noite no seu posto de trabalho, cobrindo bolo atrás de bolo com glacê rosa, tentando não pensar nela.

No final de julho, os Douglass se mudaram: o Sr. Douglass conseguira um novo emprego em San Jose, e eles levariam Agnes junto; Rosie iria para uma nova família. Ele gostava dos Douglass, mas, quando eles lhe disseram para manter contato, ele sabia que aquilo não aconteceria – estava desesperado para se afastar daquela vida, da vida que tivera; queria ser alguém que ninguém conhecesse e que não conhecesse ninguém.

Foi colocado num abrigo de emergência. Era assim que o Estado o chamava: abrigo de emergência. Ele argumentara que tinha idade para ser deixado por conta própria (imaginara, também segundo um raciocínio ilógico, que poderia dormir na sala dos fundos da padaria) e que, de qualquer forma, iria embora dali em dois meses, estaria fora do sistema, mas ninguém concordou com ele. O abrigo era um dormitório, uma colmeia cinzenta caindo aos pedaços, habitada por outros garotos para os quais – devido ao que fizeram, ao que lhes fora feito ou simplesmente pela idade – o Estado não conseguia encontrar um lugar.

Quando chegou seu momento de ir embora, lhe deram um pouco de dinheiro para comprar material escolar. Tinham, como ele próprio reconhecia, um vago orgulho dele; podia não ter ficado no sistema por muito tempo, mas estava a caminho da universidade, e uma universidade importante, por sinal – no futuro, ele seria sempre classificado como um de seus casos de sucesso. Leslie o levou até a loja de saldos militares. Perguntou-se, enquanto escolhia as coisas de que poderia precisar – dois agasalhos, três camisas de manga comprida, calças, uma manta cinza que lembrava o enchimento inchado que o sofá do saguão do abrigo vomitava

— se estava comprando as coisas certas, as coisas que constariam na lista de Ana. Não conseguia parar de pensar que havia algo mais naquela lista, algo essencial que Ana achava de que ele precisaria e que agora ele nunca saberia. Durante a noite, sentia falta daquela lista, às vezes mais até do que a falta de Ana; podia visualizá-la em sua mente, com as letras maiúsculas esquisitas que ela colocava aleatoriamente na mesma palavra, a lapiseira que sempre usava, os blocos amarelos, remanescentes de seus anos na advocacia, em que fazia suas anotações. Às vezes as letras se solidificavam em palavras e, nos sonhos, ele se sentia triunfante; ah, pensava, mas é claro! É claro que é disso que preciso! É claro que Ana sabia! Mas, na manhã seguinte, já não lembrava mais que coisas eram aquelas. Naqueles momentos, desejava contraditoriamente nunca a ter conhecido, pois era pior tê-la ao seu lado por um tempo tão curto do que jamais tê-la em sua vida.

Deram-lhe uma passagem de ônibus para o norte; Leslie foi à rodoviária se despedir. Ele guardara todas suas coisas num saco plástico preto e depois o colocara dentro da mochila que comprara na loja de artigos militares: todas suas posses num só pacote bem-arrumado. No ônibus, fitou a paisagem pela janela sem pensar em nada. Torceu para que suas costas não o traíssem na viagem, e elas não o fizeram.

Ele fora o primeiro a chegar ao quarto, e quando o segundo garoto – Malcolm – entrou com os pais e malas e alto-falantes e uma televisão e telefones e computadores e a geladeira e uma flotilha de engenhocas digitais, ele sentira as primeiras sensações de um medo vertiginoso, e depois de raiva, direcionadas irracionalmente a Ana: como podia tê-lo feito acreditar que estava preparado para aquilo? Quem poderia dizer que estava? Por que ela nunca lhe falara exatamente o quanto ele era pobre, o quanto era feio, e como sua vida era um farrapo ensanguentado e imundo? Por que o deixara acreditar que seu lugar era ali?

À medida que os meses foram se passando, aquela sensação esmaeceu, ainda que nunca tenha desaparecido por completo; continuava viva dentro dele feito uma fina camada de mofo. Mas, ao passo que aquilo se tornou mais aceitável, outra coisa se tornou menos: ele começou a perceber que ela fora a primeira e a última pessoa a quem nunca precisaria explicar nada. Ela sabia que ele vestia sua vida na pele, que sua biografia estava escrita em sua carne e em seus ossos. Ana jamais perguntaria a ele por que não usava camisas de manga curta, mesmo quando fazia um calor insuportável, ou por que não gostava de ser tocado, ou, mais importante ainda, o que acontecera às suas pernas e costas: ela já sabia. Ao seu lado, nunca sentira a aflição constante, nem a vigilância às quais parecia condenado a sentir perto de qualquer outra pessoa; aquele estado de alerta era algo exaustivo, mas, no fim, acabou simplesmente se tornando uma parte da vida, um hábito como manter uma boa postura. Certa vez, ela abrira os braços para (ele só entenderia depois) abraçá-lo, mas ele instintivamente cobrira a cabeça com as mãos para se proteger, e embora tenha ficado envergonhado, ela não o fizera se sentir bobo ou exagerado.

– Sou uma idiota, Jude – fora o que dissera. – Me desculpe. Prometo que não farei mais nenhum movimento brusco.

Mas agora ela se fora e ninguém o conhecia. Seus registros foram lacrados. No primeiro Natal, Leslie lhe enviara um cartão, repassado a ele pelo escritório de apoio ao aluno, que ele guardara por dias até finalmente jogá-lo no lixo. Ele nunca respondeu o cartão e nunca mais voltou a ter notícias de Leslie. Era uma vida nova. Estava decidido a não a arruinar.

Ainda assim, às vezes se lembrava das últimas conversas que tivera com Ana, reencenando-as em voz alta. Fazia isso sempre à noite, enquanto seus colegas de quarto – em diversas configurações, dependendo de quem estava no quarto no momento – dormiam na cama de cima e do lado.

– Não deixe esse silêncio se tornar um hábito – alertara ela antes de morrer. E: – Não há mal algum em ficar com raiva, Jude. Não precisa esconder.

Ela estava enganada a seu respeito, ele sempre pensou; ele não era o que ela pensava que ele era.

– Você está destinado ao sucesso, garoto – dissera ela uma vez, e ele queria acreditar, por mais que não conseguisse.

Mas ela estava certa em relação a uma coisa: cada vez *ficava* mais e mais difícil. Ele *se* culpava. E embora tentasse a cada dia se recordar do que prometera a ela, a cada dia sua promessa ficava mais distante, até se tornar apenas uma lembrança, assim como Ana, uma personagem querida de um livro que lera muito tempo atrás.

—

– Existem dois tipos de pessoa no mundo – costumava dizer o juiz Sullivan. – Os que tendem a acreditar, e os que não. No meu tribunal, valorizamos quem acredita. E quem acredita em *todas* as coisas.

Fazia aquela declaração com frequência para, em seguida, se levantar grunhindo – era muito gordo – e sair a passos lentos. Aquilo normalmente ocorria no final do expediente – o expediente de Sullivan, pelo menos –, quando saía de seu escritório para conversar com seus assistentes, sentando na beira da mesa de um deles e fazendo sermões muitas vezes obscuros, intercalados com pausas frequentes, como se os assistentes não fossem advogados, mas escrivães, e devessem anotar suas palavras. Mas ninguém anotava, nem mesmo Kerrigan, um verdadeiro devoto e o mais conservador dos três.

Quando o juiz saía, ele sorria do outro lado da sala para Thomas, que olhava para cima num gesto de resignação e lamento. Thomas também era conservador, mas "um conservador *que pensa*", gostava de lembrar, "e só o fato de ter que fazer essa distinção é desanimador pra caralho".

Ele e Thomas haviam começado a trabalhar para o juiz no mesmo ano, e quando fora abordado pelo comitê de contratação informal do juiz – na verdade, seu professor de direito corporativo, um velho amigo do juiz – durante a primavera de seu segundo ano na faculdade de direito, fora Harold quem o incentivara a se candidatar. Sullivan era conhecido entre seus colegas juízes por sempre contratar algum assistente cujas visões políticas divergissem das suas, e quanto mais, melhor. (Seu último assistente liberal acabaria trabalhando para um grupo de defesa ao direito de soberania do Havaí, que defendia a secessão da ilha dos Estados Unidos, um passo profissional que provocara um ataque de autossatisfação apoplética no juiz.)

– Sullivan me odeia – dissera-lhe Harold na época, soando feliz. – Vai contratar você só para me contrariar. – Ele sorriu, saboreando a ideia. – E porque você é o aluno mais brilhante que já tive – acrescentou.

O elogio o fez olhar para o chão: os elogios de Harold normalmente chegavam a ele por meio de outros, quase nunca eram feitos de maneira direta.

– Não sei se sou liberal o bastante para ele – respondera.

Com certeza não era liberal o bastante para Harold; aquele era um dos pontos – suas opiniões; o modo como interpretava a lei; como ele a aplicava à vida – sobre os quais discutiam.

Harold apenas resfolegou.

– Confie em mim – disse ele. – Você é.

Mas quando foi a Washington para a entrevista no ano seguinte, Sullivan falara sobre direito – e sobre filosofia política – com muito menos vigor e especificidade do que ele havia esperado.

– Ouvi dizer que você canta – disse Sullivan após uma hora de conversa sobre o que ele estudara (o juiz frequentara a mesma faculdade de direito que ele), sua função como editor de artigos no jornal de direito estudantil (a mesma que o juiz exercera) e sua opinião sobre alguns casos recentes.

– É verdade – respondeu, tentando imaginar como o juiz ficara sabendo. Cantar era seu consolo, mas raramente o fazia na frente dos outros. Teria ele cantado no escritório de Harold e alguém o ouvira? Ele às vezes cantava na biblioteca de direito, quando colocava os livros de volta nas prateleiras tarde da noite e o lugar ficava silencioso e calmo como uma igreja; teria alguém o ouvido ali?

– Cante algo para mim – disse o juiz.

– O que o senhor gostaria de ouvir? – perguntou. Normalmente ficaria muito mais nervoso, mas fora alertado previamente que o juiz pediria que fizesse algum tipo de interpretação (dizia a lenda que um dos candidatos anteriores tivera que fazer malabares), e Sullivan era um conhecido amante de ópera.

O juiz levou os dedos gordos a seus lábios gordos e pensou.

– Hummm – falou. – Cante uma música que me diga alguma coisa sobre você.

Ele pensou um pouco e então se pôs a cantar. Ficou surpreso em ouvir o que escolhera – "*Ich bin der Welt abhanden gekommen*", de Mahler –, tanto porque não gostava muito de Mahler quanto porque o *lied* era difícil de se cantar, lento, lúgubre e sutil, impróprio para um tenor. Mas ele gostava do poema em si, do qual seu instrutor de voz na universidade desdenhara como "romantismo de segunda classe", mas que ele sempre achara sofrer injustamente por uma tradução ruim. A interpretação tradicional da primeira linha era "Estou perdido para o mundo", mas ele a lia como "Eu me *tornei* perdido para o mundo", que, na sua opinião, era menos autocompadecida, menos melodramática, e mais resignada, mais confusa. *Eu me tornei perdido para o mundo / No qual, no entanto, desperdicei tanto tempo.* O *lied* tratava da vida de um artista, o que ele definitivamente não era. Mas podia compreender, de maneira quase primitiva, o conceito de perda, de se libertar do mundo, de desaparecer e ir para um lugar diferente, um lugar de retiro e proteção, dos desejos geminados de fuga e descoberta. *Não significa nada para mim / Se o mundo acreditar que estou morto / Não posso refutar tal coisa / Pois, na verdade, não faço mais parte do mundo.*

Quando terminou, abriu os olhos e viu o juiz aplaudindo e sorrindo.
– Bravo – disse ele. – Bravo! Mas acho que você errou completamente de profissão. – Ele sorriu outra vez. – Onde aprendeu a cantar desse jeito?
– Com os irmãos, senhor – respondeu.
– Ah, você é católico? – perguntou o juiz, ajeitando-se obesamente na cadeira e parecendo pronto para ouvir a resposta que o deixaria feliz.
– Fui criado como católico – começou.
– Mas hoje não é mais? – perguntou o juiz, franzindo as sobrancelhas.
– Não – respondeu. Esforçara-se por anos para manter o tom de desculpa ausente de sua voz ao dizer aquilo.

Sullivan soltou um grunhido descompromissado.
– Bem, o que quer que eles tenham lhe ensinado deve ter proporcionado ao menos alguma espécie de proteção contra as coisas que Harold Stein vem colocando na sua cabeça nestes últimos anos – falou. Olhou para seu currículo. – Você trabalha para ele como ajudante de pesquisa?
– Sim – disse ele. – Há mais de dois anos.
– Uma mente brilhante, desperdiçada – declarou Sullivan (não ficou claro se ele quis dizer a dele ou a de Harold). – Obrigado por ter vindo, vamos entrar em contato com você. E obrigado pelo *lied*; você tem uma das mais belas vozes tenores que ouvi num bom tempo. Tem *certeza* de que está na área certa? – perguntou, abrindo um sorriso. Seria a última vez que ele veria Sullivan sorrir com tanto prazer e sinceridade.

De volta a Cambridge, ele contou a Harold sobre a entrevista ("Você *canta*?", perguntou Harold, como se ele acabasse de lhe dizer que podia voar), mas tinha certeza de que não conseguiria o cargo. Uma semana depois, Sullivan telefonou: o emprego era dele. Ele ficou surpreso, mas Harold, não.
– Eu lhe falei – disse ele.

No dia seguinte, foi ao escritório de Harold como sempre fazia, mas o professor estava de casaco, pronto para sair.
– O trabalho está suspenso por hoje – anunciou. – Preciso que venha comigo, temos algumas missões na rua. – Aquilo era incomum, mas

123

Harold era incomum. Na calçada, o professor lhe ofereceu a chave do carro: – Quer dirigir?

– Claro – respondeu, acomodando-se no banco do motorista.

Aquele era o carro no qual aprendera a dirigir, um ano antes, com Harold ao seu lado, muito mais paciente fora da sala de aula do que dentro dela.

– Isso mesmo – dizia. – Solte um pouquinho mais a embreagem... isso. Muito bom, Jude, muito bom.

Harold tinha de buscar algumas camisas que deixara para ajustar, e os dois partiram rumo à loja masculina pequena e cara na esquina da praça, onde Willem trabalhara em seu último ano de universidade.

– Entre comigo – instruiu Harold –, vou precisar de ajuda para carregar as roupas.

– Por deus, Harold, quantas camisas você comprou? – perguntou ele.

Harold tinha um guarda-roupa imutável formado por camisas azuis, camisas brancas, calças de veludo cotelê marrons (para o inverno), calças de linho (para a primavera e o verão) e agasalhos em vários tons de verde e azul.

– Silêncio – disse Harold.

Lá dentro, Harold saiu à procura de um vendedor, enquanto ele aguardava, passando os dedos pelas gravatas em suas caixas, enroladas e lustrosas feito doces numa confeitaria. Malcolm lhe dera dois de seus ternos de algodão, os quais ajustara e usara até o limite em seus dois estágios de verão, mas tivera de pegar o terno do amigo emprestado para a entrevista com Sullivan, e tentara se mover com cuidado por todo o tempo em que esteve com ele, ciente de sua grandeza e da qualidade da lã.

– É ele – ouviu Harold dizer, e quando se virou, o professor estava ao lado de um homem baixinho com uma fita métrica pendurada no pescoço feito uma serpente. – Ele precisa de dois ternos: um cinza-escuro e um azul-marinho. E vamos escolher para ele uma dúzia de camisas, alguns agasalhos, umas gravatas, meias, sapatos: ele não tem nada. – Para ele, falou: – Esse é o Marco. Estarei de volta em duas horas, mais ou menos.

– Espere – disse ele. – Harold. O que está fazendo?

– Jude – disse Harold –, você precisa de roupas. Não sou nenhum especialista nesse campo, mas você não pode aparecer no tribunal de Sullivan vestindo o que veste hoje.

Ele ficou envergonhado: por suas roupas, por sua inadequação, pela generosidade de Harold.

– Eu sei – disse. – Mas não posso aceitar isso, Harold.

E teria insistido, mas Harold se colocou entre ele e Marco e o fez se virar para o outro lado.

– Jude – falou –, aceite. Você mereceu. Mais ainda, você precisa. Não vou deixar você me humilhar na frente de Sullivan. Além disso, já está pago e não vão me dar meu dinheiro de volta. Certo, Marco? – gritou às suas costas.

– Certo – respondeu Marco de imediato.

– Ah, pare com isso, Jude – disse Harold, quando o viu abrir a boca. – Tenho de ir. – E saiu marchando sem olhar para trás.

E assim ele se viu diante do espelho triplo, observando o reflexo de Marco trabalhando em seus tornozelos, mas, quando Marco chegou à perna para medir a costura interna, ele se esquivou por instinto.

– Calma, calma – disse Marco, como se ele fosse um cavalo agitado, e deu uns tapinhas em sua coxa, ainda como se fosse um cavalo, e quando ele deu outro meio coice involuntário no momento em que Marco media a segunda perna, ouviu o vendedor dizer: – Ei, estou com alfinetes na boca.

– Desculpe – falou, tentando permanecer parado.

Quando Marco terminou, ele olhou para si mesmo em seu novo terno: ali estava o anonimato, a proteção. Mesmo se alguém acidentalmente esbarrasse em suas costas, estava vestido sob tantas camadas que ninguém conseguiria sentir as cicatrizes por baixo. Estava tudo coberto, tudo escondido. Se estivesse parado, poderia ser qualquer um, alguém inexpressivo e invisível.

– Talvez mais um centímetro – disse Marco, beliscando a parte de trás do paletó na altura da cintura. Ele tirou alguns fios soltos da manga. – Agora só precisa de um bom corte de cabelo.

Ele encontrou Harold esperando na seção de gravatas, lendo uma revista.

– Acabou? – perguntou, como se a visita à loja fosse ideia dele, e Harold tivesse apenas cedido aos seus caprichos.

Durante o jantar, tentou agradecer a Harold novamente, mas o professor sempre o interrompia com uma impaciência cada vez maior.

– Alguém já lhe disse que às vezes você precisa simplesmente aceitar as coisas, Jude? – finalmente perguntou.

— Você disse para nunca aceitar qualquer coisa — lembrou ele a Harold.
— Isso é na sala de aula e no tribunal — respondeu Harold. — Não na vida. Veja bem, Jude: na vida, às vezes coisas boas acontecem a pessoas bacanas. Não precisa se preocupar, elas não acontecem com a frequência que deveriam. Mas, quando acontecem, basta às pessoas bacanas dizerem "obrigado" e seguirem em frente, e talvez considerarem que aquele que está fazendo algo bom também esteja feliz, e não no clima de ouvir todas as razões pelas quais a pessoa a quem a boa ação foi feita acha que não a merece ou não é digna de tal.

Depois disso ele calou a boca e deixou Harold levá-lo para seu apartamento em Hereford Street.

— Além do mais — disse Harold, quando ele estava saindo do carro —, você ficou muito, muito bem. Você é um rapaz bonitão; espero que já lhe tenham dito isso antes. — E emendou, antes que ele pudesse protestar: — Aceite, Jude.

E, assim, ele engoliu o que iria dizer.

— Obrigado, Harold. Por tudo.

— De nada, Jude — disse Harold. — Vejo você na segunda.

Ele ficou parado na calçada, vendo o carro de Harold se afastar, e depois subiu para o apartamento, que ficava no segundo andar de um prédio adjacente à casa que sediava uma fraternidade do MIT. O dono do prédio, um professor aposentado de sociologia, morava no térreo e alugava os outros três andares para alunos das faculdades ao redor: no andar mais alto ficavam Santosh e Federico, que faziam doutorado em engenharia elétrica no MIT, e no terceiro andar moravam Janusz e Isidore, ambos cursando Ph.D. em Harvard — Janusz, em bioquímica, Isidore, em religiões do Oriente Próximo —, e logo abaixo deles viviam ele e seu colega de apartamento, Charlie Ma, cujo verdadeiro nome era Chien-Ming Ma, e a quem todos chamavam de CM. CM era estagiário no Centro Médico Tufts, e os dois tinham horários completamente opostos: ele acordava e encontrava a porta de CM fechada, ouvindo o ronco úmido e fungado que vinha do outro lado; quando voltava para casa, às oito da noite, depois de trabalhar com Harold, CM já havia saído. O pouco que via de CM lhe agradava — ele era de Taipei e frequentara um colégio interno em Connecticut, além de ter um sorriso sonolento e maroto que fazia você querer sorrir de volta — e era amigo de um amigo de Andy, que foi como eles se conheceram.

Apesar de seu ar perpétuo de langor chapado, CM também era organizado e gostava de cozinhar: às vezes, ao chegar em casa, ele encontrava um prato de bolinhos fritos no centro da mesa, com um bilhete dizendo ME COMA, ou ocasionalmente recebia uma mensagem instruindo para virar o frango deixado para marinar antes de ir dormir, ou pedindo que comprasse um maço de coentro no caminho para casa. Ele sempre fazia o que CM pedia, e, quando voltava, encontrava o frango transformado em um ensopado ou o coentro picado e colocado dentro de panquecas de escalope. De meses em meses, quando os horários coincidiam, todos os seis se reuniam no apartamento de Santosh e Federico – o deles era o maior – para comer e jogar pôquer. Janusz e Isidore lamentavam alto e bom som, alegando que todas as garotas pensavam que eles eram gays, pois só andavam juntos (CM virava o olhar na direção dele, ele apostara vinte dólares que os dois dormiam juntos mas fingiam ser héteros – o que, de qualquer forma, seria impossível de provar), enquanto Santosh e Federico se queixavam da burrice de seus alunos e de como a qualidade dos universitários do MIT despencara desde a época deles, cinco anos atrás.

O apartamento dele e de CM era o menor de todos, pois o senhorio anexara metade do andar para a construção um depósito. CM pagava uma parte significativamente maior do aluguel, por isso ficara com o quarto. Ele ocupava um canto da sala de estar, a parte com a janela saliente. Sua cama era um pallet forrado por uma espuma fina, os livros ficavam alinhados sob o parapeito, e ele tinha um abajur e uma divisória de papel dobrável para lhe dar um pouco de privacidade. Ele e CM haviam comprado uma mesa grande de madeira, que colocaram na alcova da sala de jantar, acompanhada por duas cadeiras de metal dobráveis, uma descartada por Janusz, e a outra, por Federico. Metade da mesa era dele, a outra metade, de CM, e ambas eram forradas por livros, papéis e seus computadores, que emitiam gorjeios e gargarejos dia e noite.

As pessoas sempre se surpreendiam com o vazio do apartamento, mas ele quase nem o notava mais – embora não por completo. Agora, por exemplo, estava sentado no chão diante das três caixas de papelão onde guardava suas roupas, tirando seus novos agasalhos, camisas, meias e sapatos dos envelopes de papel-manteiga branco, colocando-os sobre o colo, um por vez. Eram os melhores bens que já possuíra e de certa forma seria vergonhoso colocá-los em caixas feitas para armazenar fichários. Decidiu então reembalar tudo e colocá-los de volta nas sacolas de compra.

A generosidade do presente de Harold o perturbara. Em primeiro lugar, havia a questão do presente em si: ele nunca, nunca mesmo recebera algo tão grandioso. Depois, havia a impossibilidade de um dia retribuir a gentileza adequadamente. E por fim havia o significado por trás do gesto: havia algum tempo que sabia que Harold o respeitava, e até mesmo gostava de sua companhia. Mas seria possível que ele fosse alguém importante para Harold, que Harold gostasse mais dele do que apenas como um aluno, mas sim como um amigo de verdade? E, se fosse esse o caso, por que isso o deixaria tão envergonhado?

Foram necessários muitos meses até que se sentisse realmente à vontade na presença de Harold: não na sala de aula ou no escritório, mas fora da sala de aula, fora do escritório. Na vida, como diria Harold. Quando voltava para casa após algum jantar na casa de Harold, tinha uma sensação de alívio. E sabia bem o porquê, por mais que não quisesse admitir para si mesmo: tradicionalmente, homens – homens adultos, grupo este do qual ainda não se considerava parte – se interessavam por ele por um motivo específico, o que o ensinara a temê-los. Mas Harold não parecia ser um desses homens. (Embora o irmão Luke também não parecesse.) Às vezes parecia que tinha medo de tudo, e isso era algo que odiava em si mesmo. Medo e ódio, medo e ódio: muitas vezes aquelas pareciam ser as únicas características suas. Medo de todo mundo; ódio de si mesmo.

Sabia quem era Harold antes de conhecê-lo, pois Harold era famoso. Era um questionador implacável: cada comentário feito em sua aula era analisado e debatido numa saraivada infinita de "por quê?". Era elegante e alto, e tinha mania de andar num círculo preciso, com o corpo projetado à frente, quando se sentia envolvido ou animado.

Para sua decepção, havia muito que simplesmente não conseguia se lembrar das aulas de direito contratual que tivera no primeiro ano com Harold. Não se lembrava, por exemplo, dos detalhes da dissertação que escrevera e que despertara o interesse de Harold, levando a conversa para fora da sala de aula e, eventualmente, à oferta para que se tornasse um de seus assistentes de pesquisa. Não se lembrava de nada particularmente interessante que pudesse ter dito na sala de aula. Mas se *lembrava* de Harold no primeiro dia do semestre, andando de um lado para o outro, falando com sua voz grave e ligeira.

– Vocês são calouros de direito – dissera Harold. – Meus parabéns a todos. Como calouros de direito, vocês terão uma grade de matérias bem típica: direito contratual; responsabilidade civil; direito das coisas; direito processual civil; e no ano seguinte, direito constitucional e penal. Mas vocês sabem de tudo isso.

"O que talvez não saibam é que essa grade reflete, de maneira bela e simples, a própria estrutura da nossa sociedade, os próprios mecanismos dos quais uma sociedade, a nossa sociedade em particular, precisa para funcionar. Para termos uma sociedade, precisamos em primeiro lugar de uma estrutura institucional: isso é o direito constitucional. Precisamos de um sistema de punição: aí está o direito penal. Precisamos ter um sistema em ordem que faça os outros sistemas funcionarem: aí encontramos o direito processual civil. Precisamos de um modo para regular as questões de domínio e posse: o direito das coisas. Precisamos que alguém seja financeiramente responsável pelos danos causados a terceiros: disso trata a responsabilidade civil. E, por fim, precisamos garantir que as pessoas cumpram os acordos que fizerem, que honrem suas promessas: e *aqui* falamos de direito contratual."

Fez uma pausa.

– Vejam, não quero fazer generalizações, mas aposto que metade de vocês está aqui para um dia poder arrancar dinheiro das pessoas. Pessoas que cometeram atos ilícitos, então não há do que se envergonhar! Já a outra metade está aqui porque acha que pode mudar o mundo. Vocês estão aqui porque sonham em argumentar diante da Suprema Corte, porque acreditam que o verdadeiro desafio da lei está nos espaços em branco nas entrelinhas da Constituição. Mas estou aqui para dizer a vocês: não é por aí. O campo do direito mais verdadeiro, mais envolvente do ponto de vista intelectual, mais *rico*, é o dos contratos. Os contratos não são apenas folhas de papel prometendo às pessoas um emprego, ou uma casa, ou uma herança: em seu sentido mais puro, verdadeiro e amplo, os contratos regulamentam cada aspecto da lei. Quando escolhemos viver em uma sociedade, escolhemos viver sob um contrato e obedecer às regras que esse contrato nos impõe: a Constituição em si é um contrato, ainda que maleável, e a questão de quão maleável ela é, exatamente, é o ponto onde o direito cruza com a política. E é sob as regras, explícitas ou não, desse contrato, que prometemos não matar, pagar nossos impostos, não roubar. Mas, nesse caso, somos tanto os criadores como os seguidores desse contrato: como cidadãos deste país, assumimos desde o nascimento à obrigação de respeitar e seguir suas normas, e o fazemos diariamente.

"Nesta aula, vocês obviamente aprenderão os mecanismos de um contrato: como ele é criado, como é quebrado, o quanto ele o compromete e como se livrar de um. Mas também terão de considerar o próprio direito como uma série de contratos. Alguns são mais justos que outros, e neste caso vou deixar que digam isso. Mas a equidade não é a única, nem mesmo a mais importante, consideração no mundo do direito: a lei nem sempre é justa. Contratos não são justos, não sempre. Mas às vezes elas são necessárias, essas injustiças, porque são necessárias para o bom funcionamento da sociedade. Nesta matéria vocês aprenderão a diferença entre o que é justo e o que é legítimo, e, mais importante ainda, entre o que é justo e o que é necessário. Aprenderão sobre as obrigações que temos uns para com os outros enquanto membros da sociedade, e quais são os limites da sociedade ao aplicar essas obrigações. Aprenderão a ver a vida de vocês, e a de todos nós, como uma série de acordos, e isso os fará repensar não somente a lei, mas o próprio país, e o lugar que ocupam nele."

Ele ficara encantado com o discurso de Harold e, nas semanas seguintes, por como o professor pensava diferente, como parava diante da classe feito um maestro, prolongando o argumento de algum aluno em formações estranhas e inimagináveis. Certa vez, um debate aparentemente inofensivo sobre o direito à privacidade – o direito constitucional mais estimado e ao mesmo tempo o mais nebuloso, segundo Harold, cuja definição de direito contratual muitas vezes ignorava os limites convencionais e adentrava alegremente outros campos do direito – levara a uma discussão entre os dois sobre o aborto, o qual ele considerava indefensável do ponto de vista moral, mas necessário no âmbito social.

– A-há! – dissera Harold; ele era um dos únicos professores que conduzia debates morais, e não apenas legais. – E o que acontece, Sr. St. Francis, quando renunciamos à moral nos termos da lei em nome da administração social? Em que ponto um país e seu povo devem começar a dar mais valor ao controle social do que ao seu senso de moralidade? *Existiria* tal ponto? Eu mesmo não sei se existe.

Mas ele se mantivera firme, e a turma ficara em silêncio, assistindo à troca de argumentos entre os dois.

Harold escrevera três livros, mas fora o último, *O aperto de mão americano: as promessas e as falhas da Declaração da Independência*, que o tornara famoso. O livro, que ele lera antes mesmo de conhecer Harold, era uma interpretação legal da Declaração da Independência: quais de suas premissas haviam sido mantidas e quais não foram, e seria ela capaz de resistir às tendências da jurisprudência contemporânea? ("Em resumo: não", dizia a crítica do *Times*.) Agora ele vinha trabalhando nas pesquisas para seu quarto livro, uma espécie de sequência de *O aperto de mão americano*, sobre a Constituição, partindo de uma perspectiva semelhante.

– Mas vou tratar somente da Declaração dos Direitos e das emendas mais sensuais – disse Harold quando o entrevistou para o cargo de assistente de pesquisa.

– Não sabia que algumas eram mais sensuais que outras – falou.

– Mas *é claro* que são – respondeu Harold. – Apenas a décima primeira, a décima segunda, a décima quarta e a décima sexta são sensuais. O resto é praticamente a escória da política de outrora.

– Então a décima terceira emenda é um lixo? – perguntou, achando graça.

– Não falei que era um *lixo* – disse Harold. – Só não é sensual.

– Mas acho que é isso que significa escória.

Harold soltou um suspiro dramático, pegou o dicionário na mesa, abriu e o estudou por alguns instantes.

– Tudo bem, que seja – concedeu, jogando-o de volta sobre uma pilha de papéis, que deslizou na direção da beirada da mesa. – Essa é a terceira definição. Mas estou falando da primeira: as sobras, os detritos... as *relíquias* da política de outrora. Satisfeito?

– Sim – respondeu, tentando segurar o riso.

Ele começou a trabalhar para Harold nas tardes e noites de segunda, quarta e sexta, quando sua carga de estudos era mais leve – nas tardes de terça e quinta frequentava seminários no MIT, onde estava fazendo seu mestrado, e trabalhava na biblioteca de direito à noite, e aos sábados trabalhava na biblioteca pela manhã e numa padaria chamada Batter à tarde, perto da universidade de medicina, onde começara a trabalhar enquanto cursava o bacharelado e era encarregado de pedidos especiais: decorava biscoitos, fazia centenas de pétalas de flores de massa de açúcar para os bolos e testava diferentes receitas, uma das quais, um bolo com dez tipos de castanhas, se tornara o campeão de vendas da padaria. Também trabalhava na Batter aos domingos, e um dia Allison, a dona da padaria, que confiava a ele muitos dos projetos mais complicados, passou-lhe uma encomenda de três dúzias de biscoitos decorados em forma de bactérias.

– Achei que você seria a pessoa mais capaz de conseguir fazer isso – disse ela. – A esposa do cliente é microbiologista e ele quer fazer uma surpresa para ela e para o laboratório.

– Vou pesquisar – respondeu ele, pegando a ordem de serviço e reparando no nome do cliente: Harold Stein.

E assim o fez, pedindo conselhos a CM e a Janusz, e assou biscoitos em formas de gota, de bolas espinhentas, de pepinos, usando coberturas de diversas cores para desenhar citoplasmas, membranas plasmáticas e ribossomos, e formando flagelos com tiras de alcaçuz. Depois digitou uma lista identificando cada um e a colocou dobrada dentro da caixa, antes de fechá-la e amarrá-la com barbante; ainda não conhecia Harold muito bem, mas gostava da ideia de fazer algo para ele, de impressioná-lo, mesmo que de maneira anônima. E gostava de imaginar o que os biscoitos deveriam celebrar: Alguma publicação? Uma data importante? Ou seria simplesmente sua dedicação à esposa? Seria Harold Stein o tipo de pessoa que aparecia no laboratório da mulher com biscoitos sem motivo algum? Ele suspeitava que sim.

Na semana seguinte, Harold contou a ele sobre os biscoitos incríveis que comprara na Batter. Seu entusiasmo, que algumas horas antes na sala de aula estivera voltado ao Código Comercial Uniforme, agora se concentrava nos biscoitos. Ele mordia o interior da bochecha para não sorrir, ouvindo Harold dizer que o pessoal da padaria fizera um trabalho genial, e que os colegas de Julia ficaram sem palavras diante dos detalhes e da verossimilhança, e como, por alguns instantes, ele se tornara o herói do laboratório.

– O que, a propósito, não é lá muito fácil entre aquelas pessoas, que consideram, ainda que não digam, qualquer pessoa envolvida na área de humanas um idiota.

– Parece que esses biscoitos foram feitos por alguém realmente obsessivo – disse. Não contara a Harold que trabalhava na Batter, tampouco tinha planos de fazê-lo.

– Então é um obsessivo que eu gostaria de conhecer – disse Harold. – E estavam deliciosos, ainda por cima.

– Hummm – respondeu, pensando em alguma pergunta a fazer a Harold para que ele parasse de falar sobre os biscoitos.

Harold tinha outros assistentes de pesquisa, é claro – dois alunos do segundo ano e um do terceiro, que só conhecia de vista –, mas seus horários eram programados de modo que nunca se sobrepusessem. Às vezes um se comunicava com o outro por meio de bilhetes ou e-mails, explicando onde haviam interrompido determinada pesquisa para que a pessoa seguinte pudesse partir dali e seguir adiante. Mas, durante o segundo semestre de seu primeiro ano, Harold ordenara que ele trabalhasse exclusivamente na quinta emenda.

– Essa é das boas – dissera. – Inacreditavelmente sensual.

Os dois assistentes do segundo ano ficaram com a nona emenda, e o do terceiro ano, com a décima, e por mais que soubesse o quanto aquilo era ridículo, não conseguia deixar de se sentir triunfante, como se o professor o houvesse favorecido de alguma forma em relação aos outros.

O primeiro convite para jantar na casa de Harold surgira de forma espontânea, no final de uma tarde fria e escura de março.

– Tem certeza? – perguntou, incerto.

Harold olhou para ele, curioso.

– Mas é claro – respondeu. – É só um jantar. Você precisa comer, não é verdade?

Harold morava em uma casa de três andares em Cambridge, do lado do campus universitário.

– Não sabia que você morava aqui – disse quando Harold entrou com o carro na garagem. – Esta é uma das minhas ruas preferidas. Eu costumava cortar caminho por aqui todo dia para chegar ao outro lado do campus.

– Você e todos os outros garotos – respondeu Harold. – Quando comprei esta casa pouco antes de me divorciar, todas as outras eram ocupadas por alunos; todas as persianas estavam caindo aos pedaços. O cheiro de maconha era tão forte que você ficava doidão só de passar de carro por aqui.

Nevava, só um pouco, mas ele ficou feliz por ter apenas dois degraus até a porta e por não precisar se preocupar em cair ou pedir a ajuda de Harold. Lá dentro, a casa cheirava a manteiga, pimenta e amido: massa, pensou. Harold soltou a pasta no chão e lhe mostrou rapidamente a casa – "Sala de estar; o escritório fica logo atrás; a cozinha e a sala de jantar estão à sua esquerda" –, e então conheceu Julia, alta como Harold e com cabelos castanhos curtos, de quem gostou de imediato.

– Jude! – disse ela. – Até que enfim! Ouvi falar tanto de você. Estou muito feliz por finalmente nos conhecermos. – E parecia, pensou ele, que realmente estava.

Durante o jantar, os três conversaram. Julia vinha de uma família de acadêmicos de Oxford e vivia nos Estados Unidos desde a pós-graduação em Stanford; ela e Harold tinham se conhecido cinco anos antes por meio de um amigo em comum. Seu laboratório estudava o que parecia ser uma variação do H5N1 e tentava mapear seu código genético.

– Uma das preocupações da microbiologia não seria a possível utilização desses genomas como armas? – perguntou ele, sentindo, mesmo sem ver, Harold virar em sua direção.

– Sim, é isso mesmo – respondeu Julia, e enquanto ela explicava as controvérsias que cercavam o seu trabalho e o dos colegas, ele deu uma olhada rápida em Harold, que o observava, e levantara uma sobrancelha para ele num gesto que não conseguiu interpretar.

Mas a conversa logo mudou de rumo, e ele quase foi capaz de assistir à discussão se afastar cada vez mais do laboratório de Julia para se concentrar inexoravelmente nele, e notou que Harold seria um ótimo advogado se quisesse, viu sua habilidade em redirecionar e reposicionar o assunto, quase como se a conversa entre eles fosse algo líquido e ele a conduzisse por calhas e tinas, eliminando qualquer possibilidade de desvio até chegar a seu fim inevitável.

– Então, Jude – perguntou Julia –, onde você cresceu?

– Dakota do Sul e Montana, na maior parte do tempo – respondeu, sentindo a criatura dentro de si sentar, ciente do perigo, mas incapaz de escapar.

– Então seus pais eram fazendeiros? – perguntou Harold.

Ele aprendera ao longo dos anos a esperar por aquela sequência de perguntas, e também a desviar dela.

– Não – disse ele –, mas um monte de gente era, obviamente. O campo é lindo por aquelas bandas; já passaram um tempo no Oeste?

Normalmente aquilo era o suficiente, mas não para Harold.

– Rá! – falou. – Esse foi o método mais sutil de evitar um assunto que ouvi nos últimos tempos. – Harold olhou para ele com tanta atenção que ele acabou baixando a cabeça na direção do prato. – Acho que esse é o seu jeito de nos dizer que não irá nos contar o que eles fazem, não é?

– Ah, Harold, deixe o menino – disse Julia, mas ele ainda sentia Harold o encarando e sentiu-se aliviado quando o jantar acabou.

Depois daquela primeira noite na casa de Harold, a relação entre os dois se tornou mais profunda e mais complicada. Sentia que havia aguçado a curiosidade de Harold, a quem imaginava como um cão animado e de olhos atentos – um terrier, implacável e entusiasmado –, e não sabia ao certo se aquilo era algo bom. Queria conhecer Harold melhor, mas durante o jantar fora lembrado de que aquele processo – o de conhecer alguém – era sempre mais difícil do que recordava. Sempre esquecia; sempre o faziam lembrar. Desejou, como sempre fazia, que toda aquela sequência – a revelação de intimidades, a exploração do passado – pudesse ser superada bem rápido e que ele fosse simplesmente teleportado para a etapa seguinte, na qual o relacionamento era tranquilo, flexível e confortável, no ponto em que os limites das duas partes eram compreendidos e respeitados.

Outras pessoas podiam até ter feito mais tentativas de questioná-lo e depois o deixaram em paz – outras pessoas o *tinham* deixado em paz: seus amigos, seus colegas de classe, seus outros professores –, mas Harold não desistia tão facilmente. Até mesmo suas estratégias habituais – dentre elas, dizer a seus interlocutores que queria ouvir sobre a vida *deles*, não falar da sua: uma tática que tinha a vantagem de ser verdadeira, assim como eficiente – falharam com Harold. Ele nunca sabia quando Harold daria o próximo bote, mas, quando o fazia, o pegava despreparado, e ele se sentia cada vez mais envergonhado, e não menos, à medida que passavam mais tempo na companhia um do outro.

Às vezes estavam no escritório de Harold, conversando sobre algum tópico – como o caso da ação afirmativa da Universidade da Virginia ser levado à Suprema Corte, por exemplo –, e Harold perguntava:

– *Você* descende de que etnias, Jude?

– Muitas – respondia, e logo tentava mudar de assunto, nem que precisasse derrubar uma pilha de livros para causar uma distração.

Mas, outras vezes, as perguntas eram aleatórias e desprovidas de um contexto, impossíveis de serem previstas, feitas sem qualquer preâmbulo. Certa noite ele e Harold estavam no escritório, trabalhando até tarde, e Harold pediu comida pelo telefone. Para a sobremesa, encomendara biscoitos e brownies, empurrando o saco de papel na direção dele.

– Não, obrigado – falou.

– Não quer mesmo? – perguntou Harold, erguendo as sobrancelhas. – Meu filho adorava esse tipo de coisa. Tentamos prepará-los em casa para ele, mas nunca acertamos a receita. – Ele partiu um brownie ao meio. – Seus pais cozinhavam bastante para você quando era pequeno? – Harold lhe fazia aquelas perguntas com uma casualidade proposital que ele considerava quase insuportável.

– Não – respondeu, fingindo reler as anotações que vinha fazendo.

Ouviu Harold mastigando e, como sabia, considerando se devia recuar ou continuar com sua linha de questionamento.

– Você vê seus pais com frequência? – perguntou Harold, de maneira abrupta, em uma outra noite.

– Eles morreram – disse, mantendo os olhos no papel.

– Lamento, Jude – disse Harold após um período de silêncio, e a sinceridade em sua voz o fez levantar a cabeça. – Os meus também. Relativamente há pouco tempo. Mas, obviamente, sou muito mais velho que você.

– Lamento, Harold – falou. Depois, tentou adivinhar: – Você era muito próximo deles.

– Sim – respondeu Harold. – Muito. Você era próximo dos seus?

Ele balançou a cabeça.

– Não, na verdade, não.

Harold ficou quieto.

– Mas aposto que tinham orgulho de você – disse, rompendo o silêncio.

Sempre que Harold lhe fazia perguntas pessoais, ele sentia algo se mover pelo seu corpo, como se estivesse congelando por dentro e seus órgãos e nervos fossem protegidos por uma camada de gelo. Naquele momento, porém, achou que pudesse quebrar, que se dissesse qualquer coisa o gelo racharia e ele se despedaçaria. Decidiu então esperar até saber que soaria normal antes de perguntar a Harold se precisava dele para procurar o restante dos artigos naquele instante ou se devia deixar para a manhã seguinte. Mas fez isso sem olhar para Harold, encarando o caderno enquanto falava.

Harold demorou um bom tempo para responder.

– Amanhã – disse Harold, em voz baixa, e ele concordou com a cabeça, recolhendo suas coisas para ir para casa, ciente de que os olhos de Harold seguiam seu cambaleante progresso rumo à porta.

Harold queria saber como ele crescera, se tinha irmãos, quem eram seus amigos e o que fazia com eles: estava ávido por informação. Ele pelo menos podia responder às últimas perguntas e contou sobre os amigos, como haviam se conhecido e onde estudavam: Malcolm fazia a pós-

-graduação em Columbia, JB e Willem, em Yale. Gostava de responder às perguntas de Harold sobre os amigos, gostava de falar deles, gostava de ouvir as risadas de Harold quando contava as histórias. Contou sobre CM, e como Santosh e Federico tinham se envolvido numa espécie de briga com os alunos de engenharia que moravam na casa ao lado, e como acordara uma manhã e encontrara um esquadrão de dirigíveis motorizados, feitos com camisinhas, voando ruidosamente por sua janela em direção ao quarto andar, cada um carregando cartazes que diziam: SANTOSH JAIN E FEDERICO DE LUCA TÊM MICROPÊNIS.

Mas, quando Harold fazia outras perguntas, sentia-se sufocado pelo peso, pela frequência e pela inevitabilidade que tinham. E às vezes o ar ficava tão denso com as perguntas que Harold *não* lhe estava fazendo que a sensação era tão opressiva como se de fato estivesse. As pessoas queriam saber tantas coisas, queriam tantas respostas. E ele entendia isso, de verdade – ele também queria respostas; também queria entender tudo. Sentiu-se agradecido pelos amigos, e por quão relativamente pouco haviam extraído dele, como o deixaram sossegado, uma campina vazia e sem rosto, sob cuja superfície amarela retorciam-se minhocas e besouros dentro do solo preto, e pedaços de ossos lentamente se calcificavam em rochas.

– Você está mesmo interessado nessas coisas – estourou ele contra Harold, frustrado, quando este lhe perguntara se estava saindo com alguém, para logo em seguida, tendo ouvido seu tom, parar e se desculpar. Os dois se conheciam havia cerca de um ano àquela altura.

– *Nessas coisas?* – disse Harold, ignorando o pedido de desculpa. – Estou interessado em *você*. Não vejo nada de estranho nisso. É sobre esses assuntos que os amigos conversam.

Porém, apesar de seu desconforto, ele continuava voltando a Harold, continuava aceitando seus convites para jantar, mesmo que em certo ponto durante cada encontro houvesse um momento em que sentia vontade de sumir, ou no qual temia que pudesse ter causado algum tipo de decepção.

Certa noite, durante um jantar na casa de Harold, foi apresentado ao melhor amigo do professor, Laurence, a quem conhecera na faculdade de direito e agora trabalhava como juiz da corte de apelação em Boston, e sua esposa, Gillian, que ensinava inglês na Simmons.

– Jude – disse Laurence, cuja voz era ainda mais grave que a de Harold –, Harold me falou que você está fazendo mestrado no MIT. Em quê?

– Matemática pura – respondeu.

– De que maneira isso é diferente – ela riu – da "matemática normal"? – perguntou Gillian.

– Bem, a matemática normal, ou matemática aplicada, é o que acho que vocês chamariam de matemática prática – respondeu. – É usada para resolver problemas, para fornecer soluções, seja no campo da economia, da engenharia, da contabilidade ou qualquer outra coisa. Mas a matemática pura não existe para fornecer uma aplicação prática imediata, ou necessariamente óbvia. É simplesmente uma expressão de forma, se quiser chamá-la assim. A única coisa que ela prova é a elasticidade quase infinita da própria matemática, dentro do conjunto aceito de hipóteses pelas quais a definimos, é claro.

– Está falando de geometria imaginária, coisas do gênero? – perguntou Laurence.

– Poderia ser, é claro. Mas não é limitada a isso. Muitas vezes, é apenas uma prova da... da lógica interna impossível e ao mesmo tempo consistente da matemática em si; existem vários tipos de especialidades dentro da matemática pura: a matemática geométrica pura, como você mencionou, mas também a matemática algébrica, a matemática algorítmica, a criptografia, a teoria da informação e a lógica pura, que é o que estudo.

– Que seria o quê? – perguntou Laurence.

Ele pensou.

– A lógica matemática, ou lógica pura, é basicamente um diálogo entre verdades e falsidades. Por exemplo, eu poderia dizer para você que "Todos os números positivos são reais. Dois é um número positivo. Portanto, dois deve ser real." Mas isso não está *realmente* correto, está? É uma derivação, uma suposição da verdade. Eu não *provei* de verdade que dois é um número real, mas logicamente deve ser verdade. Assim, você elabora uma prova para, em essência, comprovar que a lógica daquelas duas afirmações de fato é real e aplicável de maneira infinita. – Fez uma pausa. – Isso fez sentido?

– *Video, ergo est* – disse Laurence repentinamente. *Vejo, logo existe.*

Ele sorriu.

– A matemática aplicada é exatamente isso. Mas a matemática pura está mais para – ele pensou outra vez – *imaginor, ergo est.*

Laurence sorriu para ele e assentiu com a cabeça.

– Muito bom – falou.

— Tudo bem, mas *eu* tenho uma pergunta – disse Harold, que se mantivera em silêncio, ouvindo-os. – Como e por que diabos você foi parar na faculdade de direito?

Todos caíram no riso, e ele também. Aquela era uma pergunta que ouvia com frequência (do Dr. Li, com ar de desespero; de seu orientador de mestrado, o Dr. Kashen, com ar de perplexidade) e sempre mudava a resposta para agradar a audiência, já que a verdadeira resposta – queria ter meios para se proteger; queria se certificar de que ninguém nunca mais pudesse chegar até ele – parecia um motivo egoísta, raso e pequeno demais para ser dito em voz alta (e também abriria espaço para uma avalanche de outras perguntas). Além disso, sabia àquela altura que o direito era uma forma inconsistente de proteção: se quisesse *realmente* se proteger, devia ter se tornado um atirador apertando o olho atrás de uma mira ou um cientista num laboratório com suas pipetas e seus venenos.

Naquela noite, porém, respondeu:

— Mas o direito não é assim tão diferente da matemática pura, na verdade. Quero dizer, em teoria, ele também pode oferecer uma resposta a todas as questões, não é? As leis existem para serem pressionadas, para serem forçadas até o limite, e se não conseguem oferecer uma solução aos problemas que afirmam cobrir, então não são leis de verdade, certo? – Ele parou para refletir sobre o que acabara de dizer. – Acho que a diferença é que, no direito, existem muitos caminhos que levam a muitas respostas, e na matemática há muitos caminhos para uma só resposta. E também, penso eu, o direito não se trata da verdade, mas sim de controle. E a matemática não tem de ser conveniente, prática ou gerenciadora. Só precisa ser verdadeira.

"Mas acho que outro modo em que os dois se *assemelham* é que, na matemática, assim como no direito, o mais importante, ou, para ser mais preciso, o mais memorável, não é que o caso, ou a prova, seja vencido ou solucionado, mas sim a beleza, a praticidade, com que são feitos."

— O que quer dizer com isso? – perguntou Harold.

— Ora – disse ele –, no direito, falamos sobre uma bela apresentação, ou uma bela sentença, e o que queremos dizer com isso, obviamente, é a beleza não apenas de sua lógica, mas também de sua expressão. De maneira semelhante, na matemática, quando falamos sobre uma bela prova, o que estamos reconhecendo é sua simplicidade, sua... elementaridade, presumo: sua inevitabilidade.

– E quanto a algo como o último teorema de Fermat? – perguntou Julia.

– Esse é um exemplo perfeito de uma prova não bela. Pois, ao mesmo tempo que foi importante achar uma solução para ela, foi também, para um monte de gente, como meu orientador, uma decepção. A prova ocupava centenas de páginas, e recorria a campos tão discrepantes da matemática, e era tão... retorcida, *remendada* em sua execução, que ainda há muitas pessoas trabalhando na tentativa de comprová-la em termos mais elegantes, por mais que já tenha sido resolvida. Uma prova bela é sucinta, assim como um veredito belo. Combina apenas um punhado de conceitos diferentes, ainda que pertencentes ao universo matemático, e numa série de passos relativamente breve conduz a uma nova verdade, grandiosa e generalizada, no campo da matemática: ou seja, a um princípio absoluto completamente provável e inabalável, num mundo construído com pouquíssimos princípios absolutos inabaláveis.

Parou para respirar, percebendo repentinamente que falara sem parar, e que os outros permaneceram em silêncio, a observá-lo. Sentiu seu rosto ruborizar, assim como o velho ódio que o preenchia feito água suja uma vez mais.

– Perdão – desculpou-se. – Lamento. Não queria me prolongar.

– Está brincando? – disse Laurence. – Jude, acho que esta foi a primeira conversa realmente esclarecedora que tive na casa de Harold nos últimos dez anos: obrigado.

Todos caíram no riso outra vez, e Harold se refestelou na cadeira, com um ar satisfeito.

– Viu? – Ele conseguiu ler os lábios de Harold se movendo do outro lado da mesa para Laurence, que concordou com a cabeça, e percebeu que era dele que estavam falando, e não conseguiu evitar se sentir lisonjeado, e acanhado também.

Teria Harold falado dele para o amigo? Teria aquilo sido um teste para ele, um teste ao qual não sabia que seria submetido? Sentia-se aliviado por ter passado, por não ter feito Harold passar vergonha, e aliviado também, por mais desconfortável que às vezes aquilo o fizesse se sentir, por talvez ter realmente merecido seu lugar na casa de Harold, e ter a chance de ser convidado a voltar.

A cada dia que passava, confiava um pouquinho mais em Harold, e às vezes se perguntava se estaria cometendo o mesmo erro outra vez. Seria melhor confiar ou ter cautela? Seria possível ter uma amizade de verdade se uma parte sua sempre esperasse ser traída? Ele às vezes sentia como se estivesse tirando proveito da generosidade de Harold, da fé que colocava nele, e às vezes achava que sua circunspecção seria mesmo a melhor escolha, pois, se as coisas terminassem mal, só teria a si mesmo para culpar. Mas era difícil não confiar em Harold: Harold tornava isso difícil, e, tão importante quanto, ele mesmo tornava isso difícil para si próprio – ele *queria* confiar em Harold, *queria* ceder, *queria* que a criatura dentro dele hibernasse num sono do qual nunca mais despertasse.

Já era tarde certa noite, durante seu segundo ano da faculdade de direito, e ele estava na casa de Harold. Quando abriram a porta, os degraus, a rua, as árvores estavam cobertos de neve, e os flocos avançaram feito um ciclone na direção da porta, tão rápido que os dois deram um passo atrás.

– Vou chamar um táxi – disse ele; assim, Harold não precisaria levá-lo.

– Não vai, não – falou Harold. – Vai ficar aqui.

Ele então passou a noite no quarto de hóspedes de Harold e Julia, no segundo andar, separado do quarto do casal por um espaço com enormes janelas, o qual usavam como biblioteca, e por um corredor curto.

– Aqui está uma camiseta – disse Harold, jogando algo cinza e macio para ele – e uma escova de dente. – Ele a colocou sobre a prateleira. – Tem toalhas no banheiro. Precisa de mais alguma coisa? Água?

– Não – respondeu. – Obrigado, Harold.

– De nada, Jude. Boa noite.

– Boa noite.

Ficou acordado por um tempo, com a manta recheada de penas o envolvendo e o colchão de pelúcia debaixo do seu corpo, vendo as janelas ficarem brancas e ouvindo a água gorgolejar das torneiras, e os murmúrios baixos e indistinguíveis de Harold e Julia, e um ou o outro se remexendo na cama, até que então, finalmente, silêncio. Naqueles minutos, fingiu que eles eram seus pais e que deixara a faculdade de direito para passar o fim de semana em casa, e aquele era o seu quarto, e no dia seguinte acordaria e faria o que quer que fosse que filhos crescidos faziam com os pais.

No verão depois daquele segundo ano de faculdade, Harold o convidou para sua casa em Truro, em Cape Cod.

– Você vai amar – disse. – Chame seus amigos. Eles também vão amar.

E assim, na quinta-feira antes do Dia do Trabalho, depois que seu estágio e o de Malcolm acabaram, todos eles deixaram Nova York de carro rumo à casa, e naquele fim de semana prolongado, a atenção de Harold se voltaria para JB, Malcolm e Willem. Ele também os observou, admirando o modo como respondiam a todas as perguntas de Harold, como eram generosos com suas próprias vidas, como eram capazes de contar histórias sobre si mesmos que os faziam rir e que também faziam Harold e Julia sorrir, como se sentiam à vontade perto de Harold e como Harold se sentia à vontade perto deles. Estava vivenciando o raro prazer de ver pessoas que amava se encantarem por outras pessoas que amava. A casa tinha uma rampa privada que levava a uma pequena faixa de praia privada, e toda manhã os quatro desciam até lá e nadavam – até ele nadava, de calças, uma camiseta por baixo e uma velha camisa de botões por cima, sem que ninguém comentasse nada – e depois deitavam na areia para assar debaixo do sol, com as roupas molhadas desgrudando do corpo à medida que secavam. Às vezes Harold aparecia para observá-los, ou então para nadar com eles. À tarde, Malcolm e JB saíam pedalando pelas dunas de bicicleta, enquanto ele e Willem os seguiam a pé, recolhendo conchas e as carapaças tristes de caranguejos-eremitas mordiscados muito tempo atrás, e o amigo diminuía o passo para acompanhar o seu. À noitinha, quando o ar ficava ameno, JB e Malcolm desenhavam e ele e Willem liam. Sentia-se drogado sob o efeito do sol, da comida, do sal e da alegria, e à noite caía no sono rápido e cedo, acordando pela manhã antes dos outros para poder ficar na varanda dos fundos sozinho, olhando para o mar.

O que vai acontecer comigo?, perguntava ao mar. *O que está acontecendo comigo?*

O feriado acabou e o semestre de outono teve início. Não foi preciso muito tempo para que ele percebesse que, durante aquele fim de semana, algum de seus amigos devia ter dito algo a Harold, embora tivesse certeza de que não fora Willem, o único a quem finalmente revelara algo sobre o passado – e mesmo assim, não muito: três fatos, um mais vago que o outro, todos insignificantes, e nem mesmo juntando os três daria o começo de uma história. Até mesmo as primeiras frases de um conto de fadas eram mais detalhadas do que o que contara a Willem: *Era uma vez um menino e uma menina que viviam com o pai, um lenhador, e a madrasta, bem no meio de uma floresta fria. O lenhador amava os filhos, mas era muito pobre, e então um dia...* Sendo assim, qualquer coisa que Harold tivesse descoberto seria pura especulação, derivada das observações dos amigos, de suas teorias, adivinhações e ficções. Mas o que quer que fosse, fora o bastante para que perguntas de Harold – sobre quem ele era e de onde vinha – parassem.

À medida que os meses e depois os anos foram passando, os dois estabeleceram uma amizade onde os quinze primeiros anos de sua vida jamais eram mencionados, como se nem tivessem acontecido, como se o houvessem retirado da caixa do fabricante quando entrara para a universidade, ligando o botão na base de seu pescoço e dando-lhe vida. Sabia que aqueles anos vazios foram preenchidos pela própria imaginação de Harold, e que parte de sua imaginação era pior do que o que realmente acontecera, e outra parte, melhor. Mas Harold nunca contou o que pensava sobre seu passado, e, na verdade, ele também não queria saber.

Nunca havia considerado aquela amizade algo contextual, mas se preparou para a probabilidade de Harold e Julia acharem isso. Assim, quando se mudou para Washington e foi trabalhar com o juiz, supôs que eles fossem esquecê-lo e tentou se preparar para a perda. Mas não foi o que aconteceu. Em vez disso, enviavam e-mails, telefonavam e, quando um estava na cidade do outro, jantavam juntos. Nos verões, ele e os amigos visitavam Truro, e, nos Dias de Ação de Graças, iam a Cambridge. E quando se mudou para Nova York dois anos depois, para começar a trabalhar na Procuradoria, Harold ficou extasiado, de maneira quase preocupante, por ele. Chegaram a oferecer o apartamento que tinham no Upper East Side para que morasse lá, mas ele sabia que eles o usavam com frequência, e não tinha certeza se a proposta era mesmo para valer, por isso preferiu declinar.

Todo sábado Harold ligava para perguntar como estava o trabalho, e ele contava sobre seu chefe, Marshall, o vice-procurador-geral, que tinha a capacidade enervante de citar decisões da Suprema Corte inteiras de cabeça, fechando os olhos para evocar a visão da página na mente, enquanto sua voz se tornava robótica e monótona, porém, sem nunca esquecer ou acrescentar uma só palavra. Ele sempre achara ter uma boa memória, mas a de Marshall o deixava estupefato.

De certa forma, a Procuradoria o lembrava do orfanato: era em grande parte um ambiente masculino, onde efervescia uma hostilidade distinta e constante, um tipo de rudeza latente que brota naturalmente quando um grupo de pessoas altamente competitivas, com as mesmas condições, é colocado num mesmo espaço pequeno com o conhecimento de que apenas algumas delas teriam uma oportunidade para se destacar. (Ali, entretanto, as condições que os igualavam eram seus feitos; já no orfanato era a fome, a escassez). Aparentemente, todos os duzentos promotores assistentes haviam frequentado uma dentre cinco ou seis faculdades de direito e praticamente todos haviam participado do jornal estudantil e de julgamentos simulados em suas respectivas universidades. Ele fazia parte de uma equipe de quatro pessoas que trabalhava na maior parte do tempo em casos de fraudes em investimentos, e tanto ele quanto os colegas tinham algo – uma qualificação, uma idiossincrasia – que esperavam poder usar para se destacar dos outros: ele tinha seu mestrado no MIT (com o qual ninguém se importava, mas pelo menos era uma curiosidade) e a experiência como assistente de Sullivan, de quem Marshall gostava. Citizen, seu melhor amigo no escritório, formara-se em direito em Cambridge e atuara como advogado em Londres por dois anos antes de se mudar para Nova York. E Rhodes, o terceiro no trio que formavam, fora bolsista do Programa Fulbright na Argentina após a universidade. (O quarto integrante da equipe era um sujeito extremamente preguiçoso chamado Scott, que, segundo os boatos, só conseguira o emprego porque seu pai jogava tênis com o presidente.)

Ele passava a maior parte do tempo no escritório e às vezes, quando ele, Citizen e Rhodes ficavam por lá até tarde e pediam comida pelo telefone, ele se lembrava das noites com seus colegas de quarto no Hood. E ainda que apreciasse a companhia de Citizen e Rhodes, e a especificidade e o alcance da inteligência dos dois, naqueles momentos sentia saudade dos amigos, que pensavam de maneira tão diferente da dele e que o faziam pensar diferente também. Em meio a uma conversa com Citizen e Rhodes sobre lógica, lembrou-se repentinamente de uma pergunta feita pelo Dr. Li em seu primeiro ano de faculdade, quando se candidatara a uma vaga no seminário de matemática pura: *Por que as tampas de bueiros são redondas?* Era uma pergunta fácil, e fácil de ser respondida, mas, quando voltara para o Hood e repetira a questão do Dr. Li a seus colegas de quarto, todos ficaram em silêncio. Até que finalmente JB começara, empregando o tom onírico de um contador de histórias:

– Uma vez, muito tempo atrás, os mamutes percorriam a Terra e suas pegadas deixaram cavidades redondas permanentes no solo. – E todos caíram no riso.

Ele sorriu, se lembrando da história; às vezes desejava ter uma mente como a de JB, capaz de criar histórias que encantavam os outros, em vez de sua própria mente, sempre em busca de uma explicação, uma explicação que, ainda que correta, era desprovida de romance, de imaginação, de sagacidade.

– Hora de exibir nossos méritos – sussurrava-lhe Citizen nas ocasiões em que o próprio procurador-geral aparecia no salão e todos os promotores assistentes o rodeavam feito mariposas, numa miríade de ternos cinza.

Eles e Rhodes se juntavam ao bando, mas nem mesmo naqueles encontros ele mencionava a única coisa que, sabia ele, seria capaz de fazer não só Marshall como o próprio procurador-geral pararem e olhá-lo com mais atenção. Depois que ele conseguira o emprego, Harold perguntara a ele se poderia mencionar seu nome a Adam, o procurador-geral, de quem Harold, por acaso, era um conhecido de longa data. Mas ele respondera a Harold que queria ter certeza de que conquistara tudo por mérito próprio. O que era verdade, mas o principal motivo é que sentia certa hesitação quanto a citar Harold como uma de suas vantagens, pois não queria que Harold se arrependesse de sua associação com ele. Por isso preferia não dizer nada.

Muitas vezes, porém, era como se o próprio Harold estivesse lá. Relembrar os dias da faculdade de direito (e sua atividade complementar, que era alardear os feitos alcançados na faculdade de direito) era um dos passatempos preferidos no escritório e, como muitos de seus colegas tinham frequentado a mesma universidade que ele, muitos conheciam Harold (e os outros sabiam de sua existência), e ele às vezes os ouvia falar sobre as aulas que tiveram com o professor, ou sobre como tinham de estudar para elas, e sentia orgulho de Harold e – por mais que soubesse o quanto aquilo era bobo – de si mesmo, por conhecê-lo. No ano seguinte, o livro de Harold sobre a Constituição seria publicado e todos no escritório leriam os agradecimentos, veriam seu nome, e sua afiliação com Harold seria revelada, e muitos ficariam desconfiados, e ele veria a preocupação em seus rostos ao tentarem lembrar o que poderiam ter dito sobre Harold na sua presença. Quando aquele momento chegasse, no entanto, ele já teria se estabelecido no escritório por conta própria, já teria se enturmado com Citizen e Rhodes, já teria estabelecido sua própria relação com Marshall.

No entanto, por mais que tivesse vontade, por mais que desejasse aquilo avidamente, ainda se mostrava cauteloso quanto a reivindicar Harold como seu amigo: às vezes temia que estivesse apenas imaginando aquela intimidade, insuflando-a esperançosamente em sua cabeça, e então (para sua vergonha) tinha de tirar A bela promessa de sua estante e abrir na página dos agradecimentos, lendo as palavras de Harold mais uma vez, como se as próprias fossem um contrato, uma declaração de que o que ele sentia por Harold era, pelo menos, até certo ponto, algo recíproco. Mesmo assim, estava sempre preparado: *Vai acabar este mês*, dizia a si mesmo. E depois, no fim do mês: *Mês que vem. Ele não vai querer mais falar comigo no mês que vem.* Tentava ficar num estado constante de prontidão; tentava se preparar para a decepção, mesmo ansiando para que lhe provassem que estava errado.

E ainda assim a amizade foi se desenrolando, como um rio longo e ligeiro que o houvesse capturado em sua corrente e o estivesse levando consigo para um lugar que ele não conseguia enxergar. Toda vez que chegava ao que pensava ser o limite da relação entre eles, Harold ou Julia abria as portas para outra sala e o convidava a entrar. Conheceu o pai de Julia, um pneumologista aposentado, e o irmão, professor de história da arte, quando vieram da Inglaterra para o Dia de Ação de Graças e, quando Harold e Julia iam a Nova York, levavam Willem e ele para jantar em lugares de onde tinham ouvido falar, mas não tinham dinheiro para ir por conta própria. Visitaram o apartamento na Lispenard Street – Julia foi educada, Harold ficou horrorizado – e, na semana em que os aquecedores misteriosamente pararam de funcionar, deram-lhe as chaves de seu apartamento no Alto Manhattan, que era tão quente que ele e Willem passaram sua primeira hora no local sentados no sofá feito manequins, atordoados demais para se moverem, pela súbita reintrodução do calor em suas vidas. E, depois que Harold o viu em meio a um episódio de dor – isso foi no Dia de Ação de Graças depois que se mudara para Nova York, e em seu desespero (sabia que não conseguiria chegar ao andar de cima), desligou o fogão, onde estava salteando espinafre, e se arrastou até a despensa, fechando a porta e deitando no chão para esperar –, ele e Julia rearranjaram a casa, de modo que, em sua visita seguinte, ele encontrou o quarto de hóspedes realocado para a suíte do andar de baixo, atrás da sala de estar, onde antes ficava o escritório de Harold, e a mesa, as cadeiras e os livros de Harold levados para o segundo andar.

Ainda assim, mesmo depois de tudo isso, parte dele sempre esperava pelo dia em que chegaria diante de uma porta, giraria a maçaneta e ela não se abriria. Não se importava tanto com aquilo, necessariamente; havia algo assustador e aflitivo em estar num ambiente onde nada lhe era proibido, onde tudo lhe era oferecido e nada exigido em troca. Tentava dar a eles o que podia; sabia que não era muito. E as coisas que Harold lhe dava de mãos abertas – respostas, afeto –, ele não conseguia retribuir.

Certo dia, depois de conhecê-los por quase sete anos, visitava-os em sua casa na primavera. Era o aniversário de Julia; ela fazia cinquenta e um anos e, como estivera numa conferência em Oslo quando completara os cinquenta, decidira que aquela seria sua grande comemoração. Ele e Harold limpavam a sala de estar – ou melhor, ele limpava, e Harold tirava livros da estante aleatoriamente e contava histórias sobre como cada um deles fora parar ali, ou abria a capa para ler os nomes de outras pessoas escritos lá dentro, incluindo uma cópia de O leopardo em que se via na primeira página um garrancho que dizia: "Propriedade de Laurence V. Raleigh. Não pegue. Harold Stein, estou falando com você!!"

Ele ameaçara contar a Laurence, e Harold devolvera a ameaça:

– Melhor não fazer isso, Jude, se sabe o que é bom para você.

– E o que você vai fazer? – perguntara, provocando-o.

– Vou fazer... isto! – respondera Harold, pulando em cima dele e, antes que pudesse entender que Harold só estava brincando, ele recuara de maneira tão abrupta, retorcendo o corpo para evitar o contato, que acabara dando um esbarrão na estante e se chocando com uma caneca de cerâmica feita por Jacob, filho de Harold, que caiu no chão e se quebrou em três pedaços. Harold se afastara dele logo em seguida e um silêncio súbito e horroroso se instalara no ar, quase o levando às lágrimas.

– Harold – falou, agachando-se para recolher os pedaços –, mil desculpas, mil desculpas. Por favor, me perdoe.

Teve vontade de se jogar no chão; sabia que aquela fora a última coisa que Jacob fizera para Harold antes de adoecer. Acima de si, tudo o que ouvia era a respiração de Harold.

– Harold, por favor, me perdoe – repetiu, juntando os pedaços nas palmas das mãos. – Acho que posso consertar, posso dar um jeito. – Não conseguia erguer os olhos da caneca e de seu verniz brilhoso e amanteigado.

Sentiu Harold se agachar ao seu lado.

– Jude – disse Harold –, está tudo bem. Foi um acidente. – Sua voz estava bastante tranquila. – Me dê os cacos – falou, mas com gentileza, sem soar zangado.

Ele obedeceu.

— Posso ir embora — ofereceu.

— Mas é claro que não vai a lugar nenhum — disse Harold. — Está tudo bem, Jude.

— Mas era de Jacob — ouviu sua própria voz dizer.

— Sim — disse Harold. — E ainda é. — Colocou-se de pé. — Olhe para mim, Jude — falou, e ele finalmente ergueu a cabeça. — Está tudo bem. Vamos lá. — E Harold estendeu a mão, e ele a segurou, e Harold o ajudou a se levantar.

Sentiu vontade de urrar, de dizer que, depois de tudo que Harold lhe dera, seu modo de retribuir era destruindo algo precioso, criado pela pessoa mais preciosa.

Harold subiu para o escritório com a caneca nas mãos e ele terminou de limpar a sala em silêncio, com o belo dia se tornando cinza ao seu redor. Quando Julia voltou para casa, esperou até que Harold contasse a ela como ele fora estúpido e desajeitado, mas isso não aconteceu. Naquela noite, durante o jantar, Harold agiu do mesmo modo de sempre, mas, quando voltou a Lispenard Street, ele escreveu para Harold uma carta de verdade, séria, se desculpando de maneira adequada, e mandou para ele.

Alguns dias depois recebeu a resposta, também em forma de uma carta de verdade, que ele guardaria pelo resto da vida.

"Caro Jude", escreveu Harold. "Agradeço por sua bela (ainda que desnecessária) carta. Aprecio tudo o que escreveu. Você tem razão; a caneca tem bastante valor para mim. Mas você tem mais. Então, por favor, pare de se torturar.

"Se eu fosse outro tipo de pessoa, poderia dizer que todo esse incidente é uma metáfora da vida em geral: as coisas se quebram, às vezes podem ser consertadas, e, na maioria dos casos, você percebe que, independentemente do que é danificado, a vida se rearranja para compensar sua perda, às vezes de forma maravilhosa.

"Na verdade... talvez no final das contas eu seja esse tipo de pessoa.

"Com amor, Harold."

—

Não fazia muitos anos — apesar de saber que aquilo não aconteceria, apesar do que lhe dizia Andy desde seus dezessete anos — que ele ainda mantinha uma esperança pequena e constante de um dia se recuperar. Em dias especialmente ruins, repetia para si mesmo as palavras do cirurgião de Filadélfia – "A coluna tem um poder de regeneração espetacular" – quase como um mantra. Alguns anos após conhecer Andy, enquanto frequentava a faculdade de direito, finalmente reunira a coragem para sugerir aquilo ao médico, dizendo em voz alta a profecia que acalentara e à qual se agarrara, esperando que Andy fosse concordar e dizer: "É isso mesmo. Só vai levar algum tempo."

Mas Andy bufara.

– Ele falou *isso* para você? – perguntou. – Não vai melhorar, Jude; à medida que for envelhecendo, só vai piorar.

Andy olhava para seus tornozelos enquanto falava, usando pinças para retirar pedaços de pele morta de uma ferida que ele desenvolvera, quando congelou de repente, e mesmo sem conseguir ver o rosto de Andy, ele sabia que estava mortificado.

– Lamento, Jude – falou, erguendo o olhar, ainda segurando o pé dele com a mão. – Lamento não poder dizer outra coisa. – Diante do silêncio dele, acrescentou: – Você ficou chateado.

Ficara, é claro.

– Estou bem – conseguiu dizer, mas não tinha forças para olhar para Andy.

– Lamento muito, Jude – repetiu Andy em voz baixa. Ele só tinha duas atitudes, mesmo naquela época: ríspido e amável, e ele as testemunhava com frequência, às vezes na mesma consulta. – Mas uma coisa eu posso prometer – falou, voltando ao seu tornozelo. – Sempre estarei aqui para cuidar de você.

E sempre estivera. De todas as pessoas em sua vida, Andy era, de certa forma, a que mais sabia sobre ele: Andy era a única pessoa diante da qual ficara nu depois de adulto, o único que tinha familiaridade com cada dimensão física de seu corpo. Andy era residente quando se conheceram e ficara em Boston para fazer sua especialização, e também a pós-especialização, e depois os dois se mudaram para Nova York num intervalo de poucos meses entre um e outro. Ele era cirurgião ortopédico, mas tratava dele no que quer que precisasse, de bronquites a seus problemas nas costas e nas pernas.

– Uau – disse Andy, casualmente, quando ele se sentou em seu consultório um dia, todo encatarrado (isso fora na primavera anterior, quando uma epidemia de bronquite se espalhara pelo escritório). – Fico feliz por ter me especializado em ortopedia. Isto aqui é uma bela prática para mim. Era exatamente isso que eu pensava em fazer com o meu treinamento.

Ele começou a rir, mas sua tosse atacou outra vez, e Andy bateu em suas costas.

– Talvez se alguém me recomendasse um clínico geral, eu não precisaria ficar vindo a um quiroprático sempre que preciso de um médico – falou.

– Humm – disse Andy. – Sabe de uma coisa? Talvez você *realmente* devesse começar a se consultar com um clínico geral. Só deus sabe quanto tempo isso me pouparia, além de uma porrada de dores de cabeça.

Mas ele nunca foi a nenhum outro médico além de Andy, e acreditava – por mais que nunca tivessem conversado sobre o assunto – que Andy também não iria querer isso.

Apesar de tudo que Andy sabia sobre ele, ele sabia relativamente pouco de Andy. Sabia que os dois haviam frequentado a mesma universidade e que Andy era uma década mais velho que ele, e que o pai de Andy era gujarati, e sua mãe, galesa, e que crescera em Ohio. Três anos antes, Andy havia se casado, e ele ficara surpreso ao ser convidado para a cerimônia, uma festa pequena na casa dos sogros de Andy no Upper East Side. Obrigara Willem a acompanhá-lo e ficara ainda mais surpreso quando a noiva de Andy, Jane, jogara os braços ao redor dele ao serem apresentados e falara:

– Este é o famoso Jude St. Francis! Ouvi falar muito de você!

– Ah, é mesmo? – dissera ele, e sua mente se enchera de temor, como uma revoada de morcegos batendo as asas.

– Mas não é nada de ruim – tranquilizara-o Jane, sorrindo (ela também era médica, ginecologista). – Ele adora você, Jude. Estou tão feliz por ter vindo.

Conhecera também os pais de Andy e, no fim da noite, Andy jogara um dos braços em volta do seu pescoço e lhe dera um beijo intenso e embaraçoso na bochecha, um gesto que agora repetia toda vez que os dois se viam. Andy sempre parecia incomodado em fazer aquilo, mas ao mesmo tempo parecia se sentir obrigado a continuar com o hábito, o que ele achava engraçado e comovente.

Ele gostava de Andy por vários motivos, mas o que mais admirava era sua imperturbabilidade. Depois de se conhecerem, depois de Andy dificultar o afastamento dele indo até o Hood e batendo à sua porta depois que faltara a duas consultas seguidas (não havia esquecido; simplesmente decidira não ir) e ignorara três ligações e quatro e-mails, ele passara a aceitar o fato de que talvez não fosse assim tão ruim ter um médico – afinal, parecia inevitável – e que Andy talvez fosse alguém em quem pudesse confiar. Na terceira vez que se viram, Andy anotou seu histórico, ou o que lhe foi informado, e registrou os fatos que ele contava, sem qualquer comentário ou reação.

Foi somente anos mais tarde – pouco mais de quatro anos atrás – que Andy mencionara diretamente a infância dele. Isso acontecera durante a primeira grande briga entre os dois. Tinham lá suas rusgas, é claro, e desavenças, e uma ou duas vezes por ano Andy lhe passava um longo sermão (ele se consultava com Andy a cada seis semanas – embora com mais frequência atualmente – e sempre sabia qual seria a Consulta do Sermão pela rispidez com que Andy o recebia e conduzia o exame) sobre o que Andy via como uma má vontade desconcertante e irritante da parte dele em cuidar de si mesmo, sua recusa enlouquecedora em se consultar com um terapeuta, e sua relutância bizarra em tomar os analgésicos que provavelmente melhorariam sua qualidade de vida.

A briga girara em torno do que Andy considerara, relembrando o passado, ter sido uma tentativa malsucedida de suicídio. Acontecera pouco antes da noite de Ano-Novo: ele estava se cortando, cortou bem próximo de uma artéria, o que resultou numa enorme bagunça, com sangue para todos os lados, e se vira forçado a envolver Willem. Naquela noite, Andy se recusara a falar com ele no consultório, de tão zangado que estava, e chegara a ficar balbuciando para si mesmo enquanto costurava os pontos, cada um deles tão preciso e minúsculo que parecia bordá-los.

Ele sabia, mesmo antes de Andy abrir a boca na consulta seguinte, que ele estava furioso. Chegara a pensar em nem aparecer para a consulta, mas sabia que, se faltasse, Andy simplesmente telefonaria para ele sem parar – ou pior, para Willem, ou ainda pior, para Harold –, até ele aparecer.

– Deveria ter mandado você para a porra de um hospital – foram as primeiras palavras de Andy naquele dia, seguidas por: – Sou um puta de um idiota.

– Acho que está exagerando – começara ele, mas Andy o ignorara

– Acontece que acredito que você não estava tentando se matar, pois, caso contrário, eu teria mandado interná-lo tão rápido que sua cabeça iria girar – dissera. – Mas só porque, estatisticamente, alguém que se corta com a frequência com que você se corta, e durante tantos anos, tem menor risco de suicídio do que alguém que se automutila de maneira menos consistente. – (Andy gostava de estatísticas. Ele desconfiava que ele às vezes as inventava.) – Mas, Jude, isso é loucura, e você passou bem perto dessa vez. Ou você começa a se consultar com um psicólogo imediatamente, ou vou mandar interná-lo.

– Não pode fazer isso – falara, enfurecendo-se também, embora soubesse que Andy podia fazer aquilo: dera uma olhada nas leis de internação involuntária no estado de Nova York e elas não lhe eram favoráveis.

– Sabe muito bem que posso – dissera Andy. Estava quase gritando àquela altura. Suas consultas sempre ocorriam após o horário de atendimento normal, pois às vezes os dois ficavam batendo papo quando Andy tinha tempo e estava de bom humor.

– Eu processo você – ameaçara.

E Andy gritara de volta:

– Pode ir em frente! Você tem ideia da doideira que está fazendo, Jude? Tem ideia da situação em que está me colocando?

– Não se preocupe – respondera sarcasticamente. – Eu não tenho família. Ninguém vai processar você por homicídio culposo.

Andy dera um passo para trás, como se ele tivesse tentado golpeá-lo.

– Como ousa dizer uma coisa dessas – falara lentamente. – Sabe que não foi isso o que eu quis dizer.

É claro que sabia. Mas o que respondera fora:

– Dane-se. Vou embora.

E desceu da maca (por sorte, não havia se despido; Andy começara a lhe passar o sermão antes que tivesse a chance de começar), e tentava sair da sala, embora sair da sala no seu ritmo não fosse algo lá muito dramático, quando Andy correu para bloquear a porta.

– Jude – falou, numa de suas mudanças repentinas de humor. – Sei que você não quer ir. Mas isso tudo está se tornando preocupante. – Respirou fundo. – Você alguma vez já conversou com alguém sobre o que aconteceu com você quando era garoto?

– Isso não tem nada a ver com nada – rebatera, sentindo frio. Andy nunca fizera qualquer tipo de menção ao que ele lhe contara, e fazê-lo agora era como uma traição.

– O escambau que não! – dissera Andy, e a teatralidade estudada daquela frase (será que alguém falava daquele jeito a não ser em filmes?) o fez sorrir a contragosto, e Andy, interpretando o sorriso como zombaria, mudou novamente de direção. – Tem algo de muito arrogante na sua teimosia, Jude – continuou. – Sua recusa absoluta em dar ouvidos a qualquer um no que se refere à sua saúde ou ao seu bem-estar é um caso patológico de autodestruição ou então um enorme "vão se foder" a todos nós.

Aquelas palavras o magoaram.

– E há também algo inacreditavelmente manipulador em você ameaçar de me *internar* sempre que discordo das suas ideias, especialmente nesse caso, quando já *falei* que foi um acidente idiota – vociferou contra Andy. – Andy, eu gosto de você, de verdade. Não sei o que faria sem você. Mas já sou adulto e você não pode me dar ordens sobre o que devo ou não devo fazer.

– Quer saber do que mais, Jude? – perguntara Andy (e agora voltara a gritar). – Você está certo. Não posso controlar suas decisões. Mas também não preciso aceitá-las. Vá procurar outro babaca para ser seu médico. Estou fora.

– Ótimo – rebatera, e fora embora.

Não conseguia se lembrar da última vez que se sentira tão zangado com algo que envolvia a si próprio. Um monte de coisas o enfurecia – injustiças em geral, incompetência, diretores que não davam a Willem o papel que ele queria –, mas raramente se aborrecia com as coisas que aconteciam ou tinham acontecido com ele: suas dores, tanto do passado como do presente, eram coisas que ele tentava não remoer, não eram questões que o faziam passar dias procurando por um significado. Já sabia por que tinham acontecido: tinham acontecido porque ele as merecera.

Sabia também que sua raiva era injustificada. E por mais que se ressentisse da sua dependência de Andy, ao mesmo tempo lhe era grato e sabia que Andy achava seu comportamento ilógico. Mas o trabalho de Andy era curar as pessoas: Andy o via do jeito que ele via uma lei tributária mal interpretada, como algo que deveria ser solucionado e reparado – se *ele* achava que podia ser reparado ou não era algo quase secundário. Aquilo que ele *estava* tentando reparar – as cicatrizes que marcavam suas costas, formando uma topografia terrível e anormal, a pele esticada, lustrosa e retesada feito a de um pato assado: o motivo por que vinha economizando dinheiro – não era, como bem sabia, algo que Andy aprovaria.

— Jude — diria Andy se soubesse o que ele planejava —, posso lhe garantir que não vai funcionar, e você terá desperdiçado todo esse dinheiro. Não faça isso.

— Mas elas são horrorosas — balbuciaria.

— Não são, Jude — diria Andy. — Juro por deus que não são.

(Mas não contaria a Andy mesmo, então nunca precisaria ter aquela conversa específica.)

Os dias se passaram e ele não procurou Andy, nem Andy o procurou. Como que por castigo, seu pulso começou a latejar à noite enquanto tentava dormir e, no trabalho, ele esquecia e o batia ritmicamente contra a lateral da mesa enquanto lia, um tique nervoso que tinha havia muito tempo e não conseguia controlar. O sangue vazara pelos pontos e ele tivera de limpá-los, desajeitadamente, na pia do banheiro.

— Qual o problema? — perguntou Willem certa noite.

— Nada — respondeu. Poderia ter contado a Willem, é claro, que teria ouvido e dito "Humm", bem ao seu estilo, mas ele sabia que o amigo concordaria com Andy.

Uma semana depois da briga, ele voltou para casa em Lispenard Street — era domingo, e ele estivera caminhando pelo oeste de Chelsea — e encontrou Andy esperando nos degraus diante da porta do prédio.

Ficou surpreso em vê-lo.

— Oi — falou.

— Oi — respondeu Andy. Os dois ficaram parados. — Não sabia se atenderia meu telefonema.

— Claro que atenderia.

— Ouça — disse Andy. — Desculpe.

— Desculpe também, Andy.

— Mas continuo achando que você deveria se consultar com alguém.

— Sei disso.

E, de alguma forma, os dois conseguiram encerrar o assunto daquele jeito: um cessar-fogo frágil e mutuamente insatisfatório, com a questão do terapeuta formando uma vasta zona cinza e desmilitarizada entre eles. O acordo (embora como tal pacto tenha se formado agora lhe era incerto) era que, ao fim de cada consulta, ele teria de mostrar os braços a Andy, que os examinaria em busca de novos cortes. Sempre que encontrasse um, anotaria numa tabela. Ele nunca sabia ao certo o que podia provocar outra explosão de Andy: às vezes havia uma série de cortes novos e Andy apenas grunhia e fazia suas anotações, e às vezes havia apenas um ou outro corte novo e Andy ficava agitado mesmo assim.

— Você destruiu a porra do seu braço. Sabe disso, não sabe? — costumava perguntar.

Mas ele ficava em silêncio e deixava o sermão de Andy acertá-lo em cheio. Parte dele entendia que, ao impedir Andy de fazer seu trabalho — que, no fim das contas, era curá-lo —, estava sendo desrespeitoso, e até certo ponto transformava Andy numa piada em seu próprio consultório. A tabela de Andy — às vezes tinha vontade de perguntar se receberia um prêmio ao atingir determinada marca, mas sabia que aquilo o deixaria irritado — era um modo de ele ao menos fingir que tinha o controle da situação, mesmo que não tivesse: o acúmulo de dados compensava um pouco a falta de tratamento real.

E então, dois anos mais tarde, outra ferida se abriu em sua perna esquerda, que sempre fora a mais problemática, e os cortes foram deixados de lado para que Andy se concentrasse no problema mais urgente da perna. A primeira dessas feridas aparecera um ano depois do episódio com o carro, mas logo cicatrizara.

— Não será a última — dissera o cirurgião da Filadélfia. — Depois dos danos que sofreu, tudo, incluindo o sistema vascular e a pele, ficou comprometido de tal forma que feridas como esta podem aparecer de vez em quando.

Aquela fora a décima primeira e, embora estivesse preparado para a sensação que causava, nunca descobriria a causa (Uma picada de inseto? Um esbarrão contra a quina do arquivo de metal? Era sempre algo tão irritantemente minúsculo, mas ainda assim capaz de rasgar sua pele como se fosse feita de papel) e nunca deixaria de ficar enojado com tudo aquilo: a supuração, o cheiro de peixe podre, o corte pequeno e profundo, como a boca de um feto, do qual borbulhavam fluidos viscosos e não identificáveis. Não era natural, mas sim algo que parecia ter saído de livros e filmes sobre monstros, ter de andar por aí com uma abertura que não iria, não conseguiria, se fechar. Começou a visitar o consultório de Andy toda sexta-feira, para que ele pudesse limpar a ferida, removendo a pele morta e examinando a área ao redor, procurando sinais de crescimento de pele nova, enquanto ele segurava a respiração e se agarrava à maca, tentando não gritar.

– Precisa me dizer quando dói, Jude – dissera Andy, enquanto ele respirava, suava e contava mentalmente. – É bom que consiga sentir algo, não é uma coisa ruim. Significa que os nervos continuam vivos e ainda exercem sua função.

– Está doendo – conseguiu esbaforir.

– Numa escala de um a dez?

– Sete. Oito.

– Lamento – respondeu Andy. – Está quase no fim, prometo. Só mais cinco minutos.

Ele fechou os olhos e contou até trezentos, forçando-se a ir devagar.

Quando acabava, ele se sentava e Andy sentava com ele e lhe oferecia algo para beber: um refrigerante, algo com açúcar, e ele sentia o consultório retomar forma ao seu redor, de pouquinho em pouquinho.

– Devagar – dizia Andy –, ou vai passar mal.

Depois observava Andy cobrir a ferida – o médico chegava ao auge de sua calma quando dava pontos, costurava ou enrolava as bandagens – e naqueles momentos se sentia tão vulnerável e fraco que poderia concordar com qualquer coisa que Andy sugerisse.

– Não vai fazer cortes nas pernas – dizia Andy, mais uma afirmação que uma pergunta.

– Não, não vou.

– Até porque isso seria uma loucura, mesmo para você.

– Sei disso.

– Seu corpo está tão deteriorado que isso causaria uma senhora infecção.

– Andy, eu *sei*.

Em diversas ocasiões, desconfiava que Andy conversava com seus amigos às suas costas, e eles às vezes usavam termos e expressões típicos de Andy, e até mesmo quatro anos depois do "Incidente", como Andy passara a chamar o episódio, desconfiava que Willem revirava o lixo do banheiro pela manhã, o que o levava a tomar um cuidado adicional ao se desfazer de suas lâminas, enrolando-as com tecido e fita isolante para jogá-las em alguma lixeira a caminho do trabalho. "Sua turma", era como Andy os chamava.

– O que você e sua turma têm feito ultimamente? – (Quando estava de bom humor.) E: – Vou falar para a porra da sua turma ficar de olho em você. – (Quando não estava.)

– Nem pense em fazer isso, Andy – dizia. – E de qualquer forma, não é responsabilidade deles.

– Mas é claro que é – rebatia Andy. Assim como em outras questões, também discordavam naquele ponto.

Mas agora fazia vinte meses desde que sua ferida mais recente aparecera, e até então não havia fechado. Ou melhor, fechara, mas voltara a abrir, depois fechara novamente, até que acordara na sexta-feira e sentira algo úmido e gosmento na perna – na parte inferior da panturrilha, logo acima do tornozelo – e sabia que a ferida se abrira mais uma vez. Ainda não havia ligado para Andy – faria isso na segunda –, mas fora importante para ele dar aquela caminhada, que temia ser a última por um bom tempo, talvez meses.

Estava agora na Madison com a 57, bem perto do consultório de Andy, e sua perna doía tanto que ele seguiu até a Quinta Avenida e sentou num dos bancos próximo ao muro que cercava o parque. Assim que sentou, foi tomado por aquela vertigem familiar, pela náusea que lhe embrulhava o estômago, e se curvou para esperar até o cimento se tornar cimento outra vez e ele conseguir manter-se de pé. Sentiu naqueles minutos a traição de seu corpo e como às vezes o desafio central e tedioso de sua vida era sua relutância em aceitar que continuaria sendo traído uma vez após a outra, que não podia esperar nada dele e, ao mesmo tempo, precisava continuar a tratá-lo. Tanto tempo, dele e de Andy, era gasto na tentativa de reparar algo irreparável, algo que deveria ter acabado em pedaços carbonizados num lixão industrial anos atrás. E por causa de quê? De sua mente, presumia. Mas havia – como poderia ter dito Andy – algo de inacreditavelmente arrogante naquilo, como se estivesse cuidando de um calhambeque por causa do sistema de som.

Se eu andar só mais alguns quarteirões, consigo chegar ao consultório dele, pensou, mas nunca faria aquilo. Era domingo. Andy merecia um descanso e, além disso, o que sentia naquele momento não era algo novo, que nunca sentira antes.

Esperou mais alguns minutos e então se colocou de pé, equilibrando-se por meio minuto até desabar novamente no banco. Finalmente conseguiu ficar de pé para valer. Ainda não estava pronto, mas podia se imaginar caminhando até o meio-fio, erguendo o braço para chamar um táxi e descansando a cabeça na parte superior do banco revestido de vinil preto. Contaria os passos para chegar até lá, assim como contaria os passos que precisaria dar entre o táxi e seu edifício, do elevador ao apartamento, e da porta da frente até seu quarto. Quando aprendera a andar pela terceira vez – depois que suas órteses ortopédicas foram removidas –, fora Andy quem instruíra a fisioterapeuta (que não tinha gostado muito daquilo, mas aceitara suas sugestões) e também quem, como fizera Ana quatro anos antes, o observara dar seus primeiros passos sem apoio num espaço de três metros, depois seis, depois quinze, e depois trinta. Seu próprio passo – com a perna esquerda subindo até fazer um ângulo de quase noventa graus com o chão, formando um retângulo de espaço negativo, e a direita se inclinando logo atrás – fora arquitetado por Andy, que o fizera praticar durante horas até que pudesse repeti-lo sozinho. Fora Andy quem lhe dissera que achava que ele seria capaz de caminhar sem bengala e, quando finalmente conseguira, fora graças a Andy.

Não faltavam muitas horas para segunda-feira, disse a si mesmo enquanto fazia um esforço para se manter em pé, e Andy o atenderia como sempre fazia, independentemente do quanto estivesse ocupado.

– Quando percebeu a abertura? – perguntaria Andy, cutucando sua perna de leve com um pedaço de gaze.

– Na sexta – responderia.

– E por que não me ligou antes, Jude? – insistiria Andy, irritado. – De qualquer forma, espero que não tenha saído para fazer sua estúpida caminhada de merda.

– Não, mas é claro que não – diria, mas Andy não acreditaria nele.

Às vezes se perguntava se Andy o via apenas como uma coleção de vírus e defeitos: sem aquilo, quem era ele? Se Andy não precisasse cuidar dele, ainda assim teria algum interesse nele? Se um dia aparecesse magicamente inteiro, com os passos tranquilos de Willem e a completa falta de vergonha de JB, podendo se refestelar na cadeira e deixar a camisa subir sem qualquer receio, ou tendo os braços longos de Malcolm, cuja pele na parte interna era macia como glacê, o que ele seria para Andy? O que seria para todos eles? Será que gostariam menos dele? Mais? Ou será que descobriria – como sempre temera – que o que enxergava como amizade na verdade era algo motivado pela pena que sentiam? Quanto do que ele era seria inextricável do que era incapaz de fazer? Quem ele teria sido, e quem viria a ser, sem as cicatrizes, os cortes, os machucados, as chagas, as fraturas, as infecções, as talas e as secreções?

Mas obviamente nunca saberia. Seis meses atrás, tinham conseguido manter a ferida sob controle, e Andy a examinara, verificando-a uma vez após a outra antes de lhe passar uma série de recomendações sobre o que fazer caso voltasse a abrir.

Não prestara muita atenção. Por algum motivo, sentia-se leve aquele dia, mas Andy estava ranzinza e, após um sermão sobre sua perna, ele tivera de aguentar outro sobre os cortes (estava exagerando, segundo Andy) e sua aparência em geral (estava magro demais, segundo Andy).

Ele admirava a perna, girando-a e examinando o local onde a ferida finalmente se fechara, enquanto Andy falava sem parar.

– Está me ouvindo, Jude? – finalmente exigira saber.

– Parece boa – dissera a Andy, sem responder-lhe, mas querendo ser tranquilizado. – Não parece?

Andy soltara um suspiro.

– Parece... – E então não dissera mais nada, ficando em silêncio. Ele olhara para o alto e vira Andy fechar os olhos, como se tentasse recuperar a concentração, e então abri-los outra vez. – Parece boa, Jude – falara, em voz baixa. – Parece, sim.

Sentira naquele momento uma enorme gratidão, pois sabia que Andy não achava que estivesse boa, e nunca acharia que estava boa. Para Andy, seu corpo era um ataque de horrores contra os quais os dois tinham de estar sempre atentos. Ele sabia que Andy o considerava autodestrutivo, delirante ou em constante negação.

Mas o que Andy nunca entendera sobre ele era: ele era um otimista. A cada mês, a cada semana, escolhia abrir os olhos e viver mais um dia no mundo. Fazia isso quando se sentia tão mal que a dor às vezes parecia transportá-lo a outro estado, em que tudo, até mesmo o passado que tanto se esforçava para esquecer, parecia coberto por uma pincelada de aquarela cinza. Era o que fazia quando suas memórias sufocavam todos os outros pensamentos, quando eram necessários bastante esforço e bastante concentração para se agarrar à sua vida atual, para evitar que rugisse de desespero e de vergonha. Era o que fazia quando estava exausto de tanto tentar, quando acordar e viver exigia tanta energia que ele precisava deitar na cama e pensar em motivos para se levantar e tentar outra vez, quando seria muito mais fácil ir até o banheiro e abrir o zíper do estojo de plástico onde guardava seus chumaços de algodão, suas lâminas, seus lenços umedecidos e suas ataduras, que mantinha escondido sob a pia, e simplesmente se entregar. Aqueles eram os dias ruins de verdade.

Fora realmente um erro a noite antes do Ano-Novo em que sentara no banheiro riscando a lâmina pelo braço: ainda estava sonolento; normalmente não era descuidado daquele jeito. Mas, quando se dera conta do que havia feito, passou-se um minuto, dois minutos – ele contara – em que realmente não teve ideia do que fazer, em que sentar ali e deixar que aquele acidente se tornasse sua própria conclusão parecera mais fácil do que ele mesmo ter de tomar uma decisão, decisão esta que sairia do seu espaço pessoal e incluiria Willem, e Andy, e dias e meses de consequências.

No fim, não sabia o que o levara a pegar sua toalha e enrolá-la no braço, para então se colocar de pé e acordar Willem. Mas a cada minuto que se passava ele se distanciava mais e mais da outra opção, e os eventos se sucediam numa velocidade que não conseguia controlar, e sentiu saudade daquele ano logo depois de ser ferido pelo carro, antes de conhecer Andy, quando tudo parecia capaz de melhorar, e o seu eu do futuro podia se tornar algo brilhante e sem obstáculos, quando sabia tão pouco, mas tinha tantas esperanças, e fé de que suas esperanças pudessem um dia ser recompensadas.

—

Antes de Nova York houvera a faculdade de direito, e antes disso, a universidade, e antes disso, a Filadélfia, e a longa e lenta viagem pelo interior, e antes disso houvera Montana e o orfanato de meninos, e antes de Montana houvera o Sudoeste, e os quartos de motel, e os trechos solitários de estrada e as horas passadas no carro. E antes disso houvera a Dakota do Sul e o mosteiro. E antes disso? Um pai e uma mãe, supostamente. Ou, sendo mais realista, apenas um homem e uma mulher. E depois, provavelmente, só uma mulher. E depois ele.

Foi o irmão Peter, que lhe ensinou matemática, quem sempre o lembrava de sua sorte e quem lhe disse que ele fora encontrado numa lata de lixo.

– Dentro de um saco de lixo, cheio de cascas de ovo, alfaces velhas, macarrão estragado... e você – disse o irmão Peter. – No beco atrás da farmácia, você sabe qual. – Apesar de não saber, pois raramente deixava o mosteiro.

Mais tarde, o irmão Michael negaria que aquilo era verdade.

– Você não estava *dentro* da lata de lixo – contou a ele. – Estava *perto* da lata de lixo. – Sim, admitiu ele, havia um saco de lixo, mas ele estava em cima dele, não dentro, e, de qualquer forma, quem poderia dizer o que havia no saco de lixo em si, e quem se importava? Provavelmente eram coisas que a farmácia jogara fora: papelões, lenços, pequenos arames e envelopes. – Não acredite em tudo que o irmão Peter diz – aconselhou, como costumava fazer, acrescentando: – Não entre nesta tendência de mitificar sua história. – Era isso o que sempre dizia quando ele pedia detalhes de como fora parar no mosteiro. – Você chegou e está aqui agora. Deve se concentrar no futuro, não no passado.

Haviam criado o passado para ele. Encontraram-no sem roupas, afirmou o irmão Peter (ou só de fraldas, segundo o irmão Michael), mas, fosse como fosse, presumia-se que fora abandonado para, como diziam, que a natureza cuidasse dele, pois estavam em meados de abril e o tempo ainda era gélido, e um recém-nascido não poderia sobreviver por muito tempo naquela temperatura. Devia ter passado apenas alguns minutos ali, no entanto, pois ainda estava quase aquecido quando o encontraram, e a neve ainda não cobrira as marcas dos pneus do carro nem as pegadas (de tênis, provavelmente um número 36 feminino) que seguiam a caminho da lata de lixo e depois se afastavam dela. Tivera sorte de o terem encontrado (era o destino que o encontrassem). Tudo o que tinha – seu nome, sua data de aniversário (uma estimativa), seu abrigo, sua própria vida – era graças a eles. Devia ser grato (não esperavam que fosse grato a eles; esperavam que fosse grato a Deus).

Nunca sabia o que eles responderiam e o que não. Uma pergunta simples (Estava chorando quando o encontraram? Havia algum bilhete? Chegaram a procurar quem o deixara ali?) era ignorada, ou não se sabia a resposta, ou não lhe explicavam, mas havia respostas declarativas para as questões mais complicadas.

– O Estado não encontrou ninguém para ficar com você – disse o irmão Peter (e não poderia ter sido outro). – Então decidimos mantê-lo aqui temporariamente, mas os meses se transformaram em anos, e aqui está você. Fim da história. Agora termine essas equações; você passou o dia inteiro falando.

Mas *por que* o Estado não encontrara ninguém? Teoria número um (a preferida do irmão Peter): simplesmente porque havia muitos fatores desconhecidos – sua origem étnica, sua filiação, possíveis problemas de saúde congênitos e daí por diante. De onde viera? Ninguém sabia. Nenhum dos hospitais próximos tinha qualquer registro de um nascimento que correspondesse à sua descrição. E aquilo era uma fonte de preocupação para guardiães em potencial. Teoria número dois (defendida pelo irmão Michael): aquela era uma cidade pobre, numa região pobre e num estado pobre. Apesar de as pessoas se comiserarem – e elas se comiseraram, disso ele não deveria se esquecer –, colocar mais uma criança em casa era outra coisa, especialmente quando seu lar já era bastante numeroso. Teoria número três (a do padre Gabriel): seu destino era ficar ali. Era a vontade de Deus. Aquele era o seu lar. E agora era hora de ele parar com as perguntas.

Havia ainda uma quarta teoria, que quase todos evocavam quando ele não se comportava: era um garoto mau, e fora assim desde o princípio.

– Você deve ter feito algo de muito ruim para ser abandonado desse jeito – costumava lhe dizer o irmão Peter depois de castigá-lo com a tábua, repreendendo-o enquanto ele ficava ali parado, choramingando suas desculpas. – Talvez você tenha chorado tanto que não conseguiram suportar. – E ele chorava ainda mais forte, com medo de que o irmão Peter estivesse certo.

Apesar de todo o interesse que tinham por história, irritavam-se coletivamente quando ele demonstrava interesse na sua, como se estivesse insistindo num passatempo particularmente cansativo que não conseguia superar num ritmo adequado à sua idade. Em pouco tempo aprendeu a não fazer perguntas, ou pelo menos a não as fazer diretamente, embora estivesse sempre atento a informações soltas que ouvia em momentos improváveis, por fontes improváveis. Quando leu *Grandes esperanças* com o irmão Michael, conseguiu fazê-lo entrar numa longa explicação sobre como seria a vida de um órfão na Londres do século XIX, um lugar tão estranho a ele quanto Pierre, que ficava a apenas algumas centenas de quilômetros dali. No fim, a lição se tornou um sermão, como ele sabia que aconteceria, mas com isso aprendeu que ele, assim como Pip, teria sido entregue a um parente, caso existisse algum ou pudesse ser encontrado. Portanto, não havia nenhum, obviamente. Estava sozinho.

Sua possessividade também era um mau hábito que tinha de ser corrigido. Não conseguia lembrar quando começara a desejar algo que pudesse ter, algo que fosse seu e de mais ninguém.

– Ninguém aqui é dono de nada – era o que lhe diziam, mas será que era mesmo verdade?

Sabia que o irmão Peter tinha um pente de tartaruga, por exemplo, da cor da seiva recém-extraída da árvore, um pouco translúcida, do qual se orgulhava e com o qual penteava o bigode todas as manhãs. Certo dia o pente desapareceu, e o irmão Peter interrompeu a aula de história que ele estava tendo com o irmão Matthew para agarrá-lo pelos ombros e sacudi-lo, gritando que ele o havia roubado e que era melhor devolvê-lo se sabia o que era bom para si. (O padre Gabriel mais tarde encontrou o pente, que escorregara pelo pequeno vão entre a mesa do irmão e o aquecedor.) Já o irmão Matthew tinha uma edição original com capa de tecido de *Os bostonianos*, com uma lombada verde e macia que ele uma vez segurara à sua frente para que pudesse olhar a capa ("Não toque! Falei para *não* tocar!"). Até mesmo o irmão Luke, seu preferido, que raramente abria a boca e nunca lhe dava broncas, tinha um pássaro que todos consideravam dele. Tecnicamente, alegava o irmão David, o pássaro não pertencia a ninguém, mas fora o irmão Luke quem o encontrara, cuidara dele, quem o alimentava e para quem o bicho voava, e assim, se Luke o quisesse, podia ficar com ele.

O irmão Luke era o responsável pelo jardim e pela estufa do mosteiro, e, nos meses quentes, ele o ajudava em pequenas tarefas. Sabia, depois de ouvir os outros irmãos às escondidas, que o irmão Luke fora um homem rico antes de entrar para o mosteiro. Mas então algo acontecera, ou ele fizera algo (aquilo nunca lhe ficou claro), e perdera boa parte do dinheiro ou então abrira mão dele, e agora estava ali, pobre como os outros, embora a estufa tivesse sido construída com o dinheiro dele, e era ele quem ajudava a custear parte das despesas operacionais do mosteiro. Algo no modo como os outros irmãos evitavam Luke o fazia pensar que talvez ele fosse mau. Mas o irmão Luke nunca fora malvado, não com ele.

Foi pouco tempo depois de o irmão Peter o acusar de roubar o pente que ele de fato roubou seu primeiro item: um pacote de biscoitos da cozinha. Estava passando por ali certa manhã a caminho da sala que tinham separado para lhe dar aulas, e não havia ninguém por perto. O pacote estava em cima da bancada, bem ao alcance de suas mãos, e ele o agarrou num impulso e saiu correndo, enfiando-o sob a túnica áspera de lã que vestia, uma versão em miniatura da que usavam os irmãos. Saíra do seu caminho para poder escondê-lo sob o travesseiro, o que o fez chegar atrasado para a aula com o irmão Matthew. Este o castigou com um galho de árvore, mas o segredo do pacote de biscoitos o enchia de calor e alegria. Naquela noite, sozinho em sua cama, comeu um dos biscoitos (dos quais nem mesmo gostava) com muito cuidado, quebrando-o em oito pedaços com os dentes e deixando cada um deles repousar sobre a língua até se tornar macio e gomoso, para que pudesse engolir tudo ao mesmo tempo.

Depois daquilo, passou a roubar mais e mais. Não havia nada no mosteiro que ele realmente quisesse, nada que realmente valesse a pena possuir, então simplesmente pegava o que encontrava pela frente, sem qualquer tipo de plano ou desejo: comida, quando conseguia achar; um botão preto que achara no chão do quarto do irmão Michael numa de suas incursões após o café da manhã; uma caneta da mesa do padre Gabriel, surrupiada quando, no meio de uma lição, o padre lhe dera as costas para procurar um livro; o pente do irmão Peter (este foi o único que ele planejou roubar, mas a satisfação não foi maior que nos outros casos). Roubava palitos de fósforo e lápis e folhas de papel – tranqueiras inúteis, mas as tranqueiras inúteis de outra pessoa –, enfiando-as dentro da roupa de baixo e correndo de volta ao quarto para escondê-las debaixo do colchão, que era tão fino que dava para sentir cada uma das molas sob suas costas à noite.

– Pare com essa correria ou terei que lhe dar uma surra! – gritava o irmão Matthew quando ele passava apressado na direção do quarto.

– Sim, irmão – respondia, diminuindo o passo.

Foi no dia em que roubou seu maior prêmio que ele foi apanhado: o isqueiro de prata do padre Gabriel, subtraído diretamente de sua mesa quando o padre teve de interromper a lição para atender a um telefonema. O padre Gabriel estava inclinado sobre seu teclado, e ele esticou o braço e agarrou o isqueiro, sentindo o peso do objeto frio na mão até finalmente ser liberado. Assim que saiu do escritório do padre, guardou-o rapidamente dentro da roupa de baixo, e estava voltando o mais rápido que podia para o quarto quando fez uma curva e bateu de frente com o irmão Pavel. Antes que o irmão pudesse gritar, ele caiu de costas e o isqueiro escapuliu, quicando pelo piso de pedra.

Bateram nele, obviamente, e também gritaram, e como o que imaginava ser o seu castigo final, o padre Gabriel o chamou em seu escritório e disse que lhe ensinaria uma lição quanto a roubar as coisas dos outros. Assistiu, sem entender, mas ainda assim tão assustado que não conseguia nem chorar, ao padre Gabriel encostar um lenço dobrado na boca de uma garrafa de azeite de oliva e depois esfregar o azeite nas costas de sua mão esquerda. Depois, pegou o isqueiro – o mesmo que ele roubara – e segurou sua mão sobre a chama até o ponto besuntado pegar fogo, quando então a mão inteira foi engolida por um brilho branco e fantasmagórico. Ele gritou sem parar, e o padre bateu em seu rosto por causa dos gritos.

– Pare de gritar – gritou. – É isso que merece. Não vai esquecer nunca mais que não pode roubar.

Quando recobrou a consciência, estava deitado em sua cama e uma bandagem cobria-lhe a mão. Haviam levado todas as suas coisas: o que ele roubara, logicamente, mas também aquilo que encontrara por conta própria – as pedrinhas, as penas e as pontas de lança, e o fóssil que o irmão Luke lhe dera em seu quinto aniversário, o primeiro presente que recebera na vida.

Depois daquilo, depois de ser apanhado, eles o levavam ao escritório do padre Gabriel toda noite e o mandavam tirar as roupas, e o padre examinava seu interior em busca de contrabando. Depois, quando as coisas pioraram, se lembraria do pacote de biscoitos: se ao menos não o tivesse roubado. Se ao menos não tivesse dificultado tanto as coisas para si mesmo.

Seus ataques de fúria começaram após os exames noturnos com o padre Gabriel, que logo foram ampliados para incluir exames com o irmão Peter ao meio-dia. Tinha crises de pirraça, jogando-se contra as paredes de pedra do mosteiro e berrando o mais alto que podia, batendo as costas da mão feia e machucada (que, passados seis meses, ainda doía às vezes, numa pulsação profunda e insistente) na madeira das quinas duras e inclementes das mesas de jantar, martelando a nuca, os cotovelos, as bochechas – todas as partes do corpo que mais doíam, as mais macias – contra a lateral de sua escrivaninha. Fazia aquilo de dia e de noite, não conseguia se controlar, sentia os ataques de fúria se deslocarem dentro de si feito um nevoeiro, deixando-se levar por eles. Seu corpo e sua voz se moviam em maneiras que o excitavam e o repeliam, pois, ainda que sentisse dor depois das crises de pirraça, sabia que aquilo assustava os irmãos, sabia que eles temiam sua raiva, seu barulho e seu poder. Acertavam-no com o que estivesse mais à mão, começaram a manter um cinto pendurado num prego na parede da sala de aula, tiravam as sandálias e batiam nele por tanto tempo que no dia seguinte não conseguia nem sentar, chamavam-no de monstro, desejavam que morresse, diziam que teria sido melhor deixá-lo na lata de lixo. E ele se sentia grato por aquilo, pela ajuda deles em deixá-lo exausto, já que não conseguia laçar a fera dentro de si e precisava da contribuição deles para fazê-la recuar, para fazê-la voltar à jaula até o momento em que se libertasse outra vez.

Começou a fazer xixi na cama e obrigaram-no a visitar o padre com uma frequência maior, para novos exames, e quanto mais o padre o examinava, mais ele molhava a cama. O padre começou a visitá-lo em seu quarto à noite, assim como passaram a fazer o irmão Peter e depois o irmão Matthew. Ele só piorava: obrigavam-no a dormir com o pijama molhado, faziam-no usá-lo durante o dia. Sabia o quanto fedia a urina e sangue, e gritava, se descabelava e urrava, interrompendo as aulas, derrubando os livros da mesa para que os irmãos tivessem de castigá-lo naquele exato momento, abandonando a lição. Às vezes batiam com tanta força que ele perdia a consciência, o que passou a ser seu maior desejo: aquela escuridão, na qual o tempo passava e ele não o vivia, na qual coisas lhe eram perpetradas sem que ele soubesse.

Às vezes havia um motivo por trás dos ataques de fúria, ainda que somente ele os conhecesse. Sentia-se tão incessantemente sujo, tão maculado, como se por dentro fosse um prédio caindo aos pedaços, como a igreja condenada que o levaram para ver numa de suas raras saídas do monastério: as vigas estavam pintalgadas de mofo, as traves, cobertas de farpas e cheias de buracos com cupinzeiros, e os triângulos de céu branco surgiam sem modéstia através do telhado em ruínas. Aprendera numa aula de história sobre sanguessugas, e como muitos anos atrás se acreditava que elas podiam extrair o sangue ruim das pessoas, sugando tola e avidamente a doença para dentro de seus corpos quentes e vermiformes, e ele passava sua hora livre – depois das aulas e antes de suas tarefas – andando pelo riacho na beirada do terreno do mosteiro, em busca de suas próprias sanguessugas. Depois de não conseguir encontrar uma sequer, quando lhe disseram que não havia sanguessugas naquele riacho, ele berrou e berrou até sua voz o abandonar, e mesmo assim não conseguiu parar, nem quando sua garganta parecia se encher de sangue quente.

Certa vez estava em seu quarto, e tanto o padre Gabriel quanto o irmão Peter também estavam lá. Tentava não gritar, pois aprendera que, quanto mais ficava em silêncio, mais rápido aquilo tudo acabava, quando pensou ter visto o irmão Luke passando pela porta, rápido feito uma mariposa, o que o fez se sentir humilhado, embora não conhecesse a palavra para a humilhação naquela época. No dia seguinte, durante seu tempo livre, foi até o jardim do irmão Luke e arrancou todas as flores de narciso, empilhando-as na porta do barracão de ferramentas do irmão Luke, com suas coroas em forma de flauta apontando para o céu feito bicos abertos.

Depois, novamente sozinho enquanto fazia suas tarefas, sentiu-se arrependido. A tristeza tornou seus braços pesados e ele deixou cair o balde de água que carregava de um lado do cômodo para o outro, o que o fez se atirar no chão e urrar de frustração e remorso.

No jantar, não conseguiu comer. Procurou o irmão Luke, tentando imaginar quando e como seria castigado, e quando teria de se desculpar com o irmão. Mas ele não estava ali. Aflito, deixou cair a jarra de metal com leite, e o líquido frio e branco se esparramou pelo piso. O irmão Pavel, que estava ao seu lado, o arrancou do banco e o empurrou no chão.

– Pode limpar – vociferou para ele, jogando um pano de prato em sua direção. – Mas isso vai ser tudo que irá comer até sexta. – Era quarta-feira. – Agora vá para o quarto.

Ele correu, antes que o irmão mudasse de ideia.

A porta do seu quarto – uma despensa convertida, sem janelas e com espaço apenas para uma pequena cama, nos fundos do segundo andar acima do refeitório – ficava sempre aberta, a não ser quando um dos irmãos ou o padre estava com ele. Nesse caso, normalmente ficava fechada. Mas logo que dobrou a quina da escada pôde ver que a porta estava fechada, e por um instante ficou parado no corredor vazio e silencioso, sem saber o que o esperava lá dentro: um dos irmãos, provavelmente. Ou um monstro, talvez. Depois do incidente no riacho, às vezes sonhava acordado que as sombras que se esgueiravam pelos cantos eram sanguessugas gigantes, subindo pelas paredes, com suas peles segmentadas lisas, escuras e viscosas, aguardando para sufocá-lo com seu peso úmido e sem som. Finalmente criou coragem e correu direto para a porta, abrindo-a com uma pancada. Lá dentro, encontrou apenas sua cama, com a coberta de lã marrom-terra, e a caixa de lenços e os livros escolares na estante. Foi então que o viu num dos cantos, próximo à cabeceira da cama: um jarro de vidro com um buquê de narcisos, com suas flores afuniladas pregueadas no alto.

Sentou-se no chão perto do jarro e esfregou uma das flores aveludadas entre os dedos. Naquele momento, sua tristeza foi tanta, e tão avassaladora, que sentiu vontade de se rasgar, de arrancar a cicatriz das costas da mão, de se esfrangalhar em pedacinhos como fizera com as flores de Luke.

Mas por que fizera aquilo ao irmão Luke? Não que o irmão Luke fosse o único a ser caridoso com ele – quando não era forçado a castigá-lo, o irmão David sempre o elogiava e lhe dizia o quanto era esperto, e até mesmo o irmão Peter levava livros da biblioteca da cidade para que ele lesse e os dois pudessem debatê-lo posteriormente, ouvindo suas opiniões como se ele fosse uma pessoa de verdade –, mas não somente o irmão Luke jamais o castigara, como também se esforçava para tranquilizá-lo, para expressar sua fidelidade a ele. No domingo anterior, teria de declamar em voz alta a oração que precederia a janta, e quando se pôs de pé na cabeceira da mesa do padre Gabriel, sentiu-se subitamente acometido pelo impulso de fazer malcriação, de agarrar um punhado das batatas em cubo do prato à sua frente e jogá-lo para todos os lados. Já conseguia sentir a garganta arranhar de tanto que gritaria, o cinto chamuscando ao atingir suas costas, a escuridão em que mergulharia, o brilho vertiginoso do dia quando acordasse. Viu o braço se erguer da lateral do corpo, os dedos se abrirem feito pétalas e flutuarem na direção da tigela. Foi então que olhou para o irmão Luke, que lhe deu uma piscadela, tão solene e rápida, como o clique de uma câmera fotográfica, que de início ele não teve certeza de que realmente vira algo. Mas Luke piscou outra vez e por algum motivo aquilo o acalmou. Ele recobrou o controle, fez a prece e sentou, e o jantar transcorreu sem qualquer incidente.

E agora as flores. Mas antes que tivesse oportunidade de pensar no que poderiam significar, a porta se abriu e ali estava o irmão Peter. Ele ficou parado, esperando, naquele momento terrível para o qual jamais conseguia se preparar, quando tudo podia acontecer, uma verdadeira incógnita.

No dia seguinte, saiu da lição direto para a estufa, certo de que deveria dizer algo ao irmão Luke. Mas, ao se aproximar, sua determinação o abandonou e ele diminuiu o passo, chutando as pedrinhas pelo caminho e abaixando-se para recolher galhos e depois se desfazer deles, jogando-os na direção da floresta que margeava o terreno. O que realmente gostaria de dizer? Estava prestes a dar meia-volta, para se recolher sob uma árvore específica ao norte do terreno, onde abrira entre as raízes um buraco para guardar sua nova coleção de coisas – por mais que fossem apenas objetos que encontrava na floresta, seguros, que não pertenciam a ninguém: pedrinhas; um galho que lembrava um pouco um cachorro magro no meio de um salto – e onde passava a maior parte de seu tempo livre, desencavando suas posses e segurando-as nas mãos. Mas naquele momento ouviu alguém chamar seu nome. Quando se virou, viu que era o irmão Luke, que erguera a mão para cumprimentá-lo e caminhava em sua direção.

– Imaginei que fosse você – disse o irmão Luke ao se aproximar (dissimuladamente, ele perceberia mais tarde, pois quem mais poderia ser? Ele era a única criança no mosteiro), e, por mais que tenha tentado, não conseguiu encontrar palavras para se desculpar com Luke.

Foi incapaz, na verdade, de encontrar qualquer palavra e, em vez disso, começou a chorar. Nunca sentia vergonha ao chorar, mas, naquele momento, sim, então deu as costas para o irmão Luke e levou as costas da mão marcada aos olhos. Percebeu de repente o quanto estava faminto, lembrando-se de que ainda era tarde de quinta-feira e não comeria nada até o dia seguinte.

– Ora – disse Luke, e ele sentiu o irmão ajoelhar bem perto dele. – Não chore, não chore. – Mas sua voz era tão suave que ele acabou chorando ainda mais.

O irmão Luke então se levantou e, quando voltou a falar, sua voz estava mais animada.

– Ouça, Jude – disse ele. – Tenho algo para mostrar a você. Venha comigo. – E começou a andar na direção da estufa, virando-se para ter certeza de que o menino o seguia. – Jude – chamou outra vez –, venha comigo.

E ele, sem conseguir controlar a curiosidade, começou a seguir o irmão, caminhando rumo à estufa que conhecia tão bem, com o princípio de uma ansiedade incomum, como se nunca a tivesse visto antes.

Quando adulto, tornou-se obcecado, durante breves períodos, por tentar identificar o exato momento em que as coisas começaram a dar tão errado, como se pudesse congelá-lo, preservá-lo em ágar, erguê-lo diante de uma sala de aula e explicar aos alunos: *Foi isto que aconteceu. Foi aqui que tudo começou.* Pensava: teria sido quando roubei os biscoitos? Teria sido quando arranquei os narcisos do irmão Luke? Teria sido quando tive meu primeiro ataque de pirraça? Ou, o que seria mais improvável, teria sido quando fiz o que quer que tenha feito para que ela me deixasse atrás daquela farmácia? E o que tinha feito?

Mas, na verdade, ele sabia: foi quando entrou na estufa aquela tarde. Foi quando permitiu que o levassem para dentro, quando abriu mão de tudo para seguir o irmão Luke. Aquele foi o momento. E depois daquilo, nada jamais voltou a ficar certo.

—

Depois de mais cinco passos, ele chega à porta de casa, incapaz de enfiar a chave na fechadura porque suas mãos tremem, e ele esbraveja, quase deixando-a cair. Logo em seguida já está no apartamento e só precisa dar quinze passos entre a porta da frente e a cama, mas, no meio do caminho, é forçado a descer lentamente até o chão e se arrastar pelos últimos metros até o quarto com os cotovelos. Fica parado ali por alguns instantes, com tudo girando ao redor, até reunir forças para puxar a coberta sobre si. Vai ficar deitado daquele jeito até o sol deixar o céu e o apartamento ficar escuro, quando então finalmente impulsionará o corpo para a cama com os braços e cairá no sono sem comer, sem lavar o rosto ou mudar de roupa, rangendo os dentes de dor. Passará a maior parte da noite sozinho, pois Willem sairá com a namorada depois do espetáculo e, quando voltar, já será muito tarde.

Acordará bem cedo e se sentirá melhor, mas sua ferida terá vazado durante a noite e o pus encharcará a gaze que colocou na manhã de domingo antes de sair para sua caminhada, sua desastrosa caminhada, e encontrará as calças grudadas na pele pelo líquido viscoso que escoou de seu corpo. Enviará uma mensagem para Andy, e mandará outra para o trabalho, e depois tomará uma ducha, removendo cuidadosamente o curativo, que trará consigo pedaços de pele apodrecida e coágulos de sangue preto e mucoso. Ele vai arfar e arquejar para não ter de gritar. Lembrará a conversa que teve com Andy da última vez que isso aconteceu, quando o médico sugeriu que ele tivesse uma cadeira de rodas para deixar de reserva e, por mais que deteste a ideia de usar uma cadeira de rodas outra vez, desejará ter uma agora. Pensará que Andy tem razão, que suas caminhadas são um sinal de sua arrogância imperdoável, que fingir que tudo está bem e que ele não tem qualquer tipo de deficiência é um ato de egoísmo, dadas as consequências que aquilo provoca para outras pessoas, pessoas que vêm sendo inexplicável e irracionalmente boas para com ele há anos, há quase décadas a esta altura.

Fechará a água do chuveiro e se sentará na banheira, apoiando a bochecha no azulejo e esperando até se sentir melhor. Será lembrado do quanto é limitado, preso a um corpo que detesta, com um passado que detesta, de como jamais poderá mudar qualquer um dos dois. Sentirá vontade de chorar, de frustração, ódio e dor, mas não chora desde o que ocorreu com o irmão Luke, quando prometeu a si mesmo que nunca mais derramaria uma lágrima. Será lembrado de que é um nada, a casca de uma fruta que há muito se mumificou e murchou, e agora chacoalha lá dentro sem qualquer utilidade. Sentirá aquele formigamento, o arrepio de desgosto que o aflige tanto nos momentos mais felizes como nos mais lastimáveis, aquele que lhe pergunta quem ele pensa que é para incomodar tanta gente, para achar que tem o direito de seguir em frente até mesmo quando seu próprio corpo lhe diz que deveria parar.

Sentará, aguardará e respirará, e ficará grato por ser tão cedo, de modo que não há qualquer possibilidade de Willem descobri-lo e ter de salvá-lo mais uma vez. De alguma forma (embora mais tarde não consiga lembrar como) conseguirá se colocar de pé, sairá da banheira, tomará uma aspirina e partirá para o trabalho. No trabalho, as palavras se transformarão em borrões e dançarão pela página, e quando Andy telefonar serão apenas sete da manhã, e ele dirá a Marshall que está doente, recusará a oferta de Marshall de que um carro o leve, mas aceitará sua ajuda – está mal a esse ponto – para chegar a um táxi. Fará o mesmo percurso pelo qual estupidamente caminhara no dia anterior. E quando Andy abrir a porta, tentará manter a compostura.

– Judy – dirá Andy, e estará de bom humor, sem fazer qualquer sermão hoje, e ele deixará o médico conduzi-lo pela sala de espera vazia, uma vez que o consultório nem abriu ainda, e Andy o ajudará a subir na maca onde já passou horas, dias de tantas horas, e ele permitirá que Andy até o ajude a se despir, enquanto fecha os olhos e espera pela dorzinha no momento em que Andy puxa o esparadrapo de sua perna e retira da pele em carne viva a gaze encharcada.

Minha vida, pensará, minha vida. Mas não conseguirá pensar em nada além disso, e continuará repetindo as palavras para si mesmo – em parte como um mantra, em parte praguejando, em parte se tranquilizando – enquanto desliza para o mundo que visita quando sente aquele tipo de dor, o mundo que ele sabe que não está muito longe do seu, mas do qual jamais consegue se lembrar depois: minha vida.

2

Você me perguntou, uma vez, quando eu soube que ele era meu, e respondi que sempre soubera. Mas não era verdade, e eu sabia disso no exato momento em que falei – só disse aquilo porque soava bonito, como algo que diriam num livro ou num filme, e porque nós dois estávamos nos sentindo tão infelizes e miseráveis, e porque pensei que, ao dizê-lo, poderíamos nos sentir melhor diante da situação em que estávamos, a situação que talvez pudéssemos ter evitado – ou talvez não –, mas, de qualquer forma, não evitamos. Foi no hospital: a primeira vez, quero dizer. Sei que se lembra: você tinha chegado de Colombo naquela manhã, voando por cidades, países e horas até aterrissar um dia inteiro antes de precisar de partir.

Mas agora quero ser correto. Quero ser correto porque não há razão para não o ser e porque devo ser – é algo que sempre tentei ser, e continuo tentando.

Não sei bem por onde começar.

Talvez com algumas palavras bonitas, por mais que também sejam verdadeiras: gostei de você logo de cara. Você tinha vinte e quatro anos quando nos conhecemos, o que significa que eu tinha quarenta e sete. (Jesus.) Achei você incomum: posteriormente, ele falaria sobre sua bondade, mas nunca precisou explicá-la para mim, pois eu já sabia que você era bom. Aquele foi o primeiro verão em que seu grupo foi a nossa casa, e o fim de semana foi bem estranho para mim, e para ele também – para mim, porque eu via em vocês quatro quem e o que Jacob poderia ter se tornado, e para ele, porque só me conhecia como seu professor, e de uma hora para outra me via de bermuda e de avental enquanto tirava mariscos da churrasqueira, conversando com vocês três sobre tudo. No momento em que consegui deixar de ver o rosto de Jacob no de vocês, consegui aproveitar o fim de semana, em boa parte porque vocês três pareciam estar se divertindo para valer. Não viam nada de estranho na situação: eram garotos que supunham que as pessoas fossem gostar de vocês, não por arrogância, mas porque sempre gostavam, e não tinham motivo para achar que, se fossem educados e simpáticos, essa educação e essa simpatia talvez não fossem retribuídas.

Ele, obviamente, tinha todos os motivos para não pensar da mesma forma, embora eu só fosse descobrir aquilo mais tarde. Depois passei a observá-lo durante as refeições, notando como, durante alguns debates particularmente dissonantes, ele se recostava na cadeira, como se tentando se esquivar fisicamente do ringue, e observava todos vocês, como me desafiavam sem medo de me provocar, como se esticavam sobre a mesa despreocupadamente para pegar mais batatas, mais abobrinhas, mais carne, como pediam o que queriam e eram atendidos.

O que me lembro de maneira mais vívida daquele fim de semana foi uma coisinha simples. Estávamos caminhando, você, ele, Julia e eu, por aquela passagem entre as bétulas que levava ao mirante. (Naquela época era uma estrada estreita, lembra? Só depois é que foi tomada pelas árvores.) Eu estava ao lado dele, e você e Julia vinham logo atrás. Estavam conversando sobre, ah, o que era mesmo? Insetos? Flores campestres? Vocês sempre achavam algum assunto, os dois adoravam estar ao ar livre, amavam os animais: e eu gostava disso em vocês, por mais que não conseguisse entender. E então você lhe tocou o ombro e passou à sua frente, ajoelhando para amarrar o laço do sapato dele que se desfizera, para logo em seguida voltar a acompanhar Julia. Foi tão natural, aquele pequeno gesto: um passo à frente, uma ajoelhada, e o recuo para voltar ao lado dela. Aquilo não foi nada para você, nem mesmo pensou no que estava fazendo; não chegou nem a interromper a conversa. Você estava sempre de olho nele (mas todos vocês estavam), cuidava dele com uma dúzia de atitudes singelas, pude ver isso durante aqueles poucos dias – mas duvido que se lembre desse episódio em particular.

Mas, enquanto você amarrava o sapato, ele se virou para mim e o olhar em seu rosto – não consigo descrevê-lo. Só posso dizer que naquele instante senti algo dentro de mim desmoronar, como uma torre de areia molhada alta demais: por ele, por você e por mim também. E no rosto dele, sabia que veria o reflexo do meu. A impossibilidade de encontrar alguém que fizesse algo do tipo por outra pessoa, de uma maneira tão natural, tão graciosa! Quando olhei para ele, entendi, pela primeira vez desde a morte de Jacob, o que as pessoas queriam dizer ao falar que alguém lhes partira o coração, que algo podia lhes partir o coração. Sempre achei aquilo piegas, mas, naquele instante, percebi que podia até ser piegas, mas também era verdade.

E ali, presumo, foi quando eu soube.

—

Nunca achei que fosse me tornar pai um dia, e não porque tive pais ruins. Na verdade, meus pais eram fantásticos: minha mãe morreu quando eu era bem novo, de câncer de mama, e nos cinco anos seguintes fomos só eu e meu pai. Ele era médico, clínico geral, e gostava de imaginar que iria envelhecer com seus pacientes.

Morávamos no West End, na rua 82, e seu consultório ficava no nosso prédio, no térreo, e eu costumava passar ali para visitá-lo depois da escola. Todos os pacientes me conheciam e eu sentia orgulho de ser filho do médico, de cumprimentar todo mundo, de ver os bebês cujo parto ele fizera se tornarem crianças e se espelharem em mim porque seus pais lhes contaram que eu era filho do Dr. Stein, que eu frequentava uma boa escola de ensino médio, uma das melhores da cidade, e que, se estudassem bastante, talvez conseguissem se sair bem como eu. "Querido" era como meu pai me chamava, e, ao me encontrar depois da escola naquelas visitas, ele colocava a palma da mão na minha nuca, mesmo quando eu já era mais alto do que ele, e me beijava o lado do rosto.

– Querido – dizia –, como foi a aula?

Quando eu tinha oito anos, ele se casou com a gerente da clínica, Adele. Não houve um só momento em minha infância em que a presença de Adele não fosse sentida: era ela quem me levava para comprar roupas novas, ela quem passava o Dia de Ação de Graças conosco, ela quem embalava meus presentes. Não era como se Adele fosse uma mãe para mim; para mim, uma mãe era Adele.

Ela era mais velha, mais do que meu pai, e também uma daquelas mulheres de que os homens gostam e com as quais se sentem à vontade, mas nunca pensam em tomá-las como esposa, que é um jeito bondoso de dizer que não era bonita. Mas quem precisa de beleza numa mãe? Perguntei uma vez se queria ter seus próprios filhos, e Adele respondeu que eu era o filho dela, e não conseguia imaginar ter um filho melhor. Tudo o que você precisa saber sobre meu pai e Adele, e como eu me sentia em relação a eles, e como os dois me tratavam, está no fato de eu nunca ter questionado aquela declaração até estar na casa dos trinta e discutir com minha esposa na época se deveríamos ter outro filho, um filho para substituir Jacob.

Ela era filha única, eu era filho único e meu pai também era filho único: uma família de filhos únicos. Mas os pais de Adele estavam vivos – os do meu pai, não –, e costumávamos ir ao Brooklyn, até a área que hoje foi engolida por Park Slope, para visitá-los nos fins de semana. Moravam nos Estados Unidos havia quase cinco décadas e ainda falavam muito pouco inglês: o pai, timidamente, a mãe, efusivamente. Eram robustos, assim como Adele, que falava com eles em russo. O pai, a quem eu chamava de vovô por convenção, costumava abrir um de seus punhos gordos e me mostrava o que escondia dentro: um apito de madeira para chamar pássaros, ou então um punhado de chiclete rosa. Mesmo depois de adulto e já na faculdade de direito, ele sempre me dava algo, embora não tivesse mais sua loja, o que provavelmente significava que comprara o presente em algum outro lugar. Mas onde? Sempre pensei que talvez existisse uma loja secreta cheia de brinquedos que tivessem saído de moda muitas gerações antes, mas ainda assim era frequentada fielmente por velhos senhores e senhoras imigrantes, que a mantinham funcionando ao comprarem seus estoques de piões com pinturas espiralizadas, soldadinhos de chumbo e conjuntos de jogo da bugalha, cujas bolinhas de borracha já vinham completamente encardidas, antes mesmo que o plástico fosse retirado.

Sempre tive uma teoria – surgida do nada – de que homens com idade para testemunhar o segundo casamento do pai (e, portanto, com idade o bastante para formarem uma opinião) acabavam casando com suas madrastas, e não suas mães. Mas não me casei com alguém como Adele. Minha esposa, minha primeira esposa, era fria e controlada. Diferentemente das outras garotas que conheci, que sempre se minimizavam – sua inteligência, logicamente, mas também seus desejos, sua raiva, seus medos e sua compostura –, Liesl nunca foi assim. Em nosso terceiro encontro, estávamos saindo de um café na MacDougal Street quando um homem cambaleou para fora de uma porta escura e vomitou nela. Seu casaco ficou todo coberto com aquele líquido cor de abóbora, e ainda me lembro em particular da maneira como uma bolota enorme ficou pendurada no pequeno anel de diamante que ela usava na mão direita, como se tivesse nascido um tumor na joia. As pessoas ao nosso redor ficaram boquiabertas, ou gritaram, mas Liesl apenas fechou os olhos. Outra mulher teria berrado, ou guinchado (*eu* teria berrado ou guinchado), mas recordo que ela simplesmente estremeceu, como se seu corpo estivesse reconhecendo o nojo, mas também se libertando dele, e quando abriu os olhos já estava recomposta. Tirou o cardigã que vestia e o jogou na lata de lixo mais próxima.

– Vamos – me disse ela.

Eu permaneci mudo, chocado, mas naquele momento eu a quis, e a segui até onde ela me levou, que era o seu apartamento, um lugar horroroso na Sullivan Street. Durante o tempo todo ela manteve a mão direita no ar, levemente afastada do corpo, com a bolota de vômito ainda presa ao anel.

Nem meu pai nem Adele gostavam particularmente dela, embora nunca me tenham dito nada; eram educados e respeitavam meus desejos. De minha parte, nunca lhes perguntei nada, nunca os fiz mentir. Não acho que fosse pelo fato de Liesl não ser judia – meus pais não eram religiosos –, mas sim, acredito eu, por verem o quanto eu era fascinado por ela. Ou talvez tenha sido isso que concluí, tarde na vida. Talvez fosse porque o que eu admirava nela como competência, eles viam como frigidez, ou frieza. Deus sabe que não seriam os primeiros a pensar daquela forma. Sempre foram educados com ela, e ela razoavelmente educada com eles, mas acho que teriam preferido uma nora com quem pudessem flertar um pouco, a quem pudessem contar histórias constrangedoras sobre a minha infância, que almoçaria com Adele e jogaria xadrez com meu pai. Alguém como você, na verdade. Mas Liesl não era assim e nunca seria e, no momento em que perceberam isso, passaram também a se portar com certa indiferença, não para expressar seu descontentamento, mas como uma forma de autodisciplina, um lembrete a si mesmos de que havia limites, os limites dela, e que deviam tentar respeitá-los. Quando estava ao lado dela, sentia-me estranhamente à vontade, como se, diante de tanta competência, nem mesmo o azar ousaria nos desafiar.

Conhecemo-nos em Nova York, quando eu cursava a faculdade de direito e ela estudava medicina. Depois de me formar, consegui um trabalho de assistente em Boston e ela (um ano mais velha que eu) começou sua residência. Preparava-se para ser oncologista. E eu admirava sua decisão, é claro, em virtude do que isso sugeria: não há nada mais tranquilizador do que uma mulher que quer curar os outros, que você imagina curvando-se maternalmente sobre um paciente, com o jaleco branco como nuvens. Mas Liesl não queria ser admirada: escolhera a oncologia porque era uma das disciplinas mais difíceis, porque era considerada mais cerebral. Ela e os outros estagiários de oncologia desprezavam os radiologistas (muito mercenários), os cardiologistas (muito prepotentes e cheios de si), os pediatras (muito sentimentais) e em especial os cirurgiões (indescritivelmente arrogantes) e os dermatologistas (sem comentários, embora obviamente tivessem de trabalhar com eles com frequência). Gostavam dos anestesistas (esquisitos, nerds e fastidiosos, com tendência a se viciarem), dos patologistas (ainda mais cerebrais que eles) e... bem, era basicamente isso. Às vezes apareciam em grupo na nossa casa, e ficavam depois do jantar conversando sobre casos e estudos, enquanto nós, seus parceiros – advogados, historiadores, escritores e cientistas menores –, éramos ignorados, até escaparmos para a sala de estar a fim de conversar sobre as diversas coisas triviais e menos importantes com as quais ocupávamos nossos dias.

Éramos dois adultos e levávamos uma vida suficientemente feliz. Não havia chororô por não passarmos muito tempo juntos, nem da minha parte, nem da dela. Continuamos em Boston enquanto ela fazia sua residência, e depois Liesl voltou para Nova York para fazer a especialização. Eu fiquei. Na época, trabalhava para uma firma e como professor adjunto da faculdade de direito. A gente se via nos fins de semana, alternando entre Boston e Nova York. Até que então ela completou os estudos e voltou para Boston; nós casamos; compramos uma casa, pequena, não a que tenho agora, bem nos confins de Cambridge.

Meu pai e Adele (e também os pais de Liesl, para falar a verdade; estranhamente, eram muito mais emotivos que ela, e em nossas viagens inconstantes a Santa Barbara, enquanto o pai contava piadas e a mãe colocava diante de mim pratos com fatias apimentadas de pepino e tomate de sua horta, Liesl os observava com uma expressão fechada, como que envergonhada, ou pelo menos perplexa, diante da relativa expansividade dos pais) nunca nos perguntaram se teríamos filhos; acho que pensaram que, contanto que não perguntassem, haveria uma possibilidade. A verdade é que eu não via necessidade naquilo; nunca imaginara ter um filho, não tinha qualquer opinião sobre o assunto, a favor ou contrária. E aquilo parecia um bom motivo para que não acontecesse: ter um filho, pensava eu, era algo que você precisava desejar de verdade, ou até mesmo com avidez. Não se tratava de uma empreitada para os ambivalentes ou desinteressados. Liesl sentia o mesmo, ou assim pensávamos.

Mas então, certa noite – eu tinha trinta e um anos, ela, trinta e dois: jovens – voltei para casa e ela já estava na cozinha, à minha espera. Aquilo era incomum; ela trabalhava até mais tarde do que eu, e normalmente não a via até as oito ou nove da noite.

– Preciso falar com você – disse ela, solene, e logo fiquei assustado. Ela percebeu e sorriu. Não era uma pessoa cruel, Liesl, e não quero dar a impressão de que ela fosse desprovida de compaixão ou de ternura, pois tinha as duas coisas dentro de si, era capaz de praticar ambas. – Não é nada de ruim, Harold – falou, dando uma risadinha. – Acho que não.

Sentei. Ela respirou fundo.

– Estou grávida. Não sei como aconteceu. Devo ter deixado de tomar uma pílula ou outra e esqueci. Faz quase oito semanas. Confirmei hoje na casa de Sally. – (Sally era sua colega de quarto da época da faculdade de medicina, sua melhor amiga e sua ginecologista.)

Contou aquilo tudo muito rápido, em frases digeríveis e destacadas. Depois, ficou em silêncio.

– A pílula que tomo faz com que eu não menstrue, entende, por isso não sabia. – E então, como eu não dizia nada: – Diga alguma coisa.

De início, não consegui.

– Como está se sentindo? – perguntei.

Ela deu de ombros.

– Bem.

– Que bom – respondi, estupidamente.

– Harold – disse ela, sentando-se à minha frente –, o que você quer fazer?

– O que *você* quer fazer?

Ela deu de ombros outra vez.

– Eu sei o que quero fazer. Quero saber o que você quer fazer.

– Você não quer tê-lo.

Ela não discordou.

– Quero ouvir o que você quer.

– E se eu disser que quero que você tenha a criança?

Ela estava pronta.

– Então eu pensaria seriamente em levar isso adiante.

Eu também não estava esperando aquilo.

– Leez – falei –, vamos fazer o que você quiser fazer.

Não era uma atitude completamente magnânima; era em boa parte covarde. Naquele caso, assim como em muitas coisas, fiquei feliz em deixar a decisão para ela.

Ela suspirou.

– Não precisamos decidir esta noite. Temos algum tempo.

Quatro semanas, ela não precisou nem dizer.

Deitado na cama, refleti. Pensei em todas aquelas coisas em que pensa um homem quando uma mulher lhe diz que está grávida: como será o bebê? Será que vou gostar dele? Será que vou amá-lo? E depois, em algo mais preocupante: a paternidade. Com todas as suas responsabilidades, realizações, tédio e possibilidades de fracasso.

Na manhã seguinte, não conversamos sobre o assunto, e, no dia seguinte, também não. Na sexta-feira, quando fomos para a cama, ela disse, sonolenta:

– Temos que conversar amanhã.

Respondi:

– Claro.

Mas não conversamos, não conversamos, e a nona semana acabou passando, e depois a décima, e então a décima primeira e a décima segunda, até que já era tarde demais para fazermos qualquer coisa, fosse do ponto de vista prático ou ético, e acho que nós dois nos sentimos aliviados. A decisão fora tomada para nós – ou melhor, nossa indecisão tomara a decisão por nós –, e teríamos a criança. Foi a primeira vez em nosso casamento que ficamos mutuamente indecisos.

Imaginamos que seria uma menina, e se fosse daríamos o nome de Adele, em homenagem a minha mãe, e Sarah, em homenagem a Sally. Mas não era uma menina, e deixamos Adele (que ficou tão feliz que começou a chorar, numa das poucas vezes que a vi fazer isso) escolher o primeiro nome, e Sally, o segundo: Jacob More. (Por que More, perguntamos a Sally, que respondeu ser por causa de Thomas More.)

Nunca fui o tipo de pessoa – e sei que você também não é – que acha que o amor por um filho é uma forma de amor superior, mais significativa, mais grandiosa que as outras. Não sentia aquilo antes de ter Jacob, e não senti depois de seu nascimento. Mas é, *sim*, um amor único, pois se trata de um amor cuja fundação não é a atração física, o prazer ou o intelecto, mas sim o medo. Você não sabe o que é medo até ter um filho, e talvez seja isso que nos faça pensar que é mais magnânimo, pois o medo em si é mais magnânimo. A cada dia que passa, seu primeiro pensamento não é "Eu o amo", mas "Como ele está?". Da noite para o dia, o mundo se rearranja numa corrida de obstáculos de horrores. Eu o segurava nos braços, aguardando para atravessar a rua, e pensava como era absurdo que pudéssemos esperar que o meu filho, que o filho de qualquer pessoa, sobrevivesse àquela vida. Parecia algo tão improvável quanto a sobrevivência de uma daquelas borboletas de final de primavera – você sabe, aquelas branquinhas – que eu às vezes via oscilando pelo ar, sempre a apenas alguns milímetros de se chocar contra um para-brisas.

E deixe-me contar outras duas coisas que aprendi. A primeira é que não importa qual a idade da criança, ou quando, ou como ela se tornou sua. A partir do momento em que começa a ver alguém como seu filho, algo muda, e tudo o que você gostava nela antes, tudo o que sentira por ela antes, é precedido por aquele medo. Não é algo biológico; é extrabiológico, menos uma determinação para garantir a sobrevivência do seu código genético e mais um desejo de se provar inviolável aos estratagemas e aos desafios do universo, de triunfar sobre as coisas que querem destruir o que é seu.

A segunda coisa é: quando seu filho morre, você sente tudo aquilo que espera sentir, sentimentos estes que já foram tão bem documentados por tantos outros que nem vou me preocupar em listá-los aqui, a não ser para dizer que tudo que já foi escrito sobre o luto é sempre igual, e é sempre igual por um motivo: porque não há um desvio real do texto. Às vezes você sente mais uma coisa e menos outra, e às vezes você as sente fora de ordem, e às vezes as sente por mais tempo, ou por menos tempo. Mas as sensações são sempre as mesmas.

Mas aqui está o que ninguém diz: quando se trata do seu filho, uma parte de você, uma particulazinha minúscula, mas ainda assim impossível de ser ignorada, também sente alívio. Porque o momento pelo qual você vinha esperando, pelo qual vinha temendo, pelo qual vinha se preparando desde o dia em que se tornou pai finalmente chegou.

Ah, você diz a si mesmo, *chegou. Aqui está ele.*

E depois disso, você não tem mais nada a temer.

Anos atrás, depois da publicação do meu terceiro livro, um jornalista me perguntou se dava para dizer logo de cara se um aluno tinha vocação para o direito ou não, e a resposta é: às vezes. Mas, na maioria delas, você erra – o aluno que parecia tão inteligente na primeira metade do período vai se tornando cada vez menos à medida que o ano avança, e o aluno a quem você nunca deu tanta atenção é aquele que acaba se destacando, alguém que você adora ouvir pensar.

Normalmente são os alunos mais inerentemente inteligentes que encontram as maiores dificuldades durante o primeiro ano: a faculdade de direito, e em especial o primeiro ano da faculdade de direito, não é um lugar onde a criatividade, a imaginação e o pensamento abstrato sejam recompensados. Nesse aspecto, acho muitas vezes – baseado no que ouço dizer, não que tenha vivenciado isto em primeira mão – que é parecido com o que acontece na escola de arte.

Julia tinha um amigo, um homem chamado Dennys, que fora um artista de enorme talento quando garoto. Eram amigos de infância, e ela uma vez me mostrou alguns dos desenhos que ele fizera quando tinha dez ou doze anos: pequenos esboços de pássaros bicando o solo, do rosto dele, redondo e inexpressivo, e do pai, que era o veterinário da área, acariciando o pelo de um terrier que fazia careta. Mas o pai de Dennys não via sentido em aulas de desenho, então ele nunca foi treinado formalmente. Mas, quando cresceram, e Julia partiu para a universidade, Dennys foi estudar arte para aprender a desenhar. Na primeira semana, ele contou a ela, deixaram os alunos desenharem o que quisessem, e eram sempre os esboços de Dennys que o professor escolhia para pendurar na parede e receber críticas e elogios.

Mas depois fizeram os alunos aprender a *como* desenhar: a redesenhar, basicamente. Na segunda semana, traçaram somente elipses. Elipses largas, elipses grossas, elipses finas. Na terceira semana, desenharam círculos: círculos tridimensionais, círculos bidimensionais. Depois vieram as flores. E depois um vaso. E uma mão. E uma cabeça. E um corpo. E a cada semana que se passava de treinamento formal, Dennys só piorava. Quando chegaram ao fim do período, seus desenhos já não eram mais expostos na parede. Começou a se sentir envergonhado demais para desenhar. Agora, quando via um cachorro, com seus longos pelos roçando o chão a seus pés, não era um cachorro que via, mas um círculo numa caixa, e quando tentava desenhá-lo, preocupava-se com a proporção, e não em registrar sua cachorrice.

Decidiu conversar com o professor. Fazemos isso para levar vocês ao limite, Dennys, disse o professor. Só os que têm talento de verdade conseguem ir em frente.

– Acho que eu não tinha talento de verdade – afirmaria Dennys. Acabou se tornando advogado e foi morar em Londres com seu namorado.

– Pobre Dennys – diria Julia.

– Ah, está tudo bem – suspiraria Dennys, sem conseguir convencer nenhum de nós.

E, da mesma maneira, a faculdade de direito testa os limites da mente. Romancistas, poetas e artistas normalmente não se dão bem na faculdade de direito (a não ser que sejam romancistas, poetas e artistas *ruins*), e tampouco, necessariamente, os matemáticos, os lógicos e os cientistas. O primeiro grupo fracassa por ter uma lógica toda própria; o segundo, porque a lógica é a *única* coisa própria que tem.

Ele, no entanto, era um bom aluno – um excelente aluno – desde o princípio, mas sua grandeza muitas vezes era camuflada por uma não grandeza agressiva. Eu sabia, ouvindo suas respostas na sala de aula, que ele tinha tudo de que precisava para se tornar um advogado magnífico: não é por acaso que o direito é considerado um ofício e, como em todos os ofícios, a qualidade principal é uma memória abrangente, coisa que ele tinha. Outra exigência – e aqui também, como em muitos ofícios – é a capacidade de enxergar o problema à sua frente... e então, identificar de imediato a sequência de problemas que pode se desenrolar a partir dali. Assim como para um empreiteiro uma casa não é só uma estrutura – é um emaranhado de tubos entupindo por causa do gelo no inverno, o telhado que incha devido à umidade no verão, calhas de chuva transbordando cascatas de água na primavera, o cimento que se racha com o primeiro frio do outono –, para um advogado uma casa também é outra coisa. Uma casa é um cofre trancado cheio de contratos, de penhores, de futuros processos, de possíveis violações: ela representa ataques em potencial à sua propriedade, aos seus bens, à sua pessoa, à sua privacidade.

Obviamente, você não pode pensar desse jeito o tempo todo ou iria à loucura. Assim, para a maioria dos advogados, uma casa é simplesmente uma casa, algo para mobiliar, fazer reparos, pintar e esvaziar. Mas há um período em que todo aluno de direito – todo bom aluno de direito – percebe certa mudança em sua visão, e se dá conta de que não se pode escapar da lei, de que nenhuma interação, nenhum aspecto da vida diária consegue escapar de seus dedos longos e fortes. Uma rua se torna um enorme desastre, uma balbúrdia de violações e potenciais processos civis. Um casamento vira um divórcio. O mundo se torna temporariamente insuportável.

Isso era algo que ele era capaz de fazer. Era capaz de analisar um caso e antever seu fim; não é fácil, pois você tem de abrir em sua mente um leque com todas as possibilidades, todas as prováveis consequências, para então escolher com quais se preocupar e quais ignorar. Mas o que ele também fazia – o que não conseguia deixar de fazer – era imaginar as implicações morais do caso. E isso não é lá muito bom na faculdade de direito. Eu tinha colegas que não deixavam nem mesmo seus alunos *dizerem* as palavras "certo" e "errado". "O *certo* não entra na história", costumava berrar para nós um dos meus professores. "Qual é a *lei*? O que a *lei* diz?" (Professores de direito gostam de ser teatrais; todos nós gostamos.) Outro professor, sempre que ouvia aquelas palavras, ficava em silêncio e se aproximava do transgressor, entregando-lhe um pedaço de papel, tirando-o do maço que carregava no bolso de dentro do casaco, no qual se lia: *Drayman 241*. Drayman 241 era o escritório do Departamento de Filosofia.

Vejamos, por exemplo, a seguinte hipótese: Um time de futebol vai jogar uma partida fora de casa, e uma de suas vans quebra. Perguntam então à mãe de um dos jogadores se ela pode emprestar a sua van para seguirem viagem. Claro que sim, responde ela, mas não vou dirigir. Então ela pede ao técnico-assistente para conduzir o veículo com o time. Porém, durante o percurso, algo terrível acontece: a van derrapa para fora da pista e capota; todos dentro dela morrem.

Não há um caso criminal aqui. A estrada estava escorregadia, o motorista não havia bebido. O que ocorreu foi um acidente. Mas então os parentes das vítimas, os pais e as mães dos jogadores mortos, processam a proprietária da van. Eles estavam dentro da van que era dela, argumentam, e, o que é mais importante, foi ela quem designou o motorista. Ele era apenas um agente a seu serviço, portanto a responsabilidade era dela. E então: O que acontece? Deveriam os querelantes vencer o caso?

Os alunos não gostam desse caso. Não o ensino com muita frequência – seu caráter extremo o torna mais ostensivo que instrutivo, creio eu

–, mas, quando o fazia, sempre ouvia uma voz no auditório dizer: "Não é justo!" E por mais irritante que seja essa palavra – *justo* –, é importante que os alunos jamais esqueçam esse conceito. "Justo" não é a resposta, nunca, eu lhes dizia. Mas é algo que sempre deve ser considerado.

Ele nunca disse que algo era ou não era justo, no entanto. Ser justo parecia lhe despertar pouco interesse, o que me deixava fascinado, pois as pessoas, especialmente as mais jovens, têm sempre muito interesse no que é justo. Ser justo é um conceito que ensinam às crianças boas: é o princípio dominante nas creches, colônias de férias, nos parquinhos e campos de futebol. Jacob, no tempo em que podia ir à escola e aprender coisas e pensar e falar, sabia o que significava ser justo e que isso era importante, algo a ser apreciado. Ser justo é para as pessoas felizes, para aquelas que tiveram a sorte de viver uma vida definida mais por certezas do que por ambiguidades.

Certo e errado, porém, são conceitos para... bem, talvez não para pessoas infelizes, mas para pessoas marcadas; pessoas assustadas.

Ou será que só estou pensando isso agora?

– E então, os querelantes tiveram sucesso? – perguntei. Naquele ano, o primeiro dele, eu ensinara o caso.

– Sim – respondeu ele, e explicou por quê: sabia instintivamente por que os querelantes ganhariam o caso. E então, como esperado, ouvi um "Mas não é justo!", baixinho, vindo do fundo da sala, e antes que pudesse começar meu primeiro sermão do ano, dizendo que "ser justo" nunca é resposta, et cetera e tal, ele simplesmente falou: – Mas é certo.

Nunca consegui perguntar a ele o que quis dizer com aquilo. A aula terminou e todos se levantaram na mesma hora e quase correram para a porta, como se houvesse um incêndio na sala. Eu me lembro de dizer a mim mesmo para não me esquecer de perguntar a ele na aula seguinte, naquela mesma semana, mas esqueci. E depois esqueci de novo, e de novo. Ao longo dos anos, volta e meia me lembrava daquela aula e sempre pensava: preciso perguntar o que ele quis dizer com aquilo. Mas, no fim, nunca perguntava. Não sei por quê.

E então aquele se tornou seu padrão: ele conhecia a lei. Estava no sangue. Mas, bem nos momentos em que eu queria que parasse de falar, ele introduzia algum argumento moral, ou mencionava a ética. Por favor, eu pensava, por favor, não faça isso. A lei é simples. Aceita menos nuances do que você pode imaginar. Na realidade, a ética e a moral têm, sim, um lugar na lei – mas não na jurisprudência. A moral nos ajuda a fazer as leis, mas não a aplicá-las.

Temi que ele dificultasse as coisas para si mesmo, que complicasse o verdadeiro talento que tinha – por mais que deteste ter de dizer isto sobre a minha profissão – ao pensar demais. *Pare!*, eu queria dizer a ele. Mas nunca disse, porque acabei descobrindo que gostava de ouvi-lo pensar.

No final, ficou claro que eu não tinha motivos para me preocupar; ele aprendeu a se controlar, aprendeu a parar de falar em termos de certo e errado. F., como sabemos, essa tendência dele não o impediu de se transformar num grande advogado. Só que, mais tarde, muitas vezes passei a me sentir triste por ele, e por mim. Queria ter insistido para que deixasse a faculdade de direito, queria ter dito para procurar o equivalente a Drayman 241. As habilidades que lhe ensinei não eram habilidades de que ele precisava. Queria tê-lo incitado a seguir por uma direção na qual sua mente pudesse trabalhar da maneira maleável como funcionava, na qual não tivesse de se atrelar a um modo rígido de pensar. Senti como se tivesse pegado alguém que antes sabia como desenhar um cachorro e o transformado em alguém que agora só sabia desenhar formas.

Sou culpado de muitas coisas em relação a ele. Mas, às vezes, de maneira ilógica, o que me faz sentir mais culpa é justamente isso. Abri a porta da van e o convidei a entrar. E por mais que não tenha sido eu a fazê-lo sair da estrada, fui eu quem o levei a um lugar ermo, frio e sem cor, e o abandonei ali, ao passo que, no lugar de onde o tirei, a paisagem tinha cores brilhantes, o céu fervilhava com fogos de artifício, e seu queixo caía de espanto.

3

Três semanas antes de partir para passar o Dia de Ação de Graças em Boston, um pacote – uma caixa de madeira grande, plana e difícil de ser manejada, com seu nome e endereço escritos em todos os lados com pilot preta – foi entregue em seu trabalho, e deixado em cima da mesa o dia inteiro, até que tivesse a oportunidade de abri-lo tarde da noite.

Pelo endereço do remetente já sabia do que se tratava, mas ainda sentiu aquela curiosidade instintiva que temos ao abrir qualquer coisa, até mesmo algo indesejado. Dentro da caixa havia camadas de papel pardo, seguidas por camadas de plástico-bolha, e então, envolto em folhas de papel branco, o quadro em si.

Ele o virou. "Para Jude, com amor e desculpas, JB", escrevera JB na tela, logo acima de sua assinatura: "Jean-Baptiste Marion." Havia um envelope da galeria de JB preso com fita atrás da moldura, dentro do qual se encontrava uma carta certificando a autenticidade e a data da obra, endereçada a ele e assinada pela arquivista da galeria.

Ligou para Willem, sabendo que ele já teria saído do teatro e provavelmente estava a caminho de casa.

– Adivinha o que recebi hoje.

Willem fez uma pausa quase imperceptível antes de responder:

– O quadro.

– Exato – falou, soltando um suspiro. – Suponho então que você esteja por trás disso.

Willem tossiu.

– Apenas disse a ele que não tinha outra escolha. Não se quisesse voltar a falar com você um dia. – Willem ficou em silêncio, e ele ouviu o vento soprar. – Precisa de ajuda para levar para casa?

— Obrigado — respondeu. — Mas vou deixá-lo aqui por enquanto e depois volto para buscar.

Reembalou o quadro e o colocou de volta na caixa, empurrando-a para baixo de seu computador. Antes de desligá-lo, começou a escrever uma mensagem para JB, mas decidiu parar, apagar o que estava escrito e ir embora para casa.

Ficara surpreso, e ao mesmo tempo não, por JB ter de fato lhe enviado o quadro (e nem um pouco surpreso ao descobrir que fora Willem quem o convencera a fazê-lo). Dezoito meses atrás, quando Willem começara a fazer suas primeiras apresentações de *O teorema Malamud*, JB recebera uma oferta de representação por parte de uma galeria no Lower East Side, e na primavera anterior protagonizara sua primeira mostra solo, *Os meninos*, uma série de vinte e quatro quadros baseados nas fotografias que fizera dos três. Conforme prometera anos antes, JB deixara-o ver as fotografias que pretendia pintar, e embora tivesse aprovado muitas delas (relutantemente: sentira-se mal só em fazê-lo, mas sabia o quanto a série era importante para JB), no fim JB ficara mais interessado em trabalhar com aquelas que ele não aprovara do que com as que foram aprovadas, sendo que algumas delas — incluindo uma imagem na qual estava encolhido na cama, com os olhos abertos, mas assustadoramente vazios, e a mão esquerda esticada além do natural, numa espécie de garra fantasmagórica — ele nem mesmo se recordava de ter visto JB tirar a foto, o que era alarmante. Aquela fora a primeira briga: JB o bajulara, depois ficara de mau humor, depois ameaçara, depois gritara, e então, como não conseguira fazê-lo mudar de ideia, tentara convencer Willem a interceder em seu favor.

— Você sabe que na verdade não lhe devo nada — dissera-lhe JB depois de perceber que as negociações com Willem não estavam levando a lugar nenhum. — Digo, *tecnicamente* não preciso pedir a sua permissão para isso. *Tecnicamente* posso pintar qualquer merda que quiser. Isso é um favor que estou concedendo a você, entende?

Poderia ter soterrado JB com argumentos, mas estava furioso demais para isso.

— Você prometeu, JB — falara. — Só isso já deveria bastar.

Poderia ter acrescentado "E me deve isso como amigo", mas percebera alguns anos antes que a definição de JB para amizade e as responsabilidades que isso envolvia eram diferentes das suas, e não havia modo de argumentar com ele: você aceitava isso ou não, e ele decidira aceitar, ainda que nos últimos tempos o trabalho exigido para aceitar JB e suas limitações tivesse começado a se tornar mais irritante, cansativo e árduo do que parecia necessário.

No fim, JB tivera de reconhecer a derrota, embora nos meses antes da abertura da exposição tenha feito referências ocasionais ao que chamava de seus "quadros perdidos", grandes obras que poderia ter pintado caso ele, Jude, fosse menos severo, menos tímido, menos encabulado, e (aquele era o argumento preferido de JB) menos filisteu. Posteriormente, no entanto, se sentiria envergonhado por sua própria ingenuidade, por acreditar que sua vontade seria respeitada.

A inauguração fora numa quinta-feira no final de abril, pouco após seu trigésimo aniversário. Era uma noite tão fria para a estação que as primeiras folhas dos plátanos haviam congelado e rachado, e ao dobrar a esquina na Norfolk Street, ele parara para admirar o cenário formado pela galeria, uma caixa dourada de luz e calor difuso em contraste com a gélida escuridão da noite. Lá dentro, logo encontrara Henry Young Negro e um amigo dos dois da faculdade de direito, e depois muitas outras pessoas que conhecia – da universidade, das inúmeras festas que deram em Lispenard Street, as tias de JB, os pais de Malcolm, e amigos de longa data de JB a quem não via fazia anos – que demorara certo tempo até conseguir abrir caminho em meio à multidão para examinar os quadros em si.

Sempre soube que JB tinha talento. Todos eles sabiam, todo mundo sabia: não importava o quanto alguém pudesse ocasionalmente se ressentir de JB como pessoa, havia algo em seu trabalho que fazia com que você achasse que estava errado, que quaisquer deficiências de caráter que associara a ele eram, na verdade, evidências de sua própria pequenez e mau humor, e que, escondido dentro de JB, vivia alguém de enorme compaixão, profundidade e compreensão. Naquela noite, não teve a menor dificuldade em reconhecer a intensidade e a beleza dos quadros, sentindo apenas um orgulho e uma gratidão descomplicados por JB: pela realização do trabalho, é claro, mas também por sua habilidade em produzir cores e imagens que faziam todas as outras parecerem desbotadas e flácidas em comparação a elas, por sua habilidade de fazê-lo enxergar o mundo de uma nova maneira. Os quadros foram dispostos numa fileira única que se desenrolava pelas paredes, como um verso de poema, e os tons que

JB criara – azuis densos e esfolados e amarelos-uísque – eram tão distintamente únicos que parecia que JB inventara uma linguagem cromática completamente nova.

Ele parou para admirar *Willem e a garota*, um dos quadros que já vira, e na verdade já comprara, no qual JB pintara Willem de costas para a câmera, exceto pelos olhos, que pareciam voltados diretamente para quem o via, mas que na verdade estavam virados para, presumia-se, uma garota colocada bem na linha de visão de Willem. Ele adorava a expressão no rosto de Willem, que conhecia muito bem, quando estava prestes a sorrir e sua boca ainda se encontrava, de alguma forma, relaxada e indecisa, ao mesmo tempo que os músculos em volta dos olhos já se moviam para o alto. Os quadros não estavam em ordem cronológica, então depois desse vinha um dele mesmo, de apenas alguns meses atrás (passava correndo pelos dele próprio), e em seguida uma imagem de Malcolm com a irmã, no que dava para ver pela mobília se tratar do apartamento que Flora ocupara havia muito tempo no West Village (*Malcolm e Flora, Bethune Street*).

Olhou ao redor em busca de JB e o viu falando com o diretor da galeria. Naquele exato momento, JB esticou o pescoço e o viu, acenando para ele. "Genial", gesticulou com a boca para JB em meio a toda aquela gente, e JB sorriu para ele e retribuiu: "Obrigado."

Foi então que partira para a terceira e última parede e os vira: dois quadros, ambos o retratando, que JB jamais lhe mostrara antes. No primeiro, era bem jovem e segurava um cigarro, e no segundo, que estimava ser de uns dois anos atrás, estava sentado na beirada da cama, curvado, inclinando a testa contra a parede, com as pernas e os braços cruzados e os olhos fechados – aquela era a posição que assumia sempre que estava saindo de um episódio de dor e recuperando as energias antes de tentar se colocar de pé novamente. Não se lembrava de JB ter registrado aquele momento, e de fato, pela perspectiva – a câmera espreitando junto ao batente da porta –, sabia que não era mesmo para se lembrar, pois não devia nem saber da existência da fotografia, para começar. Por um momento, o barulho do ambiente ao seu redor foi abafado e tudo o que conseguia fazer era olhar para os quadros: mesmo angustiado, teve a presença de espírito de entender que estava reagindo menos às imagens em si e mais às memórias e sensações que elas provocavam, e que a violação que sentia por outras pessoas verem aqueles registros de dois momentos infelizes de sua vida era uma reação pessoal, específica dele e de mais ninguém. Para os outros, eram apenas duas pinturas sem contexto e sem nenhum sentido, a não ser que ele decidisse alardeá-lo. Mas, ah, como era difícil vê-las, e desejou súbita e intensamente estar sozinho.

Conseguiu suportar o jantar pós-inauguração, que não acabava nunca, no qual sentiu imensamente a falta de Willem – mas Willem tinha uma apresentação naquela noite e não conseguira comparecer. Pelo menos não tivera de trocar uma só palavra com JB, que estava ocupado atendendo aos convidados, e quando as pessoas o abordavam – incluindo o galerista de JB – para dizer que os dois últimos quadros, nos que ele aparecia, eram os melhores da exposição (como se ele tivesse alguma responsabilidade por isso), ele se esforçava para sorrir e concordava com eles que JB tinha um talento extraordinário.

Mais tarde, em casa, depois de retomar o controle de si mesmo, pôde finalmente expressar seu sentimento de traição a Willem. E Willem fora tão enfático ao tomar suas dores, ao ficar furioso com o que lhe acontecera, que aquilo o acalmou momentaneamente – e o fez perceber que a dissimulação de JB também fora uma surpresa para Willem.

Aquilo provocara a segunda briga, que começara com um confronto num café próximo ao apartamento de JB, no qual este se mostrara irritantemente incapaz de se desculpar: em vez disso, falara sem parar sobre como os quadros eram fantásticos e sobre como um dia, quando ele superasse os problemas que tinha consigo mesmo, passaria a apreciá-los, e que nem era assim uma coisa tão importante, e que ele precisava de verdade confrontar suas inseguranças, que a propósito eram infundadas, e talvez aquilo pudesse ajudar no processo, e que todos menos ele sabiam o quanto era bonitão, e que aquilo então deveria lhe dizer algo, que talvez – ou melhor, *certamente* – era ele quem estava errado sobre si mesmo, e, por fim, que os quadros já haviam sido pintados, estavam terminados, então o que esperava que acontecesse? Ficaria feliz se fossem destruídos? Deveria arrancá-los da parede e tacar fogo? Já tinham sido vistos e não podiam mais ser "desvistos", então por que ele não podia simplesmente aceitar e deixar aquilo para lá?

– Não estou pedindo para destruí-los, JB – argumentara, tão furioso e confuso pela lógica bizarra de JB e sua intratabilidade quase ofensiva que tinha vontade de gritar. – Estou pedindo que se desculpe.

Mas JB não conseguia fazer isso, ou não queria, e ele então se levantara e fora embora, sem que JB tentasse impedi-lo.

Depois disso, simplesmente parou de falar com JB. Willem tentara conversar com ele, mas os dois (de acordo com Willem) começaram a praticamente gritar na rua um com o outro, e então Willem também parou de falar com JB, e a partir daquele momento os dois basicamente tiveram de recorrer a Malcolm para ter notícias do amigo. Malcolm, que normalmente ficava em cima do muro, admitira a eles que achava que JB agira de maneira totalmente errada, ao mesmo tempo sugerindo que os dois não estavam sendo realistas:

– Você *sabe* que ele não vai pedir desculpas, Judy – argumentou. – É de JB que estamos falando. Você está só perdendo seu tempo.

– Acha que *eu* estou sendo cabeça-dura? – perguntou a Willem depois dessa conversa.

– Não – respondeu Willem de imediato. – Ele fez merda, Jude. Fez merda e precisa se desculpar.

Todas as peças da exposição foram vendidas. *Willem e a garota* foi entregue em seu trabalho, assim como *Willem e Jude, Lispenard Street, II*, que Willem comprara. *Jude, após doença* (quando descobriu o título, sentiu a ira e a humilhação se renovarem a tal ponto que, por um momento, entendeu o que queria dizer a expressão "cego de raiva") foi vendido a um colecionador cujas aquisições eram consideradas bênçãos e profetizavam futuros sucessos: só comprava peças das exposições de estreia de novos artistas e quase todos que tiveram suas obras compradas por ele alcançaram enorme sucesso na carreira. Apenas o quadro principal da mostra, *Jude com cigarro*, continuava sem destino, graças a um erro incrivelmente amador, em que o diretor da galeria o vendera a um importante colecionador britânico e o dono da galeria o vendera ao Museu de Arte Moderna.

– Perfeito, então – disse Willem a Malcolm, sabendo que este transmitiria suas palavras a JB. – JB deveria dizer à galeria que quer ficar com o quadro e simplesmente entregá-lo a Jude.

– Ele não pode fazer uma coisa dessas – disse Malcolm, perplexo como se Willem tivesse sugerido jogar a tela no lixo. – É o *MoMA*.

– E daí? – perguntou Willem. – Se ele é assim tão bom, terá outra chance no MoMA. Mas vou lhe dizer uma coisa, Malcolm, essa é a única solução se ele quiser manter a amizade com Jude. – Fez uma pausa. – E comigo também.

Então Malcolm levou o recado e a perspectiva de perder a amizade de Willem fez JB ligar para ele e exigir um encontro, no qual JB se descabelou e acusou Willem de traição, de sempre ficar do lado de Jude e de cagar visivelmente para a sua – a de JB – carreira, quando ele, JB, sempre apoiara a de Willem.

Tudo isso ocorreu num espaço de meses, e a primavera deu lugar ao verão. Ele e Willem viajaram a Truro sem JB (e sem Malcolm, que disse a eles que tinha medo de deixar JB sozinho), JB passou o Memorial Day na casa dos Irvine em Aquinnah, enquanto eles dois passaram lá o Quatro de Julho, e ele e Willem fizeram a tão planejada viagem à Croácia e à Turquia sozinhos.

E então o outono chegou, e, quando Willem e JB tiveram seu segundo encontro, Willem súbita e inesperadamente fora chamado para seu primeiro papel no cinema, interpretando o rei numa adaptação de *A garota das mãos de prata*, e partiria para as gravações em Sófia em janeiro, ao passo que ele fora promovido no trabalho e fora abordado por um sócio da Cromwell Thurman Grayson & Ross, uma das melhores firmas de direito da cidade, e vinha usando a cadeira de rodas que Andy lhe dera em maio com uma frequência cada vez maior, e Willem terminara com sua namorada de um ano e começara a sair com uma figurinista chamada Philippa, e seu antigo colega Kerrigan, com quem trabalhara como assistente do juiz, enviara um e-mail em massa para todos que conhecia no qual simultaneamente saía do armário e criticava o conservadorismo, e Harold começara a lhe perguntar quem apareceria para o Dia de Ação de Graças aquele ano, e queria saber se ele poderia ficar uma noite a mais depois que os convidados fossem embora, pois ele e Julia precisavam ter uma conversa com ele, e ele assistira a peças com Malcolm e visitara exposições com Willem e lera romances sobre os quais teria conversado com JB, uma vez que os dois eram os leitores de romances do grupo: uma lista completa de coisas que antes os quatro teriam feito juntos e agora eram discutidas em duplas ou trios. De início ficara desorientado, depois de tantos anos de a amizade funcionando em forma de quarteto, mas acabara se acostumando e, por mais que sentisse a falta de JB – de seu autocentrismo espirituoso, do modo de enxergar tudo que o mundo tinha a oferecer sempre em termos de como aquilo o afetaria –, também se via incapaz de perdoá-lo e, ao mesmo tempo, capaz de imaginar sua vida sem ele.

E agora, presumiu, a briga chegara ao fim e o quadro era seu. Willem o acompanhou ao escritório no sábado, e ele desembrulhou a pintura e a apoiou contra a parede. Os dois a estudaram em silêncio, como se fosse um animal raro e inerte no zoológico. Aquele era o quadro que fora reproduzido na crítica do *Times* e depois num artigo da *Artforum*, mas só agora, na segurança de seu escritório, ele era capaz de realmente apreciá-lo – se pudesse esquecer que aquele ali era ele, quase conseguia reconhecer a beleza da imagem, e por que JB se sentira atraído por ela: por causa da pessoa estranha ali retratada, que parecia tão assustada e alerta, que não podia ser identificada como homem ou mulher, cujas roupas pareciam emprestadas, e que imitava os gestos e as posturas da vida adulta, claramente sem entendê-los. Não sentia mais nada em relação àquela pessoa, mas não sentir nada por ela era um ato consciente, como virar a cara para alguém na rua por mais que a visse constantemente, e fingir que não a via dia após dia, até que um dia não visse mesmo – ou pelo menos acreditasse nisso.

– Não sei o que vou fazer com ele – admitiu a Willem, pesaroso, pois não queria o quadro e ao mesmo tempo se sentia culpado por Willem ter cortado JB de sua vida por causa dele, e por algo que ele sabia que nunca mais voltaria a ver.

– Bem – disse Willem, e os dois ficaram em silêncio. – Poderia dá-lo de presente a Harold. Tenho certeza de que ele adoraria.

Naquele instante, percebeu que talvez Willem sempre soubera que ele não queria o quadro, e que aquilo não importava para ele, e que ele não se arrependia de ter escolhido ficar do seu lado e não do lado de JB, e que não o culpava por ter de tomar aquela decisão.

– Poderia – disse lentamente, embora soubesse que não o faria: Harold certamente o adoraria (ficara encantado quando o vira na mostra) e o penduraria em algum lugar de destaque, e sempre que fosse visitá-lo, teria de olhar para o quadro. – Desculpe, Willem – falou, quebrando o silêncio. – Desculpe por tê-lo arrastado até aqui. Acho que vou deixá-lo por aqui mesmo até resolver o que fazer.

– Tudo bem – respondeu Willem, e os dois o embalaram de volta e o colocaram debaixo de sua mesa.

Depois que Willem foi embora, ele ligou o telefone e dessa vez escreveu mesmo uma mensagem para JB. "JB", começou, "Muito obrigado pelo quadro e pelo pedido de desculpa, os dois são muito importantes para mim". Parou um instante, pensando no que escrever a seguir. "Senti sua falta, quero saber o que está acontecendo na sua vida", continuou. "Me ligue quando tiver tempo para bater um papo." Era tudo verdade.

E então lhe veio uma ideia do que fazer com o quadro. Procurou o endereço da arquivista de JB e escreveu uma mensagem, agradecendo-lhe por enviar *Jude com cigarro* e alegando que gostaria de doá-lo ao MoMA, perguntando se ela poderia ajudar a facilitar a transação.

Posteriormente, veria aquele episódio como uma espécie de pilar, a dobradiça entre uma relação que era de um jeito e ficou de outro: sua amizade com JB, é claro, mas também sua amizade com Willem. Houvera períodos, quando estava na casa dos vinte anos, em que olhava para os amigos e sentia um contentamento tão puro e profundo que desejava que o mundo ao redor deles parasse de girar, que nenhum deles precisasse jamais sair daquele momento, quando tudo estava em equilíbrio e seu afeto por eles era perfeito. Mas obviamente aquilo seria impossível: no instante seguinte tudo mudava e o momento desaparecia lentamente.

Seria muito melodramático, muito decisivo, dizer que depois daquilo JB sempre teria uma importância menor para ele. Mas *era* verdade que, pela primeira vez, conseguiu compreender que as pessoas em quem aprendera a confiar também podiam traí-lo um dia, e que, por mais decepcionante que isso fosse, também era inevitável, e que a vida continuaria a impulsioná-lo para a frente, pois, para cada pessoa capaz de magoá-lo de alguma forma, havia pelo menos uma que nunca o faria.

—

Segundo ele (e essa era uma opinião compartilhada por Julia), Harold tinha uma tendência a fazer o Dia de Ação de Graças uma data mais complicada do que precisava ser. Todo ano, desde que começara a ser convidado para passar o feriado na casa de Harold e Julia, Harold prometia – normalmente no início de novembro, quando ainda estava cheio de entusiasmo pelo projeto – que naquele ano o deixaria boquiaberto ao reinventar uma das tradições culinárias americanas mais sem graça. Harold sempre começava com algo ambicioso: no primeiro Dia de Ação de Graças que passaram juntos, nove anos atrás, quando ele ainda estava na faculdade de direito, anunciou que faria pato ao molho de laranja, mas substituindo as laranjas por cunquates.

Mas, quando chegou à casa de Harold com o bolo de nozes que fizera na noite anterior, encontrou Julia sozinha na porta de entrada para recebê-lo.

– Não mencione o pato – sussurrou ao dar-lhe um beijo na bochecha.

Na cozinha, Harold, parecendo agitado, tirava um enorme peru do forno.

– Não diga nada – alertou Harold.

– O que eu diria? – perguntou.

Este ano, Harold quis saber se ele gostava de truta.

– Truta recheada com outras coisas – acrescentou.

– Gosto, sim – respondeu, cauteloso. – Mas, para dizer a verdade, Harold, eu também *gosto* de peru.

Todo ano tinham uma variação daquela mesma conversa, na qual Harold sugeria uma série de animais e proteínas – galinha chinesa de pata preta, filé mignon, tofu com cogumelo orelha-de-judas, salada de peixe branco defumado com pão de centeio caseiro – como alternativas ao peru.

– Ninguém *gosta* de peru, Jude – disse Harold, sem paciência. – Sei bem o que está fazendo. Não me insulte fingindo que gosta só porque acha que não sou capaz de preparar outra coisa. Vamos comer truta e ponto final. A propósito, pode fazer aquele bolo que trouxe no ano passado? Acho que cairia bem com o vinho que comprei. Mande uma lista do que preciso comprar.

O mais intrigante para ele era que, de maneira geral, Harold não demonstrava tanto interesse pela gastronomia (ou por vinhos). Na verdade, tinha um terrível mau gosto e sempre o levava a restaurantes caríssimos, mas ainda assim medíocres, nos quais devorava alegremente pratos insossos de carne queimada e acompanhamentos nada originais de macarrão grudento. Ele e Julia (que também tinha pouco interesse por comida) debatiam a estranha fixação de Harold todo ano: Harold tinha inúmeras obsessões, algumas delas inexplicáveis, mas esta parecia ainda mais, principalmente por sua persistência.

Willem achava que a missão de Harold no feriado de Ação de Graças começara em parte como uma brincadeira, mas, ao longo dos anos, se transformara em algo mais sério, e agora era incapaz de dar um basta, mesmo sabendo que nunca seria bem-sucedido.

– Mas quer saber de uma coisa? – falou Willem. – Ele faz isso por você.

– O que quer dizer? – perguntou.

– É uma encenação para você – respondeu Willem. – É a maneira que encontrou para dizer que se importa com você a ponto de tentar impressioná-lo, sem precisar falar diretamente que se importa.

Ele descartou aquela hipótese na mesma hora:

– Não acho que seja isso, Willem.

Mas às vezes fingia para si mesmo que Willem tinha razão, sentindo-se bobo e um pouco patético pela alegria que a ideia lhe dava.

Willem foi o único convidado para o Dia de Ação de Graças daquele ano: quando ele e JB fizeram as pazes, JB já planejara passar o feriado na casa das tias com Malcolm; ao tentar cancelar, elas aparentemente ficaram tão chateadas que ele achou melhor não contrariá-las.

– O que vai ser este ano? – perguntou Willem. Pegariam o trem na quarta-feira, na noite anterior ao Dia de Ação de Graças. – Alce? Carne de veado? Tartaruga?

– Truta – falou.

– Truta! – respondeu Willem. – Bem, truta é fácil. Talvez a gente acabe de fato comendo truta este ano.

– Pode ser, mas ele disse que ia recheá-las com alguma coisa.

– Ah. Retiro o que disse.

Havia oito pessoas na mesa para o jantar: Harold e Julia, Laurence e Gillian, o amigo de Julia, James, com o namorado, Carey, e ele e Willem.

– Esta truta está deliciosa, Harold – disse Willem, cortando seu segundo pedaço de peru. Todos caíram no riso.

Qual teria sido o momento, refletiu, em que deixara de se sentir nervoso e deslocado nos jantares de Harold? Seus amigos certamente o tinham ajudado. Harold gostava de incitá-los, de tentar provocar JB até que este fizesse comentários ultrajantes e quase racistas, de importunar Willem perguntando quando arrumaria uma namorada, de conversar sobre tendências estruturais e estéticas com Malcolm. Ele sabia que Harold gostava de interagir com eles, e que eles também gostavam, o que lhe dava a chance de simplesmente ouvi-los sendo quem eram, sem que se sentisse obrigado a participar; eram um grupo de papagaios ostentando suas plumas coloridas um para o outro, apresentando-se a seus colegas sem medo ou malícia.

O assunto do jantar girou em torno da filha de James, que se casaria no verão.

— Estou velho — resmungou James, e Laurence e Gillian, cujas filhas ainda estavam na universidade e passavam o feriado na casa de uma amiga em Carmel, sinalizaram sua compaixão com ruídos.

— Isso me faz lembrar — disse Harold, olhando para ele e Willem —, quando vocês dois vão arrumar alguém para casar?

— Acho que ele está falando de você. — Ele sorriu para Willem.

— Harold, estou com trinta e dois anos! — protestou Willem.

Todos caíram no riso novamente, enquanto Harold rebatia:

— O que é isso, Willem? Uma explicação? Uma defesa? Não é como se você tivesse dezesseis anos!

Mas, por mais que tenha gostado da noite, uma parte sua permanecia agitada e ansiosa, preocupada com a conversa que Harold e Julia queriam ter com ele no dia seguinte. Ele acabara tocando no assunto com Willem durante a viagem de trem e, nos momentos em que os dois trabalhavam juntos (recheando o peru, cozinhando as batatas, colocando a mesa), tentavam descobrir o que Harold tinha a lhe dizer. Depois do jantar, vestiram os casacos e sentaram-se no quintal dos fundos, refletindo novamente sobre a questão.

Pelo menos ele sabia que não havia nada de errado com eles — aquela fora a primeira pergunta que fizera, e Harold lhe assegurara que tanto ele quanto Julia estavam bem. Mas o que poderia ser então?

— Talvez ele ache que estou passando tempo demais com eles — sugeriu a Willem. Talvez Harold simplesmente estivesse cheio dele.

— Impossível — disse Willem, de maneira tão imediata e resoluta que ele se sentiu aliviado. Os dois ficaram em silêncio. — Talvez um deles tenha recebido uma oferta de emprego em outro lugar e estejam de mudança.

— Também pensei nisso. Mas não acho que Harold deixaria Boston. Nem Julia.

No fim, não havia muitas opções, pelo menos não tantas para que houvesse necessidade de uma conversa: talvez fossem vender a casa em Truro (mas por que precisariam conversar com ele sobre isso, por mais que adorasse a casa?). Talvez Harold e Julia estivessem se separando (mas estavam agindo como sempre agiam um com o outro). Talvez fossem vender o apartamento de Nova York e quisessem saber se ele queria comprá-lo (o que era improvável: estava certo de que nunca venderiam aquele apartamento). Talvez fossem *reformar* o apartamento e precisassem dele para supervisionar a reforma.

As especulações foram se tornando mais específicas e improváveis: talvez Julia estivesse saindo do armário (ou então Harold). Talvez Harold estivesse se convertendo (ou então Julia). Talvez fossem largar seus empregos e se mudar para um *ashram* no interior de Nova York. Talvez tivessem se tornado ascetas e fossem morar em algum vale remoto da Cachemira. Talvez fossem fazer cirurgias plásticas conjuntas. Talvez Harold estivesse virando republicano. Talvez Julia tivesse encontrado Deus. Talvez tivessem nomeado Harold como procurador-geral. Talvez Julia tivesse sido identificada pelo governo tibetano em exílio como a próxima reencarnação do Panchen Lama e estivesse se mudando para Dharamsala. Talvez Harold fosse concorrer à presidência como candidato socialista. Talvez fossem abrir um restaurante na praça que só servisse peru recheado com outras carnes. Àquela altura os dois estavam às gargalhadas, tanto pela impotência inquietante e tranquilizadora de não saber, quanto pelo absurdo de suas ideias, de tal maneira que se curvavam em suas cadeiras, levando a gola do casaco à boca para abafar o riso, enquanto suas lágrimas geladas beliscavam as bochechas.

No entanto, já na cama, ele voltou ao pensamento que rastejara feito uma trepadeira de algum lugar obscuro de sua mente e se insinuara em sua consciência feito um ramo verde e fino: talvez um dos dois tivesse descoberto algo sobre a pessoa que ele fora no passado. Talvez fosse confrontado com evidências – um registro médico, uma fotografia, ou (e isto seria um pesadelo) uma foto tirada de um filme. Já decidira que não negaria nada, não argumentaria, não tentaria se defender. Reconheceria sua veracidade, pediria desculpa, explicaria que nunca tivera intenção de enganá-los, sugeriria nunca mais procurá-los e iria embora. Pediria apenas que mantivessem seu segredo, que não o contassem a ninguém mais. Ensaiou as palavras: *Lamento muito, Harold. Lamento muito, Julia. Nunca foi minha intenção causar qualquer desconforto.* Mas obviamente aquela era uma desculpa inútil. Talvez não fizera por querer, mas não havia a menor diferença: tinha feito, e ponto.

Willem partiu na manhã seguinte; tinha uma apresentação à noite.

– Me ligue assim que descobrir, tudo bem? – pediu, e ele concordou com a cabeça. – Vai ficar tudo bem, Jude – prometeu. – O que quer que seja, vamos dar um jeito. Não se preocupe, está bem?

– Você sabe que vou me preocupar de qualquer jeito – falou, tentando sorrir de volta para Willem.

– Sim, eu sei – disse Willem. – Mas tente. E me ligue.

Passou o resto do dia ocupado fazendo uma faxina – havia sempre muito a ser limpo na casa, pois Harold e Julia não tinham lá muito entusiasmo para manter as coisas em ordem – e quando sentaram, ainda cedo, para o jantar que preparara com ensopado de peru e salada de beterraba, estava com a cabeça nas nuvens de tanto nervosismo. Conseguiu fingir que comia, movendo o alimento no prato como o ponteiro de uma bússola, esperando que Harold e Julia não percebessem. Depois, começou a empilhar os pratos para levá-los à cozinha, mas Harold o interrompeu.

– Deixe aí, Jude – falou. – Talvez seja uma boa hora para termos nossa conversa.

Sentiu seu corpo palpitar de pânico.

– Acho melhor dar uma lavada neles, ou vai ficar tudo grudado – protestou, numa desculpa esfarrapada, ouvindo o quão estúpido soara.

– Foda-se a louça – disse Harold, e embora soubesse que ele realmente não se importava com o que grudava ou não nos pratos, por um momento ele refletiu se aquela casualidade não seria casual *demais*, um simulacro de calma e não algo genuíno. Mas, no fim, nada pôde fazer a não ser colocar os pratos de volta na mesa e se arrastar atrás de Harold até a sala de estar, onde Julia servia café para ela e para Harold, e chá para ele.

Ele se acomodou no sofá, Harold, na cadeira à esquerda, e Julia, na poltrona revestida de tecido suzani diante dele: eram os lugares onde sempre sentavam, com a mesa baixa entre eles, e ele desejou que aquele momento congelasse, pois aquele talvez seria o último que passaria ali, a última vez que sentaria naquela sala escura e aconchegante, com seus livros e o perfume acre e doce de suco de maçã e o tapete turco azul-marinho e escarlate que se dobrara em pregas sob a mesa de centro, e o remendo na almofada do sofá onde o tecido se desgastara e dava para ver o enchimento de musselina branca por baixo – todas as coisas que ele se permitira estimar, pois eram de Harold e Julia, e porque se permitira pensar na casa deles como se fosse sua.

Por alguns instantes todos bebericaram, sem que um olhasse para o outro, e ele tentou fingir que aquela era uma noite normal, por mais que, se isso fosse verdade, nenhum deles estaria em silêncio daquele jeito.

– Bem – começou Harold, finalmente, colocando a xícara na mesa e se preparando. *O que quer que ele diga*, lembrou a si mesmo, *não comece a inventar desculpas. Aceite o que quer que seja e agradeça por tudo.*

Fez-se outro longo silêncio.

– É tão difícil dizer isto – continuou Harold, mudando a caneca de mão. Ele se forçou a esperar pelas próximas palavras de Harold. – Eu tinha todo um roteiro pronto, não tinha? – perguntou a Julia, e ela concordou com a cabeça. – Mas estou mais nervoso do que pensei.

– Eu sei – disse ela. – Mas está se saindo muito bem.

– Rá! – respondeu Harold. – Mesmo assim, obrigado por mentir para mim. – E sorriu para ela.

Ele sentiu como se só houvesse os dois na sala e pensou que por um instante tivessem se esquecido de que ele estava ali. Mas então Harold ficou em silêncio outra vez, tentando dizer o que diria a seguir.

– Jude, eu... nós... o conhecemos já faz quase uma década – finalmente disse Harold, e ele viu seus olhos se voltarem em sua direção e depois desviarem, fixando-se em algum ponto acima da cabeça de Julia. – E ao longo desses anos você se transformou numa pessoa muito querida para nós; para nós dois. Você é nosso amigo, é claro, mas o consideramos mais que um amigo; é mais especial que isso. – E olhou para Julia, e ela sinalizou com a cabeça para ele mais uma vez. – Assim, espero que não ache o que vou dizer muito... presunçoso, creio eu... mas estávamos pensando se, talvez, você não aceitaria que nós, bem, o adotássemos. – Agora, virou-se novamente para ele e sorriu. – Você seria legalmente nosso filho, nosso herdeiro legal, e algum dia tudo isso – jogou o braço pelo ar num gesto irônico e efusivo – será seu, se você quiser.

Ele ficou em silêncio. Não conseguia falar, não conseguia reagir; não conseguia nem mesmo sentir seu rosto, não conseguia saber que expressão ele fazia, e Julia interveio:

– Jude – disse ela –, se você não quiser, por qualquer motivo que seja, nós vamos entender perfeitamente. Não é um pedido simples. Se disser não, isso não vai mudar o que sentimos por você, certo, Harold? Você sempre, sempre será bem-vindo aqui, e esperamos sempre fazer parte da sua vida. É sério, Jude: não ficaremos zangados, por isso não precisa se sentir mal. – Ela olhou para ele. – Quer um tempo para pensar?

Então ele sentiu o torpor esmaecer, mas em compensação suas mãos começaram a tremer, e ele pegou uma das almofadas e a abraçou para escondê-las. Precisou de algumas tentativas até finalmente conseguir falar, mas quando o fez, foi incapaz de olhar para eles.

– Não preciso pensar – afirmou, e sua voz lhe pareceu estranha e fina. – Harold, Julia... estão brincando comigo? Não há nada, nada mesmo, que eu queira mais do que isso. Foi o que mais quis em toda a vida. Só nunca pensei... – Parou. Falava em fragmentos. Por um minuto, todos ficaram em silêncio, até que ele finalmente conseguiu olhar para os dois.

– Pensei que iam dizer que não queriam mais ser meus amigos.

– Ah, Jude – disse Julia, e Harold pareceu perplexo.

– Por que pensaria isso? – perguntou ele.

Ele balançou a cabeça, sem saber explicar.

Ficaram em silêncio mais uma vez, e então todos começaram a sorrir – Julia para Harold, Harold para ele, ele para a almofada –, sem saber como encerrar o momento, incertos de como prosseguir. Até que finalmente Julia bateu as mãos e se levantou.

– Champanhe! – falou, deixando a sala.

Ele e Harold também se levantaram e olharam um para o outro.

– Está certo disso? – perguntou-lhe Harold, em voz baixa.

– Tanto quanto você – respondeu, no mesmo tom de voz. Havia no ar uma piada óbvia e nada original a ser feita, sobre como aquilo se parecia com um pedido de casamento, mas não teve coragem de fazê-la.

– Está ciente de que ficará ligado a nós pelo resto da vida? – Harold sorriu, colocando a mão em seu ombro, e ele fez que sim com a cabeça.

Esperava que Harold não dissesse mais nem uma só palavra, pois, se o fizesse, ele cairia no choro, ou vomitaria, ou desmaiaria, ou gritaria, ou entraria em combustão. De repente, percebeu o quanto estava cansado, o quanto suas forças estavam exauridas, tanto pela ansiedade das últimas semanas quanto pelo desejo que sentira nos últimos trinta anos, a vontade, a esperança, tão intensos, mesmo que a si mesmo dissesse não se importar. Fizeram um brinde juntos e Julia lhe deu um abraço, seguido por Harold – a sensação de ter os braços de Harold em torno de si era tão estranha e íntima que quase estremeceu –, e sentiu-se aliviado quando Harold lhe disse para deixar a porcaria da louça onde estava e ir dormir.

Quando chegou ao quarto, teve de deitar por meia hora antes de começar a pensar em pegar o telefone. Precisava sentir a solidez da cama sob seu corpo, a maciez da coberta de algodão contra sua bochecha, a consistência familiar do colchão ao se mover. Precisava se assegurar de que aquele era seu mundo, e que ainda vivia nele, e que o que acabara de acontecer de fato acontecera. Lembrou-se repentinamente de uma conversa que tivera com o irmão Peter, na qual perguntara ao irmão se achava que um dia alguém o adotaria, e o irmão caíra na risada.

– Não – respondera, com tanta firmeza que ele nunca mais voltara a perguntar.

E por mais que devesse ser muito novo, lembrava com bastante clareza que a resposta do irmão apenas reforçara sua obstinação, embora, obviamente, o desenlace estivesse completamente fora de seu controle.

Ficou tão desorientado que esqueceu que Willem já estava no palco quando telefonou, mas, quando o amigo retornou a ligação durante o intervalo, ele continuava na mesma posição na cama, no mesmo estado vegetativo, com o telefone aninhado sob sua palma.

– Jude. – Willem tomou fôlego quando ele contou o que acontecera, e percebeu o quanto o amigo estava feliz por ele. Somente Willem (e Andy, e, até certo ponto, Harold) sabiam alguma coisa sobre como ele crescera: o mosteiro, o orfanato, o tempo que passara com a família Douglass. Com qualquer outra pessoa, tentava ser evasivo pelo máximo que pudesse, até finalmente dizer que os pais tinham morrido quando ele era pequeno e fora criado num orfanato, o que normalmente colocava um fim às perguntas. Mas Willem conhecia melhor a verdade, e ele sabia que Willem sabia que aquele era seu desejo mais ardente, mais impossível. – Jude, isso é incrível. Como está se sentindo?

Tentou rir.

– Como se fosse estragar tudo.

– Não vai. – Os dois ficaram em silêncio. – Eu nem sabia que era possível adotar alguém maior de idade.

– Não é muito comum, mas é possível. Basta que as duas partes estejam de acordo. Na maioria dos casos isso é feito por motivo de herança.

– Fez outra tentativa de rir. (*Pare de tentar rir*, ralhou consigo mesmo.)

– Não me lembro muito do que aprendi sobre direito de família, mas sei que terei uma nova certidão de nascimento com os nomes deles.

– Uau – disse Willem.

– Pois é – falou.

Ouviu alguém chamar o nome de Willem ao fundo, com voz de comando.

— É melhor você ir – disse a Willem.

— Merda – praguejou Willem. – Mas, Jude: meus parabéns. Ninguém merece isso mais do que você. – Ele gritou de volta para quem o estava chamando. – Tenho de ir – falou. – Você se importa se eu escrever para Harold e Julia?

— De jeito nenhum – respondeu. – Mas, Willem, não conte aos outros, tudo bem? Só quero absorver a notícia primeiro.

— Não vou abrir a boca. Vejo você amanhã. E, Jude... – Mas não disse, ou não conseguiu dizer, nada mais.

— Eu sei – falou. – Eu sei, Willem. Eu sinto o mesmo.

— Eu te amo – falou Willem, e desligou antes que ele precisasse responder.

Nunca sabia o que falar quando Willem lhe dizia aquilo, embora sempre desejasse ouvir aquelas palavras de sua boca. Aquela era uma noite de coisas impossíveis, e ele lutou para se manter acordado, para ficar consciente e alerta pelo maior tempo possível, para desfrutar e repetir para si mesmo tudo o que lhe acontecera, todos os desejos de uma vida se realizando em poucas horas.

De volta ao apartamento no dia seguinte, encontrou um bilhete de Willem pedindo que não fosse dormir antes de ele chegar, e quando Willem apareceu, trazia consigo sorvete e bolo de cenoura, que os dois comeram, embora não gostassem muito de doces, e champanhe, que beberam, ainda que ele tivesse de acordar cedo pela manhã. As semanas seguintes passaram rápido: Harold cuidava da papelada e mandou-lhe documentos para que assinasse – o requerimento de adoção, uma declaração juramentada para mudar sua certidão de nascimento, uma requisição por informações sobre sua possível ficha criminal –, os quais levou ao banco na hora do almoço para serem autenticados; não queria que ninguém no trabalho soubesse além das poucas pessoas para quem contara: Marshall, Citizen e Rhodes. Contou a JB e a Malcolm, que reagiram exatamente como ele esperara – JB fazendo um monte de piadas sem graça num ritmo quase frenético, como se eventualmente fosse achar uma que funcionasse; Malcolm fazendo perguntas cada vez mais inconsistentes sobre inúmeras hipóteses, as quais ele não conseguia responder – e, por outro lado, se mostraram realmente felizes por ele. Contou a Henry Young Negro, que fora aluno de Harold em duas matérias na faculdade de direito e o admirava, e a Richard, amigo de JB, de quem se aproximara após uma festa particularmente longa e tediosa na casa de Ezra um ano antes, quando os dois bateram um papo que começara com a previdência social francesa e avançara por uma série de outros assuntos, sendo os dois as únicas pessoas quase sóbrias no apartamento. Contou a Phaedra, que começara a gritar, e a outro velho amigo da faculdade, Elijah, que também gritou.

E, obviamente, contou a Andy, que de início apenas o encarou e em seguida concordou com a cabeça, como se ele tivesse perguntado se poderia lhe fazer outro curativo antes que ele fosse embora. Mas, logo depois, começou a emitir uma série de ruídos bizarros como os de uma foca, metade latido e metade espirro, e ele então percebeu que Andy estava chorando. Aquela visão o deixou abalado e levemente histérico, sem saber o que fazer.

– Saia daqui – ordenou Andy entre os ruídos. – Estou falando sério, Jude. Saia, caralho! – E ele obedeceu.

No dia seguinte, no trabalho, recebeu um buquê de rosas do tamanho de uma moita de gardênias, com um bilhete escrito por Andy em letras maiúsculas e enfurecidas, que dizia:

JUDE – ESTOU ENVERGONHADO PARA CARALHO, A PONTO DE MAL CONSEGUIR ESCREVER ESTE BILHETE. POR FAVOR, ME PERDOE POR ONTEM. NÃO PODERIA ESTAR MAIS FELIZ POR VOCÊ, E A ÚNICA PERGUNTA QUE TENHO É POR QUE HAROLD DEMOROU ESSA CARALHADA DE TEMPO TODO. ESPERO QUE ENCARE ISSO COMO UM SINAL DE QUE PRECISA CUIDAR MELHOR DE SI MESMO PARA QUE UM DIA TENHA FORÇAS PARA TROCAR AS FRALDAS DE HAROLD QUANDO ELE ESTIVER COM MIL ANOS E COM INCONTINÊNCIA, POIS VOCÊ SABE QUE ELE NÃO VAI FACILITAR AS COISAS MORRENDO NUMA IDADE RESPEITÁVEL COMO UMA PESSOA NORMAL. ACREDITE EM MIM, PAIS SÃO UM PÉ NO SACO. (MAS TAMBÉM SÃO ÓTIMOS, É CLARO.) COM AMOR, ANDY

Aquela era, como ele e Willem concordaram, um dos melhores bilhetes que já haviam lido.

Mas, quando o mês de êxtase passou e janeiro chegou, Willem partiu para a Bulgária para rodar o filme e os velhos medos voltaram, acompanhados por novos. Harold lhe avisara que a data no tribunal fora marcada para 15 de fevereiro e, com uma pequena alteração de datas, Laurence presidiria a sessão. Agora que o dia estava tão perto, ele se sentia clara e inescapavelmente ciente de que poderia arruinar tudo, e começou, primeiro de maneira inconsciente, depois com certa assiduidade, a evitar Harold e Julia, convicto de que, se fossem lembrados o tempo todo daquilo em que estavam se metendo, acabariam mudando de ideia. Assim, quando eles foram à cidade para assistir a uma peça na segunda semana de janeiro, ele fingiu que estava em Washington a trabalho e, nas conversas semanais ao telefone, tentava falar o mínimo possível, sem se estender por muito tempo. A cada dia a improbabilidade da situação parecia se tornar maior e mais vívida em sua mente; toda vez que vislumbrava seu reflexo coxeando feito um zumbi horrendo na lateral de um prédio, sentia-se enojado: quem poderia realmente desejar *isso*? A ideia de que pudesse pertencer a outra pessoa parecia cada vez mais ridícula e, caso Harold o visse mais uma vez, como poderia não chegar à mesma conclusão? Sabia que aquilo não devia ter assim tanta importância para ele – afinal, já era um adulto; sabia que a adoção era mais uma cerimônia do que algo realmente significativo do ponto de vista sociológico –, mas era algo que desejava com um fervor que desafiava a lógica, e não suportaria que lhe tirassem aquilo agora, não quando todos de quem gostava estavam tão felizes por ele, não depois de chegar tão perto.

Tivera outra vez em que chegara perto. No ano posterior a sua chegada a Montana, quando estava com treze anos, o orfanato participou de uma feira de adoção triestadual. Novembro era o Mês Nacional da Adoção, e, numa manhã fria, lhes disseram para colocar uma roupa bonita e os colocaram às pressas dentro de dois ônibus escolares para uma viagem de duas horas até Missoula, onde foram pastoreados dos ônibus para a sala de conferências de um hotel. Os ônibus deles foram os últimos a chegar e o lugar já estava apinhado de outras crianças, com os meninos de um lado e as meninas de outro. No centro havia uma longa fileira de mesas, e, quando se aproximou, viu as pilhas de fichários rotulados: Meninos, Bebês; Meninos, até 3; Meninos, 4-6; Meninos, 7-9, Meninos, 10-12; Meninos, 13-15; Meninos, 15+. Ali dentro, disseram a eles, havia folhas de papel com seus retratos, nomes e informações: de onde eram, a qual grupo étnico pertenciam, informações sobre o desempenho escolar, que esportes gostavam de praticar e que talentos e interesses eles tinham. O que, imaginou, diria a folha de papel sobre ele? Que talentos teriam inventado para ele, qual sua raça, qual sua origem?

Os meninos mais velhos, cujos nomes e rostos estavam no fichário rotulado 15+, sabiam que nunca seriam adotados. Quando os conselheiros deram as costas, escapuliram pela saída dos fundos para, como todo mundo sabia, fumar maconha. Os bebês e as crianças até três anos só precisavam ser eles mesmos; seriam os primeiros escolhidos, sem nem mesmo saber. Mas, ao observar do canto onde se instalara, viu que alguns dos meninos – os que tinham idade para já terem passado por outras feiras, mas eram novos o bastante para ainda ter esperança – tinham suas estratégias. Viu os mal-humorados ficarem alegres, os valentões e encrenqueiros virarem brincalhões e animados, e meninos que se odiavam no contexto do orfanato brincarem e baterem papo de uma maneira convincentemente amigável. Viu os meninos que eram grossos com os conselheiros, que se xingavam pelos corredores, sorrirem e conversarem com os adultos, os pais em potencial, que se espalhavam pelo salão. Viu o menino mais difícil, o mais malvado de todos, chamado Shawn, de quatorze anos, que certa vez o prendera no chão do banheiro com os joelhos, até sentir machucar seus ombros, apontar para a etiqueta com seu nome quando o homem e a mulher com quem havia conversado se dirigiram aos fichários.

– Shawn! – gritou para eles. – Shawn Grady! – E algo em sua voz rouca e esperançosa, na qual dava para sentir o esforço, o cuidado para não deixar transparecer sua esperança, o fez sentir pena de Shawn pela primeira vez, e raiva do homem e da mulher que, como ele podia ver muito bem, estavam esquadrinhando o fichário dos meninos entre sete e nove anos. Mas aqueles sentimentos passaram rápido, pois tentava não sentir nada naqueles tempos: nem fome, nem dor, nem raiva, nem tristeza.

Ele não tinha truques, não tinha habilidades, não tinha charme. Quando chegara ao orfanato, estava tão anestesiado que nem mesmo o levaram para a feira no mês de novembro anterior, e um ano depois não sabia se havia melhorado muito. Pensava cada vez menos no irmão Luke, era verdade, mas seus dias fora da sala de aula se mesclavam em um; na maior parte do tempo sentia como se estivesse flutuando, tentando fingir que não ocupava sua própria vida, desejando ser invisível, querendo apenas passar despercebido. Coisas lhe aconteciam e ele não revidava como teria feito em outros tempos; às vezes, enquanto o feriam, a parte que ainda estava consciente tentava imaginar o que os irmãos pensariam dele naquele instante: os ataques de fúrias, as pirraças, a resistência, tudo ficara para trás. Agora ele era o menino que sempre quiseram que fosse. Agora queria ser alguém à deriva, uma presença tão fina, leve e insubstancial que parecia nem ocupar lugar no espaço.

Assim, ficou surpreso – tão surpreso quanto os conselheiros – ao descobrir naquela noite que fora uma das crianças escolhidas por um casal: os Leary. Não teria ele percebido uma mulher e um homem olhando em sua direção, talvez até sorrindo? Era possível. Mas a tarde se passara, como na maioria das vezes, em meio a uma névoa, e já no ônibus a caminho para o orfanato começara o esforço para esquecer tudo aquilo.

Ele passaria um fim de semana de teste – o fim de semana anterior à Ação de Graças – com os Leary, para se conhecerem melhor. Naquela quinta-feira, foi levado à casa da família por um conselheiro chamado Boyd, que ensinava ofícios artesanais, e a quem não conhecia muito bem. Sabia que Boyd sabia o que alguns dos outros conselheiros faziam com ele, e por mais que nunca os tivesse impedido, tampouco participava.

Mas, ao sair do carro, já na entrada da garagem dos Leary – uma casa de tijolos de um só andar, cercada por campos desertos e escuros por todos os lados –, Boyd agarrou seu antebraço e o puxou para perto, assustando-o e colocando-o em estado de alerta.

– Não foda com tudo, St. Francis – falou. – Esta é a sua chance, está me entendendo?

– Sim, senhor – respondera.

– Pode ir, então – disse Boyd, soltando-o, e ele caminhou na direção da Sra. Leary, que o esperava na porta da frente.

A Sra. Leary era gorda, mas o marido era apenas grande, com mãos enormes e vermelhas que pareciam armas. Tinham duas filhas, ambas na casa dos vinte e casadas, e acharam que seria uma boa ideia ter um menino na casa, alguém que pudesse ajudar o Sr. Leary – que consertava grandes máquinas de plantação e também tinha seu cultivo – com o trabalho no campo. Eles o haviam escolhido, disseram, porque parecia tranquilo e educado, e não queriam um arruaceiro; queriam alguém trabalhador, alguém que pudesse apreciar o que significava ter um lar e um teto. Tinham lido no fichário que ele sabia trabalhar, limpar e que se saía bem na fazenda do orfanato.

— Seu nome não é lá um nome muito comum — disse a Sra. Leary.
Ele nunca vira nada de incomum nele, mas respondeu:
— Sim, senhora.
— O que acharia de atender por um novo nome? — perguntou a Sra. Leary. — Como Cody, por exemplo. Sempre gostei do nome Cody. É um pouco menos... bem, condiz mais um pouco conosco.
— Gosto de Cody — falou, embora não tivesse de fato uma opinião sobre aquilo: Jude, Cody, não importava como o chamassem.
— Ótimo, então — disse a Sra. Leary.
Naquela noite, sem ninguém por perto, disse o nome em voz alta para si mesmo: Cody Leary. Cody Leary. Seria possível que tivesse entrado naquela casa como uma pessoa e então, como se o lugar fosse encantado, tivesse sido transformado em outra? Seria assim tão simples, tão rápido? Diria adeus a Jude St. Francis, e com ele ao irmão Luke, ao irmão Peter e ao padre Gabriel, e ao mosteiro, e aos conselheiros do orfanato, e a sua vergonha, seus medos, sua mácula, e em seu lugar viria Cody Leary, que teria pais, um quarto só seu, e poderia vir a ser quem ele quisesse.

O resto do fim de semana passou tranquilamente, tão tranquilamente que a cada dia, a cada hora, podia sentir pedaços de si mesmo despertarem, podia sentir as nuvens que se acumularam sobre sua cabeça se dissiparem e sumirem, podia se ver pensando no futuro e imaginando que lugar ocuparia nele. Tentou ao máximo ser educado e trabalhador, o que não foi difícil: acordou cedo e preparou o café da manhã para os Leary (a Sra. Leary o elogiara tão efusiva e exageradamente que ele abriu um sorriso, acanhado, para o chão), lavou a louça e ajudou o Sr. Leary a tirar a graxa das ferramentas e a trocar uma lâmpada, e por mais que houvesse eventos que não lhe interessassem tanto — a missa chata na igreja a que foram no domingo; as orações que fizeram antes que ele pudesse ir para a cama —, eles não eram piores que as coisas de que não gostava no orfanato, eram coisas que ele sabia que poderia fazer sem parecer contrariado ou ingrato. Sentia que os Leary não seriam o tipo de pessoas que se portariam como os pais dos livros, nem do jeito que os pais com que tanto sonhara, talvez se comportassem, mas ele sabia ser diligente, sabia como agradá-los. Ainda estava assustado com as enormes mãos vermelhas do Sr. Leary, e, ao se ver sozinho com ele no celeiro, ficou trêmulo e alerta, mas pelo menos havia um só Sr. Leary para temer, e não um grupo de Srs. Leary, como acontecera antes, ou acontecia no orfanato.

Quando Boyd apareceu para buscá-lo no domingo, ele estava feliz com o que tinha realizado, até mesmo confiante.

– Como foi? – perguntou Boyd.

E ele respondeu com sinceridade:

– Bem.

Estava certo, até pelas últimas palavras que a Sra. Leary lhe disse – "Tenho a sensação de que logo nos veremos outra vez, Cody" –, de que telefonariam na segunda-feira, e que em pouco tempo, talvez até sexta--feira, ele se tornaria Cody Leary, e o orfanato seria mais um lugar sobre o qual colocaria uma pedra. Mas a segunda-feira passou, depois terça, quarta, e então já haviam entrado na semana seguinte e não o chamavam no escritório do diretor, e sua carta aos Leary permanecia sem resposta, e a cada dia o caminho para o dormitório se tornava um percurso longo e vazio, e ninguém aparecia para levá-lo embora.

Finalmente, duas semanas após a visita, ele foi atrás de Boyd em sua oficina, pois sabia que ficava lá até tarde nas noites de quinta. Passou a hora do jantar lá fora no frio, esperando, esmagando a neve com os pés, até que viu Boyd saindo porta afora.

– Jesus Cristo – disse Boyd quando o viu, quase pisando nele ao se virar. – Não deveria estar no dormitório, St. Francis?

– Por favor – implorou. – Por favor, me diga: os Leary estão vindo me buscar?

Mas ele já sabia a resposta antes mesmo de ver o rosto de Boyd.

– Eles mudaram de ideia – disse Boyd, e por mais que não fosse conhecido nem pelos conselheiros nem pelos meninos por seu coração mole, foi quase piedoso em sua resposta. – Acabou, St. Francis. Não vai acontecer – falou, estendendo a mão para ele, que se esquivou, e Boyd balançou a cabeça e começou a andar.

– Espere – gritou, recuperando-se e correndo o mais rápido que podia atrás de Boyd na neve. – Me dê mais uma chance – pediu. – Me diga o que fiz de errado e me deixe tentar outra vez.

Podia sentir a velha histeria tomar conta de si outra vez, podia sentir dentro de si os vestígios do garoto que fazia pirraça e berrava, que era capaz de parar qualquer um com seus gritos.

Mas Boyd balançou a cabeça novamente.

– Não é assim que funciona, St. Francis – falou, parando e olhando diretamente para ele. – Veja bem – disse –, em alguns anos você vai em-

bora daqui. Sei que parece muito tempo, mas não é. Daí você será um adulto e poderá fazer o que bem entender. Só precisa aguentar esses anos.
— E então se virou, agora definitivamente, e foi se distanciando.
— Como? — berrou para as costas de Boyd. — Boyd, me diga como! Como, Boyd, como? — esquecendo-se de que devia chamá-lo de "senhor", e não de Boyd.

Naquela noite, deu seu primeiro ataque de pirraça em anos, e embora o castigo ali fosse o mesmo, mais ou menos, que o aplicado no mosteiro, a liberdade, o senso de fuga que costumava sentir, não eram agora, já sabia como as coisas funcionavam, sabia que seus gritos não mudariam nada, e que berrar só o fazia se concentrar em quem ele era, de modo que tudo, cada dor, cada insulto, parecesse mais forte, vívido e duradouro, mais ressonante do que nunca.

Jamais descobriria o que fizera de errado durante aquele fim de semana na casa dos Leary. Nunca saberia se fora algo que poderia ter controlado ou não. E em meio a todas as coisas do mosteiro e do orfanato que tentava apagar da memória, seu maior esforço era para se esquecer daquele fim de semana, se esquecer da vergonha particular de se permitir acreditar que poderia ser alguém que sabia não ser.

Mas, agora, obviamente, com a data marcada no tribunal para dali a seis, cinco, quatro semanas, ele pensava constantemente naquele episódio. Sem Willem por perto, e ninguém para monitorar suas horas e atividades, ficava acordado até o sol começar a iluminar o céu, limpando, esfregando com uma escova de dente o espaço sob a geladeira, passando água sanitária em todos os minúsculos vãos entre os azulejos da parede da banheira. Limpava para não se cortar, pois vinha se cortando tanto que até mesmo ele sabia o quão louco estava sendo, o quão destrutivo estava sendo; até mesmo ele tinha medo de si próprio, tanto pelo que vinha fazendo como por não conseguir se controlar. Começara a aperfeiçoar um novo método de equilibrar o fio da lâmina e depois pressionar, o mais fundo que pudesse, para que ao levantá-la — presa como um machado em um toco de árvore — houvesse uma fração de segundo na qual pudesse separar os dois lados da pele e ver apenas um talho preciso e branco, como a lateral de uma fatia de bacon, antes que o sangue começasse a vazar para dentro do corte. Sentia vertigem, como se o corpo tivesse sido bombeado com hélio; a comida tinha um gosto podre em sua boca e vinha deixando de se alimentar até que fosse necessário. Ficava no escritório até os faxineiros do turno da noite começarem a se mover pelos corredores, ruidosos feito ratos, e depois se mantinha acordado em casa; acordava com o coração batendo tão acelerado que tinha de engolir o ar para se acalmar. Somente o trabalho e as ligações de Willem o ancoravam a algum senso de normalidade, caso contrário nem sairia de casa, e teria se cortado até perder inteiras pirâmides de pele dos braços e deixar que escorressem pelo ralo. Tivera uma visão na qual ia talhando partes de si mesmo – primeiro os braços, depois as pernas, e então o peito, o pescoço e o rosto – até ficarem só os ossos, um esqueleto que se mexia, suspirava, respirava e cambaleava pela vida em sua estrutura porosa e quebradiça.

Voltara a se consultar com Andy a cada seis semanas e adiara sua última consulta duas vezes por medo do que ele pudesse dizer. Até que finalmente, a pouco menos de quatro semanas da data marcada para que comparecesse ao tribunal, seguiu para o Alto Manhattan e esperou numa das salas de exame até Andy aparecer para dizer que estava atrasado.

– Leve o tempo que precisar – falou.

Andy o analisou, apertando um pouco os olhos.

– Não vou demorar – disse, saindo logo em seguida.

Alguns minutos depois apareceu sua enfermeira, Callie.

– Olá, Jude – cumprimentou. – O doutor quer que eu o pese. Poderia subir na balança?

Não queria fazer aquilo, mas sabia que não era culpa de Callie e tampouco uma decisão sua, por isso se arrastou para fora da maca e subiu na balança, sem olhar o número que Callie anotava na ficha dele. Ela agradeceu e saiu.

– Então – disse Andy ao entrar, analisando a ficha. – Sobre o que devemos conversar primeiro: sua enorme perda de peso ou o número excessivo de cortes?

Não sabia como responder.

– Por que acha que venho me cortando excessivamente?

– Sempre dá para ver – respondeu Andy. – Você fica meio... meio azulado debaixo dos olhos. Provavelmente nem tem consciência disso. E está usando o agasalho por cima da camisola hospitalar. Faz isso sempre que a situação está feia.

– Ah – falou. Não percebera antes.

Ficaram em silêncio, e Andy aproximou o banco da maca e perguntou:

– Qual é a data?

– Quinze de fevereiro.
– Ah – disse Andy. – Falta pouco.
– Sim.
– Do que tem medo?
– Tenho medo... – começou, depois parou e tentou outra vez. – Tenho medo de Harold descobrir quem sou de verdade e não querer mais...
– Fez uma pausa. – E não sei o que é pior: que ele descubra antes, o que acabaria com tudo, ou depois, percebendo que o enganei.

Soltou um suspiro; não conseguira expressar aquilo até então, mas uma vez feito, sabia que aquele era o seu medo.

– Jude – disse Andy, cautelosamente –, o que acha que há de tão ruim em você que faria Harold desistir de adotá-lo?

– Andy – suplicou –, não me faça dizer.

– Mas não sei de verdade!

– As coisas que fiz – falou –, as doenças que eles me passaram – titubeou, detestando a si mesmo. – É nojento. Eu sou nojento.

– Jude – começou Andy, e ao falar fazia intervalos entre as palavras, e ele sentiu que Andy estava sondando o caminho num campo minado, pelo tom cauteloso e lento que usava. – Você era um menino, um bebê. Aquelas coisas foram feitas *a* você. Você não tem nada, *nada mesmo* com o que se sentir culpado, nunca, em nenhum universo. – Andy olhou para ele. – E mesmo que *não fosse* um menino, mesmo que fosse apenas um tarado que quisesse foder tudo à sua frente e acabasse com um monte de DST, *ainda assim* não seria motivo para se envergonhar. – Deu um suspiro. – Consegue tentar acreditar em mim?

Balançou a cabeça.

– Não sei.

– Eu sei – disse Andy. Ficaram em silêncio. – Gostaria que você se consultasse com um terapeuta, Jude – acrescentou, com a voz triste. Ele não conseguiu responder, e, após alguns minutos, Andy se levantou. – Bem – falou, soando determinado –, vamos dar uma olhada. – E ele tirou o agasalho e estendeu os braços.

Pôde ver pela expressão de Andy que estava pior do que o médico imaginara. Quando olhou para baixo e tentou pensar em seu corpo como algo que não lhe era familiar, viu em lampejos o que Andy observava: os bolos de bandagem aplicados em intervalos aos cortes mais recentes, os cortes meio regenerados, com a pele frágil da cicatriz ainda em formação, o corte que infeccionara e fora coberto por uma camada espessa de pus seco.

— Então — disse Andy após um longo silêncio, quando já havia quase terminado de trabalhar no braço direito, limpando o corte infeccionado e passando creme antibiótico nos outros —, e quanto a essa perda de peso exagerada?

— Não acho exagerada.

— Jude — disse Andy. — Cinco quilos e meio em oito semanas é, sim, um exagero, e você nem tinha esse peso todo para se dar ao luxo de perdê--lo, para início de conversa.

— Só não sinto fome — disse, após um longo silêncio.

Andy não falou mais nada até acabar os dois braços. Depois, deu um suspiro, sentou novamente e começou a anotar algo em seu bloco.

— Quero que faça três refeições completas por dia, Jude — falou — e uma *a mais* com uma das coisas nesta lista. Todo dia. Isto aqui é um *acréscimo* às refeições normais, entendeu? Caso contrário, vou ligar para a sua turma e fazer com que sentem com você a cada refeição para vê-lo comer. Não vai querer que eu faça isso, pode acreditar. — Ele arrancou a folha do bloco e a entregou a ele. — E quero que volte aqui na semana que vem. Sem desculpas.

Ele olhou para a lista — SANDUÍCHE DE MANTEIGA DE AMENDOIM. SANDUÍCHE DE QUEIJO. SANDUÍCHE DE ABACATE. TRÊS OVOS (COM AS GEMAS!!!!). VITAMINA DE BANANA — e a enfiou no bolso da calça.

— Quero também que faça outra coisa — disse Andy. — Quando acordar no meio da noite e sentir vontade de se cortar, quero que me ligue. Não importa a hora, quero que me ligue, tudo bem? — Ele concordou com a cabeça. — Estou falando sério, Jude.

— Desculpe, Andy — falou.

— Sei que acha que precisa se desculpar — disse Andy. — Mas não precisa. Pelo menos não para mim.

— Para Harold — falou.

— Não — corrigiu Andy. — Também não é para Harold. Só para você mesmo.

Foi para casa e ficou mordiscando uma banana até ela parecer virar terra em sua boca. Em seguida, trocou de roupa e continuou a lavar as janelas da sala de estar, o que começara a fazer na noite anterior. Esfregava, empurrando o sofá mais para perto para poder se apoiar sobre um dos braços, ignorando as pontadas nas costas ao subir e descer, rebocando o balde de água cinza e suja lentamente até a banheira. Depois de terminar a sala e o quarto de Willem, estava com tanta dor que teve de se arrastar para o banheiro, e, depois de se cortar, descansou, segurando o braço sobre a cabeça e enrolando o tapete em volta do corpo. Quando o telefone tocou, sentou-se, desorientado, antes de seguir gemendo para o quarto – onde o relógio indicava três da manhã – e ouvir a voz irritada (mas alerta) de Andy.

– Liguei tarde demais – estimou Andy. Ele não falou nada. – Ouça, Jude – continuou Andy –, se não parar com isso vou internar você de verdade. E *também* vou ligar para Harold e dizer por que fiz isso. Pode acreditar em mim. – Fez uma pausa. – E além do mais – acrescentou –, já não está cansado, Jude? Não precisa fazer isso com você mesmo, sabe? Não precisa.

Não sabia exatamente por quê – talvez fosse simplesmente a tranquilidade na voz de Andy, a firmeza com que fizera a promessa, que o fez entender que desta vez estava falando sério, mais do que das outras vezes; ou talvez tivesse percebido que, sim, estava cansado, tão cansado que estava disposto a finalmente acatar as ordens de outra pessoa –, mas, na semana seguinte, obedeceu a tudo direitinho. Fez todas as refeições, ainda que por alguma estranha alquimia os alimentos se transformassem em lodo, em vísceras: obrigava-se a mastigar e engolir, mastigar e engolir. Não eram grandes refeições, mas eram refeições ainda assim. Andy ligava toda noite à meia-noite, e Willem ligava toda manhã às seis (nunca conseguiu perguntar, e Willem tampouco se prontificou a dizer, se Andy entrara em contato com ele). As horas entre um e outro eram as mais difíceis e, por mais que não conseguisse parar completamente de se cortar, ao menos estabeleceu um limite: fazia dois cortes e parava. Sem as mutilações, sentiu-se impelido a reviver velhos castigos – antes que lhe ensinassem a se cortar, houve um período em que se jogava contra a parede do lado de fora do quarto de motel que compartilhava com o irmão Luke uma vez após a outra, até desabar no chão, exausto, e o lado esquerdo do seu corpo vivia roxo, preto e marrom, coberto de hematomas. Não fazia mais aquilo, mas se lembrava da sensação, da pancada gratificante entre seu corpo e a parede, o terrível prazer de se lançar contra algo tão imóvel.

Na sexta esteve com Andy, que não se mostrou muito feliz (ele não ganhara peso algum), mas não fez nenhum sermão (também não emagrecera mais), e no dia seguinte pegou um voo para Boston. Não contou a ninguém que ia, nem mesmo a Harold. Sabia que Julia estava numa conferência na Costa Rica, mas Harold estaria em casa.

Julia lhe dera as chaves seis anos antes, quando chegaria para passar o Dia de Ação de Graças num horário em que tanto ela quanto Harold estariam em reuniões de trabalho, e assim ele entrou na casa e se serviu de um copo de água, olhando para o quintal dos fundos enquanto bebia. Era pouco antes de meio-dia e Harold ainda estaria jogando tênis, então foi até a sala para esperá-lo. Acabou caindo no sono e quando acordou, Harold balançava seu ombro e repetia seu nome, preocupado.

– Harold – disse ele, ajeitando-se no sofá. – Desculpe, desculpe. Eu deveria ter ligado antes.

– Jesus Cristo – disse Harold, sem ar; tinha um cheiro frio e forte. – Você está bem, Jude? Qual o problema?

– Nada, nada – falou, sabendo antes mesmo que dissesse as palavras o quanto sua explicação era absurda. – Só pensei em fazer uma visita.

– Bem – disse Harold, fazendo uma pausa. – É bom vê-lo aqui. – Sentou na cadeira e olhou para ele. – Você andou sumido nessas últimas semanas.

– Eu sei – falou. – Desculpe.

Harold deu de ombros.

– Não precisa se desculpar. Fico feliz que esteja bem.

– Sim – falou. – Estou bem.

Harold inclinou a cabeça.

– Não parece muito bem.

Ele abriu um sorriso.

– Tive uma gripe forte. – Ergueu o olhar para o teto, como se suas falas estivessem escritas lá no alto. – A forsítia está caindo, você viu?

– Vi. Anda ventando muito neste inverno.

– Posso ajudar a colocar uma estaca de apoio, se você quiser.

Harold deu uma boa olhada nele, mexendo levemente a boca, como se estivesse ao mesmo tempo tentando falar e não falar. Até que finalmente disse:

– Claro. Vamos lá.

Do lado de fora fazia um frio brusco, ofensivo, e os dois começaram a fungar. Ele segurou a estaca e Harold a martelou no solo, embora a terra estivesse congelada e quebrasse em lascas como se fosse cerâmica durante o processo. Depois de alcançarem uma boa profundidade, Harold lhe passou os fios de arame e ele amarrou os caules centrais da moita à estaca, apertando o bastante para que ficassem presos, mas não a ponto de comprimi-los. Trabalhou lentamente, certificando-se de que os nós estavam firmes e arrancando alguns ramos que estavam tortos demais para voltar ao normal.

– Harold – disse ele, já na metade do arbusto. – Queria conversar com você sobre uma coisa, mas... não sei por onde começar.

Seu idiota, disse a si mesmo. *Que ideia mais idiota. Você foi um idiota por achar que algo assim poderia acontecer um dia.* Abriu a boca para continuar, mas logo a fechou e depois a reabriu: era como um peixe, soltando bolhas estupidamente, e desejou não ter ido até ali, não ter começado a falar.

– Jude – disse Harold –, pode me dizer. O que quer que seja. – Parou. – Está reconsiderando a ideia?

– Não – disse ele. – Não é nada disso. – Os dois ficaram em silêncio.

– Vocês estão?

– Não, mas é claro que não.

Terminou de fazer o último nó e se colocou de pé. Harold preferiu não ajudá-lo.

– Não quero lhe contar isto – começou, e olhou para a moita em toda sua feiura despida e retorcida. – Mas preciso, porque... porque não quero ser falso com vocês. Mas, Harold... acho que vocês pensam que sou uma pessoa diferente de quem eu sou de verdade.

Harold ficou em silêncio.

– Que tipo de pessoa eu acho que você é?

– Uma pessoa boa – respondeu. – Decente.

– Bem – disse Harold –, tem razão. Acho isso mesmo.

– Mas... eu não sou – disse ele, sentindo os olhos ficarem quentes, apesar do frio. – Fiz coisas que... que pessoas boas não fazem – continuou, sem jeito. – E acho que você precisa saber disso. Precisa saber que fiz coisas terríveis, coisas das quais me envergonho, e caso você soubesse, também sentiria vergonha de me conhecer, quanto mais de ter qualquer tipo de parentesco comigo.

– Jude – finalmente falou Harold. – Não consigo imaginar nada que pudesse ter feito que seja capaz de mudar o que sinto por você. Não me interessa o que fez antes. Ou melhor, me interessa, sim. Adoraria saber mais sobre a sua vida antes de nos conhecermos. Mas sempre tive a impressão, uma impressão muito clara, de que você não queria tocar no assunto. – Fez uma pausa e esperou. – Quer conversar sobre isso agora? Quer me contar?

Ele balançou a cabeça. Queria e não queria, tudo ao mesmo tempo.

– Não consigo – falou. Na parte inferior da coluna, sentiu os primeiros sinais de desconforto, como uma semente preta espalhando seus ramos espinhentos. *Não agora,* implorou a si mesmo, *não agora,* um apelo tão impossível quanto o apelo que realmente queria fazer: *Não agora, nem nunca.*

– Bem – suspirou Harold –, diante da ausência de detalhes, não posso lhe oferecer uma garantia específica, por isso lhe darei uma garantia genérica, na qual espero que acredite. Jude: o que quer que seja, o que quer que tenha feito, prometo que, quer você me conte um dia ou não, isso nunca vai fazer com que eu me arrependa de desejar que você faça parte ou de tê-lo efetivamente como membro da minha família. – Respirando fundo, ergueu a mão direita diante dele. – Jude St. Francis, como seu futuro pai, eu o absolvo de... de tudo que você quiser ser absolvido.

Seria isso o que ele de fato queria? Absolvição? Olhou para o rosto de Harold, tão familiar que conseguia visualizar cada uma de suas rugas ao fechar os olhos, e que, apesar dos floreios e da formalidade de sua declaração, se mostrava sério, sem sorrir. Poderia acreditar em Harold? *O mais difícil não é encontrar o conhecimento,* dissera-lhe uma vez o irmão Luke depois que ele confessara ter dificuldades para acreditar em Deus. *O mais difícil é acreditar nele.* Sentira que havia fracassado mais uma vez: fracassara em se confessar adequadamente, fracassara em determinar antecipadamente o que o irmão queria ouvir como resposta. Não seria mais fácil, de certa forma, se Harold tivesse concordado com ele, dizendo que talvez devessem reconsiderar a adoção? Ficaria devastado, é claro, mas aquela seria uma sensação familiar, algo que conhecia. Na recusa de Harold em voltar atrás se abria um futuro que ele não conseguia imaginar, um futuro no qual alguém poderia de fato querer tê-lo ao seu lado para sempre, e aquela era uma realidade que nunca vivera antes, para a qual não estava preparado, e não podia simplesmente seguir as placas de sinalização. Harold seria o líder e ele iria atrás, até acordar um dia e descobrir que Harold fora embora, e ele ficaria vulnerável e abandonado numa terra estranha, sem ninguém para guiá-lo de volta para casa.

Harold aguardava sua resposta, mas agora não dava mais para ignorar a dor, e sabia que teria de descansar.

– Harold – falou. – Desculpe. Acho que... Acho que é melhor eu ir deitar um pouco.

– Vá em frente – disse Harold, sem se ofender –, pode ir.

Já no quarto, ele se deita sobre o cobertor de lã e fecha os olhos, mas, mesmo depois que o episódio de dor passa, ele se sente exausto e diz a si mesmo que vai tirar uma soneca por alguns minutos, e depois vai se levantar outra vez e verificar o que Harold tem em casa: se tiver açúcar mascavo, vai preparar alguma coisa – havia uma tigela de caquis na cozinha, talvez faça um bolo de caqui.

Mas não acorda. Nem quando Harold aparece uma hora depois para ver como ele está e coloca as costas da mão em sua bochecha, para então cobri-lo com uma manta; nem Harold volta para ver outra vez se ele está bem, pouco antes do jantar. Continua dormindo quando seu telefone toca à meia-noite e às seis da manhã, e também quando o telefone da casa toca à meia-noite e meia e às seis e meia, e Harold fala primeiro com Andy e depois com Willem. Passa a manhã inteira dormindo e também perde a hora do almoço, e só desperta quando sente a mão de Harold em seu ombro e o ouve dizendo seu nome, explicando que seu voo partirá em algumas horas.

Antes de acordar, sonha com um homem parado num campo. Não consegue enxergar suas feições, mas é alto e magro, e está ajudando outro homem, mais velho, a amarrar a carapaça de um trator à traseira de uma caminhonete. Sabe que está em Montana por causa da imensidão curva e esbranquiçada do céu, e do tipo particular de frio, completamente seco, e que de alguma forma parece mais puro que o frio que já sentiu em qualquer outro lugar.

Ainda não consegue identificar as feições do homem, mas acha que sabe quem ele é, reconhecendo seus passos largos e sua maneira de cruzar os braços à frente do corpo enquanto ouve o outro homem.

– Cody – chama ele no sonho, e o homem se vira, mas está longe demais para que possa saber se, debaixo da aba do boné de beisebol, os dois compartilham o mesmo rosto.

–

Dia quinze é uma sexta-feira, na qual tira folga do trabalho. Tinham pensado num jantar comemorativo na noite de quinta, mas, por fim, optaram por um almoço no dia da cerimônia (como JB a chama). A sessão no tribunal está marcada para as dez e, uma vez encerrada, todos seguirão para casa para comer.

Harold queria contratar um serviço de bufê, mas ele insistiu em cozinhar e passou o restante da noite de quinta na cozinha. Assa o que precisa ser assado naquela noite – o bolo de chocolate com nozes de que Harold gostava; a *tarte tatin* de que Julia gostava; o pão de fermentação natural de que ambos gostavam – e mistura quase cinco quilos de siri com ovos, cebola, salsa e farinha de rosca para fazer bolinhos. Lava as batatas, dá uma leve esfregada nas cenouras, corta os talos das couves-de-bruxelas, para que no dia seguinte só precise untá-las com azeite e botá-las no forno. Despeja numa vasilha os figos, que serão tostados e servidos sobre o sorvete com mel e vinagre balsâmico. Aqueles são os pratos preferidos de Harold e Julia, e ele fica feliz em prepará-los, feliz por ter algo a lhes oferecer, por menor que fosse. Ao longo da noite, Harold e Julia entram e saem da cozinha, e por mais que insista para que não se preocupem, os dois vão lavando pratos e panelas à medida que ele os utiliza, o abastecem com taças de vinho e copos de água e perguntam se podem ajudar, por mais que ele diga que devem relaxar. Até que finalmente vão dormir, e mesmo ele prometendo que também vai em breve, continua de pé, em meio à cozinha clara e silenciosa, cantando baixinho e movendo as mãos para manter sua obsessão sob controle.

Os últimos dias foram muito difíceis, dentre os mais difíceis de que consegue se lembrar, tão difíceis que uma noite ele chegou até a telefonar para Andy depois do controle habitual da meia-noite, e quando Andy sugeriu que se encontrassem numa lanchonete às duas da manhã, ele aceitou a oferta e foi, desesperado para sair do apartamento, que repentinamente parecia repleto de tentações irresistíveis: lâminas, é claro, mas também facas, tesouras e palitos de fósforo, e escadas pelas quais se atirar. Ele sabe que, se for para o quarto agora, não conseguirá deixar de ir direto para o banheiro, onde havia muito guardara um estojo com conteúdo idêntico ao do apartamento de Lispenard Street, preso com fita à parte de baixo da pia: seus braços chegam a doer de desejo, mas ele está decidido a não se entregar. Com a massa e a mistura para empanar que sobraram, decide fazer uma torta de pinoli e oxicoco, e talvez um bolo redondo e plano com cobertura de fatias de laranja e mel: quando os dois estiverem prontos, o dia já terá quase amanhecido, e ele estará fora de perigo, tendo conseguido se manter a salvo.

Malcolm e JB estarão presentes no tribunal no dia seguinte; pegarão o voo da manhã. Mas Willem, que deveria estar lá, não poderá comparecer; telefonou na semana anterior para dizer que as gravações atrasaram e que só voltará para casa no dia 18, não no dia 14. Ele sabe que não há nada a ser feito, mas ainda assim lamenta a ausência de Willem de uma maneira quase violenta: um dia como aquele sem Willem não poderia ser chamado de dia.

– Me ligue no momento em que acabar – pediu Willem. – Estou me mordendo por não poder estar aí.

Convidou, no entanto, Andy, numa das conversas noturnas que ele começara a apreciar: durante esses papos, falavam sobre coisas do cotidiano, coisas que relaxavam, coisas normais – o novo juiz indicado à Suprema Corte; o último projeto de lei aprovado na área da saúde (ele era a favor; Andy, contra); uma biografia de Rosalind Franklin que ambos haviam lido (ele gostara; Andy, não); o apartamento que Andy e Jane estavam reformando. Gostava da novidade de ouvir Andy exclamar, realmente indignado: "Jude, você *só pode* estar de sacanagem com a minha cara!", uma frase que estava acostumado a ouvir quando era confrontado em relação aos cortes, ou a seus curativos amadores, sendo agora aplicada a suas opiniões sobre filmes, o prefeito, livros e até cores de tinta. No momento em que percebeu que Andy não usaria aquelas oportunidades para repreendê-lo ou doutriná-lo, acabou relaxando e até descobrindo mais sobre o próprio Andy: ele falou de seu irmão gêmeo, Beckett, que também era médico, um cirurgião cardíaco, que morava em São Francisco e cujo namorado Andy detestava e vinha imaginando estratagemas para fazer Beckett deixá-lo; falou também sobre a casa em Shelter Island que os pais de Jane dariam a eles; e de quando Andy fazia parte do time de futebol americano no ensino médio, e de como o caráter estritamente americano daquilo inquietara seus pais; e de como passara o terceiro ano do ensino médio no estrangeiro, em Siena, onde namorara com uma menina de Lucca e engordara nove quilos. Não que os dois nunca conversassem sobre a vida privada de Andy – sempre falavam um pouco após cada consulta –, mas, no telefone, ele era mais aberto, e ele conseguia fingir que Andy era só um amigo, e não seu médico, apesar de tal ilusão ser desmentida pela própria premissa do telefonema.

– Obviamente, não deve se sentir obrigado a ir – acrescentou de imediato, logo após convidá-lo.

– Eu adoraria ir – disse Andy. – Estava me perguntando quando seria convidado.

Ouvindo isso, ele se sentiu mal.

– Só não queria que sentisse que tinha que passar mais tempo com seu paciente esquisito, que já dificulta tanto a sua vida – falou.

– Você não é só meu paciente esquisito, Jude – disse Andy. – Também é meu amigo esquisito. – Fez uma pausa. – Ou pelo menos espero que seja.

Ele sorriu ao telefone.

– Mas é claro que sou – falou. – Me sinto honrado em ser seu amigo esquisito.

E assim, Andy também estaria presente: pegaria o voo de volta na mesma tarde, mas Malcolm e JB passariam a noite por lá, e todos voltariam juntos no sábado.

Quando chegou, ficou surpreso, e depois emocionado, ao ver o empenho com que Harold e Julia haviam arrumado a casa, e como estavam orgulhosos do trabalho que fizeram.

– Veja só isto! – dizia um ou o outro o tempo todo, apontando triunfantemente para alguma superfície, fosse uma mesa, uma cadeira ou um canto no chão, que normalmente estaria coberto por pilhas de livros ou revistas, mas agora se mostrava completamente livre de qualquer tipo de bagunça.

Havia flores por todos os lados – flores de inverno: pés de repolho decorativos, ramos de corniso brancos e bulbos de narcisos, com sua fragrância doce e levemente fecal –, e os livros haviam sido arrumados nas prateleiras. Até mesmo o desnível no sofá fora consertado.

– E olhe só *isto* aqui, Jude – dissera Julia, tomando-o pelo braço e mostrando o prato esmaltado verde na mesa do corredor, que estava quebrado desde que os conhecera, com as lascas que se desprenderam da lateral armazenadas permanentemente na vasilha e completamente empoeiradas. Mas agora o prato havia sido consertado, lavado e polido.

– Uau – dizia diante de cada item que lhe era apresentado, sorrindo feito um idiota, feliz por eles estarem felizes.

Não dava a mínima, nunca dera, se a casa estava arrumada ou não – podiam muito bem viver cercados, por colunas jônicas de velhas edições do *New York Times*, com colônias de ratos chiando aos pés deles –, mas sabia que eles achavam que se importava, e passaram erroneamente a interpretar o modo incessante e tedioso como limpava tudo como uma espécie de reprimenda, por mais que ele tivesse tentado inúmeras vezes assegurá-los de que não era. Limpava agora para se controlar, para se distrair e não fazer outras coisas, mas, quando estava na universidade, limpava para expressar sua gratidão a outras pessoas: era algo que podia fazer e sempre fizera, pois eles lhe davam tanto, e ele retribuía com tão pouco. JB, que gostava de viver em meio à bagunça, nunca percebia. Malcolm, que fora criado com uma faxineira, sempre percebia e sempre agradecia. Só Willem não gostava.

– Pare com isso, Jude – falou um dia, segurando seu pulso enquanto recolhia as camisas sujas de JB do chão. – Você não é nossa empregada.

Mas não conseguia parar, nem naquela época nem agora.

No momento em que limpa a bancada uma última vez já são quase quatro e meia. Segue cambaleando até o quarto, envia uma mensagem a Willem pedindo para não ligar e desaba num sono curto e brutal. Quando acorda, arruma a cama, toma banho, se veste e volta para a cozinha, onde encontra Harold junto à bancada, lendo o jornal e tomando café.

– Ora – diz Harold, olhando para ele. – Como está bonito!

Ele balança a cabeça, instintivamente, mas a verdade é que comprou uma gravata nova e cortou os cabelos na véspera, e se sentia, se não bonito, ao menos arrumado e apresentável, o que sempre tentava ser. Raramente via Harold de terno, mas ele também está usando um, e a solenidade da ocasião o deixa subitamente acanhado.

Harold sorri para ele.

– Dá para ver que você andou bastante ocupado ontem à noite. Conseguiu dormir um pouco?

Retribuiu o sorriso.

– O suficiente.

– Julia está se aprontando – diz Harold –, mas tenho algo para você.

– Para mim?

– Sim – responde Harold, pegando uma caixinha de couro do tamanho de uma bola de beisebol do lado de sua xícara de café e estendendo-a em sua direção.

Ele a abre e dentro encontra o relógio de Harold, com o mostrador branco e redondo e seus números elegantes e decididos. A pulseira fora substituída por uma nova, preta, de couro de crocodilo.

– Meu pai me deu esse relógio quando fiz trinta anos – diz Harold, diante de seu silêncio. – Era dele. E você *ainda* tem trinta anos, então pelo menos não arruinei a simetria da coisa. – Pegando a caixa da mão dele, Harold retira o relógio e o vira para que ele possa ver as iniciais gravadas na parte de trás do mostrador: SS/HS/JSF. – Saul Stein – diz Harold. – Era o nome do meu pai. Depois vem HS, para mim, e JSF, para você – explica, devolvendo-lhe o relógio.

Ele passa a ponta do dedão sobre as iniciais.

– Não posso aceitar, Harold – diz, quebrando o silêncio.

– Claro que pode – responde Harold. – É seu, Jude. Já comprei um novo; não pode devolver.

Ele consegue sentir o olhar de Harold em sua direção.

– Obrigado – diz, finalmente. – Obrigado. – Parece não saber mais o que dizer.

– O prazer é meu – diz Harold, e nenhum dos dois fala nada por alguns segundos, até que cai em si e desprende a pulseira do seu relógio para colocar o de Harold, que agora era seu, no pulso, estendo o braço para mostrá-lo a Harold, que faz um sinal de aprovação com a cabeça. – Fantástico – diz. – Ficou bonito em você.

Está prestes a responder algo (o quê?), quando avista JB e Malcolm, e os dois também estão de terno.

– A porta estava aberta – diz JB, enquanto Malcolm solta um suspiro.

– Harold! – Ele o abraça. – Meus parabéns! É um menino!

– Tenho certeza de que Harold *nunca* ouviu essa antes – diz Malcolm, acenando para Julia, que acaba de entrar na cozinha.

Andy é o próximo a aparecer, e depois Gillian; vão encontrar Laurence no tribunal.

A campainha toca outra vez.

– Estamos esperando mais alguém? – pergunta ele a Harold, que dá de ombros. – Pode atender, Jude?

Ele abre a porta e dá de cara com Willem. Encara-o por um segundo e então, antes que consiga dizer a si mesmo para ficar calmo, Willem pula em cima dele feito uma lebre e o abraça tão forte que por um instante ele teme desabar no chão.

– Ficou surpreso? – pergunta Willem em seu ouvido, e ele consegue perceber pelo tom de voz que ele está sorrindo. É a segunda vez naquela manhã que fica sem palavras.

No tribunal ocorrerá a terceira. Partem em dois carros, e no seu (dirigido por Harold, com Malcolm no banco da frente), Willem explica que sua data de retorno havia realmente sido alterada; mas depois foi remarcada novamente e ele não lhe contou, somente aos outros, para que sua presença fosse uma surpresa.

– Obrigado por isso, Willem – disse Malcolm. – Tive de monitorar JB como se fosse a CIA para garantir que ele não dissesse nada.

O destino deles não é a vara de família, mas sim a corte de apelação em Pemberton Square. Na sala de Laurence – que está irreconhecível de toga; naquele dia, todos se vestiram diferente –, ele, Harold e Julia fazem suas promessas um ao outro, enquanto Laurence sorri o tempo todo, e em seguida tem início uma sessão completamente desordenada de fotos, na qual todos clicavam a todos em diversos arranjos e configurações. Ele é o único que não tira nenhuma, pois aparece em todas.

Está de pé ao lado de Harold e Julia, esperando que Malcolm descubra como funciona sua câmera enorme e complicada, quando JB chama seu nome e todos os três se viram. É quando JB bate a foto:

– Pronto – diz ele. – Valeu!

– JB, é melhor que isso não seja para... – começa ele, mas então Malcolm anuncia que está pronto e os três giram obedientemente em sua direção.

Estão de volta a casa ao meio-dia, e logo as pessoas começam a chegar: Gillian e Laurence, James e Carey, os colegas de Julia e os colegas de Harold, alguns dos quais ele não via desde que tivera aula com eles na faculdade de direito. Seu velho professor de canto aparece, assim como o Dr. Li, seu professor de matemática, e o Dr. Kashen, seu orientador de mestrado, e Allison, sua antiga chefe na Batter, e um amigo de todos eles, Lionel, que ensinava física em Wellesley. As pessoas vêm e vão ao longo da tarde, chegando e partindo para aulas, reuniões, julgamentos. De início ele se mostrara relutante diante da perspectiva de uma comemoração como aquela, com tanta gente – afinal, sua nova condição como filho de Harold e Julia não provocaria, ou até encorajaria, questões sobre por que não tinha pais? –, mas, com o passar das horas sem nenhum tipo de pergunta, sem que ninguém quisesse saber por que precisava de novos pais, ele se pega deixando os medos de lado. Sabia que contar a outras pessoas sobre a adoção era uma forma de se vangloriar, e que isso traria consequências, mas não conseguia se segurar. *Só dessa vez*, implorou a quem quer que fosse o responsável no mundo por castigá-lo por seu mau comportamento. *Permita que eu comemore uma coisa que aconteceu comigo só desta vez.*

Não havia etiqueta para aquele tipo de festa, então os convidados inventaram uma própria: os pais de Malcolm enviaram uma enorme garrafa de champanhe e uma caixa de um supertoscano de um vinhedo dos quais eram sócios nos arredores de Montalcino. A mãe de JB fizera o filho levar um saco de juta com bulbos de narcisos para Harold e Julia e um cartão para ele; as tias enviaram uma orquídea. O procurador-geral enviou um cesto imenso de frutas, com um cartão assinado também por Marshall, Citizen e Rhodes. As pessoas haviam levado vinho e flores. Allison, que anos antes revelara a Harold que ele era o criador dos biscoitos em forma de bactérias, levou quatro dúzias decoradas a partir de seus modelos originais, o que o fez corar e Julia soltar um gritinho de alegria. O resto do dia continua trazendo momentos doces: tudo o que faz naquele dia é perfeito, tudo o que diz soa bem. As pessoas se aproximam e ele não foge ou se retrai; elas o tocam e ele permite. Seu rosto dói de tanto sorrir. Décadas de aprovação e de carinho são concentradas naquela única tarde, e ele se entrega por inteiro, desnorteado pela estranheza daquilo tudo. Ele entreouve Andy conversar com o Dr. Kashen sobre a proposta de um novo e gigantesco projeto de aterro sanitário em Gurgaon, observa Willem ouvir pacientemente o que diz seu antigo professor de responsabilidade civil, bisbilhota JB explicando ao Dr. Li por que a cena artística de Nova York estava irremediavelmente fodida, espia Malcolm e Carey tentando retirar o maior bolinho de siri sem derrubar o resto da pilha.

Chega o anoitecer e todos os convidados já partiram, deixando apenas os seis espalhados pela sala de estar: ele, Harold, Julia, Malcolm, JB e Willem. A casa está novamente uma bagunça. Julia fala algo sobre jantar, mas todos – até mesmo ele – comeram demais, e ninguém, nem JB, quer pensar no assunto. JB dera a Harold e Julia uma pintura dele, dizendo antes de entregá-la:

– Não é baseada numa foto, somente em esboços.

O retrato, que JB pintara com aquarela e nanquim numa folha de papelão, mostra seu rosto e pescoço, e segue um estilo diferente daquele que o faz se lembrar dos trabalhos de JB: mais econômico e gestual, com uma paleta mais sombria e cinzenta. Nele, sua mão direita paira sobre a base da garganta, como se estivesse prestes a agarrá-la para esganar a si próprio, a boca está levemente aberta, e suas pupilas, dilatadas, feito um gato no escuro. Sem dúvida é ele – pode até mesmo reconhecer o gesto como algo seu, embora não consiga lembrar naquele momento o que deveria representar, ou que emoção o acompanhava. O rosto é um pouco maior que o tamanho real, e todos o estudam em silêncio.

– É um belo trabalho – finalmente diz JB, soando satisfeito. – Me avise caso queira vendê-lo um dia, Harold. – E então todos caem no riso.

– JB, é muito, muito bonito. Obrigada de verdade – diz Julia, e Harold endossa as palavras da esposa.

Já ele encontra dificuldade, como sempre acontece ao ser confrontado com os trabalhos de JB que o retratam, em separar a beleza da arte em si do desgosto que sente por sua própria imagem. Como não quer ser indelicado, repete o elogio deles.

– Esperem, também tenho um presente – diz Willem, seguindo rumo ao quarto e voltando com uma estátua de madeira, com cerca de quarenta e cinco centímetros, de um homem barbado com um manto azul-hortênsia, com uma guirlanda de fogo, como a cabeça de uma cobra naja, rodeando seus cabelos ruivos, e o braço direito erguido na diagonal contra o peito, com o esquerdo junto à lateral do corpo.

– Que porra de cara é esse? – pergunta JB.

– Esse cara – responde Willem – é são Judas, também conhecido como Judas Tadeu. – Ele o coloca sobre a mesa de centro e o vira para Harold e Julia. – Comprei numa lojinha de antiguidades em Bucareste – conta. – Dizem que é do final do século XIX, mas não sei ao certo... provavelmente é só artesanato local. Mas gostei dele. É bonito e majestoso, igual ao nosso Jude.

– Concordo – diz Harold, pegando a estátua nas mãos. Passando os dedos pela túnica e pela coroa de fogo, pergunta: – Por que a cabeça dele está em chamas?

– É para simbolizar que esteve no Pentecostes e recebeu o Espírito Santo – ele se ouve explicando, com aquele antigo conhecimento sempre por perto, entulhando o sótão da sua mente. – Era um dos apóstolos.

– Como sabe disso? – pergunta Malcolm.

E Willem, sentado ao seu lado, toca seu braço.

– Claro que você sabe – diz Willem, em voz baixa. – Eu sempre esqueço. – E ele fica grato a Willem, não por lembrar, mas por esquecer.

– O santo padroeiro das causas perdidas – acrescenta Julia, pegando a estátua das mãos de Harold, e as palavras vêm à mente dele de uma só vez: *Rogai por nós, são Judas, protetor dos desesperados, rogai por nós.* Quando criança, aquela era sua prece derradeira às noites, e só depois de mais velho foi que começou a sentir vergonha de seu nome, de como ele parecia anunciar sua presença para o mundo. Perguntava a si mesmo se a intenção dos irmãos era provocar o que, ele tinha certeza, os outros enxergavam naquele nome: uma zombaria; um diagnóstico; uma profecia. Mas, ao mesmo tempo, às vezes também parecia que era a única coisa de fato sua, e por mais que houvesse momentos em que poderia, ou até mesmo deveria tê-lo trocado, jamais o fez. – Willem, obrigada – diz Julia. – Adorei.

– Eu também – diz Harold. – Pessoal, isso é muito bacana da parte de vocês.

Ele também tinha um presente para Harold e Julia, mas, à medida que o dia passava, lhe parecia cada vez menor e mais insignificante. Anos atrás, Harold mencionara que ele e Julia tinham ouvido uma série com os primeiros *lieder* de Schubert apresentados em Viena quando estavam em lua de mel. Mas Harold não se lembrava de quais eles mais haviam gostado, então ele fez sua própria lista, acrescentando algumas canções de outros compositores, principalmente de Bach e Mozart, e depois alugou uma pequena cabine de gravação onde as registrou em disco com sua própria voz: de vez em quando, Harold lhe pedia para cantar para eles, o que sempre o deixava acanhado. Agora, porém, o presente parecia inadequado e metálico, e também inacreditavelmente atrevido, e ele se sente envergonhado por sua própria presunção. Mas, ao mesmo tempo, não consegue jogá-lo fora. E assim, quando todos se levantam para esticar o corpo e dizer boa noite, ele escapole e enfia o disco, junto às cartas que escreveu para cada um dos dois, entre dois livros – uma cópia surrada de *O senso comum* e uma edição puída de *Ruído branco* – numa prateleira baixa, onde talvez sejam deixados, sem que ninguém os descubra, por décadas.

Normalmente, Willem dorme com JB no escritório do andar de cima, já que é o único que consegue suportar o ronco de JB, e Malcolm fica com ele no quarto de baixo. Mas, naquela noite, quando todos se preparam para ir dormir, Malcolm se oferece para ficar com JB, para que ele e Willem possam colocar a conversa em dia.

– Boa noite, pombinhos – grita JB da escada para eles.

Enquanto se arrumam para deitar, Willem conta mais histórias da filmagem: fala da atriz principal, que transpirava tanto que precisavam cobrir seu rosto inteiro com pó de arroz a cada duas tomadas; do ator principal, que interpretava o diabo e tentava puxar o saco da equipe técnica o tempo todo pagando cervejas e convidando-os para jogar futebol, mas que um dia deu um chilique por não conseguir lembrar suas falas; do ator britânico de nove anos que interpretava o filho da atriz e que um dia abordou Willem perto da mesa dos lanches e lhe disse que não deveria comer biscoitos, pois eram cheios de calorias vazias, e perguntou se não tinha medo de engordar. Willem segue falando sem parar, e ele ri enquanto escova os dentes e lava o rosto.

Mas, quando apagam as luzes e os dois se deitam no escuro, ele, na cama e Willem, no sofá (após uma discussão na qual tentou fazer Willem aceitar a cama), Willem diz, num tom suave:

– O apartamento está limpo pra caralho.

– Eu sei – estremece. – Desculpe.

– Tudo bem – diz Willem. – Mas, Jude, foi assim tão difícil?

Percebe então que Andy contara pelo menos em parte o que acontecera, e decide responder com sinceridade.

– Não foi uma maravilha – admite, acrescentando para que Willem não se sinta culpado: – mas também não foi uma desgraça.

Os dois ficam em silêncio.

– Queria poder ter ajudado – diz Willem.

– Você ajudou – tranquiliza-o. – Mas Willem... senti saudade.

Com a voz bem baixinha, Willem responde:

– Também senti.

– Obrigado por ter vindo – diz.

– Mas é claro que eu viria, Judy – diz Willem do outro lado do quarto. – Teria vindo de qualquer jeito.

Ele fica em silêncio, saboreando aquela promessa e guardando-a na memória para que possa recordá-la nos momentos em que mais precisar.

– Acha que correu tudo bem?

– Está brincando? – pergunta Willem, e ele o ouve sentar. – Você *viu* só a expressão de Harold? Parecia que o candidato do Partido Verde tinha vencido a eleição para presidente pela primeira vez, que haviam suprimido a Segunda Emenda e que os Red Sox haviam sido canonizados, tudo no mesmo dia.

Ele cai na risada.

— Acha mesmo?

— Tenho certeza. Ele estava muito, muito feliz, Jude. Ele te ama.

Ele sorri para o escuro. Sua vontade é ouvir Willem dizer aquelas coisas uma vez após a outra, num círculo infinito de promessas e afirmações, mas sabe que tal desejo é algo muito egoísta de sua parte e por isso muda o assunto. Os dois conversam sobre outras amenidades, insignificantes, até que primeiro Willem, e depois ele, pegam no sono.

Uma semana depois, sua frivolidade se transformou em algo diverso: um estado de realização, de quietude. Na semana que passou, suas noites foram formadas por longos períodos de sono, nas quais sonhava não com o passado, mas com o presente: sonhos bobos com o trabalho, sonhos alegres e absurdos com os amigos. Foi a primeira semana inteira nas quase duas décadas desde que começara a se cortar em que não despertou no meio da noite, já que não sentia necessidade de recorrer à lâmina. Talvez estivesse curado, atreve-se a pensar. Talvez fosse daquilo que precisava todo esse tempo, e agora que acontecera, estava melhor. Sente-se maravilhoso, como uma nova pessoa: inteira, saudável e calma. Era filho de alguém, e às vezes aquela sensação é tão poderosa que ele a imagina se manifestando fisicamente, como se escrita em algo dourado e brilhante em seu peito.

Está de volta ao apartamento. Willem está com ele. Havia levado outra estátua de são Judas, que os dois colocam na cozinha, mas esse são Judas é maior, oco e de cerâmica, com uma fenda talhada na parte de trás da cabeça, na qual depositam trocados ao fim do dia; decidem que, uma vez cheia, comprarão uma bela garrafa de vinho para beber e depois começarão tudo de novo.

Ele ainda não sabe disto, mas, nos anos que virão, ele testará vez após vez a devoção declarada por Harold, irá de encontro a suas promessas para ver o quanto são inabaláveis. Nem mesmo terá consciência de que está fazendo isso. Mas ainda assim o fará, pois parte de si jamais acreditará em Harold e Julia; por mais que queira, por mais que ache que acredita, simplesmente não consegue, e sempre terá a convicção de que um dia os dois se cansarão dele, que eventualmente se arrependerão de se terem se envolvido com ele. Por isso os desafiará, pois, quando aquele relacionamento inevitavelmente acabar, poderá olhar para trás e ter certeza de que foi ele mesmo quem causou seu fim, e não só isso, mas também o incidente específico que o provocou, e nunca precisará se remoer, ou se preocupar, sobre o que teria feito de errado, ou o que poderia ter feito melhor. Mas isso só acontecerá no futuro. Naquele momento, sua felicidade é perfeita.

No primeiro sábado depois de voltar de Boston, ele vai até a casa de Felix, como sempre. O Sr. Baker pedira que chegasse alguns minutos mais cedo. Os dois conversam rapidamente e ele então desce e encontra Felix, que espera por ele na sala de música, martelando as teclas do piano.

– Então, Felix – diz ele, no intervalo que fazem depois das aulas de piano e latim, mas antes de estudarem alemão e matemática –, seu pai me contou que você vai para um colégio interno no ano que vem.

– É – responde Felix, olhando para os pés. – Em setembro. Meu pai também estudou lá.

– Fiquei sabendo – diz ele. – E como está se sentindo em relação a isso?

Felix dá de ombros.

– Não sei – responde, após um tempo. – Meu pai disse que você vai acelerar a matéria comigo durante a primavera e o verão.

– Vou, sim – promete. – Vai chegar tão preparado naquela escola que eles vão ficar desnorteados.

A cabeça de Felix ainda está abaixada, mas ele vê o alto das bochechas do menino inflarem um pouco e percebe que está sorrindo, só um pouquinho.

Não sabe bem o que o faz dizer o que diz em seguida: empatia, espera ele, ou estaria se vangloriando, aludindo em voz alta às viradas improváveis e surpreendentes pelas quais sua vida passara no último mês?

– Sabe de uma coisa, Felix – começa –, eu também nunca tive amigos, não durante um bom tempo, não até ser bem mais velho do que você. – Não consegue ver, mas sente que Felix está alerta, que o está ouvindo. – E eu também queria ter amigos – continua, agora devagar, pois quer ter certeza de que as palavras sairão da maneira certa. – E sempre me perguntei se um dia faria amizade com alguém, e como, e quando. – Ele passa o dedo pela superfície da mesa de nogueira, subindo pela lombada do livro de matemática de Felix, descendo pelo copo de água fria. – Até que entrei na faculdade e conheci algumas pessoas que, por algum motivo, resolveram ser minhas amigas, e elas me ensinaram... tudo, na verdade. São elas que fizeram de mim, que fazem de mim, uma pessoa melhor do que realmente sou.

"Você pode não entender agora, mas um dia entenderá: o único segredo da amizade, acredito eu, é encontrar pessoas melhores que você, não mais inteligentes, não mais bacanas, mas sim mais bondosas, mais generosas e mais piedosas, e tentar dar ouvidos a elas quando dizem algo sobre você, não importa o quanto seja ruim, ou bom, e confiar nelas, o que é a coisa mais difícil. Mas também a melhor."

Os dois ficam em silêncio por um bom tempo, ouvindo o clique do metrônomo, que está com defeito e às vezes começa a funcionar por conta própria, mesmo depois de desligado.

– Você vai fazer amigos, Felix – finalmente diz ele. – Não há dúvida. Será necessário fazer mais esforço para mantê-los do que para encontrá-los, mas posso lhe garantir que é algo que vale a pena ser feito. Muito mais que estudar latim, por exemplo. – E com isso Felix levanta a cabeça e sorri para ele, que retribui o sorriso. – Tudo bem? – pergunta ele.

– Tudo bem – diz Felix, ainda sorrindo.

– O que prefere estudar agora, alemão ou matemática?

– Matemática – responde Felix.

– Ótima escolha – diz ele, e empurra o livro de matemática para o menino. – Vamos retomar de onde paramos na última vez.

E Felix abre a página e eles começam.

[III]

Vaidades

1

SUAS VIZINHAS DE PORTA durante o segundo ano que passaram no Hood eram um trio de lésbicas, todas prestes a se formar, que faziam parte de uma banda chamada Gordura nas Costas e que por algum motivo começaram a gostar de JB (e eventualmente de Jude, depois de Willem, e por fim, ainda que com certa relutância, de Malcolm). Agora, quinze anos depois da formatura dos quatro, duas das lésbicas haviam se casado e viviam no Brooklyn. Dos quatro, apenas JB falava com elas regularmente: Marta era advogada numa organização sindical sem fins lucrativos e Francesca era cenógrafa.

– Ótima notícia! – anunciou JB a eles numa sexta-feira de outubro durante o jantar. – As Bruxas de Bushwick ligaram: Edie está na cidade!

Edie era a terceira do trio de lésbicas, uma coreano-americana robusta e emotiva que vivia de um lado para o outro entre São Francisco e Nova York, e parecia estar sempre se preparando para algum tipo de trabalho improvável: na última vez que a viram, estava prestes a partir rumo a Grasse, onde começaria a estudar para se tornar especialista em perfumes, e oito meses antes concluíra um curso de gastronomia afegã.

– E por que isso seria uma ótima notícia? – perguntou Malcolm, que jamais conseguira perdoar as três pela antipatia inexplicável que nutriam por ele.

– Bem – disse JB, fazendo uma pausa e abrindo um sorriso. – Ela está em transição!

– Vai virar *homem*? – perguntou Malcolm. – Dá um tempo, JB. Ela nunca demonstrou qualquer sinal de disforia de gênero durante todo o tempo que a conhecemos!

Uma ex-colega de trabalho de Malcolm passara por uma transição de gênero havia um ano, e ele se autodesignara especialista no assunto, doutrinando-os sobre sua intolerância e ignorância, até que JB perdera a paciência um dia e gritara para ele:

— Jesus Cristo, Malcolm, eu sou muito mais trans do que Dominick será um dia.

— Mas é o que ela vai fazer — continuou JB —, e as Bruxas vão fazer uma festa para ela e convidaram todos nós.

Eles resmungaram.

— JB, só tenho cinco semanas antes de partir para Londres e tenho um monte de merda para fazer — protestou Willem. — Não posso desperdiçar uma noite em Bushwick ouvindo Edie Kim reclamar de tudo.

— Você não pode *não ir*! — berrou JB. — Elas requisitaram *especificamente* a sua presença! Francesca vai convidar uma garota que conhece você de algum lugar ou de outro e quer vê-lo outra vez. Se não for, todas vão pensar que você acha que é bom demais para se misturar com elas agora. E vai ter um zilhão de pessoas que não vemos há uma eternidade...

— É verdade, e talvez exista um motivo para não as vermos — argumentou Jude.

— ... e, além disso, Willem, a boceta vai continuar esperando por você, quer passe uma hora no Brooklyn ou não. E também não é nenhum fim de mundo. É *Bushwick*! Judy pode levar a gente.

Jude comprara um carro um ano atrás, e por mais que não tivesse nada de especial, JB adorava dar umas voltas nele.

— O quê? Eu não vou — disse Jude.

— Por que não?

— Estou numa cadeira de rodas, JB, não percebeu? E até onde me lembro, o prédio de Marta e Francesca não tem elevador.

— Prédio errado — responde JB, triunfante. — Está vendo quanto tempo faz? Elas se mudaram. O prédio novo com certeza tem elevador. Inclusive um de serviço, para falar a verdade. — Ele se refestelou na cadeira, batucando com o punho na mesa enquanto os outros se mantinham em silêncio, resignados. — E lá vamos nós!

Assim, no sábado seguinte, todos se encontraram no loft de Jude em Greene Street e ele os levou a Bushwick, onde deu uma volta no quarteirão do prédio de Marta e Francesca, em busca de um lugar para estacionar.

— Tinha uma vaga lá atrás — disse JB passados dez minutos.

— Era uma área destinada a carga e descarga — respondeu Jude.

– Se colocar sua credencial de deficiente, podemos parar onde quisermos – argumentou JB.
– Eu não gosto de usá-la. Você sabe disso.
– Se não vai usar, qual o sentido de ter um carro?
– Jude, acho que tem uma vaga ali – disse Willem, ignorando JB.
– A sete quarteirões do prédio – resmungou JB.
– Cala a boca, JB – disse Malcolm.

Tendo chegado à festa, cada um deles foi arrastado por uma pessoa diferente para um canto separado da sala. Willem viu quando Jude foi levado por Marta, que não lhe deu opção de fuga. Jude moveu os lábios para ele, dizendo, *Me ajude*, e Willem sorriu e acenou em sua direção. *Coragem*, respondeu, também movendo os lábios, e Jude revirou os olhos. Ele sabia que Jude não queria ir, não queria explicar uma vez após a outra por que estava numa cadeira de rodas, mas Willem insistira:

– Não me faça ir sozinho.
– Não estará sozinho. JB e Malcolm estarão do seu lado.
– Você entendeu o que eu quis dizer. Quarenta e cinco minutos e vamos embora. JB e Malcolm podem arrumar outro jeito de voltar se quiserem ficar mais tempo.
– Quinze minutos.
– Trinta.
– Fechado.

Willem, por sua vez, fora capturado por Edie Kim, que continuava praticamente a mesma desde a época da universidade: um pouco mais cheinha, talvez, mas nada além disso. Ele a abraçou.

– Edie – falou –, meus parabéns.
– Obrigada, Willem – respondeu Edie, sorrindo para ele. – Você está ótimo. Muito bem mesmo. – JB sempre tivera a teoria de que Edie sentia uma queda por Willem, mas ele nunca acreditara nisso. – Adorei *Os detetives de lacunas*. Você estava demais.
– Ah – falou. – Obrigado.

Ele detestara *Os detetives de lacunas*. Odiara tanto a produção – a história, que era ótima, tratava de uma dupla de detetives metafísicos que entrava no inconsciente de pessoas com amnésia, mas o diretor fora tão tirânico que o outro ator que atuava ao lado de Willem pedira demissão depois de duas semanas de gravação e precisaram substituí-lo, e todo dia alguém saía chorando do set – que nunca chegara a assistir ao filme em si.

– Mas então – falou, tentando redirecionar a conversa –, quando...
– Por que Jude está numa cadeira de rodas?
Willem soltou um suspiro. Quando Jude começara a usar a cadeira de rodas regularmente dois meses atrás, a primeira vez em quatro anos, a primeira desde seus trinta e um anos, ele os preparara para responder àquela pergunta.
– Não é uma coisa permanente – falou. – Está com uma infecção na perna e sente dor quando tem de caminhar por muito tempo.
– Deus do céu. Coitado – disse Edie. – Marta me contou que ele saiu da Procuradoria e conseguiu um belo cargo numa firma de advocacia. – JB também sempre suspeitara que Edie tinha uma queda por Jude, o que Willem achava bem plausível.
– Sim, já faz alguns anos – falou, louco para desviar o foco da conversa de Jude, pois nunca se sentia à vontade em responder por ele; adoraria falar sobre Jude, e sabia o que podia e não podia dizer sobre ele, ou em nome dele, mas não gostava do tom astuto e confidencioso que as pessoas usavam para perguntar sobre o amigo, como se Willem pudesse ser persuadido ou ludibriado de modo a revelar coisas que Jude não revelaria. (Como se ele fosse mesmo fazer isso.) – De qualquer jeito, Edie, você deve estar bem ansiosa. – E parou. – Desculpe... Eu deveria ter perguntado... Ainda quer ser chamada de Edie?
Edie franziu as sobrancelhas.
– E por que não iria querer?
– Bem... – Ele fez uma pausa. – Eu não sei muito bem em que parte do processo você está, e...
– Que processo?
– Hum, o processo de transição? – Devia ter se calado quando viu o espanto de Edie, mas prosseguiu: – JB disse que você estava em transição.
– Sim, para Hong Kong – rebateu Edie, ainda com as sobrancelhas franzidas. – Vou trabalhar como consultora vegana autônoma para empresas de médio porte do ramo de turismo e eventos. Espere aí... Você achou que eu faria uma transição de gênero?
– Ah, céus – falou, e dois pensamentos, isolados, mas igualmente ressonantes, tomaram conta de sua mente: *Vou matar o JB*. E: *Não vejo a hora de contar a Jude sobre esta conversa*. – Edie, mil desculpas. De verdade.

Ele se lembrava, dos tempos da universidade, de que Edie era complicada: coisinhas pequenas e infantis eram o suficiente para aborrecê-la (ele uma vez a viu chorando de soluçar porque uma bola de sorvete caíra da casquinha em cima dos seus sapatos novos), ao passo que as grandes (a morte da irmã; o rompimento com a namorada no meio do pátio da faculdade, com direito a berros e arremessos de bolas de neve, que levara todos no Hood às janelas para ver o que estava acontecendo) pareciam não a perturbar. Ele não sabia em que categoria sua gafe se enquadrava, e a própria Edie parecia igualmente incerta, retorcendo sua boca pequena, com um ar confuso. Até que finalmente caiu na gargalhada e chamou alguém do outro lado da sala.

– Hannah! Hannah! Venha aqui! Você precisa ouvir essa!

Ele soltou um suspiro, se desculpou e a parabenizou outra vez, conseguindo enfim escapar.

Ele atravessou a sala na direção de Jude. Depois de anos – décadas, quase – de festas como aquela, os dois haviam desenvolvido sua própria linguagem corporal, uma pantomima na qual cada gesto significava a mesma coisa – *me salve* –, embora com diferentes graus de intensidade. Normalmente conseguiam fazer contato visual à distância e telegrafar seu desespero, mas, em festas daquele tipo, onde o loft estava iluminado apenas por velas e os convidados pareciam ter se multiplicado no espaço de sua breve conversa com Edie, uma linguagem corporal mais expressiva muitas vezes se fazia necessária. Segurar a nuca significava que a outra pessoa deveria telefonar na mesma hora; mexer na pulseira do relógio era equivalente a dizer "Venha aqui e me substitua nesta conversa, ou pelo menos faça parte dela"; já puxar o lóbulo da orelha esquerda queria dizer "Me tire desta situação *imediatamente*". Willem vira com o canto dos olhos que Jude vinha puxando repetidamente o lóbulo da orelha pelos últimos dez minutos, e agora Marta estava acompanhada por uma mulher de aparência sombria, que ele se lembrava vagamente de ter conhecido (e antipatizado) numa outra festa. As duas interrogavam Jude incessantemente, de um modo que as fazia parecer autoritárias e, à luz das velas, perversas, como se Jude fosse uma criança que acabara de ser apanhada quebrando um canto de alcaçuz da casa de doces e elas estivessem decidindo se o torrariam com ameixas secas ou o assariam com nabos.

Ele tentara, diria posteriormente a Jude, de verdade; mas estava num canto da sala, e Jude, no outro, e toda hora era parado ou ficava preso em conversas com pessoas que não via havia anos ou, o que era mais irritante, com pessoas que vira fazia semanas. Enquanto tentava avançar, acenou para Malcolm e apontou na direção de Jude, mas Malcolm apenas deu de ombros, confuso, e mexeu os lábios, como se dissesse "O quê?", no que Willem respondeu com um gesto significando que deixasse para lá.

Tenho que sair daqui, pensou, abrindo caminho entre as pessoas, mas a verdade é que não se importava tanto em ir àquelas festas, não de verdade; parte dele até chegava a gostar. Suspeitava de que Jude também sentia o mesmo, ainda que talvez em menor dimensão – não havia dúvida de que se saía bem naquelas reuniões, e as pessoas sempre queriam conversar com ele. Por mais que os dois sempre reclamassem um para o outro de JB e de como ele continuava a arrastá-los para aqueles eventos tediosos, ambos sabiam que poderiam simplesmente se recusar a ir caso assim desejassem, o que raramente faziam – afinal, onde mais empregariam seus sinais semafóricos, aquela língua que só era falada por duas pessoas no mundo inteiro?

Nos últimos anos, com sua vida cada vez mais distante da universidade e da pessoa que fora, ele às vezes achava relaxante encontrar gente daquela época. Provocava JB por nunca ter saído de verdade do Hood, mas o fato é que o admirava por ter mantido tantos de seus amigos e pela maneira como, de certa forma, conseguira contextualizar tantos deles. Apesar de sua coleção de amigos de outros tempos, havia um senso de atualidade persistente no modo como JB via e vivia a vida, e, ao seu redor, até mesmo os nostálgicos mais ferrenhos se viam menos propensos a relembrar as glórias do passado e se obrigavam a enxergar a pessoa à sua frente da maneira que era agora. Também apreciava o jeito como as pessoas com quem JB resolvera manter contato se mostravam, na maior parte, pouco impressionadas com o que ele, Willem, havia se tornado (se é que podia dizer que havia se tornado alguém). Alguns se comportavam de maneira diferente perto dele agora – especialmente desde o ano passado –, mas a maioria tinha vidas, interesses e objetivos tão específicos, e às vezes tão marginais, que os feitos de Willem eram vistos como se não fossem nem mais nem menos importantes do que os deles próprios. Os amigos de JB eram poetas, artistas performáticos, acadêmicos e filósofos – como observara Malcolm, JB fizera amizade com todas as pessoas na universidade onde estudaram com a *menor* probabilidade de ganhar dinheiro –, e suas vidas giravam em torno de patrocínios, residências, bolsas e prêmios.

Para o grupinho do Hood que JB formara, o sucesso não era definido por sucessos de bilheteria (como era para seu agente e seu empresário), por seus colegas de cena ou pelas críticas (como era para seus colegas de pós-graduação): era definido única e simplesmente pela qualidade do seu trabalho, e pelo orgulho que ele lhe proporcionava. (As pessoas de fato falavam esse tipo de coisa para ele em festas: "Ah, eu não vi *Mercúrio negro 3081*. Mas você se orgulhou do seu trabalho no filme?" Não, não sentia orgulho. Seu papel era o de um cientista intergaláctico taciturno, que lutava jiu-jítsu e conseguia derrotar sozinho um gigantesco monstro espacial. Mas ficara *satisfeito* com sua atuação: havia trabalhado duro e levado a sério sua interpretação, e era só aquilo que esperava realizar.) Às vezes se questionava se não estaria sendo enganado, se aquele círculo de amizades de JB não seria na verdade uma performance, na qual as competições, preocupações e ambições do mundo real – o mundo que girava em torno de dinheiro, ganância e inveja – eram ignoradas em nome do simples prazer de realizar algo. Aquilo às vezes lhe causava um efeito adstringente, no bom sentido: via aquelas festas, o reencontro com o pessoal do Hood, como algo regenerativo e revigorador, algo que o fazia voltar a quem fora um dia, empolgado por conseguir um papel na montagem da universidade de *Impróprio para menores*, obrigando seus colegas de quarto a repassar o texto com ele todas as noites.

– Um *mikvá* para a carreira – disse Jude, sorrindo, quando Willem lhe falou isso.

– Uma ducha de mercado livre – rebateu.

– Um enema na ambição.

– Ah, essa foi boa!

Mas, outras vezes, as festas – como a daquela noite – tinham o efeito contrário. Às vezes se ressentia com o modo redutivo e imutável como as pessoas o definiam: era, e seria para sempre, Willem Ragnarsson do Hood Hall, apartamento oito, um sujeito ruim em matemática e bom com as garotas, uma identidade ao mesmo tempo simples e compreensível, sua personalidade desenhada em duas pinceladas rápidas. Não que estivessem necessariamente errados – havia algo de deprimente em fazer parte de uma indústria em que era considerado um intelectual pelo simples fato de não ler determinadas revistas e páginas da internet e por ter frequentado a universidade que frequentara –, mas aquilo fazia sua vida, que ele sabia ser pequena, parecer menor ainda.

E às vezes sentia na ignorância de seus antigos colegas em relação à sua carreira algo de teimoso, deliberado e invejoso; no ano anterior, quando seu primeiro grande filme fora lançado, comparecera a uma festa em Red Hook e conversara com um frequentador do Hood que aparecia sempre naquelas reuniões, um homem chamado Arthur, que vivia no prédio dos fracassados, o Dillingham Hall, e agora publicava uma revista obscura, porém respeitada, sobre cartografia digital.

– Mas diga lá, Willem, o que você anda fazendo ultimamente? – perguntara finalmente Arthur, depois de passar dez minutos falando sobre a última edição de As histórias, que trazia uma reconstrução tridimensional da rota do ópio na Indochina entre 1839 e 1842.

Teve então aquele momento de desorientação que sentia ocasionalmente naquelas reuniões. Às vezes a mesma pergunta era feita de maneira irônica e bem-humorada, como forma de congratulação, e ele abria um sorriso e entrava na brincadeira:

– Ah, nada de mais, ainda servindo mesas no Ortolan. Estamos com um prato sensacional de peixe-carvão-do-pacífico com tobiko no cardápio...

Mas às vezes as pessoas realmente não sabiam. E as que realmente não sabiam eram cada vez mais raras, normalmente alguém que vivia tão alheio ao mundo das artes que até mesmo ler o New York Times era visto como um ato subversivo, ou então, o que era mais frequente, alguém que tentava expressar sua desaprovação – ou melhor, seu desprezo – por ele, por sua vida e por seu trabalho ao ignorá-lo propositadamente.

Willem não conhecia Arthur bem o suficiente para saber em que categoria se encaixava (embora o conhecesse bem o bastante para não gostar dele e do modo como invadia seu espaço pessoal, literalmente acuando-o contra a parede), por isso simplesmente respondeu:

– Sou ator.

– É mesmo? – perguntou Arthur, desinteressado. – Fez algo que eu possa ter visto?

A pergunta – não a pergunta em si, mas o tom de Arthur, seu menosprezo e escárnio – reacendeu sua irritação, mas Willem se conteve.

– Bem – falou lentamente –, na maior parte são produções independentes. Ano passado fiz um filme chamado O reino do incenso, e mês que vem vou gravar Os invencidos, baseado no romance, sabe? – Arthur ficou sem expressão. Willem soltou um suspiro; ganhara um prêmio por

O reino do incenso. – E outra coisa que gravei há dois anos acabou de ser lançada: o título é *Mercúrio negro 3081*.

– Parece interessante – disse Arthur, com ar de tédio. – Mas não acho que tenha ouvido falar. Huh. Tenho que procurar. Fico feliz por você, Willem.

Ele odiava a maneira como algumas pessoas diziam "fico feliz por você, Willem", como se seu trabalho fosse uma doce fantasia, uma ficção que inventara para si e para os outros, e não algo que existisse de fato. Ficara especialmente irritado naquela noite, pois, a menos de cinquenta metros dali, podia-se ver claramente pela janela, logo atrás da cabeça de Arthur, um cartaz iluminado no alto de um prédio com o rosto dele estampado – com cara de poucos amigos, era verdade; afinal, estava combatendo um enorme alienígena púrpura gerado por computador – e MERCÚRIO NEGRO 3081: EM BREVE em letras de meio metro de altura. Naqueles momentos, ficava decepcionado com o pessoal do Hood. *No fim das contas, eles não são melhores do que ninguém*, pensava. *Estão só com inveja e querem me deixar mal. E eu sou um idiota, porque fico mal.* Depois, ficava chateado consigo mesmo: *Era isso o que você queria*, lembrava a si próprio. *Por que tem de se importar com o que os outros pensam?* Mas ser ator *era* se importar com o que os outros pensavam (às vezes parecia que era somente isso), e por mais que gostasse de pensar que era imune à opinião alheia – como se de alguma forma estivesse acima disso –, claramente não era.

– Sei que soa mesquinho pra caralho – disse a Jude depois daquela festa. Estava constrangido pelo quanto havia se irritado com a situação, algo que não admitiria a nenhuma outra pessoa.

– Não soa nem um pouco mesquinho – respondera Jude. Estavam voltando de Red Hook para a cidade. – Mas Arthur é um babaca, Willem. Sempre foi. E anos estudando Heródoto não o tornaram menos babaca.

Willem sorriu, com certa relutância.

– Não sei – falou. – Às vezes acho o que faço tão... sem propósito.

– Como pode dizer uma coisa dessas, Willem? Você é um excelente ator; de verdade. E você...

– *Não diga* que levo alegria a muitas pessoas.

– Não era bem isso que eu ia dizer. Seus filmes não são bem do tipo que leva alegria a ninguém. – (Willem vinha se especializando em in-

terpretar personagens sombrios e complicados, muitos deles levemente violentos, a maioria de moral dúbia, que inspiravam diferentes graus de empatia. "Ragnarsson o Terrível" era como Harold o chamava.)
— A não ser aos alienígenas, é claro.
— Certo, a não ser aos alienígenas. Se bem que nem a eles; você mata todos no fim, não é mesmo? Mas, Willem, eu adoro assistir aos seus filmes, assim como muitas outras pessoas também adoram. Isso tem algum valor, não tem? Quantas pessoas podem de fato dizer que são capazes de fazer alguém se esquecer da sua rotina? — Diante do silêncio de Willem, ele prosseguiu: — Sabe de uma coisa, talvez fosse melhor deixarmos de ir a essas festas; isso está se tornando uma prática nada saudável de masoquismo e autodegradação para nós dois. — Jude virou para ele e sorriu. — Pelo menos você trabalha no mundo das artes. Já *eu* poderia muito bem estar trabalhando para um traficante de armas. Dorothy Wharton me perguntou hoje à noite como eu me sentia acordando toda manhã sabendo que tinha sacrificado mais um pedacinho da minha alma no dia anterior.

Willem finalmente riu.
— Ela não fez isso.
— Pior é que fez. Foi como conversar com Harold.
— Sim, se Harold fosse uma mulher branca com *dreadlocks*.

Jude sorriu.
— Como eu falei, igualzinho a uma conversa com Harold.

Mas, na verdade, os dois sabiam por que continuavam a frequentar aquelas festas: porque haviam se tornado uma das poucas oportunidades em que os quatro podiam estar juntos, e às vezes pareciam ser as únicas oportunidades que tinham para criar lembranças conjuntas, mantendo a amizade acesa, jogando alguns gravetos sobre a mancha enegrecida de uma fogueira quase extinta. Aquele era o jeito deles de fingir que nada havia mudado.

Era também uma desculpa para fingirem que andava tudo bem com JB, quando os outros três sabiam que não era bem assim. Willem não conseguia identificar o que havia de errado com ele — JB podia ser, a seu próprio modo, quase tão evasivo quanto Jude quando se tocava em determinados assuntos —, mas sabia que JB andava triste, solitário e inseguro, e que nenhum daqueles sentimentos lhe eram familiares. Sentia que JB — que tanto gostara da universidade, de suas estruturas, hierarquias e microssociedades, pelas quais aprendera a se deslocar tão bem – tentava com cada festa recriar o companheirismo simples e despreocupado que antes os quatro desfrutavam, quando suas identidades profissionais ainda eram nebulosas e o grupo era unido por suas aspirações, e não afastado por suas realidades cotidianas. Por isso JB organizava aqueles eventos e os outros o seguiam obedientemente, como sempre fizeram, concedendo--lhe a pequena gentileza de permitir que fosse o líder, aquele que decidia em nome de todos, sempre.

Ele gostaria de se encontrar com JB cara a cara, só os dois, mas, naqueles tempos, quando não estava com os amigos da universidade, JB andava com uma turma diferente, formada na maior parte por parasitas do mundo da arte, que pareciam interessados apenas em se afundar nas drogas e depois fazer sexo selvagem, e aquilo simplesmente não o atraía. Passava cada vez menos tempo em Nova York – apenas oito meses nos últimos três anos –, e, quando *estava* em casa, se deparava com as pressões simultâneas e contraditórias de dedicar um tempo significativo aos amigos e de não fazer absolutamente nada.

Neste instante, porém, avançava na direção de Jude, que fora finalmente libertado por Marta e sua amiga mal-humorada, e conversava com uma amiga deles, Carolina (vendo aquilo, Willem se sentiu culpado mais uma vez, pois não falava com Carolina havia meses e sabia que ela estava chateada com ele), quando Francesca bloqueou seu caminho para apresentá-lo a uma mulher chamada Rachel, com quem ele trabalhara quatro anos antes numa montagem de *Cloud 9*, na qual ela trabalhara como assistente de dramaturgia. Ficou feliz em vê-la novamente – gostara dela na época e sempre a achara bonita –, mas sabia, enquanto os dois conversavam, que aquilo não iria além de um simples papo. Afinal, não tinha exagerado: começaria a filmar em cinco semanas. Aquele não era o momento para se meter em algo novo e complicado, e ele tampouco tinha ânimo para apenas dormir com ela, pois aprendera que aquele tipo de envolvimento encontrava sempre um modo estranho de se tornar tão cansativo quanto um relacionamento longo.

Dez minutos depois de começar a conversar com Rachel, seu telefone tocou. Pediu licença e leu a mensagem enviada por Jude: *Estou indo. Não quis interromper sua conversa com a futura Sra. Ragnarsson. Vejo você em casa.*

– Merda – falou, e então disse a Rachel: – Me desculpe.

Na mesma hora o encanto da festa se rompeu e ele ficou desesperado para ir embora. A participação deles naquelas festas era uma espécie de encenação que os quatro concordavam em fazer para si mesmos, mas, no momento em que um dos atores saía de cena, havia pouco sentido em continuar. Willem se despediu de Rachel, cuja expressão mudou de perplexidade para hostilidade quando percebeu que ele estava mesmo indo embora e ela não fora convidada a acompanhá-lo, e depois de um grupo de outras pessoas – Marta, Francesca, JB, Malcolm, Edie, Carolina –, sendo que pelo menos metade dessas pessoas parecia extremamente irritada com ele. Levou outros trinta minutos para conseguir se libertar do apartamento, e, ao descer as escadas, enviou uma mensagem para Jude, esperançoso: *Ainda está aqui? Estou saindo.* Quando não recebeu uma resposta, escreveu outra: *Estou pegando o trem. Vou dar uma passada para pegar uma coisa no apto – até daqui a pouco.*

Pegou o trem L até a Oitava Avenida e depois percorreu a pé os poucos quarteirões até o apartamento. O final de outubro era sua época preferida para desfrutar a cidade, e sempre ficava triste ao perdê-lo. Morava na esquina da Perry com a rua 4 oeste, num apartamento no terceiro andar onde as janelas ficavam na mesma altura que o topo das árvores de ginkgo; antes de se mudar, imaginara-se deitado na cama tarde da noite nos fins de semana, assistindo ao furacão que as folhas amarelas formavam quando o vento as arrancava. Mas aquilo nunca aconteceu.

Não tinha um carinho especial pelo apartamento, exceto por ser seu e por tê-lo comprado, sua primeira e maior aquisição depois de ter quitado o crédito estudantil. Quando começara a procurar um apartamento, um ano e meio atrás, sabia apenas que queria viver no Baixo Manhattan e que o prédio precisava ter elevador para que Jude pudesse visitá-lo.

– Isso não é um pouquinho codependente? – perguntara sua namorada da época, Philippa, provocando-o e ao mesmo tempo falando sério.

– Você acha? – rebatera ele, entendendo o que ela queria dizer, mas fingindo que não.

– Willem – disse Philippa, sorrindo para esconder sua irritação. – Acho, sim.

Ele deu de ombros, sem se ofender.

– Não posso morar num lugar onde ele não possa vir me visitar – falou.

Ela suspirou.

— Eu sei.

Willem sabia que Philippa não tinha nada contra Jude; gostava dele, e Jude também gostava dela, e chegara até a comentar sutilmente com Willem que ele deveria passar mais tempo com Philippa quando estivesse em Nova York. Quando os dois começaram a sair juntos — ela trabalhava como figurinista, quase sempre em peças —, Philippa se divertira, até mesmo se encantara, com as amizades de Willem. Sabia que ela vira aquilo como uma prova de sua lealdade, confiança e consistência. Mas, à medida que a relação foi ficando mais séria e os dois foram ficando mais velhos, algo mudou, e a quantidade de tempo que ele passava com JB, Malcolm e principalmente com Jude se tornou uma prova clara de uma imaturidade básica, de sua relutância em deixar para trás o conforto de uma vida — sua vida com eles — em troca das incertezas de outra, ao lado dela. Ela nunca pediu que ele os abandonasse completamente — na verdade, uma das coisas que ele adorava nela era o modo como se mantinha unida a seu próprio círculo de amizades, e que os dois podiam passar a noite com seus próprios grupos, em seus próprios restaurantes, tendo suas próprias conversas e depois se encontrarem, duas noites distintas que se encerravam como uma só, compartilhada —, mas queria, depois de um tempo, que ele cedesse um pouco, que se dedicasse a ela e ao relacionamento de um modo que suplantasse os outros.

O que ele não conseguiu fazer. Mas achava que tinha dado mais a ela do que Philippa admitia. Nos últimos dois anos que haviam passado juntos, ele deixara de ir à casa de Harold e Julia no Dia de Ação de Graças e à dos Irvine no Natal para ir à casa dos pais dela, em Vermont; renunciara a suas férias anuais com Jude; acompanhara Philippa nas festas, casamentos, jantares e apresentações dos amigos dela, e ficara ao seu lado quando estava na cidade, assistindo-a esboçar os figurinos para uma montagem de *A tempestade*, apontando seus lápis de cor caros enquanto ela dormia e ele, ainda num fuso horário diferente, perambulava pelo apartamento, começando a ler livros e logo os deixando de lado, abrindo e fechando revistas, ajeitando distraidamente os pacotes de macarrão e as caixas de cereais na despensa. Fizera tudo aquilo de bom grado e sem qualquer ressentimento. Mas, ainda assim, não fora o bastante e os dois terminaram, de maneira calma e, acreditava ele, amigável, havia um ano, depois de quase quatro juntos.

Ao saber que os dois haviam terminado, o Sr. Irvine balançara a cabeça (isso acontecera durante o chá de bebê de Flora).

– Vocês estão se transformando num bando de Peter Pans – falou. – Willem, quantos anos você tem? Trinta e seis? Não sei o que se passa na cabeça de vocês. Estão ganhando dinheiro. Realizaram algo. Não acham que está na hora de parar de se agarrar um ao outro e começar a encarar a vida adulta como algo sério?

Mas o que era ser adulto? Seria a vida a dois realmente a única opção apropriada? (Mas uma opção única não era de fato uma opção.)

– Milhares de anos de desenvolvimento evolucionário e social e essa é a única opção que temos? – perguntara a Harold quando estiveram em Truro durante o último verão, e Harold caíra no riso.

– Veja bem, Willem – falou –, acho que você está se saindo bem. Sei que implico quanto a você sossegar, e concordo com o pai de Malcolm sobre a vida a dois ser maravilhosa, mas tudo o que precisa fazer é ser uma pessoa boa, o que você já é, e aproveitar a vida. Você é jovem. Tem anos e mais anos para descobrir o que quer fazer e como quer viver.

– E se eu quiser viver *assim*, como vivo agora?

– Então tudo bem – disse Harold, abrindo um sorriso para Willem. – Vocês estão vivendo o sonho de qualquer homem, sabe? Provavelmente até mesmo o de John Irvine.

Nos últimos tempos, vinha pensando se a codependência seria assim algo tão ruim. Sentia prazer em estar na presença dos amigos e aquilo não fazia mal a ninguém, então quem se importava se ele era codependente ou não? E, de qualquer forma, como uma amizade poderia ser mais codependente que um relacionamento a dois? Por que seria algo admirável quando você tinha vinte e sete anos, mas esquisito quando se tinha trinta e sete? Por que uma amizade não poderia ser tão boa quanto um namoro? Por que não poderia ser até melhor? Tratava-se de duas pessoas que permaneciam juntas, dia após dia, unidas não por sexo, atração física, dinheiro, filhos ou bens, mas apenas pela concordância em seguir em frente, numa dedicação mútua a uma união que não podia ser sistematizada. Amizade era testemunhar o lento gotejar de tristezas, as longas crises de tédio e os triunfos ocasionais do outro. Era sentir-se honrado pelo privilégio de estar presente durante os momentos mais sombrios de outra pessoa e saber que você também podia ter seus momentos sombrios perto dela.

Mais preocupante que sua possível imaturidade, no entanto, era sua capacidade como amigo. Sempre se orgulhara do fato de ser um bom amigo; as amizades sempre foram importantes para ele. Mas será que era mesmo tão bom amigo como pensava? Havia a questão não resolvida de JB, por exemplo; um bom amigo já teria solucionado o problema. E um bom amigo certamente teria descoberto um modo melhor de lidar com Jude, em vez de dizer a si próprio, feito um mantra, que simplesmente *não* havia modo melhor de lidar com Jude e, se houvesse, se alguém (Andy? Harold? Qualquer um?) tivesse descoberto um plano, ele ficaria feliz em segui-lo. Mas, ao mesmo tempo que dizia essas coisas a si mesmo, sabia que estava apenas inventando desculpas para livrar sua cara.

Andy também sabia. Cinco anos antes, Andy lhe telefonara em Sófia e gritara com ele. Aquela era sua primeira filmagem; já era tarde da noite e desde o momento em que atendera o telefone e ouvira Andy dizer: "Para alguém que alega ser tão bom amigo, você anda distante pra caralho para demonstrar isso", passara a ficar na defensiva, pois sabia que Andy estava certo.

– Espere aí – falou, ajeitando-se na cama, com a raiva e o medo mandando embora qualquer resíduo de sono.

– Ele está em casa a essa hora se mutilando todo, virou uma cicatriz humana, parece com a porra de um esqueleto, e por onde você anda, Willem? – perguntou Andy. – E não diga: "Estou numa filmagem." Por que não está ligando para ver como ele anda?

– Eu ligo todo santo dia – começou, passando a gritar também.

– Você *sabia* que seria difícil para ele – continuou Andy, gritando mais alto. – *Sabia* que a adoção o deixaria mais vulnerável. Então por que não tomou nenhuma precaução, Willem? Por que seus outros "amigos" não estão fazendo nada?

– Porque ele não quer que os outros saibam que ele se corta, só por causa disso! E eu *não* sabia que seria difícil para ele, Andy – falou. – Ele nunca me diz nada! Como poderia saber?

– Sabendo! É sua obrigação! Use essa porra de cérebro, Willem!

– Não grite comigo, caralho! – berrou. – Você só está com raiva, Andy, porque ele é *seu* paciente e você não consegue pensar num jeito de curá-lo, por isso está jogando a culpa para cima de mim.

Willem se arrependeu de suas palavras no momento em que as disse, e os dois então ficaram em silêncio, bufando ao telefone.

– Andy – começou ele.
– Não – disse Andy. – Você está certo, Willem. Me desculpe. Me desculpe.
– Não – falou –, sou eu que peço desculpas.

Ficou completamente desolado, pensando em Jude naquele banheiro horroroso de Lispenard Street. Antes de viajar, fizera uma busca em todo o apartamento atrás das lâminas de Jude – debaixo da tampa da caixa de descarga; na lateral do armário de remédios; até mesmo sob as gavetas do armário, tirando cada uma delas para vistoriá-las por todos os ângulos –, mas não as encontrara. Andy tinha razão – a responsabilidade era *dele*. Devia ter feito melhor seu trabalho. Mas não fizera, então a verdade é que fracassara.

– Não – disse Andy. – Sinto muito, Willem; o que fiz não tem desculpa. E você está certo: não sei o que fazer. – Parecia cansado. – É que ele teve... ele teve uma vida de merda, Willem. E confia em você.

– Eu sei – balbuciou. – Sei que confia.

Os dois então elaboraram um plano, e quando Willem voltou para casa, passou a monitorar Jude mais de perto do que antes, um processo que se mostrou pouco revelador. Na verdade, passado mais ou menos um mês da adoção, Jude vinha se comportando de um jeito diferente de antes. Willem não sabia bem definir o que era: a não ser em raras ocasiões, dificilmente conseguia identificar os dias em que Jude estava feliz e os dias em que não estava. Não era como se ficasse o tempo todo apático, se lastimando, e no instante seguinte mudasse de humor – seu comportamento, seu ritmo e seus gestos habituais continuavam os mesmos. Mas algo *havia* mudado, e, por um breve período, Willem teve a estranha sensação de que o Jude que conhecera fora trocado por outro Jude, e que esse outro Jude, esse substituto, era alguém a quem podia perguntar qualquer coisa, que contaria histórias engraçadas sobre bichinhos de estimação, amigos e falaria sobre a sua infância, que usava camisas de manga comprida só porque estava com frio e não porque tentava esconder algo. Estava determinado a acreditar em Jude o máximo que pudesse: afinal, não era seu médico. Era seu amigo. Seu dever era tratá-lo como ele queria ser tratado, não como um espécime em observação.

E assim, após certa altura, Willem afrouxara sua vigilância e aquele outro Jude eventualmente desaparecera, voltando ao mundo de fadas e encantos, e o Jude que conhecera antes retomara seu espaço. Mas então, vez ou outra, era lembrando de maneira perturbadora que o que sabia de Jude era apenas o que Jude permitia que soubesse: telefonava para Jude todo dia quando estava filmando, normalmente num horário preestabelecido, mas, um dia no ano passado, ele ligou e os dois tiveram uma conversa normal. Jude agia do mesmo jeito de sempre, e estavam rindo de uma das histórias de Willem quando ele ouviu ao fundo o anúncio por alto-falante, inconfundível, do tipo que só se ouve em hospitais: "Chamando o Dr. Nesarian, Dr. Nesarian, favor comparecer à sala de cirurgia três."

– Jude? – perguntou.

– Não se preocupe, Willem – falou. – Estou bem. É só uma infecçãozinha. Acho que Andy está exagerando um pouco.

– Que tipo de infecção? Meu deus, Jude!

– Uma infecção sanguínea, mas não é nada. De verdade, Willem. Se fosse sério, eu teria falado.

– Não teria porra nenhuma, Jude. Uma infecção sanguínea *é* algo sério.

Ele ficou em silêncio.

– Teria, sim, Willem.

– Harold sabe disso?

– Não – respondeu de imediato. – E não é para você contar a ele.

Diálogos como aquele o deixavam perplexo e aborrecido, e passou o restante da noite tentando recordar as conversas da semana anterior, examinando-as em busca de pistas que indicassem que algo pudesse estar errado e que talvez ele tivesse ignorado, simples e estupidamente. Nos momentos em que era mais generoso em sua reflexão, imaginava Jude como um mágico cujo único truque era desaparecer, mas que se tornava melhor naquela arte a cada ano que se passava, e agora lhe bastava levantar uma aba de sua capa de seda diante de seus olhos para no mesmo instante se tornar invisível, até mesmo para aqueles que o conheciam melhor. Mas, em outras ocasiões, ficava ressentido e amargurado diante daquele truque, a exaustão anual de manter os segredos de Jude sem receber nada em troca, a não ser migalhas de informação, de não poder nem mesmo ter a oportunidade de tentar ajudá-lo, de se preocupar publicamente com ele. Não é justo, pensava naqueles momentos. Isso não é amizade. Pode ser qualquer coisa, menos amizade. Sentia como se o tivessem atraído para um jogo de cumplicidade, um jogo do qual nunca tivera intenção de participar. Tudo o que Jude falava indicava que ele não queria ser ajudado. Mas Willem não conseguia aceitar aquilo. A questão era como ignorar o pedido de alguém para ser deixado em paz – mesmo que isso pusesse em risco uma amizade. Era um pequeno e lamentável *koan*: como ajudar alguém que não quer ser ajudado enquanto sabe que, se *não* tentar ajudar, você não estará sendo um bom amigo? *Converse comigo*, sentia vontade de gritar para Jude às vezes. *Me conte alguma coisa. Me diga o que preciso fazer para que você se abra para mim.*

Certa vez, numa festa, entreouvira Jude dizer a alguém que contava tudo a Willem, e ficara ao mesmo tempo lisonjeado e perplexo, porque a verdade é que não sabia de nada. Às vezes achava incrível se importar tanto com alguém que se recusava a compartilhar com ele qualquer uma das coisas que amigos compartilhavam entre si – o que acontecera antes de se conhecerem, do que tinha medo, quais os seus desejos, por quem sentia atração, as vergonhas e as tristezas da vida cotidiana. Como era impossível conversar com o próprio Jude, muitas vezes tinha vontade de falar com Harold sobre Jude, e tentar descobrir o quanto ele sabia, e eles dois – e Andy – juntando todo o conhecimento que tinham, seriam capazes de encontrar algum tipo de solução. Mas aquilo era apenas um sonho: Jude nunca o perdoaria e, em vez de manter o tipo de relacionamento que tinha com ele, passaria a não ter relacionamento algum.

De volta ao apartamento, deu uma olhada rápida na correspondência – raramente recebia algo de interessante: tudo que era ligado a negócios ia diretamente para seu advogado ou seu agente; as cartas pessoais eram enviadas a Jude –, encontrou a cópia do roteiro que esquecera por lá na semana anterior, quando passara ali depois da academia, e saiu outra vez; nem chegou a tirar o casaco.

Desde que comprara o apartamento fazia um ano, passara um total de seis semanas ali. Havia um futon no quarto de dormir e a mesa de centro de Lispenard Street na sala de estar, e a cadeira Eames de fibra de vidro toda arranhada que JB achara na rua, e suas caixas de livros. E só. Em teoria, Malcolm deveria reformar o lugar, transformando o pequeno escritório abafado perto da cozinha numa salinha de jantar e cuidando de uma série de outras coisas, mas, como sentira o desinteresse de Willem, colocara o apartamento no fim de sua lista de prioridades. Willem reclamava daquilo às vezes, mas sabia que não era culpa de Malcolm: afinal, ele mesmo não respondera aos e-mails do amigo sobre acabamentos, ladrilhos ou a dimensão da estante embutida ou da banqueta, que precisavam de sua aprovação antes que Malcolm pudesse encomendar o material. Só recentemente Willem fizera o escritório de seu advogado enviar a Malcolm os últimos documentos de que ele precisava para começar a obra e, na semana seguinte, os dois finalmente sentariam para tomar algumas decisões e, quando voltasse para casa em meados de janeiro, Malcolm lhe prometera que encontraria o apartamento, se não totalmente transformado, ao menos bastante melhorado.

Enquanto isso, ele meio que morava com Jude, tendo mudado para o apartamento em Greene Street logo depois de romper com Philippa. Usava o apartamento inacabado e a promessa que fizera a Andy como motivos para sua instalação aparentemente sem fim no quarto de hóspedes de Jude, mas o fato é que precisava da companhia de Jude e da constância de sua presença. Quando viajava a trabalho para lugares como Inglaterra, Irlanda, Califórnia, França, Tanger, Argélia, Índia, Filipinas e Canadá, precisava ter uma imagem do que o esperava em casa, em Nova York, e aquela imagem nunca incluía Perry Street. Para ele, seu lar ficava em Greene Street, e quando estava longe e sozinho, pensava em Greene Street e em seu quarto lá, e em como nos fins de semana, depois que Jude terminava de trabalhar, os dois ficavam acordados até tarde, conversando, e ele sentia o tempo desacelerar e se expandir, fazendo-o acreditar que a noite poderia durar para sempre.

Agora finalmente estava a caminho de casa. Desceu as escadas correndo, atravessou a porta e desembocou em Perry Street. A noite estava fria e ele caminhava com passos rápidos, quase trotando, aproveitando como sempre o prazer de andar sozinho, ou de se sentir sozinho numa cidade com tantas pessoas. Aquela era uma das coisas que mais lhe fazia falta. Nos sets de filmagem, você nunca está sozinho. Um diretor assistente o leva para seu trailer e de lá de volta para o set, mesmo que a distância entre o trailer e o set seja de menos de cinquenta metros. Quando começara a se habituar com os sets, primeiro Willem ficara assustado, depois achara divertido, até por fim se aborrecer com a cultura de infantilização do ator que a indústria cinematográfica parecia promover. Ele às vezes sentia como se o tivessem amarrado de pé a um carrinho de filmagem e o empurrassem de um lado para o outro: era acompanhado até o departamento de maquiagem e de lá para o departamento de figurino. Depois, era levado para o set, e, em seguida, para seu trailer. Uma ou duas horas mais tarde, buscavam-no no trailer e o acompanhavam de volta ao set.

– Não deixe nunca que eu me acostume com essas coisas – ordenava a Jude, quase chegando a implorar. Aquela era sua frase final em todas as histórias que contava: sobre os almoços nos quais todos se separavam de acordo com suas posições e castas – atores e diretor numa mesa, operadores de câmera em outra, eletricistas, numa terceira, os grips, numa quarta, e o departamento de figurino, numa quinta – e conversavam sobre malhação, restaurantes que queriam conhecer, as dietas que estavam seguindo, seus instrutores, cigarros (e como queriam um), limpezas de pele (e como precisavam de uma); sobre a equipe, que odiava os atores e ao mesmo tempo se mostrava vergonhosamente suscetível à menor atenção que lhes fosse dispensada por parte deles; sobre a malícia do pessoal de maquiagem e cabelo, que sabia uma quantidade absurda de informações sobre a vida dos atores, aprendendo a se manter perfeitamente em silêncio e tornando-se perfeitamente invisíveis enquanto ajeitavam apliques, passavam base e ouviam as atrizes gritarem com seus namorados e os atores marcarem encontros noturnos aos sussurros, tudo enquanto estavam sentados em suas cadeiras, falando ao telefone. Era naqueles sets que ele percebia que era muito mais reservado do que pensava e também o quanto era fácil, o quanto era tentador, começar a acreditar que a vida do set – onde lhe entregavam tudo de mão beijada, e onde podiam fazer o sol literalmente brilhar para você – fosse a vida real.

Em certa ocasião, estava parado em sua marca enquanto o diretor de fotografia fazia um último ajuste, antes de se aproximar e passar a mão sutilmente na sua cabeça.

– Os cabelos dele! – vociferara o primeiro assistente de direção, alertando-o.

E então o deslocaram um centímetro para a esquerda, depois para a direita, depois para a esquerda de novo, como se estivessem posicionando um vaso sobre uma cornija.

– Não se mexa, Willem – advertira ele, e Willem prometera ficar imóvel, quase sem respirar, quando na verdade queria cair na gargalhada.

Pensara repentinamente nos pais – nos quais, à medida que envelhecia, passara desconcertantemente a pensar mais e mais – e em Hemming, e por meio segundo pôde vê-los na beira do set, à sua esquerda, longe o suficiente para que não conseguisse enxergar seus rostos, cujas expressões não seria capaz de imaginar de qualquer forma.

Gostava de contar a Jude aquelas coisas, fazer de seus dias no set algo engraçado e leve. Não imaginava que ser ator seria daquele jeito, mas o que sabia antes sobre o que era trabalhar como ator? Estava sempre preparado, sempre na hora, era educado com todos, fazia o que o diretor de fotografia pedisse e discutia com o diretor somente quando era estritamente necessário. Mas, mesmo depois de ter feito todos aqueles filmes – doze nos últimos cinco anos, oito deles nos últimos dois – e em meio a todos aqueles absurdos, ele acha o minuto anterior às câmeras começarem a rodar a parte mais surreal. Para na primeira marcação; para na segunda; o operador de câmera anuncia que está pronto.

– Vaidades! – grita o primeiro assistente de direção.

E então o departamento de vaidades – penteado, maquiagem, figurino – corre para atacá-lo feito carniça, arrancando fios de cabelo, alisando sua camisa e fazendo cócegas em seus cílios com seus pincéis macios. Dura apenas trinta segundos, mais ou menos, mas, nesses trinta segundos, com as pálpebras fechadas para evitar que o pó de arroz entre em seus olhos e as mãos de outras pessoas tocando seu corpo e sua cabeça possessivamente como se não lhe pertencessem mais, ele tem a estranha sensação de não estar ali, de estar flutuando, e de que sua própria vida é pura imaginação. Naqueles segundos, um redemoinho de imagens passa pela sua mente, de maneira tão rápida e desordenada que o impede de identificar com clareza cada uma à medida que vão se sucedendo: entre elas figura a cena que está prestes a filmar, é claro, e a cena que filmou mais cedo, mas também todas as coisas que o ocupam, sempre, as coisas que vê e ouve e lembra antes de dormir à noite – Hemming e JB e Malcolm e Harold e Julia. Jude.

Você é feliz?, perguntara certa vez a Jude (deviam estar bêbados).

Acho que a felicidade não é uma coisa para mim, respondera Jude, como se Willem tivesse lhe oferecido um prato que ele não quisesse comer. *Mas é para você, Willem.*

Enquanto o departamento de vaidades puxa e sacode seu corpo, Willem se dá conta de que deveria ter perguntado a Jude o que quis dizer com aquilo: por que a felicidade era algo para ele e não para Jude. Mas, quando terminar de filmar a cena, não se lembrará da questão e muito menos da conversa que a inspirou.

– Som! – grita o primeiro assistente de direção, e o departamento de vaidades se dispersa.

– A postos – responde o operador de som, o que significa que está filmando.

– Câmera – grita o operador de câmera, e a cena é anunciada e se ouve o som da claquete.

E ele então abre os olhos.

2

NUMA MANHÃ DE SÁBADO, pouco antes de completar trinta e seis anos, ele abre os olhos e experimenta aquela sensação estranha e prazerosa que às vezes tem, quando percebe que sua vida não está com o céu encoberto. Imagina Harold e Julia em Cambridge: os dois se movem sonolentamente pela cozinha, servindo café em suas canecas manchadas e lascadas e sacudindo o plástico que embala o jornal para tirar o orvalho. No ar, Willem voa da Cidade do Cabo até ele. Pensa em Malcolm no Brooklyn deitado com Sophie na cama, e depois, por sentir-se esperançoso, em JB roncando a salvo em sua cama no Lower East Side. Ali, na Greene Street, o aquecedor solta seus suspiros sibilantes. As cobertas cheiram a sabão e céu. Sobre sua cabeça está o lustre tubular de aço que Malcolm instalou um mês atrás. Sob seu corpo está o piso cintilante de madeira preta. O apartamento – ainda impossível em sua vastidão, em suas possibilidades e em seu potencial – está em silêncio e é seu.

Ele aponta os dedos dos pés para o pé da cama e depois os flexiona na direção das canelas: nada. Muda a posição das costas sobre o colchão: nada. Leva os joelhos ao peito: nada. Nada dói, não há sequer uma ameaça de dor: seu corpo novamente lhe pertence, é algo que obedecerá a qualquer comando que venha a fazer, sem reclamar ou sabotá-lo. Fecha os olhos, não porque está cansado, mas sim porque aquele é um momento perfeito, e ele sabe como apreciá-los.

Esses momentos não duram muito – às vezes, tudo o que precisa fazer é sentar e logo é lembrado, como se recebesse um tapa na cara, de que é ele quem pertence ao corpo, e não o contrário –, mas, nos últimos anos, à medida que as coisas foram piorando, teve de fazer um grande esforço para se livrar da ideia de que um dia pudesse melhorar, e passou a tentar se concentrar nos minutos de folga, sendo grato por eles, quando e sempre que seu corpo decide concedê-los. Finalmente senta, devagar, e depois levanta no mesmo ritmo. Ainda se sente ótimo. Este é um bom dia, conclui, e segue para o banheiro, passando pela cadeira de rodas mal-humorada, como um ogro enfurecido, num canto do quarto.

Ele se apronta e então senta com alguns documentos do escritório para esperar. Normalmente, passa a maior parte do sábado no trabalho – pelo menos isso não mudou desde os tempos que costumava sair para suas caminhadas: ah, as caminhadas! Será que aquele era mesmo ele, uma pessoa capaz de passear, tal e qual um cabrito, até o Upper East Side e voltar, percorrendo os dezoito quilômetros sem precisar de qualquer tipo de ajuda? – mas hoje vai se encontrar com Malcolm e o levará ao seu alfaiate, pois Malcolm vai casar e precisa de um terno.

Eles não sabem ao certo se Malcolm vai realmente casar. *Acham* que vai. Ao longo dos últimos três anos, ele e Sophie terminaram e voltaram, depois terminaram e voltaram outra vez. Mas, no ano passado, Malcolm conversara com Willem sobre casamentos, querendo saber se Willem os considerava uma indulgência ou não; e com JB sobre joias, perguntando se, quando as mulheres dizem que não gostam de diamantes, estão falando a verdade ou só querem saber como aquilo soa; e com ele sobre acordos pré-nupciais.

Respondera às perguntas de Malcolm da melhor maneira que pôde, e depois lhe passara o nome de um colega da faculdade, um advogado especializado em direito de família.

– Ah – disse Malcolm, se afastando, como se ele lhe tivesse sugerido o nome de um assassino profissional. – Não sei bem ao certo se preciso disso agora, Jude.

– Tudo bem – falou, guardando o cartão, que Malcolm parecia relutante até mesmo em tocar. – De qualquer jeito, se e quando precisar, é só falar comigo.

E então, um mês atrás, Malcolm perguntou se ele podia ajudá-lo a escolher um terno.

– Não tenho nenhum, não é uma loucura? – perguntou. – Não acha que eu deveria ter um? Não acha que eu deveria começar a manter uma aparência, não sei, mais adulta ou algo assim? Não acha que seria bom para os negócios?

– Acho ótimo o jeito como você se veste, Mal – falou. – E não acredito que você precise de qualquer ajuda em relação aos negócios. Mas, se quer comprar um terno, claro que posso ajudar. Ficarei feliz em acompanhá-lo.

– Obrigado – disse Malcolm. – Quero dizer, acho só que é algo que devo ter. Sabe, caso apareça alguma ocasião importante. – Ele fez uma pausa. – Ainda não acredito que você tem um alfaiate, a propósito.

Ele sorriu.

– Não é *meu* alfaiate – disse. – É simplesmente alguém que faz ternos, e alguns deles por acaso são meus.

– Meu deus – disse Malcolm. – Harold criou mesmo um monstro.

Ele riu, por gentileza. Mas muitas vezes sentia como se um terno fosse a única coisa capaz de fazê-lo parecer normal. Durante os meses que passou na cadeira de rodas, aqueles ternos foram um modo de assegurar a seus clientes de que era uma pessoa competente e, ao mesmo tempo, de assegurar a si mesmo que seu lugar era em meio aos outros, que podia ao menos se vestir como eles. Não se considera um sujeito vaidoso, mas sim escrupuloso: quando criança, os meninos do orfanato ocasionalmente disputavam partidas de beisebol com os meninos da escola local, que os provocavam, tapando o nariz ao entrarem em campo.

– Vão tomar banho! – gritavam. – Vocês fedem! Vocês fedem!

Mas eles *tomavam* banho: toda manhã eram obrigados a se lavar, despejando o sabão rosa sebento na palma da mão e em suas toalhinhas, e esfregando a pele enquanto um dos conselheiros andava de um lado para o outro da fileira de chuveiros, batendo com uma toalha fina nos garotos que se comportavam mal ou gritando com aqueles que não se limpavam com o vigor desejado. Mesmo hoje, ele tem horror de ser rejeitado por ser desleixado, sujo ou mal-ajambrado.

– Você sempre vai ser feio, mas isso não significa que não possa ser arrumado – costumava lhe dizer o padre Gabriel e, embora estivesse errado em muitas coisas, nisso ele sabia que ele estava certo.

Malcolm chega, cumprimenta-o com um abraço e então começa, como sempre faz, a sondar o ambiente, espichando seu pescoço longo e girando num círculo lento ao redor da sala, com seu olhar parecendo a luz de um farol, emitindo alguns ruídos de avaliação durante o processo.

Ele responde à pergunta de Malcolm antes mesmo que este possa fazê-la:

– Mês que vem, Mal.

– Disse isso três meses atrás.

– Eu sei. Mas agora estou falando sério. Agora tenho o dinheiro. Ou terei, no fim do mês.
– Mas já conversamos sobre isso.
– Eu sei. E, Malcolm, isso é extremamente generoso de sua parte. Mas não vou deixar de pagar.

Morava no apartamento fazia mais de quatro anos, e por quatro anos não conseguira reformá-lo porque não tinha dinheiro, e não tinha dinheiro porque estava pagando o apartamento. No meio-tempo, Malcolm esboçou alguns projetos, ergueu paredes para separar os quartos e o ajudou a escolher um sofá, cuja cor cinza lembrava uma nave espacial, colocado no centro da sala, além de resolver alguns problemas menores, como os pisos.

– Isso é loucura – dissera a Malcolm na época. – Você vai ter que refazer tudo quando a reforma acabar.

Mas Malcolm disse que faria mesmo assim; a tinta para pisos era um produto novo que queria testar, e até que as obras pudessem ter início, Greene Street seria seu laboratório, onde poderia fazer alguns experimentos, caso ele não se importasse (e não se importava, é lógico). Mas, a não ser por isso, o apartamento ainda estava praticamente como o encontrara quando se mudara: um longo retângulo no sexto andar de um prédio na parte sul do SoHo, com janelas dos dois lados: uma virada para o oeste e a outra para o leste, e também cobrindo a parede que dava para o sul, de frente para um estacionamento. Seu quarto e o banheiro ficam na parte leste, que dá para o topo de um prédio atarracado na Mercer Street; a suíte de Willem – ou que ele ainda considera a suíte de Willem – fica na parte oeste, que dá para Greene Street. A cozinha fica no centro do apartamento e há também um terceiro banheiro. Entre as duas suítes há um espaço imenso, com um piso preto tão lustroso que parece as teclas de um piano.

A sensação de ter tanto espaço é estranha, assim como a de poder pagar por ele. *Mas você pode,* precisa lembrar a si mesmo às vezes, assim como faz no supermercado, avaliando se deveria comprar o pote de azeitonas pretas de que gosta, tão salgadas que fazem sua boca se contrair e os olhos lacrimejarem. Quando chegara à cidade, aquilo era um capricho e ele as comprava uma vez por mês, dando uma só colherada quando abria o pote. Toda noite ele comia apenas uma, chupando-a lentamente até chegar ao caroço enquanto lia relatórios. *Você pode comprá-las,* diz a si mesmo. *Tem dinheiro para isso.* Mas ainda tem dificuldade em lembrar.

O motivo por trás de Greene Street e do pote de azeitonas que normalmente mantém na geladeira é seu trabalho na Rosen Pritchard & Klein, uma das firmas de advocacia mais poderosas e prestigiosas da cidade, onde atua como especialista em litígios e, há pouco mais de um ano, como sócio. Cinco anos antes, ele, Citizen e Rhodes trabalhavam num caso que envolvia fraudes financeiras no Thackery Smith, um grande banco privado. Pouco após o encerramento do caso, ele foi contatado por um homem chamado Lucien Voigt, que ele sabia ser o presidente do departamento de litígios na Rosen Pritchard & Klein, e que representara o Thackery Smith nas negociações.

Voigt o convidou para um drinque. Ficara impressionado com o seu trabalho, especialmente no tribunal, falou. E o Thackery Smith também. Já ouvira falar dele, de qualquer forma – Voigt e o juiz Sullivan foram colegas no jornal estudantil da faculdade de direito –, e se informara sobre ele. Por acaso teria alguma vez pensado em deixar a Procuradoria e se unir ao lado sombrio?

Estaria mentindo se dissesse que não. Todos ao seu redor estavam indo embora. Sabia que Citizen vinha conversando com uma firma internacional em Washington, D.C. Rhodes estudava a ideia de trabalhar para um banco. Ele mesmo já fora abordado por outras duas firmas, recusando ambas as ofertas. Eles adoravam a Procuradoria, todos os três. Mas Citizen e Rhodes eram mais velhos que ele, e Rhodes e sua esposa queriam ter um filho, por isso precisavam ganhar dinheiro. Dinheiro, dinheiro: às vezes só se falava nisso.

Ele também pensava em dinheiro – era impossível não pensar. Toda vez que voltava para casa depois de uma festa no apartamento de um dos amigos de JB ou de Malcolm, Lispenard Street parecia um pouco mais sórdida, um pouco menos tolerável. Toda vez que o elevador quebrava e ele tinha de subir as escadas a pé, para depois descansar no chão do corredor, com as costas apoiadas na porta de casa, antes de ter energia para entrar, sonhava em morar em algum lugar funcional e confiável. Toda vez que parava diante da escadaria do metrô, preparando-se para descer, segurando o corrimão e quase respirando pela boca de tanto esforço, sentia vontade de poder pegar um táxi. E tinha também outros temores, ainda maiores: em seus momentos mais sombrios, imaginava-se na velhice, com a pele esticada feito um pergaminho, ainda em Lispenard Street, arrastando-se até o banheiro sobre os cotovelos por não conseguir mais andar. Nesse sonho, estava sozinho – não havia Willem, JB, Malcolm ou Andy, nem Harold e Julia. Era um homem velho, muito velho, e não havia ninguém – só restara ele para cuidar de si próprio.

– Quantos anos você tem? – perguntou Voigt.

– Trinta e um – respondeu.

– Trinta e um é jovem – disse Voigt –, mas não será jovem para sempre. Quer mesmo envelhecer trabalhando na Procuradoria? Você sabe o que dizem sobre promotores assistentes: são homens cujos melhores anos ficaram para trás. – Falou de compensações, de como poderia virar sócio rapidamente. – Me diga apenas que vai pensar no assunto.

– Pensarei – disse ele.

E pensou. Não queria conversar com Citizen ou Rhodes sobre a proposta – nem com Harold, pois sabia o que ele diria –, mas expôs a questão a Willem, e juntos analisaram as vantagens óbvias e as desvantagens óbvias do emprego: a carga horária (mas ele nunca saía do trabalho mesmo, argumentou Willem), o tédio, a alta probabilidade de trabalhar ao lado de babacas (mas, com exceção de Citizen e Rhodes, ele já trabalhava ao lado de babacas, argumentou Willem). E, obviamente, o fato de que começaria a defender as pessoas que passara os últimos seis anos processando: mentirosos, trapaceiros e ladrões, os ricos e os poderosos se fazendo de vítimas. Ele não era como Harold ou Citizen – era uma pessoa prática; sabia que construir uma carreira na advocacia era algo que exigia sacrifícios, fossem eles financeiros ou morais, mas ainda ficava preocupado com ter de abrir mão do que sabia ser justo. E em troca do quê? De garantir que não se tornasse aquele homem velho, solitário e doente? Isso parecia o pior tipo de egoísmo, o pior tipo de autoindulgência, renegar o que sabia ser certo simplesmente por sentir medo, por recear que acabaria num estado de tristeza e desconforto.

Mais tarde, duas semanas após seu encontro com Voigt, ele voltou para casa tarde numa noite de sexta-feira. Estava exausto; precisara usar a cadeira de rodas naquele dia devido à imensa dor que sentia na perna direita, e ficou tão aliviado por chegar em casa, de volta a Lispenard Street, que sentiu seu corpo enfraquecer – em alguns minutos estaria dentro do apartamento, colocaria uma toalhinha úmida, depois de aquecê-la no micro-ondas, em torno da panturrilha, e sentaria no calor. Mas, ao apertar o botão do elevador, ouviu apenas o rangido de peças mecânicas, o guincho sutil que fazia quando estava enguiçado.

– Não! – gritou ele. – Não! – Sua voz ecoou pelo saguão de entrada, e ele bateu a palma da mão contra a porta do elevador uma vez após a outra: – Não, não e não! – Pegou sua pasta e a arremessou no chão; documentos voaram para todos os lados. Ao seu redor, o prédio permanecia silencioso e indiferente.

Até que parou, envergonhado e furioso, e recolheu os documentos de volta para a pasta. Olhou para o relógio: eram onze da noite. Willem estava encenando uma peça, *Cloud 9*, mas ele sabia que àquela hora já teria acabado. Mas, quando ligou para ele, Willem não atendeu. Começou então a entrar em pânico. Malcolm estava de férias na Grécia. JB estava numa colônia de artistas. A filha de Andy, Beatrice, acabara de nascer na semana anterior: não podia ligar para ele. Não havia muitas outras pessoas que pudessem ajudá-lo, alguém com quem se sentisse meio à vontade para agarrar feito um bicho-preguiça, alguém que permitiria carregá-lo pelos muitos lances de escada.

Mas, naquele momento, ele estava intensa e irracionalmente desesperado para entrar no apartamento. Por isso, colocou-se de pé e enfiou a pasta debaixo do braço esquerdo e, com o direito, dobrou a cadeira de rodas, cara demais para ser deixada no saguão. Começou a subir os degraus, apoiando a lateral esquerda do corpo na parede e puxando a cadeira por uma das alças. Movia-se lentamente – precisava saltar com a perna esquerda, ao mesmo tempo que tentava evitar colocar peso sobre a direita ou fazer a cadeira se chocar contra a ferida. E assim foi subindo, parando a cada três degraus para descansar. Do térreo ao quinto andar havia cento e dez degraus, e, ao chegar ao quinquagésimo, estava tão cansado que teve de parar e sentar por meia hora. Continuava a telefonar e a mandar mensagens para Willem. Na quarta ligação, deixou a mensagem de voz que esperava nunca ter de deixar:

– Willem, estou realmente precisando de ajuda. Por favor, me ligue. Por favor.

Imaginou que Willem retornaria a ligação na mesma hora, dizendo que logo estaria lá, mas esperou e esperou e nada de Willem ligar. Até que finalmente conseguiu se colocar de pé outra vez.

De algum jeito, chegou ao apartamento. No entanto, não se lembra de mais nada daquela noite; quando acordou no dia seguinte, encontrou Willem dormindo no tapete ao lado de sua cama e Andy na poltrona que devem ter arrastado da sala até o quarto. Estava com a língua inchada, desorientado e enjoado; sabia que Andy devia ter lhe aplicado uma injeção para a dor, o que ele odiava: ia sentir-se desnorteado e com prisão de ventre por dias.

Quando acordou de novo, Willem havia sumido, mas Andy estava acordado e olhava para ele.

— Jude, você precisa mudar desta porra de apartamento — falou, em voz baixa.

— Eu sei — respondeu.

— O que tinha na cabeça, Jude? — perguntaria Willem posteriormente, depois de voltar do mercado. Antes, como não conseguia andar, Andy o ajudara a ir ao banheiro, carregando-o até lá e depois de volta para a cama, para em seguida ir embora. Willem saíra da peça direto para uma festa e não escutara o telefone tocar; quando finalmente ouviu as mensagens, voltou correndo para casa e o encontrou tendo convulsões no chão, por isso ligou para Andy. — Por que não ligou para Andy? Por que não foi a uma lanchonete e esperou por mim? Por que não ligou para Richard? Por que não ligou para Philippa e pediu para ela me achar? Por que não ligou para Citizen, ou Rhodes, ou Eli, ou Phaedra, ou para um dos Henry Youngs, ou...

— Não sei — respondeu, ainda num estado lastimável. Era impossível explicar aos sadios a lógica dos doentes, e ele nem tinha forças para tentar.

Na semana seguinte, entrou em contato com Lucien Voigt e combinou os termos do emprego. Depois de assinar o contrato, ligou para Harold, que manteve o silêncio por cinco longos segundos, antes de respirar fundo e começar.

— Não entendo, Jude — falou. — Não mesmo. Você nunca me pareceu do tipo que é movido pelo dinheiro? Ou é? Quero dizer, acho que sim. Você tinha, ou melhor, tem, uma bela carreira na Procuradoria. Está realizando trabalhos importantes por lá. E vai desistir de tudo isso para quê? Para defender criminosos. Pessoas tão prepotentes, tão certas de que nunca serão apanhadas, que a própria possibilidade de serem apanhadas nem lhes passa pela cabeça. Pessoas que acham que as leis são feitas para aqueles que ganham salários com menos de nove dígitos por ano. Pessoas que acham que as leis só se aplicam em termos de raça ou da faixa de impostos.

Ele não disse nada, apenas deixou que Harold fosse ficando mais e mais agitado, pois sabia que ele tinha razão. Nunca haviam conversado explicitamente sobre o assunto, mas sabia que Harold pensava que seguiria sua carreira no serviço público. Ao longo dos anos, Harold falava com desânimo e tristeza sobre alguns alunos talentosos que admirava, que haviam deixado seus empregos – na Procuradoria, no Departamento de Justiça, em escritórios de defensoria pública e em programas de suporte legal – para trabalharem em firmas privadas de advocacia. "Uma sociedade não pode funcionar como deve sem que pessoas com uma incrível mente legal se ocupem de fazê-la funcionar", costumava dizer Harold, e ele sempre concordara. E ainda concordava, motivo este que o impedia de se defender agora.

– Não tem nada que queira dizer? – finalmente perguntou Harold.

– Desculpe, Harold – falou. – Você está zangado comigo – murmurou.

– Não estou zangado, Jude – respondeu. – Estou decepcionado. Tem ideia do quanto você é especial? Tem ideia da diferença que poderia fazer caso continuasse lá? Poderia virar juiz, se quisesse. Poderia chegar à Suprema Corte um dia. Mas não mais. Agora será mais um especialista em litígios em mais uma firma privada, e vai lutar contra tudo o que poderia ter feito de bom. É um desperdício, Jude, um grande desperdício.

Ficou em silêncio novamente. Repetiu as palavras de Harold para si mesmo: *um desperdício, um grande desperdício.* Harold soltou um suspiro.

– De que se trata, afinal? – perguntou. – É por causa do dinheiro? É disso que se trata? Por que não me disse que precisava de dinheiro, Jude? Eu poderia lhe dar. É por causa do dinheiro? Me diga do que precisa, Jude, e ficarei feliz em ajudar.

– Harold – começou –, isso é muito... muito generoso de sua parte. Mas... não posso aceitar.

– Porra nenhuma – disse Harold –, você não *quer* aceitar. Estou oferecendo a você uma maneira de continuar no seu emprego, Jude, de não precisar aceitar um trabalho que irá detestar, de não fazer coisas que *irá* detestar, sem pedir nada em troca. E isso não é uma suposição, é um fato. Estou lhe dizendo que ficarei *feliz* em dar dinheiro a você para isso.

Ah, Harold, pensou.

– Harold – falou, pesaroso –, o tipo de dinheiro de que preciso não é o mesmo que você tem, lhe garanto.

Harold ficou em silêncio e, quando voltou a falar, trazia um tom diferente na voz.

– Jude, por acaso está metido em algum tipo de encrenca? Você sabe que pode me dizer. O que quer que seja, eu vou ajudar.

– Não – respondeu, com vontade de chorar. – Não, Harold, eu estou bem. – Colocou a mão sobre a panturrilha enfaixada, com sua dor regular e constante.

– Que bom – disse Harold. – Fico aliviado. Mas, Jude, para o que mais você precisaria de tanto dinheiro, se não para um apartamento, que eu e Julia vamos ajudá-lo a comprar, está me ouvindo?

Ele às vezes se sentia frustrado e ao mesmo tempo fascinado pela falta de imaginação de Harold: em sua mente, as pessoas tinham pais que sentiam orgulho delas e economizavam dinheiro só para comprar um apartamento ou sair de férias, e pediam as coisas quando as queriam; ele parecia curiosamente alheio a um universo em que essas coisas não eram certas, no qual nem todas as pessoas compartilhavam o mesmo passado e o mesmo futuro. Mas aquele era um modo de pensar bastante mesquinho, e também raro – na maior parte do tempo, admirava o otimismo inexorável de Harold, sua incapacidade ou a pura relutância em ser cínico, em procurar tristeza e infelicidade em todas as situações. Adorava a inocência de Harold, que era ainda mais notável levando-se em consideração o que ele ensinava e o que perdera. Assim, como poderia dizer a Harold que precisava levar em conta sua cadeira de rodas, que precisava ser trocada de anos em anos, e que o plano de saúde não cobria integralmente? Como poderia dizer que Andy, que não trabalhava com nenhum plano de saúde, nunca lhe cobrava, nunca lhe cobrara, mas um dia talvez mudasse de ideia e, caso mudasse, não teria como deixar de pagá-lo? Como poderia dizer a ele que, na última vez que sua ferida abrira, Andy mencionara uma possível hospitalização e talvez, no futuro, até uma amputação? Como poderia dizer que, caso sua perna fosse amputada, teria de gastar com a internação, a fisioterapia e com uma prótese? Como poderia lhe falar sobre a cirurgia que queria fazer nas costas, no laser que reduziria a carapaça de suas cicatrizes a nada? Como poderia contar a Harold sobre seus piores medos: da solidão, de se tornar um velho com um cateter e um peito esquelético e descarnado? Como poderia dizer a Harold que não sonhava com casamento e filhos, mas sim em um dia ter dinheiro o bastante para pagar alguém para tomar conta dele, caso precisasse, alguém que o tratasse bem e respeitasse sua privacidade e dignidade? E depois, sim, havia as coisas que queria: queria morar num lugar onde o elevador funcionasse. Queria poder pegar um táxi quando quisesse. Queria encontrar um lugar reservado onde pudesse nadar, pois o movimento fazia suas costas relaxarem e também porque não podia mais sair para suas caminhadas.

Mas não podia contar a Harold nada daquilo. Não queria que Harold soubesse o quanto tinha defeitos, que lixo ele tinha adquirido. Por isso não falou nada, apenas disse que precisava desligar e que voltariam a conversar depois.

Mesmo antes de falar com Harold, ele se preparara para se resignar ao novo emprego e nada mais. Mas então, primeiro para sua inquietação, depois para sua surpresa, depois para seu deleite e depois ainda para seu leve desgosto, acabou descobrindo que estava gostando. Tivera experiências com a indústria farmacêutica em seus tempos de promotor, e a maioria de seus casos iniciais se concentrou nesse ramo: trabalhou com uma companhia que estava abrindo uma subsidiária baseada na Ásia para desenvolver um programa anticorrupção, indo e voltando de Tóquio com o sócio sênior no caso – aquele era um trabalho pequeno, organizado e solucionável, e por isso mesmo incomum. Os outros casos eram mais complicados, mais longos, às vezes infinitamente longos: boa parte de seu trabalho foi elaborar uma defesa para outro cliente da firma, um enorme conglomerado farmacêutico, contra uma acusação sob a Lei de Créditos Fraudulentos. Depois de três anos trabalhando na Rosen Pritchard & Klein, quando a empresa de gerenciamento de investimentos para a qual Rhodes trabalhava foi investigada por fraude, vieram à sua procura e firmaram sua posição como sócio: ele tinha experiência no tribunal, o que a maioria dos outros funcionários não tinha, mas sabia que eventualmente teria de trazer um cliente para a firma, e o primeiro cliente era sempre o mais difícil de achar.

Nunca admitiria aquilo a Harold, mas, na verdade, gostava de cuidar de investigações impulsionadas por informantes, gostava de testar os limites da Lei sobre Práticas de Corrupção no Exterior, gostava de ter a possibilidade de esticar a lei feito um elástico, até ultrapassar um pouco seu ponto de tensão natural, chegando bem perto do limite em que ela se voltava contra você com a mesma intensidade. Durante o dia dizia a si mesmo que aquele era um compromisso intelectual, que seu trabalho era uma expressão da plasticidade da própria lei. Já à noite pensava às vezes no que Harold diria caso falasse abertamente com ele sobre o que vinha fazendo, e ouvia novamente suas palavras: *um desperdício, um grande desperdício*. O que estava fazendo?, pensava naqueles momentos. Teria o trabalho o transformado num mercenário, ou será que sempre fora assim, ainda que gostasse de pensar o contrário?

Está tudo dentro da lei, argumentava com o Harold-em-sua-mente.

Só porque pode fazer algumas coisas, não significa que tenha de fazê-las, devolvia o Harold-em-sua-mente.

E Harold de fato não errara completamente, pois ele sentia falta de trabalhar na Procuradoria. Sentia falta de ser um homem honrado e de estar cercado pelos apaixonados, pelos impetuosos, pelos combatentes. Sentia falta de Citizen, que voltara a Londres, de Marshall, com quem se encontrava ocasionalmente para tomar um drinque, e de Rhodes, a quem via com maior frequência, mas agora andava sempre esgotado e pálido, quando antes era alegre e efervescente, alguém que colocava um eletrotango para tocar e conduzia uma mulher imaginária de um lado para o outro quando ficavam até tarde no escritório e não conseguiam mais raciocinar direito, só para fazer com que ele e Citizen desviassem o olhar do computador e rissem. Estavam ficando velhos, todos eles. Gostava da Rosen Pritchard, gostava das pessoas ali, mas nunca ficava até tarde da noite ao lado delas discutindo os casos e conversando sobre livros: não era o tipo de escritório para aquilo. Os funcionários da sua idade tinham namorados ou namoradas infelizes em casa (ou eram eles próprios namorados e namoradas infelizes); os mais velhos estavam casando. Nos raros momentos em que não falavam sobre trabalho, jogavam conversa fora sobre noivados, filhos e imóveis. Não falavam sobre direito, nem por diversão e tampouco por paixão.

A firma encorajava seus advogados a fazerem trabalho *pro bono*, e ele passou a atuar como voluntário num grupo sem fins lucrativos que oferecia aconselhamento legal gratuito a artistas. A organização promovia o que chamava de "horas de estúdio" toda tarde e noite, e os artistas podiam aparecer e consultar um advogado, e toda quarta-feira ele deixava o trabalho mais cedo, às sete, e partia para os escritórios do grupo, com seus pisos que rangiam, no SoHo, na Broome Street, onde passava três horas, ajudando pequenos editores de tratados radicais que queriam se estabelecer como organizações sem fins lucrativos, pintores envolvidos em disputas relacionadas à propriedade intelectual, grupos de dança, fotógrafos, escritores e cineastas com contratos tão fora dos limites da lei (apresentaram-no um que fora escrito a lápis numa folha de papel-toalha) que se tornavam insignificantes ou tão desnecessariamente complicados que os artistas não conseguiam entendê-los – *ele* mesmo mal entendia –, ainda que os tenham assinado mesmo assim.

Harold tampouco aprovava seu trabalho voluntário; dava para ver que o achava algo leviano.

– Algum desses artistas tem realmente *talento?* – perguntou Harold.

– Provavelmente, não – respondeu.

Mas não cabia a ele julgar se eram bons ou não – outras pessoas, muitas outras pessoas, já faziam aquilo. Estava ali somente para oferecer o tipo de ajuda prática a que poucos deles tinham acesso, já que muitos viviam num mundo alheio a coisas práticas. Sabia que era uma ideia romântica, mas os admirava: admirava todos que conseguiam viver ano após ano à base de suas minguantes esperanças, mesmo que envelhecessem e se tornassem mais obscuros a cada dia. E era o mesmo romantismo que o fazia pensar em seu tempo na organização como uma referência aos amigos, que viviam o tipo de vida que o encantava: considerava-os verdadeiros sucessos e sentia-se orgulhoso. Diferentemente dele, não tinham uma estrada definida a ser trilhada. Mesmo assim, seguiam em frente com obstinação, passando seus dias produzindo coisas belas.

Seu amigo Richard fazia parte do conselho da organização e passava ali a caminho de casa em algumas quartas – havia se mudado fazia pouco tempo para o SoHo – e sentava para conversar com ele, caso estivesse num intervalo entre um cliente e outro, ou então acenava para ele de longe caso estivesse ocupado. Uma noite, depois das horas de estúdio, Richard o convidou para ir a seu apartamento tomar um drinque, e os dois viraram a oeste na Broome Street, passando pelas ruas Centre, Lafayette, Crosby, Broadway e Mercer antes de seguir na direção sul até a Greene. Richard morava num prédio estreito, cuja fachada de pedra fora tomada pela fuligem, com uma porta de garagem alta delimitando o primeiro andar e, à direita, uma porta de metal com uma janela de vidro do tamanho de um rosto no alto. Não havia portaria, apenas um corredor cinzento com piso de ladrilho iluminado por três lâmpadas descobertas penduradas por fios. O corredor virava à direita e levava a um elevador industrial parecido com uma cela, do tamanho da sala de estar e do quarto de Willem em Lispenard Street, com uma porta gradeada que tremia para fechar ao toque de um botão, mas que subia suavemente por um poço aberto de blocos de concreto. Pararam no terceiro andar e Richard abriu o elevador e girou sua chave no conjunto de portas de aço enormes e ameaçadoras diante deles, dando para seu apartamento.

– Meu deus – falou, entrando no lugar, enquanto Richard acendia algumas luzes.

Os pisos eram de madeira caiada e as paredes também eram brancas. Bem no alto, o teto piscava e cintilava com um monte de lustres – velhos, de vidro, novos, de aço –, dispostos num intervalo de um metro entre um e outro, em alturas diferentes, de modo que, ao avançarem loft adentro, pôde sentir as armações de vidro roçarem o topo de sua cabeça, e Richard, que era ainda mais alto que ele, tinha de se abaixar para não arranhar a testa. Não havia divisórias, mas, perto dos fundos do ambiente, dava para ver uma caixa de vidro fina, tão alta e larga quanto as portas da frente, e, ao se aproximar, percebeu que dentro dela havia um favo de mel gigantesco moldado no formato de um belo coral. Depois da caixa de vidro havia um colchão coberto com roupa de cama e antes dele um tapete berbere felpudo e branco, espelhos que refletiam as luzes, um sofá branco de lã e uma televisão, formando uma estranha ilha de domesticidade em meio a tanta aridez. Aquele era o maior apartamento em que já colocara os pés.

– Não é de verdade – disse Richard, vendo-o olhar para o favo de mel.
– Fiz com cera.

– É espetacular – elogiou, e Richard agradeceu com a cabeça.

– Venha – falou – vou lhe mostrar a casa.

Deu a ele uma cerveja e depois destrincou uma porta ao lado da geladeira.

– São as escadas de emergência – disse. – Eu as adoro. Parece que vão nos levar ao inferno, sabe?

– É verdade – concordou, olhando para o vão da porta, de onde as escadas pareciam ser engolidas pela escuridão. Deu então um passo para trás, sentindo-se repentinamente inquieto e ao mesmo tempo um pouco bobo por estar daquele jeito. Richard, que pareceu não ter percebido, fechou a porta e passou o trinco.

Desceram pelo elevador até o segundo andar e entraram no estúdio, onde Richard lhe mostrou no que vinha trabalhando.

– Batizei de deturpações – falou, deixando que ele segurasse o que presumira ser um galho branco de bétula, mas que na verdade fora feito de argila queimada, e depois uma pedra, redonda, lisa e leve, que fora talhada a partir de cinzas e torneada, mas passava uma impressão de solidez e peso, e o esqueleto de um pássaro feito com centenas de pecinhas de porcelana. Bifurcando o espaço no sentido do comprimento havia uma fileira de sete caixas de vidro, menores que a do piso superior com o favo de mel feito de cera, mas ainda assim tão grandes quanto uma das janelas, e dentro de cada uma havia uma montanha irregular e desmoronando, feita com uma substância num tom amarelo-escuro doentio que parecia algo entre borracha e carne. – Estes são favos de mel de verdade, ou pelo menos eram – explicou Richard. – Deixo as abelhas trabalharem neles por um tempo e depois as liberto. Cada um recebe o nome de acordo com o tempo em que foi ocupado, o tempo em que foi de fato um lar e um santuário.

Sentaram nas cadeiras de escritório com estofamento de couro que Richard usava para trabalhar, beberam suas cervejas e conversaram: sobre o trabalho de Richard, sobre sua próxima mostra, a segunda que faria e que estava programada para dali a seis meses, e sobre as novas pinturas de JB.

– Você ainda não as viu, certo? – perguntou Richard. – Passei no estúdio dele duas semanas atrás e as telas são realmente lindas, as melhores que já pintou. – Sorriu para ele. – Você vai aparecer bastante, sabe.

– Sei – respondeu, tentando não contorcer o rosto numa careta. – Mas, me diga, Richard – falou, mudando de assunto –, como encontrou este lugar? É incrível.

– É meu.

– É mesmo? Você é o dono? Estou impressionado; isso é tão adulto da sua parte.

Richard caiu na risada.

– Não, o prédio... ele é meu.

Explicou: seus avós tinham uma empresa de importação, e quando seu pai e sua tia eram novos, compraram dezesseis prédios no Baixo Manhattan, antigas fábricas, para usar como armazém: eram seis no SoHo, seis em TriBeCa e quatro em Chinatown. Quando os quatro netos completaram 30 anos, cada um ganhou um prédio. Quando fizeram 35 – como acontecera a Richard no ano anterior – ganharam outro. Quando fizessem 40, ganhariam um terceiro. Aos 50, receberiam o último.

– Você pôde escolher? – perguntou, com a mistura particular de desorientação e incredulidade que sempre sentia ao ouvir aquele tipo de história: tanto por uma fortuna assim existir e ser mencionada de maneira tão casual, como por alguém que conhecia havia tanto tempo ser o dono dela.

Aquilo o fazia lembrar o quanto, de certa forma, ainda era ingênuo e simplório – jamais poderia imaginar tais riquezas, jamais poderia imaginar que as pessoas que conhecia eram *donas* de tais riquezas. Mesmo passados tantos anos, mesmo que os anos em Nova York e seu trabalho, em especial, o tenham ensinado o contrário, ele ainda não conseguia deixar de imaginar que os ricos não fossem como Ezra, Richard ou Malcolm, mas sim como eram retratados em caricaturas e sátiras: homens mais velhos, saindo de carros com vidro fumê, e suas mulheres magras e frágeis, suas enormes casas com piso polido.

– Não. – Richard sorriu. – Eles nos deram aqueles que achavam se encaixar melhor com nossas personalidades. Meu primo rabugento ficou com um prédio em Franklin Street que era usado para armazenar vinagre.

Ele caiu na risada.

– E este aqui era usado para quê?

– Vou mostrar a você.

E assim voltaram ao elevador, subindo até o quarto andar, onde Richard abriu a porta e acendeu as luzes. Ali, se viram defrontados por paletas e mais paletas empilhadas bem alto, quase até o teto, com o que pensou serem tijolos.

– Mas não são *apenas* tijolos – disse Richard –, são tijolos decorativos de terracota, importados da Úmbria. – Pegou um tijolo de uma paleta incompleta e lhe entregou. Ele virou o tijolo, que era coberto por uma camada fina e lustrosa de verniz verde, passando a palma por sua superfície áspera. – O quinto e o sexto andares também estão cheios de tijolos – disse Richard. – Serão vendidos a um atacadista em Chicago, e os pisos ficarão livres. – Ele sorriu. – Agora dá para você entender por que preciso de um bom elevador aqui.

Voltaram para o apartamento, passando mais uma vez pelo jardim suspenso de lustres, e Richard lhe deu outra cerveja.

– Ouça – disse –, preciso conversar com você sobre uma coisa importante.

– Pode falar – respondeu, colocando a garrafa de cerveja na mesa e inclinando o corpo para a frente.

– Os tijolos vão ser levados embora antes do fim do ano – disse Richard. – O quinto e o sexto andares são exatamente iguais a este aqui: as paredes com tubulações ficam na mesma posição, três banheiros... Minha pergunta é se você gostaria de ficar com um deles.

– Richard – falou –, eu adoraria. Mas quanto você está cobrando?

– Não estou falando em aluguel, Jude – disse Richard. – Estou falando em compra.

Richard já havia conversado com o pai, que era advogado dos avós: converteriam o prédio numa cooperativa e ele compraria algumas ações. A única coisa que a família de Richard pedia era que ele ou seus herdeiros lhes dessem preferência caso decidisse vendê-lo um dia. Cobrariam dele um valor justo e ele poderia pagar a Richard um aluguel mensal que seria usado como parcelas de aquisição. Os Goldfarb já haviam feito aquilo antes – a namorada de seu primo rabugento comprara um andar do armazém de vinagre um ano atrás – e tudo correra bem. Aparentemente, estariam aptos a algum tipo de dedução fiscal caso todos eles convertessem um de seus prédios em cooperativas de pelo menos duas unidades. Por esse motivo, o pai de Richard vinha tentando fazer todos os netos adotarem essa medida.

– Por que está fazendo isso? – perguntou a Richard, com a voz baixa, depois de se recuperar. – Por que eu?

Richard deu de ombros.

– Fico muito sozinho aqui – falou. – Não que eu vá aparecer no seu apartamento toda hora. Mas às vezes seria bom saber que tem outra alma viva neste prédio. E você é o mais responsável de todos os meus amigos. Não que haja muita competição nesse sentido. E gosto da sua companhia. E também... – Parou de falar. – Prometa que não vai se zangar.

– Ah, céus – falou. – Tudo bem, prometo.

– Willem me contou sobre o que aconteceu, você sabe, quando estava tentando subir para o apartamento no ano passado e o elevador quebrou. Isso não é nenhum motivo de vergonha, Jude. Ele só está preocupado com você. De qualquer forma, falei para ele que lhe faria essa proposta, e Willem achou, ou melhor, acha, que aqui é um lugar onde poderá morar por bastante tempo: para sempre. E o elevador nunca vai enguiçar aqui. E, caso enguice, eu estarei bem aqui embaixo. Quero dizer... obviamente você pode comprar um apartamento em outro lugar, mas espero que pense na ideia de se mudar para cá.

Naquele momento, não se sente com raiva, mas sim exposto: não só a Richard, mas também a Willem. Sempre tenta esconder ao máximo as coisas de Willem, não porque não confie nele, mas sim porque não quer que Willem o veja como uma pessoa necessitada, como alguém que precise de cuidados e de ajuda. Ele quer que Willem e todos os outros o vejam como alguém confiável e seguro, alguém a quem possam recorrer quando tiverem problemas, em vez de ser sempre ele a procurá-los. Sente-se envergonhado, pensando nas conversas que giraram em torno dele – entre Willem e Andy, entre Willem e Harold (as quais tem certeza de que acontecem com uma frequência maior do que teme) e agora entre Willem e Richard – e também triste por Willem passar tanto tempo se preocupando com ele, tendo de pensar nele como teria de pensar em Hemming, caso estivesse vivo: como alguém que precisa de cuidados, alguém cujas decisões têm de ser tomadas por outras pessoas. Imagina-se mais uma vez como aquele homem velho: seria possível que Willem tivesse a mesma visão, que os dois compartilhem o mesmo medo, que seu fim pareça tão inevitável para Willem como parece a ele próprio?

Lembra então uma conversa que teve com Willem e Philippa uma vez: Philippa estava falando sobre como um dia, quando ela e Willem ficassem velhos, assumiriam a casa e os pomares dos pais dela no sul de Vermont.

– Já posso até ver como vai ser – disse ela. – Os filhos terão voltado a morar com a gente, pois não conseguirão se dar bem no mundo real, e *eles* terão seis filhos no total, com nomes como Buster, Carrot e Vixen, que correrão pelados pela casa e não irão à escola, e eu e Willem teremos que os bancar até o fim de nossos dias...

– O que os seus filhos vão fazer da vida? – perguntou ele, sendo prático até ao fazer uma brincadeira.

– Oberon fará instalações de arte usando somente produtos alimentícios e Miranda tocará uma cítara com fios de costura no lugar das cordas – respondeu Philippa, fazendo-o sorrir. – Nunca sairão da pós-graduação e Willem precisará continuar trabalhando até ficar tão acabado que terei de empurrá-lo pelo set numa cadeira de rodas – parou de falar naquele ponto, enrubescendo, mas foi em frente após uma pausa – para poder pagar todos os estudos e experimentos deles. Já eu terei de largar o mundo dos figurinos e abrir uma empresa de molho de maçã orgânico para pagar as dívidas e manter a casa, que vai ser uma enorme e gloriosa espelunca cheia de cupins por todos os lados, e teremos uma mesa gigantesca de madeira, toda arranhada, grande o bastante para os doze.

— Treze — disse Willem, de repente.

— Por que treze?

— Porque... Jude também vai morar com a gente.

— Ah, vou? — perguntou descontraidamente, mas feliz e aliviado por ser incluído na visão de Willem para a terceira idade.

— Mas é claro. Vai ficar instalado no chalé de hóspedes, e toda manhã Buster vai levar waffles de trigo sarraceno na sua casa, já que você estará farto demais de todos nós para comer à mesma mesa, e depois do café da manhã eu vou bater papo com você para me esconder de Oberon e Miranda, que ficarão atrás de mim para que eu faça comentários inteligentes e encorajadores sobre seus projetos mais recentes.

Willem sorriu para ele, que retribuiu o sorriso, embora pudesse ver que Philippa deixara de sorrir e encarava a mesa. Ela ergueu a cabeça e seus olhos se cruzaram por meio segundo, e então ela desviou o olhar, rapidamente.

Segundo acreditava, foi pouco depois daquilo que a atitude de Philippa em relação a ele mudou. Não era uma coisa óbvia, que todos percebessem — talvez nem mesmo ela percebesse —, mas, ao passo que antes costumava chegar em seu apartamento e a encontrava desenhando na mesa, e os dois conversavam amigavelmente enquanto ele bebia um copo de água examinando seus esboços, agora ela simplesmente acenava com a cabeça para ele e dizia "Willem foi ao mercado" ou "Ele já vai voltar", por mais que ele não tivesse perguntado (ela sempre era bem-vinda em Lispenard Street, quer Willem estivesse por lá ou não), e ele ficava por perto um tempinho até ficar claro que ela não estava a fim de papo. Diante disso, seguia para seu quarto para trabalhar.

Podia entender por que Philippa se ressentia dele: Willem o convidava para ir a todos os lugares com eles, o incluía em todos os planos, até em sua aposentadoria, até mesmo no sonho de Philippa de uma velhice ao lado do marido. Depois daquilo, passou a ter o cuidado de recusar todos os convites de Willem, mesmo para programas que não envolviam Philippa — se eles fossem a uma festa na casa de Malcolm para a qual também fora convidado, saía separado dos dois, e fez questão de convidar Philippa para ir a Boston passar o Dia de Ação de Graças, embora no fim ela não tenha ido. Chegou até mesmo a tentar conversar com Willem sobre o que vinha percebendo, para que ele abrisse os olhos para o que ela certamente estava sentindo.

– Não gosta dela? – perguntou Willem, preocupado.

– Você sabe que eu gosto de Philippa – respondeu. – Mas acho... acho que você deveria passar mais tempo só com ela, Willem, vocês dois e mais ninguém. Deve ser chato para ela me ver sempre por perto.

– Ela *falou* isso para você?

– Não, Willem, claro que não. Só estou supondo. Pela minha vasta experiência com mulheres, sabe?

Depois, quando Willem e Philippa romperam, sentiu-se culpado, como se fosse o único responsável. Mas, mesmo antes disso, ele se questionava se Willem também chegara à conclusão de que nenhuma namorada séria toleraria sua presença constante na vida do amigo; questionava se Willem tentava elaborar planos alternativos para ele, de modo que *não* terminasse vivendo num chalé na propriedade que Willem e sua esposa teriam um dia, um modo de não se tornar o amigo triste e encalhado de Willem, uma lembrança inútil de sua longínqua vida infantil. *Ficarei só*, decidiu. Não queria ser aquele que arruinaria as chances de Willem ser feliz: *queria* que Willem tivesse o pomar, a casa atacada por cupins, os netos e a esposa que tinha ciúmes de sua companhia e atenção. Queria que Willem tivesse tudo o que merecia, tudo o que desejasse. Queria que todos os seus dias fossem livres de preocupações, obrigações e responsabilidades – mesmo que aquela preocupação, aquela obrigação e aquela responsabilidade fossem ele.

Na semana seguinte, o pai de Richard – um homem alto, sorridente e simpático, a quem conhecera na primeira mostra de Richard, três anos antes – enviou-lhe o contrato. Ele pediu a um amigo da faculdade de direito, um advogado do ramo imobiliário, que o examinasse com ele. Recebeu também a ficha técnica do prédio, que entregou a Malcolm. O preço quase o fizera vomitar, mas seu colega de classe disse que ele tinha de aceitar:

– É uma tremenda barganha, Jude. Você nunca, nunca, nunca irá encontrar um imóvel desse tamanho, naquela vizinhança, por esse preço.

Depois de analisar a ficha e em seguida o espaço, Malcolm lhe disse a mesma coisa:

– Compre.

Foi o que ele fez. E por mais que ele e os Goldfarb tenham estipulado um cronograma prolongado de pagamento, com duração de dez anos, e um plano de aluguel com escopo de aquisição sem juros, ele estava determinado a quitar o apartamento o mais rápido possível. A cada duas semanas, separava metade do salário para o apartamento e a outra metade para suas economias e despesas diárias. Contou a Harold que mudara de casa em seu telefonema semanal ("Graças a *deus*", disse Harold: jamais gostara de Lispenard Street), mas não mencionou que havia comprado o imóvel, pois não queria que Harold se sentisse obrigado a lhe oferecer dinheiro. De Lispenard Street levou apenas o colchão, o abajur, a mesa e uma cadeira, colocando tudo num canto do apartamento novo. À noite, às vezes, erguia o olhar dos documentos do trabalho e pensava em como fora ridícula aquela decisão: Como poderia preencher todo aquele espaço? Como um dia poderia ter a sensação de que aquilo lhe pertencia? Lembrava-se de Boston, da Hereford Street, e de como lá havia sonhado apenas com um quarto, com uma porta que um dia ele pudesse fechar. Mesmo na temporada que passara em Washington, trabalhando para Sullivan, dormia na sala de um apartamento de um quarto que dividia com um assistente legislativo, a quem via raramente – Lispenard Street fora a primeira vez na vida que tivera um quarto, um quarto de verdade, com uma janela de verdade, só para ele. Mas, um ano depois de se mudar para Greene Street, Malcolm instalou as paredes e o lugar começou a ficar um pouquinho mais confortável, e, um ano depois, Willem foi morar lá e o apartamento ficou ainda mais agradável. Via Richard com menos frequência do que imaginara – ambos estavam sempre viajando –, mas nas noites de domingo passava às vezes no estúdio dele e o ajudava em algum de seus projetos, polindo pequenos galhos com uma lixa de papel até ficarem lisos, ou recortando as barbas das hastes de um punhado de penas de pavão. O estúdio de Richard era o tipo de lugar que o teria encantado na infância – havia bacias e tigelas com coisas maravilhosas por todos os lados: gravetos, pedras, besouros secos, penas, minúsculos pássaros empalhados em cores vívidas, blocos de várias formas feitos com alguma madeira macia e pálida – e às vezes tinha vontade de abandonar seu trabalho e simplesmente sentar no chão para brincar, algo que não conseguira fazer quando criança por estar sempre ocupado com outras coisas.

Passados três anos, havia quitado o apartamento e começara imediatamente a economizar para a reforma. Levou menos tempo do que imaginara, em parte devido a algo que acontecera com Andy. Aparecera um dia para sua consulta no Alto Manhattan, e Andy entrara na sala, com um ar sério e estranhamente triunfante.

– O que foi? – perguntara, e Andy lhe entregara um artigo que recortara de uma revista sem dizer nada.

Leu o que estava escrito: tratava-se de um relatório acadêmico, comprovando que uma cirurgia a laser semiexperimental desenvolvida recentemente e vista como grande promessa na remoção sem danos de queloides na verdade causava efeitos adversos em médio prazo: embora os queloides fossem eliminados, os pacientes desenvolviam feridas similares a queimaduras, em carne viva, e a pele sob as cicatrizes se tornava muito mais frágil e suscetível a rompimentos e rachaduras, o que resultava em bolhas e infecções.

– É isso que está pensando em fazer, não é? – perguntou Andy, enquanto ele continuava sentado com as folhas na mão, incapaz de falar. – Eu *conheço* você, Judy. E sei que marcou uma consulta no escritório daquele charlatão do Thompson. Não negue; eles telefonaram atrás da sua ficha. Eu não mandei. Por favor, não faça isso, Jude. Estou falando sério. A última coisa de que você precisa é uma ferida aberta nas costas além das da perna. – Como ele não abriu a boca, Andy pediu: – Fale comigo.

Ele balançou a cabeça. Andy tinha razão: também vinha economizando para fazer aquilo. Assim como suas bonificações anuais e a maior parte de suas economias, todo o dinheiro que ganhara muito tempo atrás como tutor de Felix fora utilizado no apartamento, mas, nos últimos meses, vendo-se perto de quitar as últimas parcelas, começara a economizar novamente para a cirurgia. Havia pensado em tudo: faria a cirurgia e depois acabaria de economizar para a reforma. Imaginava como seria: suas costas voltariam a ser lisas como o próprio piso, o rastro grosso e inflexível das cicatrizes seria vaporizado em segundos e, com ele, toda a marca do tempo que passara no orfanato e na Filadélfia. O registro daquela época seria apagado de seu corpo. Tentava esquecer com todas as suas forças, tentava todos os dias, mas, por mais que tentasse, ali estavam as cicatrizes para lembrá-lo, provas de que o que fingia não ter acontecido na verdade acontecera.

– Jude – disse Andy, sentando ao seu lado na maca. – Sei que ficou frustrado. E prometo que, assim que existir um tratamento eficaz e seguro, vou falar para você. Sei que isso o incomoda. Estou sempre atento às novidades que possam se aplicar ao seu caso. Mas, por enquanto, não existe nada, e minha consciência me impede de deixar que faça isso consigo mesmo. – Ele ficou em silêncio; os dois ficaram. – Acho que deveria ter perguntado com mais frequência, Jude, mas... você sente dor? As cicatrizes causam algum desconforto? Sente a pele esticada?

Ele assentiu com a cabeça.

– Veja, Jude – disse Andy após uma pausa. – Existem alguns cremes que posso lhe dar para ajudar um pouco, mas vai precisar de alguém para aplicá-los todas as noites, caso contrário, não surtirão efeito. Deixaria alguém fazer isso por você? Willem? Richard?

– Não consigo – respondeu, falando para o artigo de revista em suas mãos.

– Tudo bem – disse Andy. – Vou prescrever a receita mesmo assim, e mostrarei a você o que fazer. Não se preocupe, eu perguntei como se faz a um dermatologista de verdade, não é um método que eu mesmo inventei. Só não sei dizer se será eficaz caso você aplique por conta própria. – Ele desceu da maca. – Pode abrir o roupão e virar para a parede?

Ele obedeceu, e sentiu a mão de Andy sobre seus ombros, depois descendo lentamente pelas costas. Pensou que Andy fosse dizer, como fazia às vezes, algo do tipo "Não é tão ruim assim, Jude", ou "Não tem nada de que se envergonhar", mas não falou nada dessa vez. Simplesmente passou as mãos pelo seu corpo, como se suas próprias palmas fossem lasers, algo que estivesse pairando sobre ele e o curando, tornando sua pele saudável e livre de marcas. Até que Andy finalmente falou para ele se vestir novamente, o que fez, virando em seguida.

– Lamento muito, Jude – disse Andy, e agora era Andy quem não conseguia olhar para ele. – Quer ir comer alguma coisa? – perguntou após o fim da consulta, enquanto ele colocava a roupa, mas ele balançou a cabeça.

– Preciso voltar para o escritório.

Andy ficou em silêncio, mas, quando ele estava prestes a ir embora, o interrompeu.

– Jude – falou –, sinto muito, de verdade. Não gosto de ter que acabar com seus sonhos.

Ele assentiu. Sabia que Andy se sentira mal em fazer aquilo, mas, naquele exato momento, não conseguia ficar perto dele, queria apenas ir embora.

No entanto, lembrou a si mesmo – estava decidido a ser mais realista, a parar de pensar que um dia pudesse melhorar – que o fato de não poder ir em frente com a cirurgia significava que agora tinha dinheiro para Malcolm começar a reforma para valer. Desde que comprara o apartamento, observara Malcolm ir se tornando mais ousado e imaginativo em seu trabalho, e, assim, os planos que esboçara quando comprara o apartamento foram alterados, revisados e melhorados inúmeras vezes: neles, Jude conseguia enxergar o desenvolvimento do que até ele mesmo podia reconhecer como uma confiança estética, uma idiossincrasia segura. Pouco depois que ele começara a trabalhar na Rosen Pritchard & Klein, Malcolm pedira as contas na Ratstar e, ao lado de dois ex-colegas e de Sophie, uma conhecida da faculdade de arquitetura, abrira uma firma chamada Bellcast; o primeiro trabalho do escritório foi a renovação do *pied-à-terre* de um dos amigos dos pais de Malcolm. A Bellcast trabalhava na maior parte do tempo com projetos residenciais, mas, no ano anterior, ganhara a licitação, pela primeira vez, para uma obra pública, um museu de fotografia em Doha, e Malcolm – assim como Willem, assim como ele próprio – passava cada vez mais tempo fora da cidade.

– Nunca subestime a importância de ter pais ricos – resmungou um idiota numa das festas de JB, amargurado, ao descobrir que a Bellcast terminara em segundo lugar numa concorrência de projetos para um memorial em Los Angeles em homenagem aos nipo-americanos feitos prisioneiros na guerra, e JB começou a berrar antes que ele e Willem tivessem a oportunidade; os dois apenas sorriram um para o outro atrás de JB, orgulhosos em vê-lo defender Malcolm com tamanha veemência.

Ele agora via, a cada nova planta para a reforma no apartamento de Greene Street, corredores aparecerem e sumirem, a cozinha aumentar e diminuir, as estantes de livros deixarem de cobrir toda a parede norte, onde não havia janelas, para a sul, onde havia, e depois voltarem para a norte. Um dos projetos eliminava todas as paredes.

– É um *loft*, Judy, e você precisa respeitar sua integridade – explicara Malcolm, mas ele se manteve firme: precisava de um quarto; precisava de uma porta que pudesse fechar e trancar.

Já em outra versão, Malcolm tentara bloquear por completo as janelas viradas para o sul, que fora exatamente o motivo pelo qual ele escolhera o sexto andar, e que depois o próprio Malcolm admitiu se tratar de uma ideia idiota. Mas gostava de ver Malcolm trabalhando, ficava tocado em perceber quanto tempo o amigo dedicara – mais do que ele mesmo – pensando em como ele iria viver. E agora estava prestes a acontecer. Agora tinha dinheiro suficiente para Malcolm realizar até suas mais excêntricas fantasias arquitetônicas. Agora tinha o bastante para todo e qualquer móvel que Malcolm já sugerira, para cada tapete e cada vaso.

Nos últimos tempos, vinha debatendo com Malcolm sobre seus planos mais recentes. Na última vez que analisaram os esboços, três meses atrás, percebera um elemento em torno do vaso sanitário do quarto principal que não conseguira identificar.

– O que é isso? – perguntou a Malcolm.

– Barras de apoio – respondeu Malcolm, abruptamente, como se, ao responder rapidamente, a coisa perdesse a importância. – Judy, eu sei o que você vai dizer, mas...

Mas ele já estudava as plantas com mais atenção, examinando as minúsculas anotações de Malcolm sobre o banheiro, onde acrescentara barras de apoio ao chuveiro e também ao redor da banheira, e sobre a cozinha, onde abaixara a altura de algumas bancadas.

– Mas nem estou usando a cadeira de rodas – argumentou, consternado.

– Mas, Jude – começou Malcolm, e depois parou. Ele sabia o que Malcolm queria dizer: *Mas já usou. E vai usar novamente.* Mas não falou isso. – São apenas padrões recomendados pela Lei dos Americanos Portadores de Deficiências – preferiu dizer.

– Mal – falou ele, chateado por ter se aborrecido. – Eu entendo. Mas não quero que este seja o apartamento de um aleijado.

– Não vai ser, Jude. Será o seu apartamento. Mas não acha que talvez, só por precaução, devêssemos...

– Não, Malcolm. Pode tirar tudo. Estou falando sério.

– Mas não acha que, só por questões práticas...

– *Agora* você está interessado em questões práticas? O homem que queria que eu morasse num espaço de quinhentos metros quadrados sem nenhuma parede? – Parou. – Desculpe, Mal.

– Tudo bem, Jude – disse Malcolm. – Eu entendo. De verdade.

Agora Malcolm está à sua frente e abre um sorriso.
– Tenho algo para lhe mostrar – diz, acenando com o tubo de papel enrolado em sua mão.
– Malcolm, obrigado – diz. – Mas por que não damos uma olhada mais tarde?
Tinha marcado hora com o alfaiate; não queria chegar atrasado.
– Vou ser breve – afirma Malcolm – e deixarei as plantas com você.
Malcolm senta ao lado dele e alisa o maço de folhas, pedindo a ele que segure uma das pontas para então explicar as coisas que alterou e aperfeiçoou.
– As bancadas estão de volta à altura normal – disse Malcolm, apontando para a cozinha. – Nada de barras de apoio no chuveiro, mas coloquei aqui um rebordo que você pode usar como assento, só por precaução. Juro que vai ficar bonito. Deixei as barras em torno do vaso sanitário... pense um pouco a respeito, pode ser? Podemos instalar por último e, se você realmente detestar, as deixaremos de fora, mas... mas eu as colocaria, Judy.
Ele concorda com a cabeça, ainda relutante. Não sabe ainda, mas, anos mais tarde, ficará grato por Malcolm ter pensado em seu futuro, mesmo quando ele próprio não queria: vai perceber que em seu apartamento as passagens são mais largas; que o banheiro e a cozinha são maiores que o normal, de modo que uma cadeira de rodas possa fazer uma volta completa, sem obstáculos; que as portas são amplas e que, em todos os pontos possíveis, são também de correr; que não há um armário debaixo da pia do banheiro principal; que o armário mais alto abaixa ao toque de um botão pneumático; que há um assento na banheira; e por fim, que Malcolm vencera a discussão sobre as barras de apoio em volta do vaso sanitário. Sentirá certo espanto amargurado ao notar que mais uma pessoa em sua vida – Andy, Willem, Richard e agora Malcolm – conseguira prever seu futuro, e soubera que não poderia ser evitado.
Na loja, as medidas de Malcolm são tiradas para a confecção de um terno azul-marinho e outro cinza-escuro, e Franklin, o alfaiate, pergunta a ele por que não o via fazia dois anos.
– Estou certo de que é culpa minha – diz Malcolm, sorrindo.
Em seguida, os dois vão almoçar juntos. É bom tirar um sábado de folga, pensa ele enquanto bebem limonada e comem couve-flor assada

polvilhada de zaatar num restaurante israelense lotado, próximo à loja de Franklin. Malcolm está animado para começar a trabalhar no apartamento, e ele também.

– O momento é perfeito – diz Malcolm o tempo todo. – Vou pedir para o pessoal do escritório mandar tudo para a prefeitura na segunda e, quando tivermos a aprovação, terei acabado o projeto de Doha e vou poder começar logo em seguida. Durante a obra, você pode ficar na casa de Willem.

Malcolm acabara de dar os últimos retoques no apartamento de Willem, que ele supervisionara mais que o próprio Willem; ao fim do processo, estava tomando as decisões em nome de Willem em relação à escolha das cores. Malcolm fizera um belo trabalho, segundo ele; não se importaria nem um pouco em passar o próximo ano ali.

Ainda é cedo quando acabam de almoçar, então decidem dar um tempo na calçada do lado de fora. Chovera a semana inteira, mas hoje o céu está azul e ele se sente forte, até mesmo um pouco agitado, e pergunta a Malcolm se quer caminhar um pouco. Ele percebe que Malcolm hesita, olhando-o de cima a baixo como se tentasse determinar se seu corpo estaria apto à atividade, mas então abre um sorriso e concorda, e os dois partem na direção oeste, depois norte, rumo ao Village. Passam pelo prédio na Mulberry Street, onde JB costumava morar antes de se mudar mais para o leste e por um minuto permanecem em silêncio, todos os dois, ele sabe, pensando em JB e no que andaria fazendo, cientes e ao mesmo tempo ignorantes dos motivos pelos quais o amigo não vinha atendendo aos telefonemas deles, nem aos de Willem, tampouco às mensagens de texto ou aos e-mails. Os três haviam conversado inúmeras vezes entre si, e também com Richard, Ali e os Henry Youngs, sobre o que fazer, mas em todas as tentativas que fizeram de encontrá-lo, JB sempre conseguia escapar, ou então os bloqueava, ou os ignorava.

– Só podemos esperar até a coisa piorar – dissera Richard a certa altura, e ele tinha medo de que estivesse certo.

Às vezes, é como se JB não fosse mais deles, e não há nada que possam fazer a não ser esperar pelo momento em que tiver uma crise que só eles poderão resolver, e assim conseguirão cair de paraquedas em sua vida mais uma vez.

– Certo, Malcolm. Tenho uma pergunta que gostaria fazer – diz ele, enquanto caminham pelo trecho da Hudson Street que fica deserto nos fins de semana, com suas calçadas sem árvores e sem pessoas. – Afinal, vai casar com Sophie ou não? Nós todos queremos saber.

– Céus, Jude. Não sei – começa Malcolm, mas parece aliviado, como se esperasse que alguém lhe fizesse aquela pergunta havia muito tempo. E talvez esperasse mesmo.

Ele faz uma lista dos possíveis pontos negativos (o casamento é algo tão convencional; passa uma impressão de algo permanente; não está muito interessado na ideia de se casar, mas teme que Sophie esteja; seus pais vão tentar se envolver; há algo deprimente em passar o resto da vida ao lado de outra arquiteta; ele e Sophie são cofundadores da firma – se algo acontecer entre eles, o que será da Bellcast?) e positivos, que também parecem negativos (se não pedir sua mão, acha que Sophie o deixará; seus pais lhe enchem o saco sobre o assunto sem parar e ele gostaria que o deixassem em paz; ele ama Sophie de verdade e sabe que não encontrará ninguém melhor do que ela; está com trinta e oito anos e tem a sensação de que precisa fazer *algo*). Ao ouvir Malcolm, tenta não sorrir: sempre gostara daquela característica do amigo, de como é tão decidido ao desenhar e em seus projetos e, ao mesmo tempo, no restante de sua vida, consegue ser tão indeciso, tão aberto a compartilhá-la. Malcolm nunca fora de fingir ser mais seguro, mais confiante ou mais descolado do que realmente era e, à medida que eles envelhecem, ele aprecia e admira mais e mais sua ingenuidade e candura, sua total confiança nos amigos e em suas opiniões.

– O que você acha, Jude? – finalmente pergunta Malcolm. – Eu queria mesmo conversar com você sobre isso. Quer sentar em algum lugar? Está com tempo? Sei que Willem está voltando para casa.

Ele podia ser mais como Malcolm, pensou; podia pedir ajuda aos amigos, podia ser vulnerável perto deles. Afinal, é algo que já fora; só que não por escolha própria. Mas eles sempre o trataram bem, nunca tentaram deixá-lo desconfortável. Será que isso não merecia consideração? Talvez, por exemplo, *peça* a Willem para ajudá-lo a cuidar das costas: se Willem sentir repulsa pela sua aparência, nunca dirá nada. E Andy estava certo – era muito difícil passar os cremes por conta própria, por isso acabara desistindo, embora não tenha jogado nenhum deles fora.

Tenta pensar num modo para começar a conversa com Willem, mas descobre que não consegue passar da primeira palavra – *Willem* – nem mesmo em sua imaginação. E, naquele instante, percebe que não conseguirá pedir aquilo a Willem: *Não porque não confie em você*, diz a

Willem, com quem nunca terá aquela conversa. *Mas porque não consigo suportar que você me veja como realmente sou.* Agora, quando pensa na velhice, ainda está sozinho, mas no apartamento de Greene Street. Nesses devaneios, vê Willem numa casa em algum lugar verde e cheio de árvores – nas montanhas Adirondacks ou Berkshires – e Willem está feliz, cercado por pessoas que o amam, e talvez apareça algumas vezes por ano na cidade para visitá-lo em Greene Street e passarem a tarde juntos. Nesses sonhos, está sempre sentado, então não sabe se consegue andar ou não, mas sabe que fica em êxtase por ver Willem, sempre, e que, ao fim de todos seus encontros, é capaz de dizer para ele não se preocupar, que pode tomar conta de si mesmo, tranquilizando-o numa espécie de bênção, alegre por ter forças para não arruinar o idílio de Willem com suas necessidades, sua solidão, seus desejos.

Mas aquilo, como lembra a si mesmo, só acontecerá muitos anos à frente. Naquele momento o que existe é Malcolm, e seu rosto aflito e esperançoso, esperando por uma resposta sua.

– Ele só volta à noite – diz a Malcolm. – Temos toda a tarde, Mal. Tenho todo o tempo de que você precisar.

3

A ÚLTIMA VEZ QUE JB tentou – de verdade – parar de usar drogas foi no fim de semana do Quatro de Julho. Não havia mais ninguém na cidade. Malcolm estava com Sophie visitando os pais dela em Hamburgo. Jude estava com Harold e Julia em Copenhague. Willem filmava na Capadócia. Richard estava em Wyoming, numa colônia de artistas. Henry Young Asiático estava em Reykjavík. Só ficara ele e, se não estivesse tão determinado, também não teria ficado na cidade. Estaria em Beacon, onde Richard tinha uma casa, ou em Quogue, onde Ezra tinha uma casa, ou em Woodstock, onde Ali tinha uma casa, ou... bem. Não havia assim tanta gente que lhe emprestasse a casa ultimamente e, além disso, não vinha falando com a maioria deles, pois estavam lhe dando nos nervos. Mas o verão em Nova York era algo que ele detestava. Todos os gordos detestavam o verão em Nova York: tudo sempre grudava em outras coisas, pele com pele, pele em tecido. Você nunca se sentia seco de verdade. Mas, ainda assim, ali estava ele, destrancando a porta do seu estúdio no terceiro andar do prédio de tijolos brancos em Kensington, dando uma olhadela involuntária para o fim do corredor, onde ficava o estúdio de Jackson, antes de entrar.

JB não era viciado. Sim, ele usava drogas. Sim, usava bastante. Mas não era viciado. As outras pessoas eram viciadas. Jackson era viciado. Assim como Zane, assim como Hera. Massimo e Topher: dois viciados. Às vezes tinha a sensação de ser o único que não ultrapassara os limites.

Ainda assim, sabia que um monte de gente pensava que os houvesse ultrapassado, motivo por que ainda estava na cidade quando deveria estar no campo; quatro dias, nada de drogas, só trabalho – e então ninguém nunca mais poderia dizer nada.

Hoje, sexta-feira, era o primeiro dia. O ar-condicionado do estúdio estava quebrado, por isso a primeira coisa que fez foi abrir todas as janelas e então, depois de bater de leve à porta de Jackson para se assegurar de que ele não estava lá, abriu também sua porta. Normalmente não fazia aquilo, tanto pelo barulho quanto por causa de Jackson. Seu estúdio era uma das quatorze salas no terceiro andar de um prédio de cinco. Os espaços deveriam ser alugados exclusivamente como estúdios, mas ele suspeitava que uns vinte por cento dos ocupantes do prédio na verdade moravam lá ilegalmente. Nas raras ocasiões em que chegava ao estúdio antes das dez da manhã, via pessoas de samba-canção se arrastando pelos corredores e, quando ia ao banheiro no fim do corredor, sempre havia alguém tomando banho com uma esponja na pia, ou fazendo a barba, ou escovando os dentes, e ele acenava com a cabeça para eles – "E aí, cara?" – e eles acenavam de volta. Infelizmente, porém, o clima em geral era menos estudantil e mais institucional. Aquilo o deprimia. JB poderia ter encontrado um estúdio em outro lugar melhor, mais privado, mas escolhera aquele porque (e isto era algo que tinha vergonha de admitir) o prédio parecia um dormitório, e ele tinha esperança de reviver os tempos da universidade. Mas isso não aconteceu.

O prédio também deveria ser uma construção de "baixa densidade sonora", o que quer que aquilo significasse, mas, além dos artistas, um monte de bandas – bandas irônicas de *thrash metal*, bandas irônicas de *folk*, bandas irônicas de música acústica – também havia alugado estúdios ali, o que significava que o corredor vivia submerso em ruídos, e uma mistura de todos os instrumentos formava um único e longo guincho de retorno de guitarra. As bandas não deveriam estar ali e, de meses em meses, quando o dono do prédio, um tal de Sr. Chen, aparecia para uma inspeção de surpresa, JB ouvia os berros ribombando pelos corredores, mesmo com a porta fechada, e cada grito de alarme era ecoado por outro, até que o aviso saturava todos os cinco pisos – Chen! Chen! Chen! – de modo que, quando o Sr. Chen entrava pela porta da frente, tudo estava em silêncio, um silêncio tão forçado que JB tinha a impressão de poder ouvir seu vizinho de porta passando o bico de pena pela pedra de amolar, e o espirógrafo do outro vizinho arranhando a tela. Logo o Sr. Chen entrava em seu carro e ia embora, e os ecos revertiam – Tá limpo! Tá limpo! Tá limpo! – e a cacofonia voltava a subir, como uma nuvem de cigarras zunindo.

Depois de se certificar de que estava sozinho no andar (Deus, onde *estava* todo mundo? Seria mesmo ele a única pessoa que sobrara na face da Terra?), tirou a camisa e então, um instante depois, a calça, e começou a limpar o estúdio, algo que não fazia havia meses. Ia e voltava até as latas de lixo perto do elevador de serviço, enchendo-as de caixas de pizza, latinhas de cerveja, folhas de papel com rabiscos, pincéis cujas cerdas estavam feito palha porque ele não os limpara e paletas com aquarelas que viraram argila porque ele não as mantivera úmidas.

Fazer faxina era tedioso; e era particularmente tedioso quando se estava sóbrio. Pensou, como às vezes fazia, que nenhuma das coisas boas que deveriam acontecer quando se toma metanfetamina aconteceram a ele. Outros conhecidos tinham perdido peso, ou se envolviam em maratonas sexuais anônimas, ou tinham surtos de limpeza e organizavam seus estúdios e apartamentos por horas. Mas ele continuava gordo. Seu apetite sexual desaparecera. Seu estúdio e seu apartamento ainda eram um desastre. É verdade, vinha trabalhando em sessões bem longas – doze, quatorze horas de uma vez –, mas não podia atribuir aquilo à metanfetamina: sempre foi de trabalhar pesado. Quando se tratava de pintar ou desenhar, sua capacidade de atenção era longa.

Depois de passar mais ou menos uma hora recolhendo coisas, o estúdio parecia exatamente igual a quando começara, e ele estava louco por um cigarro, que não tinha, ou uma bebida, que também não tinha, e tampouco deveria, pois ainda era só meio-dia. Sabia que tinha goma de mascar no bolso e a procurou até encontrar – estava levemente úmida por causa do calor. Colocou-a na boca e deitou de barriga para cima, mastigando de olhos fechados, o chão de cimento frio sob suas costas e coxas, fingindo estar em outro lugar, não no Brooklyn, em julho, com um calor de trinta e dois graus.

Como estou me sentindo?, perguntou a si mesmo.

Bem, respondeu a si mesmo.

O psicólogo com quem começara a se consultar lhe dissera para fazer aquela pergunta.

– É como um teste de som – afirmara. – Uma espécie de checagem consigo mesmo: Como estou me sentindo? Estou com vontade de me drogar? Se *de fato* quero me drogar, *por que* estou com vontade de me drogar? É uma maneira de se comunicar consigo mesmo, de avaliar seus impulsos em vez de simplesmente se entregar a eles.

Que babaca, pensara JB. E ainda pensava assim. Mas, ao mesmo tempo, como acontece com muitas babaquices, não conseguia riscar a pergunta da cabeça. Agora, em momentos estranhos e indesejados, pegava-se perguntando como se sentia. Às vezes a resposta era "Com vontade de usar drogas", e então as usava, nem que fosse só para mostrar ao terapeuta o quanto seu método era imbecil. *Está vendo?*, perguntava ao Giles em sua mente. Giles, que nem tinha doutorado, apenas um mestrado em trabalho social. *Sua teoria do autoexame já era. E agora, Giles? Qual a próxima?*

Não foi ideia de JB se consultar com Giles. Seis meses antes, em janeiro, a mãe e as tias fizeram uma pequena intervenção com ele, que começou com as lembranças da mãe sobre como JB fora uma criança brilhante e precoce, e olhem só para ele agora. Depois, sua tia Christine, literalmente fazendo o papel da policial má, começou a gritar com ele, alegando que JB estava desperdiçando todas as oportunidades que a irmã lhe havia proporcionado, e que ele se tornara uma enorme pedra no sapato. Em seguida foi a vez de sua tia Silvia, que sempre fora a mais amável das três, lembrá-lo do seu talento e dizer que elas todas o queriam de volta, perguntando se não consideraria a ideia de buscar um tratamento. Ele não estava no humor certo para uma intervenção, mesmo uma tão aconchegante e discreta como aquela (sua mãe preparara seu cheesecake preferido, que todos comeram enquanto debatiam sobre as falhas de JB), porque, entre outros motivos, ainda estava irritado com elas. No mês anterior, sua avó morrera e a mãe levara um dia inteiro para ligar para ele. Ela alegara que não conseguira encontrá-lo e que ele não estava atendendo, mas JB *sabia* que estava sóbrio no dia em que a avó morrera e que estivera com o telefone o tempo todo, então não conseguia entender por que a mãe estava mentindo.

– JB, sua avó ficaria desolada se descobrisse em que você se tornou – disse-lhe a mãe.

– Por deus, mãe, pare com essa merda – falou, cansado, farto de suas lamúrias e palpitações, e Christine apareceu e lhe deu um tabefe na cara.

Depois disso, JB concordou em ir a uma consulta com Giles (amigo de um amigo de Silvia) como forma de se desculpar com Christine e, obviamente, com sua mãe. Infelizmente, Giles era mesmo um idiota, e, durante as sessões (pagas pela mãe: ele não gastaria seu dinheiro com terapia, especialmente com terapia ruim), respondia às perguntas nada originais de Giles – *Por que acha que se sente tão atraído pelas drogas, JB?*

O que elas lhe proporcionam? Por que acha que começou a usar drogas com mais frequência nos últimos anos? Por que acha que não conversa com Malcolm, Willem e Jude tanto quanto antes? – com respostas que sabia que iriam satisfazê-lo. Inseria no meio algumas menções ao pai morto, ao vazio e à sensação de perda que sua falta lhe causava, à superficialidade do mundo da arte, ao medo de nunca atingir seu potencial, e observava a caneta de Giles se mover alegremente sobre seu bloco de anotações, e sentia ao mesmo tempo desprezo pela estupidez de Giles e desgosto por sua própria imaturidade. Sacanear o próprio terapeuta – mesmo quando esse terapeuta realmente merecia ser sacaneado – era o tipo de coisa que você fazia quando tinha dezenove anos, não trinta e nove.

Mas, por mais que Giles fosse um idiota, JB volta e meia se pegava pensando nas perguntas levantadas por ele, pois eram questões que ele mesmo se fazia. E por mais que Giles fizesse cada uma dessas perguntas como um dilema isolado, ele sabia que, na verdade, uma era ligada à outra e, se fosse gramática e linguisticamente possível colocar todas elas numa só grande questão, aquela então seria a expressão mais verdadeira do motivo para ele estar onde estava.

Primeiro, diria a Giles, não imaginava que fosse gostar tanto das drogas quanto gostava. Aquilo parecia algo óbvio e até mesmo ingênuo de se dizer, mas a verdade era que JB conhecia pessoas – a maioria rica, a maioria branca, a maioria chata, a maioria ignorada pelos pais – que haviam começado a usar drogas porque achavam que aquilo as deixaria mais interessantes, ou mais assustadoras, ou mais merecedoras de atenção, ou simplesmente porque fazia o tempo passar mais rápido. Seu amigo Jackson, por exemplo, era uma delas. Mas JB, não. Claro, sempre havia usado drogas – todos haviam –, mas durante a faculdade, e quando estava na casa dos vinte, pensava nelas como pensava em sobremesas, algo que também adorava: era um artigo que lhe fora proibido quando criança e que agora estava completamente disponível. Usar drogas, assim como se empanturrar com tigelas de cereais tão doces que até o leite que sobrava no fundo do pote podia ser entornado feito caldo de cana, era um privilégio da vida adulta, um privilégio que ele pretendia desfrutar.

Perguntas dois e três: Quando e por que as drogas se tornaram tão importantes para ele? Também sabia as respostas. Aos trinta e dois anos, realizara sua primeira mostra. Duas coisas aconteceram depois dela. A primeira foi que JB se tornara uma verdadeira estrela. Artigos sobre ele foram publicados pela imprensa das artes, e também por revistas e jornais lidos por pessoas que não saberiam diferenciar Sue Williams de Sue Coe. A segunda é que sua amizade com Jude e Willem fora arruinada.

Talvez "arruinada" fosse uma palavra forte demais. Mas havia mudado. Fizera algo errado – admitia isso – e Willem tomara as dores de Jude (e por que deveria ter se surpreendido por Willem tomar as dores de Jude, quando, na verdade, ao recordar de toda a amizade entre eles, a evidência logo aparecia: uma vez após a outra e após a outra, Willem sempre ficara do lado de Jude), e ainda que tenham dito que o perdoaram, o relacionamento entre eles não seria mais o mesmo. Os dois, Jude e Willem, se fecharam numa unidade própria, unidos contra todos, unidos contra ele (por que nunca conseguira enxergar aquilo antes?): *Nós dois formamos uma multidão*. E JB sempre pensara que *ele* e Willem eram uma unidade à parte.

Mas tudo bem, não eram. E quem sobrou para ele? Não Malcolm, que começara a sair com Sophie, e os dois acabaram formando sua própria unidade. Quem então seria seu parceiro, com quem formaria sua unidade? Com ninguém, aparentemente. Eles o haviam abandonado.

E então, a cada ano que se passava, o abandonavam ainda mais. Sempre soube que seria o primeiro dos quatro a alcançar o sucesso. Não era arrogância: simplesmente sabia. Trabalhava com mais afinco que Malcolm, era mais ambicioso que Willem. (Não incluía Jude naquela corrida, já que sua profissão operava sob uma métrica completamente diversa, que não tinha lá muita importância para ele.) Estava preparado para ser o amigo rico, o amigo famoso, ou o amigo respeitado, e sabia, mesmo quando apenas sonhava com riquezas, fama e reconhecimento, que manteria sua amizade com todos eles, que nunca os trocaria por mais ninguém, não importava quão grande fosse a tentação. Ele os amava; eram seus.

Mas não havia contado com a hipótese de que *eles* pudessem abandoná-lo, de que seus próprios feitos os fariam esquecê-lo. Malcolm tinha seu próprio negócio. Jude vinha fazendo o que quer que fizesse de maneira tão impressionante que, ao representar JB numa discussão boba que tivera na primavera anterior com um colecionador que tentava processar para recuperar um antigo quadro que o colecionador prometera deixar que comprasse de volta e depois faltara com a palavra, o advogado do colecionador erguera as sobrancelhas quando JB mandara que entrasse em contato com o seu advogado, Jude St. Francis.

– St. Francis? – perguntou o advogado. – Como conseguiu contratar *ele*?

JB contou a história a Henry Young Negro, que não se surpreendeu.

– É isso aí – falou ele. – Jude é conhecido por ser frio e cruel. Ele vai dar um jeito nas coisas para você, JB, não se preocupe.

Aquilo o deixara assustado: o *seu* Jude? Uma pessoa que literalmente não conseguira erguer a cabeça e olhar em seus olhos até o segundo ano de universidade? *Cruel*? Não conseguia imaginar uma coisa daquelas.

– Eu sei – disse Henry Young Negro, quando expressara sua incredulidade. – Mas ele se torna outra pessoa no trabalho, JB; uma vez o vi no tribunal e ele estava assustador, absolutamente implacável. Se não o conhecesse, pensaria que se tratava de um tremendo cuzão.

Mas Henry Young Negro estava certo: não somente JB conseguira seu quadro de volta, mas também uma carta com um pedido de desculpas por parte do colecionador.

Depois, claro, havia Willem. Uma parte terrível e mesquinha de JB tinha de admitir que nunca, jamais em sua vida, esperara que Willem fosse alcançar tamanho sucesso. Não que desejasse mal a ele – só não acreditava que pudesse acontecer. Willem, com sua falta de espírito competitivo; Willem, que na universidade recusara o papel principal em *Olhe para trás com raiva* para ir cuidar do irmão doente. Por um lado, podia entender; por outro – a doença do irmão não era grave, não naquela época; até mesmo sua mãe lhe dissera para não ir –, não. Ao passo que antes seus amigos precisavam dele – por sua animação, sua alegria –, agora não precisavam mais. JB não gostava de ver a si mesmo como o tipo de pessoa que queria que os amigos fossem, bem, não fracassados, mas dependentes dele. Mas talvez ele fosse exatamente assim.

O que não imaginara sobre o sucesso é que o sucesso torna as pessoas chatas. O fracasso também torna as pessoas chatas, mas de um modo diverso: o esforço perpétuo dos fracassados só tinha um objetivo – o sucesso. Mas as pessoas bem-sucedidas também tinham de lutar para manter seu sucesso. Aquela era a diferença entre correr e correr no mesmo lugar, e por mais que correr fosse chato de qualquer maneira, pelo menos a pessoa que corria estava se movendo, passando por diferentes cenários e diferentes paisagens. E, nesse ponto, mais uma vez parecia que Jude e Willem tinham algo que ele não tinha, algo que os protegia do tédio sufocante de ser bem-sucedido, do aborrecimento de acordar e se dar conta de que você é um sucesso e que todo dia tinha que continuar fazendo o que quer que o tenha transformado num sucesso, pois, a partir do momento que parar, deixa de ser um sucesso e começa a se tornar um fracasso. JB às vezes pensava que o que realmente distinguia ele e Malcolm de Jude e Willem não era a cor ou o dinheiro, mas a capacidade infinita de Jude e Willem em se maravilharem com as coisas: a infância dos dois fora tão miserável, tão cinza, comparada à dele, que ambos pareciam viver deslumbrados na vida adulta. No mês de junho seguinte à formatura deles, os Irvine compraram passagens para todos irem a Paris, onde, conforme acabaram descobrindo, tinham um apartamento – "um apartamentinho *minúsculo*", esclarecera Malcolm, na defensiva – no sétimo *arrondissement*. JB estivera em Paris com a mãe quando estava no fim do ensino fundamental, depois com a turma do colégio durante o ensino médio e mais uma vez entre o segundo e o terceiro ano de universidade, mas só quando viu os rostos de Jude e Willem foi que conseguiu perceber mais vividamente não só a beleza da cidade, mas também os encantos que ela prometia. Invejava aquilo neles, a habilidade que tinham (embora soubesse que, pelo menos no caso de Jude, se tratava de uma recompensa por uma infância longa e sofrida) de ainda se surpreenderem, a fé que mantinham em achar que a vida, que a maturidade, continuaria a presenteá-los com experiências fantásticas, que seus melhores dias não tinham ficado para trás. Lembrava-se também de vê-los comendo ouriços-do-mar pela primeira vez, e como suas reações – como se fossem Helen Keller e acabassem de compreender que aquela coisa fresca em suas mãos tinha um nome, e que podiam saber qual era – o deixaram sem paciência e ao mesmo tempo com uma inveja profunda. Qual deveria ser a sensação de fazer parte da vida adulta e ainda estar descobrindo os prazeres da vida?

Sentia às vezes que era por aquele motivo que gostava tanto de usar drogas: não porque oferecessem uma fuga da vida cotidiana, como muitos pensavam, mas sim porque faziam a vida cotidiana parecer menos cotidiana. Por um breve período – cada vez mais breve com o passar das semanas – o mundo era um lugar esplêndido e desconhecido.

Outras vezes, perguntava a si mesmo se fora o mundo que perdera suas cores ou se teriam sido seus amigos. Quando todo mundo passara a ser tão igual? Com uma frequência cada vez maior, a impressão que tinha era de que a última vez que as pessoas foram interessantes havia sido na faculdade; na pós-graduação. Depois passaram a se tornar, lenta, mas inevitavelmente, igual a todos os outros. Como, por exemplo, as integrantes da Gordura nas Costas: na faculdade, haviam marchado com os peitos de fora, todas as três, gordas, voluptuosas e tremendo feito gelatina, descendo pela Charles para protestar contra os cortes no programa de planejamento familiar (ninguém sabia qual a relevância dos peitos de fora, mas que se dane), faziam grandes shows no porão do Hood, e atearam fogo na efígie de um senador estadual antifeminista no pátio. Mas, agora, Francesca e Marta falavam em ter filhos e em se mudar de seu loft em Bushwick para uma casa em Boerum Hill, e Edie estava abrindo um negócio, dessa vez para valer, para valer mesmo, e, no ano passado, quando ele sugerira que reunissem a Gordura nas Costas para mais uma apresentação, todas caíram no riso, por mais que ele não estivesse brincando. Sua nostalgia contínua o deprimia, o envelhecia, mas ainda assim não conseguia deixar de sentir que seus anos mais gloriosos, os anos em que tudo parecia iluminado por luzes fluorescentes, haviam ido embora para nunca mais voltar. Todo mundo era muito mais divertido antes. O que havia acontecido?

Era a idade, supunha. E junto a ela: Trabalho. Dinheiro. Filhos. Coisas que afastavam a morte, coisas que tornavam as pessoas relevantes, coisas que confortavam e ofereciam contexto e conteúdo. A marcha para a frente, ditada pela biologia e por convenção, à qual nem mesmo a mente mais irreverente era capaz de resistir.

Mas aqueles eram seus colegas. O que queria mesmo saber era quando seus *amigos* tinham se tornado tão convencionais e por que ele não percebera antes. Malcolm sempre fora convencional, é claro, mas, de certa forma, esperava mais de Willem e Jude. Sabia que aquilo soava terrível (por isso nunca o dissera em voz alta), mas, muitas vezes, acreditava ter sido amaldiçoado com uma infância feliz. E se algo de fato interessante lhe houvesse acontecido quando era novo? Mas a verdade era que a única coisa interessante que lhe acontecera fora ter frequentado uma escola preparatória quase exclusivamente branca, e isso nem chegava a ser interessante. Graças a deus não era escritor, ou não teria nada sobre o que escrever. E então havia alguém como Jude, alguém que *não* crescera como todos os outros, e *não* se parecia com todos os outros, e que vivia, como bem sabia JB, tentando ser exatamente como todos os outros. Preferia ter a aparência de Willem, é claro, mas seria capaz de matar algo pequeno e adorável para se parecer com Jude, para ter aquele jeito misterioso de coxear, que era mais como se estivesse deslizando, e ter o corpo e o rosto que ele tinha. Mas Jude passava a maior parte do tempo tentando ficar parado e olhando para baixo, como se, ao fazer isso, ninguém fosse notar sua presença. Aquilo era triste, mas ao mesmo tempo compreensível durante a faculdade, quando Jude tinha uma aparência tão infantil e esquelética que as juntas de JB doíam só de olhar para ele, mas, hoje em dia, agora que crescera, JB achava aquilo simplesmente irritante, especialmente porque a timidez de Jude muitas vezes interferia em seus planos.

– Quer passar a vida inteira sendo completamente normal, monótono e típico? – perguntara uma vez a Jude (isso aconteceu em meio à segunda grande briga entre os dois, quando tentava convencer Jude a posar nu, uma discussão que sabia não ter a menor chance de vencer antes mesmo de começar).

– Sim, JB – respondera Jude, lançando em sua direção aquele olhar que às vezes evocava, intimidante, vazio a ponto de se tornar até um pouco assustador. – Na verdade, é exatamente isso o que eu quero.

Ele às vezes suspeitava que tudo o que Jude queria de fato na vida era ficar em Cambridge com Harold e Julia e brincar de casinha com eles. No ano anterior, por exemplo, JB fora convidado para um cruzeiro por um de seus colecionadores, um cliente riquíssimo e importante que tinha um iate que viajava pelas ilhas gregas e era decorado com obras-primas modernas que qualquer museu ficaria feliz em exibir – só que elas estavam penduradas no banheiro de um barco.

Malcolm vinha trabalhando em seu projeto em Doha, ou em algum outro lugar, mas Willem e Jude estavam na cidade, e ele telefonara a Jude para convidá-lo: o colecionador pagaria a viagem e mandaria seu avião. Seriam cinco dias no iate. JB não sabia nem por que precisavam conversar sobre o assunto. "Me encontre em Teterboro", devia ter escrito numa mensagem de texto. "Traga protetor solar."

Mas não, decidira perguntar, e Jude lhe agradecera. E em seguida dissera:

– Mas é no Dia de Ação de Graças.

– E daí? – perguntara.

– JB, muito obrigado por me convidar – dissera Jude, e ele não conseguia acreditar em seus ouvidos. – Parece fabuloso. Mas tenho que ir para a casa de Harold e Julia.

JB ficara embasbacado com aquilo. Claro, ele também tinha bastante carinho por Harold e Julia e, assim como os outros, também podia ver o quanto eram bons para Jude e como ele se tornara um pouco mais leve com a amizade deles, mas, pelo amor de deus! Era *Boston*! Ele podia vê-los toda hora. Mas preferiu dizer não e ponto final. (E então, obviamente, como Jude recusara o convite, Willem também dissera que não, e no fim ele terminara ao lado dos dois e de Malcolm em Boston, espumando diante da cena em torno da mesa – pais substitutos; amigos dos pais substitutos; comida medíocre em profusão; liberais discutindo uns com os outros sobre a política democrata aos berros sobre questões *com as quais todos tinham concordado* –, tão clichê e genérica que teve vontade de gritar, mas que ao mesmo tempo despertavam um bizarro fascínio em Jude e Willem.

O que viera primeiro, então: ter se aproximado de Jackson ou perceber o quanto seus amigos eram chatos? Conhecera Jackson depois da inauguração de sua segunda mostra, quase cinco anos após a primeira. Chamava-se "Todos Que Já Conheci Todos Que Já Amei Todos Que Já Odiei Todos Que Já Fodi" e era exatamente isso: cento e cinquenta quadros de trinta e oito por cinquenta e cinco centímetros em placas finas de madeira com o rosto de todo mundo que já conhecera. A série fora inspirada por um quadro que pintara de Jude e dera a Harold e Julia no dia em que Jude foi adotado. (Céus, como adorava aquele quadro. Devia ter ficado com ele. Ou devia ter trocado: Harold e Julia ficariam contentes com uma obra não tão fantástica, contanto que fosse de Jude. Na última vez que estivera em Cambridge, pensara seriamente em roubá-la, em tirá-la da parede no corredor e colocá-la na mochila antes de ir embora.) Mais uma vez, "Todos Que Já Conheci" foi um sucesso, embora não fosse a série que ele queria ter feito; a série que queria ter feito era aquela na qual vinha trabalhando agora.

Jackson era outro dos artistas da galeria, e embora JB tivesse ouvido falar dele, não chegara a conhecê-lo antes, e se surpreendeu, depois de ser apresentado no jantar pós-inauguração, em ver o quanto gostara dele, o quão inesperadamente engraçado ele era, pois Jackson não era o tipo de pessoa de quem se aproximaria naturalmente. Para começar, JB odiava com todas as forças seu trabalho: fazia esculturas de arte encontrada, só que do tipo mais pueril e óbvio, como as pernas de uma boneca Barbie coladas à base de uma lata de atum. Oh, céus, pensou ele da primeira vez que vira aquilo no site da galeria. *Ele* é representado pela mesma galeria que eu? Nem mesmo considerava aquilo arte. Considerava provocação, embora apenas um aluno do ensino médio – não, do ensino fundamental – consideraria seu trabalho provocador. Jackson achava que suas obras tinham um quê de Kienholz, o que ofendia JB, e olha que ele nem gostava de Kienholz.

Depois, Jackson era rico: tão rico que nunca trabalhara um só dia na vida. Tão rico que seu galerista concordara em representá-lo (pelo menos era o que todos diziam, e JB esperava que fosse verdade) como uma espécie de favor ao pai de Jackson. Tão rico que vendia todas as obras em suas mostras porque, diziam as más línguas, sua mãe – que se divorciara do pai de Jackson, fabricante de algum tipo de peça essencial de avião, quando ele era jovem, para depois casar com o inventor de algum tipo de peça essencial usada em cirurgias de transplante cardíaco – comprava tudo e depois leiloava, fazendo os preços aumentarem para então comprar tudo de volta, inflacionando o valor das peças. Diferentemente das outras pessoas ricas que conhecia – incluindo Malcolm, Richard e Ezra –, Jackson raramente fingia não ser rico. JB sempre achara a parcimônia dos outros fingida e irritante, mas ficara imediatamente sóbrio ao ver Jackson pagar por duas barras de chocolate com uma nota de cem dólares num dia em que os dois estavam chapados e riam sem parar, sentindo uma fome terrível às três da manhã, e dizer ao caixa para ficar com o troco. Havia algo de obsceno no desprezo com que Jackson gastava seu dinheiro, algo que lembrava JB de que, por mais que pudesse pensar em si mesmo como alguém diferente, ele também era chato, convencional e filho da sua mamãe.

Além disso, Jackson não era nem boa-pinta. JB acreditava que fosse hétero – de qualquer forma, havia sempre garotas em volta dele, garotas que Jackson tratava com desdém e que, ainda assim, corriam atrás dele, feito capachos, com seus rostos lisos e vazios –, mas era a pessoa menos sensual que JB já conhecera. Os cabelos de Jackson eram muito claros, quase brancos, tinha a pele cheia de espinhas, e os dentes, que seguramente já haviam tido uma aparência cara, agora eram da cor da poeira, com brechas infestadas de tártaro amarelo-manteiga, causando repulsa em JB só de olhar para eles.

Seus amigos detestavam Jackson e, à medida que se tornava claro que Jackson e seu grupinho – garotas ricas e solitárias como Hera, artistas duvidosos como Massimo e supostos jornalistas de arte como Zane, muitos deles colegas de classe que Jackson conhecera na escola fracassada que passara a frequentar depois de ser reprovado em todos os colégios particulares de Nova York, incluindo o de JB – estavam em sua vida para ficar, todos eles tentavam alertá-lo.

– Você não para de dizer que Ezra é um artista de araque – argumentara Willem. – Mas como, exatamente, Jackson seria diferente de Ezra, exceto por ser um babaca do caralho?

Jackson era *mesmo* um babaca e, ao lado dele, JB se tornava outro. Alguns meses antes, na quarta ou quinta vez que tentara parar de usar drogas, telefonara para Jude um dia. Eram cinco da tarde e tinha acabado de acordar. Sentia-se tão mal, tão inacreditavelmente velho e exausto, simplesmente *acabado* – sua pele estava grudenta, seus dentes, ásperos, os olhos, secos feito madeira –, que, pela primeira vez, teve vontade de estar morto, simplesmente de não precisar seguir em frente. *Alguma coisa tem que mudar*, falou para si mesmo. *Tenho que parar de andar com Jackson. Preciso parar. Tudo tem que parar.* Sentia falta dos amigos, de como eram inocentes e limpos, de ser o mais interessante de todos eles, de nunca ter de fingir quando estava com eles.

Assim, telefonou para Jude (naturalmente, Willem não estava na porra da cidade e não podia confiar que Malcolm não fosse entrar em parafuso) e pedira, implorara, para que viesse a sua casa depois do trabalho. Contou a ele o local exato onde poderia encontrar o resto da metanfetamina (debaixo da tábua de madeira solta sob o lado direito da cama) e onde estava o cachimbo, pedindo que os jogasse no vaso sanitário e desse a descarga, que se livrasse de tudo.

– JB – dissera Jude. – Me ouça. Vá até aquele café na Clinton, tudo bem? Leve seu bloco de rascunho. Peça algo para comer. Estarei lá assim que puder, assim que terminar esta reunião. Depois vou mandar uma mensagem para você quando tiver acabado, para que possa voltar para casa, combinado?

– Combinado – respondera.

Levantou, tomou um longo banho, no qual mal se esfregou, apenas ficou embaixo da água, e depois fez exatamente o que Jude dissera: pegou o bloco de rascunho e lápis. Foi até o café. Comeu um sanduíche de frango e tomou café. E esperou.

Enquanto esperava, viu, passando pela janela como um mangusto bípede, com seus cabelos sujos e o queixo delicado, Jackson. Observou Jackson caminhar, com seu passo largo e superior de menino rico, aquele meio-sorriso bobo no rosto que fazia JB ter vontade de socá-lo, indiferente como se Jackson fosse apenas mais um feioso que tivesse visto na rua, não um feioso que visse todo dia. E então, quase depois de sumir de vista, Jackson virou o rosto, olhou para a janela diretamente para ele, e abriu seu sorriso feio. Mudou de direção e voltou para o café, atravessando a porta como se soubesse o tempo todo que JB estava ali, como se tivesse se materializado só para lembrar a JB que ele era seu agora, que não havia escapatória, e que JB estava ali para fazer o que ele quisesse, quando quisesse, e que sua vida nunca mais voltaria a ser sua. Pela primeira vez, sentiu medo de Jackson e entrou em pânico. *O que aconteceu?*, perguntou a si mesmo. Ele era Jean-Baptiste Marion, *ele* fazia os planos, era *ele* quem as pessoas seguiam, não o contrário. Percebeu que Jackson nunca o deixaria partir, e ficou assustado. Pertencia a outra pessoa; agora era propriedade de alguém. Como poderia se desapropriar? Como poderia voltar a ser quem era?

– E aí? – disse Jackson, nada surpreso em vê-lo, como se tivesse feito JB esperar por ele ali.

O que podia dizer?

– E aí? – devolveu.

Então seu telefone tocou: era Jude, dizendo que a área estava limpa e que podia voltar para casa.

– Preciso ir – falou, levantando, e, ao sair, Jackson foi atrás.

JB percebeu que a expressão de Jude mudou quando viu Jackson ao seu lado.

– JB – disse ele, com a voz calma. – Que bom te ver. Está pronto para ir?

– Ir aonde? – perguntou, estupidamente.

– Para a minha casa – falou Jude. – Não disse que podia me ajudar a pegar aquela caixa que não alcanço?

Mas JB estava tão confuso e desnorteado que não conseguiu entender.

– Que caixa?

– A caixa na prateleira do armário que eu não alcanço – disse Jude, ainda ignorando Jackson. – Preciso da sua ajuda. Tenho dificuldade para subir na escada sozinho.

Devia ter captado a mensagem naquela hora; Jude nunca fazia qualquer referência ao que não podia fazer. Estava lhe oferecendo uma saída e ele era burro demais para entender.

Mas Jackson entendeu.

– Acho que o seu amigo quer afastar você de mim – disse ele a JB, abrindo um sorriso afetado.

Era assim que Jackson sempre os chamava, mesmo que já conhecesse todos eles: *Seus amigos. Os amigos de JB.*

Jude olhou para ele.

– Tem razão – falou, ainda com seu tom calmo e firme. – Quero mesmo. – E então, virando-se para ele: – JB, você pode vir comigo?

Ah, como ele queria. Mas, naquele momento, não podia. Não sabia dizer por quê, nunca viria a saber, mas não podia. Estava sem forças, tão sem forças que não conseguia nem fingir o contrário.

– Não posso – sussurrou para Jude.

– JB – disse Jude, pegando-o pelo braço e arrastando-o para o meio-fio, enquanto Jackson os observava com seu sorriso idiota e zombeteiro. – Venha comigo. Não precisa ficar aqui. Venha comigo, JB.

JB então se pôs a chorar, não alto ou ininterruptamente, mas ainda assim era choro.

– JB – disse Jude outra vez, em voz baixa. – Venha comigo. Não precisa voltar lá.

Mas "não posso" era só o que JB ouvia sua voz dizer.

– Não posso. Quero ir lá para cima. Quero ir para casa.

– Então eu vou subir com você.

– Não. Não, Jude. Quero ficar sozinho. Obrigado. Mas vá para casa.

– JB – começou Jude, mas ele apenas lhe deu as costas e saiu correndo, enfiando a chave na porta da frente de qualquer jeito e subindo as escadas depressa, sabendo que Jude não conseguiria segui-lo, mas com Jackson logo atrás dele, gargalhando sua risada cruel, enquanto os gritos de Jude – "JB! JB!" – ecoavam atrás dos dois, até entrar no apartamento (Jude fizera uma limpeza geral quando esteve lá: a pia estava vazia; os pratos estavam no escorredor, secando) e não conseguir mais ouvi-lo. Desligou o telefone, para o qual Jude ligava, e tirou o som do interfone, que Jude apertava sem parar.

Jackson então estendeu as fileiras da cocaína que trazia consigo e os dois as cheiraram. Naquele instante, a noite se tornou igual a centenas de noites que vivera antes: os mesmos ritmos, o mesmo desespero, o mesmo sentimento terrível de suspensão.

– Ele *é* bonito, esse seu amigo – ouviu Jackson dizer a certa altura, naquela mesma noite. – Que pena que tenha aquele... – E levantou para imitar o passo de Jude, arrastando-se de maneira grotesca, completamente diferente dele, com a boca mole feito um retardado e as mãos soltas balançando à sua frente.

JB estava drogado demais para protestar, drogado demais para dizer qualquer coisa, então apenas piscou os olhos e assistiu a Jackson capengar pela sala, tentando falar alguma palavra em defesa de Jude enquanto as lágrimas fervilhavam em seus olhos.

No dia seguinte, acordou tarde, com a cara no chão, próximo à cozinha. Passou ao lado de Jackson, que também dormia no chão, perto da estante de livros, e foi para o quarto, vendo que Jude também arrumara sua cama, e algo naquilo despertou nele uma nova vontade de chorar. Levantou cuidadosamente a tábua debaixo do lado direito da cama e enfiou a mão no espaço: não havia nada. Deitou então sobre o cobertor, puxando uma ponta para cima do corpo, cobrindo até a cabeça, como costumava fazer quando criança.

Enquanto tentava dormir, forçou-se a pensar em como acabara fazendo amizade com Jackson. Não era que não soubesse o porquê; só tinha vergonha de se lembrar. Começara a sair com Jackson para provar que não dependia dos amigos, que não era refém de sua vida, que podia tomar e tomaria suas próprias decisões, mesmo que fossem ruins. Na idade dele, as pessoas normalmente já conheciam todos os amigos que teriam pelo resto da vida. Já conheciam os amigos dos amigos. A vida ficava cada vez menor. Jackson era estúpido, imaturo e cruel, não o tipo de pessoa que ele deveria valorizar ou com quem devesse desperdiçar seu tempo. Sabia disso. E era justamente por isso que continuava a encontrá-lo: para chocar seus amigos, para mostrar-lhes que não era um prisioneiro das expectativas que tinham em relação a ele. Era uma atitude estúpida, estúpida, estúpida. Era pura arrogância. E ele era o único que sofria com aquilo.

– Você não pode gostar desse cara *de verdade* – dissera Willem uma vez. E por mais que soubesse exatamente o que Willem quisesse dizer, fingiu não saber, só para provocar.

– Por que *não posso*, Willem? – perguntara. – Ele é engraçado pra caralho. Ele quer fazer as coisas *de verdade*. E ele está por *perto* quando preciso de alguém. Por que não posso gostar dele? Hein?

O mesmo acontecia com as drogas. Usar drogas não era coisa de gente descolada, de gente fodona, aquilo não fazia dele alguém mais interessante. Mas também não era o que ele deveria fazer. Naqueles dias, quem levava sua arte a sério não usava drogas. A própria ideia de indulgência havia desaparecido, era coisa para *beats*, expressionistas abstratos, gente que fazia *op art* e *pop art*. Naqueles dias, *talvez* você fumasse um baseado aqui ou ali. *Talvez*, de vez em quando, cheirasse uma carreira de cocaína se estivesse se sentindo muito amargo. Mas era só isso. Vivia-se uma era de disciplina, de privação, e não de inspiração, e, de qualquer forma, inspiração não era mais sinônimo de usar drogas. Ninguém que ele conhecia e respeitava – Richard, Ali, Henry Young Asiático – as usava: nada de drogas, nada de açúcar, nada de cafeína, nada de sal, nada de carne, nada de glúten, nada de nicotina. Eram artistas ascéticos. Nos momentos mais desafiadores, JB tentava fingir que usar drogas era algo tão *démodé*, tão obsoleto, que voltara a ser *cool*. Mas sabia que não era verdade. Assim como sabia que não gostava realmente das festas de sexo que aconteciam às vezes no apartamento cheio de ecos de Jackson em Williamsburg, nas quais grupos aleatórios de gente magra se apalpavam às cegas. Foi numa dessas ocasiões que, ao ouvir pela primeira vez um garoto, muito magro, alto, novo e imberbe, que não fazia seu tipo, pedir que assistisse enquanto sugava o próprio sangue de uma ferida que fizera em si mesmo, JB sentiu vontade de rir. Mas não riu e assistiu ao garoto cortar o bíceps e retorcer o pescoço para lamber o sangue, como um filhotinho de gato se limpando, e sentiu uma pontada de tristeza.

— Ah, JB, tudo o que quero é um belo garoto branco – certa vez resmungara para ele seu ex, e agora amigo, Toby, e ele abriu um sorrisinho ao se lembrar daquilo.

Era o mesmo desejo que tinha. Tudo o que ele queria era um belo garoto branco, não aquela criatura triste parecida com uma salamandra, tão pálida que era quase transparente, sugando o próprio sangue no que provavelmente seria o gesto menos erótico do mundo.

Mas, dentre todas as questões que podia responder, havia uma para a qual não tinha resposta: como poderia sair daquela vida? Como poderia parar? Ali estava ele, literalmente acuado em seu estúdio, literalmente espiando o corredor para ter certeza de que Jackson não estava por perto. Como poderia fugir de Jackson? Como poderia recuperar sua vida?

Na noite seguinte à que pediu a Jude para se livrar de suas drogas, ele finalmente lhe telefonou, que o convidou à sua casa. Ele recusou, então Jude foi até ele. Ficou sentado, encarando a parede, enquanto Jude preparava seu jantar, um risoto de camarão, passando-lhe o prato e depois se apoiando no balcão para vê-lo comer.

– Posso repetir? – perguntou ao terminar a primeira porção, e Jude lhe deu outra.

Não percebera o quanto estava faminto, e sua mão tremia ao levar comida à boca. Lembrou-se dos jantares de domingo à noite na casa da mãe, que deixara de frequentar desde a morte da avó.

– Não vai me dar um sermão? – perguntou, mas Jude balançou a cabeça.

Depois de comer, sentou no sofá e assistiu à televisão, tirando o som, sem de fato prestar atenção, mas apenas tirando conforto dos lampejos e borrões de imagens. Jude lavou a louça e sentou no sofá ao lado dele, trabalhando num relatório.

Um dos filmes de Willem estava passando na televisão – aquele em que interpretava um trapaceiro numa pequena cidade irlandesa, cuja bochecha esquerda era coberta de cicatrizes – então JB deixou no canal, sem assistir, mas olhando para o rosto de Willem e para sua boca se mexendo em silêncio.

– Tenho saudade de Willem – falou, logo percebendo o quanto aquilo soara ingrato.

Mas Jude colocou a caneta sobre o papel e olhou para a tela.

– Eu também – falou, e os dois olharam fixamente para o amigo, tão distante deles.

– Não vá embora – disse a Jude, quase caindo no sono. – Não me deixe.

– Não vou a lugar nenhum – falou Jude, e ele sabia que Jude não iria mesmo.

Quando acordou cedo na manhã seguinte, ainda estava no sofá, a televisão fora desligada e um edredom o cobria. E ali estava Jude, aninhado em meio às almofadas na outra ponta do sofá, ainda dormindo. Uma parte dele sempre se sentira ofendida pela relutância de Jude em revelar qualquer coisa de sua vida a eles, por seu ar furtivo e misterioso, mas, naquele momento, sentia apenas gratidão e admiração. Sentou na cadeira ao lado do amigo, estudando seu rosto, que tanto adorava pintar, a coloração complicada de seus cabelos, que sempre o lembravam do quanto precisava misturar tintas, da quantidade de tons necessários para retratá-los com precisão.

Eu consigo, disse a Jude em voz baixa. *Eu consigo*.

Mas obviamente não conseguia. Estava em seu estúdio, ainda era apenas uma da tarde, e queria tanto, tanto, se drogar. A vontade era tanta que tudo que conseguia ver em sua mente era o cachimbo, ainda coberto de resíduos do pó branco. Aquele era apenas o primeiro dia em que tentava largar a droga e já se transformava – *ele* o transformava – numa piada. Ao seu redor estavam as únicas coisas com as quais se importava, os quadros para sua próxima série, "Segundos, Minutos, Horas, Dias", para a qual seguira Malcolm, Jude e Willem durante um dia inteiro, fotografando tudo o que faziam, e depois escolhera entre oito e dez imagens do dia de cada um para pintar. Havia decidido documentar um típico dia de trabalho deles, todos no mesmo mês do mesmo ano, e intitulara cada quadro com seus nomes, o lugar e a hora do dia em que fotografara a imagem.

A série de Willem fora a mais remota: JB viajara a Londres, onde o amigo filmava algo chamado *Atrasados*, e as imagens que escolhera misturavam cenas de dentro e de fora do set. JB tinha suas favoritas em cada série: a de Willem era *Willem, Londres, 8 de outubro, 9:08*, uma imagem dele na cadeira de maquiagem encarando seu reflexo no espelho, enquanto a maquiadora levantava seu queixo com as pontas dos dedos da mão esquerda e passava pó-de-arroz em suas bochechas com a direita. Os olhos de Willem estavam voltados para baixo, mas ainda assim dava para ver que olhava para si mesmo, e suas mãos agarravam os braços de madeira da poltrona como se estivesse numa montanha-russa, com medo de despencar caso soltasse. À sua frente, a bancada estava tomada de raspas encaracoladas de lápis de olho recém-apontados, que pareciam farrapos de fita, e estojos de maquiagem abertos em que todos os tons eram vermelhos, todos os vermelhos que você podia imaginar, e lenços de papel com borrões vermelhos que pareciam sangue. Para Malcolm, era uma fotografia distante retratando-o tarde da noite, sentado na bancada da cozinha de casa, criando um de seus prédios imaginários com quadrados de papel de arroz. Gostava de *Malcolm, Brooklyn, 23 de outubro, 23:17*, não tanto pela composição ou pelas cores, mas por motivos mais pessoais: na faculdade, costumava zombar de Malcolm por causa daquelas pequenas estruturas que construía e exibia no parapeito da janela, mas, na verdade, JB as admirava e gostava de observar Malcolm construindo-as – sua respiração ficava mais lenta, ele se mantinha em absoluto silêncio, e sua tensão constante, que às vezes parecia até algo físico, um apêndice, feito uma cauda, desaparecia.

Ele trabalhava com todas as imagens fora de sequência, mas não vinha conseguindo acertar bem as cores do jeito que queria na série de Jude, e por isso tinha menos quadros dele finalizados. Ao esquadrinhar as fotos, percebeu que os dias de seus amigos podiam ser classificados e definidos por uma certa consistência de tons: seguira Willem nos dias em que estava filmando no que deveria ser um enorme apartamento em Belgravia, e a luz era particularmente dourada, como cera. Depois, já no apartamento em Notting Hill que Willem alugara, JB tirou fotos dele sentado e lendo, e ali também a luz era amarelada, embora um pouco menos fluida, mais distinta, como a casca de uma maçã no fim do outono. Em contraste, o mundo de Malcolm era azulado: seu escritório estéril, com bancadas de mármore branco, na rua 22; a casa que ele e Sophie haviam comprado em Cobble Hill depois de casarem. Já o dia de Jude era cinzento, mais para o prateado, um tom muito comum no processo da prata coloidal, mas que vinha se provando particularmente difícil de ser reproduzido com tinta acrílica, embora nos quadros de Jude ele tivesse diluído consideravelmente as cores na tentativa de capturar aquela luz difusa. Antes de começar, precisava achar um meio de fazer o cinza parecer brilhante e limpo. Aquilo era frustrante, pois o que queria fazer era pintar, não perder tempo testando cores.

Mas ficar frustrado com seus quadros – e era impossível não pensar no seu trabalho como um colega, um coparticipante, algo que às vezes decidia se mostrar bem-disposto e colaborar com você, e às vezes decidia ser truculento e inflexível, como um bebê rabugento – era exatamente o que acontecia. Você só tinha que continuar tentando e tentando, até que um dia acertava.

E então, assim como a promessa que fizera a si mesmo – *Você não vai conseguir!*, gritava o duende provocador que dançava em sua mente; *Não vai conseguir!* –, os quadros também zombavam dele. Para aquela série, decidira pintar uma sequência de um de seus dias. No entanto, em três anos não conseguira achar um dia digno de registro. Até tentara – havia tirado centenas de fotos de si mesmo ao longo de uma dúzia de dias. Mas, quando as via, todas terminavam da mesma forma: com ele se drogando. Ou as imagens paravam no início da noite, e ele sabia que era porque tinha se drogado, a tal ponto que não conseguia mais tirar fotos. Havia outras coisas naquelas imagens que não lhe agradavam: não queria incluir Jackson num registro da sua vida, mas Jackson estava sempre por perto. Não gostava do sorriso idiota que via em seu rosto quando usava drogas nem do modo como seu rosto passava de gordo e esperançoso para gordo e ganancioso à medida que o dia se transformava em noite. Aquela não era a versão de si mesmo que queria pintar. Mas cada vez mais pensava que aquela era a versão que *deveria* pintar: aquela, afinal, era sua vida. Aquele era ele agora. Às vezes, quando acordava, já havia escurecido e ele não sabia onde estava, que horas eram ou que dia. Dias: o próprio conceito do que era um dia se tornara uma piada. Não conseguia mais precisar quando um dia começava ou terminava. *Alguém me ajude*, dizia em voz alta naqueles momentos. *Alguém me ajude*. Mas não sabia a quem estava fazendo seu apelo, ou o que esperava acontecer.

E agora estava cansado. Havia tentado. Era uma e meia da tarde de sexta-feira, a sexta-feira do feriado de Quatro de Julho. Vestiu a roupa. Fechou as janelas do estúdio, trancou a porta e desceu as escadas do prédio silencioso.

– Chen – falou em voz alta na escadaria, fingindo emitir um alarme para seus colegas artistas, um comunicado a alguém que pudesse precisar da sua ajuda. – Chen, Chen, Chen.

Estava a caminho de casa. Iria se drogar.

Acordou com um barulho terrível, o barulho de máquinas, de metal raspando contra metal, e começou a gritar, com o travesseiro no rosto, para abafar todo aquele ruído, quando percebeu que era o interfone. Levantou lentamente e se arrastou até a porta.

– Jackson? – perguntou, segurando o botão do interfone, e pôde ouvir como sua voz soava assustada e hesitante.

Houve um momento de silêncio.

– Não, somos nós – disse Malcolm. – Abra a porta. – Ele abriu.

E então ali estavam todos eles, Malcolm, Jude e Willem, como se tivessem aparecido para ver algum tipo de exibição sua.

– Willem – falou –, você deveria estar na Capadócia.

– Voltei ontem.

– Mas era para você ficar lá até – ele tinha certeza disso – seis de julho. Foi quando você disse que ia voltar.

– Hoje é dia sete de julho – disse Willem, em voz baixa.

JB começou a chorar, mas estava desidratado e não tinha mais lágrimas, apenas soluços. Sete de julho: perdera tantos dias. Não conseguia se lembrar de nada.

– JB – disse Jude, aproximando-se –, a gente vai tirar você dessa. Venha conosco. Vamos conseguir ajuda para você.

– Tudo bem – respondeu, ainda chorando. – Tudo bem, tudo bem. – Continuou com o cobertor em volta do corpo, estava morrendo de frio, mas permitiu que Malcolm o conduzisse ao sofá, e, quando Willem apareceu com um agasalho, JB ergueu os braços obedientemente, do jeito que fazia quando era criança e sua mãe o vestia. – Onde está Jackson? – perguntou a Willem.

– Jackson não vai incomodar você – ouviu Jude dizer, de algum ponto acima dele. – Não se preocupe, JB.

– Willem – falou –, quando deixou de ser meu amigo?

– Nunca deixei de ser seu amigo, JB – respondeu Willem, sentando ao seu lado. – Você sabe que eu te amo.

JB se refestelou no sofá e fechou os olhos; podia ouvir Jude e Malcolm conversando entre si, em voz baixa, e depois Malcolm andando para o outro lado do apartamento, onde ficava o quarto, e a tábua de madeira sendo levantada e depois colocada no lugar, e o barulho da descarga.

– Estamos prontos – ouviu Jude dizer, e então JB se levantou.

Willem se levantou com ele e Malcolm se aproximou e colocou o braço em suas costas. Juntos, marcharam na direção da porta. Foi quando JB teve um ataque de pânico: se saísse, sabia que veria Jackson. Ele apareceria, como naquele dia do café.

– Não posso ir – falou, parando. – Não quero ir, não me façam ir.

– JB – começou Willem, e algo em seu tom de voz, em sua própria presença ali, despertou em JB uma fúria irracional.

Tirou o braço de Malcolm de suas costas e virou para encará-los, com o corpo tomado de energia.

– Você não tem o direito de dizer o que devo fazer, Willem – falou. – Nunca esteve do meu lado, nunca me apoiou, nunca me telefonou, então não pode aparecer aqui gozando de mim, "Pobre JB, tão burro e fodido das ideias, eu sou Willem o Herói, e vim para salvar o dia", só porque lhe deu na telha, entendeu? Me deixem em paz, caralho!

– JB, sei que você está chateado – disse Willem –, mas ninguém está gozando de você, muito menos eu.

Mas, antes mesmo de Willem começar a falar, JB o viu dar uma olhada rápida, e aparentemente conspiratória, para Jude e, por algum motivo, aquilo o deixou ainda mais zangado. O que acontecera aos dias em que eles todos se entendiam, quando ele e Willem saíam todo fim de semana, voltando no dia seguinte para contar as histórias da noitada a Malcolm e Jude, Jude, que nunca ia a lugar nenhum, que nunca contava suas próprias histórias? Como foi que ele acabou sendo o único que não tinha ninguém? Por que o deixaram à mercê de Jackson, para que o pegasse e o destruísse? Por que não lutaram com mais empenho para salvá-lo? Por que ele mesmo arruinara tudo? Por que eles deixaram que isso acontecesse? Queria deixá-los devastados; queria que se sentissem tão inumanos quanto ele.

– E você, – falou, virando para Jude. – Gosta de saber o quanto sou fodido da cabeça? Gosta de ser sempre o único a descobrir os segredos de todo mundo, sem nunca nos contar absolutamente nada? O que acha que é isto, Jude? Acha que pode fazer parte do clube sem nunca ter que dizer coisa nenhuma, sem nunca ter de nos dizer coisa nenhuma? Só que não é assim que essa porra funciona, e já estamos todos de saco cheio de você.

– Agora chega, JB – disse Willem, abruptamente, agarrando seu ombro.

Mas JB recobrou suas forças de repente, desvencilhando-se da mão de Willem, com os pés inesperadamente ágeis, dançando na direção da prateleira de livros feito um boxeador. Olhou para Jude, parado em silêncio, com o rosto completamente imóvel e os olhos arregalados, quase como se esperasse que JB continuasse, que o magoasse ainda mais. Na primeira vez que pintara os olhos de Jude, JB fora a uma loja de animais de estimação para tirar fotos de uma cobra verde, pois as cores eram bem parecidas. Mas, naquele momento, eles estavam mais escuros, quase iguais à pele de uma cobra-de-água. Era ridículo, mas queria ter suas tintas à mão, pois sabia que poderia chegar àquele tom sem nem mesmo precisar se esforçar.

– Não é assim que funciona – repetiu para Jude. E então, sem nem perceber, começou a fazer a mesma imitação de Jude que Jackson fazia, aquela paródia horrenda, com a boca aberta, exatamente como fizera Jackson, emitindo o gemido de um doente mental, arrastando a perna direita atrás de si como se fosse de pedra. – Eu sou o Jude – balbuciou. – Meu nome é Jude St. Francis.

Por alguns segundos, a única voz que se ouviu no ambiente foi a sua, os únicos movimentos feitos foram os seus, e nesses segundos teve vontade de parar, mas não conseguiu. E então Willem correu em sua direção, e a última coisa que viu foi Willem recuando o punho, e a última coisa que ouviu foi o som de osso quebrando.

Acordou sem saber onde estava. Tinha dificuldade para respirar. Percebeu que havia algo em seu nariz. Mas, quando tentou levantar a mão para sentir o que era, não conseguiu. Foi quando olhou para baixo e viu que suas mãos estavam atadas. Soube então que estava no hospital. Fechou os olhos e lembrou: Willem o golpeara. Lembrou então por quê, e apertou ainda mais os olhos, uivando, mas sem fazer qualquer ruído.

O momento passou e ele abriu os olhos novamente. Virou a cabeça para a esquerda, onde uma horrorosa cortina azul bloqueava sua visão da porta. Virou então a cabeça para a direita, na direção da luz do início da manhã, e viu Jude dormindo na cadeira ao lado da cama. A cadeira era pequena demais para ele dormir, por isso teve de se dobrar numa posição terrível: os joelhos tocavam o peito, a bochecha repousava sobre eles e os braços envolviam as panturrilhas.

Você sabe que não deve dormir assim, Jude, disse a ele em sua cabeça. *Suas costas vão doer quando você acordar.* Mas, ainda que pudesse estender o braço para acordá-lo, não o teria feito.

Ai, meu deus, pensou. Oh, céus. O que foi que eu fiz?

Sinto muito, Jude, falou em sua mente, e dessa vez conseguiu chorar de verdade. As lágrimas escorriam até a boca e o muco que não conseguia limpar também borbulhava. Mas estava em silêncio; não fazia barulho algum. *Sinto muito, Jude, muito, muito mesmo,* repetiu para si mesmo, e depois sussurrou as palavras em voz baixa, tão baixa que só conseguia ouvir seus lábios abrirem e fecharem, e nada mais. *Me perdoe, Jude. Me perdoe.*

Me perdoe.
Me perdoe.
Me perdoe.

[IV]

O axioma da igualdade

1

NA NOITE ANTES DE partir para Boston para o casamento de seu amigo Lionel, ele recebe uma mensagem do Dr. Li dizendo que o Dr. Kashen havia morrido. "Ataque cardíaco; muito rápido", escreve o Dr. Li. O funeral será na sexta-feira à tarde.

Na manhã seguinte ele segue de carro diretamente para o cemitério e, do cemitério, para a casa do Dr. Kashen, uma estrutura de madeira de dois andares em Newton, onde o professor costumava promover um jantar de fim de ano para todos os seus alunos da pós-graduação. O acordo era que ninguém deveria falar sobre matemática naquelas festas.

– Podem falar de qualquer outra coisa – dizia a eles. – Menos de matemática.

Só em ocasiões como as festas do Dr. Kashen ele conseguia ser a pessoa menos socialmente inepta no ambiente (e era também, não por coincidência, o menos brilhante), e o professor sempre o fazia começar a conversa.

– Então, Jude – dizia –, no que anda interessado ultimamente?

Pelo menos dois de seus colegas – ambos cursando o Ph.D. – tinham formas leves de autismo, e ele via como se esforçavam para conseguir conversar, o quanto se esforçavam para manter os modos à mesa. Por isso, antes dos jantares, ele pesquisava as novidades sobre os mundos dos jogos online (que um deles adorava) e do tênis (que o outro adorava), de modo a fazer perguntas que os dois pudessem responder. O Dr. Kashen queria que seus alunos um dia conseguissem achar um emprego, e, além de ensinar matemática, também considerava que era sua responsabilidade socializá-los, ensinar-lhes como se comportar entre outros.

Às vezes o filho do Dr. Kashen, Leo, que era cinco ou seis anos mais velho que ele, comparecia aos jantares. Ele também tinha autismo, mas, diferentemente de Donald e Mikhail, o dele era imediatamente perceptível e acentuado o bastante para que, apesar de ter completado o ensino médio, não tivesse conseguido frequentar mais do que um semestre da universidade e só tenha conseguido encontrar trabalho como programador de uma companhia telefônica, onde passava dia após dia sentado numa salinha consertando telas e telas de códigos. Leo era filho único e ainda vivia com o pai e com a irmã do Dr. Kashen, que fora morar com eles depois que a esposa do Dr. Kashen morrera.

Na casa, ele conversa com Leo, que parece paralisado e balbucia uma coisa ou outra, desviando o olhar enquanto fala, e, depois, com a irmã do Dr. Kashen, que era professora de matemática na Northeastern.

– Jude – diz ela –, que bom ver você. Obrigada por vir. – Ela segura sua mão. – Meu irmão sempre falava de você, sabia?

– Ele era um professor fabuloso – responde. – Me ensinou muito. Lamento.

– Sim – disse ela. – Foi tudo muito rápido. Coitado do Leo – os dois se viram para Leo, que está olhando para o vazio –, não sei como ele vai lidar com isso. – Ela dá um beijo de despedida nele. – Mais uma vez, obrigada.

Lá fora, o frio é implacável e o para-brisa está coberto por uma camada de gelo. Ele segue devagar até chegar à casa de Harold e Julia, entrando e chamando por eles.

– Olha ele aqui! – diz Harold, materializando-se da cozinha, limpando as mãos num pano de prato. Harold o abraça, o que começara a fazer a certa altura, e por mais que se sinta desconfortável, ele pensa que seria ainda mais desconfortável tentar explicar por que gostaria que Harold parasse com aquilo. – Sinto muito por Kashen, Jude. Fiquei chocado quando descobri. Esbarrei com ele na faculdade dois meses atrás e parecia em ótima forma.

– E estava – responde, desenrolando o cachecol enquanto Harold pega seu casaco. – E nem era tão velho assim: estava com setenta e quatro anos.

– Jesus – diz Harold, que acabou de completar sessenta e cinco. – Que bom pensar nisso. Vá levar as coisas para o quarto e venha até a cozinha. Julia está presa numa reunião, mas daqui a uma hora mais ou menos já deve estar em casa.

Ele larga a bolsa no quarto de hóspedes – o "quarto do Jude", que é como chamam Harold e Julia; o "seu quarto" –, tira o terno, coloca outra roupa e volta à cozinha, onde Harold espia uma panela no fogo como se estivesse olhando para dentro de um poço.

— Estou tentando fazer um molho à bolonhesa — diz ele, sem se virar —, mas alguma coisa não está dando certo. Fica separando, está vendo?

Ele olha.

— Quanto azeite você colocou?

— Bastante.

— Quanto é bastante?

— *Bastante*. Demais, obviamente.

Ele sorri.

— Deixa que eu dou um jeito.

— Graças a deus — diz Harold, afastando-se do fogão. — Estava esperando que você dissesse isso.

Durante o jantar, conversam sobre o pesquisador preferido de Julia, que, segundo ela, pode estar tentando se mandar para outro laboratório, e sobre as últimas fofocas que circulam pela faculdade de direito, e sobre a antologia de ensaios sobre o caso *Brown contra o Conselho de Educação*, que Harold está editando, e sobre uma das gêmeas de Laurence, que está para casar, até que Harold diz, abrindo um sorriso:

— E então, Jude, o dia do grande aniversário está chegando.

— Faltam três meses! — gorjeia Julia, e ele geme. — O que pretende fazer?

— Nada, provavelmente — responde.

Não tinha planejado nada e também proibira Willem de fazer qualquer plano. Dois anos antes, ele deu uma grande festa para os quarenta anos de Willem em Greene Street e, embora os quatro tenham sempre dito que iriam a algum lugar para celebrar os quarenta anos de cada um, não foi bem assim que aconteceu. Willem estava filmando em Los Angeles no verdadeiro dia do seu aniversário, mas, depois de encerradas as gravações, eles foram a Botswana fazer um safári. Mas tinham sido só os dois: Malcolm trabalhava num projeto em Pequim e JB... bem, Willem não disse nada sobre convidar JB, e ele também, não.

— Você tem de fazer *alguma coisa* — diz Harold. — Podemos dar um jantar para você aqui, ou na cidade.

Ele sorri, mas nega com a cabeça.

— Quarenta é quarenta — diz. — É só mais um ano.

Quando criança, no entanto, jamais pensou que chegaria aos quarenta: nos meses seguintes ao episódio do carro, sonhava às vezes com a vida adulta, e, embora os sonhos fossem muito vagos – nunca sabia ao certo onde estava morando ou o que estava fazendo, ainda que na maioria dos sonhos estivesse andando, às vezes até correndo –, era sempre jovem; sua imaginação se recusava a avançar até a meia-idade.

Para mudar de assunto, ele conta sobre o funeral do Dr. Kashen e sobre o discurso de homenagem feito pelo Dr. Li.

– As pessoas que não amam a matemática sempre acusam os matemáticos de tentarem torná-la complicada – dissera o Dr. Li. – Mas qualquer um que *ame* a matemática sabe que, na verdade, é o contrário: a matemática recompensa a simplicidade, e os matemáticos a valorizam acima de qualquer outra coisa. Assim, não é surpresa nenhuma que o axioma preferido de Walter fosse também o mais simples nos domínios da matemática: o axioma do conjunto vazio.

"O axioma do conjunto vazio é o axioma do zero. Ele declara que deve haver um conceito de nada, deve haver um conceito de zero: zero de valor, zero item. A matemática supõe que exista um conceito do nada, mas pode prová-lo? Não. Mas ele *tem* de existir.

"Se quiséssemos filosofar, que é o que estamos fazendo hoje, poderíamos dizer que a própria vida é o axioma do conjunto vazio. Começa em zero e termina em zero. Sabemos que ambos os estados existem, mas não temos consciência de nenhuma das duas experiências: esses estados são partes necessárias da vida, ainda que não possam ser *vividos*. Podemos *pressupor* o conceito do nada, mas não o provar. Mas ele *tem* de existir. Assim, prefiro pensar que Walter não morreu, mas, em vez disso, provou por si mesmo o axioma do conjunto vazio, provou o conceito do zero. Sei que isso o deixaria muito feliz. Uma mente sofisticada urge por um fim sofisticado, e a mente de Walter era a mais sofisticada de todas. Com isso, me despeço dele; desejo que tenha encontrado a resposta ao axioma que tanto amava."

Os três ficam em silêncio por algum tempo, refletindo sobre tudo aquilo.

– Por favor, me diga que esse não é o *seu* axioma preferido – fala Harold de repente, e ele cai na risada.

– Não – responde. – Não é.

Ele dorme até tarde no dia seguinte e à noite vai ao casamento. Como ambos os noivos moraram no Hood, ele conhece quase todo mundo.

Aqueles que não faziam parte do universo do Hood – os colegas de Lionel de Wellesley, e os de Sinclair de Harvard, onde ensina história da Europa – ficam próximos uns dos outros como se para se protegerem, com um ar entediado e confuso. O evento é casual e levemente caótico – Lionel começa a atribuir tarefas aos convidados no momento em que chegam, tarefas que a maioria ignora: seu dever é fazer com que todos assinem o livro de presença; Willem fica encarregado de ajudar as pessoas a encontrarem suas mesas – e as pessoas circulam dizendo como, graças a Lionel e a Sinclair, graças àquele casamento, não terão que ir ao reencontro de vinte anos de faculdade. Estão todos ali: Willem e a namorada, Robin; Malcolm e Sophie; e JB com seu novo namorado, a quem ele ainda não conheceu. Ele sabe, antes mesmo de ver as plaquinhas de reserva, que serão colocados na mesma mesa.

– Jude! – gritam para ele pessoas que não vê há anos. – Como vai você? Cadê o JB? Acabei de falar com Willem! Acabei de ver Malcolm! – E então: – Vocês quatro ainda são tão próximos como eram?

– Ainda nos falamos – diz –, e estão todos bem. – É a resposta que ele e Willem combinaram de dar.

Tenta imaginar o que JB está dizendo, se está tangenciando a verdade, como ele e Willem, ou se está mentindo na cara dura, ou ainda se, num ataque de sinceridade digno de JB, estaria falando a verdade:

– Não. Quase não nos falamos mais. Só tenho contato com Malcolm atualmente.

Não via JB fazia meses e meses. Tem notícias dele, é claro: por meio de Malcolm, de Richard, de Henry Young Negro. Mas não o vê mais, porque, mesmo passados quase três anos, ainda não consegue perdoá-lo. Havia tentado e tentado. Sabe bem o quanto está sendo irascível, cruel e intolerante. Mas não consegue. Quando vê JB, ele o vê fazendo a imitação, ele o vê confirmando naquele instante tudo o que sempre temeu e que pensou aparentar, tudo o que sempre temeu e achou que os outros pensavam dele. Mas nunca pensou que seus amigos o viam daquele jeito; ou, pelo menos, nunca pensou que lhe diriam. A precisão da imitação o entristecia, mas o fato de que era JB quem a fazia o deixava devastado. Quando é tarde da noite e não consegue dormir, a imagem que às vezes lhe vem à mente é a de JB arrastando a perna num semicírculo, com a boca aberta, babando, e as mãos à frente feito garras: *Eu sou o Jude. Meu nome é Jude St. Francis.*

Naquela noite, depois de levarem JB para o hospital e o internarem – JB estava grogue e balbuciante quando chegaram, mas depois se recuperou e ficou furioso, violento, urrando para eles, se debatendo contra os plantonistas, tentando se desvencilhar dos braços deles até que o sedaram e o arrastaram, todo mole, pelo corredor –, Malcolm foi embora num táxi e ele e Willem pegaram outro para voltarem para casa, em Perry Street.

Não conseguira olhar para Willem no táxi e, sem nada para distraí-lo – nenhum formulário para ser preenchido, nenhum médico com quem falar –, começou a sentir frio, apesar da noite quente e úmida, e suas mãos começaram a tremer. Willem esticou o braço e pegou sua mão direita, segurando-a com a esquerda pelo restante do longo e silencioso percurso a caminho do Baixo Manhattan.

Passou bastante tempo no hospital enquanto JB se recuperava. Decidiu que ficaria por lá até ele melhorar; não poderia abandoná-lo, não depois de tudo pelo que passaram juntos. Os três se alternavam em turnos e, depois do trabalho, ele sentava ao lado do leito de JB no hospital e lia. Às vezes JB estava acordado, mas, na maior parte do tempo, não. Estava se desintoxicando, mas o médico também descobrira que JB tinha uma infecção renal, por isso ficou internado na ala principal do hospital, recebendo soro no braço, enquanto o rosto lentamente perdia o inchaço. Quando estava acordado, JB implorava pelo seu perdão, às vezes dramática e suplicantemente, e às vezes – quando estava mais lúcido – em voz baixa. Essas eram as conversas que Jude achava mais difícil.

– Jude, me desculpe – dizia. – Eu estava fora de mim. Por favor, diga que me perdoa. Fui ridículo. Eu te amo, você sabe disso. Nunca quis magoar você, nunca.

– Sei que você estava fora de si, JB – respondia. – Sei disso.

– Então diga que me perdoa. Por favor, Jude.

Ficavam em silêncio.

– Vai ficar tudo bem, JB – dizia.

Mas não conseguia fazer as palavras – *eu te perdoo* – saírem de sua boca. À noite, sozinho, as repetia uma vez após a outra: *eu te perdoo, eu te perdoo*. Seria tão simples, repreendia-se. Faria JB se sentir melhor. *Diga*, ordenava a si próprio enquanto JB o observava, com o branco dos olhos manchado e amarelado. *Diga*. Mas não conseguia. Sabia que estava fazendo JB se sentir pior; tinha noção disso, mas ainda assim não conseguia dizer. As palavras eram como pedras, presas sob sua língua. Não conseguia soltá-las, simplesmente não conseguia.

Depois, quando JB passou a ligar para ele todas as noites da clínica de reabilitação, estridente e pedante, mantinha-se em silêncio durante seus monólogos sobre como se tornara uma pessoa melhor, como descobrira que não podia contar com ninguém além de si mesmo, e como ele, Jude, precisava ver que a vida era muito mais que só o trabalho, e deveria viver cada momento e aprender a se amar. Ele ouvia, respirava e nada dizia. E então JB retornou para casa e precisou se reajustar, e ninguém teve muitas notícias dele durante alguns meses. Seu contrato de aluguel do apartamento fora suspenso, e ele voltou a morar com a mãe enquanto reorganizava a vida.

Então, um dia, ele telefonou. Era início de fevereiro, quase sete meses exatos depois que o levaram para o hospital, e JB queria vê-lo e conversar com ele. Sugeriu a JB que o encontrasse num café chamado Clementine, perto do prédio de Willem e, enquanto se espremia entre as mesas quase coladas umas às outras rumo a um assento na parede dos fundos, percebeu por que havia escolhido aquele lugar: porque era pequeno demais, apertado demais, para que JB o imitasse. Ao reconhecer isso, sentiu-se bobo e covarde.

Não via JB fazia bastante tempo, e JB curvou-se sobre a mesa e o abraçou, de leve e com cuidado, antes de sentar.

– Você está ótimo – falou.

– Obrigado – respondeu JB. – Você também.

Por cerca de vinte minutos, conversaram sobre a vida de JB: tinha entrado para os Viciados em Metanfetamina Anônimos. Continuaria morando com a mãe por mais alguns meses, até decidir o que fazer depois. Voltara a trabalhar, na mesma série que fazia antes de ser internado.

– Que bom, JB – falou. – Estou orgulhoso de você.

Então os dois ficaram em silêncio, olhando para as outras pessoas. A algumas mesas de distância, havia uma garota com um longo colar dourado, enrolando-o e desenrolando-o entre os dedos. Observou-a conversar com a amiga, enroscando e desenroscando o colar, até ela olhar em sua direção e ele virar a cabeça.

– Jude – começou JB –, agora que estou completamente sóbrio, queria me desculpar com você. Foi horrível. Foi... – Ele balançou a cabeça. – Foi cruel. Não sei... – Parou outra vez, e os dois ficaram em silêncio. – Me desculpe. – falou. – Me desculpe..

– Eu sei, JB – falou ele, sentindo uma espécie de tristeza que nunca sentira antes.

Outras pessoas já haviam sido cruéis com ele, já haviam feito com que se sentisse mal, mas não eram pessoas que ele amava, não eram pessoas que ele sempre torcera para que o vissem como alguém inteiro, sem avarias. JB fora o primeiro.

Ao mesmo tempo, JB também fora um dos primeiros a se tornar seu amigo. Quando teve o episódio de dor na universidade que fez seus colegas de quarto o levarem ao hospital onde conheceu Andy, foi JB, Andy lhe contaria depois, quem chegou com ele nos braços, e foi JB quem exigiu que ele fosse atendido primeiro, quem fez um tremendo escarcéu no setor de emergência até acabar sendo expulso de lá – mas não antes que um médico fosse chamado.

Podia ver o amor de JB por ele nas pinturas que o retratavam. Lembrava-se de um verão em Truro, vendo JB fazer seus esboços, quando percebeu pela expressão em seu rosto, pelo sorrisinho que abria, e pelo jeito cuidadoso e delicado como seu longo antebraço se movia pelo papel, que desenhava algo que lhe era caro, algo que estimava.

– O que está desenhando? – perguntou, e quando JB se virou para ele e levantou o bloco, pôde ver que era um retrato dele, do seu rosto.

Ah, JB, pensou. Ah, vou sentir sua falta.

– Acha que pode me perdoar, Jude? – pediu JB, olhando para ele.

Não tinha palavras, só foi capaz de balançar a cabeça.

– Não consigo, JB – respondeu, no fim. – Não consigo. Não consigo olhar para você e não ver... – Parou. – Não consigo – repetiu. – Sinto muito, JB, de verdade.

– Ah – disse JB, engolindo em seco. Ficaram ali sentados por um bom tempo, sem dizer nada.

– Sempre vou desejar que coisas maravilhosas aconteçam a você – falou para JB, que assentiu com a cabeça lentamente, sem olhar para ele.

– Bem – disse JB finalmente, levantando-se.

Ele também se levantou e estendeu a mão para JB, que olhou para ela como se fosse algo extraterrestre, examinando-a, apertando os olhos em sua direção. Até que enfim a segurou, mas em vez de apertá-la, levou seus lábios até ela e parou. E então JB lhe devolveu sua mão e foi embora do café desnorteado, quase correndo, esbarrando nas mesinhas – "Licença, licença" – no caminho.

Ele ainda vê JB de vez em quando, normalmente em festas, sempre inseridos em grupos, e os dois são educados e cordiais um com o outro. Jogam um pouco de conversa fora, o que é a parte mais dolorosa. JB nunca mais tentou abraçá-lo ou beijá-lo outra vez; aproxima-se já com a mão estendida, e ela a pega, e os dois se cumprimentam. Enviou flores para JB – com um bilhete curtíssimo – quando a mostra "Segundos, Minutos, Horas, Dias" foi inaugurada e, por mais que não tenha comparecido à noite de inauguração, esteve na galeria no sábado seguinte, a caminho do trabalho, e passou uma hora deslocando-se lentamente de um quadro para o outro. JB planejara incluir a si mesmo na série, mas no fim acabou desistindo: estavam lá apenas ele, Malcolm e Willem. Os quadros eram lindos, e ao estudá-los, pensou não tanto nas vidas que retratavam, mas na vida de quem os criara – tantas daquelas pinturas haviam sido feitas quando JB estava num de seus estados mais lastimáveis, mais perdidos, e ainda assim eram decididas e sutis, e vê-las significava imaginar a empatia, a ternura e o encanto da pessoa que as fizera.

Malcolm continuou amigo de JB, embora tenha sentido a necessidade de se desculpar por isso.

– Ora essa, Malcolm – respondeu ele, depois que Malcolm confessara, pedindo sua permissão. – Claro que deve manter sua amizade com ele.

Não queria que JB fosse abandonado por todos eles; não queria que Malcolm tivesse que provar sua lealdade a ele repudiando JB. Queria que JB tivesse um amigo que o conhecia desde os dezoito anos, desde que era o sujeito mais engraçado e inteligente da universidade e tanto ele como todo mundo sabiam disso.

Mas Willem nunca mais falou com JB. Depois que JB voltou da reabilitação, Willem ligou para ele e disse que não poderia mais ser seu amigo e que ele sabia o porquê. E aquele foi o fim. Ele ficou surpreso com aquilo, e triste, pois sempre gostara de ver JB e Willem gargalharem juntos e alfinetarem um ao outro, e adorava quando os dois lhe contavam coisas sobre suas vidas: eram tão destemidos, tão corajosos; eram seus emissários num mundo menos inibido e mais alegre. Sempre souberam tirar prazer de tudo, e ele sempre admirara essa qualidade nos dois, e sentia-se grato por estarem dispostos a compartilhar aquilo com ele.

– Sabe de uma coisa, Willem – disse ele uma vez –, espero que o motivo por ter deixado de falar com JB não seja o que aconteceu comigo.

— Mas é claro que é pelo que aconteceu com você — respondeu Willem.

— Mas isso não é motivo — retrucou.

— Claro que é — disse Willem. — Não há motivo melhor do que esse.

Nunca passara por aquilo antes, então não tinha real compreensão do quanto era lento, triste e difícil terminar amizade. Richard sabe que ele e JB e Willem e JB não se falam mais, embora não saiba a razão — ou pelo menos não soube por ele. Hoje, depois que anos já se passaram, ele nem mesmo continua a culpar JB; só não consegue esquecer. Uma parte pequena de si, mas que não podia ser ignorada, sempre se perguntava se JB voltaria a fazer aquilo; tinha medo de ficar sozinho com ele.

Dois anos atrás, no primeiro ano em que JB não foi a Truro, Harold perguntou se havia algum problema.

— Você nunca mais falou dele — disse.

— Bem — começou, sem saber como continuar. — Não somos mais... não somos mais amigos como antes, Harold.

— Sinto muito, Jude — disse Harold após um breve silêncio, e ele assentiu com a cabeça. — Pode me contar o que aconteceu?

— Não — respondeu, concentrado em arrancar as folhas dos rabanetes. — É uma longa história.

— E acha que é algo que pode ser consertado?

Negou com a cabeça.

— Acho que não.

Harold soltou um suspiro.

— Sinto muito, Jude — repetiu. — Deve ter sido algo ruim. — Ficou em silêncio. — Sempre gostei de ver vocês quatro juntos, sabe? Vocês tinham uma ligação especial.

Ele assentiu com a cabeça outra vez.

— Eu sei — falou. — Concordo. Sinto falta dele.

Ainda hoje ele sente falta de JB; acha que sempre sentirá. E sente ainda mais em eventos como aquele casamento, em que normalmente os quatro teriam passado a noite falando e rindo de todo mundo, despertando inveja e sendo quase desagradáveis pelo prazer que compartilhavam, o prazer que um tinha em estar na companhia do outro. Mas, agora, ali estão eles, JB e Willem cumprimentando-se com um aceno de cabeça por sobre a mesa, Malcolm falando depressa para tentar suprimir qualquer tensão, e as outras três pessoas sentadas à mesa, a quem eles quatro — sempre pensará neles como eles quatro; nós quatro – começam a interrogar com uma intensidade inadequada, rindo exageradamente de suas piadas, usando-as como escudos humanos involuntários. Ele está sentado ao lado do namorado de JB – o belo garoto branco que sempre quis –, que está na casa dos vinte, acabou de se formar em enfermagem e está claramente encantado por JB.

– Como era JB na universidade? – pergunta Oliver.

E ele responde:

– Bem parecido com o que é hoje: engraçado, sagaz, provocador e esperto. E talentoso. Sempre teve talento, sempre.

– Humm – diz Oliver, pensativo, olhando para JB, que está ouvindo Sophie falar com uma concentração que parece exagerada. – Na verdade, nunca vejo JB como uma pessoa *engraçada*.

E então ele também olha para JB, perguntando a si mesmo se Oliver teria interpretado JB de maneira incorreta ou se JB havia de fato se tornado outra pessoa, alguém que ele não reconheceria hoje como a pessoa a quem conheceu por tantos anos.

No fim da noite, beijos e apertos de mão são trocados, e quando Oliver – a quem JB claramente não contou nada – lhe diz que deviam se ver novamente, os três, pois ele sempre quis conhecê-lo, um dos amigos mais antigos de JB, ele sorri e responde algo vago, acenando para JB antes de ir para fora, onde Willem o aguarda.

– Como foi para você? – pergunta Willem.

– Normal – responde, sorrindo. Ele acha que aqueles encontros são mais difíceis para Willem do que para ele. – E para você?

– Também – diz Willem. Sua namorada encosta o carro no meio-fio; estão hospedados num hotel. – Ligo para você amanhã, tudo bem?

De volta a Cambridge, ele entra na casa silenciosa e segue com o passo mais leve possível até seu banheiro. Lá, recolhe o estojo escondido debaixo do ladrilho solto próximo ao vaso sanitário e se corta até se sentir completamente vazio, estendendo os braços sobre a banheira e assistindo à porcelana ganhar um tom rubro. Como sempre faz quando encontra JB, questiona se tomou a decisão certa. Tenta imaginar se todos os quatro – ele, Willem, JB, Malcolm – ficarão acordados até mais tarde naquela noite, pensando no rosto um do outro e nas conversas, boas ou más, que tiveram entre si naqueles mais de vinte anos de amizade.

Ah, pensa ele, se ao menos eu fosse uma pessoa melhor. Se ao menos fosse mais generoso. Ou se fosse menos egoísta. Ou se fosse mais corajoso.

Ele finalmente levanta, agarrando-se à barra da toalha; se cortara demais naquela noite e sentia-se fraco. Vai até o espelho de corpo inteiro que fica pendurado na parte de dentro do armário do quarto. Em seu apartamento em Greene Street não há espelhos de corpo inteiro.

– Nada de espelhos – dissera a Malcolm. – Não gosto de espelhos.

Mas a verdade é que não quer ser confrontado pela sua imagem; não quer ver seu corpo, ou seu rosto olhando diretamente para ele.

Mas há um espelho ali na casa de Harold e Julia, e ele para na frente dele por alguns segundos, contemplando seu reflexo, antes de assumir a postura curvada que JB fizera aquela noite. JB estava certo, pensa. Ele estava certo. E é por isso que não consigo perdoá-lo.

Agora ele abre a boca. E agora salta num pequeno círculo. E agora arrasta a perna atrás de si. Seus gemidos preenchem o ar na casa tranquila e silenciosa.

—

No primeiro sábado de maio, ele e Willem fazem o que vêm chamando de A Última Ceia num restaurante japonês minúsculo e caríssimo próximo ao seu escritório, na rua 56. O restaurante tem só seis assentos, todos perfilados junto a um balcão largo e aveludado de cipreste, e, durante as três horas que passam lá, eles são os únicos clientes.

Por mais que soubessem que a refeição sairia caro, ainda assim ficam surpresos quando olham para a conta. Os dois então começam a rir, embora ele não saiba se o fazem pelo absurdo de gastar tanto num só jantar, pelo fato de terem acabado de fazer isso ou ainda pelo fato de poderem gastar aquele dinheiro.

– Deixa que eu pago – diz Willem, mas, quando vai pegar a carteira, o garçom se aproxima com o cartão de crédito dele, que lhe dera quando Willem fora ao banheiro.

– Droga, Jude – diz Willem, abrindo um sorriso.

– É a Última Ceia, Willem – diz ele. – Você pode me pagar um *taco* quando voltar.

– *Se* eu voltar – diz Willem. Aquela vem sendo uma piada recorrente entre os dois. – Jude, obrigado. Não era para você pagar o jantar.

Aquela é a primeira noite em que a temperatura está amena, e ele diz a Willem que, se realmente quer agradecer-lhe o jantar, basta caminhar com ele.

– Até onde? – pergunta, cauteloso. – Nem pense que vamos caminhar até o SoHo, Jude.

– Não muito longe.

– É melhor, mesmo – diz Willem –, porque estou cansado de verdade.

Essa é uma nova estratégia de Willem, e ele a aprecia: em vez de dizer a ele que não pode fazer certas coisas porque não são boas para suas pernas ou suas costas, Willem faz com que ele próprio pareça incapaz, na tentativa de dissuadi-lo. Naqueles dias, Willem sempre estava cansado demais para andar, ou dolorido demais, ou sentia muito calor, ou muito frio. Mas ele sabia que era tudo invenção. Numa tarde de sábado, depois de visitarem algumas galerias, Willem lhe disse que não conseguiria caminhar de Chelsea até Greene Street ("Estou muito cansado"), por isso pegaram um táxi. Mas, no dia seguinte, durante o almoço, Robin falou:

– Ontem não estava um dia lindo? Depois que Willem chegou em casa, corremos por... quase treze quilômetros, não foi isso, Willem? Subimos e descemos a rodovia.

– Ah, é mesmo? – perguntou a Robin, olhando para Willem, que sorriu acanhado para ele.

– O que posso dizer? – falou. – Do nada, me senti mais disposto.

Os dois começam a caminhar no sentido sul, primeiro dobrando a leste na Broadway para não terem de atravessar a Times Square. Willem pintou os cabelos de preto para seu próximo papel e deixou crescer a barba, o que o deixa menos reconhecível, mas nenhum dos dois quer ficar preso em meio a uma horda de turistas.

Aquela é a última vez que verá Willem por um tempo de provavelmente mais de seis meses. Na terça-feira ele parte para o Chipre a fim de começar a rodar a *Ilíada* e a *Odisseia*; interpretará Ulisses nas duas produções. Ambas serão filmadas consecutivamente e lançadas consecutivamente, mas terão o mesmo elenco e também o mesmo diretor. A filmagem o levará pelo sul da Europa e pelo norte da África, antes de partir para a Austrália, onde algumas das cenas de batalha serão rodadas, e, como o ritmo será muito intenso e as distâncias que terá de percorrer muito longas, ainda não sabe ao certo se terá muito tempo, se é que terá algum, para voltar para casa nos intervalos. Aquela é a filmagem mais elaborada e ambiciosa de que Willem já participou, e ele está nervoso.

– Vai ser incrível, Willem – ele o tranquiliza.

– Ou um desastre incrível – diz Willem.

Ele não está de mau humor, na verdade nunca está, mas ele nota que Willem está ansioso, ávido para fazer um bom trabalho e com receio de decepcionar os outros de alguma forma. Mas ele fica aflito antes de todos os filmes, e ainda assim – como ele lembra Willem – todos acabaram bem, mais do que bem. Entretanto, reflete, aquele é um dos motivos pelos quais Willem sempre terá trabalho, e bons trabalhos: porque realmente leva aquilo a sério, porque se sente responsável.

Já ele tem pavor dos próximos seis meses, especialmente porque Willem esteve muito presente no último ano e meio. Primeiro participou de um projeto pequeno, baseado no Brooklyn, que durou apenas algumas semanas. Depois, fez uma peça, uma produção chamada O *dodô maldivo*, sobre dois irmãos, ambos ornitologistas, sendo que um deles está sendo tomado lentamente por uma espécie de loucura inclassificável. Durante toda a temporada, ele e Willem se reuniam para um jantar tardio às quintas-feiras. Assim como acontecera em todas as outras peças de Willem, ele a assistiu diversas vezes. Na terceira, avistou JB e Oliver no meio da plateia, algumas fileiras à sua frente, mas do lado esquerdo do teatro, e durante todo o espetáculo ficou espiando JB para ver se ele estava rindo ou se concentrava nas mesmas falas, ciente de que aquela era a primeira peça de Willem a que os outros três não tinham assistido juntos, em grupo, pelo menos uma vez.

– Ouça – diz Willem enquanto descem a Quinta Avenida, que está vazia e onde se veem apenas as janelas iluminadas e restos de lixo soltos rodopiando com a brisa leve e suave: sacos de plástico, que se enchiam de ar feito águas-vivas, e folhas de jornais emaranhadas –, falei com Robin que conversaria com você a respeito de uma coisa.

Ele espera. Vinha tomando cuidado para não cometer o mesmo erro com Robin e Willem que cometera com Philippa e Willem – quando Willem o convida para acompanhá-los a algum lugar, ele sempre consulta Robin antes para ter certeza (até que Willem um dia finalmente pediu que parasse de perguntar, pois Robin sabia o quanto ele era importante e ela estava tranquila em relação a isso e, se não estivesse tranquila, teria de ficar), e também tentara se apresentar a Robin como alguém independente, sem muita probabilidade de ir morar com eles quando ficasse velho. (Ele, no entanto, não sabia exatamente como passar essa mensagem, por isso não tinha ideia se fora bem-sucedido ou não.) Mas ele gosta de Robin – ela é professora de estudos clássicos em Columbia e fora contratada como consultora no cinema dois anos antes, além de ter um senso de humor afiado que, de certa forma, o faz se lembrar de JB.

– Tudo bem – diz Willem, e respira fundo. Ele se ajeita. Ah, não, pensa. – Lembra da Clara, amiga de Robin?

– Lembro – diz ele. – Aquela que conheci no Clementine.

– Sim! – diz Willem, com um ar de triunfo. – Ela mesma!

– Meu deus, Willem. Me dê um pouco de crédito: isso foi na semana passada.

– Eu sei, eu sei. Bom, de qualquer jeito o negócio é o seguinte: ela está interessada em você.

Ele fica perplexo.

– Como assim?

– Ela perguntou a Robin se você era solteiro. – Willem faz uma pausa. – Falei para ela que achava que você não tinha interesse em sair com ninguém, mas que perguntaria. Então estou perguntando.

A ideia é tão absurda que ele leva algum tempo para compreender o que Willem está dizendo. Quando enfim compreende, para de andar e ri, constrangido e incrédulo.

– Você só pode estar brincando, Willem – diz ele. – Isso é ridículo.

– Por que é ridículo? – pergunta Willem, agora sério. – Por quê, Jude?

– Willem – diz ele, recuperando-se. – Fico muito lisonjeado. Mas... – Faz uma careta e ri outra vez. – É absurdo.

– O que é absurdo? – diz Willem, e ele sente a conversa mudar de rumo. – Que alguém possa se sentir atraído por você? Não é a primeira vez que acontece, sabe? Você só não enxerga porque não se permite.

Ele balança a cabeça.

– Vamos falar de outra coisa, Willem.

– Não – diz Willem. – Não vai escapar desta vez, Jude. Por que isso seria ridículo? Por que é um absurdo?

De repente, ele se sente tão desconfortável que realmente chega a parar, bem na esquina da Quinta Avenida com a rua 45, e começa a esquadrinhar a rua em busca de um táxi. Mas é claro que não encontra nenhum.

Enquanto pensa no que responder, lembra-se do o que aconteceu alguns dias após aquela noite no apartamento de JB, quando perguntara a Willem se JB estava certo, ao menos em parte: será que Willem se ressentia dele? Será que realmente não contava o bastante sobre si próprio aos amigos?

Willem ficou em silêncio por tanto tempo que ele já sabia a resposta, antes mesmo de ouvi-la.

– Veja bem, Jude – disse Willem, lentamente. – JB estava... JB estava fora de si. Eu nunca poderia ficar de saco cheio de você. Você não é *obrigado* a me contar seus segredos. – Fez uma pausa. – Mas, sim, eu gostaria que compartilhasse mais de você comigo. Não para obter a informação, mas para, talvez, poder ajudar. – Parou e olhou para ele. – Só isso.

Desde então, vinha tentando contar mais coisas a Willem. Mas são tantos os tópicos sobre os quais nunca conversou com mais ninguém desde Ana, passados agora vinte e cinco anos, que ele se vê literalmente sem conhecer uma linguagem para fazê-lo. Seu passado, seus medos, o que lhe fizeram, o que ele fez a si mesmo – esses são assuntos que só podem ser abordados em idiomas que ele não fala: farsi, urdu, mandarim, português. Uma vez, tentou colocar no papel algumas coisas, pensando que pudesse ser mais fácil, mas não foi – ele não sabe se explicar a si mesmo.

– Você vai encontrar seu próprio jeito de falar sobre as coisas que aconteceram – lembra que Ana falou. – Terá de encontrar, se um dia quiser ser íntimo de alguém.

Queria, como muitas vezes acontecia, ter conversado com ela, ter deixado que ela lhe ensinasse como fazê-lo. Seu silêncio começara como uma proteção, mas ao longo dos anos se transformou em algo quase opressivo, algo que o controla, em vez de ser o contrário. Agora não consegue mais se desvencilhar dele, mesmo quando quer. Imagina a si mesmo flutuando numa pequena bolha de água, cercada por todos os lados de paredes, tetos e pisos de gelo, todos com muitos centímetros de espessura. Ele sabe que existe uma saída, mas lhe faltam os equipamentos; não tem nenhuma ferramenta para começar a trabalhar e suas mãos escavam inutilmente o gelo escorregadio. Pensara que, ao não revelar quem era, faria de si mesmo alguém mais palatável, menos estranho. Mas, agora, o que ele não diz o torna ainda mais estranho, um objeto de pena e até mesmo de suspeita.

– Jude? – insiste Willem. – Por que é absurdo?

Ele balança a cabeça.

– Simplesmente é. – E começa a andar novamente.

Os dois seguem em silêncio por um quarteirão. Então Willem pergunta:

– Jude, um dia você quer ter alguém?

– Nunca pensei que teria.

– Não foi isso que perguntei.

– Não sei, Willem – responde, sem conseguir olhar para a cara de Willem. – Acho que nunca acreditei que esse tipo de coisa fosse para alguém como eu.

– O que isso quer dizer? – Ele balança a cabeça outra vez, sem dizer nada, mas Willem insiste: – Por que tem alguns problemas de saúde? É por isso?

Problemas de saúde, diz algo azedo e sardônico dentro dele. *Isso sim é um eufemismo.* Mas não o diz em voz alta.

– Willem – suplica. – Estou implorando para que pare de falar nisso. Tivemos uma noite tão agradável. É a nossa última noite, depois não irei mais vê-lo. Dá para mudarmos de assunto? Por favor?

Willem não diz nada por mais um quarteirão, e ele acha que o assunto está encerrado, mas então Willem diz:

– Sabe, quando comecei a sair com Robin, ela me perguntou se você era gay ou hétero, e tive de dizer que não sabia. – Ele faz uma pausa. – Ela ficou chocada. Ficava dizendo: "Ele é o seu melhor amigo desde a adolescência e você não sabe?" Philippa também costumava me perguntar sobre você. E eu dizia o mesmo que digo a Robin: que você é uma pessoa reservada e sempre tentei respeitar sua privacidade.

"Mas acho que esse é o tipo de coisa que eu queria que você me contasse, Jude. Não para que eu possa fazer algo com a informação, mas sim porque me daria uma ideia melhor de quem você é. Quero dizer, talvez você não seja nenhum dos dois. Talvez seja os dois. Talvez só não tenha interesse. Não faz a menor diferença para mim."

Ele não diz, nem conseguiria dizer, nada em resposta, e seguem andando por mais dois quarteirões: rua 38, rua 37. Está ciente de que seu pé direito se arrasta pela calçada como faz quando está cansado ou desanimado, cansado ou desanimado demais para fazer um esforço maior, e fica feliz por Willem estar do seu lado esquerdo e, com isso, menos propenso a notar.

– Às vezes receio que você tenha decidido convencer a si mesmo de que é feio ou que não é digno de amor e que algumas experiências estejam fora do seu alcance. Mas não estão, Jude: qualquer um teria sorte de estar com você – diz Willem um quarteirão depois.

Agora chega, pensa ele; consegue identificar pelo tom de voz que Willem está se preparando para um discurso mais longo, e ele fica cada vez mais inquieto, com o coração batendo num ritmo esquisito.

– Willem – diz, virando para o amigo. – Acho que é melhor eu pegar um táxi mesmo. Estou ficando cansado, é melhor eu ir para a cama.

– Jude, por favor – diz Willem, com impaciência o suficiente na voz para fazê-lo recuar. – Olhe, me desculpe. Mas é sério, Jude. Você não pode simplesmente *ir embora* quando estou tentando falar com você sobre algo importante.

Aquilo o faz parar.

– Tem razão – diz. – Sinto muito. E fico grato a você, Willem, de verdade. Mas tenho muita dificuldade em falar sobre isso.

– Você tem dificuldade para falar sobre *tudo* – diz Willem, e ele recua mais uma vez. Willem solta um suspiro. – Desculpe. Sempre fico achando que um dia vou conseguir conversar com você, conversar de verdade, mas isso nunca acontece, porque tenho medo de forçar a barra e você acabar se fechando e deixar de falar comigo de vez. – Os dois ficam em silêncio, e ele se sente constrangido, pois sabe que Willem tem razão: era exatamente isso que faria. Alguns anos atrás, Willem tentou falar com ele sobre os cortes. Também estavam caminhando e, numa certa altura, a conversa se tornou tão intolerável que ele chamou um táxi e entrou apressado no veículo, deixando Willem parado na calçada, gritando seu nome, sem conseguir acreditar no que acabara de acontecer; xingou a si mesmo assim que entrou no carro, que começou a seguir para o sul. Willem ficara furioso; ele se desculpou; os dois fizeram as pazes. Mas Willem nunca mais tocou no assunto, nem ele. – Me diga só uma coisa, Jude: você não se sente sozinho?

– Não – responde, em tom conclusivo. Um casal passa sorrindo e Jude pensa no início da caminhada, quando eles dois também estavam sorrindo. Como foi que conseguiu arruinar a noite, a última vez que verá Willem em meses? – Não precisa se preocupar comigo, Willem. Sempre vou ficar bem. Sempre vou conseguir tomar conta de mim mesmo.

Willem então solta um suspiro e arqueia os ombros, parecendo tão derrotado que ele sente uma pontada de culpa. Mas também está aliviado, pois nota que Willem não sabe como levar aquela conversa adiante, e logo poderá redirecioná-lo, e encerrar a noite de maneira agradável, e escapar.

— Você sempre diz isso.
— Porque é sempre verdade.

Faz-se um longo, longo silêncio. Estão parados diante de uma churrascaria coreana e o ar é denso e tem um cheiro forte de vapor, fumaça e carne assada.

— Posso ir? — pergunta ele finalmente, e Willem assente com a cabeça. Vai até o meio-fio e levanta o braço. Um táxi encosta ao seu lado.

Willem abre a porta para ele e então, quando está entrando, o amigo o abraça e o aperta, e ele acaba fazendo o mesmo.

— Vou sentir sua falta — diz Willem à sua nuca. — Vai se cuidar enquanto eu não estiver por perto?

— Sim — responde. — Prometo. — Ele dá um passo para trás e olha para Willem. — Até novembro, então.

Willem faz uma expressão que não é bem um sorriso.

— Até novembro — repete.

No táxi, percebe o quanto está cansado. Encosta a testa na janela sebenta e fecha os olhos. Quando chega em casa, seu corpo está pesado feito um cadáver, e já dentro do apartamento começa a tirar as roupas — sapatos, agasalho, camisa, camiseta, calças — no momento em que tranca a porta às suas costas, deixando uma trilha pelo chão a caminho do banheiro. Suas mãos tremem quando solta o estojo preso debaixo da pia, e, embora não achasse que precisaria se cortar aquela noite — nada durante o dia ou no início da noite indicou que isso aconteceria —, ele agora sente uma vontade quase voraz de fazê-lo. Há muito tempo não tem mais espaço livre nos antebraços, por isso agora faz os cortes em cima de antigas marcas, usando o fio da lâmina para atravessar a pele dura e enredada das cicatrizes: quando os novos cortes fecham, formam sulcos verrugosos, e ele se sente ao mesmo tempo enojado, alarmado e fascinado pela intensidade com que deformou o seu corpo. Ultimamente, vem aplicando nos braços os cremes que Andy lhe deu para as costas, e acha que isso está ajudando um pouco: a pele parece menos tesa, as cicatrizes, um pouco mais macias e flexíveis.

O boxe do chuveiro criado por Malcolm é enorme, tão grande que ele agora senta dentro dele quando está se cortando, esticando as pernas à sua frente. Quando termina, tem o cuidado de limpar o sangue, pois o piso é todo de mármore e, como Malcolm lhe disse repetidas vezes, as manchas no mármore são impossíveis de remover. E então se deita na cama, grogue, mas ainda sem sono, encarando o brilho sombrio, parecido com mercúrio, que o lustre projeta no quarto escuro.

– Eu me sinto sozinho – diz em voz alta, e o silêncio do apartamento absorve as palavras feito sangue sendo embebido por algodão.

Aquela solidão é uma descoberta recente, e é diferente das outras solidões que já viveu: não é como a solidão de uma infância sem pais; ou de estar deitado acordado num motel ao lado do irmão Luke, tentando não se mover, tentando não o despertar, enquanto a lua lançava suas listras de luz branca sobre a cama; ou da ocasião em que fugiu do orfanato, a ocasião em que foi bem-sucedido, e passou a noite espremido na fenda entre as raízes tortas de um carvalho, que se abriam feito duas pernas, encolhendo-se o máximo que podia. Em todas aquelas circunstâncias ele se sentiu solitário, mas percebe agora que o que sentia não era solidão, mas medo. Só que agora não tem nada a temer. Agora conseguiu se proteger: tem aquele apartamento com seu trinco triplo, tem dinheiro. Tem pais, tem amigos. Nunca mais terá de fazer algo que não quer em troca de comida, transporte, abrigo ou de uma via de fuga.

Não mentira a Willem: não foi feito para relacionamentos e nunca pensou que fosse. Nunca invejou os relacionamentos dos amigos – fazer isso seria como um gato cobiçar o latido de um cão: era algo que nunca lhe passaria pela cabeça invejar, pois era impossível, algo completamente alheio à sua própria espécie. Mas, ultimamente, as pessoas vinham se comportando como se aquilo fosse algo que ele poderia ter, ou que deveria desejar, e por mais que soubesse que faziam isso em parte por bondade, parecia mais uma provocação: era como se dissessem que ele podia ser um decatleta, o que seria igualmente obtuso e cruel.

Até esperava isso de Malcolm e Harold; Malcolm, porque é feliz e só enxerga um caminho – o seu caminho – para a felicidade, por isso volta e meia lhe pergunta se pode apresentá-lo a alguém, mostrando-se surpreso quando ele diz não; Harold, porque ele sabe que a parte do papel de pai de que Harold mais gosta é de se meter em sua vida e se arraigar nela o máximo que puder. Ele até começou a gostar daquilo também, às vezes – fica comovido por alguém ter interesse o bastante nele para lhe dar ordens, para ficar decepcionado com as decisões que toma, para ter expectativas em relação a ele, para assumir a responsabilidade por ele. Dois anos atrás, ele e Harold estavam num restaurante, e Harold o doutrinava sobre como seu trabalho na Rosen Pritchard basicamente o transformara num cúmplice da prevaricação corporativa, quando ambos notaram que o garçom estava parado diante deles, esperando com o bloco na mão.

– Com licença – disse o garçom. – Devo voltar depois?

– Não, não se preocupe – disse Harold, pegando o cardápio. – Só estou gritando com meu filho, mas posso fazer isso depois de pedirmos a comida.

O garçom lhe deu um sorriso de comiseração, e ele sorriu de volta, extasiado por ter sido publicamente reivindicado como sendo de alguém, por finalmente fazer parte da tribo de filhos e filhas. Depois, Harold voltou ao sermão e ele fingiu ficar chateado, mas, na verdade, passou a noite inteira feliz, com uma alegria que transpirava pelos poros, sorrindo tanto que, no fim, Harold perguntou se ele estava bêbado.

Mas agora Harold também começava a lhe fazer perguntas.

– Este lugar é fantástico – falou quando esteve na cidade no mês anterior para o jantar de aniversário que ele ordenara a Willem para não organizar, e que Willem organizara mesmo assim.

Harold deu uma passada no apartamento no dia seguinte e, como sempre fazia, o elogiou incessantemente, dizendo as mesmas coisas de sempre: "Este lugar é fantástico", "É tudo tão limpo aqui"; "Malcolm fez um ótimo trabalho." E, nos últimos tempos:

– Mas é muito grande, Jude. Não se sente sozinho às vezes?

– Não, Harold – respondeu. – Gosto de ficar sozinho.

Harold resmungou.

– Willem parece estar feliz – falou. – Robin parece uma boa menina.

– Ela é – falou, preparando uma xícara de chá para Harold. – E acho que ele está feliz.

– Jude, você não gostaria de ter algo assim? – perguntou Harold.

Ele deu um suspiro.

– Não, Harold, estou bem.

– Sim, mas e quanto a mim e Julia? – perguntou Harold. – Nós gostaríamos de ver você com alguém.

– Sabe que eu gostaria de deixar vocês felizes – falou, tentando manter o mesmo tom de voz. – Mas, infelizmente, acho que não vou poder ajudar nesse sentido. Aqui. – E passou o chá a Harold.

Às vezes ele se pergunta se aquela ideia de solidão seria algo que ele viria a sentir caso não tivesse sido alertado quanto ao fato de que *deveria* estar se sentindo sozinho, de que existia algo estranho e inaceitável no tipo de vida que levava. Sempre há alguém perguntando se não sentia falta de algo que nunca lhe passou pela cabeça desejar, que nunca lhe passou pela cabeça que um dia pudesse ter: Harold e Malcolm, é claro, mas também Richard, cuja namorada, também artista, chamada India, praticamente fora viver com ele, e ainda outras pessoas que via com menos frequência – Citizen, Elijah, Phaedra e até Kerrigan, seu velho colega da época do juiz Sullivan, que o procurou alguns meses atrás quando esteve na cidade com o marido. Alguns perguntavam com pena; outros, com desconfiança: o primeiro grupo fica triste porque acha que sua solteirice é algo que lhe foi imposto, e não uma decisão sua; já o segundo sente uma espécie de hostilidade em relação a ele, pois acham que a solteirice *é* uma decisão sua, uma violação e uma afronta a uma lei fundamental da vida adulta.

De qualquer jeito, ser solteiro aos quarenta anos é diferente de ser solteiro aos trinta, e a cada ano isso se torna menos compreensível, menos invejável, e mais patético, mais inapropriado. Nos últimos cinco anos, compareceu desacompanhado a todos os jantares de sócios e, um ano atrás, quando se tornou sócio igualitário, compareceu ao retiro anual dos sócios também desacompanhado. Na semana anterior ao retiro, Lucien aparecera em seu escritório numa sexta-feira à noite e sentara para rever os negócios da semana, como costumava fazer. Os dois conversaram sobre o retiro em Anguilla, algo de que ambos tinham pavor, diferentemente dos outros sócios, que fingiam não gostar, mas, na verdade (ele e Lucien concordavam neste ponto), estavam loucos para ir.

– Meredith também vai? – perguntou.

– Sim. – Os dois ficaram em silêncio, e ele sabia o que viria a seguir.
– Vai levar alguém?

– Não – respondeu.

Novo silêncio. Lucien olhou para o teto.

– Você nunca leva ninguém para esses eventos, não é mesmo? – perguntou Lucien, com a voz propositalmente casual.

– Não – falou, e depois, vendo que Lucien não se pronunciou mais: – Está tentando me dizer alguma coisa, Lucien?

– Não, claro que não – respondeu Lucien, olhando para ele. – Este não é o tipo de firma em que ficamos controlando essas coisas, Jude, você sabe disso.

Sentiu uma onda de raiva e vergonha tomar seu corpo.

– Só que, na verdade, é. Se o conselho administrativo está dizendo alguma coisa, Lucien, você precisa me falar.

– Jude – disse Lucien. – Não estamos. Sabe o quanto todos aqui te respeitam. *Eu* só acho, e aqui não é a firma falando, mas eu mesma, que gostaria de ver você ao lado de alguém.

– Tudo bem, Lucien, obrigado – disse, esgotado. – Vou levar isso em consideração.

Mas, por mais que se preocupe em parecer normal, ele não quer um relacionamento simplesmente por ser algo adequado: quer porque percebeu que se sente sozinho. Sente-se tão sozinho que às vezes a sensação parece física, como um bolo encharcado de roupa suja apertando seu peito. É um sentimento que não consegue esquecer. As pessoas fazem parecer algo fácil, como se a decisão de desejar uma relação fosse a parte mais difícil do processo. Mas ele sabe que não é assim: manter um relacionamento significaria ter de ficar nu diante de alguém, o que ainda não fez com ninguém a não ser Andy; significaria confrontar seu próprio corpo, que ele não vê sem roupa há mais de uma década – não olha para si mesmo nem quando toma banho. E significaria ter relações sexuais com alguém, o que não faz desde os quinze anos, e a ideia lhe causa tanto horror que, só de pensar nisso, seu estômago se enche de algo ceroso e frio. Quando começou a se consultar com Andy, este sempre lhe perguntava se ele era sexualmente ativo, até que um dia finalmente respondeu que avisaria quando e se isso acontecesse, mas até lá era para deixar de fazer aquelas perguntas. Então Andy nunca mais voltou a perguntar, e ele nunca precisou oferecer qualquer informação. Não fazer sexo: aquela era uma das melhores coisas de ser adulto.

Mas, por mais que tenha medo de fazer sexo, também tem vontade de ser tocado, tem vontade de sentir as mãos de outra pessoa em seu corpo, por mais que a ideia também o aterrorize. Às vezes olha para os braços e se enche de um ódio tão intenso contra si mesmo que mal consegue respirar: muito do que aconteceu com seu corpo não estava sob seu controle, mas os braços foram obras suas, e só tem a si mesmo para culpar. Quando começou a se cortar, seus primeiros alvos foram as pernas – só a panturrilha – e antes de aprender a ser sistemático na hora de fazer os cortes, passava a lâmina pela pele a esmo, para que parecesse ter se arranhado na grama. Ninguém jamais percebera – ninguém olha para as panturrilhas de outra pessoa. Nem mesmo o irmão Luke o importunou por causa daquilo. Mas, agora, ninguém poderia deixar de notar seus braços, ou suas costas, ou suas pernas, que são marcadas com arroios nos trechos em que o tecido e os músculos feridos foram removidos, com entalhes do tamanho de impressões digitais nos pontos em que aparafusaram os pinos do aparelho que atravessavam a carne e chegavam ao osso, e poças de pele acetinada nos lugares onde sofreu queimaduras durante o episódio do carro, e os locais onde as feridas haviam fechado e nos quais agora a carne afundava levemente, e a área ao redor delas assumira um tom bronzeado e opaco permanente. Quando está vestido é uma pessoa, mas sem roupas ele se revela como de fato é, e os anos de podridão se manifestam em sua pele, sua própria carne alardeia seu passado, suas depravações e corrupções.

Certa vez, no Texas, um de seus clientes era um homem tão grotesco – tão gordo que o estômago despencava num pendente de carne por entre as pernas, com o corpo todo coberto por placas de eczema, e com a pele tão seca que, ao se mover, pequenas tiras espectrais flutuavam de seu braço e de suas costas, e então se perdiam no ar. Sentira-se enojado ao ver esse homem, mas todos eles o enojavam, então, de certa forma, aquele não era melhor ou pior que os outros. Enquanto lhe pagava um boquete, com a barriga do homem pressionando seu pescoço, o homem começou a chorar, se desculpando: *Me perdoa, me perdoa*, dizia, com a ponta dos dedos sobre sua cabeça. O homem tinha unhas compridas, grossas feito ossos, e ele as arrastava pelo seu escalpo, embora com leveza, como se fossem os dentes de um pente. De alguma forma, é como se, com o passar dos anos, ele tivesse se tornado aquele homem, e sabe que, se alguém o visse, também sentiria repulsa, ficaria nauseado por suas deformidades. Ele não quer que ninguém tenha de se ajoelhar diante do vaso sanitário com ânsia de vômito, como ele mesmo fez naquele dia, levando à boca as mãos cheias de sabonete líquido, engasgando com o gosto, tentando voltar a ser limpo.

Nunca mais terá de fazer qualquer coisa que não queira em troca de comida ou de abrigo: agora tem certeza disso. Mas o que está disposto a fazer para se sentir menos só? Seria capaz de destruir tudo o que construíra e protegera com tanta diligência para ter um pouco de intimidade? Quanta humilhação estaria disposto a suportar? Não sabe dizer; e tem medo de descobrir a resposta.

Mas a cada dia aumenta o seu medo de talvez nunca ter a oportunidade de descobrir. O que significa ser humano, se não se pode ter isso? Por outro lado, lembra a si mesmo de que a solidão não é como a fome, a privação ou uma doença: ela não é fatal. Sua erradicação não é um direito seu. Ele tem uma vida melhor que a de muitas pessoas, melhor do que um dia pensou que pudesse ter. Desejar uma companhia, além de tudo o que já tem, parece uma forma de ganância, de querer tudo sem que lhe tirem nada.

As semanas passam. A rotina de Willem é errática e ele telefona em horários aleatórios: à uma da manhã, às três da tarde. Parece cansado, mas Willem não é de reclamar, e de fato não reclama. Conta a ele sobre as locações, os sítios arqueológicos onde tiveram permissão para filmar, os pequenos contratempos no set. Quando Willem está viajando, ele se sente muito mais inclinado a ficar em casa sem fazer nada, mesmo sabendo que não é saudável. Por isso, vem se empenhando em preencher os fins de semana com eventos, festas e jantares. Vai a exposições em museus, a peças com Henry Young Negro, a galerias com Richard. Felix, de quem fora tutor muito tempo atrás, agora é o vocalista de uma banda punk chamada Amerikanos Silenciosos, e ele faz Malcolm acompanhá-lo a um show. Conta a Willem sobre o que viu e sobre o que leu, sobre as conversas com Harold e Julia, sobre o último projeto de Richard e sobre seus clientes na ONG, sobre o aniversário da filha de Andy e o novo emprego de Phaedra, sobre as pessoas com quem falou e o que elas disseram.

– Mais cinco meses e meio – diz Willem ao fim de uma conversa.

– Mais cinco e meio – repete ele.

Naquela quinta-feira, vai a um jantar no apartamento novo de Rhodes, que fica próximo à casa dos pais de Malcolm, e que Rhodes lhe contara, enquanto bebiam em dezembro, ser a fonte de todos os seus pesadelos: acordava à noite vendo contas passando pela mente, tudo em sua vida – mensalidades escolares, hipotecas, custos de manutenção, impostos – reduzido a números gigantescos e assustadores.

– E isso é *com* a ajuda dos meus pais – falou. – E Alex quer ter outro filho. Estou com quarenta e cinco anos, Jude, e já entreguei os pontos; terei que trabalhar até os oitenta se tivermos um terceiro.

Ele fica aliviado ao ver que, naquela noite, Rhodes parece mais relaxado, com o pescoço e as bochechas rosadas.

– Cristo – diz Rhodes –, como consegue continuar magro ano após ano?

Quando se conheceram na Procuradoria, quinze anos antes, Rhodes ainda parecia um jogador de hóquei, cheio de músculos e tendões, mas, desde que começara a trabalhar para o banco, havia engordado, envelhecendo de uma maneira abrupta.

– Acho que a palavra que está procurando é "esquelético" – diz a Rhodes.

Rhodes ri.

– Acho que não – fala –, mas gostaria eu de ser esquelético assim.

Há onze pessoas no jantar, e Rhodes tem de pegar a cadeira do escritório e o banco do closet de Alex. Era disso que se lembrava dos jantares na casa de Rhodes: a comida era perfeita, havia sempre flores na mesa e ainda assim sempre acontecia algo de errado com a lista de convidados e os assentos – Alex resolvia chamar alguém que acabara de conhecer e se esquecia de avisar a Rhodes, ou Rhodes errava no cálculo, e o que fora programado para ser um evento formal e organizado se tornava caótico e casual.

– Merda! – diz Rhodes, como sempre faz, mas ele é sempre o único que se importa.

Alex está sentada à sua esquerda, e os dois conversam sobre o trabalho dela como diretora de relações públicas numa grife chamada Rothko, do qual acabara de pedir demissão, para o desespero de Rhodes.

– Já está sentindo falta de lá? – pergunta ele.

– Ainda não – responde ela. – Sei que Rhodes não está muito feliz com isso – ela sorri –, mas vai acabar superando. Só achei que deveria passar mais tempo em casa enquanto as crianças são pequenas.

Ele pergunta sobre a casa de campo que os dois compraram em Connecticut (outra fonte de pesadelos para Rhodes), e ela conta sobre a reforma, que já está entrando em seu terceiro verão, e ele abre um sorriso de compaixão.

– Rhodes me disse que você estava procurando algo no condado de Columbia – diz ela. – Acabou comprando?

– Ainda não – responde.

Fora uma escolha: era a casa ou ele e Richard reformariam o térreo do prédio, deixariam a garagem utilizável e construiriam uma pequena academia e uma piscina – com uma corrente contrária, para poder nadar sem sair do lugar –, e ele optara pela reforma. Agora nada todo dia pela manhã com total privacidade; nem mesmo Richard entra na área da academia quando ele está lá.

– Queríamos ter deixado a casa para mais tarde, na verdade – admite Alex. – Mas não tivemos escolha; queríamos que as crianças tivessem um quintal enquanto ainda eram pequenas.

Ele concorda com a cabeça; ouvira aquela história antes, da boca de Rhodes. Muitas vezes, é como se ele e Rhodes (e ele e quase todos os colegas da sua idade na firma) estivessem experimentando versões paralelas da vida adulta. O mundo deles é dominado pelos filhos, pequenos déspotas cujas necessidades – escola, colônias de férias, atividades e tutores – ditam cada decisão, e continuarão a ditar pelos próximos dez, quinze, dezoito anos. Ter filhos preenchera suas vidas com um sentido imediato e inegociável de propósito e direção: eram eles que decidiam a duração e o local das férias naquele ano; eram eles que determinavam se sobraria algum dinheiro e, caso sobrasse, como poderia ser gasto; eles davam forma ao dia, à semana, ao ano, à vida. Filhos são como uma espécie de cartografia, e tudo o que se deve fazer é obedecer ao mapa que eles traçam para você no dia em que nascem.

Mas ele e os amigos não têm filhos e, diante dessa ausência, o mundo se abre para eles, sendo quase sufocante nas possibilidades que oferece. Sem filhos, o status de adulto de uma pessoa nunca é algo certo; um adulto sem filhos cria a vida adulta para si próprio e, por mais divertido que isso geralmente seja, é também um estado de insegurança perpétua, de dúvida perpétua. Ou pelo menos o é para algumas pessoas – certamente é assim para Malcolm, que recentemente repassou com ele uma lista que fizera com pontos a favor e contra sobre ter filhos com Sophie, bem parecida com a que fizera antes de decidir se casaria ou não com ela, quatro anos atrás.

– Não sei, Mal – disse ele, depois de ouvir a lista de Malcolm. – Parece que a razão para ter filhos é porque você acha que *precisa* ter e não porque realmente quer.

– *Mas é claro* que acho que preciso – respondeu Malcolm. – Você nunca sente como se ainda estivéssemos basicamente vivendo feito crianças, Jude?

– Não – falou. E nunca se sentira daquela maneira: sua vida era tão distante da sua infância quanto se poderia imaginar. – É o seu pai que

pensa assim, Mal. Sua vida não vai ser menos válida ou menos legítima se não tiver filhos.
Malcolm soltou um suspiro.
– Talvez – disse ele. – Talvez tenha razão. – E abriu um sorriso. – A verdade é que não quero mesmo ter filhos.
Ele retribuiu o sorriso.
– Bem – falou –, você sempre pode esperar. Talvez um dia possa adotar um adulto triste de trinta e um anos.
– Talvez – disse Malcolm outra vez. – Afinal, ouvi dizer que isso é moda em algumas partes do país.
Agora Alex pede licença para ir à cozinha ajudar Rhodes, que vem gritando seu nome com uma urgência cada vez maior – "Alex. Alex! *Alex!*" –, e ele então se vira para a pessoa à sua direita, que não reconhece das outras festas de Rhodes, um homem de cabelos escuros, com um nariz que parecia ter sido quebrado: começava descendo decididamente em uma direção antes de reverter o rumo, também decididamente, logo abaixo do osso nasal.
– Caleb Porter.
– Jude St. Francis.
– Deixe eu adivinhar: católico.
– Deixe *eu* adivinhar: não católico.
Caleb ri.
– Acertou.
Os dois começam a conversar, e Caleb diz que acabou de se mudar para a cidade, vindo de Londres, onde passou a última década como presidente de uma grife, para assumir como novo presidente executivo da Rothko.
– Alex foi muito gentil e espontânea ao me convidar ontem, então pensei – ele dá de ombros –, por que não? Seria isto, uma bela refeição com pessoas simpáticas, ou então passar a noite trancado no quarto do hotel, olhando os anúncios de imóveis sem prestar muita atenção.
Da cozinha ouve-se o tinido de metal caindo e Rhodes praguejando. Caleb olha para ele, com as sobrancelhas erguidas, e ele sorri.
– Não se preocupe – tranquiliza-o. – Isso sempre acontece.
Durante o restante da refeição, Rhodes tenta encurralar seus convidados numa conversa em grupo, mas não funciona – a mesa é muito grande, e ele ingenuamente colocou pessoas que já eram amigas para

sentar lado a lado –, então ele acaba conversando com Caleb. Ele tem quarenta e nove anos, cresceu no condado de Marin e desde a casa dos trinta anos não morava em Nova York. Também estudara direito, embora, segundo ele, nunca tenha usado no trabalho nada do que aprendera na faculdade.

– Nunca? – pergunta ele. Sempre se mostra cético quando alguém diz aquilo; é cético em relação a quem diz que a faculdade de direito foi um desperdício de tempo monumental, um equívoco de três anos. Por outro lado, também reconhece seu excesso de sentimentalismo em relação à faculdade de direito, que lhe deu não apenas seu sustento, mas, em muitas maneiras, sua vida.

Caleb pensa.

– Bom, talvez não *nunca*, mas não do jeito que se espera – diz, finalmente. Sua voz é grave, cuidadosa e lenta, ao mesmo tempo relaxante e, de certa forma, levemente ameaçadora. – O que me acabou sendo *realmente* útil foi, veja só, o direito processual civil. Conhece algum estilista?

– Não – responde. – Mas tenho muitos amigos artistas.

– Você entende, então. Sabe como pensam diferente. Quanto melhor o artista, maior a probabilidade de não ter o menor tino para os negócios. E eles não têm mesmo. Trabalhei em cinco casas de moda nos últimos vinte e poucos anos, e era fascinante testemunhar os padrões de comportamento: a recusa em seguir prazos, a incapacidade de se manter dentro do orçamento, a quase incompetência no que diz respeito a gerir uma equipe... Tudo isso era tão frequente que você começava a se perguntar se a ausência dessas qualidades era um pré-requisito para conseguir o emprego, ou se é o próprio trabalho que encoraja esses tipos de falhas conceituais. Então o que você tem que fazer, numa posição como a minha, é construir um sistema de administração dentro da companhia, e depois garantir que ele seja aplicável e punível. Não sei bem como explicar: não dá para dizer a eles que seria bom para os negócios fazer uma coisa ou outra. Isso não significa nada para eles, ou pelo menos para alguns deles, por mais que digam que entendam. Então, o que se tem de fazer é apresentar suas propostas como um estatuto do próprio mundinho onde vivem, e convencê-los de que, caso não sigam as regras, o mundo deles irá desabar. Se conseguir convencê-los disso, consegue que eles façam o que você quer. É completamente enlouquecedor.

– E por que continua trabalhando com eles então?

– Porque... eles *realmente* pensam diferente. E é fascinante de ver. Alguns são quase semianalfabetos: você recebe os bilhetes que escrevem e vê que mal conseguem construir uma frase. Mas, quando os vê desenhar, ou decorar, ou simplesmente combinar cores, é uma coisa... não sei. Maravilhosa. Não sei explicar de outra maneira.

– Entendo perfeitamente o que está falando – diz ele, pensando em Richard, e JB, e Malcolm, e Willem. – É como se recebesse permissão para entrar num modo de pensar cuja linguagem você não consegue nem imaginar, quanto mais expressar.

– É exatamente isso – diz Caleb, sorrindo para ele pela primeira vez.

O jantar ganha um ar mais relaxado e, enquanto todos tomam café, Caleb descruza as pernas sob a mesa.

– Vou indo – diz ele. – Acho que ainda estou no horário de Londres. Mas foi um prazer conhecer você.

– O prazer foi meu – diz ele. – De verdade. E boa sorte ao tentar estabelecer um sistema de administração civil na Rothko.

– Obrigado, vou precisar – diz Caleb, e então, quando está prestes a levantar, para por um instante e pergunta: – Gostaria de sair uma hora dessas para jantar?

Por um momento, ele fica paralisado. Mas logo em seguida repreende a si mesmo: não tem nada a temer. Caleb acabou de se mudar para a cidade – sabe o quanto deve ser difícil encontrar alguém com quem conversar, o quanto é difícil encontrar um amigo quando, durante sua ausência, todos os seus conhecidos formaram famílias e se tornaram estranhos para você. É só um papo, nada mais.

– Seria ótimo – diz ele, e os dois trocam cartões.

– Não levante – diz Caleb, quando ele começa a se levantar. – A gente se fala.

Ele vê Caleb – que é mais alto do que imaginara, pelo menos uns cinco centímetros a mais que ele, com suas costas de aparência imponente – despedir-se de Alex e Rhodes com sua voz estrondosa e sair sem virar para trás.

No dia seguinte, recebe uma mensagem de Caleb e os dois marcam um jantar para quinta-feira. No fim da tarde, telefona a Rhodes para agradecer-lhe o jantar e pergunta sobre Caleb.

– Infelizmente sou obrigado a dizer que não conversei com ele – diz Rhodes. – Alex o convidou de última hora. É exatamente disto que reclamo sobre os jantares: por que convidou alguém que vai assumir uma companhia da qual ela está saindo?

– Então não sabe nada sobre ele?

– Nada. Alex disse que ele é respeitado e que a Rothko lutou bastante para trazê-lo de Londres. Mas isso é tudo que sei. Por quê? – Ele quase consegue ouvir Rhodes sorrindo. – Não me diga que vai expandir sua clientela além do fascinante mundo dos títulos financeiros e da indústria farmacêutica?

– É *exatamente* isso que estou fazendo, Rhodes – responde. – Mais uma vez, obrigado. E diga também a Alex que agradeço.

Chega a quinta-feira e ele encontra Caleb num *izakaya* na parte oeste de Chelsea. Depois de fazerem os pedidos, Caleb diz:

– Sabe, fiquei olhando para você durante o jantar inteiro, tentando me lembrar de onde o conhecia, até me dar conta: era de um quadro de Jean-Baptiste Marion. O diretor criativo da última companhia em que trabalhei o comprou. Na verdade, ele tentou fazer a companhia pagar pelo quadro. Mas isso é outra história. É um close bem fechado do seu rosto, e você está ao ar livre; dá para ver a luz de um poste às suas costas.

– Certo – diz. Aquilo já acontecera algumas vezes antes, e ele sempre acha um pouco desconfortável. – Sei exatamente de que quadro está falando; é de "Segundos, Minutos, Horas, Dias", a terceira série.

– Isso mesmo – diz Caleb, e sorri para ele. – Você e Marion são próximos?

– Não mais – responde, e, como sempre, é doloroso admitir isso. – Mas fomos colegas de quarto na universidade. Conheço-o há anos.

– É uma série fantástica – diz Caleb, e eles conversam sobre outras obras de JB, e sobre Richard, cujo trabalho Caleb também conhece, e sobre Henry Young Asiático; e sobre a escassez de restaurantes japoneses decentes em Londres; e sobre a irmã de Caleb, que mora em Mônaco com o segundo marido e uma prole enorme; e sobre os pais de Caleb, que morreram após longas enfermidades, quando ele estava na casa dos trinta; e sobre a casa em Bridgehampton que o colega da faculdade de direito de Caleb lhe emprestará no verão enquanto estiver em Los Angeles. E depois falam bastante sobre a Rosen Pritchard e a confusão financeira em que a Rothko se encontrava após a saída do último presidente, para convencê-lo de que Caleb estava à procura não só de um amigo, mas também de um possível advogado, e ele começa a pensar em quem na sua firma deveria se responsabilizar pela companhia. Pensa: talvez deva passar isso para Evelyn, uma das jovens sócias que a firma quase perdeu no ano anterior para, veja só, uma casa de moda, onde trabalharia como conselheira exclusiva. Evelyn seria um bom nome para aquela conta: é inteligente e se interessa por moda, seria uma boa combinação.

Está pensando nisso quando Caleb pergunta abruptamente:

– Você é solteiro? – E depois, abrindo um sorriso: – Por que está me olhando desse jeito?

– Desculpe – diz ele, espantado, mas sorri de volta. – Sim, eu sou. Mas... eu tive exatamente esta conversa com um amigo no outro dia.

– E o que o seu amigo disse?

– Ele disse... – começa, para logo em seguida parar, envergonhado e confuso pela mudança súbita de assunto, de tom. – Nada – fala, e Caleb sorri, quase como se tivesse de fato acabado de ouvir como fora a conversa, mas não o pressiona.

Ele pensa em como transformará aquela noite numa história para contar a Willem, em especial esta última parte. *Você venceu, Willem*, dirá a ele, e, se Willem tentar tocar no assuntou outra vez, decide que o deixará prosseguir e que dessa vez não fugirá das perguntas.

Ele paga a conta e os dois caminham pela rua. Chove, não muito forte, mas num ritmo constante o suficiente para que não haja táxis, e as ruas brilham feito alcaçuz.

– Tenho um carro me esperando – diz Caleb. – Posso deixar você em algum lugar?

– Não se importaria?

– Nem um pouco.

O carro os leva até o Baixo Manhattan, e, quando chegam a Greene Street, chove bem forte lá fora, tanto que não conseguem identificar as formas através das janelas, apenas cores, lantejoulas de luzes vermelhas e amarelas, e a cidade é reduzida a buzinas e ao barulho da chuva batendo no teto do carro, tão alto que mal conseguem ouvir a voz um do outro em meio aos estrondos. O carro para, e ele está prestes a sair quando Caleb lhe diz para esperar, pois tem um guarda-chuva e o acompanhará até o prédio. Antes que possa fazer qualquer objeção, Caleb já está saindo e abrindo o guarda-chuva, e os dois se espremem debaixo dele até entrarem no saguão. A porta bate às suas costas, deixando-os parados na entrada escura do prédio.

— Este é um belo saguão — diz Caleb, casualmente, olhando para a lâmpada pendurada no teto. — Embora *tenha* uma certa elegância decadente. — Ele cai na gargalhada, e Caleb sorri. — A Rosen Pritchard sabe que você mora num lugar destes? — pergunta, e antes que ele possa responder, Caleb se inclina e o beija com força, pressionando suas costas contra a porta. Os braços de Caleb formam uma jaula em torno dele.

Naquele momento, sua mente congela. O mundo, seu próprio ser, tudo se apaga. Faz muito, muito tempo desde que alguém o beijara pela última vez, e ele se lembra do quanto se sentia indefeso quando isso acontecia, e como o irmão Luke costumava dizer que era só abrir a boca, relaxar e não fazer nada, e agora — por hábito e reflexo, e pela incapacidade de fazer outra coisa — é isso que ele faz, e espera até que acabe, contando os segundos e tentando respirar pelo nariz.

Até que finalmente Caleb dá um passo para trás e olha para ele, e depois de alguns instantes ele retribui o olhar. E então Caleb o beija outra vez, desta vez segurando seu rosto entre as mãos, e ele tem aquela sensação que sempre tinha quando era criança e o beijavam, de que seu corpo não lhe pertence, de que cada gesto que faz é predeterminado, reflexo seguido por reflexo seguido por reflexo, e de que nada pode fazer além de sucumbir ao que quer que pudesse lhe acontecer em seguida.

Caleb para outra vez e dá um novo passo para trás, olhando para ele e erguendo as sobrancelhas do jeito que fizera durante o jantar na casa de Rhodes, esperando que diga algo.

— Pensei que estivesse procurando um representante legal — diz, finalmente, e as palavras são tão estúpidas que sente seu rosto começar a arder.

Mas Caleb não ri.

— Não — responde. Os dois voltam a ficar em silêncio e dessa vez é Caleb quem volta a falar. — Não vai me convidar para subir? — pergunta.

— Não sei — diz ele, e deseja, de repente, que Willem estivesse ali, embora este não seja o tipo de problema com o qual Willem já o tenha ajudado antes. Na verdade, provavelmente não era nem o tipo de problema que Willem consideraria um problema. Ele sabe a pessoa impassível e cautelosa que é, e embora essa impassibilidade e esse senso de cautela façam com que ele nunca seja a pessoa mais interessante, mais provocante ou mais atraente de qualquer reunião, em qualquer ambiente, eles o protegeram até aquele momento, eles lhe deram uma vida adulta livre de sordidez e imoralidade. Mas, às vezes, ele questiona se teria se isolado de tal forma que passara a ignorar alguma parte fundamental da experiência humana: talvez *esteja* pronto para estar com alguém. Talvez já tenha passado tempo suficiente para que dessa vez seja diferente. Talvez esteja errado, e Willem, certo: talvez aquilo não seja algo eternamente proibido para ele. Talvez seja menos repugnante do que pensa. Talvez ele seja realmente capaz de fazer aquilo. Talvez não acabe machucado de forma alguma. Naquele momento, Caleb parece ter sido invocado, feito um gênio, alguém nascido de seus piores medos e de suas maiores esperanças, colocado em sua vida como uma espécie de teste: de um lado está tudo o que ele conhece, e os ritmos de sua existência têm a regularidade e a banalidade das gotas que caem num intervalo regular de uma torneira com defeito, onde vive sozinho, mas em segurança, e é protegido de tudo que possa machucá-lo. Do outro lado há ondas, tumulto, tempestades, agitação: tudo o que ele não pode controlar, tudo que é potencialmente terrível e cheio de êxtase, tudo o que passou sua vida adulta inteira tentando evitar, tudo cuja ausência priva sua vida de cor. Dentro dele, a criatura hesita, apoiada nas pernas de trás, dando patadas no ar como se buscasse respostas.

Não faça isso, não engane a si mesmo, não importa o que diga a si próprio, sabe bem o que você é, diz uma voz.

Arrisque, diz a outra voz. *Você está se sentindo sozinho. Precisa tentar.* Essa é a voz que ele sempre ignora.

Talvez nunca aconteça de novo, acrescenta a voz, o que o faz parar.

Isso vai acabar mal, diz a primeira voz, e então as duas vozes ficam em silêncio, esperando para ver o que ele vai fazer.

Ele não sabe o que fazer; não sabe o que vai acontecer. Precisa descobrir. Tudo que aprendeu lhe diz para ir embora; tudo o que deseja lhe diz para ficar. *Tenha coragem,* diz a si mesmo. *Tenha coragem, pelo menos uma vez na vida.*

Ele então olha para Caleb.

– Vamos lá – diz, e embora já esteja com medo, inicia a longa caminhada pelo corredor estreito na direção do elevador como se não estivesse e, junto ao som do seu pé direito arrastando no cimento, ele ouve os passos de Caleb, as explosões de chuva se chocando contra a escada de incêndio e o seu próprio coração batendo agitado.

Um ano atrás, começou a trabalhar na defesa de uma companhia farmacêutica gigantesca chamada Malgrave e Baskett, cujo conselho administrativo estava sendo processado por um grupo de acionistas por prevaricação, incompetência e inadimplência de obrigações fiduciárias.

– Nossa – dissera Lucien, sarcástico. – Por que será que pensam isso?

Ele soltara um suspiro.

– Pois é – falara.

A Malgrave e Baskett era um desastre, e todo mundo sabia disso. Nos últimos anos, antes de ser representada pela Rosen Pritchard, a companhia tivera de enfrentar duas ações promovidas por denúncias (a primeira alegava que uma das fábricas seguia normas e procedimentos perigosamente ultrapassados, a segunda, que outra fábrica vinha produzindo produtos contaminados), recebera duas citações relacionadas à investigação de um elaborado esquema de propinas envolvendo uma cadeia de retiros para idosos e fora acusada de supostamente anunciar um de seus remédios mais vendidos, aprovado somente para o tratamento de esquizofrênicos, para pacientes com o mal de Alzheimer.

Assim, ele passara os últimos onze meses entrevistando cinquenta dos diretores e administradores da Malgrave e Baskett, antigos e atuais, e compilando um relatório para responder às alegações da ação. Contava com outros quinze advogados em sua equipe; certa noite, entreouviu um deles se referindo à companhia como Mau-caráter e Bastarda.

– Nunca deixe o cliente ouvir vocês falarem isso – repreendeu ele.

Já era tarde, duas da manhã. Sabia que estavam cansados. Se fosse Lucien, teria gritado com eles. Mas ele também estava cansado. Na semana anterior, outra advogada no caso, uma jovem, levantara de sua mesa às três da manhã, olhara ao redor e desabara no chão. Ele chamara uma ambulância e liberara todos para irem para casa, contanto que voltassem às nove da manhã; continuara ali por mais uma hora e depois resolvera também ir descansar.

– Você deixou eles *irem para casa* e ficou aqui? – perguntou Lucien no dia seguinte. – Está amolecendo, St. Francis. Graças a deus não age assim quando estamos no tribunal, ou nunca chegaríamos a lugar nenhum. Ai de nós se o advogado deles soubesse que está lidando com um molenga.

– Quer dizer então que a firma não vai mandar flores à pobre da Emma Gersh?

– Ah, já mandamos – disse Lucien, levantando e saindo do escritório. – "Emma: melhoras. Volte logo. Senão já sabe. Com todo o carinho da sua família na Rosen Pritchard."

Ele adorava julgamentos, adorava argumentar e falar diante do tribunal – aquilo nunca o cansava –, mas seu objetivo com a Malgrave e Baskett era conseguir que um juiz desconsiderasse o caso antes que tivesse uma chance de entrar nos anos maçantes e tediosos de investigações e descobertas. Ele redigiu o pedido de anulação e, no início de setembro, o juiz da corte distrital jogou fora o processo.

– Estou orgulhoso de você – diz Lucien aquela noite. – A Mau-caráter e Bastarda não sabe a puta sorte que teve; aquele processo era sólido.

– Bom, tem muita coisa que a Mau-caráter e Bastarda parece não saber – responde ele.

– É verdade. Mas acho que eles podem ser completos cretinos, contanto que tenham o bom senso de contratar o advogado certo.

Ele fica de pé.

– Tem algum plano para o fim de semana?

– Não.

– Bem, faça alguma coisa relaxante. Saia um pouco. Vá a algum restaurante. Você não está com uma cara boa.

– Boa noite, Lucien!

– Tudo bem, tudo bem. Boa noite. E parabéns. De verdade. Essa foi das grandes.

Ele continua no escritório por mais duas horas, arrumando e organizando documentos na tentativa de se livrar dos detritos constantes. Não tem nenhuma sensação de alívio, ou de vitória, depois daqueles resultados: somente cansaço, mas um cansaço simples e merecido, como se tivesse completado um dia de trabalho físico. Onze meses: entrevistas, pesquisas, mais entrevistas, apuração dos fatos, escrever, reescrever – e então, num instante, está tudo acabado e outro caso vem em seu lugar.

Vai finalmente para casa, onde sente uma fadiga repentina e para a caminho do quarto para sentar no sofá, acordando uma hora depois, desorientado e com sede. Nos últimos meses, não tem visto nem falado com a maioria de seus amigos – até mesmo as conversas com Willem vinham sendo mais curtas que o normal. Parte disso pode ser atribuída à Mau-caráter e Bastarda e à preparação frenética que o caso exigira; mas a outra parte pode ser atribuída à sua confusão constante em relação a Caleb, sobre quem não contou a Willem. Mas Caleb passará o fim de semana em Bridgehampton, e ele está feliz por ter algum tempo sozinho.

Ainda não sabe o que sente por Caleb, mesmo depois de três meses. Não tem certeza absoluta de que Caleb goste dele. Ou melhor: sabe que gosta de conversar com ele, mas às vezes o pega olhando em sua direção com uma expressão que beira o repúdio.

– Você é muito bonito – disse Caleb uma vez, com a voz confusa, segurando seu queixo entre os dedos e virando seu rosto para ele. – Mas...
– E por mais que não tenha terminado a frase, ele podia perceber o que Caleb queria dizer: "Mas tem algo errado. Mas você ainda me causa repulsa. Mas não entendo por que não gosto de você, não de verdade."

Sabe que Caleb detesta seu jeito de andar, por exemplo. Algumas semanas depois de começarem a sair, Caleb estava sentado no sofá e ele levantara para pegar uma garrafa de vinho. Quando estava voltando, notou Caleb o observando tão intensamente que chegou a ficar nervoso. Serviu o vinho, e eles beberam. Então Caleb disse:

– Sabe, quando conheci você, a gente estava sentado. Não sabia que mancava.

– É verdade – falou, lembrando a si mesmo de que aquilo não era algo pelo que deveria se desculpar: ele não havia armado uma arapuca para Caleb; não tivera a intenção de enganá-lo. Respirou fundo e tentou soar levemente curioso. – Não teria saído comigo se soubesse?

– Não sei – disse Caleb, após um instante de silêncio. – Não sei.

Naquela hora, teve vontade de sumir, de fechar os olhos e voltar no tempo, até antes de conhecer Caleb. Teria recusado o convite de Rhodes; teria continuado a viver sua vidinha; nunca saberia o que poderia ter acontecido.

Mas, por mais que Caleb deteste seu jeito de andar, o que ele abomina mesmo é a cadeira de rodas. Na primeira vez que Caleb foi visitá-lo pela manhã, ele lhe mostrou o apartamento. Tinha orgulho do seu lar, e todo dia sentia-se agradecido por viver ali, sem conseguir acreditar que aquilo fosse realmente seu. Malcolm mantivera a suíte de Willem, como a chamavam, no mesmo lugar, mas a ampliara e acrescentara um escritório nos fundos ao norte, próximo ao elevador. Havia ainda o amplo espaço aberto, com um piano e uma área de sala de estar voltada para o sul e uma mesa que Malcolm projetara na área norte, o lado que não tinha janelas e, atrás dela, uma estante de livros que cobria toda a parede até a cozinha, cheia de obras de amigos, e de amigos de seus amigos, além de outras que comprara ao longo dos anos. Toda a parte leste do apartamento era dele: você atravessava o quarto, do lado norte, passando pelo closet e entrando no banheiro, que tinha janelas viradas para o leste e para o sul. Embora mantivesse as persianas do apartamento fechadas na maior parte do tempo, dava para abri-las todas de uma vez, e o lugar virava um retângulo de pura luz, onde o véu entre você e o mundo lá fora se tornava tão fino que chegava a hipnotizar. Muitas vezes ele sente que o apartamento representa uma mentira: sugere que a pessoa que mora ali é alguém aberto, cheio de vida, generoso em suas respostas, e ele obviamente não é aquela pessoa. Lispenard Street, com suas alcovas escuras, e corredores apertados e sombrios, com paredes tantas vezes pintadas que dava para sentir as falhas e os montículos onde traças e percevejos haviam sido sepultados entre suas camadas, formava um reflexo mais preciso de quem ele era.

Para a visita de Caleb, deixou a luz do sol se difundir pelo apartamento. Pôde ver que Caleb ficou impressionado. Os dois o percorreram lentamente, e Caleb examinava as obras e fazia perguntas sobre elas: onde as comprara, quem era o autor, atentando-se aos que reconhecia.

Chegaram então ao quarto, e ele estava mostrando a Caleb a pintura pendurada nos fundos, um retrato de Willem na cadeira de maquiagem, que comprara da mostra "Segundos, Minutos, Horas, Dias", quando Caleb perguntou:

– De quem é essa cadeira de rodas?

Voltou-se para onde Caleb estava olhando.

– Minha – falou, após uma pausa.

– Mas por quê? – perguntou Caleb, com um ar confuso. – Você consegue andar.

Não sabia o que dizer.

– Às vezes preciso dela – respondeu, no fim. – Raramente. Não uso com muita frequência.

– Que bom – disse Caleb. – Melhor que não use.

Ele ficou espantado. Seria aquilo um sinal de preocupação ou uma ameaça? Mas, antes que conseguisse entender o que deveria sentir, ou o que deveria responder, Caleb deu meia-volta e partiu na direção do closet, e ele o seguiu, continuando a mostrar o apartamento.

Um mês depois, encontrou Caleb numa noite, bem tarde, do lado de fora do escritório onde ele trabalhava, no limite ocidental do Meatpacking District. Caleb também fazia serão; era início de julho e a Rothko apresentaria sua linha de primavera em oito semanas. Tinha ido de carro ao trabalho naquele dia, mas a noite estava seca e preferiu sair do veículo e sentar em sua cadeira ao lado de um poste até o momento em que Caleb apareceu, conversando com alguém. Sabia que Caleb o vira – havia erguido a mão em sua direção e Caleb respondera com um aceno de cabeça quase imperceptível: nenhum dos dois era uma pessoa efusiva – e ficou observando-o até terminar a conversa e o outro homem partir na direção leste.

– Oi – falou quando Caleb se aproximou.

– Por que está na cadeira de rodas? – questionou Caleb.

Por um instante foi incapaz de responder. Quando conseguiu, gaguejou.

– Precisei dela hoje – finalmente disse.

Caleb soltou um suspiro e esfregou os olhos.

– Pensei que não a usasse.

– Não uso – falou, tão envergonhado que sentiu seu corpo começar a suar. – Não no dia a dia. Só quando realmente preciso.

Caleb assentiu com a cabeça, mas continuou apertando o osso do nariz. Não olhava para ele.

– Olhe – rompeu o silêncio. – Acho melhor não sairmos para jantar. Você obviamente não se sente bem, e eu estou cansado. Preciso dormir um pouco.

– Ah – disse ele, decepcionado. – Tudo bem. Eu entendo.

– Que bom – disse Caleb. – Ligo para você mais tarde.

Ficou observando Caleb descer a rua com seus passos largos até dobrar a esquina e sumir. Entrou no carro e voltou para casa, onde se cortou até sangrar tanto que não conseguia mais segurar a lâmina com firmeza.

O dia seguinte era uma sexta-feira, e Caleb não ligou. Pois bem, pensou. É isso. E não tinha problema: Caleb não gostara do fato de vê-lo numa cadeira de rodas. Ele também não gostava. Não podia ficar magoado com Caleb por não conseguir aceitar algo que ele próprio não aceitava.

Mas então, na manhã de sábado, Caleb telefonou quando ele subia da piscina para o apartamento.

– Queria pedir desculpas por quinta à noite – disse Caleb. – Sei que pode parecer insensível e bizarra essa... aversão que tenho à sua cadeira de rodas.

Sentou numa das cadeiras em volta da mesa de jantar.

– Não parece nada bizarra – falou.

– Contei a você que meus pais ficaram doentes durante uma boa parte da minha vida adulta – disse Caleb. – Meu pai teve esclerose múltipla, e minha mãe... ninguém sabia o que tinha. Adoeceu quando eu estava na universidade e nunca mais ficou boa. Sentia dores no rosto, enxaquecas; vivia numa espécie de desconforto de baixa intensidade constante e, por mais que não duvidasse de que fosse real, o que me incomodava era ela nunca demonstrar que *queria* melhorar. Simplesmente desistiu, assim como ele. Para todo lugar que você olhava havia um sinal da entrega deles à doença: primeiro, bengalas, depois, andadores, depois, cadeiras de rodas, depois, carrinhos motorizados, e frascos de comprimidos, lenços e o cheiro perpétuo de pomada anestésica, gel e sabe-se lá mais o quê.

Ele fez uma pausa.

– Quero continuar a sair com você – falou, rompendo o silêncio. – Mas... mas não consigo ficar perto desses acessórios que lembram fraqueza, doença. Simplesmente não consigo. É uma coisa que detesto. Que me dá vergonha. Que me deixa... não deprimido, mas furioso, como se eu precisasse enfrentá-la. – Fez outra pausa. – Só não sabia que você era assim quando o conheci – falou, enfim. – Pensei que conseguiria lidar com isso. Mas agora não tenho tanta certeza. Você entende o que estou dizendo?

Ele engoliu em seco; queria chorar. Mas podia entender; sentia o mesmo que Caleb.

– Sim – respondeu.

E assim, apesar da improbabilidade, continuaram juntos. Ele ainda ficava surpreso com a velocidade e a amplitude com que Caleb se insinuou em sua vida. Era como num conto de fadas: uma mulher que mora na beira de uma floresta escura ouve uma batida e abre a porta de sua cabana. E por mais que seja apenas por um instante, por mais que não veja ninguém, naqueles poucos segundos, dezenas de demônios e fantasmas passaram por ela e entraram na casa, e ela nunca mais conseguirá se livrar deles, jamais. Às vezes a sensação era essa. Seria assim com as outras pessoas? Não sabe dizer; tem medo demais de perguntar. Pega a si mesmo relembrando velhas conversas que já teve ou que entreouviu com pessoas falando de seus namoros, tentando aferir a normalidade do seu próprio relacionamento tomando o dos outros como parâmetro, procurando pistas sobre como deveria se comportar.

E então há o sexo, que é pior do que ele imaginara: tinha se esquecido do quanto era doloroso, do quanto era aviltante, do quanto o odiava. Detesta as posições, as posturas que tinha de assumir, todas degradantes, pois o deixam completamente indefeso e fraco; odeia os gostos e os cheiros. Mas, acima de tudo, odeia os sons: as pancadas carnosas de pele contra pele, os gemidos e grunhidos feito os de um animal ferido, as coisas ditas a ele que supostamente seriam excitantes, mas que só conseguia interpretar como humilhações. Ele se dá conta de que parte de si sempre acreditara que o sexo seria melhor quando fosse adulto, como se a simples questão da idade pudesse transformar a experiência em algo glorioso e agradável. Durante a universidade, quando tinha seus vinte, trinta anos, ouvia sempre as pessoas falarem do assunto com tanto prazer, com tanto encanto, que pensava: é isso *mesmo* que excita vocês tanto assim? *Mesmo*? Não é bem desse jeito que eu me lembro. E, ainda assim, ele não pode ser o único a estar certo, enquanto todos os outros – milênios de pessoas – estão errados. Então, claramente existe algo no sexo que ele não consegue entender. Claramente está fazendo algo errado.

Naquela primeira noite que subiram juntos ao apartamento, sabia o que Caleb esperava.

– A gente vai precisar ir devagar – disse a ele. – Faz muito tempo.

Caleb olhou para ele em meio à escuridão; não havia acendido as luzes.

– Quanto tempo? – perguntou.

– Muito – foi tudo o que conseguiu responder.

E, por um tempo, Caleb se mostrou paciente. Mas não por muito. Numa certa noite, Caleb tentou tirar suas roupas, e ele se esquivou do seu domínio.

– Não consigo – falou. – Caleb... eu não consigo. Não quero que veja como eu sou.

Precisou reunir todas as suas forças para dizer aquilo, e sentiu tanto medo que chegou a ficar com frio.

– Por quê? – perguntou Caleb.

– Porque eu tenho cicatrizes – falou. – Nas costas, nas pernas, nos braços. São feias. Não quero que veja.

Não tinha a menor ideia do que Caleb poderia dizer. Será que diria: tenho certeza de que não são tão ruins? E então acabaria tendo de tirar as roupas no fim das contas? Ou poderia dizer: Vamos dar uma olhada, e ele tiraria a roupa, e Caleb se levantaria e iria embora? Viu que Caleb estava hesitante.

– Não vai gostar delas – acrescentou. – São repugnantes.

E aquilo parece ter feito Caleb tomar uma decisão.

– Bem – falou –, não preciso ver seu corpo inteiro, preciso? Só as partes importantes.

Com isso, naquela noite ele deitou na cama, metade vestido e metade nu, esperando até que terminasse e sentindo-se mais humilhado do que se sentiria caso Caleb acabasse exigindo que tirasse a roupa toda.

Mas, apesar dessas decepções, havia um lado do relacionamento com Caleb que não era horrível. Gostava do seu jeito lento e pensativo de falar, da forma como mencionava os estilistas com quem trabalhava, da sua compreensão das cores e de sua apreciação pela arte. Gostava de poder falar sobre seu trabalho – sobre a Mau-caráter e Bastarda – e saber que não só Caleb entenderia os desafios que aquele caso representava para ele, mas também os consideraria interessantes. Gostava da atenção que Caleb dava às suas histórias, e de como as perguntas que ele fazia demonstravam que estava ouvindo. Gostava de como Caleb admirava o trabalho de Willem, Richard e Malcolm, e o deixava falar sobre eles por quanto tempo quisesse. Gostava do jeito como, ao ir embora, Caleb segurava seu rosto com as mãos e as mantinha ali por um momento, numa espécie de bênção silenciosa. Gostava da robustez de Caleb, de sua força física; gostava de vê-lo se mover, gostava de como, igual a Willem, tinha total domínio sobre seu corpo. Gostava do jeito como Caleb às vezes jogava um braço possessivamente sobre ele enquanto estavam dormindo. Gostava de caminhar com Caleb ao seu lado. Gostava de como Caleb era um pouquinho estranho, de como tinha um leve ar ameaçador: era diferente das pessoas com quem se cercara durante toda sua vida adulta, pessoas que ele determinou que nunca lhe poderiam fazer mal, pessoas que eram definidas por sua bondade. Quando estava com Caleb, sentia-se simultaneamente mais e menos humano.

Na primeira vez que Caleb o agrediu, ficou surpreso, ao mesmo tempo que não. Aconteceu no fim de julho, e ele chegou à casa de Caleb à meia-noite, depois de sair do trabalho. Usara a cadeira de rodas nesse dia

– ultimamente, havia algo de errado com seus pés; não sabia o que era, mas mal conseguia senti-los e tinha a sensação inquietante de que poderia tropeçar caso tentasse caminhar –, mas, ao chegar lá, deixou a cadeira no carro e caminhou bem devagar até a porta da frente, levantando cada pé a uma altura incomum para que não caísse.

Soube, no momento que entrou no apartamento, que não devia ter ido até lá – dava para ver que Caleb estava num mau humor insuportável e que sua raiva deixara o próprio ar quente e abafado. Caleb havia finalmente se mudado para um prédio no Flower Disctrict, mas ainda não conseguira organizar seu apartamento e estava inquieto e irritado, rangendo os dentes enquanto apertava a mandíbula. Mas ele levara comida, e foi se encaminhando lentamente na direção da bancada para arrumar tudo, falando animadamente para tentar desviar a atenção de Caleb do jeito como estava andando, tentando desesperadamente melhorar as coisas.

– Por que está andando assim? – interrompeu Caleb.

Detestava admitir a Caleb que havia algo de errado com ele; não tinha forças para se forçar a fazer aquilo mais uma vez.

– *Estou* andando estranho? – perguntou.

– Está. Parece o monstro do Frankenstein.

– Desculpe – falou. *Vá embora*, disse a voz dentro dele. *Vá embora já.* – Não percebi.

– Bem, pare com isso. Está ridículo.

– Tudo bem – respondeu, em voz baixa, e colocou uma colherada de curry numa tigela para Caleb. – Aqui – falou, mas, quando se aproximou de Caleb, tentando andar normalmente, bateu o pé direito no esquerdo e tropeçou, derrubando a tigela e esparramando o curry verde pelo tapete.

Depois, ele se lembraria de como Caleb não disse nada, simplesmente girou e o acertou com as costas da mão, e ele caiu para trás, batendo a cabeça no chão atapetado.

– Dê o fora daqui, Jude – ouviu Caleb dizer, sem chegar a gritar, antes que recobrasse a visão. – Dê o fora. Não consigo olhar para você neste momento.

Ele obedeceu, colocando-se de pé e se arrastando com seu passo ridículo de monstro para fora do apartamento, deixando Caleb limpar a bagunça que ele fizera.

No dia seguinte, seu rosto começou a mudar de cor. A área em volta do olho esquerdo ganhava tons improvavelmente graciosos: violeta, âmbar e verde-garrafa. Ao final da semana, quando foi ao Alto Manhattan para a consulta com Andy, sua bochecha estava cor de musgo, e o olho, quase fechado, e a pálpebra superior de um vermelho brilhoso, macio e inchado.

– Jesus Cristo, Jude – disse Andy quando o viu. – Que porra é essa? O que aconteceu com você?

– Fui jogar uma partida de tênis na cadeira de rodas – respondeu, chegando a sorrir, um sorriso que treinara diante do espelho na noite anterior, com a bochecha se retesando de dor. Fizera uma pesquisa completa: onde se jogavam aquelas partidas, com que frequência, quantas pessoas faziam parte do clube. Inventara uma história, repetira-a para si mesmo e para as pessoas do escritório até soar de uma maneira natural, quase cômica: um *forehand* do adversário, que jogava desde a universidade, ele não virou a tempo, o barulho que a bola fez quando acertou seu rosto.

Contou tudo isso a Andy, que ouviu, balançando a cabeça.

– Bem – falou –, fico feliz por você estar experimentando algo novo. Mas, por deus, Jude. Acha mesmo isso uma boa ideia?

– É você quem vive me dizendo para dar um descanso aos pés – lembrou a Andy.

– Eu sei, eu sei – disse Andy. – Mas você tem a piscina. Não é o bastante? E, de qualquer forma, devia ter vindo me ver assim que isso aconteceu.

– É só um hematoma, Andy – falou.

– É um puta de um hematoma, Jude. Deus do céu.

– Bom, de qualquer jeito – falou, tentando parecer indiferente, até mesmo desafiador –, preciso conversar com você sobre meus pés.

– Pode dizer.

– É uma sensação estranha. Parece que estão presos em caixões de cimento. Não consigo senti-los no espaço, não consigo controlá-los. Quando levanto a perna e a coloco de novo no chão, sinto na panturrilha que o pé está firme, mas não consigo senti-lo.

– Ah, Jude – disse. – Isso é sinal de que os nervos estão danificados. – Andy solta um suspiro. – A boa notícia é que, além de isso não ter se manifestado antes, não se trata de uma condição permanente. A má notícia é que não sei dizer quando vai passar, ou quando pode voltar. E a outra má notícia é que a única coisa que podemos fazer, além de esperar, é tratar com analgésicos, que eu sei que você não vai tomar. – Ele fez uma pausa. – Jude, sei que não gosta dos efeitos do remédio – disse Andy –, mas existem outros melhores no mercado hoje em dia, diferentes daqueles que usava quando tinha vinte, até mesmo trinta anos. Quer tentar? Pelo menos deixe eu lhe dar algo mais brando para o rosto. A dor não está acabando com você?

– Não é tão forte – mentiu. Mas, no fim, aceitou a receita de Andy.

– E dê um descanso aos pés – falou Andy, depois de examinar seu rosto. – E fique longe das quadras também, pelo amor de deus. – E, quando ele já estava saindo: – E não ache que não vamos falar dos cortes! – Pois estava se cortando mais desde que começara a sair com Caleb.

De volta a Greene Street, estacionou na pequena entrada diante da garagem do prédio, e estava colocando a chave na porta da frente quando ouviu alguém chamar seu nome. Foi então que viu Caleb saindo do carro. Ele estava na cadeira de rodas, e tentou se apressar. Mas Caleb foi mais rápido e segurou a porta quando fechava. Novamente se encontravam no saguão, sozinhos.

– Não deveria estar aqui – disse a Caleb. Não conseguia olhar para ele.

– Ouça, Jude – disse Caleb. – Eu sinto muito. De verdade. Eu só... Estes dias no trabalho estão sendo muito difíceis, tudo por lá anda uma merda. Eu queria ter vindo aqui antes, mas a coisa está tão feia que não consegui escapulir... E acabei descontando em você. Sinto muito – falou, agachando ao lado dele. – Jude. Olhe para mim. – Soltou um suspiro. – Me perdoa. – Ele pegou o rosto dele nas mãos e o virou para si. – Coitado do seu rosto – disse, em voz baixa.

Ainda não sabe bem dizer por que permitiu que Caleb subisse ao apartamento naquela noite. Se tivesse de admitir a si mesmo, acha que havia algo inevitável e até mesmo, de certa forma, aliviador naquela agressão de Caleb: durante todo o tempo vinha esperando algum tipo de punição por sua arrogância, por achar que podia ter o que todo mundo tem, e ali estava a prova. *É isso que você ganha*, disse a voz dentro da sua cabeça. *É isso que ganha por fingir ser alguém que não é, por pensar que é tão bom quanto os outros.* Lembra-se do medo que JB sentia de Jackson e como entendera seu temor, como entendera que era possível ser encurralado por outro ser humano, como o que parecia fácil – o simples ato de dar as costas a alguém – podia ser tão difícil. Via Caleb como um dia vira o irmão Luke: alguém em quem depositara, precipitadamente, sua confiança, alguém em quem depositara grandes esperanças, alguém que poderia ser sua salvação. Mas, mesmo depois que ficou claro que nada disso aconteceria, mesmo quando suas esperanças azedaram, ainda assim foi incapaz de se desenredar deles, não conseguiu deixá-los. Há uma espécie de simetria em sua relação com Caleb que faz sentido: os dois são ofendido e ofensor, o monte deslizante de lixo e o chacal que o fareja. Existem apenas para si próprios – ele não conheceu ninguém do círculo de Caleb nem tampouco o apresentou a ninguém do seu. Ambos sabem que o que estão fazendo é vergonhoso. Um está unido ao outro pelo desgosto e pelo desconforto mútuos: Caleb tolera seu corpo, e ele tolera a repulsa de Caleb.

Sempre soube que, se quisesse ter alguém um dia, precisaria fazer uma troca. E sabe também que Caleb é o melhor que poderá encontrar. Pelo menos Caleb não é deformado, não é sádico. Nada que lhe faça é algo que não lhe tenham feito antes, e, ele ficava se lembrando disso de novo e de novo.

Num fim de semana no final de setembro, ele vai de carro até a casa do amigo de Caleb em Bridgehampton, onde Caleb ficará até o início de outubro. Tudo correu bem na apresentação da Rothko, e Caleb vem agindo de maneira mais relaxada, até mesmo carinhosa. Só o agredira mais uma vez, com um soco no esterno que o fez deslizar pelo chão, mas desculpou-se logo em seguida. Mas, exceto isso, as coisas iam seguindo sem grandes surpresas: Caleb passava as quartas e quintas em Greene Street e partia com o carro para a praia nas sextas. Ele ia trabalhar de manhã cedo e ficava até tarde. Depois do sucesso com a Mau-caráter e Bastarda, achou que teria uma folga, ainda que curta, mas não foi o que aconteceu: apareceu um novo cliente, uma firma de investimentos que estava sendo investigada por fraude financeira, e mesmo agora se sente culpado em faltar ao trabalho no sábado.

Exceto pela culpa, aquele sábado é perfeito. Os dois passam a maior parte do dia ao ar livre, ambos trabalhando. À noite, Caleb grelha bifes para eles, cantando o tempo todo. Ele interrompe o trabalho para ouvi-lo e sabe que estão felizes e que, por um momento, toda a ambivalência de um em relação ao outro desapareceu, virou algo efêmero e sem importância. Naquela noite, os dois vão para a cama cedo e Caleb não o força a fazer sexo. Ele dorme profundamente, o melhor sono que tem em semanas.

Mas, na manhã seguinte, percebe, antes mesmo de estar plenamente consciente, que a dor nos pés está de volta. Ela desaparecera, completa e imprevisivelmente, duas semanas antes, mas agora a sentia de novo e, ao levantar, vê que a situação piorou: era como se a perna terminasse no tornozelo e os pés estivessem ao mesmo tempo inanimados e extremamente doloridos. Para caminhar, precisa olhar para os pés; precisa de uma confirmação visual de que os está levantando e de uma confirmação visual de que os está colocando no chão novamente.

Dá dez passos, mas cada um exige mais esforço que o outro – o movimento é tão difícil e requer tanta energia mental que ele se sente nauseado e volta a sentar na beira da cama. *Não deixe Caleb ver você desse jeito*, alerta a si mesmo, antes de se lembrar: Caleb saiu para correr, como faz toda manhã. Está sozinho em casa.

Tem um pouco de tempo, então. Arrasta-se sobre os braços até o banheiro e entra no chuveiro. Pensa na cadeira de rodas sobressalente que deixa no carro. Certamente, Caleb não fará qualquer tipo de objeção em deixá-lo pegá-la, ainda mais se conseguir mostrar que está bem e que aquele é só um contratempo passageiro. Planejara voltar para a cidade de manhã bem cedo no dia seguinte, mas podia ir embora antes se precisasse, ainda que preferisse ficar – o dia anterior havia sido tão agradável. Talvez hoje pudesse ser igual.

Está vestido e esperando no sofá da sala, fingindo ler um relatório, quando Caleb volta. Não consegue identificar seu humor, mas normalmente volta tranquilo de suas corridas, até mesmo complacente.

– Fiz alguns bifes com a carne que sobrou – diz ele. – Quer que frite uns ovos?

– Não, pode deixar que eu faço – diz Caleb.

– Como foi a corrida?

– Boa. Ótima.

– Caleb – diz ele, tentando manter a casualidade na voz –, ouça: estou tendo um problema nos pés; é só efeito colateral de um dano nos nervos, isso vem e vai, mas fico com dificuldade para andar. Você se importa se eu pegar a cadeira de rodas no carro?

Caleb não diz nada por um minuto, apenas termina de beber sua garrafa de água.

– Mas você ainda *consegue* andar, certo?

Ele se força a olhar para Caleb.

– Bem, tecnicamente, sim. Mas...

— Jude — diz Caleb —, sei que o seu médico provavelmente discorda, mas sou obrigado a dizer que tem algo de... fraco, suponho, em você procurar sempre a solução mais fácil. Acho que você deveria suportar algumas coisas, sabe? Era disso que eu estava falando sobre os meus pais: eles sucumbiam sempre a cada dorzinha, a cada pontada.

"Então acho que deveria aguentar. Acho que, se *consegue* andar, é o que devia fazer. Acho que não deveria criar o hábito de ficar se paparicando quando tem a capacidade de se virar."

— Ah — responde. — Certo. Eu entendo. — Naquele momento, sente uma vergonha colossal, como se tivesse acabado de pedir algo imundo e ilícito.

— Vou tomar banho — diz Caleb após um breve silêncio, e se retira.

Durante o resto do dia, ele tenta se mover muito pouco, e Caleb, como se não quisesse encontrar motivos para brigar com ele, não pede que faça nada. Caleb prepara o almoço, que os dois comem no sofá, trabalhando em seus computadores. A cozinha e a sala de estar formam um enorme espaço iluminado pelo sol, com janelas do chão ao teto que abrem para o gramado, de frente para a praia. Quando Caleb está na cozinha preparando o jantar, ele aproveita que ele lhe deu as costas e se move lentamente, feito uma minhoca, em direção do banheiro do corredor. Seu intuito é pegar mais aspirinas em sua bolsa, mas estão longe demais, então espera de joelhos junto à porta até Caleb virar novamente para o fogão, antes de voltar rastejando para o sofá, onde passou o dia inteiro.

— Hora do jantar — anuncia Caleb.

Ele respira fundo e se apoia nos pés, que parecem blocos de concreto. Estão pesados e sólidos e, olhando para eles, começa a andar a caminho da mesa. Parece que se passam minutos, horas, até chegar à cadeira. Num certo ponto, ergue o olhar e vê Caleb, mexendo a mandíbula e observando-o com o que parece ser uma expressão de ódio.

— Anda logo — diz Caleb.

Os dois comem em silêncio. Ele mal consegue suportar. O ruído da faca raspando no prato: intolerável. O barulho de Caleb mastigando uma vagem com uma força desnecessária: intolerável. A sensação da comida em sua boca, tornando-se uma criatura carnosa anônima: intolerável.

— Caleb — começa ele com a voz bem baixa, mas Caleb não responde. Simplesmente empurra a cadeira para trás, levanta e vai até a pia.

— Me traga o prato — diz Caleb, observando-o.

Ele levanta lentamente e começa sua jornada rumo à pia, olhando o pé tocar o chão antes de dar um novo passo.

Mais tarde, irá questionar se teria forçado o momento, se na verdade poderia ter dado os vinte passos sem cair, caso tivesse se concentrado mais. Mas não é isso o que ocorre. Ele move o pé direito meio segundo antes do esquerdo aterrissar, e então cai, e o prato cai à sua frente, e a porcelana se espatifa no chão. E então, movendo-se tão rápido como se tivesse previsto que aquilo aconteceria, surge Caleb, levantando-o pelos cabelos e socando seu rosto com o punho, tão forte que ele voa no ar e, quando aterrissa, cai sobre a mesa, batendo a cabeça na quina. A queda faz a garrafa de vinho pular da superfície, o líquido borbulha no chão e Caleb solta um urro, pega a garrafa pelo gargalo e o golpeia na nuca.

– Caleb – arqueja ele –, por favor, por favor. – Nunca foi de implorar por clemência, nem quando criança, mas, de alguma maneira, se tornara aquele tipo de pessoa. Quando era criança, sua vida tinha pouco valor para ele; deseja agora que aquilo ainda fosse verdade. – Por favor – diz. – Caleb, por favor, me perdoe. Me desculpe, me desculpe.

Mas Caleb, ele sabe, já não é mais humano. É um lobo, um coiote. É só músculo e raiva. E ele não é nada para Caleb, é uma presa, é descartável. Está sendo arrastado até a beira do sofá, e sabe o que virá em seguida. Mas continua a suplicar mesmo assim.

– Por favor, Caleb – pede. – Por favor, não faça isso. Caleb, por favor.

Quando recobra os sentidos, está deitado no chão, perto da parte de trás do sofá. A casa está em silêncio.

– Olá? – chama, detestando o tremor em sua voz, mas não ouve nada. Não precisa; ele sabe, de alguma forma, que está sozinho.

Ele se senta. Levanta a cueca e as calças e flexiona os dedos, as mãos, leva os joelhos ao peito e de volta à posição normal, move os ombros para a frente e para trás, vira o pescoço para a esquerda e para a direita. Sente algo pegajoso na nuca, e, ao examinar, fica aliviado em ver que é vinho, não sangue. Tudo dói, mas nada está quebrado.

Rasteja até o quarto. Limpa-se rapidamente no banheiro, junta suas coisas e coloca na mala. Esgueira-se até a porta. Por um instante, teme que seu carro tenha desaparecido e que esteja preso naquela casa, mas ali está, do lado do de Caleb, esperando por ele. Olha para o relógio: meia-noite.

Atravessa o gramado apoiado sobre as mãos e os joelhos, com a mala pendurada dolorosamente sobre um ombro, e os sessenta metros entre a porta e o carro se transformam em quilômetros. Tem vontade de parar, está cansado, mas sabe que não deve.

No carro, não olha para seu reflexo no espelho; dá a partida e vai embora. Mas, cerca de meia hora depois, quando está longe o bastante da casa para se sentir seguro, começa a tremer, e seu descontrole é tão grande que o carro dá guinadas na pista. Decide então parar no acostamento e esperar, apoiando a cabeça no volante.

Espera dez minutos, vinte. Então se vira, e o próprio movimento é um castigo, para pegar o telefone na mala. Digita o número de Willem e aguarda.

– Jude! – diz Willem, aparentando surpresa. – Eu ia ligar para você agora mesmo.

– Oi, Willem – diz ele, com a esperança de que sua voz soe normal. – Acho que li sua mente.

Eles conversam por alguns minutos e então Willem pergunta:

– Você está bem?

– Mas é claro – responde.

– Parece um pouco estranho.

Willem, ele tem vontade de dizer. *Willem, como eu queria que você estivesse aqui.* Mas em vez disso apenas fala:

– Desculpe. É só uma dor de cabeça.

Conversam um pouco mais e quando estão prestes a desligar, Willem pergunta:

– Tem certeza de que está bem?

– Sim – responde. – Estou ótimo.

– Tudo bem – diz Willem. – Tudo bem. – E então: – Mais cinco semanas.

– Mais cinco. – Sente tanta falta de Willem que mal consegue respirar.

Depois de desligar, espera outros dez minutos até finalmente parar de tremer, dá a partida no carro e segue até chegar em casa.

No dia seguinte, se obriga a olhar seu reflexo no espelho do banheiro e quase grita de vergonha, de susto e de tristeza. Está tão deformado, tão assustadoramente feio, que até mesmo para ele aquilo é algo fora do comum. Arruma-se da maneira mais apresentável que consegue; veste seu terno preferido. Caleb chutara a lateral do seu corpo, e cada respiração, cada movimento, é doloroso. Antes de sair de casa, marca uma consulta com o dentista, pois sente que um dos dentes de cima está solto, e uma consulta com Andy naquela mesma noite.

Vai para o trabalho.

– Não está com uma aparência boa, St. Francis – diz pela manhã um dos sócios mais antigos, de quem gosta bastante, durante a reunião do conselho administrativo, e todos riem.

Ele abre um sorriso forçado.

– Acredito que não – diz. – E estou certo de que todos vocês ficarão decepcionados ao saber que meus dias como potencial campeão paraolímpico de tênis infelizmente chegaram ao fim.

– Bem, *eu* não estou triste – diz Lucien, e todos na mesa suspiram, fingindo decepção. – Você já é bastante agredido no tribunal. Acho que daqui para a frente esse deve ser seu único esporte de combate.

Naquela noite, durante a consulta, Andy lhe dá uma bronca.

– O que falei sobre jogar tênis, Jude? – pergunta ele.

– Eu sei – diz. – Nunca mais vou jogar, Andy, prometo.

– O que é isto? – pergunta Andy, colocando os dedos em sua nuca.

Ele solta um suspiro teatral.

– Eu me virei e sofri um acidente por causa de um belo de um *backhand*. – Espera que Andy diga alguma coisa, mas ele fica em silêncio e apenas aplica um pouco de pomada antibiótica em seu pescoço e o enfaixa.

No dia seguinte, Andy telefona para seu escritório.

– Preciso falar com você pessoalmente – diz. – É importante. Pode me encontrar em algum lugar?

Ele fica alarmado.

– Está tudo bem? – pergunta. – Você está bem, Andy?

– Sim, estou – responde Andy. – Mas preciso ver você.

Tira o horário do jantar mais cedo e os dois se encontram perto do escritório, num bar cuja clientela habitual é formada por banqueiros japoneses que trabalham no edifício vizinho ao da Rosen Pritchard. Andy já está lá quando ele chega e coloca a palma da mão, com cuidado, no lado do rosto que não está marcado.

– Pedi uma cerveja para você – diz Andy. Eles bebem em silêncio e então Andy continua: – Jude, eu queria olhar no seu rosto quando fizesse esta pergunta. Você... você anda causando esses machucados a si mesmo?

– O quê? – pergunta, surpreso.

– Esses acidentes jogando tênis – diz Andy. – Quero saber se na verdade são... alguma outra coisa? Você anda se jogando de escadas, se batendo contra a parede ou algo assim? – Ele respira fundo. – Sei que costumava fazer isso quando era criança. Voltou a fazer?

– Não, Andy – responde. – Não. Não estou me machucando de propósito. Juro para você. Juro por... Harold e Julia. Juro por Willem.

– Tudo bem – diz Andy, soltando a respiração. – Quero dizer, isso é um alívio. É um alívio saber que você só está sendo cabeça-dura e deixando de seguir as ordens do seu médico, o que, obviamente, não é uma novidade. E que, aparentemente, é um péssimo jogador de tênis.

Andy sorri e ele se obriga a sorrir de volta.

Andy pede mais cervejas e, por um instante, os dois se mantêm em silêncio.

– Sabia, Jude – continua ele –, que, ao longo dos anos, eu me perguntei muitas vezes o que fazer com você? Não, não diga nada. Deixe-me terminar. Eu ficava, ou melhor, eu fico acordado à noite perguntando a mim mesmo se estou tomando as decisões certas em relação a você: em inúmeras ocasiões fiquei muito perto de interná-lo, de ligar para Harold ou Willem e dizer a eles que precisávamos nos reunir e levar você para o hospital. Conversei com meus colegas de universidade que hoje são psiquiatras e contei sobre você, sobre esse paciente de quem sou bem próximo, e perguntei o que fariam no meu lugar. Ouvi tudo o que me aconselharam. Ouvi os conselhos do *meu* psiquiatra. Mas ninguém sabe me dizer ao certo qual a resposta correta.

"Eu me torturei por causa disso. Mas sempre senti... você é tão autossuficiente sob tantos aspectos, e alcançou esse equilíbrio estranho, mas ainda assim inegavelmente bem-sucedido em sua vida, que achei que, não sei, talvez fosse melhor não me intrometer. Sabe? Por isso deixei que continuasse se cortando, ano após ano, e todo ano, toda vez que vejo você, ainda me pergunto se estou fazendo a coisa certa ao deixar que continue, e como e se deveria me esforçar mais para conseguir ajuda para você, para conseguir que pare de fazer isso consigo mesmo."

– Desculpe, Andy – sussurra ele.

– Não, Jude – diz Andy. – Não é culpa sua. Você é o paciente. É meu dever descobrir o que é melhor para você, e sinto... eu não sei bem se estou conseguindo. Por isso, quando você apareceu cheio de hematomas, a primeira coisa que pensei foi que havia tomado a decisão errada. Sabe?

— Andy olha para ele, que fica surpreso novamente ao vê-lo enxugar rapidamente os olhos. — Todos esses anos — diz Andy, após uma pausa, e os dois ficam em silêncio outra vez.

— Andy — diz ele, também com vontade de chorar. — Eu juro a você que não estou fazendo nada comigo mesmo. Só os cortes.

— Só os cortes! — repete Andy, soltando um ruído estranho, como uma gargalhada. — Bem, acredito que, dado o contexto, tenho de ficar grato por isso. "Só os cortes." Sabe que é uma loucura, certo, achar que devo ficar aliviado com isso?

— Eu sei — responde.

A terça-feira se transforma em quarta e depois em quinta; seu rosto parece piorar, depois melhorar, e depois piorar de novo. Tinha medo de que Caleb pudesse telefonar, ou pior, que se materializasse em seu apartamento, mas os dias passam e isso não acontece: talvez tenha ficado em Bridgehampton. Talvez tenha sido atropelado por um carro. É estranho, mas descobre que não tem qualquer tipo de sentimento: nem medo, nem ódio, nem nada. O pior aconteceu, e agora está livre. Teve um relacionamento, foi horrível, e agora nunca mais precisará ter outro, pois provou que é incapaz de fazer parte de um. O tempo que passou com Caleb confirmou tudo aquilo que ele temia que alguém pudesse pensar dele, de seu corpo, e sua próxima missão é aprender a aceitar isso, e a fazê-lo sem sofrimento. Sabe que provavelmente ainda vai se sentir sozinho no futuro, mas agora tem a resposta para essa solidão; agora tem certeza de que a solidão é um estado preferível ao que quer que seja — terror, vergonha, repulsa, choque, tristeza, agitação, ânsia, asco — que tenha sentido com Caleb.

Naquela sexta ele se encontra com Harold, que está na cidade para uma conferência na Universidade de Columbia. Já lhe havia escrito antes para avisá-lo dos hematomas, mas isso não impede Harold de ter uma reação exagerada, falando alto e fazendo um escarcéu, perguntando dezenas de vezes se ele estava bem de verdade.

O local do encontro era um dos restaurantes preferidos de Harold, onde a carne vem de vacas às quais o chef dá nomes e que ele próprio cria numa fazenda no norte do estado, e as verduras são plantadas no alto do prédio. Os dois estão conversando e comendo o prato principal — ele tem o cuidado de mastigar usando apenas o lado direito da boca e de evitar que a comida toque no seu dente novo — quando sente alguém parado próximo à mesa. Ao erguer a cabeça se depara com Caleb, e por mais que tenha convencido a si próprio de que não sentia mais nada, na mesma hora é tomado por um terror avassalador.

Nunca vira Caleb bêbado durante o tempo que passaram juntos, mas consegue perceber imediatamente seu estado e também seu humor perigoso.

– Sua secretária me falou onde você estava – diz Caleb. – Você deve ser Harold – acrescenta, estendendo a mão para Harold, que a aperta, um tanto confuso.

– Jude? – diz Harold, mas ele não consegue falar.

– Caleb Porter – diz Caleb, sentando-se na cabine semicircular, espremendo-se junto ao corpo dele. – Seu filho e eu estamos namorando.

Harold olha para Caleb, depois para ele, e abre a boca. Pela primeira vez desde que o conheceu, está sem palavras.

– Deixa eu lhe fazer uma pergunta – diz Caleb a Harold, curvando-se como se fosse contar um segredo, e ele olha fixamente para o rosto de Caleb, com sua beleza lupina, seus olhos escuros e brilhantes. – Fala a verdade. Não queria às vezes ter um filho normal, em vez de um aleijado?

Por um momento, ninguém diz nada, e ele sente algo, uma corrente, sibilar pelo ar.

– Quem é você, caralho? – chia Harold. Ele vê o rosto de Harold mudar: suas feições se contorcem com enorme rapidez e violência, passando de choque a repulsa e depois a raiva, de modo que, por um instante, parece inumano, como se possuído por um espírito. E então sua expressão muda outra vez, e ele assiste ao rosto de Harold enrijecer, como se os próprios músculos estivessem se ossificando diante dele. – Foi você quem fez isso a ele – diz a Caleb, bem devagar. E logo em seguida vira para ele, atônito, e fala: – Não foi jogando tênis, foi, Jude? Esse homem fez isso com você.

– Harold, não – começa ele a dizer, mas Caleb segurou seu pulso e o está apertando com tanta força que parece que vai quebrá-lo.

– Seu mentirosinho – diz Caleb. – Seu aleijado, seu mentiroso. E ainda por cima fode mal. Você estava certo: você é nojento. Eu não conseguia nem olhar para você, jamais consegui.

– Dá o fora daqui – diz Harold, pronunciando cada palavra como se fosse uma mordida. Eles estão falando aos sussurros, mas a conversa soa tão alta, e o resto do restaurante está tão quieto, que ele tem certeza de que todos podem ouvi-los.

– Harold, não – implora. – Pare, por favor.

Mas Harold não lhe dá ouvidos.

– Vou chamar a polícia – diz, e Caleb desliza para fora da cabine e se levanta. Harold também se levanta. – Vá embora daqui agora – repete Harold, e agora todos estão realmente olhando na direção deles. Ele está tão constrangido que se sente enjoado.

– Harold – suplica.

Pode ver pela oscilação de Caleb que ele está muito bêbado mesmo. Caleb empurra o ombro de Harold, que está prestes a fazer o mesmo, quando ele finalmente recupera a voz e grita o nome de Harold, que vira em sua direção e abaixa o braço. Caleb abre um sorrisinho para ele, dá meia-volta e vai embora, abrindo espaço aos empurrões entre os garçons que se reuniram em torno da mesa.

Harold fica ali parado por um momento, encarando a porta, e então começa a seguir Caleb. Ele chama o nome de Harold outra vez, desesperado, e Harold volta para perto dele.

– Jude – começa Harold, mas ele balança a cabeça.

Está tão irado, tão furioso, que sua humilhação quase foi eclipsada pela raiva. Ao redor deles, as conversas começam a ser retomadas. Ele acena para o garçom e dá seu cartão de crédito, que lhe é devolvido no que parece ser um espaço de segundos. Não está com a cadeira de rodas aquele dia, o que o deixa enorme e amargamente agradecido e, no momento em que está saindo do restaurante, sente que nunca foi tão ágil, nunca se moveu com tanta rapidez ou firmeza.

Do lado de fora cai um dilúvio. O carro está estacionado a um quarteirão dali, e ele sai arrastando os pés pela calçada, com Harold em silêncio ao seu lado. Está tão enfurecido que gostaria de não ter que dar uma carona a Harold, mas estão no East Side, perto da Avenida A, e Harold nunca conseguiria encontrar um táxi naquela chuva.

– Jude – diz Harold dentro do carro, mas ele o interrompe, mantendo os olhos na rua.

– Eu *implorei* para você não falar nada, Harold – diz. – Mesmo assim você falou. Por que fez aquilo, Harold? Acha que minha vida é uma piada? Acha que meus problemas são só uma oportunidade para você se exibir? – Ele não sabe nem mesmo o que está dizendo, ou o que está tentando dizer.

– Não, Jude, claro que não – responde Harold, com a voz suave. – Sinto muito. Perdi a cabeça.

Aquilo o acalma, por algum motivo, e eles ficam em silêncio por alguns quarteirões, ouvindo o barulho dos limpadores de para-brisa.

– Estava mesmo namorando aquele cara? – pergunta Harold.

Ele acena a cabeça uma vez, num gesto rígido.

– E não está mais? – pergunta Harold, e ele nega com a cabeça. – Ótimo – balbucia Harold. Então acrescenta, com a voz baixa: – Ele bateu em você?

Ele precisa esperar um tempo e se controlar antes de conseguir responder.

– Só algumas vezes – diz.

– Ah, Jude – diz Harold, com uma voz que ele nunca ouviu antes saindo de sua boca. – Deixa eu fazer uma pergunta então – continua ele enquanto descem pela rua 15, passando pela Sexta Avenida. – Jude, por que estava namorando alguém que o tratava desse jeito?

Ele não responde por um quarteirão inteiro, tentando pensar no que poderia dizer, em como articular seus motivos de modo que Harold pudesse entender.

– Estava me sentindo sozinho – diz, quebrando o silêncio.

– Jude – diz Harold, e para. – Eu entendo – fala. – Mas por que ele?

– Harold – diz ele, e pode ouvir o quanto soa terrível e infeliz –, quando se tem uma aparência como a minha, você tem de aceitar o que estiver disponível.

Os dois ficam em silêncio novamente, e então Harold diz:

– Pare o carro.

– O quê? – pergunta ele. – Não posso. Tem gente atrás de mim.

– Pare a porra do carro, Jude – repete Harold, e como ele não obedece, Harold estica o braço, segura o volante e joga o carro com tudo para a direita, num espaço em frente a um hidrante. O carro de trás passa por eles, com a buzina balindo uma nota longa e reprovadora.

– Por deus, Harold – grita ele. – Que diabos está tentando fazer? Quase provocou um acidente!

— Ouça o que vou dizer, Jude — fala Harold lentamente, esticando o braço na direção dele, que se espreme contra a janela, fugindo das suas mãos. — Você é a pessoa mais bonita que já conheci em toda a minha vida.

— Harold — diz —, pare, pare. Por favor, pare.

— Olhe para mim, Jude — diz Harold, mas ele não consegue. — É verdade. Fico com o coração partido por você não enxergar isso.

— Harold — diz ele, quase gemendo —, por favor, por favor. Se gosta de mim, pare com isso.

— Jude — diz Harold, esticando os braços outra vez, mas ele se esquiva e levanta as mãos para se proteger. Com o canto dos olhos, consegue ver Harold abaixar o braço lentamente.

Finalmente coloca as mãos de volta ao volante, mas elas tremem demais para conseguir dar a partida, então as coloca debaixo das coxas para esperar.

— Ah, deus — ele se ouve repetindo. — Ah, deus.

— Jude — diz Harold outra vez.

— Me deixa em paz, Harold — responde ele, e agora seus dentes estão batendo, o que dificulta sua fala. — Por favor.

Os dois ficam em silêncio por minutos. Ele se concentra no barulho da chuva, na luz do semáforo que fica vermelha, verde e amarela, e em contar sua respiração. Finalmente para de tremer, dá a partida no carro e parte na direção leste, depois norte, até chegar ao prédio de Harold.

— Por que não dorme na minha casa hoje? — convida Harold, virando-se para ele, que balança a cabeça, olhando fixamente para a frente. — Então pelo menos suba para tomar uma xícara de chá até se sentir melhor — insiste, mas ele balança a cabeça outra vez. — Jude — diz Harold —, eu sinto muito... pelo que aconteceu, por tudo.

Ele assente com a cabeça, mas ainda não consegue dizer uma só palavra.

— Promete me ligar se precisar de alguma coisa? — continua Harold, e ele faz que sim com a cabeça.

E então Harold levanta as mãos devagar, como se ele fosse um animal selvagem, e acaricia a parte de trás da sua cabeça, duas vezes, antes de sair, fechando a porta com cuidado às suas costas.

Ele pega a West Side Highway para voltar para casa. Sente uma enorme dor, um enorme vazio: mas agora sua humilhação está completa. Foi bastante castigado, pensa, até mesmo para os seus padrões. Vai chegar em casa, se cortar, e então começará a se esquecer: daquela noite em particular, mas também dos últimos quatro meses.

Em Greene Street, ele estaciona o carro na garagem e sobe de elevador pelos andares silenciosos, agarrando-se à grade da porta; está tão cansado que vai desabar no chão se não fizer isso. Richard foi passar o outono em Roma, convidado para uma residência artística, e o prédio ao seu redor parece um sepulcro.

Entra no apartamento escuro e está tateando a parede em busca do interruptor quando algo o atinge com força no lado inchado do rosto, e mesmo em meio a todo o breu pode ver seu novo dente se projetando no ar.

É Caleb, obviamente. Ele o ouve e sente seu hálito antes mesmo de Caleb acender o interruptor principal e o apartamento ser assolado pela luz, ficando mais claro do que o dia. Ergue a cabeça e vê Caleb, olhando-o do alto. Mesmo bêbado, se mostra sereno, e agora parte da embriaguez deu lugar à raiva. Seu olhar é firme e concentrado. Ele sente Caleb segurá-lo pelos cabelos, sente a pancada no lado direito do rosto, aquele que ainda estava bom, sente a cabeça ir para trás em reação ao golpe.

Caleb ainda não abriu a boca e agora o arrasta até o sofá. Os únicos sons no ambiente são a respiração ritmada de Caleb e o barulho que ele faz ao arfar freneticamente. Caleb empurra seu rosto na almofada e segura sua cabeça com uma das mãos, enquanto com a outra começa a arrancar sua roupa. Ele começa a entrar em pânico e se debate, mas Caleb aperta um braço contra sua nuca, o que o paralisa, impedindo-o de se mover; sente seu corpo ser exposto ao ar pouco a pouco – as costas, os braços, a parte de trás das pernas –, e depois que tudo foi retirado, Caleb o puxa até ficar de pé novamente e o empurra para longe, mas ele cai, aterrissando com as costas no chão.

– Levanta – diz Caleb. – Agora.

Ele obedece; algo escorre do seu nariz, sangue ou muco, e isso dificulta sua respiração. Fica de pé; nunca se sentira tão nu, tão exposto em toda sua vida. Quando era criança e lhe faziam coisas, conseguia deixar o corpo e voar para outro lugar. Fingia ser algo inanimado – um suporte de cortina, um ventilador de teto –, uma testemunha insensível e imparcial da cena ocorrendo debaixo dele. Observava a si mesmo e não sentia nada: nem pena, nem raiva, nada. Mas, agora, por mais que tente, acaba descobrindo que não consegue se dissociar. Está naquele apartamento, no seu apartamento, parado diante de um homem que o detesta, e sabe que aquilo é o início, não o fim, de uma longa noite, na qual não tem outra opção a não ser resistir e esperar que termine. Não será capaz de controlar esta noite, não será capaz de interrompê-la.

– Meu deus – diz Caleb depois de olhar para ele por um longo momento; esta é a primeira vez que o vê completamente nu. – Meu deus, você é mesmo completamente deformado. Não é mentira.

Por algum motivo, é isso, esse pronunciamento, que faz com que os dois voltem a si, e ele se vê, pela primeira vez em décadas, chorando.

– Por favor – diz. – Por favor, Caleb, desculpe.

Mas Caleb já o agarrou pela nuca e o conduz apressadamente, quase o arrastando, na direção da porta da frente. Entram no elevador, descem pelos andares, e então ele é arrastado para fora do elevador e empurrado pelo corredor até o saguão. A esta altura está completamente histérico, rogando a Caleb, perguntando sem parar o que ele vai fazer, o que vai fazer com ele. Na porta da frente, Caleb o levanta, e por um momento seu rosto é enquadrado na janelinha de vidro suja que dá para Greene Street. Em seguida, Caleb está abrindo a porta e ele está sendo empurrado para o lado de fora, nu, para o meio da rua.

– Não! – grita, com o corpo meio para dentro e meio para fora. – Caleb, por favor! – Ele está dividido entre a louca esperança e o pavor desesperado de que alguém passe por perto. Mas chove forte; ninguém vai passar. A chuva tamborila com um ritmo insano em seu rosto.

– Implore – diz Caleb, aumentando a voz em meio à chuva, e ele obedece, suplicando. – Implore para que eu fique – exige Caleb. – Peça desculpas.

E ele pede, repetidas vezes, com a boca se enchendo com seu próprio sangue, com suas próprias lágrimas.

Finalmente, é levado de volta para dentro do prédio e arrastado até o elevador, onde Caleb diz coisas para ele, e ele pede desculpas e mais desculpas, repetindo as palavras de Caleb conforme é instruído: *Sou repugnante. Sou nojento. Sou desprezível. Desculpe, desculpe.*

No apartamento, Caleb solta seu pescoço e ele desaba. Suas pernas estão bambas e Caleb dá um chute tão forte em sua barriga que ele vomita, e depois outro em suas costas, fazendo-o deslizar sobre os pisos limpos e belos de Malcolm, mergulhando no vômito. Seu lindo apartamento, pensa, onde sempre esteve seguro. Aquilo está acontecendo com ele em seu lindo apartamento, cercado de coisas belas, coisas que lhe foram dadas em sinal de amizade, coisas que comprara com o dinheiro que merecera. Seu lindo apartamento, com suas portas que podem ser trancadas, onde deveria estar a salvo de elevadores que quebram e da humilhação de ter que subir as escadas se arrastando pelos braços, onde deveria se sentir humano e inteiro.

Então ele mais uma vez é levantado e empurrado, mas é difícil ver para onde está sendo levado: um olho já fechou com o inchaço, o outro só enxerga borrões. Sua visão vai e volta sem parar.

Mas então percebe que Caleb o está levando à porta que dá para a escada de emergência. Foi o único elemento do velho loft que Malcolm manteve: porque era obrigado e também porque gostava de como ela era exclusivamente prática, como era descaradamente feia. Agora Caleb abre o trinco e ele se vê parado no alto da escadaria escura e íngreme. "Parece que vão nos levar ao inferno", lembra-se de Richard dizer. Está todo sujo de vômito de um lado; pode sentir outros líquidos – não consegue pensar no que possam ser – escorrendo por outras partes do corpo: pelo rosto, pelo pescoço, pelas coxas.

Está choramingando de dor e medo, agarrado ao batente da porta, quando ouve, já que não consegue ver, Caleb se afastar e então correr em sua direção. O pé dele acerta suas costas, e ele voa para dentro da escuridão da escada.

Enquanto plana, pensa de repente no Dr. Kashen. Ou não necessariamente no Dr. Kashen, mas na pergunta que ele lhe fizera quando se candidatara para ser seu orientando: *Qual seu axioma preferido?* (A cantada dos nerds, foi como CM certa vez a chamou.)

– O axioma da igualdade – respondera, e Kashen concordara com a cabeça, aprovando.

– Esse é bom – dissera.

O axioma da igualdade diz que x é sempre igual a x: ele supõe que, se você tem algo conceitual chamado x, então ele deve sempre equivaler a si mesmo, deve ter um caráter único, deve possuir algo tão irredutível que nos faz presumir que seja absoluta e imutavelmente equivalente a si próprio o tempo inteiro, que seu próprio elementalismo nunca possa ser alterado. Mas isso é impossível de ser provado. Os sempres, os absolutos, os nuncas: são essas as palavras que, tanto quanto os números, formam o mundo da matemática. Muita gente não gosta do axioma da igualdade –

o Dr. Li certa vez o chamara de tímido e piegas, a dança com leques dos axiomas –, mas ele sempre apreciara seu caráter esquivo, o modo como a beleza da equação em si sempre era frustrada pelas tentativas de prová-la. Aquele era o tipo de axioma que podia levá-lo à loucura, que podia consumi-lo, que podia facilmente se tornar uma vida inteira.

Mas ele agora tem certeza do quanto o axioma é verdadeiro, pois ele mesmo – sua própria vida – o havia provado. A pessoa que eu fui sempre será a pessoa que sou, conclui. O contexto pode ter mudado: ele pode estar naquele apartamento, pode ter um emprego de que gosta e que paga bem, pode ter pais e amigos que ama. Pode ser respeitado; no tribunal, pode até ser temido. Mas, fundamentalmente, ainda é a mesma pessoa, uma pessoa que desperta repulsa, uma pessoa que merece ser odiada. E, naquele microssegundo em que se vê suspenso no ar, entre o êxtase de estar flutuando e a expectativa da aterrissagem, que sabe que será terrível, entende que x será sempre igual a x, não importa o que faça ou quantos anos se passem desde o mosteiro, desde o irmão Luke, não importa o quanto ganhe ou o quanto tente esquecer. Aquela é a última coisa que pensa antes de o ombro se chocar contra o concreto, e o mundo, por um instante, se afasta como uma bênção debaixo dele: $x = x$, pensa. $x = x, x = x$.

2

QUANDO JACOB ERA BEM pequeno, talvez quando tinha uns seis meses, mais ou menos, Liesl teve uma pneumonia. Assim como a maioria das pessoas saudáveis, era uma péssima doente: mal-humorada, petulante e, acima de tudo, perplexa diante da posição incomum em que se encontrava agora.

– *Eu* não fico doente – ficava repetindo, como se alguém tivesse cometido algum erro, como se o que tivesse recebido fosse na verdade destinado a outra pessoa.

Como Jacob era um bebê doente – não de uma maneira dramática, mas já tivera dois resfriados em sua curta vida e, antes mesmo de saber como era seu sorriso, eu já sabia como era sua tosse: surpreendentemente madura –, decidimos que seria melhor Liesl passar os dias seguintes na casa de Sally para repousar e melhorar, enquanto eu ficaria em casa com Jacob.

Eu me considerava competente o bastante para cuidar do meu filho, mas, ao longo do fim de semana, devo ter ligado para o meu pai umas vinte vezes para perguntar sobre os vários pequenos mistérios que não paravam de aparecer, ou então para confirmar o que eu sabia saber, mas que, em minha agitação, acabara esquecendo: o bebê estava fazendo barulhos estranhos, que pareciam soluços, mas eram irregulares demais para que fossem, de fato, soluços – o que seriam? O cocô estava um pouco mole – aquilo era sinal de alguma coisa? Ele gostava de dormir de bruços, mas Liesl dizia que tinha de ficar de barriga para cima, por mais que eu sempre tivesse ouvido falar que não havia problema algum em deixá-lo de barriga para baixo – ou será que teria? Claro que eu poderia ter pesquisado sobre tudo isso, mas estava atrás de respostas definitivas, e as queria ouvir do meu pai, que não só tinha as respostas certas, mas também as dizia do jeito certo. Era reconfortante ouvir sua voz.

– Não se preocupe – dizia ao fim de cada ligação. – Você está se saindo bem. Sabe o que fazer. – E ele me fazia acreditar que de fato eu sabia.

Depois que Jacob adoeceu, passei a telefonar menos para meu pai: não conseguia conversar com ele. As perguntas que eu tinha agora – como poderia lidar com aquilo?; o que faria no fim?; como poderia assistir ao meu filho morrer? – eram perguntas que eu não tinha coragem de fazer nem a mim mesmo, perguntas que o fariam chorar ao responder.

Jacob tinha acabado de completar quatro anos quando percebemos que havia algo de errado. Liesl o levava toda manhã à creche, ao passo que eu o buscava à tarde, após dar minha última aula. Ele tinha um rosto sério, por isso as pessoas achavam que fosse um menino mais triste do que realmente era: mas, em casa, corria de um lado para o outro, subia e descia a escada, e eu corria atrás dele. Quando eu estava deitado no sofá, lendo, ele se jogava em cima de mim. Liesl também ficava mais brincalhona perto dele, e às vezes os dois corriam pela casa, gritando e guinchando, e aqueles eram meus sons preferidos, meu tipo preferido de barulho.

Era outubro quando ele começou a ficar cansado. Fui buscá-lo um dia, e todas as outras crianças, todos os seus amiguinhos, estavam brincando, conversando e pulando. Quando procurei meu filho, ele estava num cantinho da sala, encolhido em seu tapete, dormindo. Uma das professoras estava sentada ao lado dele e, ao me ver, acenou para que eu me aproximasse.

– Acho que ele pode estar com alguma virose – falou. – Desde ontem está um pouquinho apático e depois do almoço ficou tão cansado que preferimos deixá-lo dormir.

Adorávamos aquela escola: as outras faziam as crianças tentarem ler ou assistir a aulas, mas essa, a preferida dos professores da universidade, era do tipo que eu achava certo para uma criança de quatro anos: tudo que pareciam fazer era ouvir adultos lendo livros para elas, realizar atividades manuais e passear no zoológico.

Tive de carregá-lo até o carro, mas, quando chegamos em casa, ele acordou e ficou bem. Comeu o lanche que preparei e me ouviu contar uma historinha antes de montarmos juntos a decoração de mesa do dia. No seu aniversário, Sally lhe dera de presente um lindo conjunto de blocos de madeira esculpidos em forma de geoides, que podiam ser empilhados bem alto, numa infinidade de maneiras interessantes: todo dia montávamos algo diferente para enfeitar a mesa e, quando Liesl chegava,

Jacob explicava o que fizéramos – um dinossauro, a torre de um astronauta – e ela tirava uma foto.

Naquela noite, contei a Liesl o que a professora dissera e, no dia seguinte, ela o levou ao médico, que falou que ele parecia normal e não havia aparentemente nada de errado. Mesmo assim, o observamos com atenção nos dias seguintes: ele tinha mais ou menos energia? Estaria dormindo mais do que o habitual, comendo menos do que o habitual? Não sabíamos. Mas estávamos com medo: não havia nada mais assustador do que uma criança apática. Essa mesma palavra, agora, parece um eufemismo para um destino terrível.

E então, de uma hora para outra, as coisas começaram a acelerar. Fomos passar o Dia de Ação de Graças na casa dos meus pais e, durante o jantar, Jacob teve uma convulsão. Num momento estava bem, no outro estava rígido, o corpo duro feito uma tábua, escorregando da cadeira para baixo da mesa, revirando os olhos, enquanto a garganta fazia um ruído estranho e oco, como um estalo. Durou apenas dez segundos, mais ou menos, mas foi horrível, tão horrível que ainda consigo ouvir os estalos, ainda consigo ver a rigidez terrível de sua cabeça, as pernas indo para a frente e para trás no ar.

Meu pai correu para ligar para um amigo no Hospital Presbiteriano de Nova York, e partimos na mesma hora para lá. Jacob foi internado e nós quatro passamos a noite em seu quarto – meu pai e Adele deitados sobre seus casacos no chão, Liesl e eu sentados um de cada lado da cama, sem conseguirmos olhar um para o outro.

Depois que a situação dele se estabilizou, voltamos para casa, de onde Liesl telefonou para o pediatra de Jacob, outro de seus colegas da faculdade de medicina, para marcar consultas com o melhor neurologista, o melhor geneticista, o melhor alergista – não sabíamos do que se tratava, mas fosse o que fosse, queria ter certeza de que Jacob seria tratado pelos melhores profissionais. E assim tiveram início os meses de peregrinações de médico em médico, nos quais o sangue de Jacob foi coletado, seu cérebro foi esquadrinhado, os reflexos, testados, os olhos, examinados, e a audição, avaliada. O processo todo era tão invasivo, tão frustrante – nunca imaginei que houvesse tantas maneiras de dizer "eu não sei" até conhecer esses médicos –, e às vezes pensava em como deveria ser difícil para os pais que não tinham os conhecidos que nós tínhamos, que não tinham a instrução e o conhecimento científicos de Liesl. Mas toda aquela instrução não tornava mais fácil ter de ver Jacob chorar quando era picado por agulhas, tantas vezes que uma das veias, a veia no braço esquerdo, começou a afundar. E todos aqueles conhecidos tampouco evitaram que ele fosse ficando cada vez pior, que tivesse convulsões cada vez mais frequentes, nas quais tremia e espumava, emitindo um grunhido, uma espécie de ruído primal, assustador e grave demais para uma criança de quatro anos, balançando a cabeça de um lado para o outro enquanto as mãos se contorciam.

Quando finalmente recebemos um diagnóstico – uma doença neurodegenerativa extremamente rara chamada síndrome de Nishihara, tão rara que não era nem incluída em baterias de testes genéticos –, ele já estava quase cego. Isso foi em fevereiro. Em junho, quando fez cinco anos, mal falava. Em agosto, achamos que não pudesse mais ouvir.

Ele continuava a ter mais e mais convulsões. Tentamos todos os tipos de remédios. Tentamos combiná-los. Liesl tinha um amigo neurologista, que nos falou sobre uma nova droga ainda não aprovada nos Estados Unidos, mas disponível no Canadá; naquela sexta-feira, Liesl e Sally foram de carro até Montreal e voltaram, tudo em doze horas. O remédio funcionou por um tempo, ainda que provocasse uma irritação terrível na pele de Jacob, e, quando o tocávamos, ele abria a boca e gritava, mas não se ouvia som algum, e as lágrimas escorriam de seus olhos.

– Desculpe, amigão – eu implorava, mesmo sabendo que ele não me ouvia. – Desculpe, desculpe.

Eu mal conseguia me concentrar no trabalho. Estava lecionando apenas em meio período naquela época; era meu segundo ano na universidade, meu terceiro semestre. Andava pelo campus e entreouvia conversas – alguém falando sobre terminar com o namorado, alguém falando sobre a nota ruim que tirou na prova, alguém falando sobre ter torcido o tornozelo – e sentia raiva. Sua gente estúpida, mesquinha, egoísta, autocentrada, tinha vontade de dizer. Suas pessoas detestáveis, eu odeio vocês. Seus problemas não são problemas. Meu filho está morrendo. Às vezes meu ódio era tão profundo que eu passava mal. Laurence também trabalhava na universidade naquela época, e assumia minhas aulas quando eu precisava levar Jacob ao hospital. Tínhamos uma pessoa para cuidar dele em casa, mas o levávamos a todas as consultas para sabermos com que velocidade ele estava nos deixando. Em setembro, o médico olhou para nós depois de examiná-lo.

– Falta pouco – falou, de maneira muito delicada, e essa foi a pior parte.

Laurence nos visitava toda quarta e sábado; Gillian, às terças e quintas; Sally aparecia toda segunda-feira e domingo; outro amigo de Liesl, Nathan, vinha toda sexta. Quando estavam por lá, cozinhavam ou limpavam as coisas, enquanto eu e Liesl sentávamos ao lado de Jacob e conversávamos com nosso filho. Ele havia parado de crescer em determinado ponto no ano anterior, e os braços e as pernas amoleceram por falta de uso: eram flácidos, quase sem ossos, e você tinha que tomar cuidado ao segurá-lo, prendendo seus membros junto ao corpo, caso contrário eles simplesmente caíam, e ele parecia morto. Deixara de abrir os olhos em setembro, embora às vezes vazassem fluidos: lágrimas, ou um muco viscoso e amarelado. Somente o rosto permanecia roliço, mas só por causa das enormes doses de esteroides que tomava. Algum remédio o deixava com eczemas nas bochechas, avermelhadas e ásperas, sempre quentes, parecendo lixas.

Meu pai e Adele foram morar na nossa casa no meio de setembro, e eu não conseguia olhar para ele. Sabia que ele sabia como era ver crianças morrendo; sabia o quanto o machucava que naquele caso fosse a minha criança. Sentia como se tivesse fracassado: sentia que estava sendo castigado por não ter desejado Jacob com mais veemência quando ele nos foi dado. Sentia que, se tivesse sido menos ambivalente sobre ter filhos, aquilo nunca teria acontecido; sentia que estava sendo lembrado do quanto fui bobo e estúpido em não reconhecer o presente que recebera, um presente pelo qual muitas pessoas ansiavam e que, ainda assim, eu me mostrara disposto a devolver. Estava envergonhado – nunca seria o pai que meu pai era, e detestava que ele estivesse ali para testemunhar meus fracassos.

Antes de Jacob nascer, eu perguntara a meu pai uma noite se ele tinha algumas palavras de sabedoria para me oferecer. Estava brincando, mas ele levara a sério, como fazia diante de qualquer pergunta minha.

– Humm – dissera ele. – Bem, a coisa mais difícil de ser pai é se readaptar. Quanto melhor conseguir fazer isso, melhor será como pai.

Na época, eu praticamente ignorei aquele conselho, mas, à medida que Jacob foi ficando cada vez mais doente, passei a pensar nele com uma frequência maior e percebi o quanto estava correto. Todos dizemos que queremos ver nossos filhos felizes, somente felizes, e saudáveis, mas essa não é a verdade. Queremos que sejam como nós, ou então melhores.

Nós, enquanto seres humanos, somos muito pouco criativos nesse sentido. Não estamos preparados para a possibilidade de que sejam piores. Mas acho que isso seria pedir demais. Deve ser uma espécie de mecanismo evolucionário – se todos tivéssemos plena consciência do que poderia dar errado, terrivelmente errado, nenhum de nós teria filhos.

Quando começamos a perceber que Jacob estava doente, que havia algo de errado com ele, nós dois fizemos um grande esforço para nos readaptar, e rápido. Nunca havíamos *dito* que queríamos que ele fizesse uma universidade, por exemplo; simplesmente tivemos a pressuposição de que isso fosse acontecer, assim como a pós-graduação, já que nós dois a fizemos. Mas, naquela primeira noite que passamos no hospital, depois da primeira convulsão, Liesl, que era ótima em planejar, que tinha uma capacidade brilhante de ver cinco passos, dez passos à frente, falou:

– Seja o que for, ele ainda pode viver uma vida longa e saudável. Há um monte de escolas boas onde podemos matriculá-lo. Há lugares que podem ensiná-lo a ser independente.

Briguei com ela; acusei-a de desistir dele muito rápido, muito fácil. Depois, me envergonhei disso. Depois, a admirei: admirei sua agilidade e sua perspicácia para se ajustar ao fato de que o filho que ela achou que teria não era o filho que tinha. Admirei como ela soube, bem antes de mim, que o sentido de um filho não é o que ele vai realizar em seu nome, mas o prazer que lhe proporcionará, seja de que forma for, mesmo uma que mal possa ser reconhecida como prazer – e, o que é mais importante, o prazer que você terá o privilégio de proporcionar a ele. Pelo restante da vida de Jacob, sempre estive um passo atrás em relação a Liesl. Continuava a sonhar que ele ficaria bom, que voltaria a ser como antes; já ela pensava apenas na vida que ele poderia ter diante da realidade atual de sua situação. Talvez pudesse frequentar uma escola especial. Tudo bem, não poderia ir a nenhum tipo de escola, mas talvez pudesse fazer parte de um grupo recreativo. Tudo bem, não poderia fazer parte de um grupo recreativo, mas talvez ainda pudesse viver uma vida longa. Tudo bem, não viveria uma vida longa, mas talvez pudesse ter uma vida breve e feliz. Tudo bem, não poderia ter uma vida breve e feliz, mas talvez pudesse ter uma vida breve com dignidade: podíamos proporcionar aquilo a ele, e ela não esperava nada mais para o filho.

Eu tinha trinta e dois anos quando ele nasceu, trinta e seis quando recebeu o diagnóstico e trinta e sete quando morreu. Foi no dia dez de novembro, pouco menos de um ano depois da primeira convulsão. Fizemos o funeral na universidade e, mesmo em meu estado de torpor, vi todas as pessoas – nossos pais, nossos amigos e colegas, e os amigos de Jacob, agora alunos da primeira série, com seus pais – que compareceram e choraram.

Meus pais foram para casa em Nova York. Liesl e eu eventualmente voltamos ao trabalho. Mal nos falamos por meses. Nem conseguíamos nos tocar. Parte disso era exaustão, mas também estávamos envergonhados: de nosso fracasso mútuo, da sensação injusta, mas ao mesmo tempo inabalável, de que nós dois poderíamos ter feito mais, de que o outro não se entregara como a situação exigia. Um ano após a morte de Jacob tivemos nossa primeira conversa sobre ter ou não outro filho, e embora tenha começado de maneira civilizada, acabou de maneira terrível, com recriminações: sobre como eu nem queria ter tido Jacob em primeiro lugar, sobre como ela nunca o quisera, sobre como eu havia fracassado, sobre como ela fracassara. Paramos de falar; pedimos desculpas. Tentamos de novo. Mas toda conversa terminava da mesma maneira. Não eram diálogos dos quais pudéssemos nos recuperar e, no fim, acabamos nos separando.

Fico surpreso em ver como paramos de nos falar completamente. O divórcio foi bem simples e direto – talvez simples e direto demais. Aquilo me fez refletir sobre o que nos unira antes de Jacob – se não o tivéssemos, como e em função do que permaneceríamos juntos? Só mais tarde consegui lembrar por que amara Liesl, o que tinha visto e admirado nela. Mas, na época, éramos como duas pessoas que tinham uma missão única, difícil e exaustiva, e agora a missão terminara, e tinha chegado o momento de cada um ir para um lado e voltar a sua vida normal.

Não nos falamos por muitos anos – não por mágoa, mas por qualquer outra coisa. Ela se mudou para Portland. Logo depois de conhecer Julia, esbarrei com Sally – ela também havia se mudado, para Los Angeles –, que estava na cidade para visitar os pais. Ela me contou que Liesl casara outra vez. Pedi a Sally para mandar meus cumprimentos, e Sally disse que faria isso.

Às vezes eu procurava saber dela: estava ensinando no departamento de medicina da Universidade do Oregon. Uma vez tive um aluno que se assemelhava tanto com a aparência que imaginávamos que Jacob teria quando crescesse que quase liguei para ela. Mas não o fiz.

E então um dia ela me telefonou. Dezesseis anos haviam se passado. Ela estava na cidade para uma conferência e me convidou para almoçar. Foi esquisito, uma sensação ao mesmo tempo estranha e familiar, ouvir novamente a voz dela, aquela voz com quem eu tivera milhares de conversas, sobre coisas importantes e também banais. Aquela voz que eu ouvira cantar para Jacob enquanto ele tremia em seus braços, a voz que eu ouvi dizer "Essa é a melhor de todas até agora" enquanto ela tirava uma foto da torre de blocos do dia.

Marcamos num restaurante próximo ao campus da universidade que se especializara no que chamavam de "húmus de luxo" quando ela fazia sua residência e o qual considerávamos um capricho especial. Agora a especialidade do lugar eram almôndegas artesanais, mas ele ainda cheirava, curiosamente, a húmus.

Nós dois nos vimos; ela estava igual a como eu me lembrava. Trocamos um abraço e sentamos. Conversamos um tempo sobre trabalho, sobre Sally e sua nova namorada, sobre Laurence e Gillian. Ela me falou do marido, um epidemiologista, e eu falei de Julia. Ela tivera outro filho, uma menina, aos quarenta e três anos. Mostrou-me uma foto. Era linda, a menina, idêntica a Liesl. Disse isso a ela, que sorriu.

– E você? – perguntou. – Também teve filhos?

Sim, respondi. Acabara de adotar um dos meus ex-alunos. Pude ver que ela ficou surpresa, mas sorriu e me deu os parabéns. Perguntou sobre ele, como tudo acontecera, e eu contei.

– Isso é fantástico, Harold – disse ela, quando terminei. E em seguida:
– Você o ama muito.

– É verdade – falei.

Gostaria de poder dizer que esse foi o início da segunda etapa de nossa amizade, que mantivemos contato e que todo ano falávamos sobre Jacob, sobre o que poderia ter se tornado. Mas não foi assim, por mais que nada de ruim tenha acontecido. Contei a ela naquele encontro sobre o aluno que me deixara agitado, e ela falou que entendia perfeitamente o que eu queria dizer, pois também tivera alunos – ou simplesmente passara por rapazes na rua – que ela pensava reconhecer de algum lugar, para logo em seguida perceber que havia imaginado que um deles poderia ser nosso filho, vivo, bem e distante de nós. Não era mais nosso, mas andava livremente pelo mundo, sem saber que podíamos estar procurando por ele durante todo aquele tempo.

Dei um abraço de despedida nela; desejei-lhe felicidades. Falei que queria seu bem. Ela disse as mesmas coisas. Nenhum dos dois se ofereceu para manter contato; ambos, gosto de acreditar, tínhamos respeito demais um pelo outro para fazer aquilo.

Mas, ao longo dos anos, em ocasiões aleatórias, eu tinha notícias dela. Recebia um e-mail que dizia apenas "Vi outra vez", e eu sabia o que ela queria dizer, pois enviava o mesmo tipo de mensagem para ela: "Harvard Square, aprox. 25 anos, 1m88, magrelo, cheirando a maconha." Quando sua filha se formou no colégio, ela me enviou um comunicado, e, depois, outro para o casamento da filha e um terceiro quando seu primeiro neto nasceu.

Eu amo Julia. Ela também era cientista, mas sempre foi tão diferente de Liesl – alegre, ao passo que Liesl era reservada; expressiva, enquanto Liesl era contida e inocente em seus prazeres e seu entusiasmo. Mas, por mais que a ame, por muitos anos uma parte de mim não conseguia deixar de sentir que eu tinha algo mais profundo, mais significativo com Liesl. Tínhamos feito uma pessoa juntos e assistimos à sua morte juntos. Às vezes eu achava que havia algo físico nos conectando, uma longa corda que se esticava entre Boston e Portland: quando ela puxava sua ponta, eu sentia na minha. Aonde quer que ela fosse, aonde quer que eu fosse, haveria sempre aquela corda iluminada e retorcida que esticava e puxava, mas nunca se rompia e, a cada movimento que fazíamos, nos lembrava do que nunca mais teríamos.

—

Depois que eu e Julia decidimos adotá-lo, cerca de seis meses antes de fazermos a proposta a ele, contei tudo a Laurence. Sabia que Laurence gostava bastante dele e o respeitava e achava que ele me fazia bem. Mas eu também sabia que Laurence, sendo do jeito que era, demonstraria cautela.

Foi o que ele fez. Tivemos uma longa conversa.

– Sabe que gosto muito dele – falou –, mas me diga uma coisa, Harold, quanto sabe *de verdade* sobre esse menino?

– Não muito – respondi.

Mas sabia que não se enquadrava nos piores temores de Laurence: sabia que não era ladrão, que não iria nos matar em nossa cama enquanto dormíamos. Laurence também sabia disso.

Obviamente, eu também sabia, sem saber ao certo, sem qualquer prova real, que em algum ponto algo de muito errado acontecera a ele. Na primeira vez que vocês todos foram a Truro, eu desci uma noite até a cozinha e encontrei JB sentado à mesa, desenhando. Sempre achei JB uma pessoa diferente quando estava sozinho, quando sabia que não precisava se exibir. Sentei e olhei o que ele estava esboçando, retratos de todos vocês. Perguntei a ele o que estava estudando na pós-graduação, e ele me falou sobre pessoas cujo trabalho admirava, sendo que três quartos delas eram completamente desconhecidas para mim.

Quando levantei para subir, JB chamou meu nome, e eu voltei.

– Ouça – falou. Parecia constrangido. – Não quero ser grosso nem nada do gênero, mas você devia deixar de fazer tantas perguntas a ele.

Sentei novamente.

– Por quê?

Ele ficou desconfortável, mas foi firme.

– Ele não tem pais – falou. – Não sei quais foram as circunstâncias, mas ele não fala sobre isso nem com a gente. Pelo menos não comigo. – Parou. – Acho que algo horrível aconteceu a ele quando era criança.

– Que tipo de horrível? – perguntei.

Ele balançou a cabeça.

– Não sabemos ao certo, mas achamos que deve ter sofrido algum tipo de abuso físico bem feio. Não percebeu que ele nunca tira a roupa, ou como evita que os outros o toquem? Acho que alguém deve ter batido nele ou... – Parou. JB era amado, era protegido; não teve coragem de especular sobre o que poderia ter vindo depois de *ou*, e eu também não. Mas eu tinha percebido aquilo tudo, é claro. Não fazia aquelas perguntas para deixá-lo desconfortável, mas, mesmo quando vi que aquilo o *deixava* desconfortável, não conseguia parar.

– Harold – dizia Julia quando ele ia embora à noite –, você o está deixando constrangido.

– Eu sei, eu sei – respondia. Sabia que nada de bom se escondia por trás daquele silêncio, e por mais que não quisesse saber o que era, ao mesmo tempo queria.

Cerca de um mês antes da adoção, ele apareceu inesperadamente na minha casa num fim de semana: voltei da minha partida de tênis e o encontrei ali no sofá, dormindo. Queria falar comigo, fora até ali para me confessar algo. Mas, no fim, não conseguiu.

Naquela noite, Andy me ligou em pânico procurando por ele. Quando perguntei por que estava ligando à meia-noite, Andy logo se tornou vago.

– Ele está passando por maus momentos – falou.
– Por causa da adoção? – perguntei.
– Não posso dizer – falou, de modo formal. Como você sabe, a confidencialidade na relação entre médico e paciente era algo a que Andy aderia com irregularidade, mas com grande dedicação quando decidia fazê-lo. Depois você ligou e criou suas próprias histórias vagas.

No dia seguinte, pedi a Laurence que verificasse se ele tinha algum tipo de ficha criminal juvenil em seu nome. Sabia que seria muito improvável que encontrasse algo e, mesmo se isso acontecesse, os arquivos estariam lacrados.

Era verdade o que disse a ele naquele fim de semana: o que quer que tivesse feito, não importava para mim. Eu o conhecia. A pessoa que se tornara era a que importava para mim. Falei a ele que não fazia a menor diferença quem ele fora um dia. Mas é claro que isso foi ingênuo de minha parte: eu adotei a pessoa que ele era, mas junto a ela veio a pessoa que fora antes, e eu não sabia quem aquela pessoa era. Mais tarde, eu me arrependeria por não ter deixado mais claro para ele que aquela outra pessoa, quem quer que fosse, também era alguém que eu queria. Mais tarde, passei a me indagar de maneira incessante sobre como teria sido a vida dele caso eu o tivesse conhecido vinte anos antes, quando ele era apenas um bebê. Ou se não vinte, ao menos dez, ou até cinco anos antes. Quem ele teria sido e quem eu teria sido?

A pesquisa de Laurence não deu em nada, e fiquei ao mesmo tempo aliviado e decepcionado. A adoção aconteceu; foi um dia maravilhoso, um dos melhores. Jamais me arrependi. Mas ser pai dele nunca foi fácil. Ele tinha toda uma série de regras que construíra para si mesmo ao longo das décadas, baseadas em lições que alguém deve lhe ter ensinado – as coisas às quais ele não tinha direito; do que não devia desfrutar; o que não podia almejar ou desejar; o que não devia cobiçar –, e levou alguns anos para que eu descobrisse que regras eram essas, e mais tempo ainda para convencê-lo de que eram falsas. Mas isso foi muito difícil: aquelas eram regras que o ajudaram a sobreviver, regras pelas quais conseguia entender o mundo. Ele era extremamente disciplinado – como era em tudo –, e a disciplina, como o estado de alerta, é uma qualidade quase impossível de convencer alguém a abandonar.

Tão impossível quanto eram as minhas (e as suas) tentativas de fazê-lo abandonar determinadas ideias sobre ele mesmo: sobre sua aparência, sobre o que merecia, sobre seu valor, sobre quem ele era. Ainda não conheci outra pessoa tão perfeita ou rigorosamente bifurcada como ele: alguém que tivesse total confiança em determinados domínios e total descrença em outros. Eu me lembro de assistir-lhe no tribunal um dia e ficar admirado e ao mesmo tempo espantado. Ele defendia uma daquelas companhias farmacêuticas, dedicando a ela uma atenção e uma proteção que lhe renderam notoriedade numa ação federal impulsionada por uma denúncia. Foi uma ação grande, uma ação enorme – faz parte de dezenas de ementas hoje em dia –, mas ele estava calmo, muito calmo; raramente via um advogado calmo daquele jeito. No banco dos réus estava a própria denunciante, uma mulher de meia-idade, e ele foi tão implacável, tão obstinado e tão contundente que o tribunal ficou em silêncio, observando-o. Em nenhum momento levantou a voz ou foi sarcástico, mas pude perceber que ele estava gostando daquilo, que aquele ato em si, de pegar a testemunha em suas inconsistências – que eram sutis, muito sutis, tão sutis que outro advogado talvez nem as percebesse – era algo que o revigorava, que lhe dava prazer. Ele era uma pessoa gentil (mas não consigo mesmo), com uma voz gentil e modos gentis, mas, no tribunal, aquela gentileza ardia em chamas e dava lugar a algo brutal e frio. Isso foi cerca de sete meses após o incidente com Caleb, cinco meses antes do incidente seguinte e, ao vê-lo declamar as próprias declarações da testemunha de volta para ela, com o rosto ainda belo e seguro, continuava a me lembrar dele no carro naquela noite terrível, quando se afastou de mim e protegeu a cabeça com as mãos no momento em que estiquei o braço para tocar seu rosto, como se eu fosse mais uma pessoa que pudesse feri-lo. Sua própria existência era dupla: era um no trabalho e outro fora dele; era uma pessoa naquele momento, e outra, antes; era um no tribunal, e outro, no carro, tão só em seus pensamentos que cheguei a ficar com medo.

Naquela noite, em casa, fiquei andando em círculos, pensando no que acabara de descobrir sobre ele, no que vira, no quanto tive que me controlar para não berrar quando o ouvi dizendo as coisas que ele disse – pior que Caleb, pior do que as palavras de Caleb, foi ouvir que ele acreditava naquilo, que tinha uma visão completamente errada de si mesmo. Acho que sempre soube que ele se sentia daquele jeito, mas ouvi-lo falar aquilo de uma maneira tão prática foi ainda pior do que eu podia ter imaginado. Nunca vou me esquecer de quando disse "quando se tem uma aparência como a minha, você tem de aceitar o que estiver disponível". Nunca vou me esquecer do desespero, da raiva e da desesperança que senti ao ouvir aquilo. Nunca vou me esquecer do seu rosto quando viu Caleb, quando Caleb sentou ao seu lado, e não fui rápido o bastante para entender o que estava acontecendo. Como você pode se considerar um pai se o seu filho se sente daquela maneira em relação a si mesmo? Nunca conseguiria me readaptar àquilo. Suponho, já que nunca havia criado um filho adulto, que nunca imaginara como seria. Não me arrependi da minha escolha: apenas me senti estúpido e inadequado por não ter refletido sobre esse aspecto antes. Afinal, eu fui um adulto que tinha um pai e que recorria a ele constantemente.

Telefonei para Julia, que estava em Santa Fé para uma conferência sobre novas doenças, contei o que acontecera e ela soltou um suspiro longo e triste.

– Harold – começou ela, mas logo em seguida parou. Havíamos conversado sobre como teria sido a vida dele antes de nós e, embora ambos estivéssemos errados, os palpites dela foram mais precisos que os meus, ainda que na época eu os tenha achado ridículos, impossíveis.

– Eu sei – falei.

– Precisa ligar para ele.

Mas eu havia tentado. Liguei e liguei, e o telefone tocou e tocou.

Naquela noite, fiquei acordado na cama, alternando-me entre preocupação e os tipos de fantasias que os homens têm: armas, assassinos de aluguel, vingança. Sonhei acordado em telefonar para o primo de Gillian, que era detetive policial em Nova York, e fazer com que Caleb Porter fosse preso. Sonhei em ligar para você, e você, Andy e eu invadiríamos seu apartamento e o mataríamos.

Saí de casa cedo na manhã seguinte, antes das oito. Comprei bagels e suco de laranja e fui até Greene Street. Era um dia cinzento, encharcado e úmido, e toquei o interfone três vezes, cada uma delas por vários segundos, antes de recuar até o meio-fio e olhar para o sexto andar.

Estava prestes a tocar outra vez quando ouvi a voz dele pelo interfone.

– Quem é?

– Sou eu – falei. – Posso subir? – Nenhuma resposta. – Queria me desculpar – falei. – Preciso ver você. Trouxe bagels.

Mais uma vez, silêncio.

– Alô? – chamei.

– Harold – disse ele, e notei que sua voz estava estranha. Abafada, como se tivessem surgido novos dentes na boca e estivesse falando em meio a eles. – Se eu deixar você subir, promete que não vai se zangar e começar a gritar?

Naquele momento, fui eu quem fiquei em silêncio. Não sabia o que aquilo significava.

– Sim – falei, e depois de um segundo ou dois, a porta se abriu com um clique.

Saí do elevador e por um minuto não vi nada, a não ser aquele lindo apartamento com suas paredes de luz. Foi então que ouvi meu nome e, olhando para baixo, o vi.

Quase deixei cair os bagels. Senti meus braços e minhas pernas virarem pedra. Ele estava sentado no chão, mas apoiado na mão direita e, quando me ajoelhei ao seu lado, ele virou a cabeça e levantou a mão esquerda diante do rosto, como se quisesse se proteger.

– Ele pegou as chaves sobressalentes – falou, com o rosto tão inchado que os lábios mal tinham espaço para se mover. – Quando voltei ontem à noite, ele estava aqui.

Foi então que virou para mim, e seu rosto parecia um animal esfolado, virado pelo avesso e deixado no calor, com os órgãos se derretendo numa só massa de carne: tudo o que conseguia ver dos olhos dele eram as longas fileiras de cílios, uma mancha preta pressionando as bochechas, que tinham uma horrível coloração azul, um azul de algo podre, de mofo. Pensei que talvez estivesse chorando, mas ele nunca chorava.

– Desculpe, Harold, desculpe.

Precisei me controlar para não gritar – não com ele, mas simplesmente para expressar algo que não conseguia dizer – antes de começar a falar.

– Vamos dar um jeito em você – falei. – Vamos chamar a polícia, e depois...

– Não – disse ele. – Nada de polícia.

– Mas precisamos – falei. – Jude. Você precisa fazer isso.

– Não – repetiu ele. – Não vou dar queixa. Não consigo – respirou fundo –, não consigo passar por essa humilhação. Não consigo.

– Tudo bem – falei, pensando em conversar melhor com ele sobre isso mais tarde. – Mas e se ele voltar?

Ele balançou a cabeça, de leve.

– Não vai – falou, em sua nova voz abafada.

Estava começando a me sentir desnorteado pelo esforço de suprimir a vontade de sair em busca de Caleb e matá-lo, o esforço em aceitar que alguém tivesse feito aquilo a ele, e por vê-lo, aquela pessoa tão digna, que sempre fazia tudo para se mostrar composto e arrumado, de uma maneira tão castigada, tão indefesa.

– Onde está sua cadeira? – perguntei.

Ele emitiu um som como um balido e disse algo com a voz tão baixa que precisei pedir que repetisse, embora pudesse ver quanta dor sentia ao falar.

– No pé da escada – disse finalmente, e dessa vez tive certeza de que estava chorando, embora nem conseguisse abrir os olhos para as lágrimas passarem. Ele começou a tremer.

Àquela altura, eu também estava tremendo. Deixei-o ali, sentado no chão, e fui buscar a cadeira de rodas, que fora jogada escada abaixo com tanta força que batera na parede mais distante e fora parar no meio do caminho para o quarto andar. Voltando para perto dele, percebi que o chão estava pegajoso e vi uma enorme poça brilhosa de vômito próximo à mesa da sala de jantar, já coagulada.

– Apoie o braço nos meus ombros – falei, e ele obedeceu. Quando o levantei, ele soltou um grito. Pedi desculpas e o ajeitei na cadeira. Ao fazê--lo, percebi que a parte de trás da camisa – vestia um daqueles agasalhos térmicos cinza que gostava de usar para dormir – estava ensanguentada, com sangue novo e velho, e a parte de trás das calças também estava ensanguentada.

Afastei-me dele e telefonei para Andy, dizendo que era uma emergência. Tive sorte: Andy ficara na cidade naquele fim de semana e concordou em nos encontrar em seu consultório em vinte minutos.

Seguimos até lá. Ajudei-o a sair do carro – parecia não querer usar o braço esquerdo, e, quando o coloquei de pé, ele manteve a perna direita no ar para não tocar o chão e soltou um barulho estranho, como um pássaro, no momento em que abracei seu peito para sentá-lo na cadeira. Quando Andy abriu a porta e o viu, pensei que ele fosse vomitar.

– Jude – disse Andy quando recuperou a fala, agachando ao seu lado, mas ele não respondeu.

Depois que o instalamos na sala de exames, conversamos na recepção. Contei a ele sobre Caleb. Contei o que imaginava ter acontecido. Contei o que me parecia estar pior: achava que tinha quebrado o braço esquerdo, que havia algo de errado com a perna direita, que ele estava sangrando e onde, que o piso do apartamento estava cheio de sangue. Contei que ele não queria dar queixa à polícia.

– Tudo bem – disse Andy. Pude perceber que estava em choque. Continuava a engolir em seco. – Tudo bem, tudo bem. – Parou e esfregou os olhos. – Você poderia esperar aqui um tempinho?

Andy voltou da sala de exames quarenta minutos depois.

– Vou levá-lo ao hospital para tirar alguns raios X – falou. – Tenho quase certeza de que quebrou o pulso esquerdo e algumas das costelas. E se a perna estiver... – Parou. – Se estiver, será um grande problema – disse. Parecia ter se esquecido de que eu estava à sua frente. Depois voltou a si. – É melhor você ir para casa. Ligo quando estiver quase acabando.

– Vou junto – falei.

– Não, Harold – disse ele. E, em seguida, com mais sutileza: – Você precisa ligar para o escritório dele. Não existe a menor possibilidade de ele trabalhar esta semana. – Andy fez uma pausa. – Ele falou... falou que é para você dizer que ele sofreu um acidente de carro.

Quando eu estava saindo, Andy falou, em voz baixa:

– Ele me disse que estava jogando tênis.

– Eu sei – respondi. Naquele momento me senti mal por nós dois, por termos sido tão burros. – Também foi o que disse para mim.

Voltei a Greene Street com as chaves dele. Fiquei parado na porta por um bom tempo, por longos minutos, olhando para todo aquele espaço. Parte das nuvens havia se dissipado, mas não era preciso muito sol – mesmo com as persianas fechadas – para o apartamento se encher de luz. Sempre o considerei um lugar esperançoso, com seus tetos altos, sua limpeza, sua visibilidade, sua promessa de transparência.

Aquele era o apartamento dele, então, obviamente, havia milhares de produtos de limpeza. Comecei a limpar. Esfreguei os pisos; as áreas viscosas eram de sangue seco. Era difícil distinguir porque os pisos eram escuros, mas dava para sentir o cheiro, um odor denso e forte que o nariz logo reconhece. Ele havia claramente tentado limpar o banheiro, mas ali também dava para ver marcas de sangue no mármore, que, seco, lembrava o tom rosa-ferrugem do pôr do sol; aquelas foram mais difíceis de tirar, mas fiz o melhor que pude. Revirei as latas de lixo – em busca de provas, suponho, mas não encontrei nada: estavam todas limpas e vazias. As roupas que usara na noite anterior estavam espalhadas próximo ao sofá da sala de estar. A camisa estava tão rasgada, praticamente esfarrapada, que tive de jogar fora; levei o terno para ser lavado a seco. A não ser por isso, o apartamento estava bem-arrumado. Eu entrara no quarto com um certo medo, esperando encontrar abajures quebrados, roupas por todos os lados, mas estava tudo tão organizado que dava para pensar que ninguém vivia ali, que era uma casa-mostruário, uma propaganda de uma vida invejável. A pessoa que morava ali deveria dar festas, não teria preocupações, seria confiante, e, à noite, abriria as persianas e dançaria com os amigos, enquanto as pessoas passando por Greene Street e por Mercer Street olhariam para o alto, na direção daquela caixa de luz flutuando no céu, e imaginariam seus habitantes livres de qualquer infelicidade, medo ou preocupação.

    Enviei um e-mail a Lucien, a quem havia encontrado uma vez antes, e que, por acaso, era amigo de um amigo de Laurence, contando que Jude se envolvera num acidente de carro grave e estava no hospital. Fui ao mercado e comprei coisas que ele poderia comer com facilidade: sopas, pudins, sucos. Procurei o endereço de Caleb Porter e o repeti para mim mesmo – rua 29 oeste, número 50, apartamento 17J – até decorá-lo. Liguei para o chaveiro e disse que era uma emergência, que precisava trocar todas as fechaduras: da porta da frente, do elevador, do apartamento. Abri todas as janelas para deixar o ar úmido levar embora o cheiro de sangue, de desinfetante. Deixei uma mensagem com a secretária da faculdade de direito dizendo que precisava cuidar de uma emergência familiar e não poderia dar aula aquela semana. Deixei mensagens para alguns colegas perguntando se podiam me substituir. Pensei em telefonar para um velho amigo da faculdade de direito, que trabalhava na Promotoria Pública. Explicaria o que acontecera, mas sem citar seu nome. Perguntaria o que poderia ser feito para que Caleb Porter fosse preso.

    – Mas você está me dizendo que a vítima não irá prestar queixa? – diria Avi.

– Bem, sim – teria de admitir.
– E daria para fazê-la mudar de ideia?
– Acho que não – teria de admitir.
– Bem, Harold – diria Avi, perplexo e irritado. – Não sei o que dizer, então. Você sabe tão bem quanto eu que não posso fazer nada se a vítima se recusar a depor.

Lembro-me de ter pensado, como eu raramente pensava, sobre como a lei era uma coisa frágil, como dependia de contingências, como era um sistema que oferecia tão pouco conforto, apresentava tão pouca utilidade, àqueles que mais precisavam de sua proteção.

Depois fui até o banheiro e tateei debaixo da pia, onde encontrei seu estojo de lâminas e bolas de algodão. Joguei tudo no incinerador. Detestava aquele estojo, detestava saber que o encontraria.

Sete anos antes, ele fora à casa de Truro no início de maio. Fora uma visita espontânea: eu estava lá tentando escrever, as passagens estavam baratas, convidei-o para ir me ver e, para minha surpresa – ele nunca deixava o escritório da Rosen Pritchard, mesmo naquela época –, ele apareceu. Estava feliz naquele dia, e eu também fiquei. Deixei-o fatiando um repolho roxo na cozinha e subi com o encanador, que estava instalando um novo vaso sanitário no nosso banheiro, e depois que acabou, perguntei se podia dar uma olhada na pia do banheiro de baixo, no quarto de Jude, que estava vazando.

Ele respondeu que sim. Apertou uma coisa aqui, trocou outra coisa ali e então, quando estava saindo do banheiro, me deu algo.

– Achei isso preso com fita debaixo da pia – falou.
– O que é? – perguntei, pegando o embrulho das mãos dele.
Ele deu de ombros.
– Sei lá. Mas estava bem preso, com fita isolante.

Ele guardou suas ferramentas enquanto fiquei ali parado, em silêncio, encarando o estojo, e então acenou para mim e foi embora; também pude ouvir quando ele se despediu de Jude ao sair, assoviando.

Olhei para o estojo. Era um estojo normal, pequeno, de plástico transparente. Dentro dele encontrei uma caixa com dez lâminas, lenços de papel umedecidos com álcool em embalagens individuais, pedaços de gaze dobrados em quadrados e ataduras. Fiquei ali parado, segurando o estojo, e soube para que servia, por mais que nunca tivesse visto qualquer prova e, na verdade, nunca tivesse visto nada naquele sentido. Mas eu sabia.

Fui até a cozinha e lá estava ele, lavando uma bacia de batatas bolinhas, ainda feliz. Até cantarolava algo, bem baixinho, o que só fazia quando estava muito alegre, como um gato ronrona para si mesmo quando está sozinho no sol.

– Devia ter me falado que precisava de ajuda para instalar o vaso – falou, sem levantar a cabeça. – Eu podia ter cuidado disso, e você economizaria um dinheiro.

Ele sabia como mexer com todas aquelas coisas: encanamentos, circuitos elétricos, carpintaria, jardinagem. Uma vez fomos à casa de Laurence para que ele pudesse lhe explicar como desenterrar de maneira segura a jovem macieira de um canto do quintal para replantá-la em outro, onde receberia mais sol.

Fiquei um tempo ali, observando-o. Sentia tantas coisas ao mesmo tempo que, juntas, elas se combinavam para formar um nada, um torpor, uma ausência de sentimentos causada por um excesso de sentimentos.

– O que é isto? – perguntei, estendendo o estojo à frente dele.

Ele ficou completamente imóvel, com a mão suspensa sobre a bacia, e me lembro de que vi as pequenas gotas de água se juntarem nas pontas de seus dedos e pingarem. Parecia que tinha se cortado com a faca e estava sangrando água. Ele abriu a boca e logo em seguida a fechou.

– Desculpe, Harold – disse, com a voz bem baixa. Abaixou a mão e as secou, lentamente, no pano de prato.

Aquilo me deixou com raiva.

– Não estou pedindo para se desculpar, Jude – falei. – Estou perguntando o que é isto. E não diga que é um estojo com lâminas dentro. O que é isto? Por que estava preso debaixo da sua pia?

Ele me encarou por um longo tempo com aquele olhar – sei que você sabe de qual olhar estou falando –, aquele que nos permitia enxergá-lo se afastando, mesmo que ele continuasse a olhar na sua direção; dava para ver seus portões sendo fechados e trancados, as pontes sendo içadas sobre o fosso.

– Você sabe o que é – disse finalmente, ainda com a voz baixa.

– Quero ouvir da sua boca – falei.

– Eu preciso dele – disse.

– Me diga o que faz com isto – falei, encarando-o.

Ele abaixou a cabeça para a bacia de batatas.

– Às vezes preciso me cortar – falou, rompendo o silêncio. – Desculpe, Harold.

E então, de repente, entrei em pânico, e meu medo me deixou irracional.

– Que porra isso quer dizer? – perguntei. Talvez tenha chegado a gritar.

Ele foi andando para trás, na direção da pia, aumentando a distância como se eu pudesse me jogar em cima dele.

– Não sei – falou. – Desculpe, Harold.

– O que às vezes significa? – perguntei.

Ele também estava entrando em pânico, pude perceber.

– Não sei – disse. – Varia.

– Bom, faça uma estimativa. Me dê uma média.

– Não sei – falou, desesperado. – Não sei. Algumas vezes por semana, acho.

– Algumas vezes por *semana*! – falei, e então parei. Tinha de sair dali. Peguei meu casaco na cadeira e enfiei o estojo no bolso interno. – É melhor você estar aqui quando eu voltar – falei, e saí. (Ele era fujão: sempre que achava que Julia ou eu estávamos chateados com ele, tentava sair da nossa frente o mais rápido possível, como se fosse um objeto ofensivo que precisasse ser removido.)

Desci a escada e fui até a praia. Depois andei pelas dunas, sentindo o tipo de raiva que vem quando percebemos nossa completa inadequação, a certeza de que estamos agindo errado. Foi a primeira vez que entendi que, por mais que ele fosse duas pessoas na nossa frente, também éramos duas pessoas na frente dele: víamos dele só o que queríamos, e permitíamos a nós mesmos ignorar o resto. Estávamos tão despreparados. É fácil com a maioria das pessoas: a infelicidade delas é a nossa infelicidade, suas mágoas são compreensíveis, seus ataques de autodepreciação são rápidos e podem ser discutidos. Mas os dele, não. Não sabíamos como ajudá-lo, pois nos faltava a imaginação necessária para diagnosticar os problemas. Mas isso são apenas desculpas.

Quando voltei para casa, já estava quase escuro, e observei pela janela sua silhueta se movendo pela cozinha. Sentei numa cadeira na varanda e desejei que Julia estivesse ali e não na Inglaterra com o pai.

A porta se abriu.

– O jantar está pronto – falou, com a voz baixa. Levantei e entrei.

Ele tinha preparado um dos meus pratos preferidos: o robalo que eu havia comprado no dia anterior, escaldado, e batatas assadas do jeito que ele sabia que eu adorava, cheias de tomilho e cenouras, e uma salada de repolho, na qual eu tinha certeza de que encontraria o molho com grãos de mostarda que eu amava. Mas não estava com apetite para comer nada daquilo. Ele me serviu, depois a si mesmo, e sentou.

– Parece fantástico – falei. – Obrigado por preparar tudo isso.

Ele assentiu com a cabeça. Olhamos para nossos pratos, para a bela refeição que nenhum dos dois iria tocar.

– Jude – falei –, gostaria de me desculpar. Sinto muito, muito mesmo. Não deveria ter ido embora e deixado você para trás daquele jeito.

– Tudo bem – disse ele. – Eu entendo.

– Não – falei. – Foi errado de minha parte. Eu fiquei tão nervoso.

Ele voltou a olhar para baixo.

– Sabe por que fiquei nervoso? – perguntei.

– Porque – começou ele –, porque eu trouxe aquilo para a sua casa.

– Não – falei. – Não é por isso. Jude, esta casa não é só minha, ou de Julia; ela é sua também. Quero que se sinta à vontade para trazer para cá qualquer coisa que teria em casa. Estou chateado porque você está fazendo essa coisa horrível a si mesmo.

Ele não levantou a cabeça.

– Seus amigos sabem que você faz isso? Andy sabe?

Fez um aceno sutil com a cabeça.

– Willem sabe – falou, com a voz baixa. – E Andy.

– E o que Andy tem a dizer sobre isso? – perguntei, pensando, "Droga, Andy".

– Ele diz... ele diz que eu devia procurar um terapeuta.

– E você procurou um? – Ele balançou a cabeça e senti a raiva despertando dentro de mim outra vez. – Por que não? – perguntei, mas ele não disse nada. – Você tem um estojo igual a esse em Cambridge? – falei e, depois de ficar um tempo em silêncio, ele ergueu o olhar para mim e assentiu com a cabeça.

– Jude – falei –, por que faz isso a si mesmo?

Ele ficou quieto por um longo período, e eu também. Fiquei ouvindo o mar. Até que, finalmente, disse:

– Tenho alguns motivos.

– Como o quê?

– Às vezes é porque me sinto tão mal, ou com tanta vergonha, e preciso tornar físico o que estou sentindo – começou, dando uma olhada para mim antes de baixar o olhar novamente. – E às vezes é porque sinto um monte de coisas e preciso não sentir nada. Isso ajuda a fazer tudo ir embora. E às vezes é porque estou feliz e tenho de lembrar a mim mesmo que não deveria me sentir assim.

– Por quê? – perguntei quando recuperei a fala. Ele apenas balançou a cabeça e ficou em silêncio e eu também não falei.

Ele respirou fundo.

– Ouça – falou de repente, com firmeza, olhando diretamente para mim –, se quiser anular a adoção, eu vou entender.

Fiquei tão estupefato que senti raiva – aquilo nem passara pela minha cabeça. Estava prestes a rosnar alguma coisa quando olhei para ele, e vi como estava tentando ser corajoso, como estava aterrorizado: ele realmente pensava que eu poderia querer fazer aquilo. Ele realmente compreenderia se eu o fizesse. Estava esperando aquilo. Depois, percebi que naqueles anos seguintes à adoção ele estava sempre se perguntando o quão permanente ela era, sempre se perguntando no que acabaria fazendo para que eu o renegasse.

– Eu nunca faria isso – falei, com o máximo de firmeza possível.

Naquela noite, tentei conversar com ele. Estava com vergonha do que fizera, isso era claro, mas realmente não entendia por que eu me importava tanto, por que aquilo chateava tanto a mim, a você e a Andy.

– Não é fatal – continuava a dizer, como se aquele fosse o problema. – Eu sei como controlar.

Ele não queria procurar um terapeuta, mas não me dizia por quê. Odiava se cortar, dava para ver, mas também não conseguia conceber a vida sem aquilo.

– Eu preciso – continuava a dizer. – Eu preciso. Fazer isso deixa tudo certo.

Mas, com certeza, falei para ele, houve um período na sua vida em que você *não* fazia isso, não é?, e ele balançou a cabeça.

– Eu preciso – repetiu. – Isso me ajuda, Harold, você tem de acreditar em mim.

– *Por que* você precisa? – perguntei.

Ele balançou a cabeça.

– Isso me ajuda a controlar minha vida – disse.
No fim, não havia mais nada que eu pudesse dizer.
– Vou ficar com isto – falei, mostrando o estojo, e ele estremeceu, mas concordou. – Jude – chamei, e ele olhou para mim. – Se eu jogar isto fora, você vai fazer outro?
Ele ficou em absoluto silêncio, olhando para o prato.
– Sim – respondeu.
De qualquer forma, joguei o estojo fora, é claro, empurrando-o bem para o fundo de um saco de lixo, que levei até a lata no fim da rua. Limpamos a cozinha em silêncio – ambos estávamos exaustos e não havíamos comido nada –, e depois ele foi para a cama e eu fiz o mesmo. Naqueles dias, ainda tentava respeitar o espaço pessoal dele. Caso contrário, eu o teria agarrado e segurado, mas não o fiz.

Mas, enquanto estava deitado na cama, acordado, pensei nele, em seus longos dedos ansiando pelo corte da lâmina, e então desci até a cozinha. Peguei a bacia grande na gaveta debaixo do forno e comecei a colocar nela todos os objetos afiados que consegui encontrar: facas, tesouras, saca-rolhas, garfos de lagosta. Depois levei tudo comigo até a sala de estar, onde sentei em minha poltrona, aquela virada para o mar, abraçando a bacia junto ao corpo.

Acordei com um rangido. As tábuas do piso da cozinha eram ruidosas, e eu me ajeitei na cadeira, no escuro, forçando-me a ficar em silêncio, e ouvi seus passos, a pisada leve característica do pé esquerdo seguida pelo arrastar do direito, e então uma gaveta abrindo e, alguns segundos depois, fechando. Em seguida, mais uma gaveta, e mais uma, até ter aberto e fechado todas as gavetas, todos os armários. Não acendera a luz – o luar iluminava tudo –, e pude enxergá-lo parado naquele novo mundo sem objetos cortantes que era a cozinha, entendendo que eu havia tirado tudo dele: pegara até os garfos. Continuei sentado, prendendo a respiração, ouvindo o silêncio da cozinha. Por um momento, foi como se estivéssemos conversando, uma conversa sem palavras ou sem contato visual. Até que por fim eu o ouvi dar meia-volta e seus passos se distanciarem, voltando para o quarto.

Quando voltei para Cambridge na noite seguinte, fui ao banheiro dele e encontrei outro estojo, uma cópia do que havia em Truro, e o joguei fora. Nunca mais voltei a encontrar um estojo daqueles, em Cambridge ou em Truro. Ele deve ter achado outro lugar para escondê-los, um lugar que nunca descobri, pois não podia andar para cima e para baixo com aquelas lâminas no avião. Mas, sempre que ia a Greene Street, eu dava um jeito de me esgueirar até o banheiro. Ali ele deixava o estojo no mesmo esconderijo de sempre, e toda vez eu o roubava, enfiava no bolso e jogava fora quando ia embora. Ele devia saber que eu fazia isso, é claro, mas nunca tocamos no assunto. O estojo sempre era substituído. Até ele descobrir que tinha que o esconder de você também, não houve uma só vez que eu o tenha procurado e não o tenha achado. Mesmo assim, nunca parei de verificar: sempre que visitava seu apartamento, ou, depois, a casa no norte do estado, ou o apartamento em Londres, eu ia até o banheiro e procurava o estojo. Nunca mais o achei. Os banheiros projetados por Malcolm eram tão simples, com suas linhas precisas, mas ainda assim ele encontrara um esconderijo, um lugar que eu nunca voltaria a descobrir.

Ao longo dos anos, tentei conversar com ele sobre o assunto. No dia seguinte depois de ter encontrado o primeiro estojo, liguei para Andy e comecei a gritar com ele, que, atipicamente, permitiu.

– Eu sei – falou. – Eu sei. – E então: – Harold, não estou fazendo esta pergunta de maneira retórica ou sarcástica. Quero que me diga: o que devo fazer? – E eu, obviamente, não sabia o que responder.

Você foi o que chegou mais longe com ele. Mas eu sei que você se culpava. Eu também me culpava. Porque fiz algo pior que aceitar: eu tolerei. Escolhi esquecer que ele fazia aquilo, pois era difícil demais encontrar uma solução, e também porque queria apreciá-lo como a pessoa que ele queria que víssemos, por mais que eu soubesse que as coisas não eram bem assim. Disse a mim mesmo que estava permitindo que ele mantivesse sua dignidade, ao mesmo tempo escolhendo esquecer que, por milhares de noites, ele a sacrificava. Eu o reprimia e tentava argumentar, mas sabia que aqueles métodos não funcionavam e, mesmo assim, não tentei nada diferente: algo mais radical, algo que talvez me afastasse dele. Eu sabia que estava sendo covarde, pois nunca contei a Julia sobre o estojo, nunca contei a ela sobre o que havia descoberto sobre ele naquela noite em Truro. No fim, ela acabou descobrindo, e foi uma das pouquíssimas vezes que a vi irritada daquela maneira.

– Como pôde permitir que isso continuasse a acontecer? – me perguntou. – Como pôde deixar que continuasse por tanto tempo?

Ela nunca me culpou diretamente por aquilo, mas eu sabia que se sentia assim, e como poderia ser diferente? Eu sentia o mesmo.

E agora ali estava eu, no apartamento dele, onde algumas horas antes, enquanto eu estava na minha cama, acordado, ele estava sendo espancado. Sentei no sofá com o telefone na mão para esperar a ligação de Andy, dizendo que ele estava pronto para voltar para mim, pronto para ser deixado aos meus cuidados. Abri a persiana de frente para mim, sentei novamente e fiquei encarando o céu metálico, vendo uma nuvem se misturar a outra, até não conseguir enxergar mais nada, apenas uma névoa cinza, enquanto o dia lentamente se transformava em noite.

—

Andy telefonou às seis naquela noite, nove horas depois que eu o deixara, e me encontrou na porta.

– Ele está dormindo na sala de exames – falou. E em seguida: – Quebrou o pulso esquerdo, quatro costelas e, graças a *deus*, não quebrou nenhum osso das pernas. Nenhum sinal de concussão também, ainda bem. Fraturou o cóccix. Deslocou o ombro, mas já coloquei de volta no lugar. Tem hematomas nas costas inteiras e no torso; claramente, levou alguns chutes. Mas não havia hemorragia interna. O rosto parece pior do que está na verdade: os olhos e o nariz estão bem, não há nada quebrado, e apliquei gelo nos hematomas, o que você também terá de fazer regularmente.

"Há cortes nas pernas. Essa é minha maior preocupação. Prescrevi alguns antibióticos; vou começar dando a ele uma dosagem baixa como medida preventiva, mas, se ele disser que está se sentindo quente, ou frio, me avise na mesma hora. A última coisa de que ele precisa agora é uma infecção nas pernas. As costas estão lascadas..."

– O que quer dizer com "lascadas"? – perguntei.

Ele pareceu sem paciência.

– Esfoladas – falou. – Ele foi açoitado, provavelmente com um cinto, mas não quis me contar. Eu as enfaixei, mas vou lhe dar uma pomada anti-inflamatória e você vai precisar manter as feridas limpas e trocar o curativo a partir de amanhã. Ele não vai querer que você faça isso, mas foda-se. Anotei todas as instruções aqui.

Andy me passou uma sacola de plástico; olhei o que tinha dentro: frascos de comprimidos, rolos de ataduras, tubos de pomadas.

– Isto aqui – disse Andy, pegando algo – são analgésicos. Ele os detesta. Mas vai precisar tomar; faça com que tome um comprimido a cada doze horas: uma vez de manhã, a outra à noite. Vão deixá-lo desnorteado, então não permita que saia sozinho ou pegue peso. Também vão provocar náuseas, mas você tem que fazer com que ele coma: algo simples, como arroz e sopa. Tente fazer com que fique na cadeira de rodas; ele não vai querer se movimentar muito, de qualquer forma.

"Telefonei para o dentista dele e marquei uma consulta para segunda-feira às nove; ele perdeu dois dentes. O mais importante é que durma o máximo que puder; vou passar no apartamento amanhã à tarde e depois todo dia da semana à noite. *Não deixe ele ir para o trabalho, embora... eu não ache que ele vá querer.*"

Ele parou tão abruptamente quanto começara, e nós dois ficamos ali em silêncio.

– Não acredito numa porra dessas – finalmente disse Andy. – Aquele babaca do caralho. Quero encontrar esse merda e matá-lo.

– Eu sei – falei. – Eu também.

Andy balançou a cabeça.

– Ele não quis deixar que eu o denunciasse – falou. – Cheguei a implorar.

– Eu sei – falei. – Eu também.

Fiquei novamente chocado ao vê-lo, e ele balançou a cabeça quando tentei ajudá-lo a sentar na cadeira. Ficamos parados e o observamos se ajeitar no assento, ainda com as mesmas roupas manchadas, com o sangue parecendo continentes enferrujados.

– Obrigado, Andy – disse, bem baixinho. – Desculpe.

Andy colocou a palma da mão em sua cabeça e não disse nada.

Quando chegamos a Greene Street, já estava escuro. A cadeira de rodas dele, como você sabe, era daquelas bem leves, elegantes, que transmitia uma autossuficiência tão forte por parte do usuário que não havia nem alças, pois presumia que a pessoa sentada nela nunca se permitiria a indignidade de ser empurrada por outra. Era preciso segurar a parte de cima do encosto, que era bem baixo, e guiar a cadeira daquela forma. Parei na porta da entrada para acender as luzes, e nós dois piscamos os olhos.

– Você limpou a casa – disse ele.

– Bem, sim – respondi. – Mas não tão bem quanto você teria limpado, receio.

– Obrigado – falou.

– De nada – disse. Ficamos em silêncio. – Por que não vamos ali para eu ajudar você a trocar de roupa e depois comemos alguma coisa?
Ele balançou a cabeça.
– Não, obrigado. Não estou com fome. E posso me trocar sozinho.

Agora ele estava reprimido, controlado: a pessoa que vira antes desaparecera, enjaulada uma vez mais em seu labirinto em algum sótão apertado. Ele sempre foi educado, mas, quando tentava se proteger ou reforçar sua competência, tornava-se ainda mais: educado e levemente distante, como se fosse um explorador diante de uma tribo perigosa, e tomasse cuidado para não se envolver demais nas atividades dela.

Por dentro, soltei um suspiro, e o levei ao quarto; falei que estaria ali perto se precisasse de mim, e ele acenou com a cabeça. Sentei no chão do lado de fora da porta fechada e esperei: ouvi as torneiras abrirem e fecharem e, depois, seus passos, depois um longo período de silêncio e então o suspiro da cama quando sentou nela.

Quando entrei, ele estava debaixo das cobertas. Sentei ao lado dele, na beirada da cama.

– Tem certeza de que não quer comer nada? – perguntei.

– Sim – respondeu, e, depois de uma pausa, olhou para mim. Agora já conseguia abrir os olhos e, contrastando com o branco dos lençóis, ele tinha as cores barrosas e fecundas da camuflagem: o verde-selva de seus olhos, as listras douradas e castanhas dos cabelos, e o rosto, menos azulado do que naquela manhã, agora assumindo um tom bronzeado, escuro e difuso. – Harold, desculpe – falou. – Desculpe por ter gritado com você ontem à noite, desculpe por causar tantos problemas. Desculpe por...

– Jude – eu o interrompi –, não precisa se desculpar. *Eu* quero pedir desculpa. Queria poder tornar tudo melhor para você.

Ele fechou os olhos e depois os abriu, desviando o olhar de mim.

– Estou me sentindo tão envergonhado – falou, com a voz baixa.

Acariciei seus cabelos, e ele deixou.

– Não precisa ficar assim – falei. – Você não fez nada de errado. – Eu queria chorar, mas achei que ele fosse chorar e, se ele quisesse, eu tentaria me conter. – Sabe disso, não sabe? – perguntei. – Sabe que não é culpa sua, que você não merecia nada disso? – Ele não respondeu, então continuei fazendo perguntas e mais perguntas, até ele finalmente concordar levemente com a cabeça. – Você sabe que aquele cara é um puta de um

babaca, não sabe? – perguntei, e ele virou o rosto. – Sabe que você não tem culpa de nada, não sabe? – perguntei. – Sabe que isso não influencia em nada quem você é e o seu valor?
– Harold – disse ele. – Por favor.
Parei de falar, mas, na verdade, devia ter continuado.
Ficamos em silêncio por um tempo.
– Posso fazer uma pergunta? – falei e, depois de um segundo ou dois, ele acenou com a cabeça outra vez. Eu nem sabia o que ia falar até estar falando e, enquanto falava, não sabia de onde vinham as palavras, se não de uma parte de mim que, acredito, sempre soube, mas nunca quis perguntar, pois tinha pavor do que ele pudesse responder: sabia o que ele diria e não queria ouvir. – Você foi molestado sexualmente quando era criança?
Pude sentir, mais do que propriamente ver, seu corpo enrijecer. Ele estremeceu sob a minha mão. Ainda não tinha olhado para mim e, naquele momento, virou sobre o lado esquerdo, colocando o braço enfaixado sobre o travesseiro ao seu lado.
– Cristo, Harold – finalmente disse.
Recolhi a mão.
– Quantos anos tinha quando isso aconteceu? – perguntei.
Fez-se um silêncio e ele então enfiou o rosto no travesseiro.
– Harold – falou –, estou muito cansado. Preciso dormir.
Coloquei a mão no ombro dele, que saltou, mas me mantive firme. Podia sentir seus músculos retesarem debaixo da minha palma, podia senti-lo estremecer.
– Está tudo bem – falei. – Não tem nada do que se envergonhar. Não é culpa sua, Jude, está me entendendo?
Mas ele fingia dormir, embora eu ainda pudesse sentir aquela vibração, e tudo em seu corpo estava alerta e alarmado.
Continuei sentado ali por mais um tempo, observando-o se manter rígido. Até que saí, fechando a porta atrás de mim.
Passei a semana no apartamento dele. Você telefonou naquela noite e eu atendi e menti, contei alguma baboseira sobre um acidente, senti a preocupação na sua voz e tive uma vontade enorme de lhe dizer a verdade. No dia seguinte, você ligou de novo e eu fiquei escutando do lado de fora do quarto enquanto ele também mentia:
– Foi um acidente de carro. Não. Não, nada sério. O quê? Eu tinha ido passar o fim de semana na casa de Richard. Dormi no volante e bati

numa árvore. Não sei, eu estava cansado. Tenho trabalhado muito. Não, era alugado. Porque o meu está na oficina. Não é nada de mais. Não, vou ficar bem. Não, você conhece Harold... ele está exagerando. Eu prometo. Eu juro. Não, ele está em Roma e só volta no fim do mês que vem. Willem: eu prometo. Estou bem! Pode deixar. Eu sei. Pode deixar. Eu prometo; vou fazer isso. Você também. Tchau.

Na maior parte do tempo, ele se mostrou dócil, tranquilo. Tomava sua sopa todas as manhãs, tomava os remédios. Eles o deixavam lerdo. Toda manhã trabalhava no escritório de casa, mas às onze já estava no sofá, dormindo. Passava a hora do almoço e a tarde inteira dormindo. Eu só o acordava para o jantar. Você telefonava toda noite. Julia também ligava para ele; eu sempre tentava espionar, mas não conseguia ouvir muito da conversa. Só sei que ele não falava muito, o que significava que Julia devia estar falando bastante. Malcolm foi visitá-lo várias vezes, e os Henry Youngs, Elijah e Rhodes também estiveram por lá. JB mandou um desenho de uma íris; nunca soube que ele desenhava flores. Ele me enfrentou, como havia previsto Andy, na questão dos curativos nas pernas e nas costas, as quais não me deixava ver, independentemente do quanto eu insistisse e gritasse. O único que podia fazer isso era Andy, que falou para ele:

– Vai precisar ir ao meu consultório a cada dois dias para que eu troque os curativos. Estou falando sério.

– Tudo bem – resmungou.

Lucien foi visitá-lo, mas o encontrou dormindo em seu escritório.

– Não o acorde – falou, e em seguida, olhando para ele: – Jesus.

Conversamos um pouco, e ele me disse o quanto ele era admirado na firma, e isso é algo que você jamais se cansa de ouvir sobre seu filho, seja quando tem quatro anos, está no maternal e se destaca nas estátuas com argila, ou quando tem quarenta, trabalha numa firma renomada e se destaca protegendo criminosos corporativos.

– Eu diria que você deve ter bastante orgulho dele, mas acho que conheço bem suas opiniões para presumir uma coisa dessas. – Ele sorriu. Gostava bastante de Jude, dava para ver, e me vi com um pouco de ciúmes, mas logo me senti mesquinho por aquele sentimento.

– Não – falei –, eu *tenho* orgulho dele. – Naquela hora fiquei mal por todos os anos em que reclamei com ele sobre a Rosen Pritchard, o único lugar onde se sentia seguro, o único lugar onde se sentia realmente leve, o único lugar onde seus medos e inseguranças eram removidos.

Na segunda-feira seguinte, um dia antes de eu ir embora, ele já parecia melhor: as bochechas tinham cor de mostarda, mas o inchaço diminuíra e dava para ver os ossos do rosto outra vez. Parecia que sentia menos dor ao respirar e ao falar, e sua voz estava menos sussurrada, mais próxima do normal. Andy permitira que a dosagem matinal de analgésicos fosse reduzida pela metade, e ele estava mais alerta, embora não mais enérgico. Jogamos uma partida de xadrez, que ele venceu.

– Volto na quinta à noite – disse a ele durante o jantar. Eu só dava aula às terças, quartas e quintas naquele semestre.

– Não – falou ele –, não precisa. Obrigado, Harold, mas... eu vou ficar bem, de verdade.

– Já comprei a passagem – falei. – E de qualquer forma, Jude, você não precisa dizer sempre não. Lembra sobre o que conversamos? Sobre aceitação? – Ele ficou em silêncio.

O que mais posso lhe dizer? Ele voltou ao trabalho naquela quarta-feira, apesar da recomendação de Andy para que repousasse em casa até o fim da semana. E, apesar de suas ameaças, Andy ia ao apartamento toda noite para trocar os curativos e examinar suas pernas. Julia voltou para casa, e, em todos os fins de semana de outubro, eu ou ela íamos a Nova York para ficar com ele em Greene Street. Malcolm dormia lá durante a semana. Ele não gostava daquilo, dava para ver, mas decidimos que não importava se gostasse ou não, pelo menos não naquela questão.

Ele melhorou. As pernas não infeccionaram. Nem as costas. Teve sorte, Andy continuava a dizer. Recuperou o peso que havia perdido. Quando você voltou para casa, no início de novembro, ele já estava praticamente curado. No Dia de Ação de Graças, que comemoramos no apartamento de Nova York para que ele não precisasse viajar, já havia retirado o gesso e voltara a andar. Observei-o atentamente durante o jantar, observei-o conversando com Laurence e rindo com uma de suas filhas, mas não conseguia parar de pensar nele naquela outra noite, em seu rosto quando Caleb segurou seu pulso, em sua expressão de dor, vergonha e medo. Pensei no dia em que descobri que ele estava usando uma cadeira de rodas: foi pouco depois de ter encontrado o estojo em Truro, quando estive na cidade para uma conferência e ele entrou no restaurante com a cadeira, o que me deixou chocado.

– Por que nunca me contou? – perguntei, e ele fingiu surpresa, agindo como se tivesse falado. – Não – eu disse –, não falou nada. – Ele finalmente confessou que não queria que eu o visse daquele jeito, como uma pessoa fraca e indefesa. – Nunca pensaria isso de você – falei e, por mais que eu não achasse que isso fosse acontecer, aquilo havia, *sim*, mudado a forma como eu pensava nele; aquilo me lembrou de que o que eu sabia sobre ele significava apenas uma minúscula fração da pessoa que era.

Às vezes parecia que aquela semana fora uma assombração, algo que somente eu e Andy testemunhamos. Nos meses seguintes, as pessoas ocasionalmente brincavam: faziam piadas sobre sua barbeiragem ao volante, sobre suas ambições de competir em Wimbledon, e ele apenas sorria e fazia algum comentário autodepreciativo. Nunca me olhava naqueles momentos; eu era uma lembrança do que de fato ocorrera, uma lembrança do que ele via como sua degradação.

Mais tarde, porém, passei a reconhecer que aquele incidente tirara algo grande dele, que o transformara: em outra pessoa, ou talvez na pessoa que fora antes. Eu veria os meses anteriores a Caleb como um período em que ele fora mais saudável do que jamais havia sido: deixava que eu o abraçasse quando o via, e quando eu o tocava – colocando o braço em seu ombro ao passar pela cozinha –, ele não fazia oposição; sua mão continuava cortando as cenouras à sua frente na mesma velocidade. Levara vinte anos para chegar àquele ponto. Mas, depois de Caleb, ele sofreu um retrocesso. No Dia de Ação de Graças, me aproximei para abraçá-lo, mas ele rapidamente se esquivou para a esquerda – bem pouquinho, o suficiente para que meus braços se fechassem no ar e, por um segundo, olhamos um para o outro, e eu soube que aquilo que me era permitido fazer antes, agora não seria mais: sabia que teria de começar tudo de novo. Eu sabia que ele havia decidido que Caleb estava certo, que ele era nojento e que, de alguma forma, merecia o que lhe acontecera. E aquilo era a pior parte, a coisa mais repreensível de todas. Ele decidira acreditar em Caleb, não em nós, pois Caleb havia confirmado o que ele sempre pensara e o que sempre lhe ensinaram, e é sempre mais fácil acreditar no que você já pensa do que tentar mudar de ideia.

Depois, quando as coisas pioraram, eu me perguntaria o que podia ter feito ou dito. Às vezes pensava que não havia nada que pudesse dizer – talvez houvesse algo que pudesse ajudar, mas nenhum de nós poderia tê-lo convencido. Eu ainda tecia aquelas fantasias: a arma, o pelotão, o número 50 da rua 29 oeste, apartamento 17J. Mas, dessa vez, não atiraríamos nele. Pegaríamos Caleb Porter pelos dois braços, o levaríamos para o carro, iríamos até Greene Street e subiríamos com ele. Diríamos a ele o que falar, avisando-o de que estaríamos bem do outro lado da porta, esperando no elevador, com a pistola engatilhada e apontada para suas costas. E, de trás da porta, ouviríamos ele dizer: *Não tive a intenção de fazer nada daquilo. Eu estava completamente errado. Tudo o que fiz, e mais do que isso, tudo o que disse, eram palavras direcionadas a outra pessoa. Acredite em mim, pois sei que já acreditou antes: você é belo e perfeito, e nada do que falei é verdade. Eu estava errado, estava equivocado, ninguém poderia estar mais errado do que eu.*

3

TODO DIA, ÀS QUATRO da tarde, depois da última aula e antes de sua primeira tarefa, ele tinha um intervalo de uma hora, mas, às quartas-feiras, desfrutava de duas. Antes, ele passava aquelas horas lendo ou explorando o terreno, mas, nos últimos tempos, desde que o irmão Luke lhe dera permissão, ele as passava na estufa. Quando o irmão Luke estava lá, ele o ajudava a regar as plantas, decorando seus nomes – *Miltonia spectabilis, Alocasia amazonica, Asystasia gangetica* – para depois repeti-los ao irmão e receber elogios.

– Acho que a *Heliconia vellerigera* cresceu – dizia, acariciando suas brácteas pelosas, e o irmão Luke olhava para ele e balançava a cabeça.

– Inacreditável – dizia. – Minha nossa, que memória você tem.

E ele sorria para si mesmo, orgulhoso por ter impressionado o irmão.

Quando o irmão Luke não estava, ele passava o tempo brincando com suas coisas. O irmão lhe mostrara que, ao afastar uma pilha de vasos de plástico nos fundos da estufa, havia uma pequena grade que, ao ser removida, revelava um buraco no chão, grande o suficiente para guardar um saco plástico com suas posses. Assim, ele desencavara seus gravetos e pedras do esconderijo sob a árvore e levara sua pilhagem para a estufa, que era quente e úmida, e onde podia examinar seus objetos sem perder a sensibilidade das mãos. Ao longo dos meses, o irmão Luke fez sua coleção crescer: deu a ele uma pastilha de vidro do mar, que o irmão disse ser da cor dos seus olhos, e um apito de metal com uma bolinha dentro que ressoava como um sino ao ser balançada, e um pequeno boneco de pano de um homem vestindo uma camisa vinho e um cinto enfeitado com minúsculas contas turquesa, que o irmão disse ter sido feito por um índio navajo e que fora dele em seus tempos de menino. Dois meses antes, ao abrir sua sacola, descobrira que o irmão havia deixado uma bengala doce de Natal para ele, e, embora fosse fevereiro, ficou animadíssimo: sempre tivera vontade de experimentar uma bengala doce. Quebrou-a em pedaços e chupou cada um até ficar pontiagudo, para depois mordiscá-los, moendo o açúcar com os molares.

O irmão lhe dissera para ir direto da aula para a estufa no dia seguinte, pois tinha uma surpresa para ele. Passou o dia agitado e distraído e, embora dois irmãos tivessem lhe batido – Michael, no rosto; e Peter, no traseiro –, ele mal percebeu. Foi só quando o irmão David avisou que teria de fazer mais tarefas e perderia suas horas livres caso não se concentrasse que ele enfim sossegou e conseguiu, de alguma forma, terminar o dia.

Assim que chegou do lado de fora, saindo do campo de visão do mosteiro, pôs-se a correr. Era primavera, e ele não conseguia esconder sua felicidade: adorava as cerejeiras, com suas flores cor-de-rosa borbulhando, as tulipas, com suas cores acetinadas e improváveis, e a grama nova, macia e tenra sob seus pés. Às vezes, quando estava sozinho, pegava o boneco navajo e um graveto em forma de gente que encontrara, sentava na grama e brincava. Fazia vozes para os dois, sussurrando para si mesmo, pois o irmão Michael dissera que meninos não brincam com bonecas e que, de qualquer forma, ele também já estava velho demais para brincadeiras.

Imaginou se o irmão Luke o observava correr. Numa quarta-feira, o irmão Luke dissera:

– Vi você correndo para cá. – E, quando ele foi abrir a boca para se desculpar, o irmão continuou: – Menino, como você corre! Como é rápido!

Ele ficou literalmente sem palavras, até que o irmão, rindo, disse que podia fechar a boca.

Ao entrar na estufa, não encontrou ninguém lá dentro.

– Olá? – chamou. – Irmão Luke?

– Aqui – ouviu, e virou para o quartinho anexo à estufa, onde ficavam guardadas as provisões de fertilizantes, garrafas de água ionizada, uma estante suspensa com tesouras de grama, de poda e de jardinagem, além de sacos cheios de folhas empilhados no chão. Gostava daquele quarto, com seu cheiro amadeirado e musgoso, e seguiu ansioso até lá, e bateu à porta.

Quando entrou, de início sentiu-se desnorteado. O quarto estava escuro e silencioso, a não ser por uma pequena chama no chão sobre a qual o irmão Luke se debruçava.

– Chegue mais perto – disse o irmão, e ele obedeceu. – Mais perto – disse o irmão, rindo. – Jude, pode ficar tranquilo.

Então ele se aproximou, e o irmão levantou algo e falou:

– Surpresa! – E ele viu que era um bolinho. Um bolinho com um fósforo aceso enfiado no centro.

– O que é isso? – perguntou.

– É seu aniversário, não é? – perguntou o irmão. – Este é o seu bolo de aniversário. Vá em frente, faça um pedido; apague a vela.

– É para mim? – perguntou ele, enquanto a chama tremulava.

– Sim, é para você – disse o irmão. – Rápido, faça um pedido.

Nunca tivera um bolo de aniversário antes, mas lera sobre eles e sabia o que fazer. Fechou os olhos e fez um pedido, e então os abriu e soprou o palito de fósforo, deixando o quarto completamente escuro.

– Parabéns – disse Luke, acendendo a luz. Deu o bolinho a ele, que ofereceu um pedaço ao irmão. Luke balançou a cabeça: – É seu.

Ele comeu o bolinho, que tinha pequenos mirtilos e que ele achou a coisa mais deliciosa que já havia comido, tão doce e macio, e o irmão assistiu a tudo sorrindo.

– Tenho mais uma coisa para você – disse o irmão Luke, esticando o braço atrás dele e entregando-lhe um pacote, uma caixa grande embrulhada com jornal amarrado por um barbante. – Vá em frente, abra – disse o irmão Luke, e ele obedeceu, removendo o jornal com cuidado para que pudesse ser reutilizado.

A caixa era de papelão e, ao abri-la, encontrou uma grande variedade de peças de madeira redondas. Cada peça era entalhada de ambos os lados, e o irmão Luke lhe mostrou como uma podia ser colocada dentro da outra para formar caixas, que depois ele poderia cobrir com um telhado feito de gravetos. Muitos anos mais tarde, quando estava na universidade, viu uma caixa com aqueles blocos na vitrine de uma loja de brinquedos e percebeu que faltavam peças no presente: uma estrutura triangular vermelha para construir o telhado e as tábuas chatas verdes que serviam de base. Mas, naquele momento, estava sem palavras de tanta alegria, até se lembrar de ter modos e agradecer ao irmão uma vez após a outra.

– De nada – disse Luke. – Afinal, não é todo dia que se faz oito anos, não é mesmo?

– É – admitiu, sorrindo escancaradamente para o presente.

Passou o restante do intervalo construindo casas e caixas com as peças, sob o olhar do irmão Luke, que às vezes esticava a mão para ajeitar os cabelos dele atrás das orelhas.

Passava cada minuto que podia na estufa com o irmão. Ao lado do irmão Luke, era uma pessoa diferente. Para os outros irmãos, ele era um fardo, um amontoado de problemas e deficiências, e cada dia trazia novos detalhes sobre o que havia de errado com ele: era sonhador demais, emotivo demais, agitado demais, inconstante demais, curioso demais, impaciente demais, magrelo demais, brincalhão demais. Devia ser mais agradecido, mais gracioso, mais controlado, mais respeitoso, mais paciente, mais habilidoso, mais disciplinado, mais reverente. Mas, para o irmão Luke, ele era esperto, ele era rápido, ele era inteligente, ele era vivaz. O irmão Luke nunca lhe dizia que fazia perguntas demais ou que havia certas coisas que ele teria de esperar até ser grande para saber. Na primeira vez que o irmão Luke lhe fizera cócegas, ele perdeu o ar e depois caiu na risada, descontroladamente. O irmão Luke também riu junto, e os dois se engalfinharam no chão sob as orquídeas. "Você tem uma risada tão bonita", dizia o irmão Luke, ou então, "Que belo sorriso você tem, Jude", e "Quanta alegria você tem". Era como se a estufa fosse um lugar encantado, que o transformava no menino que o irmão Luke via, alguém divertido e inteligente, alguém que as pessoas queriam ter por perto, alguém melhor e diferente do que realmente era.

Quando tinha problemas com os outros irmãos, ele se imaginava na estufa, brincando com suas coisas ou conversando com o irmão Luke, e repetia para si mesmo as palavras que o irmão Luke lhe dizia. Às vezes, as coisas ficavam tão ruins que ele não conseguia comparecer à mesa de jantar, mas, no dia seguinte, sempre encontrava no quarto algo deixado pelo irmão Luke: uma flor, uma folha vermelha ou uma noz particularmente bulbosa, que começara a colecionar e guardava sob a grade.

Os outros irmãos notaram que ele andava passando todo seu tempo livre com o irmão Luke, e ele sentia que aquilo os desagradava.

– Tome cuidado com o irmão Luke – alertou o irmão Pavel, logo o irmão Pavel, que era quem batia e gritava com ele. – Ele não é quem você pensa.

Mas ele o ignorou. Nenhum deles era quem dizia ser.

Um dia, ele chegou tarde à estufa. Tinha sido uma semana difícil; fora surrado intensamente; sentia dores ao andar. Recebera visitas tanto do padre Gabriel quanto do irmão Matthew na noite anterior, e cada músculo doía. Era sexta-feira; o irmão Michael o liberara inesperadamente cedo naquele dia, e ele resolveu sair para brincar com seus blocos. Como sempre acontecia depois daquelas sessões, queria ficar sozinho – queria sentar naquele espaço acolhedor com seus brinquedos e fingir que estava longe dali.

Não havia ninguém na estufa quando chegou. Levantou a grade e pegou o boneco navajo e a caixa de blocos, mas, em meio à brincadeira, começou a chorar. Vinha tentando chorar menos – o choro sempre o fazia se sentir pior e era algo que os irmãos odiavam, castigando-o por isso –, mas não conseguia se controlar. Pelo menos aprendera a chorar em silêncio, e foi o que fez, embora o problema de chorar em silêncio era que doía, e precisava usar toda sua concentração. No fim, acabou colocando os brinquedos de lado. Ficou ali até o primeiro sino tocar, e então guardou suas coisas e correu morro abaixo até a cozinha, onde descascaria cenouras e batatas e cortaria aipo para a refeição da noite.

E, então, de repente, por razões que nunca conseguiu determinar, nem mesmo quando adulto, as coisas ficaram bem ruins. As surras pioraram, as sessões pioraram, as repreensões pioraram. Não sabia ao certo o que fizera; para ele, continuava o mesmo de sempre. Mas era como se a paciência coletiva dos irmãos com ele estivesse chegando ao fim. Até mesmo os irmãos David e Peter, que lhe emprestavam livros, quantos quisesse, pareciam menos inclinados a falar com ele.

– Vá embora, Jude – disse o irmão David quando ele se aproximou para conversar sobre um livro de mitologia grega que o irmão lhe dera. – Não quero olhar para você agora.

Cada vez mais acreditava que os irmãos iam se livrar dele, e sentia-se aterrorizado, pois o mosteiro era o único lar que já tivera na vida. Como sobreviveria, o que faria, em meio ao mundo lá fora, que, segundo os irmãos, era cheio de perigos e tentações? Sabia que poderia trabalhar; sabia cuidar do jardim, cozinhar e limpar: talvez pudesse encontrar um trabalho fazendo uma dessas tarefas. Talvez outra pessoa o acolhesse. Se isso acontecesse, garantiu a si mesmo, iria se comportar melhor. Não cometeria nenhum dos erros que cometera com os irmãos.

– Sabe quanto custa cuidar de você? – perguntou-lhe o irmão Michael um dia. – Acho que nunca imaginamos que ficaríamos tanto tempo com você. – Não sabia como responder a nenhuma das duas declarações, então ficou sentado, encarando sua mesinha sem dizer nada. – Deveria se desculpar – disse o irmão Michael.

– Desculpe – sussurrou.

Agora andava tão exausto que não tinha forças nem para ir à estufa. Depois das aulas, ia para um canto do porão, onde o irmão Pavel lhe dissera que tinha ratos, mas o irmão Matthew dissera que não, e subia numa das estantes de arame onde ficavam guardados sacos de farinha e caixas de óleo e macarrão, e descansava, esperando o sino tocar para voltar lá para cima. Durante o jantar, evitava o irmão Luke e, quando o irmão sorria em sua direção, ele virava o rosto. Agora tinha certeza de que não era o menino que o irmão Luke pensava que fosse – vivaz? engraçado? – e tinha vergonha de si mesmo, de como havia enganado o irmão Luke de alguma maneira.

Fazia pouco mais de uma semana que vinha evitando o irmão Luke quando certo dia desceu até seu esconderijo e encontrou o irmão ali, esperando por ele. Procurou um lugar para se esconder, mas não encontrou, e então se pôs a chorar, virando o rosto para a parede e se desculpando.

– Jude, está tudo bem – disse o irmão Luke, aproximando-se dele e dando-lhe tapinhas nas costas. – Está tudo bem, está tudo bem. – O irmão sentou nos degraus do porão. – Venha aqui, sente ao meu lado – falou, mas ele negou com a cabeça, envergonhado demais para obedecer. – Então pelo menos sente no chão – disse o irmão Luke, e ele aceitou, apoiando-se na parede.

O irmão Luke se levantou e começou a procurar em meio às caixas nas prateleiras de cima, até pegar algo numa delas e entregar a ele: uma garrafa de vidro de suco de maçã.

– Não posso – respondeu na mesma hora. Nem deveria estar no porão: entrara pela janelinha lateral e descera pelas estantes de arame. O irmão Pavel era responsável pelo estoque e contava todas as caixas uma vez por semana; se faltasse alguma coisa, ele seria culpado. Sempre era.

– Não se preocupe, Jude – disse o irmão. – Depois eu reponho. Vá em frente. Pegue.

E então, após uma certa insistência, ele acabou aceitando. O suco era doce feito xarope, e ficou dividido entre beber em golinhos, para fazer com que durasse, ou de entornar tudo goela abaixo, caso o irmão mudasse de ideia e tomasse a garrafa de volta.

Quando terminou, os dois ficaram sentados em silêncio, até que o irmão disse, com a voz baixa:

– Jude... o que eles fazem com você não é certo. Não deviam fazer isso com você; não deviam machucar você. – Ele quase começou a chorar outra vez. – Eu nunca o machucaria, Jude. Sabe disso, não sabe?

Ele enfim conseguiu olhar para o irmão Luke, para seu rosto longo, bondoso e preocupado, com a barba grisalha curta e os óculos que faziam seus olhos parecerem ainda maiores. Fez que sim com a cabeça.

– Eu sei, irmão Luke – falou.

O irmão Luke ficou em silêncio por um bom tempo antes de voltar a falar.

– Você sabia, Jude, que antes de vir para cá, para o mosteiro, eu tive um filho? Você me lembra muito ele. Eu o amava muito. Mas ele morreu, e então eu vim para cá.

Ele não sabia o que dizer, mas não precisava dizer nada, aparentemente, pois o irmão Luke seguiu falando.

– Eu às vezes olho para você e penso: você não merece passar por essas coisas. Merece estar com outra pessoa, alguém... – E então o irmão Luke parou outra vez, pois ele voltara a chorar. – Jude – disse ele, surpreso.

– Não – soluçou –, por favor, irmão Luke: não deixe eles me mandarem embora. Eu vou melhorar, eu prometo, eu prometo. Não deixe me mandarem embora.

– Jude – disse o irmão, sentando ao lado dele e puxando-o para perto do seu corpo. – Ninguém vai mandar você embora. Eu prometo; ninguém vai mandar você embora. – Finalmente ele conseguiu se acalmar, e os dois ficaram ali sentados em silêncio por um longo tempo. – Tudo o que eu queria dizer é que você merece ficar ao lado de alguém que o ame. Como eu. Se estivesse comigo, eu nunca o machucaria. A gente se divertiria bastante.

– O que faríamos? – perguntou.

– Bem – disse o irmão Luke, lentamente –, poderíamos acampar. Você já acampou alguma vez?

Nunca acampara, é claro, e o irmão Luke contou como era: a barraca, a fogueira, o cheiro e o crepitar das pinhas queimando, os marshmallows espetados em gravetos, os pios das corujas.

No dia seguinte, ele voltou à estufa e, nas semanas e meses que se seguiram, Luke explicava todas as coisas que poderiam fazer juntos, só os dois: iriam à praia, à cidade, e a uma feira de exposição. Comeriam pizza, hambúrgueres, milho cozido e sorvete. Ele aprenderia a jogar beisebol, a pescar, e morariam numa pequena cabana, só os dois, como pai e filho, e leriam todas as manhãs e brincariam todas as tardes. Teriam um jardim onde plantariam suas verduras, e flores também e, sim, talvez tivessem uma estufa um dia. Fariam tudo juntos, iriam a todos os lugares juntos, e seriam como melhores amigos, só que ainda mais que isso.

Ele ficava inebriado com as histórias de Luke e, quando as coisas estavam ruins, era nelas que pensava: no jardim onde plantariam abóboras, no riacho que passaria nos fundos da casa, onde pescariam percas, na cabana – uma versão maior daquelas que construía com seus blocos –, onde o irmão Luke lhe prometera que teria uma cama de verdade e onde, mesmo nas noites mais frias, eles sempre estariam quentes, e onde assariam bolinhos toda semana.

Numa tarde – era início de janeiro e fazia tanto frio que tiveram de cobrir todas as plantas da estufa com pano de juta, apesar dos aquecedores –, eles trabalhavam em silêncio. Sempre conseguia perceber quando o irmão Luke queria falar sobre a casa onde morariam e quando não queria, e sabia que aquele era um de seus dias silenciosos, quando o irmão parecia estar em outro lugar. O irmão Luke jamais era grosseiro quando estava com aquele tipo de humor, apenas ficava em silêncio, mas ele sabia que aquele era um tipo de silêncio que devia evitar. Mas estava louco para ouvir uma das histórias do irmão Luke; precisava delas. Aquele fora um dia terrível, o tipo de dia em que tinha vontade de morrer, e queria ouvir o irmão falar sobre a cabana, e sobre todas as coisas que fariam lá quando estivessem sozinhos. Na cabana, não haveria irmão Matthew ou padre Gabriel ou irmão Peter. Ninguém gritaria com ele ou o machucaria. Seria como viver o tempo todo na estufa, um encanto sem fim.

Estava lembrando a si mesmo de ficar quieto quando o irmão Luke falou com ele.

– Jude – disse –, estou muito triste hoje.

– Por quê, irmão Luke?

– Bem – disse o irmão Luke, e fez uma pausa. – Sabe o quanto gosto de você, não sabe? Mas, ultimamente, venho achando que você não gosta de mim.

Aquilo era uma coisa horrível de ouvir e, por um momento, não conseguiu falar.

– Não é verdade! – disse ao irmão.

Mas o irmão Luke balançou a cabeça.

– Eu vivo falando para você sobre a nossa cabana na floresta – disse –, mas tenho a sensação de que você não quer ir morar lá de verdade. Para você, são apenas histórias, como contos de fadas.

Ele balançou a cabeça.

– Não, irmão Luke. Para mim, elas também são reais.

Queria poder dizer ao irmão Luke o quanto eram reais para ele, o quanto precisava delas, o quanto o haviam ajudado. O irmão Luke parecia bastante chateado, mas finalmente ele conseguiu convencê-lo de que também queria aquela vida, de que queria morar com o irmão Luke e mais ninguém, e faria qualquer coisa para que aquilo acontecesse. Até que finalmente, finalmente, o irmão abriu um sorriso, agachou e o abraçou, passando os braços em suas costas para cima e para baixo.

– Obrigado, Jude, obrigado – falou, e ele, feliz por ter feito o irmão Luke tão feliz, retribuiu o agradecimento.

E então o irmão Luke olhou para ele, ficando sério de repente. Vinha pensando bastante naquilo, falou, e achava que tinha chegado a hora de construírem a cabana onde morariam; estava na hora de irem embora juntos. Mas ele, Luke, não faria aquilo sozinho: Jude estaria disposto a acompanhá-lo? Daria a ele sua palavra? Queria estar ao lado do irmão Luke do jeito que o irmão Luke queria estar com ele, só os dois em seu pequeno mundo perfeito? Claro que sim – mas é claro que sim.

Então veio o plano. Partiriam em dois meses, antes da Páscoa; comemorariam o nono aniversário dele já na cabana. O irmão Luke cuidaria de tudo – só o que precisava fazer era ser um bom menino, estudar bastante e não causar nenhum problema. E, o que era mais importante, não dar um pio. Se descobrissem o que os dois estavam tramando, disse o irmão Luke, mandariam ele embora, para longe do mosteiro, para se virar sozinho, e o irmão Luke não conseguiria ajudá-lo. Ele prometeu.

Os dois meses seguintes foram terríveis e maravilhosos ao mesmo tempo. Terríveis porque demoraram a passar. Maravilhosos porque ele tinha um segredo, um segredo que tornaria sua vida melhor, pois significava que sua vida no mosteiro teria chegado ao fim. Todo dia acordava ansioso, pois estava um dia mais perto de ficar com o irmão Luke. Toda vez que um dos irmãos estava com ele, lembrava-se de que logo estaria longe de todos, e a experiência era um pouco menos dolorosa. Toda vez que o surravam ou gritavam com ele, imaginava-se na cabana, e aquilo lhe dava a fortaleza – uma palavra que o irmão Luke lhe ensinara – para suportar.

Implorara ao irmão Luke que o deixasse ajudar com os preparativos, então o irmão lhe dissera para recolher uma amostra de cada flor e de cada folha de todos os tipos diferentes de plantas no terreno do mosteiro. Assim, toda tarde ele perambulava pela propriedade com sua bíblia, enfiando folhas e pétalas entre as páginas. Passava menos tempo na estufa, mas, sempre que via o irmão Luke, o irmão lhe dava uma piscadela discreta, e ele sorria para si mesmo, saboreando aquele segredo cálido e delicioso.

A noite finalmente chegou. Estava nervoso. O irmão Matthew estivera com ele no início da noite, logo após o jantar, mas por fim fora embora, e ele ficou sozinho. E então apareceu o irmão Luke, segurando o indicador na frente dos lábios, e ele assentiu com a cabeça. Ajudou o irmão Luke a colocar seus livros e roupas de baixo numa sacola de papel que segurava, e logo em seguida os dois já seguiam nas pontas dos pés pelo corredor, descendo a escada e atravessando a propriedade escura para ganhar a noite.

– O carro não está longe – sussurrou o irmão Luke. E então, quando ele parou: – Jude, qual é o problema?

– Minha sacola – falou. – A sacola que guardo na estufa.

E então o irmão Luke abriu seu sorriso afável e colocou a mão em sua cabeça.

– Já coloquei no carro – disse, e ele retribuiu o sorriso, grato pelo irmão Luke ter lembrado.

O ar estava frio, mas ele mal sentiu. Continuaram a andar, descendo pela longa estradinha de cascalho do mosteiro, atravessando os portões de madeira e subindo pelo monte que levava à estrada principal. A noite era tão silenciosa que chegava a sussurrar. Enquanto caminhavam, o irmão Luke apontava para as diferentes constelações e ele as nomeava. Acertava todas, e o irmão Luke murmurou, admirado, acariciando a parte de trás de sua cabeça:

– Você é tão esperto – disse. – Estou feliz por ter escolhido você, Jude.

Chegaram finalmente à estrada, onde só estivera poucas vezes na vida – para ir ao médico, ou ao dentista –, apesar de agora estar vazia. Pequenos animais, como ratos-almiscarados e gambás, saltitavam diante deles. E então entraram no carro, uma longa perua marrom, sarapintada de ferrugem, com o banco de trás apinhado de caixas, sacos plásticos pretos e algumas das plantas preferidas do irmão Luke – a *Cattleya schilleriana*, com suas feias pétalas mosqueadas; a *Hylocereus undatus*, com sua flor que mais parecia uma cabeça sonolenta e caída – em seus vasos verde--escuros de plástico.

Era estranho ver o irmão Luke num carro, mais estranho do que propriamente estar no carro. Só que mais estranha ainda foi a sensação que teve, de que tudo valera a pena, de que todas as suas infelicidades teriam um fim, de que estava a caminho de uma vida que seria tão boa – ou talvez até melhor – quanto qualquer coisa que lera nos livros.

– Pronto para partir? – sussurrou o irmão Luke para ele, abrindo um sorriso.

– Pronto – sussurrou de volta.

E o irmão Luke girou a chave na ignição.

–

Havia dois modos de se esquecer. Por muitos anos, ele visualizara (de forma pouco imaginativa) um cofre e, no fim do dia, juntava as imagens, sequências e palavras sobre as quais não queria mais pensar e abria um pouquinho a pesada porta de aço, só o bastante para as empurrar apressadamente para dentro, fechando-a com rapidez e força. Mas esse método não funcionava: as memórias continuavam a escapar. O importante, concluiu, seria eliminá-las, não simplesmente arquivá-las.

Então inventou algumas soluções. Pequenas lembranças – afrontas e insultos mais leves – eram revividas uma vez após a outra até serem neutralizadas, até as repetições as tornarem praticamente insignificantes, ou até ele acreditar que aquelas coisas tinham acontecido a outra pessoa e que lhe foram contadas por alguém. Já para as lembranças maiores, passava as cenas em sua mente feito um rolo de filme e depois começava a apagá-las, quadro a quadro. Nenhum método era muito simples: não podia parar no meio do processo para examinar o que via, por exemplo; não podia apenas passar rapidamente por algumas partes e torcer para não ser capturado pelos detalhes do que acontecera, pois era óbvio que seria. Precisava trabalhar naquelas lembranças toda noite, até irem embora para sempre.

Só que elas não desapareciam completamente, é claro. Mas, pelo menos, ficavam mais distantes – não eram coisas que o seguiam, feito espectros, em busca de atenção, pulando na frente dele quando as ignorava, exigindo tanto de seu tempo e de suas forças que se tornava impossível ter qualquer outro tipo de pensamento. Em períodos ociosos – nos momentos antes de dormir; nos minutos antes de aterrissar após um voo noturno, quando não estava acordado para trabalhar o suficiente nem cansado o suficiente para dormir –, elas se restauravam, então, nessas ocasiões, era melhor imaginar uma tela em branco, enorme, iluminada e imóvel, e mantê-la na mente como um escudo.

Nas semanas seguintes à agressão, trabalhou para esquecer Caleb. Antes de ir para a cama, ia até a porta do apartamento e, sentindo-se bobo, tentava forçar as chaves antigas nas fechaduras para garantir que não encaixavam, que realmente voltara a estar seguro. Ligava e religava o sistema de alarme que instalara, tão sensível que até uma sombra era capaz de ativar uma série de bipes. Depois ficava acordado, com os olhos abertos no quarto escuro, concentrado em se esquecer. Mas era muito difícil – eram tantas as lembranças dolorosas daqueles meses que ele se sentia sobrecarregado. Ouvia a voz de Caleb lhe dizer coisas, via a expressão no rosto de Caleb quando olhara para seu corpo nu, sentia o horrendo vazio e a ausência de ar de sua queda escada abaixo e se encolhia todo, cobria os ouvidos com as mãos e fechava os olhos. Até que finalmente levantava, ia até o escritório do outro lado do apartamento e começava a trabalhar. Tinha um caso grande chegando, e estava grato por isso; seus dias andavam tão ocupados que sobrava pouco tempo para pensar em qualquer outra coisa. Por um período, ele mal voltava para casa – passava só duas horas dormindo e uma para tomar banho e se vestir –, até que uma noite sofreu um episódio de dor no trabalho, um dos fortes. Era a primeira vez que acontecia. O zelador noturno o encontrou no chão e ligou para o departamento de segurança do prédio, que ligou para o presidente da firma, um homem chamado Peterson Tremain, que ligou para Lucien, que era o único a quem ele dissera o que fazer caso algo do gênero acontecesse: Lucien ligou para Andy e seguiu com o presidente para o escritório, esperando a chegada do médico. Ele os viu, viu seus pés e, mesmo arfando e se contorcendo no chão, tentou encontrar forças para implorar que fossem embora, para garantir a eles que estava bem e que só precisava ficar sozinho. Mas eles permaneceram ali, e Lucien limpou o vômito de sua boca, com cuidado, para depois sentar no chão próximo a sua cabeça e segurar-lhe a mão. Sentiu tanta vergonha que quase chorou. Mais tarde, diria que não tinha sido nada e que aquilo acontecia o tempo todo, mas eles o obrigaram a tirar o resto da semana de folga e, na segunda-feira seguinte, Lucien lhe disse que a partir daquele momento deveria ir para casa num horário aceitável: meia-noite nos dias úteis, nove da noite nos fins de semana.

– Lucien – dissera, frustrado –, isso é ridículo. Não sou uma criança.

– Acredite em mim, Jude – respondeu Lucien. – Falei ao conselho administrativo que deveríamos montar em você feito um cavalo árabe na Preakness Stakes, mas, por algum motivo estranho, eles se mostraram preocupados com a sua saúde. E também com o caso. Por algum motivo, acham que, se você adoecer, não o venceremos.

Ele brigou e argumentou com Lucien, mas não adiantou: à meia-noite, as luzes do escritório desligavam abruptamente, e, no fim, ele se resignou a ir para casa no horário estipulado.

Desde o incidente com Caleb, ele mal conseguia falar com Harold; até mesmo vê-lo era uma espécie de tortura. Aquilo fazia das visitas de Harold e Julia – que se tornaram cada vez mais frequentes – um desafio. Sentia-se humilhado por Harold tê-lo visto daquele jeito: quando pensava no que acontecera, Harold vendo suas calças ensanguentadas, Harold perguntando sobre sua infância (Quão óbvio seria ele? Será que as pessoas sabiam, só de conversar com ele, o que lhe acontecera tantos anos antes? E, se isso acontecia, o que poderia fazer para esconder melhor?), sentia uma náusea tão grande que tinha de parar o que estava fazendo e esperar o momento passar. Notava que Harold estava tentando tratá-lo do mesmo jeito de sempre, mas algo havia mudado. Harold parou de importuná-lo sobre a Rosen Pritchard; parou de perguntar como era encorajar a prevaricação corporativa. E certamente não voltou a mencionar a possibilidade de vê-lo com outra pessoa. Agora as perguntas se concentravam em como ele se sentia: Como estava? Como vinha se sentindo? Como estavam suas pernas? Cansava-se muito? Usava a cadeira com frequência? Precisava de ajuda com alguma coisa? Ele sempre respondia exatamente da mesma forma: bem, bem, bem; não, não, não.

E havia também Andy, que voltara abruptamente a fazer suas chamadas noturnas. Agora ligava à uma da madrugada, e, durante as consultas – cuja frequência Andy aumentara para cada duas semanas –, ele agia de maneira atípica, formal e com poucas palavras, o que o deixava aflito. Examinava suas pernas, contava os cortes, fazia as mesmas perguntas de sempre, verificava seus reflexos. E, toda vez que chegava em casa, quando tirava os trocados dos bolsos, via que Andy colocara ali o cartão de um especialista, um psiquiatra chamado Sam Loehmann, no qual escrevera: A PRIMEIRA CONSULTA É POR MINHA CONTA. Sempre encontrava um daqueles cartões, cada vez com uma mensagem diferente: FAÇA ISSO POR MIM, JUDE, ou, SÓ UMA VEZ. SÓ ISSO. Eram como frases de biscoitos da sorte, só que irritantes, e sempre os jogava no lixo. Ficava tocado pelo gesto, mas aquilo, a sua inutilidade, também o cansava. Era a mesma sensação que tinha quando precisava substituir o estojo debaixo da pia depois das visitas de Harold. Ia até o canto do closet, onde mantinha uma caixa cheia de centenas de lenços umedecidos com álcool e ataduras, pilhas e pilhas de gaze, e dúzias de caixas de lâminas, e fazia um novo estojo, prendendo-o em seu devido lugar. As pessoas sempre haviam decidido como seu corpo seria usado e, embora soubesse que Harold e Andy estavam tentando ajudá-lo, a parte infantil e teimosa dele resistia: seria *ele* quem decidiria. Tinha tão pouco controle do próprio corpo, de qualquer forma – como poderiam negar-lhe aquilo?

Dissera a si mesmo que estava bem, que havia se recuperado, que recobrara seu equilíbrio, mas, na verdade, sabia que havia algo de errado, que não era mais o mesmo, que estava se perdendo. Willem voltara para casa e, embora não estivesse ali para testemunhar o que ocorrera, embora não soubesse de Caleb e de sua humilhação – ele se certificara disso, dizendo a Harold, Julia e Andy que nunca mais falaria com eles caso contassem a alguém –, ainda tinha vergonha de encontrá-lo.

– Jude, eu sinto muito – dissera Willem ao voltar e ver o gesso. – Tem certeza de que está bem?

Mas o gesso não era nada, o gesso era a parte menos vergonhosa, e por um minuto ele ficou tentado a contar a verdade a Willem, a desmoronar diante dele de um jeito que nunca fizera antes e começar a chorar, a confessar tudo a Willem e pedir que o fizesse se sentir melhor, que dissesse que ainda o amava, mesmo sendo quem era. Mas não fez isso, é claro. Já havia escrito um longo e-mail a Willem cheio de mentiras elaboradas detalhando seu acidente de carro e, na primeira noite em que se reencontraram, os dois passaram o tempo todo conversando sobre tudo, menos sobre aquele e-mail, até ficar tão tarde que Willem passou a noite ali mesmo, e os dois pegaram no sono na sala de estar.

Ele seguiu com a vida. Levantava, ia para o trabalho. Sentia uma necessidade enorme de ter companhia, para não pensar em Caleb e, ao mesmo tempo, temia estar com os outros, pois Caleb o lembrara do quanto ele era desumano, do quanto era deficiente, do quanto era repugnante, e sentia-se envergonhado demais para ficar em meio a outras pessoas, em meio a pessoas normais. Pensava em seus dias da mesma forma que pensava em seus passos quando sentia os pés doloridos e entorpecidos: concentrava-se no primeiro, depois no próximo, e então no próximo e assim por diante, até as coisas acabarem melhorando. Uma hora descobriria como encaixar aqueles meses em sua vida, aceitá-los e seguir em frente. Sempre fora assim.

Chegou o dia de defender o caso no tribunal, e ele venceu. Foi uma enorme vitória, Lucien continuava a dizer, e ele sabia que era verdade, mas sua sensação predominante era de pânico: e *agora*, o que iria fazer? Tinha um novo cliente, um banco, mas o trabalho previsto era do tipo longo e tedioso, recolhendo fatos, diferente do esforço frenético que exigia vinte horas de dedicação por dia. Ficaria em casa, sozinho, com nada além do incidente com Caleb para ocupar sua mente. Tremain deu-lhe os parabéns, e ele sabia que deveria ficar feliz, mas, quando pediu mais trabalho ao presidente, Tremain caiu no riso.

– Não, St. Francis – falou. – O senhor vai tirar férias. E isso é uma ordem.

Ele não tirou férias. Prometeu que tiraria, primeiro a Lucien, depois a Tremain, mas disse que não podia naquele momento. E o que temia acabou acontecendo: quando ficava sozinho em casa, preparando o jantar, ou então quando saía para ver algum filme com Willem, subitamente alguma cena de seus meses com Caleb lhe vinha à memória. Em seguida, aparecia uma cena do orfanato, outra cena dos anos que passou com o irmão Luke e, depois, uma cena dos meses com o Dr. Traylor, outra cena do episódio com o carro, aquele brilho branco dos faróis e sua cabeça empurrada para o lado. Até que então sua mente se enchia de imagens, como almas penadas gritando por sua atenção, agarrando-o e dilacerando-o com seus dedos longos e pontudos. Caleb fizera algo dentro dele se soltar das amarras, e ele não conseguia convencer as feras a voltarem para o porão – ganhara consciência de quanto tempo realmente passava controlando suas lembranças, de quanta concentração era necessária, de como seu comando sobre elas fora fraco durante todo aquele tempo.

– Você está bem? – perguntou-lhe Willem uma noite. Tinham acabado de assistir a uma peça, a qual ele mal registrara, e depois saíram para jantar, onde ouvira Willem sem muita atenção, esperando mostrar as reações certas ao que o outro dizia, enquanto remexia a comida no prato e tentava agir normalmente.

– Sim – respondeu.

As coisas estavam piorando; ele sabia e não tinha ideia do que fazer para que melhorassem. Oito meses haviam se passado desde o incidente, e a cada dia pensava mais nele, não menos. Sentia, às vezes, como se seus meses com Caleb fossem uma matilha de hienas, e todo dia elas o perseguiam, e todo dia ele gastava sua energia correndo delas, tentando escapar e não ser devorado por suas mandíbulas potentes e espumantes. Tudo aquilo que o ajudara no passado – a concentração; os cortes – agora não ajudava mais. Cortava-se mais e mais, mas as lembranças não desapareciam. Nadava todas as manhãs, e nadava de novo à noite, por quilômetros, até sobrarem forças apenas para tomar banho e desabar na cama. Enquanto nadava, entoava cânticos para si mesmo: conjugava verbos do latim, recitava provas jurídicas, relembrava casos que estudara na faculdade de direito. Sua mente lhe pertencia, dizia a si mesmo. Era ele quem teria o controle; não aceitaria ser controlado.

– Tive uma ideia – disse Willem ao fim de outra refeição na qual ele fracassara em se comunicar. Respondera a tudo que Willem perguntara com um ou dois segundos de atraso e, depois de um tempo, os dois ficaram em silêncio. – Devíamos tirar férias juntos. Devíamos fazer aquela viagem ao Marrocos que ficamos de fazer dois anos atrás. Podemos partir assim que eu voltar. O que acha, Jude? Já vai ser outono... será lindo.

Estavam no fim de junho: nove meses após o incidente. Willem viajaria de novo no início de agosto para uma gravação no Sri Lanka; só voltaria no início de outubro.

Enquanto Willem falava, ele pensava em como Caleb o chamara de deformado, e só o silêncio de Willem fez com que percebesse que era sua vez de falar.

– Claro, Willem – disse. – Parece ótimo.

O restaurante ficava no Flatiron District. Depois de pagarem a conta, saíram para caminhar um pouco, ambos taciturnos, quando ele de repente avistou Caleb vindo no sentido oposto. Tomado pelo pânico, puxou Willem para a entrada de um prédio, surpreendendo os dois com sua força e rapidez.

– Jude – disse Willem, alarmado –, o que está fazendo?

– Não diga nada – sussurrou para Willem. – Apenas fique aqui e não se vire. – E Willem obedeceu, encarando a porta com ele.

Contou os segundos até ter certeza de que Caleb havia passado e em seguida olhou cautelosamente para a calçada. Viu então que não se tratava de Caleb, apenas de outro homem alto de cabelos escuros, mas não Caleb, e soltou um suspiro, sentindo-se derrotado, estúpido e aliviado, tudo ao mesmo tempo. Percebeu que sua mão ainda estava agarrada à camisa de Willem e a soltou.

– Desculpe – disse. – Desculpe, Willem.

– Jude, o que aconteceu? – perguntou Willem, tentando olhar em seus olhos. – O que foi isso?

– Nada – falou. – Só pensei ter visto alguém que não queria ver.

– Quem?

– Ninguém. Um advogado de um caso em que estou trabalhando. É um imbecil; odeio ter de lidar com o sujeito.

Willem olhou para ele.

– Não – disse, finalmente. – Não era um advogado. Era outra pessoa, alguém de quem tem medo. – Os dois ficaram em silêncio. Willem olhou para a rua, depois voltou a olhar para ele. – Você está assustado – falou, com a voz inquisitiva. – Quem era, Jude?

Ele balançou a cabeça, tentando pensar em alguma mentira para contar a Willem. Estava sempre mentindo para Willem: mentiras grandes, mentiras pequenas. Toda a relação deles era uma mentira – Willem achava que ele era uma pessoa, mas na verdade não era. Somente Caleb sabia a verdade. Somente Caleb sabia quem ele era.

– Já falei para você – disse, finalmente. – Era esse advogado.

– Não, não era.

– Era, sim.

Duas mulheres se aproximaram e, ao passarem por eles, uma sussurrou animada para a outra:

– Aquele era Willem Ragnarsson!

Ele fechou os olhos.

– Ouça – disse Willem, em voz baixa –, o que anda acontecendo com você?

– Nada – respondeu ele. – Estou cansado. Preciso ir para casa.

– Tudo bem – disse Willem. Acenou para um táxi, ajudou-o a entrar e em seguida entrou também. – Greene com Broome – disse ao motorista.

No táxi, suas mãos começaram a tremer. Aquilo vinha acontecendo cada vez com mais frequência, e ele não sabia o que fazer para que parasse. Começara quando era criança, mas só acontecia em circunstância extremas – quando estava tentando não chorar, ou quando sofria dores alucinantes, mas sabia que não podia fazer barulho. Só que agora vinha acontecendo em momentos estranhos: a única coisa que ajudava eram os cortes, mas, às vezes, o tremor era tão intenso que ele tinha dificuldade para segurar a lâmina. Cruzou os braços junto ao peito, esperando que Willem não percebesse.

Na porta da frente, tentou se livrar de Willem, sem sucesso.

– Quero ficar sozinho – disse a ele.

– Entendo – disse Willem. – Vamos ficar sozinhos juntos.

Os dois ficaram ali parados, encarando um ao outro, até que ele finalmente se virou para a porta. Mas não conseguiu encaixar a chave na fechadura, de tanto que tremia, então Willem pegou as chaves de sua mão e abriu a porta.

– Que diabos está acontecendo com você? – perguntou Willem assim que entraram no apartamento.

– Nada – respondeu –, nada.

Agora rangia os dentes, uma reação que nunca acompanhava o tremor quando ele era jovem, mas ultimamente vinha acontecendo quase todas as vezes.

Willem aproximou-se dele, que virou o rosto.

– Aconteceu alguma coisa quando eu não estava aqui – disse Willem, incerto. – Não sei o que foi, mas alguma coisa aconteceu. Há algo de errado. Você vem agindo de maneira estranha desde que voltei da filmagem da *Odisseia*. Não sei por quê. – Ele parou de falar e colocou a mão em seus ombros. – Me diga, Jude – falou. – Conte o que aconteceu. Me conte, e vamos pensar num jeito de deixar tudo bem.

– Não – sussurrou. – Não consigo, Willem, não consigo. – Fez-se um longo silêncio. – Preciso ir para a cama – falou.

Willem o soltou, e ele se encaminhou para o banheiro.

Quando saiu, Willem estava usando uma de suas camisetas e cobria o sofá do quarto dele com o edredom do quarto de hóspedes, o sofá debaixo do quadro de Willem na cadeira de maquiagem.

– O que está fazendo? – perguntou.

– Vou passar a noite aqui – disse Willem. Ele suspirou, mas Willem começou a falar antes que ele tivesse chance. – Você tem três opções,

Jude – falou. – A primeira: eu ligo para Andy, digo que acho que tem algo de muito errado com você, e nós dois vamos ao consultório dele para uma consulta. A segunda: eu ligo para Harold, que enlouquece e liga para Andy. A terceira: você me deixa ficar aqui para monitorar a situação, já que não quer me contar o que houve, já que não me conta porra nenhuma, e nunca parece entender que ao menos deve a seus amigos uma chance de *tentarem* ajudá-lo. Você *no mínimo* me deve isso. – Sua voz fraquejou. – E então, qual vai ser?

Ah, Willem, pensou. Você não tem ideia do quanto queria contar tudo para você.

– Desculpe, Willem – foi só o que disse.

– Tudo bem, se desculpe o quanto quiser – disse Willem. – Vá para a cama. Ainda guarda as escovas de dente reservas no mesmo lugar?

– Sim – respondeu.

Na noite seguinte, voltou tarde do trabalho para casa e encontrou Willem deitado no sofá do seu quarto outra vez, lendo.

– Como foi seu dia? – perguntou, sem abaixar o livro.

– Bom – respondeu.

Esperou para ver se Willem explicaria o que estava fazendo ali, mas ele não o fez, então foi para o banheiro. No closet, passou pela mala de Willem, que estava aberta e com roupas o bastante para indicar que pretendia ficar ali por um bom tempo.

Sentiu-se patético em admitir aquilo para si mesmo, mas ter Willem ali – não só no apartamento, mas em seu quarto – ajudava. Não conversavam muito, mas só a presença dele já o fazia se sentir firme e concentrado. Pensava menos em Caleb; pensava menos em tudo. Era como se a necessidade de provar a Willem que ele era normal realmente o deixasse mais normal. Só o fato de estar perto de alguém que conhecia e que nunca, jamais, lhe faria mal era reconfortante e lhe permitia acalmar sua mente e dormir. Mas, por mais agradecido que estivesse, também sentia uma repulsa por si mesmo, por ser tão dependente, tão fraco. Não haveria fim para suas necessidades? Quantas pessoas já o haviam ajudado ao longo dos anos, e por que fizeram isso? Por que ele permitiu que o ajudassem? Um amigo melhor teria mandado Willem para casa, dito que ficaria bem sozinho. Mas não foi o que ele fez. Deixou que Willem passasse as poucas semanas que ainda tinha em Nova York dormindo no sofá feito um cão.

Pelo menos não tinha de se preocupar em aborrecer Robin, pois Willem e ela haviam terminado perto do fim da filmagem da *Odisseia*, quando Robin descobrira que Willem a traíra com uma das assistentes de figurino.

– E eu nem gostava dela – lhe contara Willem numa de suas ligações. – Só fiz isso pelo pior motivo possível: porque estava entediado.

Ele refletira sobre isso.

– Não – falou –, o pior motivo de todos seria por querer ser cruel. O seu foi apenas o motivo mais *estúpido* de todos.

Houve uma pausa e então Willem caiu na gargalhada.

– Obrigado por isso, Jude – falou. – Obrigado por fazer com que eu me sinta ao mesmo tempo melhor e pior.

Willem continuou ao seu lado até o dia em que teve de partir para Colombo. Interpretaria o filho mais velho de uma família decadente de mercadores holandeses no Sri Lanka, no início dos anos 1940, e cultivara um bigode que enrolava nas pontas; quando Willem o abraçou, sentiu o bigode raspando em sua orelha. Por um momento teve vontade de desmoronar e implorar a Willem para não ir. *Não vá embora*, queria lhe dizer. *Fique aqui comigo. Tenho medo de ficar sozinho.* Sabia que, se dissesse aquilo, Willem ficaria: ou pelo menos tentaria. Mas nunca diria algo assim. Sabia que seria impossível para Willem adiar as filmagens e sabia que Willem se sentiria culpado por não conseguir fazer isso. Assim, tudo o que fez foi abraçá-lo ainda mais forte, o que raramente fazia – raramente demonstrava a Willem qualquer tipo de afeto físico –, e pôde sentir que Willem ficou surpreso, mas também o abraçou com mais força, e os dois ficaram ali parados, abraçados um ao outro, por um bom tempo. Lembrou-se de que não estava usando tantas camadas de roupa assim para deixar que Willem o abraçasse com tanta firmeza, pensando que talvez pudesse sentir as cicatrizes em suas costas por cima da camisa, mas, no momento, o mais importante era só estar perto dele; tinha a sensação de que aquela seria a última vez que aquilo aconteceria, a última vez que veria Willem. Tinha aquele medo toda vez que Willem viajava, mas, dessa vez, era mais forte, menos teórico; a sensação era a de uma despedida de verdade.

Depois que Willem foi embora, as coisas ficaram bem por uns dias. Mas, então, pioraram novamente. As hienas voltaram, mais numerosas e famintas que antes, mais alertas em suas caçadas. E então todo o resto também voltou: anos e anos e anos de lembranças que pensara ter controlado e desarmado, todas se amontoando em cima dele, uivando e saltando à sua frente, fazendo ruídos impossíveis de serem ignorados, infatigáveis em seu clamor pela atenção dele. Acordava sem ar: acordava com os nomes de pessoas nas quais jurara nunca mais pensar na ponta da língua. Reencenava a noite com Caleb uma vez após a outra, obsessivamente, e sua memória se tornava mais lenta, de modo que os segundos que passou nu debaixo da chuva em Greene Street se prolongavam por horas, o voo escada abaixo levava dias, os momentos em que Caleb o estuprara no chuveiro e no elevador duravam semanas. Tinha visões nas quais pegava um picador de gelo e o martelava no ouvido, perfurando o cérebro, para fazer as lembranças irem embora. Sonhava em bater a cabeça contra a parede até que ela rachasse e se abrisse, e a carne cinzenta desabasse no chão, com uma pancada molhada e sangrenta. Tinha fantasias em que esvaziava um galão de gasolina sobre si mesmo e acendia um fósforo, e sua mente era devorada pelo fogo. Comprou um pacote de lâminas de estilete, colocou três delas na mão e fechou o punho, assistindo ao sangue pingar sobre a pia enquanto gritava em meio ao silêncio do apartamento.

Pediu mais trabalho a Lucien e recebeu, mas não era o bastante. Tentou se oferecer para passar mais horas com os artistas na ONG, mas não tinham nenhum turno adicional para dar a ele. Tentou se oferecer como voluntário num lugar onde Rhodes fizera trabalho *pro bono*, uma organização pelos direitos dos imigrantes, mas lhe disseram que no momento estavam atrás de pessoas que falassem mandarim e árabe, e não queriam desperdiçar o tempo dele. Passou a se cortar mais e mais; começou a fazer cortes em torno das cicatrizes para poder retirar pedaços de carne, e cada um deles tinha no topo uma camada prateada de pele cicatrizada, mas nem isso ajudou, não o bastante. À noite, rezava para um deus em quem não acreditava havia anos: *Me ajude, me ajude, me ajude,* suplicava. Estava se perdendo; aquilo tinha de terminar. Não podia continuar correndo para sempre.

Era agosto; a cidade estava vazia. Malcolm passava as férias na Suécia com Sophie; Richard estava em Capri; Rhodes estava no Maine; Andy estava em Shelter Island. ("Não se esqueça", dissera antes de partir, como sempre fazia antes de tirar férias longas, "de que estou a apenas duas horas daqui; se precisar de mim, posso pegar o primeiro barco de volta.") Não suportava ficar perto de Harold, a quem não conseguia ver sem que se lembrasse de sua degradação; telefonou a ele e disse que tinha trabalho demais e não tinha como ir a Truro. Em vez disso, comprou espontaneamente uma passagem para Paris e passou o longo e solitário fim de semana do Dia do Trabalho por lá, perambulando sozinho pelas ruas. Não procurou ninguém que conhecia – nem Citizen, que estava trabalhando para um banco francês, nem Isidore, seu vizinho de cima em Hereford Street, que dava aulas por lá, nem Phaedra, que aceitara o cargo de diretora de uma filial de uma galeria de Nova York –, sabia que eles não estariam na cidade, de qualquer forma.

Sentia-se cansado, sentia-se tão cansado. Manter as feras afastadas exigia energia demais. Às vezes imaginava como seria se entregar a elas, que o cobririam com suas patas e bicos e garras, e o bicariam e o mordiscariam e o puxariam até reduzi-lo a nada, e ele não reagiria.

Depois de voltar de Paris, teve um sonho em que corria por uma planície de terra avermelhada e rachada. Atrás dele havia uma nuvem escura, e, por mais que fosse rápido, a nuvem era mais rápida. À medida que se aproximava, ele ouvia um zumbido e percebia que era um enxame de insetos, terríveis, gordurosos e barulhentos, com protuberâncias parecidas com alicates saltando abaixo dos olhos. Sabia que morreria se parasse, mas, mesmo no sonho, compreendia que não conseguiria suportar por muito tempo; em algum ponto, parava de correr e começava a coxear; a realidade se fazia presente até mesmo em seus sonhos. E então ouviu uma voz, uma voz que não conhecia, mas era calma e autoritária, falar com ele. *Pare*, disse ela. *Você pode pôr um fim nesta situação. Não precisa fazer isso.* Foi um enorme alívio ouvir aquelas palavras, e ele parou abruptamente e encarou a nuvem, que estava a poucos segundos, a poucos metros dele, exausto, à espera de que terminasse.

Acordou assustado, pois sabia o que as palavras significavam, e elas o assustavam e ao mesmo tempo o reconfortavam. Agora, à medida que os dias se passavam, ouvia a voz em sua mente e era lembrado de que podia, de fato, parar. Não precisava, de fato, ter de seguir com aquilo.

Já havia pensado em se matar antes, é claro; quando estava no orfanato, e na Filadélfia, e depois da morte de Ana. Mas algo sempre o impedira, por mais que agora não lembrasse o quê. Agora, enquanto fugia das hienas, argumentava consigo mesmo: por que fazia aquilo? Estava exausto; queria tanto parar. Saber que não precisaria ir em frente era um consolo para ele, de certa forma; lembrava-o de que tinha opções, lembrava-o de que, mesmo que seu subconsciente não obedecesse a seu consciente, aquilo não queria dizer que havia perdido o controle.

Quase como um experimento, começou a pensar no que significaria sua partida: em janeiro, após seu ano mais lucrativo na firma, ele atualizara seu testamento, então aquilo estava em ordem. Precisaria escrever uma carta a Willem, uma carta a Harold e uma carta a Julia; também iria querer deixar algo escrito para Lucien, para Richard e para Malcolm. Para Andy. Para JB, perdoando-o. E então poderia partir. Pensava naquilo todo dia, e pensar deixava as coisas mais claras. Pensar lhe dava fortaleza.

E então, a certa altura, aquilo deixou de ser um experimento. Não conseguia se lembrar de como chegara à decisão, mas, uma vez tomada, sentiu-se mais leve, mais livre, menos atormentado. As hienas ainda o perseguiam, mas agora podia enxergar, lá longe, à distância, uma casa com a porta aberta, e sabia que, ao chegar àquela casa, estaria a salvo e tudo que o perseguia ficaria para trás. As hienas não gostavam daquilo, é claro – também podiam enxergar a porta, sabiam que ele estava prestes a escapar –, e a cada dia a caçada se tornava pior, o exército de coisas que o perseguiam ficava mais forte, mais barulhento e mais insistente. Seu cérebro vomitava lembranças e elas inundavam todo o restante – pensava em pessoas, sensações e incidentes sobre os quais não pensava havia anos. Gostos apareciam em sua língua como se por alquimia; sentia fragrâncias que não sentira por décadas. Seu sistema estava comprometido; ele se afogaria em suas memórias; precisava fazer algo. Ele tentara – durante a vida inteira, tentara. Tentara ser diferente, tentara ser uma pessoa melhor, tentara ser uma pessoa limpa. Mas nada funcionou. Uma vez tomada a decisão, ficou fascinado por sua própria esperança, por como poderia ter se poupado de anos de dor simplesmente colocando um fim a tudo – poderia ter sido seu próprio salvador. Nenhuma lei dizia que precisava continuar vivendo; sua vida ainda era sua para fazer dela o que bem entendesse. Como não percebera isso durante todos aqueles anos? A escolha agora lhe parecia óbvia; a única dúvida era por que demorara tanto tempo.

Conversou com Harold; podia ver, pelo alívio na voz de Harold, que deveria estar soando mais normal. Conversou com Willem.

– Você parece melhor – disse Willem, e ele também pôde perceber o alívio em sua voz.

– E estou – disse.

Sentiu uma pontada de arrependimento depois de falar com os dois, mas estava decidido. Não fazia bem a eles, de qualquer forma; era apenas um amontoado extravagante de problemas, nada mais do que isso. A não ser que colocasse um fim em si mesmo, consumiria a ambos com suas necessidades. Só tiraria mais e mais partes deles até mordiscar toda a carne dos dois; conseguiam lidar com qualquer dificuldade que ele causasse e, ainda assim, achava novas maneiras de destruí-los. Chorariam algum tempo por ele, pois eram pessoas boas, as melhores possíveis, e lamentava aquilo – mas, no fim, veriam que suas vidas seriam melhores sem ele. Veriam quanto tempo lhes fora roubado; entenderiam o tipo de ladrão que ele fora, como sugara toda a energia e atenção que tinham, como os havia dessangrado. Esperava que pudessem perdoá-lo; esperava que pudessem ver que aquela era sua forma de lhes pedir desculpas. Estava libertando-os – amava-os acima de tudo, e era aquilo que devia fazer pelas pessoas que amava: dar-lhes a sua liberdade.

O dia chegou: uma segunda-feira no fim de setembro. Na noite anterior, ele percebera que fazia quase um ano da agressão, embora não tivesse planejado assim. Saiu do trabalho mais cedo naquela noite. Passara o fim de semana organizando seus projetos; escrevera um memorando a Lucien detalhando o estado de cada caso em que vinha trabalhando. Em casa, perfilou as cartas sobre a mesa da sala de estar, junto a uma cópia do testamento. Deixara uma mensagem com o zelador do estúdio de Richard dizendo que a descarga no vaso sanitário do quarto principal não desligava, e pedira a Richard que deixasse o encanador entrar no dia seguinte às nove – tanto Richard quanto Willem tinham as chaves do seu apartamento –, pois estaria fora.

Tirou o paletó, a gravata, os sapatos e o relógio e foi para o banheiro. Sentou na área do chuveiro com as mangas levantadas. Levou um copo de uísque, que bebericou até se sentir firme, e um estilete, pois sabia que seria mais fácil de segurar do que uma lâmina. Sabia o que precisava fazer: três linhas retas verticais, tão longas e profundas quanto conseguisse, seguindo as veias em ambos os braços. E então deitaria e esperaria.

Esperou por um tempo, chorando um pouco, pois estava cansado e com medo, e porque estava pronto para partir, pronto para ir embora. Até que finalmente esfregou os olhos e começou. Primeiro foi o braço esquerdo. Fez o primeiro corte, que foi mais doloroso do que imaginara, e soltou um grito. Fez então o segundo. Tomou outro gole do uísque. O sangue era viscoso, mais gelatinoso que líquido, de uma coloração preta como petróleo, brilhante e borbulhante. Àquela altura, sua calça já estava ensopada, já não segurava o estilete com a mesma força. Fez o terceiro.

Quando terminou com os dois braços, afundou na parede do chuveiro. Desejou, de forma absurda, ter um travesseiro. Seu corpo estava quente por causa do uísque, e por causa de seu próprio sangue, que o envolvia ao formar uma poça entre suas pernas – seu interior se encontrando com o exterior, o interno banhando o externo. Fechou os olhos. Atrás dele, as hienas uivavam, furiosas. À sua frente via a casa com a porta aberta. Ainda não estava perto dela, mas estava mais perto do que jamais estivera: perto o bastante para enxergar lá dentro, para ver a cama onde descansaria, onde poderia deitar e dormir após sua longa corrida, onde estaria, pela primeira vez na vida, seguro.

—

Depois de chegarem a Nebraska, o irmão Luke parou na lateral de um campo de trigo e o chamou com um aceno para fora do carro. Ainda estava escuro, mas podia ouvir os pássaros acordando, podia ouvi-los falar para um sol que ainda não conseguiam ver. Pegou a mão do irmão Luke e os dois se esgueiraram do carro até uma árvore grande. Ali, o irmão lhe falou que os outros sairiam à procura deles e, por isso, teriam que mudar de aparência. Tirou sua odiada túnica e vestiu as roupas que o irmão Luke lhe deu: um agasalho com capuz e calças jeans. Antes disso, porém, ficou imóvel enquanto o irmão Luke raspava seu cabelo com uma máquina de barbear. Os irmãos raramente cortavam seus cabelos, que eram compridos, abaixo da linha das orelhas, e o irmão Luke fez ruídos de desânimo ao passar a máquina.

– Seu lindo cabelo – lamentou, e cuidadosamente o enrolou na túnica e então colocou tudo dentro de um saco de lixo. – Está igual a todos os outros meninos agora, Jude. Mas, depois, quando estivermos a salvo, pode deixá-los crescer de novo, tudo bem?

E ele concordou com a cabeça, embora, na verdade, gostasse da ideia de se parecer com os outros garotos. Então foi a vez do irmão Luke mudar de roupa, e ele virou de costas para dar privacidade ao irmão.

– Pode olhar, Jude – disse Luke, rindo, mas ele balançou a cabeça.

Quando virou de frente, o irmão estava irreconhecível, vestindo uma camisa xadrez e calças jeans. E sorriu para ele antes de raspar a barba, com os pelos prateados despencando do rosto feito lascas de metal. Havia bonés para os dois, embora no interior do chapéu do irmão Luke houvesse uma peruca amarelada, que cobria completamente sua cabeça calva. Também havia óculos para ambos: os dele tinham aros pretos e redondos, com vidro no lugar de lentes de verdade, mas os do irmão Luke eram grandes, quadrados e marrons, e tinham as mesmas lentes grossas de seus óculos habituais, que ele guardou na sacola. Poderia pegá-los quando estivessem num lugar seguro, dissera-lhe.

Estavam a caminho do Texas, onde construiriam a cabana. Ele sempre imaginara o Texas como uma terra de planícies, só pó, céu e estrada, o que o irmão Luke disse que era em grande parte verdade, mas havia trechos do estado – como no leste do Texas, de onde ele viera – cobertos de florestas de coníferas e cedros.

Levaram dezenove horas para chegar ao Texas. Poderiam ter feito a viagem em menos tempo, mas a certa altura o irmão Luke parou no acostamento da estrada e disse que precisava tirar uma soneca, e os dois acabaram dormindo por horas. O irmão Luke também levara um lanche – sanduíches de manteiga de amendoim –, e, em Oklahoma, pararam mais uma vez no estacionamento de uma área de descanso para comê-lo.

O Texas que tinha em mente, a partir de algumas poucas descrições por parte do irmão Luke, transformara-se de uma paisagem de plantas secas e relvado num lugar com pinheiros, tão altos e perfumados que absorviam todos os outros sons, todas as outras espécies de vida. Assim, quando o irmão Luke anunciou que haviam entrado oficialmente no Texas, ele olhou pela janela e ficou decepcionado.

– Onde estão as florestas? – perguntou.

O irmão Luke caiu na risada.

– Paciência, Jude.

Precisariam ficar num motel por alguns dias, explicou o irmão Luke, para se certificar de que os outros irmãos não os estavam seguindo e também para que ele pudesse começar a procurar o lugar perfeito para construir a cabana. O motel se chamava A Mão Dourada, e o quarto deles tinha duas camas – camas de verdade –, e o irmão Luke deixou que ele escolhesse a sua. Ficou com a cama perto do banheiro, e o irmão Luke com a da janela, de onde podia ver o carro.

– Por que não toma um banho enquanto vou ao mercado comprar umas coisas para a gente? – sugeriu o irmão, e ele sentiu um medo repentino. – Qual o problema, Jude?

– Você vai voltar? – perguntou, odiando o temor que transparecia em sua voz.

– Mas é claro que vou voltar, Jude – disse o irmão, abraçando-o. – Claro que vou.

Quando voltou, trouxe um pacote de pão de forma, um pote de manteiga de amendoim, um cacho de bananas, uma garrafa de leite, um saquinho de amêndoas, algumas cebolas e pimentões e peito de frango. Naquela noite, o irmão Luke armou no estacionamento a pequena grelha que levara e eles fritaram as cebolas, os pimentões e o frango, e o irmão Luke lhe deu um copo de leite.

O irmão Luke estabeleceu uma rotina. Acordavam cedo, antes de o sol nascer, e o irmão Luke fazia uma xícara de café com a cafeteira que levara. Partiam então para a cidade, até a pista de atletismo da escola, onde o irmão Luke o deixava correr em círculos por uma hora enquanto, sentado na arquibancada, bebendo seu café, o observava. Depois voltavam para o quarto do motel, onde o irmão lhe dava aulas. O irmão Luke fora professor de matemática antes de ir para o mosteiro, mas queria trabalhar com crianças, por isso se tornara professor da sexta série. Conhecia também outras matérias: história, literatura, música e línguas. Sabia muito mais que os outros irmãos, e ele ficou se perguntando por que o irmão Luke nunca lhe dera aulas enquanto moravam no mosteiro. Almoçavam – sanduíches de manteiga de amendoim mais uma vez – e depois as aulas continuavam até as três da tarde, quando recebia permissão para sair e correr pelo estacionamento, ou então caminhava com o irmão pela estrada. O motel dava para a interestadual, e o barulho dos carros que passavam proporcionava uma trilha sonora constante.

– É como morar de frente para o mar – sempre dizia o irmão Luke.

Depois disso, o irmão Luke fazia uma terceira xícara de café e então saía de carro para procurar possíveis locais onde poderia construir a cabana, enquanto ele ficava no quarto do motel. O irmão sempre trancava a porta para sua segurança.

– Não abra a porta para ninguém, ouviu? – recomendava o irmão. – Para ninguém. Eu tenho a chave para entrar depois. E não abra as cortinas; não quero que ninguém veja que você está aqui dentro sozinho. Há pessoas perigosas no mundo; não quero que ninguém o machuque. – Era esse também o motivo pelo qual não deveria usar o computador do irmão Luke, que, de toda forma, ele sempre levava consigo quando saía do quarto. – Você não sabe quem pode encontrar lá fora – dizia o irmão Luke. – Quero que fique em segurança, Jude. Prometa. – E ele prometia.

Deitava na cama e lia. Também lhe era proibido ver televisão: Luke a apalpava quando voltava ao quarto para ver se estava quente, e ele não queria contrariá-lo, não queria se meter em encrenca. O irmão Luke levara um teclado no carro, e ele o usava para praticar; o irmão nunca o tratava mal, mas levava as lições a sério. Quando o céu escurecia, porém, ele se pegava sentado na beira da cama do irmão Luke, puxando de leve a cortina para procurar em meio ao estacionamento o carro do irmão; uma parte dele sempre se preocupava com a possibilidade de que o irmão Luke acabasse não voltando, de que se cansasse dele e o deixasse sozinho para sempre. Havia tanta coisa que não sabia do mundo, e o mundo era um lugar assustador. Tentava lembrar a si mesmo que sabia algumas coisas, de que podia trabalhar, de que talvez pudesse conseguir um emprego limpando o motel, mas sempre ficava aflito até ver a perua do irmão se aproximar do quarto. Sentia então um alívio, e prometia a si mesmo ser melhor no dia seguinte, prometia nunca dar ao irmão Luke um motivo para não voltar.

Certa noite, o irmão voltou para o quarto com um ar cansado. Poucos dias antes, voltara animado: tinha encontrado o terreno perfeito, afirmara. Descrevera uma clareira cercada por cedros e pinheiros, com um pequeno riacho cheio de peixes e o ar tão fresco e silencioso que dava para ouvir quando uma pinha caía no solo fofo. Até mostrara uma fotografia a ele, cheia de verdes-escuros e sombras, e explicara onde ficaria a cabana, e como ele podia ajudar a construí-la, e onde fariam um sótão para ele dormir, como um forte secreto, só seu.

– O que aconteceu, irmão Luke? – perguntou. O irmão passara tanto tempo em silêncio que ele não conseguiu mais se manter calado.

– Ah, Jude – disse o irmão –, eu fracassei. Contou como havia tentado comprar o terreno, mas que lhe faltava dinheiro. – Desculpe, Jude, desculpe. – E então, para seu espanto, o irmão começou a chorar.

Nunca vira um adulto chorar antes.

– Talvez possa voltar a dar aulas, irmão Luke – falou, tentando consolá-lo. – Eu gosto de você. Se eu fosse um menino, gostaria de ter aulas com você.

O irmão abriu um sorrisinho, passou a mão em seus cabelos e disse que não funcionava assim, que precisava de uma licença do estado, e que era um processo longo e complicado.

Ele pensou e pensou. E então lembrou:

– Irmão Luke – falou –, *eu* posso ajudar. Posso conseguir um emprego. Posso ajudar a juntar dinheiro.

– Não, Jude – respondeu o irmão. – Não posso deixar que faça isso.

– Mas eu quero – falou. Lembrou-se de quando o irmão Michael lhe dissera quanto o mosteiro precisava gastar para mantê-lo, e o quanto se sentira culpado e assustado. O irmão Luke fizera tanto por ele, sem nenhuma retribuição de sua parte. Não só queria ajudá-lo a ganhar dinheiro; precisava fazê-lo.

Até que finalmente conseguiu convencer o irmão, que o abraçou.

– Você é mesmo único, sabia? – perguntou Luke. – Você é mesmo especial.

E ele sorriu, com o rosto afundado no agasalho do irmão.

No dia seguinte, tivera sua aula como sempre, e depois o irmão saiu. Daquela vez, falou, iria encontrar um bom trabalho para ele: algo que pudesse fazer para ajudá-los a ganhar dinheiro para comprar o terreno e construir a cabana E, daquela vez, o irmão Luke voltou sorridente, até mesmo animado e, ao vê-lo daquela maneira, ele também se animou.

– Jude – disse o irmão –, encontrei uma pessoa que está disposta a lhe dar um trabalho; está esperando lá fora, e você pode começar neste instante.

Ele sorriu para o irmão.

– O que tenho de fazer? – perguntou.

No mosteiro, aprendera a varrer, tirar o pó e esfregar o chão. Também sabia encerar o piso tão bem que até mesmo o irmão Matthew ficara impressionado. Sabia lustrar prata, bronze e madeira. Sabia como limpar entre os ladrilhos e o vaso sanitário. Sabia como tirar folhas de calhas e como limpar e armar uma ratoeira. Sabia como lavar janelas e lavar roupa à mão. Sabia passar, sabia pregar botões, sabia dar pontos tão precisos e justos que pareciam ter sido feitos à máquina.

Sabia cozinhar. Só sabia preparar cerca de meia dúzia de pratos do início ao fim, mas sabia lavar e descascar batatas, cenouras, nabos. Podia cortar uma pilha de cebolas sem chorar. Sabia limpar um peixe e sabia como depenar e trinchar uma galinha. Sabia como fazer massa e sabia fazer pão. Sabia bater claras de ovos até transformá-las de líquidas em sólidas e depois em algo melhor: algo como se o ar ganhasse forma.

E sabia cuidar de jardim. Sabia quais plantas eram loucas por sol e quais se escondiam dele. Sabia determinar se uma planta estava seca ou se se afogava por excesso de água. Sabia quando uma árvore ou moita precisava ser trocada de vaso, e quando estava resistente o bastante para ser transferida para a terra. Sabia quais plantas tinham de ser protegidas do frio e como protegê-las. Sabia como podar e como fazer a poda crescer. Sabia misturar os fertilizantes, sabia colocar cascas de ovo no solo para lhe dar mais proteínas, sabia esmagar um pulgão sem destruir a folha onde estava. Sabia fazer todas essas coisas, embora estivesse torcendo para trabalhar com jardinagem, pois queria ficar ao ar livre. Em suas corridas matinais, sentia que o verão estava próximo e, quando iam de carro até a pista de atletismo, via os campos florescerem, e queria estar em meio a eles.

O irmão Luke se ajoelhou ao seu lado.

– Você vai fazer o que fazia com o padre Gabriel e alguns dos outros irmãos – falou, e então ele lentamente entendeu o que Luke estava dizendo. Deu um passo para trás na direção da cama, sentindo o corpo inteiro ser tomado pelo medo. – Jude, desta vez vai ser diferente – disse Luke, antes que ele pudesse abrir a boca. – Vai acabar muito rápido, prometo. E você faz isso tão bem. Vou esperar no banheiro para garantir que nada saia errado, tudo bem? – Ele afagou seus cabelos. – Venha cá – falou, segurando-o. – Você é um menino fantástico – falou. – É por causa de você e do que está fazendo que teremos nossa cabana, está certo? – O irmão Luke falou e falou, até que no fim ele concordou com a cabeça.

O homem entrou no quarto (muitos anos depois, este seria um dos pouquíssimos rostos de que se lembraria e, às vezes, quando via homens pelas ruas que lhe pareciam familiares, pensava: De onde o conheço? Será que é alguém que vi no tribunal? Será o advogado rival daquele caso do ano passado? Até que então conseguia se lembrar: o homem se parecia com o primeiro deles, o primeiro de seus clientes) e o irmão Luke foi para o banheiro, que ficava bem atrás da sua cama. Ele e o homem fizeram sexo, e depois o homem foi embora.

Passou aquela noite em silêncio, e o irmão Luke foi carinhoso e gentil com ele. Até mesmo lhe comprara um biscoito – de gengibre –, e ele tentou sorrir para o irmão Luke, e tentou comê-lo, mas não conseguiu.

Quando o irmão Luke olhou para o outro lado, ele o embrulhou num pedaço de papel e o jogou fora. No dia seguinte, não teve vontade de ir à pista de atletismo pela manhã, mas o irmão Luke lhe disse que se sentiria melhor com um pouco de exercício. Assim, foram até lá e ele tentou correr, mas sentia muita dor e acabou sentando e esperando até que o irmão Luke dissesse que podiam ir embora.

Agora a rotina deles era diferente: ainda tinham aulas de manhã e à tarde, mas, em algumas noites, o irmão Luke aparecia no quarto com homens, seus clientes. Às vezes, era um só; outras vezes, eram vários. Os homens levavam suas próprias toalhas e lençóis, com os quais cobriam a cama antes de começar. Depois, tiravam tudo e levavam embora ao sair.

Fazia um enorme esforço para não chorar à noite, mas, quando não conseguia, o irmão Luke sentava ao seu lado e passava a mão em suas costas para acalmá-lo.

– Quantos faltam para a gente conseguir comprar a cabana? – perguntava, mas o irmão Luke só balançava a cabeça, triste. – Ainda não sei – dizia. – Mas está fazendo um ótimo trabalho, Jude. Você é muito bom nisso. Não tem nada do que se envergonhar.

Mas ele sabia que *havia* algo de vergonhoso naquilo. Ninguém jamais lhe dissera, mas ele sabia mesmo assim. Sabia que o que estava fazendo era errado.

E então, após alguns meses – e muitos motéis; mudavam-se a cada dez dias, mais ou menos, por todo o leste do Texas, e a cada mudança o irmão Luke o levava à floresta, que era mesmo linda, e à clareira onde construiriam a cabana –, as coisas mudaram. Estava deitado na cama uma noite (uma noite de uma semana em que não teve clientes. "Alguns dias de férias", dissera o irmão Luke, sorrindo. "Todo mundo precisa de um descanso, especialmente alguém que trabalha tanto quanto você.") quando o irmão Luke perguntou:

– Jude, você me ama?

Ele hesitou. Quatro meses antes, teria dito sim na mesma hora, sem precisar pensar, orgulhoso. Mas, agora – *será* que amava o irmão Luke? Às vezes se questionava sobre isso. Queria amá-lo. O irmão nunca o machucara nem batera nele ou lhe dissera qualquer coisa de ruim. Cuidava dele. Sempre esperava atrás da parede para garantir que nada de mau lhe acontecesse. Na semana anterior, um cliente tentara forçá-lo a fazer algo que o irmão Luke dissera que nunca precisaria fazer se não quisesse, e ele começara a se debater e a tentar gritar, mas havia um travesseiro em seu rosto e ele sabia que seus ruídos estavam sendo abafados. Estava desesperado, quase soluçando de tanto chorar, quando o travesseiro fora subitamente levantado de seu rosto e o peso do corpo do homem saíra de cima do seu corpo. Viu o irmão Luke mandar o homem sair do quarto, num tom que nunca ouvira antes da sua boca, mas que o deixara assustado e impressionado.

Ainda assim, havia algo que lhe dizia para não amar o irmão Luke, que o irmão lhe fizera algo de errado. Mas não era verdade. Afinal, ele próprio se oferecera para aquilo; fazia aquilo em nome da cabana na floresta, onde teria seu próprio sótão. Então disse ao irmão que o amava.

Ficou momentaneamente feliz ao ver o sorriso no rosto do irmão, como se o tivesse presenteado com a própria cabana.

– Ah, Jude – falou –, esse é o melhor presente que eu poderia receber. Sabe o quanto eu te amo? Eu te amo mais do que a mim mesmo. Considero você meu filho. – E ele retribuiu o sorriso na mesma hora, pois às vezes imaginava, lá no fundo, que o irmão Luke era seu pai, e ele era filho do irmão Luke.

– Seu pai falou que você tem nove anos, mas parece mais velho – dissera-lhe um dos clientes, desconfiado, antes de começarem.

Ele respondeu o que o irmão Luke o instruíra:

– Sou alto para a minha idade. – Sentira-se ao mesmo tempo feliz e infeliz por o cliente ter pensado que o irmão Luke fosse seu pai.

E então o irmão Luke lhe explicou que, quando duas pessoas se amavam tanto quanto eles se amavam, elas dormiam na mesma cama e ficavam nuas, juntas uma da outra. Não sabia como responder àquilo, mas, antes que pudesse pensar em algo, o irmão Luke já estava deitando em sua cama, tirando suas roupas e o beijando. Ele nunca beijara ninguém antes – o irmão Luke não deixava os clientes fazerem aquilo com ele –, e não gostou nem um pouco, não gostou do jeito molhado e da força.

– Relaxe – disse o irmão. – É só relaxar, Jude. – E ele se esforçou ao máximo.

Na primeira vez que o irmão fez sexo com ele, falou que seria diferente do que acontecia com os clientes.

– Porque nos amamos – disse, e ele acreditou em suas palavras.

Mas, quando viu que sentia as mesmas coisas – era tão doloroso, tão difícil, tão desconfortável e tão vergonhoso quanto das outras vezes –, presumiu que estivesse fazendo algo de errado, especialmente porque o irmão se mostrou tão feliz no fim.

– Não foi legal? – perguntou o irmão. – Não foi diferente?

E ele concordou, constrangido demais para admitir que não sentira diferença alguma, que fora tão horrível quanto o que fizera com o cliente no dia anterior.

Normalmente o irmão Luke não fazia sexo com ele nas noites em que tinha clientes, mas sempre dormiam na mesma cama e sempre se beijavam. Agora, uma cama era usada para os clientes e a outra ficava para os dois. Ele começou a detestar o gosto da boca do irmão Luke, seu cheiro de café velho, a língua escorregadia e áspera que tentava se entocar dentro da sua boca. Tarde da noite, enquanto o irmão dormia ao seu lado, apertando-o contra a parede com seu peso, ele às vezes chorava em silêncio, rezando para ser levado embora dali, para algum lugar, qualquer lugar. Não sonhava mais com a cabana: agora pensava no mosteiro e em como fora estúpido ao partir. No fim das contas, as coisas lá tinham sido melhores. Quando saíam de manhã e passavam pelas pessoas, o irmão Luke lhe dizia para abaixar a cabeça, pois seus olhos eram marcantes e, se os irmãos estivessem atrás deles, aquilo poderia entregá-los. Mas ele às vezes tinha vontade de levantar os olhos, como se pudessem, simplesmente por sua cor e forma, telegrafar uma mensagem que atravessasse quilômetros e estados até chegar aos irmãos. *Eu estou aqui. Me ajudem. Por favor, me levem de volta.* Nada mais lhe pertencia: nem seus olhos, nem sua boca, nem mesmo seu nome, que o irmão Luke só usava quando estavam a sós. Perto dos outros, ele era Joey.

– E esse é o Joey – dizia o irmão Luke, e ele levantava da cama e esperava, de cabeça baixa, enquanto o cliente o inspecionava.

Gostava das aulas, pois eram o único momento em que o irmão Luke não o tocava. Naquelas horas, o irmão se tornava a pessoa de quem ele se lembrava, a pessoa em quem confiara e seguira. Mas então a lição do dia chegava ao fim e toda noite terminava como a noite anterior.

Falava cada vez menos.

– Por onde anda meu menino sorridente? – perguntava o irmão, e ele tentava sorrir de volta. – Não tem problema gostar – dizia às vezes o irmão, e ele concordava com a cabeça, e o irmão sorria para ele e acariciava suas costas. – Você gosta, não é mesmo? – perguntava, piscando o olho, e ele assentia com a cabeça, calado. – Dá para ver – dizia o irmão Luke, ainda sorrindo, orgulhoso dele. – Você foi feito para isso, Jude.

Alguns clientes lhe diziam o mesmo – *Você nasceu para isso* –, e, por mais que odiasse, também sabia que estavam certos. Ele nascera para aquilo. Nascera, fora abandonado, encontrado e usado como deveria ser usado.

Anos mais tarde, tentaria se lembrar exatamente de quando foi que se dera conta de que a cabana nunca seria construída, que a vida com a qual sonhara nunca seria sua. No início, mantinha a conta do número de clientes com os quais estivera, achando que, ao alcançar determinado número – quarenta? cinquenta? –, aquilo certamente acabaria e ele certamente poderia parar. Mas então os números só aumentaram e aumentaram, até que um dia olhara para eles e, percebendo o quanto eram grandes, se pusera a chorar, ficando tão assustado e enojado com o que fizera que parara de contar. Teria sido então, quando chegara àquele número? Ou teria sido quando partiram de vez do Texas e o irmão Luke lhe prometera que as florestas seriam ainda melhores no estado de Washington, e eles seguiram rumo ao Oeste, atravessando o Novo México e o Arizona, para depois continuarem para o norte, parando por semanas em cidadezinhas, hospedando-se em pequenos motéis que eram cópias daquele primeiro motel onde ficaram, e onde, independentemente de onde parassem, sempre havia homens, e nas noites em que não havia homens, havia o irmão Luke, que parecia desejá-lo de um modo como ele próprio jamais desejara algo? Ou então quando passara a perceber que odiava as semanas de folga mais do que as semanas normais, pois o retorno à vida habitual era muito mais terrível do que se nunca tivesse férias? Ou ainda quando começara a perceber as inconsistências nas histórias do irmão Luke: como às vezes não fora o filho, mas sim um sobrinho, que não tinha morrido, mas sim se mudado, e o irmão Luke nunca mais voltara a vê-lo; ou como, às vezes, havia parado de lecionar porque sentira o chamado para entrar para o mosteiro, e outras vezes era porque estava exausto de ter de negociar constantemente com o diretor da escola, que claramente não se importava com as crianças do jeito que o irmão se importava; ou como em algumas histórias ele crescera no leste do Texas, mas em outras tinha passado a infância em Carmel, ou Laramie, ou Eugene?

Ou então teria sido no dia em que estavam passando por Utah para chegar a Idaho, no caminho para Washington? Os dois raramente entravam nas cidades – os Estados Unidos deles eram despidos de árvores e flores, formados apenas por longos trechos de estrada, nos quais a única coisa verde era a última orquídea remanescente do irmão Luke, que continuava viva, dando folhas, mas não flores –, mas daquela vez foi necessário, pois o irmão Luke tinha um amigo médico numa das cidades e queria que ele fosse examinado, já que estava claro que tinha pegado algum tipo de doença de um cliente, apesar das precauções que o irmão Luke os fazia tomar. Ele não sabia o nome da cidade, mas ficou espantado com os sinais de normalidade, de vida ao seu redor, e observou tudo pela janela em silêncio, olhando para aqueles cenários que sempre imaginara, mas raramente via: mulheres paradas nas ruas com carrinhos de bebê, conversando e rindo uma para a outra; um homem correndo e arfando; famílias passeando com seus cães; um mundo feito não só de homens, mas também de crianças e mulheres. Normalmente fechava os olhos nessas viagens – dormia o tempo todo agora, esperando que o dia chegasse ao fim –, mas, naquele dia, por algum motivo, se sentira estranhamente alerta, como se o mundo quisesse lhe dizer algo, e só o que precisava fazer era ouvir sua mensagem.

O irmão Luke estava tentando ver o mapa e dirigir ao mesmo tempo, até que finalmente encostou o carro e começou a estudar o mapa, resmungando. O irmão Luke havia parado do outro lado da rua de um campo de beisebol, e ele ficou observando como, no espaço de poucos minutos, o lugar se encheu de gente: mulheres, na maior parte, e depois, correndo e gritando, meninos. Os meninos usavam uniformes brancos com listras vermelhas, mas, apesar disso, pareciam todos diferentes – tinham cabelos diferentes, olhos diferentes, peles diferentes. Alguns eram magros, como ele, outros eram gordos. Nunca vira tantos meninos da sua idade juntos antes, e não conseguia tirar os olhos deles. E então percebeu que, embora fossem todos diferentes, na verdade eram todos iguais: todos sorriam, gargalhavam, felizes por estarem ao ar livre, em contato com o ar seco e quente, sentindo o sol brilhar acima deles, enquanto suas mães descartavam latas de refrigerante e garrafas de água e suco em caixas de plástico.

– A-ha! Achei o caminho certo! – ouviu o irmão Luke dizer, dobrando o mapa. Mas, antes que desse a partida no carro, sentiu o irmão Luke seguir seu olhar e, por um momento, os dois ficaram ali sentados, observando em silêncio os meninos, até o irmão Luke passar a mão em seu cabelo. – Eu te amo, Jude – falou.

Depois de um momento, ele respondeu como sempre fazia:

– Eu também te amo, irmão Luke. – E os dois voltaram à estrada.
Ele era igual àqueles garotos, mas, na verdade, não: era diferente. Nunca seria um deles. Nunca seria alguém que correria por um campo enquanto sua mãe chamava seu nome para que fizesse um lanche antes de começar a jogar e assim não se cansasse. Nunca teria sua cama na cabana. Nunca voltaria a ser limpo. Os meninos estavam brincando no campo, ao passo que ele estava a caminho do médico com o irmão Luke, o tipo de médico que, sabia ele por suas experiências anteriores com médicos, teria algo de errado, que de alguma forma não seria uma boa pessoa. Estava tão distante deles quanto do mosteiro. Estava tão distante de si mesmo, de quem um dia sonhara em ser, que era como se nem fosse mais um garoto, mas algo completamente diferente. Aquela agora era sua vida, e não havia nada que pudesse fazer.
No consultório do médico, o irmão Luke se curvou e o segurou.
– Hoje à noite a gente vai se divertir, só você e eu – falou, e ele assentiu com a cabeça, pois não havia mais nada que pudesse fazer. – Vamos lá – disse o irmão Luke, soltando-o, e ele saiu do carro e seguiu o irmão pelo estacionamento, rumo à porta marrom já aberta, esperando por eles.

–

A primeira lembrança: um quarto de hospital. Sabia que era um quarto de hospital antes mesmo de abrir os olhos, pelo cheiro, porque o tipo de silêncio – um silêncio que não era realmente silencioso – lhe era familiar. Ao seu lado: Willem, dormindo numa cadeira. Ficou confuso – por que Willem estava ali? Deveria estar viajando, em outro lugar. Lembrou: Sri Lanka. Mas não estava lá. Estava ali. Que estranho, pensou. O que estaria fazendo ali? Aquela foi a primeira lembrança.
A segunda lembrança: o mesmo quarto de hospital. Virou-se e viu Andy sentado na beira da cama, com a barba por fazer e uma aparência péssima, dando-lhe um sorriso estranho e nada convincente. Sentiu Andy apertar-lhe a mão – não percebera que tinha mão até Andy apertá-la – e tentou apertar a dele, mas não conseguiu. Andy ergueu o olhar na direção de alguém.
– Os nervos sofreram algum dano? – ouviu Andy perguntar.
– Talvez – respondeu essa outra pessoa, a pessoa que ele não conseguia enxergar. – Mas, se tivermos sorte, é mais provável que...

E ele fechou os olhos e voltou a dormir. Aquela foi a segunda lembrança.

A terceira, a quarta, a quinta e a sexta lembranças não foram bem lembranças: eram rostos, mãos e vozes que se curvavam sobre seu rosto, seguravam-lhe a mão, falavam com ele – eram Harold, Julia, Richard, Lucien. O mesmo valia para a sétima e a oitava: Malcolm, JB.

A nona lembrança foi novamente Willem, sentado ao seu lado, pedindo desculpas, dizendo que precisava ir embora. Seria só por um tempinho, mas logo estaria de volta. Estava chorando, e ele não entendia bem por que, mas a cena não parecia incomum – todos eles choravam, choravam e se desculpavam, o que ele achava estranho, pois ninguém fizera nada de errado: ao menos daquilo tinha certeza. Tentou dizer a Willem para não chorar, pois estava bem, mas sua língua estava inchada dentro da boca, como um tijolo enorme e inútil, e ele não conseguia fazê-la funcionar. Willem já estava segurando uma de suas mãos, mas ele não tinha força para levantar a outra e colocá-la sobre seu braço para tranquilizá-lo, então acabou desistindo.

Na décima lembrança, ainda estava no hospital, mas num quarto diferente, e ainda se sentia exausto. Seus braços doíam. Tinha duas bolinhas de espuma, uma em cada mão, e deveria apertá-las por cinco segundos e depois soltá-las por outros cinco. E então apertá-las por cinco segundos e soltá-las por cinco. Não se lembrava de quem lhe dissera aquilo ou de quem lhe dera as bolinhas, mas obedeceu mesmo assim, embora, quando apertasse, seus braços doessem ainda mais, uma dor quente e crua, e ele não conseguia repetir mais que três ou quatro vezes antes de cansar e precisar parar.

E então uma noite ele acordou, emergindo de camadas de sonhos dos quais não conseguia se lembrar, e se deu conta de onde estava e por quê. Voltou a dormir, mas, no dia seguinte, virou a cabeça e viu um homem sentado na cadeira ao lado da sua cama: não sabia quem era aquele homem, mas já o vira antes. Ele vinha, sentava ao seu lado e o encarava, e às vezes lhe dizia algo, mas não conseguia se concentrar no que o homem falava e, no fim, acabava fechando os olhos.

– Estou numa clínica psiquiátrica – disse agora ao homem, e sua voz lhe soara errada, fraca e rouca.

O homem sorriu.

– Está na ala psiquiátrica de um hospital, sim – falou. – Você se lembra de mim?

– Não – respondeu –, mas o reconheço.

– Sou o Dr. Solomon, psiquiatra do hospital. – Os dois ficaram em silêncio. – Sabe por que está aqui?

Ele fechou os olhos e assentiu com a cabeça.

– Onde está Willem? – perguntou. – Onde está Harold?

– Willem teve de voltar ao Sri Lanka para terminar a filmagem – disse o médico. – Ele volta – ouviu o som dos papéis sendo folheados – no dia nove de outubro. Ou seja, em dez dias. Harold virá ao meio-dia. É o horário que ele tem vindo, lembra? – Ele negou com a cabeça. – Jude – disse o médico –, pode me dizer por que está aqui?

– Por causa – começou, engolindo em seco. – Por causa do que fiz no chuveiro.

Ficaram novamente em silêncio.

– Exatamente – disse o médico, com a voz baixa. – Jude, será que poderia me contar por que... – Mas isso foi tudo que ouviu, pois caiu no sono outra vez.

Quando acordou, o homem tinha ido embora, mas Harold estava em seu lugar.

– Harold – falou, com sua nova e estranha voz, e Harold, que estava sentado com os cotovelos apoiados nas coxas e o rosto nas mãos, ergueu a cabeça tão repentinamente que parecia que ele havia gritado.

– Jude – falou, sentando ao seu lado na cama. Tirou a bolinha de sua mão direita e colocou em sua própria mão.

Achou a aparência de Harold terrível.

– Desculpe, Harold – falou, e Harold começou a chorar. – Não chore – disse a ele –, por favor, não chore. – E Harold levantou e foi até o banheiro, onde o ouviu assoar o nariz.

Naquela noite, quando ficou sozinho, também chorou: não pelo que fizera, mas porque não fora bem-sucedido, porque sobrevivera no fim.

Sua mente ficava um pouco mais clara a cada dia que passava. A cada dia ficava um pouco mais acordado. Na maior parte do tempo, não sentia nada. As pessoas iam visitá-lo e choravam, e ele olhava para elas e só conseguia registrar a estranheza de seus rostos, o jeito como todos pareciam iguais quando choravam, os narizes porcinos, músculos raramente usados erguendo a boca em direções anormais, em formas anormais.

Não pensava em nada, sua mente era uma folha em branco. Descobriu pequenas partes do que havia acontecido: o zelador do estúdio de

Richard pensara que o encanador fosse à casa dele às nove daquela noite, não às nove da manhã seguinte (mesmo em seu estado de desorientação, se perguntou como alguém poderia pensar que um encanador atenderia alguém às nove da noite); Richard o encontrara, chamara uma ambulância e seguira com ele para o hospital; Richard ligara para Andy, Harold e Willem; Willem pegara um voo de Colombo para Nova York para ficar ao seu lado. Sentiu-se mal por ter sido Richard a encontrá-lo – aquela sempre fora a parte do plano que o deixava desconfortável, apesar de se lembrar de ter pensado que Richard teria uma tolerância maior a sangue, tendo-o usado uma vez para fazer suas esculturas, e por isso provavelmente seria o que menos ficaria traumatizado entre seus amigos – e pediu desculpas a ele, que acariciou as costas de sua mão e disse que não tinha problema, que estava tudo bem.

O Dr. Solomon vinha todo dia e tentava conversar, mas ele não tinha muito a dizer. Na maior parte do tempo, as pessoas não falavam absolutamente nada. Chegavam, sentavam e se concentravam em seus próprios trabalhos, ou então falavam com ele sem esperar uma resposta, pelo que ficava grato. Lucien o visitava com frequência, normalmente trazendo um presente, sendo um deles um cartão enorme que todos no escritório assinaram.

– Tenho certeza de que isto aqui é o que vai fazer você se sentir melhor – disse, ironicamente. – Mas, de qualquer forma, aqui está.

Malcolm fez uma de suas casas imaginárias para ele, com janelas de velino, que ele colocou na mesa de cabeceira. Willem telefonava toda manhã e toda noite. Harold lia *O hobbit* para ele, livro que nunca lera, e, quando Harold não podia visitá-lo, Julia ia em seu lugar e lia a partir de onde Harold havia parado: essas eram suas visitas preferidas. Andy comparecia toda noite, após o horário de visitas, e jantava com ele; estava preocupado por ele não estar comendo o bastante, e levava consigo uma porção extra do que quer que fosse comer. Um dia, levou um pote de sopa de carne e cevada, mas suas mãos ainda estavam muito fracas para segurar a colher, então Andy teve de ajudá-lo, servindo, lentamente, uma colherada após a outra. Antes, aquilo o teria deixado constrangido, mas agora simplesmente não se importava: abria a boca e aceitava a comida, que não tinha sabor, e mastigava e engolia.

– Quero ir para casa – disse uma noite a Andy enquanto o observava comer um sanduíche de peru.

Andy terminou de mastigar e olhou para ele.

– Ah, é mesmo?

– Sim – falou. Não conseguia pensar em outra resposta. – Quero ir embora.

Pensou que Andy diria algo sarcástico, mas ele apenas concordou com a cabeça, num gesto lento.

– Tudo bem – disse. – Tudo bem, vou falar com Solomon. – Fez uma careta. – Coma seu sanduíche.

No dia seguinte, o Dr. Solomon falou:

– Ouvi dizer que quer ir para casa.

– Sinto como se estivesse aqui há muito tempo – disse.

O Dr. Solomon ficou em silêncio.

– Faz, *sim*, um certo tempo que está aqui – falou. – Mas, levando-se em consideração seu histórico de automutilação e a seriedade da tentativa que fez, seu médico, Andy, e seus pais acharam que era para o seu bem.

Pensou no que acabara de ouvir.

– Então, se a minha tentativa tivesse sido menos grave, eu poderia voltar antes para casa? – Isso parecia lógico demais para ser uma regra eficiente.

O médico sorriu.

– Provavelmente – disse. – Mas não sou totalmente contrário a deixá--lo ir para casa, Jude, embora ache que temos de estabelecer algumas medidas preventivas. – Parou. – O que me incomoda, no entanto, é sua relutância em falar por que fez essa tentativa. O Dr. Contractor... Perdão, Andy me disse que você sempre resistiu à ideia de terapia. Poderia me contar por quê?

Ele não disse nada, e o médico também não.

– Seu pai me falou que você passou por uma relação abusiva no ano passado e que isso causou reverberações a longo prazo – disse o médico, e ele sentiu seu corpo esfriar. Mas se manteve firme e não respondeu, fechando os olhos. Ouviu o Dr. Solomon levantar para ir embora. – Eu volto amanhã, Jude – disse ao sair.

No fim, depois de ficar claro que ele não falaria com ninguém e que não estava em condições de se machucar novamente, deixaram-no voltar para casa, com algumas estipulações: receberia alta sob os cuidados de Julia e Harold. Era altamente recomendável que continuasse tomando uma dosagem mais branda dos remédios que lhe deram no hospital. Era altamente recomendável que se consultasse com um terapeuta duas vezes por semana. Deveria ver Andy uma vez por semana. Deveria tirar um período sabático no trabalho, o que já fora providenciado. Concordou com tudo. Assinou seu nome – a caneta bailava em sua mão – no prontuário de alta, sob os de Andy, do Dr. Solomon e de Harold.

Harold e Julia o levaram a Truro, onde Willem já o esperava. Toda noite dormia, extravagantemente, e, durante o dia, ele e Willem desciam lentamente pelo monte até chegarem ao oceano. Era início de outubro e fazia frio demais para entrarem na água, mas sentavam na areia e olhavam para a linha do horizonte. Às vezes Willem falava com ele, outras vezes, não. Sonhou que o mar havia se transformado num bloco sólido de gelo, com as ondas congeladas em meia crista, e que Willem estava numa margem distante, acenando em sua direção, enquanto ele atravessava lentamente aquela vastidão para chegar ao outro lado, com as mãos e o rosto entorpecidos pelo vento.

Jantavam cedo, pois ele dormia muito cedo. As refeições eram sempre algo simples, fácil de ser digerido e, se tivesse carne, um dos três a cortava para ele antes, de modo que não tivesse que tentar manejar a faca. Harold lhe servia um copo de leite em todo jantar, como se fosse uma criança, e ele bebia. Não podia levantar da mesa até comer pelo menos metade do que havia no prato, e também estava proibido de se servir. Estava cansado demais para contestar aquelas decisões; fazia o melhor que podia.

Estava sempre com frio e às vezes acordava no meio da noite, tremendo, apesar das cobertas amontoadas sobre ele, e ficava deitado, observando Willem, que também dormia em seu quarto, respirar no sofá à sua frente, observando as nuvens cobrirem a fatia da lua que podia enxergar entre o batente da janela e a persiana, até conseguir pegar no sono novamente.

Às vezes pensava no que tinha feito e sentia a mesma tristeza que sentira no hospital: a tristeza por ter fracassado, por ainda estar vivo. E às vezes pensava naquilo e ficava apavorado: agora todos realmente o tratariam de um jeito diferente. Agora era mesmo uma aberração, e uma aberração ainda maior do que fora antes. Agora teria que voltar à estaca zero em suas tentativas de convencer as pessoas de que era normal. Pensava no escritório, o único lugar onde o que ele fora antes nunca importara. Mas, agora, sempre haveria outra história sobre ele. Agora não seria simplesmente o sócio igualitário mais jovem da história da firma (como

Tremain o apresentava às vezes); agora seria o sócio que tentara se matar. Deviam estar furiosos com ele, imaginou. Pensava em seu trabalho lá, e em quem o estaria fazendo. Provavelmente nem precisavam que voltasse. Quem iria querer trabalhar com ele outra vez? Quem iria confiar nele outra vez?

E não era apenas a Rosen Pritchard que o veria com outros olhos – era todo mundo. Toda a autonomia que passara anos acumulando, tentando provar a todos que a merecia: agora ficara para trás. Agora não conseguia mais nem cortar a própria comida. No dia anterior, Willem tivera de ajudá-lo a amarrar os sapatos.

– As coisas vão melhorar, Judy – disse a ele. – As coisas vão melhorar. O médico só falou que vai levar tempo.

Pela manhã, Harold ou Willem tinham de barbeá-lo, pois suas mãos ainda estavam muito fracas; olhava para seu rosto estranho no espelho enquanto arrastavam a lâmina em suas bochechas e sob o queixo. Aprendera a se barbear sozinho, na Filadélfia, quando estava morando com os Douglass, mas Willem lhe ensinara outra vez quando estavam no primeiro ano da faculdade, alarmado, como lhe diria posteriormente, por seus movimentos incertos e rígidos, como se estivesse podando uma moita com uma foice.

– Bom em cálculo, ruim em se barbear – dissera na época, sorrindo para ele de modo a não deixá-lo mais envergonhado.

Então dizia a si mesmo, *Você sempre pode tentar mais uma vez,* e só de pensar aquilo já se sentia mais forte, embora, ao contrário do que esperava, se sentisse menos inclinado a tentar de novo. Estava exausto demais. Tentar novamente exigia preparação. Significava ter de encontrar algo afiado, encontrar um tempo em que estivesse sozinho, e nunca ficava sozinho. Obviamente, sabia que havia outros métodos, mas permanecia obstinadamente fixado naquele que escolhera, por mais que não tivesse funcionado.

Na maior parte do tempo, porém, não sentia nada. Harold, Julia e Willem lhe perguntavam o que gostaria para o café da manhã, mas as opções eram impossíveis e exageradas – Panquecas? Waffles? Cereais? Ovos? Que tipo de ovos? Pouco cozidos? Muito cozidos? Mexidos? Fritos com a gema mole? Fritos com a gema dura? Fritos dos dois lados com a gema mole? Escaldados? –, e ele balançava a cabeça, até que uma hora pararam de perguntar. Pararam de pedir sua opinião para tudo, o que o deixava mais tranquilo. Depois do almoço (que também era servido absurdamente cedo), tirava uma soneca no sofá da sala de estar, em frente à lareira, adormecendo ao som dos murmúrios dos três e do barulho da água enquanto lavavam a louça. À tarde, Harold lia para ele. Às vezes Willem e Julia também ficavam para ouvir.

Depois de dez dias, mais ou menos, ele e Willem voltaram para o apartamento em Greene Street. Estava aterrorizado com o retorno, mas, quando foi ao banheiro, encontrou o mármore limpo e imaculado.

– Malcolm – disse Willem, antes que ele precisasse perguntar. – Terminou na semana passada. É tudo novo.

Willem o ajudou a deitar na cama e lhe entregou um envelope de papel pardo com seu nome escrito, que ele abriu depois que Willem saiu. Dentro estavam as cartas que escrevera a todos, ainda fechadas, e a cópia lacrada de seu testamento, com um bilhete de Richard: "Achei que talvez quisesse guardar. Com carinho, R." Ele guardou tudo de volta no envelope, com as mãos tremendo; no dia seguinte, as colocou no cofre.

Na manhã seguinte, ele acordou bem cedo. Passou cuidadosamente por Willem, que dormia no sofá na outra extremidade do quarto, e atravessou o apartamento. Alguém colocara flores em todos os cômodos, ou ramos de folhas de bordo, ou tigelas feitas com abóboras. O ambiente tinha um cheiro maravilhoso de maçãs e cedro. Foi até seu escritório, onde alguém empilhara sua correspondência sobre a mesa, e onde encontrou a casinha de papel de Malcolm sobre uma pilha de livros. Viu envelopes fechados de JB, de Henry Young Asiático, de India, de Ali, e sabia que todos haviam feito desenhos para ele. Passou pela mesa da sala de estar, deixando os dedos roçarem as lombadas dos livros enfileirados nas estantes; entrou na cozinha, abriu a geladeira e viu que estava cheia das coisas de que gostava. Richard começara a trabalhar mais com cerâmica, e no centro da mesa de jantar havia uma peça enorme e amorfa, cujo verniz era áspero e agradável ao toque da palma de sua mão, pintada com veias brancas parecidas com fios de costurar. Ao seu lado estava a estátua de são Judas que Willem comprara e que havia levado consigo quando se mudara para Perry Street, mas que agora voltara para ele.

Os dias iam se passando, e ele deixava. Nadava pela manhã e depois tomava café com Willem. A fisioterapeuta chegava e o fazia treinar apertando bolas de borracha, pedaços curtos de corda, palitos de dente, canetas. Às vezes tinha que segurar vários objetos com uma das mãos, prendendo-os entre os dedos, o que era difícil. Suas mãos tremiam mais do que nunca, e ele sentia picadas pontiagudas vibrando em seus dedos, mas ela lhe disse para não se preocupar, pois aquilo indicava que os músculos estavam se regenerando, que os nervos estavam se reprogramando. Almoçava e tirava uma soneca. Enquanto dormia, Richard aparecia para ficar de olho nele e Willem saía para resolver coisas, descer à academia e, esperava ele, fazer algo de interessante e prazeroso que não o envolvesse nem seus problemas. As pessoas iam visitá-lo à tarde: as mesmas de sempre, e algumas novas também. Ficavam uma hora e então Willem as fazia ir embora. Malcolm apareceu com JB, e os quatro tiveram uma conversa cordial e estranha sobre as coisas que fizeram na época da universidade, mas ele ficou feliz em ver JB, e pensou que gostaria de revê-lo quando sua cabeça desanuviasse um pouco, para que pudesse se desculpar com ele e dizer que o perdoava. Ao sair, JB lhe disse em voz baixa:

— As coisas vão melhorar, Judy. Confie em mim, sei o que estou dizendo. — E então acrescentou: — Pelo menos você não magoou ninguém.

— E ele se sentiu culpado, pois sabia que magoara.

Andy vinha no final do dia e o examinava; removia suas ataduras e limpava a área em torno dos pontos. Ainda não olhara para eles — não tinha coragem de fazê-lo — e, quando Andy os limpava, virava a cabeça para o outro lado ou fechava os olhos. Quando Andy ia embora, ele e Willem jantavam. Depois do jantar, depois que as butiques e as poucas galerias remanescentes fechavam suas portas e a vizinhança ficava deserta, saíam para caminhar, traçando um quadrado em volta do SoHo — partiam para o leste até Lafayette, seguiam ao norte até Houston, depois a oeste até a Sexta Avenida, então ao sul até Grand e, enfim a leste até Greene — antes de voltarem para casa. Era uma caminhada curta, mas que o deixava exausto, e uma vez chegou a cair a caminho do quarto, suas pernas simplesmente deslizando debaixo dele. Julia e Harold pegavam o trem às quintas-feiras e passavam toda a sexta e o sábado com ele, além de parte do domingo.

Toda manhã Willem perguntava:

— Quer conversar com o Dr. Loehmann hoje?

E toda manhã ele respondia:

— Ainda não, Willem. Em breve, prometo.

No fim de outubro, já se sentia mais forte, menos trêmulo. Conseguia ficar acordado por períodos mais longos. Podia deitar de barriga para cima e segurar um livro sem que tremesse tanto a ponto de ter de virar de bruços para apoiá-lo num travesseiro. Conseguia passar manteiga no próprio pão e podia usar camisas com botões outra vez, pois conseguia fazer o botão passar pela casa.

– O que está lendo? – perguntou a Willem uma tarde, sentando ao seu lado no sofá da sala.

– Uma peça que estou pensando em fazer – respondeu Willem, colocando as folhas de lado.

Ele olhou para um ponto fixo atrás da cabeça de Willem.

– Vai ter de viajar de novo? – Aquela era uma pergunta monstruosamente egoísta, mas não conseguiu deixar de fazê-la.

– Não – disse Willem, após um breve silêncio. – Pensei em passar um tempo em Nova York, se não for um problema para você.

Ele sorriu para as almofadas do sofá.

– Não é problema nenhum para mim – falou, erguendo a cabeça e encontrando Willem sorrindo para ele.

– É bom ver você sorrindo outra vez – foi só o que disse, e voltou a ler.

Em novembro, ele se deu conta de que não fizera nada para comemorar o quadragésimo terceiro aniversário de Willem, que fora no final de agosto, e mencionou isso ao amigo.

– Bem, tecnicamente você tem uma desculpa, já que eu não estava aqui – disse Willem. – Mas claro que deixo você fazer alguma coisa para compensar. Vejamos – pensou. – Está pronto para sair pelo mundo? Quer ir jantar em algum lugar? Um jantar mais cedo?

– Claro – falou, e na semana seguinte foram a um pequeno restaurante japonês no East Village que servia *oshizushi* e que frequentavam havia anos.

Pediu sua própria comida, embora estivesse nervoso, com medo de escolher errado. Mas Willem foi paciente e esperou enquanto ele deliberava. Uma vez decidido, acenou com a cabeça.

– Boa escolha – falou.

Durante o jantar, conversaram sobre os amigos, sobre a peça que Willem resolvera fazer e sobre o romance que estava lendo: falaram de todos os assuntos, menos dele próprio.

– Acho que deveríamos ir ao Marrocos – falou, enquanto caminhavam lentamente de volta para casa, e Willem olhou para ele.

– Vou ver o que posso fazer – disse Willem, pegando seu braço para tirá-lo do caminho de um ciclista que descia rapidamente pela rua.

– Quero lhe dar um presente de aniversário – falou, alguns quarteirões depois.

Ele queria mesmo dar algo a Willem para lhe agradecer e para tentar expressar o que não conseguia dizer: um presente que transmitisse adequadamente anos de gratidão e amor. Depois da conversa que tiveram sobre a peça no outro dia, lembrara-se de que Willem havia, na verdade, se comprometido no ano anterior a um projeto que seria filmado na Rússia, no início de janeiro. Mas, quando o mencionara, Willem dera de ombros.

– Ah, aquilo? – perguntara. – Não deu certo. Mas tudo bem. Eu não estava mesmo com vontade de fazer.

Ele desconfiara e, pesquisando na internet, descobrira relatos dizendo que Willem havia deixado o projeto por razões pessoais; outro ator fora colocado em seu lugar. Encarando a tela do computador, a história se transformara num borrão à sua frente. Mas, quando voltara ao assunto, Willem dera de ombros outra vez.

– Isso é o que você diz quando percebe que não está em sintonia com o diretor e nenhum dos dois quer sair por baixo – alegara.

Mas ele sabia que Willem não estava dizendo a verdade.

– Não precisa me dar nada – disse Willem, como ele já esperava.

E ele falou (como sempre fazia):

– Eu sei que não preciso, mas eu quero. – E então acrescentou, também como sempre fazia: – Se eu fosse um amigo melhor, saberia o que comprar e não teria que pedir sugestões.

– Se você fosse um amigo melhor, saberia – concordou Willem, como sempre fazia, e ele sorriu, pois aquela parecia uma conversa normal entre os dois.

Mais dias se passaram. Willem voltou a ocupar sua suíte no outro lado do apartamento. Lucien telefonou algumas vezes para perguntar sobre uma coisa ou outra, sempre se desculpando, mas ele ficava feliz com aquelas ligações, e feliz também por Lucien agora começar a conversa reclamando de algum cliente ou de um colega, em vez de perguntar como ele estava. A não ser por Tremain e Lucien, e mais uma ou duas pessoas, ninguém na firma sabia o verdadeiro motivo da sua ausência: seus colegas, assim como os clientes, foram informados de que ele estava se recuperando de uma cirurgia de emergência na medula espinhal. Sabia que, ao voltar à Rosen Pritchard, Lucien lhe daria imediatamente sua carga de trabalho normal; nem cogitariam deixar que se readaptasse aos poucos, não haveria qualquer especulação sobre sua capacidade de lidar com o estresse, e ele se sentia grato por aquilo. Parou de tomar os remédios, que o deixavam grogue, e uma vez fora de seu sistema, ele ficou maravilhado pela claridade que passou a sentir – até sua visão estava diferente, como se toda a sujeira e as manchas de uma janela de vidro tivessem sido removidas e ele agora pudesse admirar a beleza do gramado verde que estava do outro lado, as pereiras com seus frutos amarelos.

Mas também percebeu que os medicamentos o protegiam e, sem eles, as hienas voltaram, menos numerosas e mais lerdas, mas ainda o rondavam, ainda o seguiam, menos motivadas em sua caça, porém ainda presentes, suas companheiras indesejadas, mas persistentes. Outras lembranças também reemergiram, as mesmas de sempre, mas também algumas novas, e ele ficou ainda mais consciente da grande inconveniência que causara a todo mundo, do quanto exigira das pessoas, de que lhes tomara algo que nunca, jamais conseguiria retribuir. E havia ainda aquela voz, que sussurrava em momentos inoportunos, *Você pode tentar mais uma vez, você pode tentar mais uma vez*, e ele tentava ignorá-la, pois, em determinado momento – da mesma maneira indefinível pela qual antes decidira se matar –, resolvera que se esforçaria para ficar melhor, e não queria ser lembrado de que podia tentar mais uma vez, de que a vida, por mais desonrosa e absurda que geralmente fosse, não era sua única opção.

Veio o Dia de Ação de Graças, que mais uma vez foi comemorado no apartamento de Harold e Julia na West End Avenue e que, mais uma vez, contou com um grupo pequeno de convidados: Laurence e Gillian (as filhas passariam o feriado na casa das famílias dos maridos), ele, Willem, Richard e India, Malcolm e Sophie. Durante a refeição, percebeu que todos tentavam não prestar muita atenção nele e, quando Willem mencionou a viagem que fariam ao Marrocos em meados de dezembro, Harold se mostrou tão tranquilo, tão indiferente, que ele entendeu que ele e Willem (e provavelmente Andy) já haviam conversado bastante sobre o assunto anteriormente, e Harold dera sua permissão.

– Quando volta à Rosen Pritchard? – perguntou Laurence, como se ele estivesse de férias.

– No dia três de janeiro.

– Mas assim tão cedo! – disse Gillian.

Ele sorriu para ela.

– Para mim é como se faltasse muito tempo – falou. E era verdade; estava pronto para tentar ser normal outra vez, para fazer outra tentativa de viver.

Ele e Willem foram embora cedo, e naquela noite se cortou pela segunda vez desde que recebera alta do hospital. Aquilo era outra coisa que as medicações haviam amortecido: sua necessidade de se cortar, de sentir aquele tapa vívido e alarmante de dor. Na primeira vez, ficou chocado com o quanto doía e chegou a questionar por que passara tanto tempo fazendo isso consigo mesmo – o que tinha na cabeça? Mas depois sentiu tudo dentro de si ficar mais lento, sentiu-se relaxado, sentiu as lembranças esmaecerem, e se lembrou do quanto aquilo o ajudava, se lembrou do motivo pelo qual se cortava. As cicatrizes da tentativa formavam três linhas verticais em cada braço, da base da palma da mão até logo abaixo da parte interna do cotovelo, e não haviam cicatrizado por completo; parecia que havia enfiado alguns lápis sob a superfície da pele. Tinham um brilho estranho, perolado, quase como se tivesse queimado a pele. Agora, fechou o punho e as viu se retesarem em resposta.

Naquela noite, acordou gritando, o que vinha acontecendo à medida que se reajustava à vida, a uma nova existência com sonhos; quando estava sob o efeito dos medicamentos, não tinha sonhos, pelo menos não de verdade, e, se tivesse, eram tão esquisitos, sem sentido e complicados que logo os esquecia. Mas, nesse sonho, ele estava num dos quartos de motel e havia um grupo de homens, que o agarravam. Estava desesperado, tentando resistir. Mas eles continuavam a se multiplicar e ele sabia que no fim acabaria perdendo, sabia que seria destruído.

Um dos homens continuava a chamar seu nome, e então colocou a mão na sua bochecha. Por algum motivo, aquilo o deixou ainda mais aterrorizado e ele empurrou a mão para longe. O homem então jogou água nele, que acordou, arfando. Encontrou Willem à sua frente, pálido, com um copo na mão.

– Desculpe, desculpe – disse Willem. – Não conseguia fazer você acordar, Jude, desculpe. Vou buscar uma toalha. – E voltou com a toalha e o copo cheio de água, mas ele tremia demais para conseguir segurá-lo.

Ele pediu desculpas mais de uma vez a Willem, que balançou a cabeça e lhe disse que não se preocupasse, que estava tudo bem, fora apenas um sonho. Willem levou uma camisa seca para ele e lhe deu as costas enquanto se trocava, levando a molhada para o banheiro.

– Quem é o irmão Luke? – perguntou Willem enquanto os dois estavam sentados em silêncio, esperando sua respiração voltar ao normal. E então, como não obteve resposta: – Você estava gritando: "Me ajude, irmão Luke, me ajude". – Continuou calado. – Quem é ele, Jude? Era alguém do mosteiro?

– Não consigo, Willem – falou, e sentiu uma imensa saudade de Ana. *Me peça outra vez, Ana, disse a ela, e contarei tudo para você. Me ensine o que fazer. Desta vez vou ouvir. Desta vez vou falar.*

Naquele fim de semana foram à casa de Richard no norte do estado e fizeram uma longa caminhada pela floresta nos fundos da propriedade. Depois, conseguiu terminar com sucesso a primeira refeição que cozinhou desde que recebera alta. Fez o prato preferido de Willem, filé de cordeiro, e embora tenha precisado da ajuda de Willem para fatiar a carne – ainda não tinha habilidade o bastante para cortá-la –, fez todo o restante sozinho. Naquela noite, voltou a acordar gritando e mais uma vez encontrou Willem (ainda que sem o copo de água dessa vez), que perguntou de novo sobre o irmão Luke e por que estava implorando a ajuda dele. Mais uma vez, não conseguiu responder.

Sentiu-se cansado no dia seguinte, e seus braços doíam. Todo o seu corpo doía. Durante a caminhada, falou muito pouco, e Willem também se manteve calado. À tarde, repassaram seus planos para a viagem ao Marrocos: começariam por Fez, depois atravessariam o deserto de carro, parando perto de Ouarzazate e terminando em Marrakesh. Na volta, passariam alguns dias em Paris para visitar Citizen e um amigo de Willem; chegariam em casa pouco antes do Ano-Novo.

Enquanto jantavam, Willem disse:

– Sabe, pensei no presente de aniversário que pode me dar.

– É mesmo? – falou, aliviado por voltar sua atenção para algo que pudesse dar a Willem, em vez de ter de pedir novamente a ajuda do amigo, pensando em quanto tempo lhe havia roubado. – Pode dizer.

– Bem – começou Willem –, é meio que algo grande.

– Qualquer coisa – respondeu. – Estou falando sério. – E Willem olhou para ele de um jeito que não conseguiu interpretar. – De verdade – garantiu. – Qualquer coisa.

Willem colocou o sanduíche de cordeiro no prato e respirou fundo.

– Tudo bem – falou. – O que quero de presente de aniversário é que me diga quem é o irmão Luke. E não só quem ele é, mas que tipo... que tipo de relação você tinha com ele, e por que acha que continua a chamar seu nome à noite. – Olhou para ele. – Quero que seja sincero, e minucioso, e me conte a história toda. É isso que quero.

Os dois ficaram em silêncio por um bom tempo. Ele percebeu que ainda estava com a boca cheia de comida, e de algum jeito a engoliu, colocando no prato seu próprio sanduíche, que segurava no ar.

– Willem – disse, finalmente, pois sabia que Willem estava falando sério, e que não conseguiria dissuadi-lo, não conseguiria convencê-lo a pedir outra coisa –, parte de mim *quer* contar a você. Mas, se eu contar... – Parou. – Mas, se eu contar, tenho medo de que passe a sentir asco de mim. Espere – disse quando Willem ameaçou começar a falar. Olhou para o rosto de Willem. – Prometo que vou contar. Eu prometo. Mas... mas você tem de me dar um tempo. Nunca falei disso antes, então preciso pensar em como dizer as palavras.

– Tudo bem – disse Willem por fim. – Bom. – Fez uma pausa. – Que tal se formos trabalhando nisso aos poucos, então? Posso fazer uma pergunta mais fácil, e você responde. Daí vai ver que não é assim tão ruim poder se abrir. E, se for, também falaremos disso.

Ele inalou o ar; exalou. *É com Willem que está falando*, lembrou a si mesmo. *Ele nunca o machucaria, jamais. Está na hora, está na hora.*

– Tudo bem – falou, finalmente. – Tudo bem. Pode perguntar.

Observou Willem se refestelando na cadeira e olhando para ele, tentando determinar como escolher uma pergunta dentre as centenas que um amigo normalmente faz a outro, mas que nunca tivera permissão para fazer. Vieram-lhe lágrimas aos olhos, então, por ter permitido que a amizade deles tivesse se tornado tão parcial e por todo o tempo que Willem continuou ao seu lado, ano após ano, mesmo quando o evitava, mesmo quando lhe pedia ajuda com problemas cujas origens não revelaria. Em sua nova vida, prometeu a si mesmo, exigiria menos de seus amigos; seria mais generoso. Seja lá o que quisessem, ele daria. Se Willem queria informação, tudo bem, e caberia a ele descobrir de que maneira a fornecer. Sofreria uma vez após a outra – todo mundo sofria –, mas, se estava disposto a tentar, se estava disposto a continuar vivo, tinha de ser mais forte, tinha de se preparar, tinha de aceitar que aquilo fazia parte da barganha da vida.

— Tudo bem, já sei o que perguntar — disse Willem, e ele se ajeitou na cadeira, se preparando. — Como ganhou a cicatriz nas costas da mão?

Ele piscou, surpreso. Não sabia que pergunta estava por vir, mas agora que a ouvira, ficara aliviado. Raramente pensava na cicatriz naqueles tempos, mas, agora que olhava para ela, com seu brilho de tafetá, e passava o dedo sobre o relevo, pensou em como aquela cicatriz o levara a tantos outros problemas, e depois ao irmão Luke, e depois ao orfanato, e à Filadélfia, a tudo.

Mas o que em sua vida não estava ligado a outra história maior e mais triste? Tudo que Willem queria saber era sobre aquela história específica; ele não precisava detalhar o que veio depois, o enorme e feio emaranhado de dificuldades.

Pensou em como começar e maquinou na cabeça o que diria antes de abrir a boca. Finalmente, estava pronto.

— Sempre fui um menino ganancioso — começou, e, do outro lado da mesa, viu Willem se apoiar nos cotovelos, pois, pela primeira vez naquela amizade entre os dois, Willem seria o ouvinte e ele lhe contaria uma história.

—

Completou dez anos, depois onze. Seu cabelo cresceu novamente, tornando-se mais longo do que quando estava no mosteiro. Ficou mais alto, e o irmão Luke o levou a um brechó, num daqueles onde se podia comprar um saco de roupas e pagar por quilo.

— Vá com calma! — brincava o irmão Luke com ele, empurrando o topo de sua cabeça como se o estivesse esmagando de volta a um tamanho menor. — Está crescendo muito rápido para o meu gosto.

Dormia o tempo todo agora. Ficava acordado durante as aulas, mas, à medida que o dia se encaminhava para o final da tarde, sentia algo surgir dentro de si e começava a bocejar, incapaz de manter os olhos abertos. No início, o irmão Luke também brincou com isso — "meu dorminhoco", dizia, "meu sonhador" —, mas, uma noite, ele sentou ao seu lado depois que o cliente saiu. Por meses, anos, lutou com os clientes, mais por reflexo do que por achar que podia fazê-los parar, mas, nos últimos tempos, começara a ficar parado, inerte, esperando que o que quer que fosse acontecer terminasse.

— Sei que está cansado — dissera o irmão Luke. — É normal; você está crescendo. Crescer é um negócio cansativo. E eu sei que você trabalha pesado. Mas, Jude, quando está com os clientes, precisa mostrar um pouco de vida; eles estão pagando para ficar com você, sabe? Precisa mostrar que está gostando. — Como não respondeu nada, o irmão acrescentou: — Claro que sei que não está *gostando*, não do jeito como gosta quando estamos só nós dois, mas precisa mostrar um pouco de energia, tudo bem? — O irmão se curvou e prendeu seu cabelo atrás da orelha. — Tudo bem?

Ele fez que sim com a cabeça.

Foi mais ou menos nessa época que começou a se jogar contra a parede. O motel onde estavam hospedados — isso foi em Washington — tinha dois andares, e certa vez ele subiu para reabastecer o balde de gelo. Fora um dia molhado, escorregadio, e, no caminho de volta, ele tropeçou e caiu, quicando escada abaixo. O irmão Luke ouviu o barulho da queda e correu para fora do quarto. Não quebrara nenhum osso, mas havia se ralado e estava sangrando, por isso o irmão Luke cancelou o cliente do dia. Naquela noite, o irmão foi atencioso, levando-lhe chá, mas ele se sentia mais vivo do que se sentira em semanas. Algo na queda, o frescor da dor, o fortificara. Era uma dor honesta, uma dor limpa, uma dor sem sujeira ou vergonha, e era uma sensação diferente do que sentira em todos aqueles anos. Na semana seguinte, subiu novamente para pegar gelo. Mas, dessa vez, ao voltar para o quarto, parou no pequeno espaço triangular ao pé da escada e, antes que tivesse consciência do que estava fazendo, começou a se jogar contra a parede de tijolos. Enquanto fazia isso, imaginava estar botando para fora do corpo todo lixo, todos os líquidos, todas as lembranças dos últimos anos. Estava se renovando, voltando a um estado puro; estava se castigando pelas suas atitudes. Aquilo o fizera se sentir melhor, energizado, como se tivesse corrido uma maratona e depois vomitado, e assim foi capaz de voltar para o quarto.

Uma hora, no entanto, o irmão Luke notou o que ele estava fazendo, e os dois tiveram mais uma conversa.

— Entendo que fique frustrado — disse o irmão Luke —, mas, Jude, o que está fazendo não é bom para você. Estou preocupado. E os clientes não gostam de vê-lo todo machucado.

Ficaram em silêncio. No mês anterior, após uma noite particularmente ruim — atendera um grupo de homens, e, depois que foram embora, ele chorou e berrou, chegando o mais perto em anos de ter um ataque de pirraça, enquanto Luke, sentado ao seu lado, passava a mão em sua barriga dolorida e pressionava um travesseiro em sua boca para abafar o som –, pedira ao irmão Luke para deixar que parasse de fazer aquilo. E o irmão chorou e falou que deixaria, que tudo que queria era que vivessem sozinhos, porém havia gasto todo o dinheiro cuidando dele.

– Não me arrependo nem por um minuto, Jude – disse o irmão –, mas não temos dinheiro algum neste momento. Você é tudo que tenho. Sinto muito. Mas, a partir de agora, vou economizar; logo você vai poder parar. Eu prometo.

– Quando? – choramingou.

– Em breve – disse Luke –, em breve. Um ano. Prometo.

E ele assentiu com a cabeça, por mais que soubesse há tempos que as promessas do irmão eram vazias.

Mas então o irmão falou que lhe ensinaria um segredo, algo que o ajudaria a extravasar suas frustrações e, no dia seguinte, ensinou-lhe como se cortar, dando a ele um estojo já equipado com lâminas, lenços umedecidos de álcool, algodão e ataduras.

– Você tem de ir experimentando para ver o que é melhor – disse o irmão, mostrando-lhe como limpar e cobrir o corte depois que terminasse. – Isto aqui é seu – falou, entregando-lhe o estojo. – Me avise quando acabar algo para que eu possa comprar mais.

De início, sentiu falta da teatralidade, da força e do peso de suas batidas e quedas, mas logo passou a apreciar a privacidade e o controle dos cortes. O irmão Luke tinha razão: era melhor se cortar. Quando se cortava, sentia como se estivesse drenando o veneno, a sujeira, a raiva de dentro dele. Era como se o seu antigo sonho de usar sanguessugas tivesse ganhado vida e surtisse o mesmo efeito, o efeito que sempre sonhara obter. Queria ser feito de metal, de plástico: algo que pudesse ser lavado e esfregado de modo a sumir com qualquer impureza. Imaginava a si mesmo sendo preenchido com água, detergente e água sanitária, para depois receber rajadas de ar que o desinfetariam por dentro. Agora, depois que o último cliente ia embora, ele assumia o lugar do irmão Luke no banheiro, e até ouvi-lo dizer que era hora de ir para a cama, seu corpo lhe pertencia para fazer o que bem entendesse.

Dependia do irmão Luke para tudo: para sua alimentação, para sua proteção e agora para ter suas lâminas. Quando ficava doente e precisava ir ao médico – pegava infecções dos clientes, não importava quanto o irmão Luke tentasse evitar e, às vezes, não limpava direito os cortes e eles também infeccionavam –, o irmão Luke o levava e comprava os antibióticos de que precisava. Já se acostumara com o corpo do irmão Luke, com sua boca, com suas mãos: não gostava, mas agora não se debatia mais quando o irmão Luke começava a beijá-lo, e quando o irmão o abraçava, ele obedientemente retribuía. Sabia que ninguém mais o trataria tão bem quanto o irmão Luke: quando fazia alguma coisa errada, o irmão Luke nunca gritava com ele, e mesmo após todos aqueles anos, não batera nele nem uma só vez. No início, pensara que um dia pudesse ter um cliente que fosse melhor, que talvez quisesse levá-lo consigo, mas agora sabia que aquilo jamais aconteceria. Certa vez começou a se despir antes que o cliente estivesse pronto, e o homem lhe deu um bofetão no rosto e esbravejou com ele.

– Jesus Cristo – dissera –, mais devagar, sua putinha. Quantas vezes já fez isso, afinal?

E, como sempre acontecia quando um dos clientes batia nele, o irmão Luke saiu do banheiro para gritar com o homem, fazendo-o prometer que se comportaria melhor se quisesse continuar. Os clientes o insultavam: era uma puta, uma vadia, imundo, nojento, ninfomaníaco (teve de procurar esta no dicionário), um escravo, um lixo, sujo, inútil, um nada. Mas o irmão Luke nunca lhe dissera nada daquilo. Ele era perfeito, dizia, era inteligente, era bom no que fazia, e não havia nada de errado com isso.

O irmão ainda falava sobre ficarem juntos, mas agora a conversa girava em torno de uma casa de frente para o mar, em algum lugar no meio da Califórnia. Descrevia as praias de pedras, os pássaros barulhentos, a água cor de tempestade. Ficariam juntos, só eles dois, como se fossem casados. Não eram mais pai e filho, agora estavam no mesmo patamar. Quando fizesse dezesseis anos, os dois se casariam. Passariam a lua de mel na França e na Alemanha, onde poderia finalmente praticar as línguas que aprendera com franceses e alemães de verdade, e depois iriam à Itália e à Espanha, onde o irmão Luke vivera por dois anos: uma vez como estudante, e outra um ano depois de se formar na universidade. Comprariam um piano para que ele pudesse tocar e cantar.

– Ninguém mais vai querer você depois que souberem quantos clientes já teve – disse o irmão. – E isso será uma bobagem. Mas eu sempre vou querer você, mesmo se já tiver atendido dez mil clientes.

Ele se aposentaria quando completasse dezesseis anos, dissera o irmão Luke, o que o fizera chorar, pois vinha contando os dias até fazer doze, que era quando o irmão prometera que poderia parar.

Às vezes, o irmão Luke se desculpava pelo que ele tinha de fazer: quando o cliente era cruel, quando ele sentia dor, quando sangrava ou se machucava. E às vezes o irmão Luke agia como se ele gostasse.

– Esse foi dos bons – dizia quando um dos homens partia. – Deu para ver que você gostou daquele, estou errado? Não negue, Jude! Eu ouvi você se divertindo. Isso é bom. É bom se divertir no trabalho.

Completou doze anos. Estavam no Oregon, indo na direção da Califórnia, dizia o irmão Luke. Havia crescido ainda mais: o irmão Luke previra que ele teria entre um metro e oitenta e cinco e um metro e oitenta e nove quando parasse – ainda mais baixo que o próprio irmão, mas não muito. Sua voz estava mudando. Não era mais criança, o que dificultava encontrar clientes. Agora havia menos clientes individuais e mais grupos. Ele detestava os grupos, mas o irmão Luke disse que aquilo era o melhor que podia encontrar. Parecia mais velho do que sua idade: os clientes achavam que tinha treze ou quatorze anos e, hoje em dia, alegou o irmão Luke, cada ano contava.

Era outono; vinte de setembro. Estavam em Montana, pois o irmão Luke achou que ele gostaria de ver o céu noturno por lá, onde as estrelas brilhavam feito luz elétrica. Não havia nada de estranho naquele dia. Dois dias antes, atendera um grupo grande, e a experiência fora tão terrível que o irmão Luke não só cancelara os clientes do dia seguinte, mas também o deixara dormir sozinho em ambas as noites, com a cama toda para ele. Naquela noite, porém, a vida voltara ao normal. O irmão Luke se deitou na cama com ele e começou a beijá-lo. E então, enquanto faziam sexo, ouviu alguém esmurrar a porta, com tanta força e insistência, e de maneira tão repentina, que ele quase mordeu a língua do irmão Luke.

– Polícia – ouviu –, abra a porta. Abra já essa porta.

O irmão Luke cobriu sua boca com a mão.

– Não diga uma só palavra – murmurou.

– Polícia – gritou a voz novamente. – Edgar Wilmot, temos um mandado para prendê-lo. Abra já essa porta.

Estava confuso: Quem era Edgar Wilmot? Seria um cliente? Estava prestes a dizer ao irmão Luke que haviam cometido um engano, quando olhou para o alto e, ao ver o rosto dele, percebeu que estavam à procura do irmão Luke.

O irmão Luke se desprendeu dele e gesticulou para que ficasse na cama.
– Não se mexa – sussurrou. – Volto logo. – E então correu para o banheiro; ele ouviu o clique da porta.
– Não – sussurrou desesperado quando o irmão Luke o deixou. – Não me deixe, irmão Luke, não me deixe sozinho. – Mas o irmão o deixara mesmo assim.
E então tudo pareceu se mover muito lento e muito rápido, os dois ao mesmo tempo. Ele não se mexera, estava petrificado demais para isso, mas então a madeira foi estilhaçada e o quarto se encheu de homens segurando lanternas na altura da cabeça, o que o impediu de ver seus rostos. Um deles se aproximou e lhe disse algo – não conseguia ouvir em meio ao barulho, em meio ao pânico que sentia – levantando sua roupa de baixo e colocando-o de pé.
– Está seguro agora – lhe falou alguém.
Ouviu um dos homens praguejar e gritar do banheiro.
– Chamem já uma ambulância. – E ele se livrou dos braços do homem que o estava segurando, desviou do braço de outro e deu três saltos rápidos até o banheiro, onde viu o irmão Luke com um fio de extensão em volta do pescoço, pendurado no gancho no centro do teto do banheiro, com a boca aberta, os olhos fechados e o rosto cinza como a barba. Ele soltou um grito, e depois outro e mais outro, até ser arrastado para fora do quarto, berrando o nome do irmão Luke sem parar.
Consegue se lembrar pouco do que se seguiu. Foi interrogado inúmeras vezes; depois foi levado a um hospital e um médico o examinou, perguntando quantas vezes fora estuprado, mas ele não conseguiu responder: ele *tinha sido* estuprado? Havia concordado em fazer aquilo, concordara com tudo; fora uma decisão sua, ele a tomara.
– Quantas vezes fez sexo? – perguntou o médico, mudando de estratégia.
E ele respondeu:
– Com irmão Luke ou com os outros?
E o médico falou:
– Que outros?
E depois que terminou de contar tudo, o médico lhe deu as costas e levou as mãos ao rosto, virando-se em seguida e abrindo a boca para lhe dizer algo, mas nada saiu. Foi então que teve certeza de que o que vinha

fazendo era errado. Sentiu-se tão envergonhado, tão sujo, que teve vontade de morrer.

Levaram-no para o orfanato. Deram-lhe suas coisas: seus livros, o boneco navajo, as pedras, os gravetos, as nozes e a bíblia com as flores dentro que levara do mosteiro, as roupas das quais os outros meninos zombavam. No orfanato, sabiam o que ele era, o que fizera, sabiam que sua vida já fora arruinada, então não se surpreendeu quando alguns dos conselheiros começaram a fazer com ele o que as pessoas vinham lhe fazendo havia anos. De alguma forma, os outros meninos também sabiam o que ele era. Eles o insultavam com os mesmos insultos usados pelos clientes; deixavam-no sozinho. Quando se aproximava de um grupo, todos se levantavam e saíam correndo.

Não lhe deram seu estojo com as lâminas, então ele aprendeu a improvisar: roubou a tampa de uma lata de alumínio do lixo e a esterilizou com a chama do fogão numa tarde em que estava trabalhando na cozinha, escondendo-a debaixo do colchão para usá-la mais tarde. Roubava uma tampa nova toda semana.

Pensava no irmão Luke todos os dias. Pulou quatro anos na escola; deixaram-no assistir às aulas de matemática, piano, literatura, francês e alemão na faculdade pública. Os professores perguntavam quem lhe ensinara o que sabia e ele respondia que fora seu pai.

– Pois ele fez um bom trabalho – dissera-lhe a professora de inglês. – Deve ter sido um professor excelente. – Ele não conseguiu responder, então ela acabava passando para o aluno seguinte.

À noite, quando estava com os conselheiros, fingia que o irmão Luke estava escondido bem atrás da parede, esperando para aparecer caso as coisas descambassem para o lado ruim, o que queria dizer que tudo que lhe estava acontecendo eram coisas que o irmão Luke sabia que ele podia suportar.

Depois que passou a confiar em Ana, contou a ela algumas coisas sobre o irmão Luke. Mas se mostrava relutante em contar tudo. Não contou a ninguém. Fora um idiota em ir atrás do irmão Luke, sabia disso. O irmão mentira e fizera coisas horríveis com ele. Mas queria acreditar que, depois de tudo o que se passou, apesar de tudo, o irmão Luke realmente o amava, que aquela parte era verdade: não uma perversão, não uma racionalização, mas algo real. Achava que não suportaria ouvir Ana dizendo, como dizia dos outros:

— Ele era um monstro, Jude. Eles dizem que o amam, mas só falam isso para poder manipular você, não percebe? É isso que fazem os pedófilos; é assim que atraem as crianças.

Já adulto, ainda não sabia o que pensar em relação ao irmão Luke. Sim, ele era mau. Mas seria pior que os outros irmãos? Teria ele *realmente* tomado a decisão errada? Teria sido *realmente* melhor continuar no mosteiro? Seria mais ou menos castigado no tempo que passasse ali? Os legados do irmão Luke estavam em tudo o que ele fazia, em tudo o que era: seu amor pela leitura, pela música, pela matemática, pela jardinagem, pelas línguas – aquilo vinha do irmão Luke. Seus cortes, seu ódio, sua vergonha, seus medos, suas doenças, sua incapacidade em ter uma vida sexual normal, em ser uma pessoa normal – aquilo também vinha do irmão Luke. Ele o ensinara como encontrar prazer na vida, e removera completamente todo prazer dela.

Tinha cuidado para nunca dizer seu nome em voz alta, mas às vezes pensava nele, e independentemente do quanto envelhecesse, de quantos anos se passassem, o rosto do irmão Luke lhe aparecia, sorrindo, conjurado num instante. Pensava no irmão Luke quando os dois se apaixonaram, quando fora seduzido e ainda era muito criança, muito ingênuo, muito solitário e desesperado por afeto para saber. Estava correndo para a estufa, estava abrindo a porta, e o calor e o cheiro das flores o envolveram feito uma capa. Fora a última vez que sentira uma felicidade simples, a última vez que tivera contato com uma alegria descomplicada.

— Chegou meu garotinho lindo! – gritava o irmão Luke. – Ah, Jude... Estou tão feliz em ver você.

[V]

Os anos felizes

1

HOUVE UM DIA, CERCA de um mês depois de completar trinta e oito anos, em que Willem se deu conta de que era famoso. De início, isso o inquietou menos do que havia imaginado, em parte porque sempre se considerara famoso, de certa forma – ele e JB, na verdade. Podia estar no Baixo Manhattan com um amigo, Jude ou alguma outra pessoa, e aparecia alguém para cumprimentar Jude, e Jude o apresentava:

– Aaron, você já conhece Willem?

E Aaron respondia:

– Mas é claro. Willem Ragnarsson. Todo mundo conhece Willem.

Mas não seria por causa de seu trabalho. Era porque a irmã do ex-colega de quarto de Aaron saíra com ele em Yale, ou porque dois anos antes ele lera um roteiro para o amigo do irmão de um amigo de Aaron, que era dramaturgo, ou porque Aaron, que era artista, já participara de uma mostra coletiva com JB e Henry Young Asiático e conhecera Willem na festa de pós-inauguração. Nova York, na maior parte de sua vida adulta, fora simplesmente uma extensão da universidade, onde todos conheciam ele e JB, e cuja infraestrutura parecia às vezes ter sido içada de Boston e relocada no raio de alguns quarteirões no Baixo Manhattan e nos subúrbios do Brooklyn. Eles quatro conversavam com as mesmas... bom, se não com as mesmas pessoas, ao menos com os mesmos *tipos* de pessoas com quem conversavam na universidade, e naquela terra de artistas, atores e músicos, claro que era conhecido, pois sempre fora. Não era um mundo tão grande; todos se conheciam.

Dos quatro, apenas Jude e, até certo ponto, Malcolm, tinham tido a experiência de viver num outro mundo, o mundo real, habitado por pessoas que faziam as coisas necessárias da vida: criar leis, ensinar, curar pessoas, solucionar problemas, lidar com dinheiro, vender e comprar coisas (a maior surpresa, Willem sempre pensava, não era o fato de *ele* conhecer Aaron, mas sim de Jude o conhecer). Pouco antes de completar trinta e sete anos, participara de um filme pequeno chamado *O tribunal de plátano*, no qual interpretava um advogado de uma pequena cidade do Sul que finalmente saía do armário. Aceitara o papel para poder atuar ao lado do ator que fazia seu pai, uma pessoa a quem admirava e que, no filme, era taciturno e ofendia os outros com casualidade, um homem que reprovava o próprio filho e que se tornara amargurado devido a suas próprias decepções. Como parte de sua pesquisa, pediu a Jude que lhe explicasse exatamente o que fazia durante o dia. Enquanto ouvia, foi sentindo uma leve tristeza ao ver que Jude, a quem considerava brilhante, brilhante sob diversas maneiras que jamais conseguiria entender, vinha desperdiçando sua vida com um trabalho que parecia tão enfadonho, o equivalente intelectual a fazer tarefas domésticas: limpar, arrumar, lavar, organizar, e depois passar para a casa seguinte e começar tudo de novo. Não lhe disse isso, é claro, e, num sábado, foi visitar Jude na Rosen Pritchard. Deu uma olhada em suas pastas e documentos e deu uma volta pelo escritório enquanto Jude escrevia.

– E então, o que achou? – perguntou Jude, refestelando-se na cadeira e sorrindo para ele.

Willem retribuiu o sorriso e disse:

– Bem impressionante. – Pois era mesmo, à sua própria maneira, e Jude caiu na gargalhada.

– Sei o que está pensando, Willem – dissera. – Não tem problema. Harold pensa a mesma coisa. "Que desperdício" – disse, imitando a voz de Harold. – "Que desperdício, Jude."

– Não foi isso que pensei – protestou, embora tivesse pensado aquilo: Jude sempre se queixava de sua própria falta de imaginação, de seu próprio senso imperturbável de praticidade, mas Willem nunca o vira de tal forma. E parecia mesmo um desperdício: não por estar numa firma corporativa, mas sim por estar no mundo do direito, quando, na verdade, na sua opinião, uma mente como a de Jude deveria se ocupar de outras coisas. De que, precisamente, ele não sabia dizer, mas não daquilo. Sabia que era ridículo, mas nunca acreditara realmente que o fato de Jude decidir estudar direito faria dele um advogado: sempre imaginara que, em determinado ponto, ele largaria tudo para fazer outra coisa, como ser professor de matemática, ou professor de canto, ou (embora tenha reconhecido a ironia, mesmo na época) psicólogo, já que era um ótimo ouvinte e sempre conseguia consolar seus amigos. Não sabia por que se agarrara àquela ideia de Jude, mesmo depois de ficar claro que ele amava e era bom no que fazia.

O tribunal de plátano foi um sucesso inesperado e rendeu a Willem as melhores críticas que já recebera, além de indicações a prêmios. Seu lançamento, na mesma época de outro filme, maior e mais chamativo, que gravara dois anos antes, mas acabara atrasando na pós-produção, lhe deu certo destaque, o que, até ele mesmo reconhecia, transformaria sua carreira. Sempre escolhera seus papéis com sabedoria – se era possível dizer que tinha talento para alguma coisa, sempre achou que fosse este: seu bom gosto por papéis –, mas, até aquele ano, nunca houvera um momento em que tivesse se sentido realmente seguro, em que pudesse falar sobre os filmes que gostaria de fazer quando estivesse com seus cinquenta, sessenta anos. Jude sempre lhe dissera que ele tinha um senso superdesenvolvido de circunspecção em relação à sua carreira, que era bem melhor do que pensava, mas ele nunca se sentira assim; sabia que era respeitado pelos colegas e pela crítica, mas uma parte dele sempre temia que tudo fosse acabar um dia de maneira abrupta, sem qualquer aviso. Era uma pessoa prática na carreira menos prática de todas, e toda vez que conseguia um papel, dizia aos amigos que nunca mais conseguiria outro, que estava certo de que aquele seria o último, em parte como uma maneira de repelir seus medos – se reconhecesse a possibilidade, a probabilidade de acontecer seria menor –, e em parte para expressá-los, pois eram medos reais.

Só mais tarde, quando ele e Jude ficavam sozinhos, é que se permitia comunicar suas preocupações em voz alta.

– E se eu nunca mais voltar a trabalhar? – perguntava a Jude.

– Isso não vai acontecer – dizia Jude.

– Mas e se *acontecer*?

– Bem – dizia Jude, sério –, na circunstância extraordinariamente improvável de não atuar nunca mais, você encontrará outra coisa para fazer. E, enquanto estiver tentando descobrir, vai morar na minha casa.

Sabia, obviamente, que voltaria a trabalhar: precisava acreditar naquilo. Todo ator precisava. Atuar era uma forma de embuste, e, a partir do momento em que você parava de acreditar, todo mundo também parava. Mas, ainda assim, ficava feliz quando Jude o tranquilizava; gostava de saber que teria um lugar para ir caso tudo realmente acabasse. De vez em quando, nas ocasiões em que se sentia particular e atipicamente com pena de si mesmo, pensava no que *faria* caso terminasse: pensou que talvez pudesse trabalhar com crianças deficientes. Aquilo seria algo que faria bem e de que gostaria. Conseguia se imaginar voltando para casa, vindo de uma escola primária, que talvez pudesse ficar no Lower East Side, a oeste do SoHo, indo na direção de Greene Street. Não teria mais seu apartamento, é claro, que teria vendido para custear seu mestrado em pedagogia (nesse sonho, todos os milhões que recebera, todos os milhões que jamais gastara, desapareciam de alguma forma), e moraria no apartamento de Jude, como se as últimas duas décadas nunca tivessem acontecido.

Mas, depois de *O tribunal de plátano*, a frequência daquelas fantasias tolas diminuiu, e ele passou a segunda metade de seu trigésimo sétimo ano sentindo uma confiança maior do que jamais sentira. Algo havia mudado; algo se concretizara; em algum lugar, seu nome ficara marcado em pedra. Sempre teria ofertas; poderia tirar um período de descanso se quisesse.

Era o mês de setembro, e ele estava voltando de uma filmagem e prestes a embarcar numa turnê de divulgação pela Europa; tinha um dia na cidade, somente um, e Jude disse que o levaria aonde quisesse. Os dois se encontrariam, almoçariam e então ele entraria no carro e partiria direto para o aeroporto a fim de pegar o voo rumo a Londres. Fazia muito tempo desde a última vez que estivera em Nova York, e tudo o que queria era ir a algum lugar barato e acolhedor no Baixo Manhattan, como o restaurante vietnamita que costumavam frequentar quando estavam na casa dos vinte anos, mas, em vez disso, acabou optando por um restaurante francês conhecido por seus frutos do mar, no centro de Manhattan, de modo que Jude não precisasse se deslocar tanto.

O restaurante estava cheio de homens de negócios, do tipo que telegrafava sua fortuna e seu poder por meio dos cortes de seus ternos e pela sutileza de seus relógios: era preciso também ser rico e poderoso para compreender o que estava sendo comunicado; para as outras pessoas, eram apenas homens de ternos cinza, indistinguíveis uns dos outros. A recepcionista o levou a Jude, que já o esperava, e, quando Jude se levantou, ele lhe deu um abraço apertado, por mais que soubesse que Jude não gostava, mas decidira recentemente que começaria a fazer isso mesmo assim.

Ficaram ali parados, abraçados, cercados por homens de terno cinza por todos os lados, até que ele soltou Jude e os dois se sentaram.

— Consegui deixar você envergonhado? — perguntou, e Jude sorriu e balançou a cabeça.

Havia tanto para conversarem em tão pouco tempo que Jude chegara a anotar alguns tópicos na parte de trás de uma nota fiscal, o que fez Willem cair na risada, mas acabaram seguindo a lista de maneira bem fiel. Entre o quinto tópico (o casamento de Malcolm: o que diriam na hora do brinde?) e o sexto (o progresso do apartamento de Greene Street, que estava sendo remodelado), ele se levantou para ir ao banheiro e, ao voltar para a mesa, teve a sensação inquietante de estar sendo observado. Obviamente, estava acostumado a ser avaliado e inspecionado, mas havia algo diferente naquele tipo de atenção, em sua intensidade e discrição, e pela primeira vez em bastante tempo se sentiu acanhado, ciente do fato de estar usando jeans, e não um terno, e de não pertencer àquele ambiente. Notou que, na verdade, todos ali estavam de terno e ele era o único que não vestia um.

— Acho que vim com o traje errado — disse em voz baixa a Jude ao se sentar. — Está todo mundo olhando.

— Não estão olhando pelo que está vestindo — disse Jude. — Estão olhando porque você é famoso.

Ele balançou a cabeça.

— Para você e literalmente uma dúzia de outras pessoas, talvez.

— Não, Willem — dissera Jude. — Você é. — Ele sorriu para o amigo. — Por que acha que não o fizeram colocar um paletó? Não deixam qualquer um entrar aqui sem um uniforme corporativo. E por que acha que continuam a trazer todos esses aperitivos? Não é por minha causa, isso eu posso lhe garantir. — E começou a rir. — Por que escolheu este restaurante, afinal? Pensei que fosse escolher algum lugar no Baixo Manhattan.

Ele soltou um gemido.

— Ouvi dizer que o *crudo* era bom. E como assim? Eles exigem um certo tipo de traje aqui?

Jude sorriu outra vez e estava prestes a responder quando um dos homens discretos de terno cinza se aproximou e, claramente envergonhado, pediu desculpas por interrompê-los.

— Só queria dizer que adorei *O tribunal de plátano* — falou. — Sou um grande fã seu.

Willem agradeceu, e o homem, que era mais velho, na casa dos cinquenta, ia dizer algo mais, quando viu Jude e piscou, claramente o reconhecendo, e o encarou por um instante, obviamente recatalogando Jude em sua mente, buscando o que sabia sobre ele. O homem abriu a boca, mas logo em seguida a fechou, e então se desculpou mais uma vez ao deixá-los, enquanto Jude sorria serenamente para ele o tempo todo.

– Ora, ora – disse Jude, depois que o homem saiu às pressas. – Aquele é o chefe do departamento de litígios de uma das maiores firmas da cidade. E, aparentemente, um admirador do seu trabalho. – Ele sorriu para Willem. – *Agora* está convencido de que é famoso?

– Se a referência para a fama for ser reconhecido por estudantes de moda de vinte e poucos anos e homens de meia-idade que ainda não saíram do armário, então, sim – falou, e os dois abafaram o riso, feito crianças, até conseguirem se recompor.

Jude olhou para ele.

– Só você mesmo para aparecer em capas de revista e achar que não é famoso – disse, afetuosamente.

Mas Willem não estava no mundo real quando aquelas revistas eram lançadas; estava no set. No set, todos agiam como se fossem famosos.

– É diferente – disse a Jude. – Não sei explicar.

Porém, mais tarde, a caminho do aeroporto, entendeu qual era a diferença. Sim, estava acostumado a ser observado. Mas, na verdade, só estava acostumado a ser observado por certos tipos de pessoas em certos tipos de ambientes – pessoas que queriam ir para a cama com ele, ou que queriam conversar com ele porque aquilo podia ajudar suas próprias carreiras, ou pessoas para quem o simples fato de ele ser reconhecível já era o bastante para despertar nelas algo de faminto e frenético, ansiando por estar em sua presença. No entanto, não estava acostumado a ser observado por pessoas que tinham outras coisas para fazer, que tinham assuntos maiores e mais importantes com que se preocupar do que com um ator em Nova York. Atores em Nova York: eles estavam por toda parte. A única ocasião em que homens poderosos olhavam para ele era durante as estreias, quando era apresentado aos chefes dos estúdios, e trocavam um aperto de mão e jogavam conversa fora, enquanto percebia que o examinavam, calculando quanto fora bem nos testes, quanto pagaram por ele e quanto o filme teria de faturar para que pudessem olhá-lo com mais atenção.

Por outro lado, uma vez que isso começara a acontecer com mais frequência – ele entrava num salão, num restaurante, num prédio, e sentia, mesmo que por um segundo, uma sutil pausa coletiva –, ele também começou a entender que podia ligar e desligar sua visibilidade. Se entrava num restaurante já esperando ser reconhecido, era isso que acontecia. Se entrava esperando não ser reconhecido, raramente o descobriam. Nunca conseguiu identificar o que, exatamente, além de sua própria vontade, fazia a diferença. Mas funcionava; era por isso que, seis anos depois daquele almoço, era capaz de caminhar por boa parte do SoHo em plena vista, mais ou menos, depois que passou a morar com Jude.

Estava em Greene Street desde que Jude voltara para casa após sua tentativa de suicídio e, à medida que os meses foram se passando, se viu levando mais e mais de suas coisas – primeiro, as roupas, depois o computador, depois as caixas de livros e seu cobertor de lã preferido, no qual gostava de se enrolar e se arrastar pelo apartamento enquanto preparava o café matinal: sua vida era tão itinerante que havia pouco mais de que precisasse ou que possuísse – para seu velho quarto. Passado um ano, ainda estava lá. Depois de acordar cedo uma manhã e preparar um pouco de café (tivera de levar também sua cafeteira, pois Jude não tinha uma), perambulara sonolento pelo apartamento, percebendo, como se fosse a primeira vez, que, de alguma maneira, seus livros estavam agora nas prateleiras de Jude, e os quadros que comprara estavam pendurados nas paredes de Jude. Quando aquilo acontecera? Não se lembrava bem, mas parecia certo; parecia certo estar novamente ali.

Até o Sr. Irvine concordava. Willem o vira na casa de Malcolm na primavera anterior, no aniversário de Malcolm, e o Sr. Irvine dissera:

– Fiquei sabendo que foi morar com Jude. – E ele respondeu que sim, preparando-se para um sermão sobre a adolescência eterna que viviam: afinal, estava prestes a fazer quarenta e quatro anos; Jude tinha quase quarenta e dois. Mas: – Você é um bom amigo, Willem – foi o que ouviu. – Fico feliz que vocês, meninos, cuidem sempre uns dos outros.

Ele ficara profundamente abalado com a tentativa de Jude; todos ficaram, é claro, mas o Sr. Irvine sempre tivera uma predileção por Jude, e todos sabiam.

– Ora, obrigado, Sr. Irvine – respondeu, surpreso. – Também fico feliz.

Nas primeiras e difíceis semanas depois que Jude saiu do hospital, Willem costumava ir ao quarto dele em horários diferentes para verificar se Jude ainda estava lá, e vivo. Naquela época, Jude passava boa parte do tempo dormindo, e ele às vezes sentava na beira da cama, olhando para o amigo e sentindo um espanto terrível por ele ainda estar ali. Pensava: se Richard o tivesse encontrado vinte minutos mais tarde, Jude teria morrido. Cerca de um mês depois que Jude recebeu alta, Willem foi a uma farmácia e viu um estilete pendurado numa prateleira – parecia uma ferramenta tão medieval, tão cruel – e quase caiu no choro: Andy lhe contara que o cirurgião da emergência dissera que as incisões de Jude foram as feridas autoinfligidas mais profundas e firmes que vira em sua carreira. Sempre soubera que Jude era problemático, mas ficou perplexo, ou quase, ao se dar conta de quão pouco o conhecia, e também pela intensidade de sua determinação em causar mal a si mesmo.

Sentia que havia descoberto mais sobre Jude no último ano do que nos vinte e seis precedentes, e cada nova informação era terrível: as histórias de Jude eram do tipo que ele não estava preparado para responder, pois muitas delas eram irrespondíveis. A história sobre a cicatriz nas costas da mão – essa foi a que deu início a tudo – era tão horrível que Willem passara aquela noite em claro, sem conseguir pregar os olhos, e pensara seriamente em telefonar para Harold, só para ter alguém com quem compartilhar a história, alguém para ficar tão boquiaberto quanto ele.

No dia seguinte, não conseguia deixar de olhar para a mão de Jude, e Jude por fim acabara puxando a manga da camisa para cobri-la.

– Está me deixando sem graça – afirmara.

– Desculpe – dissera ele.

Jude soltara um suspiro.

– Willem, não vou contar mais nenhuma história se você for reagir dessa forma – falou, finalmente. – Está tudo bem, de verdade. Já faz bastante tempo. Nem penso mais sobre isso. – Fez uma pausa. – Não quero que olhe para mim de maneira diferente se eu contar essas coisas.

Willem respirara fundo.

– Não – falou. – Você está certo. Está certo.

E então, agora, quando ouvia as histórias de Jude, tinha cuidado em não dizer nada. Fazia apenas alguns ruídos mínimos e imparciais, como se todos os seus amigos tivessem sido açoitados com um cinto embebido em vinagre até desmaiarem ou então obrigados a comer o próprio vômito do chão, como se fossem apenas ritos da infância. Mas, apesar de todas aquelas histórias, na verdade ainda não sabia de nada: ainda não sabia quem era o irmão Luke. Ainda não sabia nada além de histórias isoladas sobre o mosteiro ou sobre o orfanato. Ainda não sabia como Jude fora parar na Filadélfia ou o que acontecera com ele por lá. E ainda não sabia nada sobre o episódio do carro. Mas, se Jude começara pelas histórias mais fáceis, ele sabia agora que as outras, se um dia chegasse a ouvi-las, seriam horripilantes. Quase preferia não saber.

As histórias eram parte de um acordo feito quando Jude deixou claro que não veria o Dr. Loehmann. Andy o visitava quase toda sexta-feira à noite, e uma delas aconteceu logo depois que Jude voltara à Rosen Pritchard. Enquanto Andy examinava Jude no quarto, Willem preparava drinques para todos. Juntaram-se para beber no sofá, com as luzes baixas e o céu lá fora granulado de neve.

– Sam Loehmann disse que você não telefonou para ele – comentou Andy. – Jude... pare com essa merda. Precisa ligar para ele. Isso fazia parte do acordo.

– Andy, já falei para você que não vou fazer isso – disse Jude.

Willem ficou feliz em ver que a teimosia de Jude estava de volta, ainda que discordasse de sua opinião. Dois meses antes, quando estiveram no Marrocos, ele erguera o olhar do prato durante o jantar e viu Jude encarando as porções de entradas à sua frente, incapaz de se servir de nenhuma delas.

– Jude? – perguntara, e Jude olhara para ele com uma expressão de medo.

– Não sei por onde começar – dissera em voz baixa, então Willem esticara o braço e colocara uma colherada de cada no prato de Jude, mandando que começasse pela berinjela cozida no alto e seguisse em sentido horário.

– Precisa fazer *alguma coisa* – disse Andy. Dava para ver que Andy tentava se manter calmo, sem muito sucesso, e ele também achou aquilo animador: era sinal de um certo retorno à normalidade. – Willem concorda comigo, não concorda, Willem? Não pode continuar dessa maneira! Você passou por um trauma enorme na sua vida! Precisa começar a conversar com alguém!

– Tudo bem – disse Jude, aparentando cansaço. – Vou contar para Willem.

– Willem não é psiquiatra! – disse Andy. – Ele é ator!

E, ao ouvir aquilo, Jude olhou para ele e os dois caíram na gargalhada. Riam com tanta vontade que tiveram que colocar seus drinques na mesa, até que então Andy finalmente se levantou e disse que os dois eram tão imaturos que nem sabia por que ainda se preocupava, saindo logo em seguida. Jude tentou chamá-lo de volta:

– Andy! Desculpe! Não vá embora! – Mas ele ria tanto que as palavras eram ininteligíveis. Foi a primeira vez em meses, a primeira vez desde a tentativa, que Willem ouvia Jude rir.

Depois que os dois se recuperaram, Jude falou:

– Pensei em fazer isso, sabe, Willem? Começar a lhe contar algumas coisas. Mas queria saber se você se importa. Seria um fardo?

E ele respondeu que não, é claro que não, pois queria saber. Sempre quisera saber, mas não disse isso; sabia que soaria como uma crítica.

Mas, por mais que pudesse convencer a si mesmo de que Jude voltara ao normal, também conseguia reconhecer que ele havia mudado. Algumas daquelas mudanças, na sua opinião, eram boas: as conversas, por exemplo. Outras eram tristes: embora suas mãos estivessem mais firmes, e embora acontecesse com cada vez menos frequência, elas ainda tremiam ocasionalmente, e ele sabia que Jude ficava constrangido com aquilo. E se tornara ainda mais resistente do que nunca ao ser tocado, especialmente, como notara Willem, no caso de Harold; um mês antes, quando Harold fizera uma visita, Jude praticamente dançara para se esquivar de seu abraço. Willem se sentia mal por Harold, pela expressão no seu rosto, então foi até ele e o abraçou.

– Você sabe que ele não consegue se controlar – sussurrou a Harold, que beijara sua bochecha.

– Você é um homem bom, Willem – falou.

Agora estavam em outubro, treze meses após a tentativa. Passava as noites no teatro; dois meses após o término da temporada, em dezembro, começaria a rodar seu primeiro projeto desde que voltara do Sri Lanka; uma adaptação de *Tio Vânia*, pela qual estava ansioso e que seria filmada no Vale do Hudson: poderia voltar para casa toda noite.

Não que a locação fosse uma coincidência.

– Preciso ficar em Nova York – instruíra ao seu empresário e ao seu agente depois de desistir do filme na Rússia no outono anterior.

– Por quanto tempo? – perguntara Kit, seu agente.

– Não sei – respondera. – Pelo menos até o ano que vem.

– Willem – dissera Kit, após um breve silêncio. – Entendo que você e Jude sejam próximos. Mas não acha que é hora de tirar proveito desse momento que está vivendo? Pode fazer o que quiser. – Estava se referindo à *Ilíada* e à *Odisseia*, dois estrondosos sucessos e provas, como gostava de salientar Kit, de que podia fazer aquilo que quisesse agora. – Pelo que conheço de Jude, ele diria o mesmo. – E então, como não obteve resposta: – Não é da sua esposa ou do seu filho que estamos falando. É de um amigo.

– Você quer dizer, "é só um amigo" – rebatera, irritado.

Kit era Kit; pensava com a cabeça de agente, e Willem confiava em seu modo de pensar – estava com ele desde o início de sua carreira; tentava não brigar com ele. E Kit sempre o orientara bem. "Sem encheção nem enrolação", gostava de se vangloriar sobre a carreira de Willem, repassando o histórico de seus papéis. Os dois sabiam que as ambições de Kit para Willem eram maiores do que as dele próprio – sempre foram. E, mesmo assim, fora Kit quem o colocara no primeiro voo para fora do Sri Lanka quando Richard ligara; fora Kit quem fizera os produtores interromperem as gravações por sete dias para que ele pudesse ir a Nova York e voltar.

– Não quis ofendê-lo, Willem – dissera Kit, cauteloso. – Sei que você o ama. Mas faça-me o favor. Se ele fosse o amor da sua vida, eu entenderia. Mas me parece um pouco extremo inibir o avanço da sua carreira dessa forma.

E, ainda assim, ele às vezes se questionava se um dia conseguiria amar alguém com a mesma intensidade que amava Jude. Era por ele em si, é claro, mas também pelo conforto completo da vida ao seu lado, de ter alguém que o conhecia havia tanto tempo e em quem podia confiar para que sempre o aceitasse exatamente como a pessoa que fosse naquele determinado dia. Seu trabalho, sua própria vida, eram feitos de disfarces e farsas. Tudo sobre si próprio e sobre seu contexto estava sempre mudando: seus cabelos, seu corpo, onde dormiria cada noite. Com frequência, sentia que era feito de algum líquido, algo continuamente despejado de garrafa colorida em garrafa colorida, com um pedacinho sendo perdido ou deixado para trás a cada transferência. Mas sua amizade com Jude o fazia sentir que havia algo real e imutável em quem era, que, apesar de sua vida de máscaras, havia algo elementar dentro dele, algo que Jude conseguia enxergar mesmo quando ele próprio não conseguia, como se o testemunho de Jude por si só o tornasse real.

Na pós-graduação, tivera um professor que certa vez lhe dissera que os melhores atores são as pessoas mais entediantes. Uma percepção muito forte do ego era prejudicial, pois um ator precisava deixar o ego desaparecer; tinha de permitir que o personagem tomasse conta dele.

– Se quiser ser uma personalidade, seja uma estrela pop – dissera o professor.

Ele entendera a sabedoria por trás daquilo, e ainda entendia, mas, na verdade, o ego era tudo o que todos desejavam, pois, quanto mais você atuava, mais e mais você se distanciava de quem pensava ser, e cada vez era mais difícil voltar. Seria, assim, de se espantar que tantos de seus colegas fossem tão tresloucados? Seu dinheiro, suas vidas e suas identidades dependiam de interpretar outras pessoas – seria então uma surpresa que precisassem de um set, de um palco após o outro, para dar forma a suas vidas? Sem eles, o que e quem seriam? Então se envolviam com religiões, namoradas e causas para ter algo que pudesse ser deles: nunca dormiam, nunca paravam, tinham pavor de serem deixados sozinhos, de terem de perguntar a si mesmos quem eram. ("Quando um ator fala e não há ninguém para ouvir, ele ainda é um ator?", perguntara-lhe uma vez seu amigo Roman. Ele mesmo às vezes se questionava sobre aquilo.)

Mas, para Jude, ele não era um ator: era seu amigo, e aquela identidade suplantava todas as demais. Era um papel que desempenhava havia tanto tempo que acabara se tornando, indelevelmente, quem ele era. Para Jude, ele não era definido por ser um ator, assim como Jude não era definido por ser um advogado – aquela não era nunca a primeira, nem a segunda, nem a terceira maneira pela qual um descrevia o outro. Era Jude que lembrava a ele quem fora antes de construir sua vida fingindo ser outras pessoas: alguém que tivera um irmão, alguém que tivera pais, alguém para quem tudo e todos pareciam tão impressionantes e encantadores. Conhecia outros atores que não queriam que ninguém os lembrasse de como eram antes, pessoas determinadas a se tornarem outras, mas ele não era assim. Ele *queria* ser lembrado de quem era; queria estar perto de alguém que nunca acharia sua carreira a coisa mais interessante sobre ele.

E, para falar a verdade, também adorava o que vinha com Jude: Harold e Julia. A adoção de Jude fora a primeira vez que sentira inveja de algo que Jude tinha. Ele *admirava* muito do que Jude tinha – sua inteligência, sua capacidade de reflexão, sua desenvoltura –, mas nunca o invejara antes. Porém, ao ver Harold e Julia com ele, ao observar como o olhavam, mesmo quando ele não olhava para eles, Willem tinha uma sensação de vazio: ele não tinha pais e, embora geralmente não pensasse naquilo, sentia que, por mais distantes que seus pais tivessem sido, ao menos foram algo que o ancorara à sua vida. Sem uma família, era como uma folha de papel flutuando pelo ar, sendo jogada para cima e para baixo a cada lufada de vento. Ele e Jude haviam sido iguais sob aquele aspecto.

Obviamente, sabia que aquela inveja era ridícula e mais do que perversa: ele crescera com seus pais, ao passo que Jude, não. E sabia que Harold e Julia também tinham afeto por ele, tanto quanto sentia por eles. Os dois assistiam a todos os seus filmes e lhe mandavam críticas longas e detalhadas, sempre elogiando sua atuação e fazendo comentários inteligentes sobre seus colegas de cena e a fotografia. (O único a que não assistiram – ou pelo menos não comentaram – era *O príncipe de canela*, que era o filme que estava fazendo quando Jude tentara se matar. Ele mesmo nunca lhe assistira.) Liam todos os artigos que saíam sobre ele – assim como as críticas, ele também evitava aqueles artigos – e compravam toda revista em que ele aparecesse. Também ligavam no dia do seu aniversário e perguntavam o que faria para comemorar, e Harold o lembrava do quanto estava ficando velho. No Natal, sempre lhe enviavam algo – um livro, junto a algum presentinho bobo, ou então algum brinquedo interessante que mantinha no bolso para ficar mexendo enquanto falava ao telefone ou estava na cadeira de maquiagem. No Dia de Ação de Graças, ele e Harold sentavam na sala de estar para assistir ao jogo de futebol americano, enquanto Julia fazia companhia a Jude na cozinha.

– As batatas fritas estão acabando – dizia Harold.

– Eu sei – respondia.

– Por que não vai buscar mais? – perguntava Harold.

– *Você* é o anfitrião – lembrava a Harold.

– *Você* é o convidado.

– Sim, exatamente.

– Chame Jude e peça para ele trazer mais.

– Chame você!

– Não, chame *você*!

– Tudo bem – dizia. – Jude! Harold quer mais batatas!

– Você é um tremendo mentiroso, Willem – dizia Harold quando Jude aparecia para reabastecer a tigela. – Jude, isso foi tudo ideia do Willem.

Mas, acima de tudo, sabia que Harold e Julia o amavam porque ele amava Jude; sabia que confiavam nele para cuidar de Jude – era assim que o viam, e ele não se importava. Tinha orgulho disso.

Ultimamente, no entanto, vinha se sentindo de maneira diferente quanto a Jude, e não sabia ao certo o que fazer em relação a isso. Numa sexta-feira à noite, ficaram até tarde no sofá – ele acabara de voltar para casa do teatro, Jude acabara de voltar do escritório – conversando, conversando, conversando sobre nada em particular, quando quase se aproximou e o beijou. Mas conseguiu se conter, e o momento passou. Porém, desde então vinha sendo revisitado por aquele impulso: duas, três, quatro vezes.

Aquilo começava a preocupá-lo. Não porque Jude fosse homem: já fizera sexo com outros homens antes, todos sabiam disso e, um dia, na universidade, depois de beberem, ele e JB se beijaram, por tédio e curiosidade (uma experiência que, para o alívio de ambos, fora completamente insatisfatória: "É interessante ver que alguém tão bonito pode ser ao mesmo tempo tão brochante", foram as palavras exatas de JB). E não porque sempre sentira uma pontada sutil de atração por Jude, como sentia mais ou menos por todos os seus amigos. Era porque sabia que, se tentasse alguma coisa, precisava ter certeza do que estava fazendo, pois tinha uma forte impressão de que Jude, que não era casual sobre nada em sua vida, certamente não seria casual em relação ao sexo.

A vida sexual de Jude, sua sexualidade, era um objeto de eterno fascínio para todos que o conheciam e, definitivamente, para as namoradas de Willem. Muitas vezes, era debatida entre os outros três – ele, Malcolm e JB – quando Jude não estava por perto: Será que *fazia* sexo? Será que já fizera alguma vez? Com quem? Todos já haviam notado outras pessoas olhando para ele em festas, ou flertando com ele, e em todas as ocasiões Jude se mantinha distraído.

– Aquela garota estava se jogando para cima de você – dizia ele a Jude, caminhando de volta para casa após uma festa ou outra.

– Que garota? – perguntava Jude.

Conversavam entre si porque Jude deixara claro que não falaria sobre isso com ninguém: quando tocavam no assunto, ele os encarava com um de seus olhares e mudava o rumo da conversa com uma clareza que era impossível de ser mal interpretada.

– Ele já passou a noite fora de casa alguma vez? – perguntou JB (isso foi quando ele e Jude viviam em Lispenard Street).

– Pessoal – dizia ele (o assunto o deixava desconfortável) –, acho que não deveríamos falar sobre isso.

– Willem! – dizia JB. – Não seja tão fresco! Não está traindo a confiança dele. Só responda: sim ou não. Já passou?

Ele soltava um suspiro.

– Não – respondia.

Ficavam em silêncio.

– Talvez seja assexuado – dizia Malcolm, depois de um tempo.

– Não, Mal, você que é.

– Vai se foder, JB.

– Acham que ele é virgem? – perguntava JB.

– Não – respondia ele. Não sabia como sabia, mas tinha certeza de que não era.

– É um desperdício – dizia JB, e ele e Malcolm olhavam um para o outro, cientes do que viria a seguir. – Aquela beleza foi desperdiçada nele. *Eu* deveria ter a beleza dele. *Eu* pelo menos teria me divertido com ela.

Depois de algum tempo, passaram a aceitar aquilo como parte de quem Jude era; acrescentaram o assunto à lista de tópicos a serem evitados. Os anos se passavam e ele continuava sem sair com ninguém, não era visto ao lado de ninguém.

– Talvez esteja vivendo algum tipo de vida dupla – sugeriu Richard certa vez, e Willem dera de ombros.

– Talvez – falou.

Mas, na verdade, embora não tivesse nenhuma prova, sabia que Jude não estava. E também era assim, sem qualquer tipo de prova, que supunha que Jude talvez fosse gay (ou talvez não) e provavelmente nunca tivera um relacionamento (por mais que esperasse estar errado em relação a isso). E, por mais que Jude dissesse o contrário, Willem nunca se convenceu de que ele não se sentia sozinho, de que não quisesse, em algum canto obscuro de si mesmo, estar com alguém. Lembrava-se do casamento de Lionel e Sinclair, quando estavam Malcolm e Sophie, ele e Robin, e JB – por mais que não estivessem se falando na época – e Oliver, e Jude sem ninguém. E, por mais que Jude não parecesse incomodado com aquilo, Willem olhou para ele do outro lado da mesa e ficou triste pelo amigo. Não queria que Jude envelhecesse sozinho; queria que tivesse alguém que pudesse cuidar dele e que se sentisse atraído por ele. JB estava certo: *era* mesmo um desperdício.

Então seria isso realmente o que era, aquela atração? Seria medo e pena, transformados em algo mais palatável? Estaria convencendo a si mesmo de que se sentia atraído por Jude por não suportar vê-lo sozinho? Achava que *não*. Mas não sabia ao certo.

A pessoa com quem teria conversado sobre isso antes era JB, mas não podia discutir esse assunto com ele, por mais que agora fossem novamente amigos, ou pelo menos estivessem se encaminhando para isso. Quando voltaram do Marrocos, Jude telefonou para JB e os dois saíram para jantar, e, um mês depois, foi a vez de Willem e JB saírem sozinhos. Estranhamente, porém, ele teve muito mais dificuldade em perdoar JB do que Jude tivera, e o primeiro encontro entre os dois fora um desastre – JB se mostrou extravagante e exageradamente despreocupado; já ele sentia o sangue fervilhar – até deixarem o restaurante e começarem a gritar um com o outro no meio da rua. Ficaram ali parados, na Pell Street deserta – nevava um pouco e ninguém queria sair de casa –, acusando um ao outro de condescendência e crueldade; irracionalidade e autocentrismo; presunção e narcisismo; martírio e ignorância.

– Você acha que *alguém* tem tanto ódio de si mesmo quanto eu? – gritara JB. (Sua quarta mostra, que documentava seu período nas drogas ao lado de Jackson, fora intitulada "O guia do narcisista para a autodepreciação", e JB a citou várias vezes durante o jantar como prova de que se castigara intensa e publicamente, e que agora estava recuperado.)

– Sim, JB, eu acho – gritara de volta. – Acho que Jude odeia a si mesmo muito mais do que um dia você poderia *se* odiar, e acho que você sabia muito bem disso e o fez se odiar ainda mais.

– Acha que não sei disso? – berrara JB. – Acha que não me odeio por aquela merda toda?

– Não acho que se odeie o *suficiente* por isso – retribuíra o berro. – *Por que* fez aquilo, JB? Por que fez aquilo com *ele*, de todas as pessoas?

E então, para sua surpresa, JB se afundara, derrotado, no meio-fio.

– Por que nunca me amou do jeito que o ama, Willem? – perguntou.

Ele soltou um suspiro.

– Ah, JB – falou, sentando ao seu lado na calçada gélida. – Você nunca precisou de mim tanto quanto ele.

Aquele não era o único motivo, como bem sabia, mas era parte dele. Ninguém mais em sua vida precisava dele. As pessoas o *queriam* – para sexo, para usá-lo em seus projetos e até por sua amizade –, mas somente Jude precisava dele. Só para Jude ele era essencial.

– Sabe de uma coisa, Willem – disse JB, após um período de silêncio –, talvez ele não precise tanto assim de você quanto imagina.

Refletiu sobre aquilo por um instante.

– Não – finalmente respondeu –, eu acho que precisa.

Agora foi JB quem soltou um suspiro.

– Na verdade – disse –, acho que você está certo.

Depois daquilo, por mais estranho que pareça, as coisas melhoraram. Porém, por mais que estivesse – com muita cautela – aprendendo a gostar de JB novamente, não estava bem certo de que pudesse conversar sobre aquele tema em particular com ele. Não sabia se queria ouvir as piadas de JB sobre como ele já havia trepado com tudo que tivesse dois cromossomos X e agora estava partindo para os Y, ou sobre seu abandono dos padrões heteronormativos, ou, pior ainda, sobre como aquela atração que pensava estar sentindo por Jude seria, na verdade, outra coisa: uma culpa injustificada por sua tentativa de suicídio, ou uma forma de condescendência, ou simplesmente tédio mal direcionado.

Assim, achou melhor não fazer nada e não dizer nada. Com o passar dos meses, saiu ocasionalmente com outras pessoas, ao mesmo tempo que examinava seus sentimentos. *Isso é loucura*, dizia a si mesmo. *Isso não é uma boa ideia*. As duas opções eram válidas. Seria muito mais fácil se não tivesse aqueles sentimentos. *Mas e daí se os tinha?*, perguntava a si mesmo. Todo mundo tinha sentimentos que seriam melhores se evitados, pois colocá-los em prática complicaria bastante a vida. Tinha páginas inteiras de diálogos consigo mesmo, imaginando as falas – tanto as suas quanto as de JB, ambas recitadas por ele – digitadas em papel branco.

Mas os sentimentos persistiam. Foram a Cambridge para o Dia de Ação de Graças pela primeira vez em dois anos. Ele e Jude ficaram no mesmo quarto, pois o irmão de Julia viera de Oxford e estava hospedado no quarto de cima. Naquela noite, ficou acordado no sofá, vendo Jude dormir. Como seria fácil, pensou, simplesmente deitar na cama ao lado dele e também cair no sono. Havia algo naquela ideia que parecia quase predeterminado, e o absurdo estava não no fato em si, mas em sua resistência a ele.

Tinham ido de carro a Cambridge, e Jude dirigiu de volta para casa a fim de que ele pudesse dormir.

– Willem – disse Jude quando estavam prestes a entrar na cidade –, gostaria de lhe fazer uma pergunta. – Olhou para ele. – Está tudo bem? Anda preocupado com alguma coisa?

– Não, está tudo bem.

– Você parecia muito... pensativo, acho – disse Jude. Ele não respondeu. – Sabe, ter você morando comigo está sendo um enorme presente. E não só a parte de morar comigo, mas... tudo. Não sei o que teria feito sem você. Mas sei que deve ser exaustivo. Por isso, quero que saiba: se quiser voltar para a sua casa, vou ficar bem. Prometo. Não vou me machucar. – Ele mantinha os olhos na estrada enquanto falava, mas então se virou para Willem. – Não sei como fui ter tanta sorte assim – falou.

Ficou sem saber o que dizer por um instante.

– Você *quer* que eu vá embora? – perguntou.

Jude ficou em silêncio.

– Claro que não – disse, bem baixinho. – Mas quero que seja feliz, e você não me parece muito feliz ultimamente.

Willem deu um suspiro.

– Desculpe – disse. – Ando distraído, você tem razão. Mas com certeza não é porque estou morando com você. Adoro morar com você. – Tentou pensar na coisa certa, em algo perfeito para acrescentar, mas não conseguiu. – Desculpe – repetiu.

– Não se desculpe – disse Jude. – Mas, se quiser conversar sobre isso, a qualquer hora, saiba que pode.

– Eu sei – falou. – Obrigado. – E seguiram em silêncio até chegarem em casa.

E então já era dezembro. A temporada no teatro acabou. Foram à Índia, todos os quatro: era a primeira viagem que faziam em grupo em anos. Em fevereiro, começou a filmar *Tio Vânia*. O set era do tipo que gostava e sempre desejava, mas raramente encontrava – já havia trabalhado com todo mundo antes, e todos se gostavam e respeitavam, e o diretor era mal-ajambrado, calmo e simpático; a adaptação, feita por um romancista que Jude admirava, era bela e simples, e o diálogo era prazeroso de ser encenado.

Quando era jovem, Willem participara de uma peça chamada *A casa em Thistle Lane*, sobre uma família que empacotava seus pertences e deixava uma casa em St. Louis que pertencera à família do pai por gerações, mas que não podiam mais manter. Porém, em vez de usarem um palco, encenaram a peça num andar de uma casa dilapidada no Harlem, onde o público podia passear pelos cômodos, contanto que permanecesse do outro lado de uma área delimitada por cordas; dependendo de onde parasse para assistir, você via os atores e o próprio espaço de perspectivas diferentes. Ele interpretava o filho mais velho e mais problemático, e passava a maior parte do primeiro ato calado na sala de jantar, embrulhando pratos com folhas de jornal. Criara um tique nervoso para o filho, que não conseguia se imaginar deixando a casa onde passara a infância, e, enquanto os pais do personagem brigavam na sala de estar, ele deixava de lado os pratos e se encolhia num canto distante da sala de jantar, rasgando pedaços do papel de parede. Embora a maior parte do ato se passasse na sala de estar, sempre havia alguns membros do público que ficavam na sala de jantar, observando-o, vendo-o arrancar o papel da parede – de um azul tão escuro que parecia preto, com estampa de rosas de um cor-de-rosa pálido – e enrolando o papel entre os dedos para depois jogá-lo no chão, de modo que toda noite um canto ficava sujo de pequenos canudos de papel de parede, como se ele fosse um ratinho construindo desajeitadamente seu minúsculo ninho. Era uma peça exaustiva, mas que ele adorou fazer: a proximidade com o público, a improbabilidade do palco, o pequeno e detalhado uso do seu corpo para o papel.

Essa produção lembrava muito aquela peça. A casa, uma mansão da Era Dourada às margens do Hudson, era grandiosa, mas barulhenta e caindo aos pedaços – o tipo de casa que sua ex-namorada, Philippa, imaginara para eles quando fossem casados e velhos –, e o diretor decidira usar apenas três cômodos: a sala de jantar, a sala de estar e a varanda. Em vez do público, havia toda a equipe, que os seguia pelos espaços. Mas, ainda que apreciasse o trabalho, sabia que *Tio Vânia* não era a coisa mais importante que poderia estar fazendo naquele momento. No set, era o Dr. Astrov, mas, quando voltava a Greene Street, era Sonya, e Sonya – por mais que adorasse a peça, e sempre a tivesse adorado, por mais que adorasse e tivesse pena da pobre Sonya – não era um papel que um dia tivesse pensado em interpretar, sob circunstância alguma. Quando contou aos outros sobre o filme, JB dissera:

– Então é um filme sem definição de gêneros.

E ele perguntou:

– O que quer dizer?

E JB respondeu:

– Bem, está na cara que você fará Elena, certo?

E todos caíram no riso, especialmente Willem. Era aquilo que amava em JB, pensou: era sempre mais esperto do que até ele mesmo imaginava.

– Ele é velho demais para fazer Elena – acrescentou Jude, afetuosamente, e todos riram outra vez.

Vânia foi filmado de maneira eficiente, em apenas trinta e seis dias, e terminou na última semana de março. Um dia, pouco depois do encerramento, ele se encontrou com uma velha amiga e ex-namorada, Cressy, para almoçar em TriBeCa. Ao caminhar de volta para casa em Greene Street sob a pouca neve seca que restava, lembrou-se do quanto gostava da cidade no final do inverno, quando o tempo ficava suspenso entre uma estação e outra, quando Jude cozinhava todo fim de semana, quando dava para andar pelas ruas por horas e ver apenas algumas poucas pessoas levando seus cães para passear.

Estava subindo pela Church Street e acabara de atravessar Reade quando deu uma olhada para dentro de um café à sua direita e viu Andy sentado a uma mesa no canto, lendo.

– Willem! – disse Andy quando ele se aproximou. – O que está fazendo aqui?

– Acabei de almoçar com uma amiga e estou indo para casa – falou. – E o que *você* está fazendo aqui? Está bem longe do seu consultório.

– Vocês dois e suas caminhadas – disse Andy, balançando a cabeça. – George está numa festa de aniversário a poucos quarteirões daqui. Estou fazendo hora até ter de ir buscá-lo.

– Quantos anos George tem agora?

– Nove.

– Meu deus, já?

– Pois é.

– Quer um pouco de companhia? – perguntou. – Ou prefere ficar sozinho?

– Não – disse Andy. Enfiou um guardanapo entre as folhas do livro para marcar a página. – Por favor, fique. – E Willem então sentou.

Conversaram um pouco sobre, claro, Jude, que estava numa viagem a trabalho a Mumbai, e sobre *Tio Vânia* ("Só lembro que Astrov era um tremendo babaca", disse Andy) e seu projeto seguinte, que começaria a ser filmado no Brooklyn no final de abril, e sobre a esposa de Andy, Jane, que estava aumentando sua clínica, e seus filhos: George, que acabara de ser diagnosticado com asma, e Beatrice, que queria estudar num colégio interno no ano seguinte.

E então, antes que conseguisse evitar – não que sentisse qualquer necessidade particular em tentar –, já estava contando a Andy sobre seus sentimentos por Jude, sobre como não sabia ao certo o que significavam ou o que fazer deles. Falou e falou, e Andy não deixou transparecer no rosto qualquer expressão. Não havia mais ninguém no café além deles dois e, do lado de fora, a neve caía mais rápido e mais densa. Apesar de sua aflição, sentia-se extremamente calmo e aliviado por estar contando aquilo a alguém, e que esse alguém fosse uma pessoa que conhecia tanto ele quanto Jude havia muitos anos.

– Sei que parece estranho – falou. – E pensei muito no que isso poderia significar, Andy, de verdade. Mas parte de mim se questiona se isso não estava sempre destinado a acontecer; quero dizer, tive muitos relacionamentos nas últimas décadas, e talvez o motivo de nunca terem dado certo é que não era para ser, porque o tempo todo meu lugar sempre foi ao lado dele. Ou talvez eu esteja tentando convencer a mim mesmo disso. Ou talvez seja apenas curiosidade. Mas não acho que seja; acho que me conheço bem o suficiente para saber disso. – Ele soltou um suspiro. – O que acha que devo fazer?

Andy ficou um tempo em silêncio.

– Primeiro – falou –, não acho que seja estranho, Willem. Acho que faz sentido sob diversos aspectos. Vocês dois sempre tiveram algo diferente, algo incomum. Então... Eu sempre suspeitei, apesar das suas namoradas.

"Sendo egoísta, acho que seria maravilhoso: para você, mas especialmente para ele. Acho que, se quisesse ter um relacionamento com Jude, isso seria o maior e o mais revigorante presente que ele poderia receber.

"Mas, Willem, se for em frente com isso, deve estar preparado para assumir uma espécie de compromisso com ele, de estar com ele, pois você tem razão: não vai se divertir e depois dar o fora. E acho que deve saber que vai ser muito, muito difícil. Vai precisar fazer com que ele confie em você de outra forma, e que o veja de uma maneira diferente. Não acho que estou revelando nenhum segredo ao dizer que ele terá muitas dificuldades em se entregar de uma maneira mais íntima, e você precisará ter muita paciência."

Os dois ficaram em silêncio.

– Então, se quiser entrar nisso, tenho de entrar achando que será para sempre – disse a Andy, que olhou para ele por alguns segundos e então abriu um sorriso.

– Bem – disse Andy –, há castigos piores nesta vida.

– É verdade – falou.

Voltou a Greene Street. Veio o mês de abril e Jude voltou para casa. Comemoraram o aniversário de Jude – "Quarenta e três", suspirou Harold, "eu me lembro vagamente dos meus quarenta e três" –, e Willem começou a filmar seu novo projeto. Uma velha amiga sua, uma mulher que conhecia desde a pós-graduação, também atuava na produção – ele interpretava um detetive corrupto, e ela, sua esposa –, e os dois dormiram juntos algumas vezes. Tudo seguia como o costume. Ele trabalhava; voltava para casa em Greene Street; pensava no que Andy lhe dissera.

E então, numa manhã de sábado, acordou muito cedo, quando o céu ainda começava a clarear. Era final de maio, o tempo estava imprevisível: alguns dias pareciam março, outros pareciam julho. Jude estava deitado a pouco menos de trinta metros dele. E assim, subitamente, toda sua timidez, sua confusão, sua indecisão lhe pareceram tolas. Estava no seu lar, e seu lar era Jude. Ele o amava; seu destino era estar com ele; nunca o machucaria – confiava em si mesmo nesse quesito. Então, o que havia a temer?

Lembrou-se de uma conversa que tivera com Robin quando se preparava para filmar a *Odisseia* e a relia junto com a *Ilíada*, já que não pegava em nenhum dos dois livros desde seus tempos de calouro na universidade. Isso aconteceu quando estavam no início do namoro e ainda tentavam impressionar um ao outro, quando sentiam uma espécie de excitação ao se submeterem aos conhecimentos do outro.

– Quais são os versos mais superestimados do poema? – perguntou.

Robin revirou os olhos e recitou:

– "Ainda não chegamos ao fim de nossas provações. Ainda há uma tarefa pela frente... imensurável, cheia de perigos, grandiosa e longa, e hei de enfrentá-la com bravura do início ao fim." – Fingiu que ia vomitar. – Que coisa mais *óbvia*. E, de alguma forma, acabou sendo adotada por todo time de futebol perdedor deste país como grito de guerra – acrescentou, fazendo-o rir. Ela olhou para ele, maliciosamente. – *Você* jogou futebol – disse. – Aposto que esses também são seus versos preferidos.

– Claro que não – respondeu ele, fingindo indignação. Aquilo fazia parte de uma brincadeira entre os dois, que nem sempre era uma brincadeira: ele era o ator burro, que fora um atleta mais burro ainda, e ela, a garota esperta que saía com ele e lhe ensinava o que não sabia.

– Então me diga quais são – desafiou Robin, e depois que ele as citou, ela olhou para ele, atenta: – Humm – falou. – Interessante.

Agora, ele saiu da cama e se enrolou em seu cobertor, bocejando. Naquela noite conversaria com Jude. Não sabia para onde estava indo, mas sabia que estaria em segurança; ele manteria os dois em segurança. Foi à cozinha e preparou café, sussurrando os versos para si mesmo, os versos em que pensava sempre que voltava para casa, sempre que voltava para Greene Street após um longo período distante:

– "E me diga isto: preciso ter absoluta certeza. Este lugar a que cheguei, seria realmente Ítaca?"

E, ao seu redor, o apartamento se encheu de luz.

—

Todo dia ele acorda e nada três quilômetros. Depois, sobe, senta à mesa, toma o café da manhã e lê os jornais. Seus amigos zombam dele por causa disso – pelo fato de preparar uma refeição de verdade em vez de comprar alguma coisa no caminho para o trabalho; pelo fato de ainda receber os jornais em formato físico em casa – mas esse ritual sempre o acalmou: mesmo no orfanato, era o único horário em que os conselheiros estavam tranquilos e os outros garotos ainda muito sonolentos para implicar com ele. Sentava no canto do refeitório, lia e tomava o café da manhã, e, por alguns minutos, o deixavam em paz.

É um leitor eficiente. Primeiro passa os olhos pelo *The Wall Street Journal*, depois pelo *Financial Times*, antes de pegar *The New York Times*, que lê até o final, quando vê a chamada na seção dos obituários: "Caleb Porter, 52, executivo de moda." Na mesma hora os ovos mexidos com espinafre que tem na boca se transformam em papelão e cola, e ele faz um esforço para engolir, sentindo-se enjoado, com cada terminação nervosa parecendo pulsar. Precisa ler o artigo três vezes antes de conseguir entender os fatos: câncer no pâncreas. "Foi tudo muito rápido", disse um colega e amigo de longa data. Sob sua direção, a grife emergente Rothko alcançou uma expansão enorme nos mercados da Ásia e do Oriente Médio e testemunhou a abertura de sua primeira butique em Nova York. Faleceu em casa, em Manhattan. Deixa uma irmã, Michaela Porter de Soto, em

Monte Carlo, seis sobrinhos e sobrinhas, e seu companheiro, Nicholas Lane, também executivo de moda.

Por um momento, permanece imóvel, encarando a página até as palavras se rearranjarem num borrão cinza diante dos seus olhos, e então coxeia o mais rápido que pode até o banheiro perto da cozinha, onde vomita tudo que acabara de comer, engasgando sobre o vaso até tossir longos filetes de saliva. Abaixa o assento do vaso e senta, apoiando o rosto nas mãos até se sentir melhor. Sente uma vontade desesperada de pegar suas lâminas, mas sempre teve o cuidado de não se cortar durante o dia, em parte porque lhe parece errado e em parte porque sabe que precisa impor limites a si mesmo, por mais artificiais que sejam, ou acabaria se cortando o dia inteiro. Ultimamente, vem fazendo um enorme esforço para não se cortar em momento algum. Mas, naquela noite, pensa, permitirá a si mesmo fazer uma exceção. São sete da manhã. Em cerca de quinze horas estará novamente em casa. Tudo que precisa fazer é sobreviver ao dia.

Coloca o prato no lava-louças e atravessa o quarto em silêncio. Entra no banheiro, onde toma banho, faz a barba e se veste no closet, assegurando-se antes de que a porta entre o closet e o quarto esteja completamente fechada. Àquela altura, acrescentara outro passo à sua rotina matinal: agora, se fosse fazer o que vinha fazendo no último mês, abriria a porta e iria até a cama, empoleirando-se do lado esquerdo e colocando a mão sobre o braço de Willem, que abriria os olhos e sorriria para ele.

– Estou indo – diria, retribuindo o sorriso, e Willem balançaria a cabeça.

– Não vá – diria.

E ele responderia:

– Preciso ir.

E então Willem diria:

– Cinco minutos.

E ele diria:

– Cinco.

E aí Willem levantaria sua ponta da coberta e ele se enfiaria embaixo, com Willem grudado às suas costas, e em seguida fecharia os olhos e esperaria que Willem o abraçasse, desejando ficar daquele jeito para sempre. E então, dez ou quinze minutos depois, finalmente levantaria, com uma certa relutância, e beijaria Willem perto, mas não diretamente, da boca – ainda tinha dificuldade com isso, mesmo passados quatro meses – e sairia para o trabalho.

Naquela manhã, porém, ele pula aquele passo. Em vez disso, senta-se à mesa de jantar para escrever um bilhete a Willem explicando que teve de sair mais cedo e não queria acordá-lo, e então, já a caminho da porta, dá meia-volta e pega o *Times* em cima da mesa, levando-o consigo. Sabe o quanto aquilo é irracional, mas não quer que Willem veja o nome de Caleb, sua fotografia ou qualquer sinal dele. Willem ainda não sabe o que Caleb lhe fizera, e ele não quer que saiba. Não quer nem mesmo que saiba da existência de Caleb – ou, como se dá conta, de sua ex-existência, já que agora Caleb não existe mais. Sob seu braço, o jornal parece vivo de tão quente, e o nome de Caleb é um laço preto de veneno aninhado em suas páginas.

Decide ir de carro para o trabalho para poder passar mais tempo sozinho, mas, antes de sair da garagem, pega o jornal e lê o artigo outra vez, antes de dobrá-lo e enfiá-lo na pasta. E então ele se pega chorando, soltando soluços frenéticos e sem ar, do tipo que vem do diafragma, e, ao apoiar a cabeça no volante, tentando recuperar o controle, finalmente consegue admitir para si mesmo o quão completa e profundamente aliviado está, o quanto vivera assustado nos últimos três anos e o quão humilhado e envergonhado ainda se sente. Pega o jornal, odiando a si mesmo, e lê o obituário mais uma vez, parando na parte que diz "e seu companheiro, Nicholas Lane, também executivo de moda". Fica imaginando: teria Caleb feito a Nicholas Lane o que fizera a ele, ou será que Nicholas – diferentemente dele – não merecia tal tratamento? Espera que Nicholas nunca tenha passado pelo que ele passou, ao mesmo tempo que tem certeza de que não passou, o que o faz chorar com ainda mais vontade. Aquele fora um dos argumentos que Harold usara ao tentar convencê-lo a dar queixa da agressão; o de que Caleb era perigoso e que, ao depor contra ele, ao colocá-lo atrás das grades, estaria protegendo outras pessoas. Mas sabia que não era verdade: Caleb não faria a outros o que fizera com ele. Não o surrara e o odiara porque surrava e odiava outras pessoas; o surrara e o odiara por causa de quem *ele* era, não por causa de quem Caleb era.

Finalmente consegue se recompor, enxugando os olhos e assoando o nariz. O choro: outra herança do tempo que passou com Caleb. Por anos e anos conseguiu controlá-lo, e agora – desde aquela noite – parece que está sempre chorando, ou prestes a fazê-lo, ou tentando ativamente evitar as lágrimas. É como se todo o progresso das últimas décadas tivesse sido apagado, e agora ele tivesse voltado a ser aquele menino sob os cuidados do irmão Luke, choroso, indefeso e vulnerável.

Está quase dando a partida no carro quando suas mãos começam a tremer. Sabe agora que não pode fazer nada além de esperar, e as cruza sobre o colo e tenta respirar fundo, de maneira regular, o que às vezes ajuda. Quando seu telefone toca alguns minutos depois, sua respiração já está mais lenta, e ele espera que sua voz soe de maneira natural quando atende.

– Olá, Harold – diz.

– Jude – diz Harold. Sua voz parece, de alguma forma, estar abaixo do tom normal. – Você leu o *Times* hoje?

Na mesma hora, o tremor se intensifica.

– Sim – responde.

– Câncer no pâncreas é uma morte horrível – diz Harold. Parece sombriamente satisfeito. – Que bom. Fico feliz. – Ele faz uma pausa. – Você está bem?

– Sim – responde –, sim, estou bem.

– A ligação está cortando – diz Harold, mas ele sabe que não é isso: são suas mãos, que tremem tanto que ele não consegue segurar o telefone direito.

– Desculpe – diz ele. – Estou na garagem. Harold, preciso ir para o trabalho. Obrigado por ligar.

– Tudo bem. – Harold suspira. – Me ligue se quiser conversar, tudo bem?

– Certo – responde. – Obrigado.

É um dia agitado, pelo que se sente grato, e tenta não deixar sobrar tempo algum para pensar em qualquer outra coisa a não ser o trabalho. No final da manhã, recebe uma mensagem de texto de Andy – *Acho que já deve ter visto que o babaca morreu. Câncer no pâncreas = sofrimento intenso. Você está bem?* –, e ele responde para dizer que está bem, e, na hora do almoço, lê o obituário uma última vez antes de colocar o jornal inteiro no picador de papéis e voltar para o computador.

À tarde, recebe uma mensagem de texto de Willem dizendo que o diretor com quem se encontrará para falar de seu novo projeto adiou o jantar para mais tarde, por isso acha que não estará em casa antes das onze, e ele fica aliviado. Às nove, diz aos colegas que vai sair mais cedo.

Chegando em casa, vai direto para o banheiro. Joga o casaco de lado e levanta as mangas, tirando o relógio no meio do processo; está quase hiperventilando de desejo quando finalmente faz o primeiro corte. Passaram-se quase dois meses desde a última vez que fez mais de dois cortes de uma só vez, mas, neste momento, abandona qualquer autodisciplina e se corta e se corta e se corta, até sua respiração ficar mais lenta e sentir o velho e reconfortante vazio tomar conta de si. Quando termina, ele se limpa, lava o rosto e vai à cozinha, onde esquenta uma sopa que preparou no fim de semana e faz sua primeira refeição de verdade no dia. Depois, escova os dentes e desaba na cama. Sente-se enfraquecido pelos cortes, mas sabe que ficará bem se descansar por alguns minutos. O objetivo é estar normal quando Willem chegar em casa; é não dar nenhum motivo para ele se preocupar, não fazer nada que possa perturbar aquele sonho impossível e delirante que vem vivendo nas últimas dezoito semanas.

Quando Willem revelou seus sentimentos, ele ficou tão desconcertado, tão incrédulo, que somente o fato de ser Willem quem estava dizendo aquilo o convencera de que não se tratava de uma piada cruel: sua convicção em Willem era mais forte que o absurdo que Willem estava sugerindo.

Mas não muito.

– O que está dizendo? – perguntou a Willem pela décima vez.

– Estou dizendo que me sinto atraído por você – disse Willem, pacientemente. E então, como ele não disse nada, acrescentou: – Judy... não acho que seja assim tão estranho, na verdade. Nunca sentiu nada por mim em todos esses anos?

– Não – respondeu na mesma hora, e Willem riu.

Mas não estava brincando. Ele nunca, jamais, seria tão presunçoso de pensar em ter um caso com Willem. Além do mais, ele não fazia o tipo que imaginara para Willem: imaginara uma pessoa bonita (e do sexo feminino) e inteligente para Willem, alguém que reconhecesse sua sorte, alguém que também o fizesse se sentir um homem de sorte. Sabia que aquilo era – como muito do que imaginara sobre relacionamentos adultos –, de certa forma, uma visão romântica e ingênua, mas não significava que não podia acontecer. *Ele* certamente não era o tipo de pessoa com quem Willem deveria estar; estar com ele, e não com a mulher fictícia que conjurara para o amigo, seria um sinal inacreditável de decadência para Willem.

No dia seguinte, apresentou uma lista com vinte motivos pelos quais Willem não devia querer ficar com ele. Quando a entregou, viu que Willem achou uma certa graça. Quando ele começou a ler, no entanto, sua expressão mudou, e ele se recolheu ao escritório, onde não precisaria vê-lo.

Passado um tempo, Willem bateu à porta.

– Posso entrar? – perguntou, e ele respondeu que sim. – Estou olhando para o item número dois – disse Willem, sério. – Detesto ter que dizer isso a você, Jude, mas temos o mesmo corpo. – Olhou para ele. – Você é uns dois ou três centímetros mais alto, mas gostaria de lembrar que usamos as roupas um do outro.

Ele soltou um suspiro.

– Willem – falou –, você sabe o que quero dizer.

– Jude – disse Willem –, entendo que isso seja estranho para você, e inesperado. Se realmente não estiver a fim, posso esquecer e deixá-lo em paz. Prometo que nada vai mudar entre nós. – Ele fez uma pausa. – Mas, se está tentando me convencer a não ficar com você porque tem medo e vergonha... Bem, eu posso entender. Mas não acho que seja um motivo válido o bastante para nem tentarmos. Podemos fazer tudo bem devagar, no ritmo que você quiser. Prometo.

Ficou em silêncio.

– Posso pensar sobre o assunto? – pediu, e Willem concordou com a cabeça.

– Mas é claro – falou, deixando-o sozinho, fechando a porta de correr às suas costas.

Ficou sentado no escritório por um longo tempo, pensando. Depois de Caleb, jurara que nunca voltaria a fazer isso consigo mesmo. Sabia que Willem nunca lhe faria nada de mau, mas sua imaginação era limitada: era incapaz de conceber um relacionamento que não terminasse com ele apanhando, sendo chutado escada abaixo, sendo obrigado a fazer coisas que dissera a si mesmo que nunca mais teria de fazer. Não seria possível, perguntou a si mesmo, que pudesse levar alguém bom como Willem àquela inevitabilidade? Não seria de se prever que inspiraria algum tipo de ódio até mesmo em Willem? Teria assim uma cobiça tão grande por companhia a ponto de ignorar as lições que a história – que a sua própria história – lhe ensinara?

Mas havia dentro dele outra voz argumentando. *Seria loucura rejeitar uma oportunidade dessas*, dizia ela. *Essa é a única pessoa em quem você sempre confiou. Willem não é Caleb; nunca faria uma coisa daquelas, sob hipótese alguma.*

E, assim, finalmente resolveu ir à cozinha, onde Willem preparava o jantar.

– Tudo bem – disse ele. – Vamos tentar.

Willem olhou para ele e sorriu.

– Venha cá – falou.

Ele obedeceu, e Willem o beijou. Ficou assustado, em pânico, e mais uma vez pensou no irmão Luke. Abriu os olhos para lembrar a si mesmo de que aquele era Willem, não alguém a ser temido. Mas, no momento em que começava a relaxar, viu o rosto de Caleb piscar em sua mente feito uma pulsação e se afastou de Willem, sufocando e esfregando a mão pela boca.

– Desculpe – disse, dando-lhe as costas. – Desculpe. Não sou muito bom nessas coisas, Willem.

– Do que está falando? – perguntou Willem, fazendo-o virar de frente para ele. – Você é demais.

Sentiu como se tirasse um peso das costas por Willem não estar zangado com ele.

Desde então, confronta constantemente o que sabe de Willem com o que espera de alguém – fosse quem fosse – que tenha qualquer desejo físico por ele. É como se, de alguma forma, esperasse que o Willem que conhece fosse substituído por outro; como se fosse surgir um Willem diferente para o que era um relacionamento diferente. Nas primeiras semanas, vivia com medo de aborrecer ou decepcionar Willem de alguma forma, de deixá-lo com raiva. Esperou dias, reunindo toda a sua coragem, para dizer a Willem que não suportava o gosto de café em sua boca (embora não tenha explicado o porquê: devido ao irmão Luke, à sua língua horrível e muscular, com o café em pó que se infiltrara permanentemente nas gengivas. Essa era uma das coisas que apreciava em Caleb: ele não tomava café). Ele se desculpou inúmeras vezes, até Willem pedir que parasse.

– Jude, não tem problema – falou. – Eu devia ter percebido. De verdade. Vou parar de beber café.

– Mas você ama café – disse.

Willem sorriu.

– Sim, eu gosto – falou –, mas não *preciso* dele. – E sorriu outra vez.

– Meu dentista vai adorar.

Também naquele primeiro mês conversou com Willem sobre sexo. Tinham aquele tipo de conversa à noite, na cama, quando era mais fácil falar as coisas. Sempre associara a noite aos cortes, mas, agora, ela se transformava em algo diferente – aquelas conversas com Willem, num quarto escuro, quando tinha menos vergonha de tocá-lo, enquanto via bem as feições de Willem ao mesmo tempo que fingia que Willem não via as suas.

– Quer fazer sexo um dia? – perguntou certa noite, e, na mesma hora em que disse aquilo, percebeu como soara estúpido.

Mas Willem não riu.

– Sim – falou –, eu gostaria.

Ele concordou com a cabeça. Willem esperou.

– Vai levar um tempo para eu me acostumar à ideia – falou, por fim.

– Tudo bem – disse Willem –, eu espero.

– Mas e se levar meses?

– Então levará meses – disse Willem.

Parou para refletir.

– E se levar mais tempo? – perguntou, com a voz baixa.

Willem esticou a mão e tocou a lateral do seu rosto.

– Então levará – falou.

Ficaram calados por um longo tempo.

– E o que vai fazer enquanto isso? – perguntou, e Willem riu.

– Eu tenho um *pouco* de autocontrole, Jude – falou, sorrindo para ele. – Sei que pode parecer uma surpresa para você, mas *consigo* passar um tempo sem sexo.

– Não foi o que eu quis dizer – começou, tomado pelo remorso, mas Willem o agarrou e lhe deu um beijo barulhento na bochecha.

– Estou brincando – falou. – Está tudo bem, Jude. Vai levar o tempo que for preciso.

E, assim, eles ainda não haviam feito sexo, e às vezes ele era capaz até de convencer a si mesmo de que talvez nunca viessem a fazer. Mas, no meio-tempo, começara a gostar, e até mesmo a desejar, o contato físico de Willem, seus carinhos, tão tranquilos, naturais e espontâneos que o faziam se sentir mais tranquilo e espontâneo também. Willem dormia do lado esquerdo da cama, e ele, no direito. Na primeira noite em que dormiram juntos, ele virou para o lado direito como sempre fazia, e Willem apertou seu corpo contra o dele, colocando o braço direito sob seu pescoço, com a mão cruzando seu corpo até o outro ombro, e o braço esquerdo na altura da sua barriga, encaixando as pernas entre as pernas dele. Ficou surpreso com aquilo, mas, uma vez superado o desconforto inicial, acabou descobrindo que gostava, que era como estar cercado.

Numa noite no mês de junho, no entanto, Willem não o abraçou daquele jeito, e ele temeu que tivesse feito algo de errado. Na manhã seguinte – o início da manhã era a outra hora em que falavam sobre assuntos que pareciam delicados demais, difíceis demais, para serem abordados em pleno dia –, perguntou a Willem se estava chateado com ele, e Willem, aparentando surpresa, disse que não, claro que não.

– Só queria saber – começou, gaguejando –, porque, na noite passada, você não... – Mas não conseguiu terminar a frase; estava envergonhado demais.

E então observou a expressão de Willem se tornar despreocupada, e ele se aproximou e o envolveu com os braços.

– Isto aqui? – perguntou Willem, e ele assentiu com a cabeça. – Foi só porque estava fazendo muito calor ontem à noite – disse Willem, e ele esperou que Willem risse de sua bobeira, mas não o fez. – Foi só por isso, Judy.

Desde então, Willem o abraçava da mesma forma toda noite, até em julho, quando nem mesmo o ar-condicionado conseguia amenizar o calor e os dois acordavam encharcados de suor. Aquilo, percebe ele, era o que sempre quisera num relacionamento. Era naquilo que pensava quando esperava um dia ser tocado. Caleb às vezes o abraçava, mas logo o soltava, e ele tinha de resistir ao impulso de pedir que o abraçasse de novo, por mais tempo. Mas, agora, estava tudo ali: todo o contato físico que sabia existir entre pessoas saudáveis que se amam e fazem sexo, sem o temido sexo no meio.

Não consegue iniciar o contato físico com Willem, nem tampouco pedir, mas espera por ele, espera que Willem segure seu braço quando passa por ele na sala de estar e o puxe para perto para beijá-lo, ou se aproxime por trás quando está no fogão e o abrace da mesma forma – tocando seu peito e sua barriga – que faz na cama. Sempre admirara o jeito como JB e Willem eram dados ao contato, tanto um com o outro quanto com todos ao seu redor; sabia que eles sabiam que não deveriam tocá-lo, e, por mais que lhes fosse grato pelo cuidado que tinham, aquilo às vezes despertava nele uma vontade: às vezes, queria que lhe desobedecessem, que o reivindicassem com a mesma confiança cordial que aplicavam a todos. Mas nunca o fizeram.

Levou três meses, até o fim de agosto, para finalmente se despir na frente de Willem. Toda noite deitava na cama com sua camiseta de manga comprida e sua calça de moletom, e toda noite Willem ia para a cama de cueca.

– Estou te deixando desconfortável? – perguntava Willem, e ele balançava a cabeça, embora estivesse, sim, desconfortável, mas aquilo não fosse completamente indesejado. Prometera a si mesmo durante todos os dias do mês anterior: tiraria logo a roupa e acabaria com aquilo. E tiraria naquela noite, pois teria de fazê-lo em determinado momento. Mas isso era o máximo que sua imaginação lhe permitia fazer; não conseguia pensar qual seria a reação de Willem, ou o que ele poderia fazer no dia seguinte. E então a noite vinha, os dois deitavam na cama, e sua força de vontade o abandonava.

Certa noite, Willem enfiou a mão debaixo de sua camiseta e a passou em suas costas. Ele se jogou para trás com tanta força que acabou caindo da cama.

– Desculpe – disse a Willem –, desculpe. – E voltou para a cama, deitando bem na beirada do colchão.

Ficaram em silêncio, os dois. Ele estava de barriga para cima, encarando o lustre.

– Sabe, Jude – disse Willem, finalmente. – Eu *já* vi você sem camisa. – Ele olhou para Willem, que respirou fundo. – No hospital – falou. – Estavam trocando seus curativos e dando banho em você.

Seus olhos começaram a arder e ele voltou a encarar o teto.

– Quanto você viu? – perguntou.

– Não vi tudo – tranquilizou-o Willem. – Mas sei que tem cicatrizes nas costas. E já vi seus braços antes. – Willem esperou por uma resposta, que não veio. Soltou um suspiro. – Jude, juro que não é como está pensando.

– Tenho medo de que sinta nojo de mim – conseguiu dizer no fim. As palavras de Caleb voltaram a flutuar em sua mente: *Você é mesmo completamente deformado. Não é mentira.* – Acho que não posso evitar de tirar a roupa para sempre, posso? – perguntou, tentando rir e transformar aquilo numa piada.

– Ora, não – respondeu Willem. – Porque acredito, embora no início talvez não pareça assim, que será algo bom para você, Judy.

E então, na noite seguinte, ele conseguiu. Assim que Willem foi para a cama, ele se despiu rapidamente, debaixo da coberta, e em seguida tirou o lençol de cima e se virou de lado, ficando de costas para Willem. Manteve os olhos fechados o tempo todo, mas, quando sentiu Willem colocar a palma da mão em suas costas, bem entre as escápulas, começou a chorar descontroladamente. Eram lágrimas amargas e raivosas, do tipo que não derramava havia anos, e ele se encolheu de vergonha. Continuava a pensar na noite com Caleb, a última vez que ficara tão exposto, a última vez que chorara daquele jeito, e sabia que Willem só entenderia parte da razão por estar tão abalado, pois não tinha conhecimento de que a vergonha que passava naquele momento – de estar nu, à mercê de outra pessoa – era quase tão grande quanto a vergonha pelo que revelara. Ouvia, mais pelo tom do que pelas palavras em si, que Willem estava sendo carinhoso com ele, que estava preocupado e tentava fazê-lo se sentir melhor, mas ficou tão perturbado que não conseguia compreender o que Willem dizia. Tentou levantar da cama para ir ao banheiro se cortar, mas Willem o segurou e o abraçou tão forte que não teve como se mexer. No fim, acabou se acalmando de alguma maneira.

Quando acordou na manhã seguinte – tarde: era domingo –, Willem o fitava. Ele parecia cansado.

– Como está? – perguntou.

A noite lhe voltou à cabeça.

– Willem – falou –, sinto muito, muito mesmo. Desculpe. Não sei o que aconteceu. – Percebeu, então, que ainda estava sem roupa, e colocou os braços sob o lençol, puxando a coberta até o queixo.

– Não, Jude – disse Willem. – Sou *eu* que peço desculpas. Não imaginei que seria tão traumático para você. – Estendeu a mão e acariciou o cabelo dele. Ficaram em silêncio. – Essa foi a primeira vez que vi você chorar, sabia?

– Bem – falou, engolindo em seco. – Por algum motivo, não é um método de sedução tão eficiente quanto eu esperava. – E sorriu para Willem, levemente, e Willem sorriu de volta.

Passaram a manhã na cama, conversando. Willem perguntou sobre determinadas cicatrizes, e ele contou. Explicou como ganhara as cicatrizes nas costas: sobre o dia em que o pegaram tentando fugir do orfanato; a surra que se seguiu; a infecção subsequente, o modo como o pus vazou de suas costas por dias, as bolhas que se formaram em volta das lascas do cabo de vassoura que entraram na sua pele; o que lhe restou depois que tudo acabou. Willem perguntou qual fora a última vez que ficara nu na frente de alguém. Mentiu, dizendo que, a não ser por Andy, fora aos quinze anos. E então Willem fez vários elogios gentis e inacreditáveis ao seu corpo, que ele preferiu ignorar, pois sabia que nada daquilo era verdade.

– Willem, se não quiser mais ficar comigo, eu vou entender – falou. Fora ideia sua não contar a ninguém que a amizade entre eles podia estar se transformando em outro sentimento, e, embora tenha dito a Willem que aquilo lhes daria espaço e privacidade para entenderem melhor como seria estar um com o outro, também pensara que, assim, Willem teria tempo para reconsiderar, teria oportunidades para mudar de ideia sem que precisasse temer a opinião dos outros. Obviamente, essa decisão tornava inevitável sentir os ecos do seu último relacionamento, que também fora todo conduzido em segredo, e precisava lembrar a si mesmo de que dessa vez era diferente; seria diferente, a não ser que ele o deixasse igual.

– Jude, mas é claro que quero ficar com você – disse Willem. – É claro que quero.

Willem estava passando a ponta do dedo sobre sua sobrancelha, o que, de alguma forma, ele achava relaxante: era afetuoso e ao mesmo tempo nada sexual.

– Tenho essa sensação de que você terá uma série de surpresas desagradáveis comigo – falou, por fim, e Willem balançou a cabeça.

– Surpresas, talvez – disse. – Mas não desagradáveis.

E, assim, agora tenta se despir todas as noites. Às vezes, consegue; outras vezes, não. Às vezes consegue deixar Willem tocar suas costas ou seus braços, e outras vezes, não. Mas é incapaz de ficar nu diante de Willem em pleno dia, ou mesmo com a luz acesa, ou de fazer qualquer uma das coisas que, pelo que tinha visto em filmes ou sabia pela conversa de outras pessoas, casais normalmente fazem na frente um do outro: não consegue se vestir na frente de Willem, ou tomar banho com ele, o que era obrigado a fazer com o irmão Luke e odiava.

Sua própria timidez, no entanto, não se mostrou contagiosa. Fica fascinado pela frequência e a casualidade com que Willem fica pelado. De manhã, puxa a parte do lençol que cobre Willem e estuda seu corpo adormecido com um rigor clínico, admirando sua perfeição, e então lembra, com uma sensação estranha e frívola de incredulidade, que é ele quem o está vendo, que aquilo está sendo concedido a ele.

Às vezes, a improbabilidade do que aconteceu o atinge em cheio, e ele se sente paralisado. Seu primeiro relacionamento (poderia ser chamado de relacionamento?): irmão Luke. O segundo: Caleb Porter. E o terceiro: Willem Ragnarsson, seu amigo mais próximo, a melhor pessoa que já conheceu, alguém que poderia ter praticamente quem quisesse, homem ou mulher, e ainda assim, por um conjunto bizarro de motivos – uma curiosidade deturpada? loucura? pena? estupidez? – resolveu ficar com ele. Numa noite, sonha com Willem e Harold sentados juntos à mesa, com a cabeça curvada sobre uma folha de papel, e sabe, sem que ninguém lhe diga, que Harold está pagando Willem para ficar com ele. No sonho, sente-se humilhado e também, de certa forma, grato: pela generosidade de Harold, por Willem entrar naquele jogo. Quando acorda, pensa em dizer algo a Willem, mas então a lógica se faz presente e ele lembra a si mesmo de que Willem certamente não precisa do dinheiro, pois já tem o bastante, e que, por mais surpreendentes e indecifráveis que sejam seus motivos para estar com ele, para o escolher, Willem não fora coagido, tomara sua decisão livremente.

Naquela noite, ele lê deitado na cama, esperando Willem voltar. Mas acaba dormindo e acorda com a mão de Willem na lateral de seu rosto.

– Você chegou – diz, sorrindo para ele, e Willem retribui o sorriso.

Ficam deitados no escuro, conversando sobre o jantar de Willem com o diretor e sobre a filmagem, programada para começar no final de janeiro, no Texas. O filme, *Duetos*, é baseado num romance de que ele gosta e conta a história de uma lésbica e um gay, ambos não assumidos, professores de música numa escola de cidade pequena, num casamento de vinte e cinco anos, abrangendo dos anos 1960 aos anos 1980.

– Vou precisar da sua ajuda – diz Willem. – Tenho, tenho mesmo, que relembrar minhas habilidades no piano. E também *vou* cantar no filme, no fim das contas. Vão me fazer estudar com um professor, mas queria que você ensaiasse comigo. Pode ser?

– Claro – responde. – E não precisa se preocupar: você tem uma voz linda, Willem.

– É fraca.

– É meiga.

Willem sorri, e aperta a mão dele.

– Diga isso a Kit – fala. – Ele já está entrando em parafuso. – Solta um suspiro. – Como foi seu dia? – pergunta.

– Bom – responde.

Os dois se beijam, o que ele ainda faz de olhos abertos, para lembrar a si mesmo de que é Willem quem está beijando, não o irmão Luke. Está se saindo bem até pensar na primeira noite em que voltou ao apartamento com Caleb, em Caleb o prensando contra a parede e, depois, em tudo o que se seguiu. Afasta-se abruptamente de Willem, olhando para o lado.

– Desculpe – diz. – Desculpe. – Naquela noite, não tirou a roupa, e agora puxa as mangas da camisa sobre as mãos. Ao seu lado, Willem espera. Em meio ao silêncio, ouve sua voz dizer: – Uma pessoa que conheço morreu ontem.

– Ah, Jude – diz Willem. – Sinto muito. Quem era?

Fica em silêncio por um longo tempo, tentando pronunciar as palavras.

– Uma pessoa com quem tive um relacionamento – diz, finalmente, sentindo a língua desajeitada na boca. Sente a atenção de Willem aumentar, sente-o se aproximar três ou quatro centímetros.

– Não sabia que você teve um relacionamento – diz Willem, com a voz baixa. Ele limpa a garganta. – Quando?

– Quando você estava filmando a *Odisseia* – diz, também em voz baixa, e sente uma mudança no ar. *Aconteceu alguma coisa quando eu não estava aqui*, lembra-se ele das palavras de Willem. *Há algo de errado*. Ele sabe que Willem está relembrando a mesma conversa.

– Bem – diz Willem, após uma longa pausa. – Me conte. Quem foi essa pessoa sortuda?

Ele agora mal consegue respirar, mas segue em frente.

– Foi um homem – começa, e embora não esteja olhando para Willem e seus olhos estejam fixados no lustre, pode senti-lo acenar com a cabeça, encorajando-o, estimulando-o a continuar. Mas não consegue; Willem terá de impulsioná-lo, e é o que ele faz.

– Me conte sobre ele – diz Willem. – Por quanto tempo vocês ficaram juntos?

– Quatro meses – diz.

– E por que acabou?

Pensa bem em como responder.

– Ele não gostava muito de mim – acaba dizendo.

Consegue sentir a raiva de Willem antes de ouvi-la.

– Então ele era um imbecil – diz Willem, com um tom irritado.

– Não – responde. – Era um sujeito bem inteligente.

Ele abre a boca para dizer mais alguma coisa, sem saber o quê, mas não consegue continuar, e então a fecha. Os dois ficam ali deitados, em silêncio.

Até que finalmente Willem o incita novamente.

– E o que aconteceu depois? – pergunta.

Ele espera, e Willem espera também. Pode ouvir sua respiração e a de Willem em conjunto, e é como se estivessem aspirando todo o ar do quarto, do apartamento, do mundo, para dentro dos pulmões, para em seguida expirá-lo, só eles dois e ninguém mais. Conta as respirações: cinco, dez, quinze. Quando chegam a vinte, diz:

– Se eu contar, Willem, promete que não vai se zangar? – E ele sente Willem se mexer novamente.

– Prometo – diz Willem, em voz baixa.

Ele respira fundo.

– Você se lembra do acidente de carro em que me envolvi?

– Sim – diz Willem. Sua voz parece incerta, abafada. A respiração está acelerada. – Lembro.

– Não foi um acidente de carro – diz, e, como se reagindo à deixa, suas mãos começam a tremer, e ele as enfia sob a coberta.

– Como assim? – pergunta Willem, mas ele permanece em silêncio, até que uma hora sente, mais do que vê, Willem entender o que acabou de ouvir. Na mesma hora, Willem vira de lado, encarando-o e procurando embaixo da coberta por suas mãos. – Jude – diz Willem –, alguém fez aquilo com você? Alguém – e ele não consegue dizer as palavras –, alguém bateu em você?

Ele faz um aceno sutil com a cabeça, grato por não estar chorando, apesar de se sentir prestes a explodir: imagina pedaços de carne estourando de seu esqueleto feito estilhaços, chocando-se contra as paredes, prendendo no lustre, ensanguentando a roupa de cama.

– Ah, meu deus – diz Willem, soltando suas mãos, e ele o vê correr para longe da cama.

– Willem – chama, levantando para ir atrás dele no banheiro.

Encontra Willem curvado sobre a pia, com a respiração pesada, mas, quando tenta tocar seu ombro, Willem afasta sua mão.

Ele volta ao quarto e espera sentado na beira da cama. Quando Willem sai do banheiro, Jude percebe que ele estava chorando.

Por longos minutos, os dois ficam sentados um do lado do outro, com os braços se tocando, mas sem dizer nada.

— Saiu em algum obituário? — finalmente pergunta Willem, e ele acena com a cabeça. — Me mostre — diz, e os dois vão ao computador em seu escritório.

Ele fica atrás da cadeira, observando Willem ler. Continua observando enquanto Willem lê uma segunda e depois uma terceira vez. E então Willem levanta e o abraça forte, e ele retribui o abraço.

— Por que não me contou? — diz Willem em seu ouvido.

— Não faria diferença nenhuma — responde, e Willem dá um passo para trás e olha para ele, segurando-o pelos ombros.

Pode ver que Willem está tentando se controlar, e o vê apertar seus longos lábios, retesar os músculos da mandíbula.

— Quero que me conte tudo — diz Willem. Ele pega a sua mão e o leva até o sofá no escritório, fazendo com que se sente. — Vou preparar um drinque para mim na cozinha e já volto — diz Willem. Olha para ele. — Vou fazer um para você também. — Ele não consegue dizer nada além de acenar com a cabeça.

Enquanto espera, pensa em Caleb. Depois daquela noite, Caleb nunca mais o procurou. De meses em meses, buscava notícias dele. E as encontrava, disponíveis para que todos vissem: havia fotografias de Caleb sorrindo em festas, em inaugurações, em mostras. Num artigo sobre a primeira loja de rua da Rothko, Caleb falava sobre os desafios que uma grife nova enfrentava ao tentar entrar num mercado saturado. Numa matéria de revista sobre a ressurreição do Flower District, leu uma citação de Caleb sobre viver numa vizinhança que, apesar de seus hotéis e butiques, ainda tinha um certo charme rústico. Agora, pensa: Será que Caleb também procurava notícias dele? Teria mostrado alguma foto sua a Nicholas? Teria dito algo como, "Eu já saí com ele; o sujeito era grotesco"? Teria demonstrado a Nicholas — a quem imaginava como um homem louro, arrumado e cheio de confiança — como ele andava, teriam caído na risada por causa de sua falta de jeito e apatia na cama? Teria dito: "Ele me dava asco"? Ou não teria dito nada? Teria Caleb o esquecido, ou pelo menos escolhido não pensar mais nele — teria ele sido um erro, um momento breve e sórdido, uma aberração que deveria ser embrulhada com plástico e jogada num canto obscuro da mente de Caleb, junto a brinquedos quebrados da infância e antigos constrangimentos? Queria poder esquecer, queria poder nunca mais pensar em Caleb também. Sempre questionava como e por que deixara quatro meses – meses cada vez mais distantes – o afetarem de tal forma, alterarem sua vida de tal forma. Por outro lado, também poderia se perguntar – como fazia muitas vezes – por que deixara os primeiros quinze anos de sua vida ditarem o rumo dos últimos vinte e oito. Tivera uma sorte incalculável; tinha uma vida adulta com a qual as pessoas sonhavam: por que, então, insistia em revisitar e reviver acontecimentos que haviam ocorrido fazia tanto tempo? Por que não podia simplesmente aproveitar o presente? Por que deveria respeitar tanto o passado? Por que ele se tornava mais vívido, e não menos, à medida que se distanciava?

Willem volta com dois copos de uísque e gelo. Vestira uma camiseta. Ficam um tempo sentados no sofá, bebericando seus drinques, e ele sente suas veias se encherem de calor.

– Vou contar tudo a você – diz a Willem, que acena com a cabeça, mas, antes de começar, se aproxima e lhe dá um beijo.

É a primeira vez na vida que toma a iniciativa de beijar alguém, e espera que, com isso, esteja transmitindo a Willem tudo aquilo que não consegue dizer, nem mesmo no escuro, nem mesmo sob a luz cinzenta do início da manhã: tudo aquilo de que se envergonha, tudo pelo que é grato. Dessa vez, mantém os olhos fechados, imaginando que, em breve, ele também poderá ir aonde quer que as pessoas vão quando beijam, quando fazem sexo: aquela terra onde nunca esteve, aquele lugar que deseja ver, aquele mundo que, espera, não lhe seja proibido para todo o sempre.

—

Quando Kit estava na cidade, os dois se encontravam para almoçar ou jantar, ou então no escritório de Nova York da agência. Mas, quando o agente foi para a cidade no início de dezembro, Willem sugeriu que se encontrassem em Greene Street.

– Vou preparar o almoço para você – disse a Kit.

– Por quê? – perguntou Kit, imediatamente desconfiado: por mais que os dois fossem próximos à sua própria maneira, não eram amigos, e Willem nunca o convidara a Greene Street antes.

– Preciso conversar com você sobre uma coisa – falou, e pôde ouvir as respirações longas e lentas de Kit.

– Tudo bem – disse Kit. Ele sabia que era melhor não perguntar o que seria aquela coisa, ou se havia algo de errado; simplesmente presumiu que houvesse. "Preciso conversar com você sobre uma coisa" não era, no universo de Kit, um prelúdio para boas notícias.

Willem sabia daquilo, é claro, e, por mais que pudesse ter tranquilizado Kit, seu lado levemente diabólico preferiu não o fazer.

– Tudo bem! – falou, animado. – Nos vemos na semana que vem!

Por outro lado, pensou depois de desligar, talvez sua recusa em tranquilizar Kit não fosse apenas infantilidade: *ele* achava que aquela notícia – de que ele e Jude estavam juntos não era ruim, mas não sabia ao certo se Kit enxergaria da mesma forma.

Haviam decidido contar a poucas pessoas sobre o relacionamento. Os primeiros foram Harold e Julia, e aquela foi a revelação mais prazerosa e recompensadora de todas, embora Jude tivesse ficado nervoso por algum motivo. Acontecera havia apenas umas duas semanas, durante o Dia de Ação de Graças, e os dois se mostraram tão felizes, tão animados, e o abraçaram. Harold chorou um pouco, enquanto Jude se sentou no sofá e ficou observando os três com um sorrisinho no rosto.

Depois contaram a Richard, que não demonstrou tanta surpresa quanto eles esperavam.

– Acho uma ideia fantástica – disse, com firmeza, como se tivessem revelado que comprariam algum imóvel juntos. Abraçou os dois. – Bom trabalho – falou. – Bom trabalho, Willem. – E ele sabia o que Richard estava tentando lhe comunicar: a mesma coisa que ele mesmo tentara comunicar a Richard quando lhe dissera, anos atrás, que Jude precisava de um lugar seguro para viver, quando, na verdade, estava pedindo a Richard para ficar de olho em Jude quando ele não pudesse.

Depois foi a vez de Malcolm e JB, a quem contaram separadamente. Primeiro, Malcolm, que eles achavam que ficaria chocado ou alegre. Acabou sendo a última opção.

– Estou tão feliz por vocês – falou, sorrindo para ambos. – Que maravilha. Adorei a ideia de vocês dois juntos.

Malcolm perguntou como aquilo acontecera, fazia quanto tempo, e, provocando, o que tinham descoberto um sobre o outro que não sabiam antes. (Os dois trocaram um olhar naquela hora – se Malcolm soubesse! – e não disseram nada, o que foi o suficiente para Malcolm abrir um sorriso, como se aquilo fosse prova de um esconderijo abastado de segredos sórdidos que ele um dia desenterraria.) Mas então soltou um suspiro.

– Só fico triste por uma coisa – falou, e eles perguntaram o que era.
– Seu apartamento, Willem – respondeu. – É tão lindo. Deve ficar tão solitário sem ninguém.

De alguma forma, os dois conseguiram suprimir o riso, e Willem tranquilizou Malcolm, dizendo que o estava alugando para um amigo, um ator espanhol que vinha filmando um projeto em Manhattan e decidira ficar por mais um ano, mais ou menos.

Com JB já foi mais complicado, como esperavam: sabiam que ele se sentiria traído, negligenciado, possessivo, e que todos aqueles sentimentos seriam exacerbados pelo fato de que ele e Oliver haviam rompido havia pouco tempo, após mais de quatro anos juntos. Levaram-no para jantar num restaurante, onde havia menos oportunidade (embora, como salientara Jude, nenhuma garantia) de que ele fizesse um escândalo, e Jude – com quem JB ainda tinha certo cuidado e a quem seria mais difícil que JB dissesse algo inapropriado – foi quem deu a notícia. Ficaram olhando JB colocar o garfo na mesa e levar as mãos à cabeça.

– Estou passando mal – disse, e eles esperaram até JB erguer a cabeça e continuar. – Mas estou muito feliz por vocês. – Só então soltaram o ar. JB enfiou o garfo em sua *burrata*. – Quero dizer, estou puto da vida por vocês não terem me contado antes, mas feliz. – Chegaram os pratos principais, e JB esfaqueou seu robalo. – Quero dizer, estou *puto* de verdade. Mas. Eu. Estou. Feliz.

Quando a sobremesa chegou, já havia ficado claro que JB, que dava colheradas frenéticas em seu suflê de goiaba, estava bastante agitado, e os dois trocaram chutes sob a mesa, em parte doidos para rir, e em parte realmente receando que JB acabasse entrando em erupção ali no restaurante.

Depois do jantar, ficaram um tempo do lado de fora, e Willem e JB fumaram um cigarro enquanto conversavam sobre a mostra seguinte de JB, a quinta, e sobre seus alunos em Yale, onde JB vinha dando aulas nos últimos anos: uma trégua momentânea, arruinada por uma garota que se aproximou dele ("Posso tirar uma foto com você?"), diante do que JB emitiu um ruído, meio rindo e meio gemendo. Mais tarde, já de volta a Greene Street, ele e Jude enfim caíram na risada: pelo espanto de JB, por suas tentativas de ser agradável, o que obviamente não fora algo fácil, por seu autocentrismo consistente e consistentemente aplicado.

— Pobre JB — disse Jude. — Pensei que a cabeça dele fosse explodir. — Soltou um suspiro. — Mas posso entender. Ele sempre foi apaixonado por você, Willem.

— Não desse jeito — falou.

Jude olhou para ele.

— *Agora* quem é que não consegue ver a si mesmo como é? — perguntou, pois aquilo era o que Willem sempre lhe dizia: que a visão de Jude, que a versão que estabelecera de si mesmo, era tão única que chegava a ser delirante.

Ele também suspirou.

— Acho melhor ligar para ele — falou.

— Deixe JB em paz esta noite — disse Jude. — Ele vai procurar você quando estiver pronto.

E foi o que aconteceu. No domingo seguinte, JB apareceu em Greene Street, e Jude o deixou entrar e pediu licença, alegando ter trabalho a fazer, e se fechou no escritório para que Willem e JB pudessem ficar a sós. Nas duas horas seguintes, Willem ouviu o discurso desorganizado de JB, cujos infinitos questionamentos e acusações eram pontuados por seu incansável refrão: "Mas estou muito feliz por vocês." JB estava furioso: por Willem não ter lhe contado antes, por não ter nem mesmo sido consultado, por terem revelado a Malcolm e a Richard — Richard! — antes de falarem com ele. JB estava chateado: Willem podia falar a verdade para ele; sempre gostara mais de Jude, não era mesmo? Por que não podia simplesmente admitir? Além disso, ele sempre se sentira daquele jeito? Seriam aqueles anos que passou fodendo mulheres uma espécie de mentira colossal que Willem criara para despistá-los? JB estava com ciúmes: ele se sentia atraído por Jude, e sabia que era ilógico e talvez até um pouquinho egocêntrico, mas não estaria sendo sincero se não dissesse a Willem que parte dele se ofendera por Willem ter escolhido Jude e não ele.

— JB — disse Willem, mais de uma vez —, foi tudo muito orgânico. Não contei para você porque precisava de tempo para absorver tudo dentro de mim mesmo. E quanto a sentir atração por você, o que posso dizer? Não sinto. E você também não sente por mim! A gente já se beijou uma vez, lembra? Você falou que tinha sido bastante brochante, lembra?

Mas JB ignorou tudo aquilo.

— Ainda não consigo entender por que vocês contaram a Malcolm e a Richard primeiro — falou, mal-humorado, e Willem ficou sem resposta.

– De qualquer jeito – disse JB, após um período de silêncio. – Estou feliz por vocês dois. De verdade.

Willem soltou um suspiro.

– Obrigado, JB – falou. – Isso significa muito para a gente.

E os dois ficaram em silêncio outra vez.

– JB – disse Jude, saindo do escritório, com ar de surpresa ao ver que JB ainda estava ali. – Quer ficar para o jantar?

– O que vocês vão comer?

– Bacalhau. E vou assar umas batatas do jeitinho que você gosta.

– Pode ser – disse JB, amuado, e Willem sorriu para Jude sem que JB visse.

Willem se juntou a Jude na cozinha e começou a preparar uma salada. JB se jogou na cadeira da mesa de jantar e começou a folhear um romance que Jude deixara ali.

– Já li este livro – gritou para ele. – Quer saber o que acontece no final?

– Não, JB – disse Jude. – Ainda estou na metade.

– O pastor acaba morrendo.

– JB!

Depois disso, o humor de JB pareceu melhorar. Até mesmo suas afrontas finais já pareciam sem vida, como se as fizesse mais por obrigação do que por um sentimento real. "Aposto que em menos de dez anos vocês dois terão feito a transição completa para o mundo do lesbianismo. Prevejo alguns gatos" foi uma delas. "Ver vocês dois na cozinha é como olhar para uma versão um pouco mais racialmente ambígua daquele quadro de John Currin. Sabem do que estou falando? Procurem" foi outra.

– Você vai se assumir ou manter segredo? – perguntou JB durante o jantar.

– Não vou emitir um comunicado de imprensa, se é o que está perguntando – disse Willem. – Mas também não vou esconder.

– Acho isso um erro – acrescentou Jude na mesma hora.

Willem não se dignou a responder; vinham discutindo aquilo havia um mês.

Depois do jantar, ele e JB se recostaram no sofá enquanto Jude colocava os pratos no lava-louças. Àquela altura, JB parecia quase aplacado, e ele se lembrou de que aquele era o ciclo na maioria dos jantares com JB, mesmo na época de Lispernard Street: começava a noite afiado e mordaz, e a terminava amansado e tranquilo.

– Como é o sexo? – perguntou JB.

– Fantástico – respondeu, de bate-pronto.

JB fechou a cara.

– Droga – falou.

Mas aquilo, obviamente, era uma mentira. Ele não tinha a menor ideia se o sexo era fantástico, pois não haviam feito sexo. Na sexta-feira anterior, Andy fizera uma visita e eles lhe contaram tudo. Andy se levantara e abraçara os dois com muita formalidade, como se fosse pai de Jude e tivesse acabado de ouvir que o filho ficara noivo. Willem o acompanhara à porta, e, enquanto esperavam pelo elevador, Andy lhe perguntou, em voz baixa:

– Como estão indo as coisas?

Ele fez uma pausa.

– Bem – respondeu, finalmente, e Andy, como se pudesse entender tudo o que ele não dissera, apertou seu ombro.

– Sei que não é fácil, Willem – falou. – Mas deve estar fazendo alguma coisa certo. Nunca o vi tão relaxado ou feliz desde que o conheci.

Parecia querer acrescentar algo, mas o que poderia dizer? Não podia dizer "Me ligue se quiser conversar sobre ele", ou "Me avise se houver alguma coisa que eu possa fazer para ajudar". Por isso, simplesmente foi embora, fazendo um breve aceno para Willem enquanto o elevador afundava e sumia de vista.

Naquela noite, depois de JB voltar para casa, ele pensou na conversa que tivera com Andy no café naquele dia, em como, mesmo diante dos avisos de Andy sobre o quanto aquilo seria difícil, ele não lhe dera ouvidos completamente. Em retrospecto, ficava feliz por isso: acreditar em Andy poderia tê-lo intimidado e ele poderia acabar com medo demais para tentar.

Virou-se e olhou para Jude, que dormia. Aquela era uma das noites em que se despira, e estava deitado de barriga para cima, com um dos braços dobrado próximo à cabeça. Como fazia normalmente, Willem passou os dedos pela parte interna desse braço, cujas cicatrizes o transformavam num terreno acidentado, um lugar cheio de montanhas e vales chamuscados pelo fogo. Às vezes, quando tinha certeza de que Jude dormia profundamente, ele acendia a luz do seu lado da cama e estudava seu corpo de maneira mais minuciosa, uma vez que Jude se recusava a ser examinado à luz do dia. Ele o descobria e passava as palmas sobre seus braços, suas pernas, suas costas, sentindo a textura da pele mudar de áspera a acetinada, maravilhado com todas as variações que a pele podia assumir, com todas as maneiras pelas quais o corpo podia se curar, mesmo após tentarem destruí-lo. Uma vez ele rodara um filme na ilha do Havaí e, em seu dia de folga, ele e o restante da equipe fizeram uma caminhada pelos campos de lava, vendo o terreno mudar de uma rocha tão porosa e seca quanto um osso petrificado a uma paisagem escura e reluzente, onde a lava se congelara em espirais exuberantes. A pele de Jude era tão diversificada, tão incrível e, em alguns lugares, tão diferente do que já sentira ou entendia como pele, que parecia extraterrena ou futurista, um protótipo do que a carne humana poderia ser daqui a dez mil anos.

– Você está com nojo – dissera Jude, em voz baixa, na segunda vez que tirou a roupa, e ele balançara a cabeça.

E não estava mesmo: Jude sempre fora tão reservado, tão protetor em relação ao corpo, que finalmente vê-lo foi, de certa forma, uma decepção; afinal, era tão normal, tão menos dramático do que imaginara. Mas tinha dificuldade em olhar para as cicatrizes, não porque fossem esteticamente ofensivas, mas porque cada uma delas era uma marca de algo que lhe fora feito ou autoinfligido. Por esse motivo, os braços de Jude eram as partes do seu corpo que mais o abalavam. À noite, enquanto Jude dormia, ele os virava em suas mãos, contando os cortes, tentando imaginar a si mesmo num estado que o levaria a incutir dor a si mesmo voluntariamente, que o faria tentar acabar com seu próprio corpo. Às vezes, encontrava novos cortes – sempre sabia quando Jude se cortava, pois dormia de camisa naquelas noites, e Willem precisava levantar suas mangas enquanto ele dormia e tatear em busca das ataduras – e tentava imaginar quando Jude os fizera e por que não percebera. Quando passara a morar com Jude depois da tentativa de suicídio, Harold lhe dissera onde Jude escondia o estojo com as lâminas, e então ele, assim como fazia Harold, começara a jogá-las fora. Mas depois elas desapareceram completamente, e ele não conseguia descobrir onde Jude as guardava agora.

Em outras ocasiões, não ficava curioso, mas estupefato: ele era muito mais perturbado do que Willem imaginara. *Como eu não sabia disso?*, perguntava a si mesmo. *Como posso não ter percebido?*

E então havia a questão do sexo. Sabia que Andy o avisara quanto ao sexo, mas o medo e a antipatia de Jude em relação ao assunto o incomodava e ocasionalmente o assustava. Numa certa noite, perto do final de novembro, quando já estavam juntos havia seis meses, ele colocou a mão sob a cueca de Jude, e Jude fez um barulho estranho e abafado, como um animal capturado pela mandíbula de outro, e se afastou com tanta violência que acabou batendo a cabeça na mesinha de cabeceira.

– Desculpe – pediram um ao outro –, desculpe.

E aquele foi o primeiro momento em que o próprio Willem também sentiu certo medo. Durante todo o tempo, achara que Jude fosse tímido, profundamente tímido, mas que uma hora acabaria abandonando parte daquele acanhamento e se sentiria à vontade para fazer sexo. Mas, naquele momento, ele percebeu que o que pensara ser uma relutância em relação ao sexo na verdade era pavor e que talvez Jude nunca fosse se sentir confortável, que se e quando acabassem fazendo sexo, seria porque Jude decidira que era obrigado àquilo ou porque Willem decidira que teria de forçá-lo. Nenhuma das duas opções lhe agradava. As pessoas sempre se entregaram a ele; nunca tivera de esperar, nunca precisara convencer alguém de que sexo não era algo perigoso, de que não iria machucá-lo. *O que vou fazer?*, perguntava a si mesmo. Não era esperto o bastante para achar uma solução sozinho, mas também não tinha ninguém a quem pudesse perguntar. E havia ainda o fato de que a cada semana seu desejo se intensificava e se tornava menos ignorável; sua determinação só aumentava. Fazia muito tempo desde que sentira tanta vontade de fazer sexo com alguém, e o fato de ser alguém a quem amava tornava a espera mais insuportável e mais absurda.

Ficou observando Jude dormir aquela noite. Talvez eu tenha cometido um erro, pensou.

Em voz alta, disse:

– Não sabia que seria assim tão complicado.

Ao lado dele, Jude respirava, sem saber da perfídia de Willem.

E então a manhã chegou, e ele foi lembrado do motivo pelo qual decidira entrar naquele relacionamento, deixando de lado sua própria inocência e arrogância. Era cedo, mas ele acordou assim mesmo. Através da porta semiaberta do closet, ficou observando Jude se vestir. Aquele era um progresso recente, e Willem sabia o quanto era difícil para ele. Sabia o quanto Jude se esforçava; sabia que tudo o que ele e todas as outras pessoas que conhecia faziam com naturalidade – botar a roupa na frente de alguém; tirar a roupa na frente de alguém – eram coisas que Jude precisava praticar uma vez após a outra: Willem via o quanto ele estava determinado, o quanto estava sendo corajoso. E aquilo o fazia se lembrar de que ele também tinha de continuar tentando. Ambos estavam inseguros; ambos estavam dando o máximo de si; ambos iriam se questionar, progredir e regredir. Mas continuavam tentando, pois confiavam um no outro e porque o outro era a única pessoa por quem valeria a pena enfrentar tantas privações, tantas dificuldades, tanta insegurança e exposição.

Quando abriu os olhos novamente, Jude estava sentado na beira da cama, sorrindo para ele, que se encheu de afeto: ao ver o quanto era belo, quanto era querido, quanto era fácil amá-lo.

– Não vá – falou.

– Preciso ir – disse Jude.

– Cinco minutos – falou.

– Cinco – disse Jude, enfiando-se sob a coberta, e Willem o abraçou com cuidado para não amassar seu terno e fechou os olhos.

E aquilo também era algo que amava: amava saber que, naqueles momentos, estava fazendo Jude feliz, amava saber que Jude queria afeto e que ele era a pessoa a quem permitia que o oferecesse. Seria aquilo arrogância? Seria orgulho? Seria um senso de superioridade? Não acreditava nisso; não se importava. À noite, disse a Jude que deveriam contar a Harold e Julia que estavam juntos quando fossem visitá-los naquela semana para celebrar o Dia de Ação de Graças.

– Tem certeza, Willem? – perguntara Jude, aparentando preocupação, mas ele sabia que o que Jude realmente perguntava era se ele estava seguro quanto ao relacionamento em si: vinha mantendo a porta sempre aberta para ele, deixando claro que podia sair. – Quero que pense bem nisso, especialmente antes de contarmos a eles.

Ele não precisava dizer, mas Willem sabia, mais uma vez, quais seriam as consequências caso contassem a Harold e Julia e depois ele mudasse de ideia: eles o perdoariam, mas as coisas nunca mais seriam as mesmas. Sempre, sempre ficariam do lado de Jude. E ele sabia disso: era assim que tinha de ser.

– Tenho certeza – disse, e então eles contaram.

Pensou naquela conversa enquanto servia um copo de água a Kit e carregava a bandeja de sanduíches até a mesa.

– O que é isso? – perguntou Kit, olhando desconfiado para os sanduíches.

– Pão de centeio grelhado com queijo cheddar de Vermont e figos – respondeu. – E salada de escarola com pera e *jamón*.

Kit soltou um suspiro.

– Você sabe que estou tentando evitar pão, Willem – falou, embora ele não soubesse. Kit deu uma mordida num sanduíche. – É bom – falou, com certa relutância. – Tudo bem – continuou, colocando o sanduíche no prato –, me conte.

E ele contou, acrescentando que, embora não estivesse pensando em anunciar a relação, também não fingiria que nada estava acontecendo. Kit gemeu.

– Merda – disse. – Merda. Achei que pudesse ser isso. Não sei por que, mas eu tinha certeza. Porra, Willem. – E ele encostou a testa na mesa. – Preciso de um minuto – disse Kit para a mesa. – Contou a Emil?

– Sim – disse. Emil era o empresário de Willem. Kit e Emil trabalhavam melhor em conjunto quando se uniam contra Willem. Quando concordavam, um gostava do outro. Quando discordavam, não.

– E o que ele disse?

– Ele disse: "Meu Deus, Willem, fico feliz por você finalmente estar comprometido com alguém que ama de verdade e com quem se sente à vontade, e não podia estar mais feliz por você, como amigo e colega de longa data." – (O que Emil dissera na verdade foi: "Meu Deus, Willem. Tem *certeza*? Já falou com Kit? O que ele disse?")

Kit levantou a cabeça e o encarou (ele não tinha lá muito senso de humor).

– Willem, eu *estou* feliz por você – disse. – Eu me importo com você. Mas já pensou no que isso representa para a sua carreira? Já pensou como será estigmatizado? Você não sabe o que é ser um ator gay nesse ramo.

– Na verdade, eu não me vejo como gay – começou, e Kit revirou os olhos.

– Não seja ingênuo, Willem – disse ele. – No momento em que pega numa piroca, você já é gay.

– Dito com sutileza e graça, como sempre.

– Que seja, Willem; você não pode se dar ao luxo de tratar um assunto como esse com delicadeza.

— Não estou tratando, Kit — disse ele. — Mas não sou um ator protagonista.

— Você vive dizendo isso! Mas, na verdade, é, quer você queira ou não. Está agindo como se sua carreira fosse continuar na mesma trajetória... Lembra-se do que aconteceu com Carl? — Carl era cliente de um colega de Kit e um dos maiores astros de cinema da década anterior. E então fora forçado a sair do armário, e sua carreira começara a entrar em declínio. Ironicamente, foi a obsolescência de Carl, sua súbita impopularidade, que estimulara a ascensão da carreira do próprio Willem: pelo menos dois papéis que antes teriam sido naturalmente interpretados por Carl acabariam nas mãos de Willem. — Veja bem: você é muito mais talentoso que Carl e também mais versátil. E os tempos agora são outros, diferentes de quando Carl se assumiu... pelo menos no âmbito nacional. Mas eu estaria lhe fazendo um desserviço se não dissesse para se preparar para uma ducha de água fria. Você sempre foi uma pessoa discreta: não dá para manter isso debaixo dos panos?

Willem não respondeu. Simplesmente pegou outro sanduíche, sob o olhar de Kit.

— O que Jude acha disso?

— Acha que vou acabar me apresentando em musicais de Kander e Ebb em cruzeiros para o Alasca — admitiu.

Kit soltou uma risada irônica.

— É entre o que Jude pensa e o que você pensa que está o modo como as coisas vão acontecer, Willem — falou. — Depois de tudo que construímos juntos — acrescentou, pesaroso.

Ele também deixou escapar um suspiro. Quando Jude conhecera Kit, quase quinze anos atrás, ele virara para Willem depois e dissera:

— Ele é o seu Andy.

E, ao longo dos anos, Willem foi percebendo o quanto aquilo era verdade. Não apenas Kit e Andy, na verdade, e bizarramente, se conheciam — haviam estudado na mesma turma e moraram no mesmo dormitório no primeiro ano de universidade —, como também ambos gostavam de se apresentar como, até certo ponto, os criadores de Willem e Jude. Eram seus protetores e seus guardiões, mas também tentavam, em toda oportunidade possível, determinar a forma e os contornos de suas vidas.

— Pensei que me daria um pouco mais de apoio, Kit — falou, com tristeza.

– Por quê? Porque sou gay? Ser um agente gay é bem diferente de ser um ator gay com a sua popularidade, Willem – disse Kit. Soltou um grunhido. – Bom, pelo menos alguém vai ficar feliz com isso. Noel – estava falando do diretor de *Duetos* – vai achar do caralho. Isso vai ser um ótimo chamariz para o projetinho dele. Espero que goste de fazer filmes gays, Willem, porque pode ser que acabe fazendo isso *pelo resto da vida*.

– Na verdade, não vejo *Duetos* como um filme gay – falou. E então, antes que Kit pudesse revirar os olhos e começar a doutriná-lo mais uma vez, continuou: – E se as coisas forem para esse lado, tudo bem. – Disse a Kit o que já dissera antes a Jude: – Sempre vou ter trabalho; não se preocupe.

("Mas e se a oferta de papéis no cinema acabar?", perguntara Jude.

"Então farei peças. Ou filmes na Europa: sempre quis trabalhar mais na Suécia. Jude, eu prometo a você que sempre, sempre vou trabalhar."

Jude então ficara em silêncio. Estavam deitados na cama; era tarde.

"Willem, não vou me importar, de verdade, se você quiser manter a coisa em sigilo", dissera.

"Mas eu não quero", falou. Ele não queria. Não tinha a energia para aquilo, o senso de planejamento necessário, a resistência. Conhecia dois atores – mais velhos e muito mais comerciais que ele – que na verdade eram gays e casados com mulheres, e ele via o quanto suas vidas eram vazias e fabricadas. Não era aquele o tipo de vida que queria para si: não queria pôr o pé fora do set e sentir que ainda estava interpretando. Quando estava em casa, queria se sentir verdadeiramente em casa.

"Só tenho medo de que você fique ressentido comigo", admitiu Jude, com a voz baixa.

"Nunca vou ficar ressentido com você", prometeu.)

Agora, passou uma hora ouvindo as previsões sombrias de Kit, até que, finalmente, quando ficou claro que Willem não mudaria de ideia, foi Kit quem pareceu mudar.

– Willem, vai ficar tudo bem – disse, com firmeza, como se fosse Willem quem estivesse se preocupando o tempo todo. – Se tem alguém capaz de fazer isso funcionar, é você. Vamos dar um jeito de as coisas darem certo. Tudo vai ficar bem. – Kit inclinou a cabeça, olhando para ele. – Vocês vão se casar?

– Jesus, Kit – disse –, você estava tentando nos separar minutos atrás.

– Não estava, Willem. Não estava. Só estava tentando convencer você a ficar de boca fechada, só isso. – Soltou outro suspiro, mas, dessa vez, resignado. – Espero que Jude reconheça o sacrifício que você está fazendo por ele.

– Não é sacrifício algum – protestou, e Kit apertou os olhos para ele.

– Pode não ser agora – falou –, mas, no futuro, talvez.

Jude voltou para casa mais cedo aquela noite.

– Como foi? – perguntou a Willem, olhando-o com atenção.

– Bem – respondeu, com convicção. – Foi tudo bem.

– Willem... – começou Jude, e ele o interrompeu.

– Jude – falou –, está feito. Vai ficar tudo bem, eu juro para você.

O escritório de Kit conseguiu manter o relacionamento deles em sigilo por duas semanas, e, quando o primeiro artigo foi publicado, ele e Jude estavam num avião a caminho de Hong Kong para visitar Charlie Ma, o antigo colega de apartamento de Jude em Hereford Street, e de lá partiriam para o Vietnã, passando depois por Camboja e Laos. Tentava não ver suas mensagens quando estava de férias, mas Kit recebera um telefonema de um jornalista da revista *New York*, então sabia que algo seria escrito sobre ele. Estava em Hanói quando a história foi publicada: Kit a encaminhou para ele, sem qualquer comentário, e ele passou os olhos por ela rapidamente quando Jude estava no banheiro. "Ragnarsson está de férias e não foi encontrado para comentar, mas seu representante confirmou o relacionamento do ator com Jude St. Francis, um advogado altamente respeitado e proeminente da poderosa firma de advocacia Rosen Pritchard & Klein, além de seu amigo próximo desde os tempos em que os dois foram colegas de quarto no primeiro ano de faculdade", leu, e "Ragnarsson é o ator mais conhecido de todos os tempos a voluntariamente se declarar num relacionamento gay", seguido, como numa nota de obituário, por uma recapitulação de seus filmes e várias citações de inúmeros agentes e assessores de imprensa parabenizando-o pela coragem, ao mesmo tempo que previam uma limitação praticamente certa de sua carreira, além de citações cordiais de atores e diretores que ele conhecia, prometendo que tal revelação não mudaria coisa alguma, e uma citação conclusiva de um executivo anônimo de um estúdio dizendo que seu forte, de qualquer forma, nunca fora o papel do protagonista romântico, então provavelmente ficaria bem. No fim do artigo, havia um link para uma foto dele ao lado de Jude na inauguração da mostra de Richard em Whitney, em setembro.

Quando Jude voltou, passou o telefone para ele e o viu ler o artigo.

– Ah, Willem – falou. E então, parecendo abalado: – Meu nome está aqui. – E pela primeira vez lhe ocorreu que talvez Jude quisesse manter as coisas em sigilo tanto pela sua própria privacidade quanto pela de Willem.

– Não acha melhor perguntar a Jude antes se posso confirmar a identidade dele? – perguntara Kit quando estavam decidindo o que dizer ao repórter em nome de Willem.

– Não, está tudo bem – respondera. – Ele não vai se importar.

Kit ficara em silêncio.

– Talvez se importe, Willem.

Mas não pensara realmente que aquilo pudesse ocorrer. Agora, porém, se questionava se não havia sido arrogante. *Ué*, perguntou a si mesmo, *só porque você não vê problema, achou que ele também não veria?*

– Willem, sinto muito – disse Jude, e, embora soubesse que deveria tranquilizar Jude, que provavelmente estava se sentindo culpado, e também se desculpar com ele, simplesmente não estava com ânimo para aquilo, não naquele momento.

– Vou sair para correr – anunciou, e, mesmo sem olhar para ele, sentiu Jude acenar com a cabeça.

Era tão cedo que, lá fora, a cidade estava em silêncio e ainda fazia frio, com o ar de um branco terroso e apenas poucos carros deslizando pelas ruas. O hotel ficava perto do antigo teatro de ópera francês, em volta do qual ele correu, voltando ao hotel e seguindo para o bairro da era colonial, passando por vendedores agachados ao lado de cestos largos e planos de bambu entrelaçado, cheios de limões minúsculos e brilhosos e pilhas de ervas cortadas que cheiravam a limão-siciliano, rosa e grãos de pimenta. À medida que as ruas começaram a se tornar mais estreitas, ele diminuiu o ritmo e passou a andar, entrando numa ruela apinhada de tendas e mais tendas de restaurantes pequenos e improvisados, com apenas uma mulher atrás de uma caldeira fervilhando de sopa ou óleo, e quatro ou cinco bancos de plástico, onde os clientes sentavam para comer apressados antes de voltarem correndo à entrada do beco, montando em suas bicicletas e pedalando para longe. Ele parou no outro extremo da ruela, esperando um homem passar de bicicleta por ele, com o cesto preso à parte traseira do banco carregado de lanças de baguetes, cuja fragrância quente e láctea penetrou em suas narinas, e em seguida desceu por outra ruela, cheia de vendedores agachados sobre maços de ervas, montes escuros de mangostões, bandejas de metal com peixes rosa-prateados, tão frescos que dava para ouvi-los engolir o ar e ver seus olhos se revirando desesperadamente em suas cavidades oculares. Sobre sua cabeça havia inúmeras gaiolas penduradas feito lanternas, cada uma contendo um pássaro que soltava cantos vibrantes. Tinha um pouco de dinheiro consigo e comprou um buquê de ervas para Jude; parecia alecrim, mas o aroma era um cheiro agradável de sabão, e, embora não soubesse o que fosse, pensou que Jude talvez a conhecesse.

Ele era tão ingênuo, pensou ao voltar lentamente para o hotel: sobre sua carreira, sobre Jude. Por que sempre achava que sabia o que estava fazendo? Por que achava que podia fazer o que bem entendesse e tudo simplesmente sairia do jeito que imaginara? Seria falta de criatividade, arrogância ou (como ele supunha) mera estupidez? As pessoas, pessoas que ele respeitava e em que confiava, sempre o aconselhavam – Kit, sobre sua carreira; Andy, sobre Jude; Jude, sobre si mesmo –, e, ainda assim, ele sempre as ignorava. Pela primeira vez, pensou que Kit pudesse estar certo, que Jude pudesse estar certo, que talvez nunca mais voltasse a trabalhar, ou pelo menos não no tipo de trabalho de que gostava. Ficaria ressentido com Jude? Acreditava que não; esperava que não. Mas nunca pensara que as coisas poderiam acabar assim, não de verdade.

Porém, maior ainda que esse medo era o outro, que raramente conseguia trazer à tona: e se as coisas que estava forçando Jude a fazer não fossem boas para ele no fim das contas? No dia anterior haviam tomado banho juntos pela primeira vez, e Jude ficara em absoluto silêncio depois, tão profundamente absorto num de seus estados de fuga, com os olhos tão distantes e vazios, que Willem chegara a ficar momentaneamente assustado. Jude não queria fazer aquilo, mas Willem o convencera. No chuveiro, ele ficou rígido e tenso, e Willem percebeu, pela forma como Jude apertava a boca, que ele estava sofrendo para suportar a experiência, esperando que terminasse. Mas ele não o deixara sair do banho; o obrigara a ficar. Comportara-se (involuntariamente, mas quem se importa) como Caleb – forçara Jude a fazer algo que não queria, e Jude obedecera porque ele ordenara.

– Vai ser bom para você – dissera, e lembrando-se disso, por mais que na hora tivesse acreditado, sentiu-se quase nauseado. Ninguém jamais confiara nele de maneira tão inquestionável quanto Jude. Mas ele não tinha ideia do que estava fazendo.

– Willem não é psiquiatra! – lembrou-se das palavras de Andy. – Ele é ator!

E, embora ele e Jude tivessem caído na risada na época, não sabia se Andy estaria assim tão errado. Quem era ele para tentar administrar a saúde mental de Jude? "Não confie tanto em mim", queria dizer a Jude. Mas como poderia? Não era aquilo que queria de Jude, daquele relacionamento? Ser tão indispensável a alguém que essa pessoa não poderia imaginar sua vida sem ele? E ele agora conseguira, mas as exigências da posição o aterrorizavam. Pedira responsabilidade sem entender completamente quanto dano poderia causar. Seria capaz de fazer aquilo? Pensou no horror que Jude sentia por sexo, e sabia que por trás daquele horror havia outro, um de que sempre suspeitara, mas sobre o qual nunca o questionara: o que então deveria fazer? Queria que existisse alguém que pudesse lhe dizer definitivamente se estava fazendo um bom trabalho ou não; queria ter alguém que o guiasse naquele relacionamento como Kit o guiava em sua carreira, dizendo quando deveria se arriscar e quando era melhor recuar, quando fazer o papel de Willem, o Herói, e quando ser Ragnarsson, o Terrível.

Ah, o que estou fazendo?, repetia para si mesmo enquanto seus pés martelavam a rua e ele passava correndo por homens, mulheres e crianças que se preparavam para o dia, por prédios estreitos como armários, por lojinhas que vendiam travesseiros rígidos, parecidos com tijolos, de palha entrelaçada, por um garotinho acalentando um lagarto de aparência imperiosa junto ao peito, *O que estou fazendo, ah, o que estou fazendo?*

Quando voltou ao hotel, uma hora depois, o céu passara de branco a um azul pálido delicioso e mentolado. O agente de viagem reservara para eles um quarto com duas camas, como sempre (e ele não se lembrara de pedir a seu assistente para corrigir isso), e Jude estava deitado na cama em que os dois dormiram na noite anterior, vestido, lendo, e, quando Willem entrou, ele se levantou, se aproximou e o abraçou.

– Estou todo suado – balbuciou, mas Jude não o soltou.

– Não tem problema – disse Jude. Deu um passo para trás e olhou para ele, segurando-o pelos braços. – Vai ficar tudo bem, Willem – falou, no mesmo tom firme e afirmativo que Willem às vezes o ouvia empregar com seus clientes ao telefone. – De verdade. Sempre vou cuidar de você. Sabe disso, não sabe?

Ele sorriu.

– Eu sei – falou, e o que o confortou não foi essa garantia, mas o fato de Jude estar tão confiante, tão autoritário, certo de que ele também tinha algo a oferecer. Aquilo fez Willem se lembrar de que o relacionamento entre os dois não era uma missão de resgate, afinal, mas sim uma extensão de sua amizade, na qual ele salvara Jude e, com a mesma frequência, Jude o salvara. Para cada vez que ajudara Jude quando sentia dor, ou o defendia de gente que fazia perguntas demais, Jude esteve ao seu lado para ouvi-lo falar de suas preocupações com o trabalho, ou para animá-lo quando não conseguia um papel, ou para (por três humilhantes meses consecutivos) pagar as parcelas do crédito estudantil quando um trabalho foi cancelado e ele ficou sem dinheiro para quitá-las. E, ainda assim, nos últimos sete meses ele decidira que consertaria Jude, que daria um jeito nele, quando, na verdade, não precisava que lhe dessem jeito algum. Jude sempre o vira como ele era; ele precisava tentar fazer o mesmo por Jude.

– Pedi para trazerem o café da manhã – disse Jude. – Achei que talvez pudesse querer um pouco de privacidade. Quer tomar um banho?

– Obrigado – falou –, mas acho que vou esperar até comermos. – Respirou fundo. Já sentia sua ansiedade esmaecendo; já sentia que estava voltando a ser quem era. – Pode cantar comigo?

Nos últimos dois meses, os dois vinham cantando juntos toda manhã como forma de preparação para *Duetos*. No filme, seu personagem e o de sua esposa promoviam uma apresentação de Natal, e tanto ele quanto a atriz cantariam com suas próprias vozes. O diretor lhe enviara uma lista de canções para praticar, e Jude vinha ensaiando com ele: Jude fazia a melodia, e ele, a harmonia.

– Claro – respondeu Jude. – A de sempre?

Na última semana, vinham ensaiando "Adeste Fideles", que teria de cantar *a cappella*, e durante toda a semana vinha desafinando sempre no mesmo ponto, em "*Venite adoremus*", logo na primeira estrofe. Fazia uma careta sempre que derrapava, ouvindo seu erro, e Jude balançava a cabeça para ele e ia em frente, e Willem então o seguia até o fim.

– Está pensando demais – dizia Jude. – Quando aumenta o tom é porque está se concentrando muito em manter a afinação; basta não pensar, Willem, e você consegue.

Naquela manhã, porém, estava certo de que acertaria. Deu a Jude o maço de ervas, que ainda tinha nas mãos, e Jude lhe agradeceu, apertando suas flores roxas entre os dedos para liberar o perfume.

– Acho que é uma espécie de perilla – disse, erguendo os dedos para Willem sentir a fragrância.

– É bom – respondeu, e os dois sorriram um para o outro.

E então Jude começou a cantar e ele o seguiu, sem sair do tom. No final da canção, emendando com a última nota, Jude entrou imediatamente na canção seguinte da lista, "For Unto Us a Child Is Born", e, depois dela, "Good King Wenceslas", e uma vez após a outra Willem o seguiu. Sua voz não era tão encorpada quanto a de Jude, mas percebia naqueles momentos que era boa o bastante, talvez até melhor do que apenas boa o bastante: percebia que soava melhor junto à de Jude, por isso fechou os olhos e se permitiu apreciá-la.

Ainda estavam cantando quando a campainha anunciou o café da manhã, mas, ao se levantar, Jude colocou a mão sobre seu pulso e os dois ficaram ali, Jude sentado e ele de pé, até cantarem as últimas palavras da canção, e só depois de terminarem é que ele foi atender à porta. Ao seu redor, o quarto cheirava à erva desconhecida que encontrara, verde e fresca, mas, ainda assim, de certa forma familiar, como algo de que não sabia gostar até aparecer, súbita e inesperadamente, em sua vida.

2

NA PRIMEIRA VEZ QUE Willem o deixou – isso aconteceu uns vinte meses atrás, dois janeiros atrás –, tudo saiu errado. Num período de duas semanas desde a ida de Willem ao Texas para começar a filmar *Duetos*, ele passou por três episódios de dor nas costas (incluindo um no escritório e outro, este em casa, que durou duas horas inteiras). A dor nos pés voltou. Um corte (causado pelo quê ele não faz nem ideia) se abriu na panturrilha direita. Mesmo assim, tudo estava bem.

– Você anda tão *alegre* com essa porcaria toda – dissera Andy quando ele foi obrigado a marcar sua segunda consulta em uma semana. – Estou desconfiado.

– Ah, bom – disse ele, embora mal conseguisse falar por causa da intensidade da dor. – Essas coisas acontecem, não é mesmo?

Naquela noite, porém, deitado na cama, ele agradeceu ao seu corpo por se manter funcionando, por ter se controlado por tanto tempo. Naqueles meses, que ele via secretamente como o cortejo entre ele e Willem, não precisara usar a cadeira de rodas nem uma única vez. Os episódios de dor haviam sido raros e curtos, e nunca na presença de Willem. Sabia que era bobeira – Willem já sabia o que havia de errado com ele, pois o vira em seus piores momentos –, mas se sentia grato, à medida que os dois começavam a se ver de uma maneira diferente, por ter sido agraciado com um período de reinvenção, um intervalo onde pôde incorporar uma pessoa sadia. Assim, quando voltou ao seu estado normal, não contou a Willem o que vinha acontecendo – ficava tão entediado com o assunto que não conseguia imaginar que outra pessoa não viesse a se entediar também –, e, quando Willem voltou para casa em março, ele já estava relativamente melhor, caminhando outra vez, com a ferida de modo geral sob controle.

Desde aquela primeira vez, Willem voltaria a se ausentar por longos períodos outras quatro vezes – duas para filmar, duas em turnês de divulgação –, e, em todas elas, às vezes no próprio dia em que Willem partia, seu corpo cedera de alguma forma. Mas ele apreciava sua adequação em escolher o melhor momento para fazê-lo, sua cortesia: era como se o seu corpo, antes mesmo de sua mente, tivesse decidido por ele que devia investir naquele relacionamento e fizera sua parte removendo o maior número de obstáculos e constrangimentos possíveis.

Agora estão em meados de setembro, e Willem se prepara de novo para partir. Segundo o ritual que estabeleceram – desde a Última Ceia, que parecia ter acontecido em outra vida –, os dois saem para jantar em algum lugar extravagante no sábado anterior à viagem de Willem e depois passam o resto da noite conversando. No domingo, dormem a manhã inteira, e à tarde recapitulam alguns detalhes práticos: coisas a serem feitas enquanto Willem estiver fora, questões em aberto a serem resolvidas, decisões a serem tomadas. Desde que o relacionamento mudara do que era antes para o que era agora, as conversas entre eles haviam se tornado mais íntimas e mundanas, e aquele último fim de semana é sempre um reflexo perfeito e condensado daquilo: o sábado é dedicado aos medos, aos segredos, às confissões e às lembranças; o domingo é para a logística, para o mapeamento diário que fazia a vida a dois progredir lentamente.

Ele gosta de ter os dois tipos de conversa com Willem, mas aprecia os aspectos mundanos muito mais do que imaginava possível. Sempre se sentira ligado a Willem pelas grandes questões – amor; confiança –, mas também gosta de estar ligado a ele por questões menores: contas, impostos e consultas ao dentista. Sempre se lembra de uma visita que fizera a Harold e Julia anos antes, quando pegou um resfriado terrível e acabou passando a maior parte do fim de semana deitado no sofá da sala, enrolado na coberta, dormindo e acordando. Naquele sábado à noite, os três assistiram a um filme juntos, e, a certa altura, Harold e Julia começaram a falar sobre a reforma da cozinha da casa de Truro. Ele estava meio adormecido, ouvindo a conversa em tom baixo entre os dois, tão enfadonha que ele acabou se perdendo nos detalhes, mas que, ao mesmo tempo, o enchera de uma enorme sensação de paz: aquilo lhe parecera a expressão ideal de uma relação adulta, ter alguém com quem poder debater sobre os mecanismos de uma existência conjunta.

– Deixei uma mensagem com o cara da árvore e disse a ele que você vai ligar esta semana, tudo bem? – pergunta Willem. Estão no quarto, terminando de arrumar a mala de Willem.

– Certo – diz ele. – Escrevi um bilhete para me lembrar de ligar para ele amanhã.

– E disse a Mal que você iria com ele no terreno no fim de semana que vem, mas você já sabe disso.

– Sei – responde. – Está na minha agenda.

Willem vinha jogando pilhas de roupas dentro da mala enquanto falava, mas, naquele momento, para e olha para ele.

– Agora me sinto mal – diz. – Estou deixando tanta coisa para você fazer.

– Não fique assim – diz ele. – Não tem problema, juro.

A maior parte da agenda deles é administrada pelo assistente de Willem, pelas suas secretárias; mas eles próprios estão cuidando dos detalhes da casa no norte do estado. Nunca conversaram sobre como aquilo aconteceu, mas ele sente que é importante para os dois que possam participar e testemunhar a criação daquele lugar que estão construindo juntos, o primeiro lugar que terão construído juntos desde Lispenard Street.

Willem solta um suspiro.

– Mas você anda tão ocupado – fala.

– Não se preocupe – diz ele. – Fique tranquilo, Willem. Posso cuidar de tudo. – Só que Willem continua com um ar preocupado.

Naquela noite, ficam deitados, acordados. Desde que conhecera Willem, sempre tivera a mesma sensação no dia anterior à sua partida, quando, mesmo enquanto ainda conversava com ele, já conseguia antecipar o quanto sentiria sua falta quando estivesse longe. Agora que estão realmente, fisicamente, juntos, aquela sensação se intensificou. Está tão acostumado à presença de Willem que sua ausência parece mais profunda, mais debilitante.

– Sabe que temos outro assunto a tratar – diz Willem, e, como ele não responde, Willem puxa a manga da sua camisa e segura seu pulso esquerdo, com delicadeza, em sua mão. – Quero que me prometa.

– Eu juro – fala. – Pode deixar. – Ao seu lado, Willem solta seu braço e deita de costas. Os dois ficam em silêncio.

– Estamos cansados. – Willem boceja.

E estão mesmo: em menos de dois anos, Willem fora reclassificado como gay; Lucien se aposentara da firma e ele assumira a direção do departamento de litígios; os dois estavam construindo uma casa no campo, oitenta minutos ao norte da cidade. Quando estão juntos nos fins de semana – e quando Willem está em casa, ele também tenta estar, chegando ainda mais cedo ao escritório nos dias úteis para não precisar ficar até tarde nos sábados –, às vezes passam o início da noite simplesmente deitados no sofá da sala de estar, sem dizer nada, enquanto, ao redor, a luz vai deixando o ambiente. Às vezes saem, mas com uma frequência muito menor do que costumavam sair antes.

– A transição para o lesbianismo levou muito menos tempo do que eu esperava – observou JB certa noite, durante um jantar em Greene Street com seu novo namorado, Fredrik, Malcolm e Sophie, Richard e India e Andy e Jane.

– Dê uma folga a eles, JB – disse Richard, tranquilo, enquanto todos os outros riam, mas ele não achou que Willem se importaria, e ele certamente não se importava. Afinal, com o que mais se preocupava se não com Willem?

Ele espera um tempo para ver se Willem dirá alguma coisa. Fica imaginando se terão que fazer sexo; ele ainda não consegue identificar quando Willem quer e quando não quer – quando um abraço se torna algo mais invasivo e indesejado –, mas está sempre preparado para caso aconteça. Aquela – e ele detesta ter de admitir isso, detesta pensar sobre isso, e nunca o diria em voz alta – é uma das pouquíssimas coisas pelas quais fica ansioso quando Willem viaja: nas semanas ou meses em que está longe, não há sexo, e ele pode finalmente relaxar.

Eles vêm fazendo sexo há dezoito meses agora (ele percebe que tem de se forçar para parar de contar, como se sua vida sexual fosse uma sentença na cadeia e ele aguardasse pelo fim), e Willem esperara por quase dez. Durante aqueles meses, tinha plena consciência de que havia um relógio em algum lugar fazendo uma contagem regressiva, e, embora não soubesse quanto tempo ainda lhe restava, sabia que, por mais paciente que Willem fosse, não seria paciente para sempre. Meses antes, quando entreouvira Willem mentir para JB sobre o quanto a vida sexual deles era fantástica, prometera a si mesmo que diria a Willem que estava pronto naquela noite. Mas ficara muito assustado, e permitira que o momento passasse. Pouco mais de um mês depois, quando saíram de férias pelo

Sudeste Asiático, mais uma vez prometeu a si mesmo que iria tentar, e mais uma vez não fez nada.

Então janeiro chegou e Willem partiu para o Texas para filmar *Duetos*, e ele passou aquelas semanas sozinho se preparando, e, na noite seguinte ao retorno de Willem – ainda estava abismado por Willem ter voltado para ele; abismado e extático, tão feliz que sua vontade era colocar a cabeça para fora da janela e gritar sem qualquer motivo além da improbabilidade daquilo tudo –, disse a Willem que estava pronto.

Willem olhou para ele.

– Tem certeza? – perguntou.

Não tinha, é claro. Mas sabia que, se quisesse continuar com Willem, uma hora teria de ceder.

– Sim – falou.

– Quer mesmo, de verdade? – perguntou Willem em seguida, ainda olhando para ele.

O que era aquilo, pensou: seria um desafio? Ou seria uma pergunta séria? Era melhor responder com cuidado, concluiu.

– Sim – foi o que respondeu. – Claro que quero.

E percebeu pelo sorriso de Willem que escolhera a resposta certa.

Mas, antes, precisava contar a Willem sobre suas doenças.

– Quando fizer sexo no futuro, lembre-se sempre de mencioná-las antes de qualquer coisa – dissera-lhe um dos médicos na Filadélfia, anos atrás. – Você não vai querer ser responsável por transmiti-las a outra pessoa.

O médico fora severo, e ele nunca se esqueceu da vergonha que sentira nem do medo de ser capaz de compartilhar sua imundície com outra pessoa. Assim, escrevera um discurso para si próprio e o ensaiara até ter tudo decorado, mas o momento da revelação fora muito mais difícil do que imaginara, e ele acabou falando tão baixo que teve de repetir, o que foi ainda pior. Só dissera aquelas palavras anteriormente para Caleb, que ficara em silêncio e depois decretara em sua voz grave:

– Jude St. Francis. Pelo jeito, você é mesmo uma putinha.

E ele se obrigara a sorrir e concordar.

– Coisas da universidade – fora tudo que conseguira dizer, e Caleb abrira um sorriso discreto.

Willem também ficou em silêncio, observando-o, e perguntou:

– Onde pegou isso, Jude? – E em seguida: – Desculpe.

Estavam deitados perto um do outro, Willem de lado, olhando para ele, e ele de costas.

– Tive um ano meio doido em Washington – disse finalmente, embora aquilo não fosse verdade, é claro. Mas contar a verdade significaria uma conversa mais longa, para a qual não estava preparado, não ainda.

– Jude, sinto muito – disse Willem, estendendo a mão em sua direção. – Quer me contar sobre isso?

– Não – respondeu, inflexível. – Acho que deveríamos transar. Agora.

Ele já havia se preparado. Outro dia de espera não mudaria as coisas, apenas o deixaria mais nervoso.

E então transaram. Uma parte dele esperara, até mesmo acreditara, que as coisas seriam diferentes com Willem, que ele finalmente passaria a gostar do processo. Mas, uma vez iniciado, sentiu todas as velhas e péssimas sensações voltarem. Tentou concentrar sua atenção em como aquela vez era claramente melhor: como Willem era mais carinhoso que Caleb, como não perdera a paciência com ele, como estava, afinal, com Willem, alguém que amava. Mas, quando acabou, sentiu a mesma vergonha, a mesma náusea, o mesmo desejo de se ferir, de arrancar suas entranhas para fora e jogá-las contra a parede, enchendo-a de sangue.

– Foi bom? – perguntou Willem, em voz baixa, e ele se virou e olhou para o rosto de Willem, que ele tanto amava.

– Sim – disse.

Talvez, pensou, seria melhor na vez seguinte. E então, na vez seguinte, depois de sentir a mesma coisa, pensou que pudesse ser melhor na próxima. Toda vez esperava que fosse diferente. Toda vez dizia a si mesmo que seria. A tristeza que sentiu ao compreender que nem mesmo Willem poderia salvá-lo, que era irrecuperável, que aquela experiência fora arruinada eternamente para ele, foi uma das maiores de sua vida.

No fim, acabou estabelecendo algumas regras para si mesmo. Em primeiro lugar, nunca recusaria Willem. Nunca. Se era isso que Willem queria, era o que teria, e ele nunca diria não. Willem sacrificara muito para estar com ele, lhe trouxera tanta paz, e ele estava determinado a tentar agradecer-lhe da maneira que pudesse. Em segundo lugar, tentaria – como lhe pedira uma vez o irmão Luke – demonstrar certo ânimo, um pouco de entusiasmo. Já perto do fim de seus dias com Caleb, ele começara a voltar ao que fizera durante a vida inteira: Caleb o virava, abaixava suas calças e ele ficava ali deitado, esperando. Agora, com Willem, tentava se lembrar dos comandos do irmão Luke, aos quais sempre obedecera – *Vire para o lado; Agora faça alguns ruídos; Agora diga que está gostando* –, e incorporá-los sempre que podia, para parecer um participante ativo. Tinha esperança de que sua competência pudesse compensar de alguma forma sua falta de entusiasmo, e, enquanto Willem dormia, forçava-se a recordar das lições que o irmão Luke lhe ensinara, lições que passara sua vida adulta inteira tentando esquecer. Sabia que Willem se surpreendera com sua fluência: logo ele, que sempre se mantivera calado quando os outros se vangloriavam de suas peripécias na cama, ou sobre o que esperavam fazer; ele, que podia e de fato tolerava qualquer conversa que seus amigos tinham sobre o assunto, mas que jamais se envolvera em uma.

A terceira regra era que tomaria a iniciativa uma vez a cada três vezes que Willem tomasse, para que não parecesse algo desigual. E a quarta era: o que Willem quisesse fazer, ele aceitaria. *É Willem*, lembrava a si mesmo, uma vez após a outra. *Uma pessoa que jamais o magoaria intencionalmente. Qualquer coisa que ele peça está dentro do aceitável.*

Mas então ele via o rosto do irmão Luke diante dos seus olhos. *Você também confiou nele*, repreendia a voz. *Também pensou que ele o estivesse protegendo.*

Como ousa, discutia ele com a voz. *Como ousa comparar Willem ao irmão Luke?*

Qual a diferença?, rebatia a voz. *Os dois querem a mesma coisa de você. No fim, você é igual para todos os dois.*

Com o tempo, seu medo do processo acabou diminuindo, mas não seu desgosto. Sempre soube que Willem gostava de sexo, mas ficara surpreso e consternado por parecer gostar tanto de fazê-lo com ele. Sabia o quanto estava sendo injusto, mas viu seu respeito por Willem diminuir diante disso, e o ódio contra si mesmo aumentar por conta daqueles sentimentos.

Tentava se concentrar no que melhorara na experiência desde Caleb. Embora ainda fosse doloroso, era menos doloroso do que fora com qualquer outra pessoa, e aquilo certamente era algo positivo. Ainda era desconfortável, embora, mais uma vez, menos do que antes. E ainda era vergonhoso, embora, com Willem, pudesse se consolar com o fato de estar dando pelo menos um pouquinho de prazer à pessoa com quem mais se importava, e saber disso o fazia se sentir melhor.

Disse a Willem que perdeu a capacidade de ter ereções depois do episódio do carro, mas não era verdade. Segundo Andy (isso foi anos atrás), não havia nenhum motivo físico que o impedisse. Mas, de qualquer forma, não as tinha e não as tivera por anos, não desde os tempos de faculdade, e, mesmo então, eram ereções raras e incontroláveis. Willem perguntou se havia algo que pudesse fazer – uma injeção, uma pílula –, mas ele falou que era alérgico a um dos componentes dessas injeções e pílulas e aquilo não tinha importância para ele.

Caleb não se incomodara tanto com essa incapacidade, mas Willem, sim.

– Existe *alguma coisa* que podemos fazer para ajudá-lo? – perguntava, uma vez após a outra. – Já conversou com Andy? Será que não deveríamos tentar algo diferente?

Até que, um dia, ele finalmente estourou com Willem e pediu para que parasse com aquelas perguntas, pois o fazia se sentir uma aberração.

– Desculpe, Jude. Não foi minha intenção – disse Willem, após um silêncio. – Só queria que você tivesse prazer.

– Eu sinto prazer – falou. Detestava mentir tanto assim para Willem, mas que alternativa tinha? A alternativa seria perdê-lo, seria ficar sozinho para sempre.

Às vezes, com certa frequência, praguejava contra si mesmo, contra suas limitações, mas, em outras ocasiões, era mais generoso: reconhecia o quanto sua mente protegia seu corpo, como bloqueara seu ímpeto sexual para salvaguardá-lo, como calcificara cada parte de seu ser que lhe causara dor. Porém, normalmente, sabia que estava errado. Sabia que seu ressentimento de Willem era errado. Sabia que sua impaciência com o gosto de Willem pelas preliminares – aquele período longo e constrangedor de aflição que precedia toda interação, os pequenos gestos físicos de intimidade que ele sabia serem a maneira de Willem experimentar os limites de sua própria capacidade de se excitar – era errada. Mas sexo, segundo sua própria experiência, era algo que deveria ser feito o mais rápido possível, com uma eficiência e uma brusquidão que beiravam a brutalidade, e, quando sentia que Willem tentava prolongar o ato, começava a guiá-lo com uma espécie de determinação que, como percebeu mais tarde, Willem devia confundir com fervor. E então ouvia a declaração triunfante do irmão Luke em sua mente – *Eu percebi que você estava gostando* – e se encolhia. *Não estava gostando*, sempre teve vontade de dizer, e queria dizer agora: *Não gosto*. Mas não ousava falar uma coisa daquelas. Estavam num relacionamento. As pessoas num relacionamento faziam sexo. Se quisesse continuar com Willem, teria de cumprir sua parte do pacto, e o desgosto por suas obrigações não o eximia delas.

Ainda assim, ele não desistiu. Prometeu a si mesmo que faria um esforço para se reparar, pelo bem de Willem, se não pelo seu. Comprara – às escondidas, com o rosto ardendo enquanto fazia a encomenda – três livros de autoajuda sobre sexo e os lera enquanto Willem estava fora, numa de suas turnês de divulgação. Quando Willem voltou, tentou pôr em prática o que aprendera, mas os resultados foram os mesmos. Comprou revistas femininas com artigos sobre como ser melhor na cama, e os estudou minuciosamente. Chegou até a encomendar um livro sobre como vítimas de abuso sexual – um termo que odiava e não aplicava a si próprio – lidavam com sexo, que lera furtivamente uma noite, trancando a porta do escritório para que Willem não o descobrisse. Mas, depois de um ano, resolveu mudar suas ambições: *ele* talvez nunca viesse a gostar de sexo, mas aquilo não o impedia de tornar a experiência mais prazerosa para Willem, tanto como uma forma de expressar sua gratidão como, de maneira mais egoísta, para mantê-lo perto de si. E assim subjugou sua sensação de vergonha; voltou sua concentração para Willem.

Agora que estava fazendo sexo novamente, percebia o quanto aquilo o cercara durante todos aqueles anos e como conseguira banir completamente qualquer pensamento sobre o tema em sua vida rotineira. Por décadas, abstivera-se de discussões sobre sexo, mas, agora, as escutava sempre que elas se faziam presentes: tentava entreouvir o que diziam seus colegas, as mulheres nos restaurantes, os homens que passavam por ele na rua, todos falando sobre sexo, sobre quando faziam, sobre como queriam mais (ninguém queria menos, aparentemente). Era como se estivesse de volta à universidade, onde seus colegas eram mais uma vez seus professores involuntários: estava sempre alerta em busca de informações, de lições sobre como se comportar. Assistia a programas de auditório na televisão, muitos dos quais pareciam abordar o modo como os casais uma hora paravam de fazer sexo; os entrevistados eram pessoas casadas que não faziam sexo havia meses, de vez em quando havia anos. Ele estudava aqueles programas, mas nenhum deles jamais lhe dera a informação que queria: Por quanto tempo o sexo durava num relacionamento? Quanto tempo ainda precisaria esperar até que aquilo acontecesse também a ele e Willem?

Olhava para os casais: Seriam eles felizes? (Obviamente, não; estavam num programa de auditório contando a estranhos sobre suas vidas sexuais e pedindo ajuda.) Mas pareciam felizes – não pareciam? –, ou pelo menos aparentavam uma versão da felicidade, aquele homem e aquela mulher que não faziam sexo havia três anos e, ainda assim, pelo toque da mão do homem no braço da mulher, obviamente tinham afeto um pelo outro, obviamente continuavam juntos por razões mais importantes do que o sexo. Nos voos que pegava, assistia a comédias românticas, pastelões sobre casais que não faziam sexo. Todos os filmes com pessoas jovens eram sobre querer sexo; todos os filmes com pessoas velhas eram sobre querer sexo. Assistia àqueles filmes e se sentia derrotado. Quando as pessoas *paravam* de querer sexo? Às vezes, reconhecia a ironia naquilo: Willem, o parceiro ideal sob todos os aspectos, que ainda queria fazer sexo, e ele, o parceiro que não tinha nada de ideal sob todos os aspectos, que não queria. Ele, o aleijado, que não queria, e Willem, que, por algum motivo, o desejava de qualquer forma. E ainda assim, William era a sua própria versão da felicidade; era uma versão da felicidade que nunca imaginou que teria.

Ele assegurou a Willem que, caso sentisse falta de fazer sexo com mulheres, deveria ir em frente, pois ele não se incomodaria.

– Não sinto – foi o que ouviu como resposta. – Quero fazer sexo com você.

Outra pessoa teria ficado tocada com isso, e ele também ficou, mas, ao mesmo tempo, se desesperou: quando aquilo teria um fim? E então, a pergunta inevitável: e se não tivesse? E se nunca tivesse permissão para parar? Lembrou-se dos anos em quartos de motéis, embora na época tivesse uma data pela qual pudesse esperar, por mais falsa que fosse: seus dezesseis anos. Quando fizesse dezesseis, poderia parar. Tinha agora quarenta e cinco, e era como se tivesse onze outra vez, esperando pelo dia em que alguém – antes, o irmão Luke, agora (injusto, injusto) Willem – lhe dissesse: "Acabou. Você cumpriu sua missão. Basta." Queria que alguém lhe dissesse que ainda era um ser humano completo, apesar de seus sentimentos; que não havia nada de errado com ele. Não haveria alguém, *alguém* no mundo que se sentisse como ele? Não seria seu ódio pelo ato sexual uma simples questão de preferência, e não uma deficiência a ser corrigida?

Numa noite, ele e Willem estavam deitados na cama – ambos cansados de seus respectivos dias –, e Willem começara a falar abruptamente sobre uma velha amiga com quem almoçara, uma mulher chamada

Molly, que ele encontrara uma ou duas vezes ao longo dos anos, e que, segundo Willem, vinha passando por um período difícil; agora, depois de décadas, ela finalmente contara à mãe que o pai, que morrera no ano anterior, abusara sexualmente dela.

– Que coisa terrível – disse ele, automaticamente. – Pobre Molly.

– Sim – disse Willem, e os dois ficaram em silêncio. – Falei para ela que não tinha nada do que se envergonhar, pois não fizera nada de errado.

Ele sentiu seu corpo esquentar.

– Você está certo – respondeu após um tempo, e bocejou extravagantemente. – Boa noite, Willem.

Por um minuto ou dois, ficaram em silêncio.

– Jude – disse Willem de forma gentil. – Um dia pretende me contar o que aconteceu?

O que poderia dizer, pensou, mantendo-se imóvel. Por que Willem estava perguntando sobre aquilo agora? Pensara que estava fazendo um ótimo trabalho em ser normal – mas talvez não estivesse. Teria de se esforçar mais. Nunca contara a Willem o que acontecera entre ele e o irmão Luke, mas, além de não conseguir falar sobre o assunto, parte dele sabia que não precisava: nos últimos dois anos, Willem tentara abordar o tema de diversas maneiras – por meio de histórias de amigos e conhecidos, alguns com nomes, outros não (supunha que algumas daquelas pessoas haviam sido inventadas, pois certamente ninguém podia ter uma coleção tão grande de amigos abusados sexualmente como aquela), por meio de artigos sobre pedofilia que encontrava em revistas, por meio de uma série de discursos sobre a natureza da vergonha, e como muitas vezes ela era injusta. Depois de cada discurso, Willem parava e aguardava, como se estivesse mentalmente estendendo-lhe a mão e convidando-o para dançar. Mas ele nunca pegava a mão de Willem. Sempre se mantinha calado, ou então mudava de assunto, ou simplesmente fingia que Willem nunca abrira a boca. Não sabia como Willem descobrira aquilo sobre ele; não queria saber. Obviamente, a pessoa que pensava estar apresentando aos outros não era a mesma pessoa que Willem – ou Harold – via.

– Por que está me perguntando isso? – questionou.

Willem se ajeitou.

– Porque – falou, e então parou. – Porque – continuou – eu deveria tê-lo feito falar sobre isso muito tempo atrás. – Parou outra vez. – Certamente antes de começarmos a fazer sexo.

Ele fechou os olhos.

– Não estou tendo um bom desempenho? – perguntou, em voz baixa, arrependendo-se da pergunta no mesmo instante em que a fez: aquilo era algo que teria perguntado ao irmão Luke, e Willem não era o irmão Luke.

Pôde ver pelo silêncio de Willem que a pergunta também o deixara surpreso.

– Não – falou. – Quero dizer, sim. Mas, Jude... eu sei que algo aconteceu a você. Queria que me contasse. Queria que me deixasse ajudá-lo.

– Isso está no passado, Willem – disse, finalmente. – Aconteceu há muito tempo. Não preciso de ajuda.

Fez-se um novo silêncio.

– Foi o irmão Luke quem machucou você? – perguntou Willem. E então, como ele se manteve calado e os segundos foram se passando, acrescentou: – Você gosta de fazer sexo, Jude?

Se falasse, acabaria chorando. Por isso, não falou nada. A palavra *não*, tão curta, tão fácil de dizer, um som infantil, mais um barulho que uma palavra, uma exalação abrupta de ar: tudo o que precisava fazer era abrir os lábios e a palavra sairia, e... e o quê? Willem iria embora, levando tudo consigo. Posso suportar tudo isso, pensava quando faziam sexo, posso suportar. Podia suportar em nome de todas as manhãs em que acordava ao lado de Willem, de todo o carinho que Willem lhe dava, do conforto de sua companhia. Quando Willem assistia à televisão na sala de estar e ele passava, Willem estendia a mão e ele a pegava, e os dois ficavam ali, Willem olhando para a tela, sentado, e ele de pé, ambos de mãos dadas, até ele finalmente soltá-la e continuar andando. Precisava da presença de Willem; todo dia, desde que Willem voltara a morar com ele, experimentava aquela mesma sensação de calma que sentia quando Willem ficara em sua casa antes de partir para filmar O *príncipe de canela*. Willem era seu alicerce, e a quem ele se agarrava, mesmo que soubesse sempre o quanto estava sendo egoísta. Sabia que, se realmente amasse Willem, o deixaria. Permitiria que Willem – o forçaria, se fosse preciso – encontrasse alguém melhor para amar, alguém que gostasse de fazer sexo com ele, alguém que sentisse desejo de verdade por ele, alguém com menos problemas, alguém com mais encantos. Willem era bom para ele, mas ele era ruim para Willem.

– *Você* gosta de fazer sexo comigo? – perguntou, quando finalmente conseguiu falar.

– Sim – disse Willem, de imediato. – Eu adoro. Mas quero saber se *você* gosta.

Ele engoliu e contou até três.

– Sim – falou em voz baixa, furioso consigo mesmo, mas ao mesmo tempo aliviado. Ganhara um pouco mais de tempo: da presença de Willem, mas também de sexo. O que aconteceria, imagina ele, caso dissesse que não?

E assim seguiram. Para compensar o sexo havia os cortes, que vinha fazendo com uma frequência cada vez maior: para ajudar a amainar a sensação de vergonha e também para se censurar pela sensação de ressentimento. Por muito tempo, conseguiu ser disciplinado: uma vez por semana, dois cortes por vez, e basta. Mas, nos últimos seis meses, quebrara suas regras uma atrás da outra, e agora estava se cortando com a mesma frequência que fazia quando estava com Caleb ou que fizera nas semanas precedentes à adoção.

O ritmo acelerado com que vinha se cortando foi o motivo da primeira briga realmente feia entre os dois, não só como casal, mas desde que se conheceram, de todos os vinte e nove anos daquela amizade. Às vezes os cortes não têm lugar no relacionamento deles. E às vezes eles *são* o relacionamento, tomam conta de todas as conversas, são aquilo que os dois debatem mesmo quando não estão falando. Ele nunca sabe quando vai aparecer na cama com sua camisa de manga comprida e Willem não dirá nada, ou quando começará a interrogá-lo. Explicara a Willem muitas vezes que precisava daquilo, que aquilo o ajudava, que não conseguia parar, mas Willem não conseguia ou não queria compreendê-lo.

– Não vê por que isso me incomoda tanto? – pergunta Willem.

– Não, Willem – diz ele. – Sei o que estou fazendo. Precisa confiar em mim.

– Eu *confio* em você, Jude – diz Willem. – Mas a questão aqui não é confiança. A questão é que você está se machucando. – E então a conversa chega a um beco sem saída.

Há também a conversa em que Willem diz:

– Jude, como se sentiria se eu fizesse isso a mim mesmo?

E ele responde:

– Não é a mesma coisa, Willem.

E Willem pergunta:
— Por quê?
E ele diz:
— Porque, Willem, é *você*. Você não merece isso.
E Willem diz:
— E você *merece*?

E ele fica sem resposta, ou pelo menos não encontra uma que Willem pudesse considerar adequada.

Cerca de um mês antes da briga, tiveram uma discussão diferente. Willem, é claro, percebera que ele estava se cortando mais, mas não sabia por quê, apenas que estava, e uma noite, depois de se certificar de que Willem dormia, ele começou a se esgueirar em direção ao banheiro, quando subitamente Willem agarrou seu pulso, e o susto o fez perder o ar.

— Jesus, Willem — disse. — Você me assustou.

— Aonde está indo, Jude? — perguntou Willem, com a voz tensa.

Tentou soltar o braço, mas Willem o segurava com força.

— Preciso ir ao banheiro — falou. — Me solte, Willem. Estou falando sério.

Os dois se encararam no escuro, até Willem finalmente soltá-lo, também levantando da cama.

— Vamos lá, então — falou. — Vou assistir.

Os dois discutiram, chiando um com outro, furiosos um com outro, ambos se sentindo traídos, ele acusando Willem de tratá-lo feito criança, Willem acusando-o de guardar segredos dele, os dois chegando o mais próximo a que já haviam chegado de gritar um com o outro. A discussão terminou com ele se livrando do domínio de Willem e tentando correr para o escritório, onde poderia trancar a porta e se cortar com a tesoura, mas, em seu estado de pânico, acabou tropeçando e caindo, cortando o lábio, e Willem veio correndo com um saco de gelo, e os dois sentaram no chão da sala de estar, na metade do caminho entre o quarto e o escritório, abraçando-se e desculpando-se.

— Não posso deixar que faça isso a si mesmo — disse Willem no dia seguinte.

— Não posso deixar de fazer — falou, após um longo silêncio.

Não vai gostar de ver como fico quando não me corto, queria dizer a Willem, assim como: *não sei como encontraria meu rumo na vida sem isso*. Mas não falou. Nunca conseguira explicar o que os cortes faziam por ele de um jeito que Willem pudesse entender: como eles eram uma forma de castigo e também de purificação, como permitiam que drenasse tudo o que era tóxico e podre de dentro dele, como o impediam de se irritar irracionalmente com os outros, com todos, como o impediam de gritar, de se tornar violento e como o faziam sentir que seu corpo, sua vida, fossem realmente seus e de mais ninguém. Certamente nunca conseguiria fazer sexo sem aquilo. Às vezes se perguntava: se o irmão Luke não lhe houvesse ensinado aquilo como uma espécie de solução, quem ele teria se tornado? Alguém que machucava outras pessoas, pensou; alguém que tentava fazer com que todos se sentissem tão mal quanto ele; alguém ainda pior do que a pessoa que era.

Willem ficou em silêncio ainda por mais tempo.

– Tente – falou. – Por mim, Judy. Tente.

E ele tentou. Nas semanas seguintes, quando acordava à noite, ou depois de fazerem sexo, enquanto esperava Willem dormir para poder ir ao banheiro, passou a ficar imóvel, deitado com as mãos fechadas, contando suas respirações, com a nuca transpirando e a boca seca. Imaginava uma das escadas dos motéis, como seria se jogar contra elas, o barulho que a pancada faria, como seria exaustivamente prazeroso, quanto doeria. Queria que Willem soubesse o esforço que estava fazendo, mas, ao mesmo tempo, sentia-se grato por ele não saber.

Porém, às vezes, aquilo não era o bastante, e, nessas noites, ele se esgueirava até o térreo, onde nadava, tentando exaurir suas energias. Pela manhã, Willem exigia que lhe mostrasse os braços, e os dois também brigaram por causa disso, mas, no fim, acabou sendo mais fácil simplesmente permitir que Willem verificasse.

– Satisfeito? – ladrava para ele, arrancando os braços das mãos de Willem, desenrolando as mangas e abotoando os punhos da camisa, sem conseguir olhar para ele.

– Jude – disse Willem, após uma pausa –, venha aqui deitar comigo antes de sair.

Mas ele balançou a cabeça e foi embora, e se arrependeu disso durante o dia inteiro e, a cada novo dia que Willem não repetia o pedido, ele se odiava mais. Seu novo ritual da manhã era Willem examinando seus braços e, toda vez que sentava perto de Willem na cama para que ele procurasse sinais de cortes, sentia sua frustração e sua humilhação aumentarem.

Certa noite, um mês depois de prometer a Willem que faria um esforço maior, soube que teria problemas, que não haveria nada que pudesse fazer para reprimir seus desejos. Fora um dia surpreendentemente rico de memórias, no qual a cortina que separava o passado do presente se mostrara estranhamente fina. Durante toda a noite, vira, como se em visão periférica, fragmentos de cenas flutuando diante dos seus olhos, e teve de se concentrar no jantar para permanecer firme, para não se deixar ser levado para aquele mundo familiar, assustador e escuro das lembranças. Aquela noite foi a primeira em que quase disse a Willem que não queria fazer sexo, mas, no fim, conseguiu ser forte e fizeram.

Depois, ficou exausto. Sempre lutava para continuar presente quando faziam sexo, para não sair voando pelo espaço. Quando era criança e aprendera a sair do corpo, os clientes reclamaram com o irmão Luke.

– Os olhos dele parecem mortos – diziam; não gostavam nada daquilo. Caleb lhe dissera a mesma coisa.

– Acorde – falou uma vez, dando-lhe tapas na bochecha. – Onde está você?

Por isso, empenhava-se em ficar ligado, ainda que aquilo tornasse a experiência mais vívida. Naquela noite, ficou deitado, observando Willem dormindo de bruços, com os braços enfiados sob o travesseiro e o rosto mais austero do que quando estava acordado. Esperou, contando até trezentos, e então mais trezentos, até se passar uma hora. Acendeu a luz do seu lado da cama e tentou ler, mas tudo o que conseguia ver era a lâmina, e tudo o que conseguia sentir eram seus braços formigando de vontade, como se não tivesse veias, mas sim um circuito elétrico, zumbindo e soltando bipes de eletricidade.

– Willem – sussurrou e, como Willem não respondeu, colocou a mão sobre a nuca dele, e, como Willem não se mexeu, finalmente levantou da cama e seguiu com o máximo de silêncio até o closet, onde pegou o estojo, que vinha escondendo no bolso interno de um de seus casacos de inverno. Saiu do quarto e atravessou o apartamento até o banheiro do lado oposto, fechando a porta. Ali também havia um boxe grande, onde ele se sentou, tirou a camisa e apoiou as costas na pedra fria. As cicatrizes engrossavam seus antebraços de tal maneira que, à distância, pareciam banhados em gesso, e agora mal dava para identificar onde fizera os cortes em sua tentativa de suicídio: havia cortado entre e ao redor de cada listra, fazendo camadas que camuflavam as cicatrizes. Nos últimos tempos, vinha se concentrando na parte superior do braço (não nos bíceps, também marcados por cicatrizes, mas nos tríceps, que lhe davam menos satisfação; gostava de ver os cortes que fazia sem precisar virar o pescoço), mas, dessa vez, fez cortes longos e cuidadosos no tríceps esquerdo, contando os segundos que cada um durava – um, dois, três – em comparação com as respirações.

E assim ele se cortou, quatro vezes no esquerdo, três no direito e, enquanto fazia o quarto e as mãos palpitavam com aquela deliciosa debilidade, olhou para cima e viu Willem parado na porta, assistindo a tudo. Em todas aquelas décadas em que se cortara, ninguém jamais o vira no ato em si, e ele parou abruptamente, sentindo aquela violação como algo tão chocante quanto um soco.

Willem não disse nada, mas, quando andou em sua direção, ele se encolheu, apertando o corpo contra a parede do boxe, humilhado e aterrorizado, esperando o que viria a seguir. Viu Willem se agachar e tirar a lâmina calmamente de sua mão e, por um momento, os dois ficaram naquela posição, ambos olhando para a lâmina. E então Willem se levantou e, sem qualquer preâmbulo ou aviso, arrastou a lâmina pelo próprio peito.

Naquela hora, ele saiu do transe.

– Não! – gritou, e tentou levantar, mas não tinha forças e acabou caindo. – Willem, não!

– Porra! – gritou Willem. – Porra! – Fez um segundo corte, mesmo assim, logo abaixo do primeiro.

– Pare com isso, Willem! – gritou, quase chorando. – Willem, pare com isso! Você está se machucando!

– Ah, é? – perguntou Willem, e ele viu pelo brilho nos olhos de Willem que ele também estava quase chorando. – Está vendo como é, Jude? – E fez um terceiro corte, praguejando outra vez.

– Willem – gemeu, jogando-se aos pés dele, mas Willem se afastou. – Por favor, pare. Pare, Willem.

Ele implorou e implorou, mas foi só após o sexto corte que Willem parou, desabando junto à parede oposta.

– Porra – falou, em voz baixa, dobrando-se e abraçando o próprio corpo. – Porra, como isso dói. – Ele correu até Willem com o estojo para ajudá-lo a se limpar, mas Willem se esquivou. – Me deixa em paz, Jude – falou.

– Mas precisa fazer um curativo – falou.

– Faça um curativo na porcaria dos seus braços – disse Willem, ainda sem olhar para ele. – Isso não é um ritual deturpado que vamos fazer, sabia: fazer curativos nas feridas autoinfligidas um do outro.

Ele se encolheu.

– Não estava tentando sugerir isso – falou, mas Willem não respondeu, e ele finalmente limpou seus cortes e deslizou o estojo para Willem, que acabou fazendo o mesmo, contorcendo o rosto durante o processo.

Ficaram ali sentados em silêncio por um longo, longo tempo, Willem curvado, e ele a observá-lo.

– Desculpe, Willem – falou.

– Jesus, Jude – disse Willem, um tempo depois. – Isso dói muito mesmo. – Willem finalmente olhou para ele. – Como consegue suportar?

Ele deu de ombros.

– Você se acostuma – falou, e Willem balançou a cabeça.

– Ah, Jude – disse Willem, e ele viu que Willem estava chorando, silenciosamente. – Você se sente realmente feliz de estar comigo?

Ele sentiu algo dentro de si despencar e quebrar.

– Willem – começou. Depois tentou de novo: – Você me faz mais feliz do que já fui em toda a minha vida.

Willem fez um ruído que ele depois entendeu ser uma risada.

– Então por que anda se cortando tanto? – perguntou. – Por que foi piorar tanto assim?

– Não sei – disse, com a voz baixa. Engoliu em seco. – Acho que tenho medo de que você vá embora.

Aquela não era a história toda – a história toda que não podia contar –, mas era parte dela.

– Por que eu iria embora? – perguntou Willem. E depois, como ele não conseguiu responder, disse: – Isso é um teste, então? Está tentando descobrir até que ponto vão os meus limites antes de eu ir embora? – E virou-se para ele, enxugando os olhos. – É isso?

Ele balançou a cabeça.

– Talvez – disse para o piso de mármore. – Quero dizer, não é uma coisa consciente. Mas... talvez. Não sei.

Willem soltou um suspiro.

– Não sei o que dizer para convencê-lo de que não vou embora e de que não precisa me testar – falou. Ficaram novamente em silêncio, e então Willem respirou fundo. – Jude – falou –, o que você acha de talvez voltar ao hospital por um tempo? Só para, não sei, organizar as ideias?

– Não – disse ele, e sua garganta apertou de pânico. – Willem, não... Você não vai me obrigar, vai?

Willem olhou para ele.

– Não – falou. – Não, não vou obrigar você a nada. – Fez uma pausa. – Mas eu bem queria poder.

De alguma forma, a noite acabou e, de alguma forma, um novo dia começou. Estava tão cansado que se sentia tonto, mas, mesmo assim, foi para o trabalho. A briga não terminara com qualquer conclusão – nenhuma promessa fora feita, nenhum ultimato fora dado –, mas, nos dias que se seguiram, Willem não falou com ele. Ou melhor: Willem falava, mas sobre nada.

– Tenha um bom dia – dizia quando ele saía de manhã. E: – Como foi seu dia? – quando voltava à noite.

– Bom – respondia.

Sabia que Willem estava refletindo sobre o que fazer e sobre como se sentia quanto àquela situação, por isso tentou ser o mais contido possível no meio-tempo. À noite, deitavam na cama e, ao passo que antes conversavam, agora ficavam calados, e o silêncio era como uma terceira criatura na cama junto a eles, grande, peluda e feroz quando atiçada.

Na quarta noite, não conseguiu mais suportar, e, depois de ficar deitado por cerca de uma hora, na qual nenhum dos dois disse uma palavra, ele rolou por cima da criatura e jogou os braços sobre o corpo de Willem.

– Willem – sussurrou –, eu te amo. Me perdoa. – Willem não respondeu, mas ele insistiu: – Estou tentando – falou. – De verdade. Tive um deslize; vou me esforçar mais. – Willem continuou sem dizer nada, e ele o abraçou mais forte. – Por favor, Willem – falou. – Sei que isso o incomoda. Por favor, me dê outra chance. Por favor, não fique zangado comigo.

Sentiu Willem suspirar.

– Não estou zangado com você, Jude – falou. – E sei que está tentando. Só queria que não precisasse tentar; queria que isso não fosse algo que você precisasse combater com tanta energia.

Agora foi a vez dele de ficar quieto.

– Eu também – falou, finalmente.

Depois daquela noite, tentou diferentes métodos: nadar, é claro, mas também assar alguma coisa tarde da noite. Certifica-se de que nunca falte farinha na cozinha, e açúcar, ovos e fermento, e, enquanto espera o que estiver no forno assar, senta à mesa da sala de jantar e trabalha, e, quando o pão, o bolo ou os biscoitos (que ele faz o assistente de Willem enviar para Harold e Julia) ficam prontos, já é quase manhã e ele se enfia na cama para uma ou duas horas de sono antes de ser acordado pelo despertador. Seus olhos ardem de exaustão durante o resto do dia. Ele sabe que Willem não gosta de suas atividades gastronômicas noturnas, mas sabe também que as prefere à alternativa, e por isso não diz nada. Limpar deixou de ser uma opção: desde que mudara para Greene Street, contratara uma governanta, a Sra. Zhou, que fazia a faxina quatro vezes por semana e era deprimentemente meticulosa, tão meticulosa que ele às vezes ficava tentado a sujar as coisas de propósito só para que ela as limpasse. Mas sabe que aquilo seria bobeira de sua parte, por isso não o faz.

– Vamos tentar uma coisa – diz Willem uma noite. – Quando você acordar e quiser se cortar, me acorde também, pode ser? Seja a hora que for. – Ele olha em sua direção. – Vamos tentar, tudo bem? Só faça o que estou pedindo.

Ele então obedece, em grande parte porque está curioso para ver o que Willem pretende fazer. Certa noite, já bem tarde, ele passa a mão pelo ombro de Willem. Quando Willem abre os olhos, ele se desculpa. Mas Willem balança a cabeça, monta em cima dele e o abraça com tanta força que ele sente dificuldade de respirar.

– Me abrace – diz Willem. – Finja que estamos caindo e estamos nos abraçando de medo.

Ele abraça Willem com tanta força que sente os músculos, das costas às pontas dos dedos, ganharem vida, tão forte que sente o coração de Willem batendo contra o seu, as costelas dele contra as suas, e a barriga dele se enchendo e esvaziando de ar.

– Mais forte – diz Willem, e ele o faz, até seus braços ficarem cansados e depois amortecidos, até seu corpo ceder de exaustão, até sentir-se realmente caindo: primeiro atravessando o colchão, depois, o estrado, depois, o próprio chão, até afundar em câmera lenta por todos os pisos do prédio, que se abrem e o engolem feito gelatina. E vai descendo pelo quinto andar, onde a família de Richard agora está armazenando pilhas de ladrilhos marroquinos, pelo quarto andar, que está vazio, pelo apartamento de India e Richard, pelo estúdio de Richard, até chegar ao térreo, à piscina, descendo e descendo, cada vez mais fundo, passando pelos túneis do metrô, pela rocha matriz e por sedimentos, por lagos subterrâneos e oceanos de petróleo, por camadas de fósseis e xisto, até flutuar rumo ao fogo no núcleo terrestre. E, durante todo esse tempo, Willem está agarrado a ele, e, quando entram no fogo, não são queimados, mas derretem e se fundem num só ser, pernas, peitos, braços e cabeças se mesclando em um. Quando acorda na manhã seguinte, Willem não está mais em cima dele, mas ao seu lado, e os dois ainda estão entrelaçados, e ele se sente levemente entorpecido, e aliviado, pois não somente deixou de se cortar, como também dormiu profundamente, duas coisas que não fazia havia meses. Sente-se naquela manhã fresco e purificado, como se tivesse recebido mais uma oportunidade de viver sua vida corretamente.

Mas obviamente não pode acordar Willem toda vez que achar que precisa dele; por isso, se limita a fazê-lo uma vez a cada dez dias. Nas outras seis ou sete noites ruins nesses períodos, ele se vira sozinho: nadando, fazendo doces, cozinhando. Precisa de esforço físico para repelir a vontade – Richard lhe dera uma cópia da chave de seu estúdio e, em algumas noites, desce até lá de pijama, onde encontra alguma tarefa deixada por Richard, útil, boba, repetitiva e, ao mesmo tempo, completamente misteriosa: numa semana ele organiza vértebras de aves por tamanho, na outra separa por cores peles de furões brilhosas e levemente sebentas. Essas tarefas agora o fazem se lembrar de como, anos atrás, eles quatro passavam fins de semana desembaraçando cabelos para JB, e tem vontade de contar isso a Willem, mas não pode, obviamente. Fizera Richard prometer que também não diria nada a Willem, mas sabe que o próprio Richard não se sentia muito à vontade com a situação – percebera que nenhum dos trabalhos que lhe são atribuídos envolve o uso de lâminas, tesouras ou facas, o que era significativo, considerando quantas obras de Richard apresentavam pontas afiadas.

Certa noite, espia dentro de um uma velha lata de café deixada sobre a mesa de Richard e vê que está cheia de lâminas: pequenas e angulares, grandes em forma de cunha e retangulares simples, que são suas preferidas. Mergulha a mão cautelosamente na lata, pegando um punhado de lâminas, e as vê escorrer por sua palma. Pega uma das lâminas retangulares e a coloca no bolso da calça, mas, quando finalmente está pronto para voltar para casa – tão exausto que o chão oscila sob seus pés –, ele a devolve com cuidado à lata antes de ir embora. Nessas horas que passa acordado perambulando pelo prédio, sente às vezes como se fosse um demônio que se disfarçara de humano e somente à noite pode se libertar dos trajes que é obrigado a usar durante o dia e se entregar à sua real natureza.

E então chega terça-feira, um dia que lembra o verão, e o último de Willem na cidade. Ele vai para o trabalho cedo naquela manhã, mas volta para casa na hora do almoço para se despedir.

– Vou sentir sua falta – diz a Willem, como sempre faz.

– E eu vou sentir mais ainda a sua – diz Willem, como sempre faz. E, em seguida, como também sempre faz: – Vai se cuidar?

– Sim – responde, sem o soltar. – Prometo. – Ele sente Willem suspirar.

– Lembre-se de que pode me ligar sempre, não importa a hora – acrescenta Willem, e ele concorda com a cabeça.

– Vá – diz ele. – Vou ficar bem. – E Willem suspira outra vez e vai embora.

Ele detesta que Willem tenha de partir, mas também está animado; por motivos egoístas e, também por estar aliviado e feliz que Willem esteja trabalhando tanto. Depois de voltarem do Vietnã naquele mês de janeiro, pouco antes de partir para filmar *Duetos*, Willem vinha alternando entre a ansiedade e uma confiança simulada, e, embora tentasse não falar de suas inseguranças, ele sabia o quanto Willem se preocupava. Sabia que Willem estava preocupado porque o seu primeiro filme depois do anúncio do relacionamento era, apesar de todos os seus argumentos, um filme gay. Sabia que Willem ficara preocupado quando o diretor de um suspense de ficção científica não entrara em contato com a rapidez que esperara (embora acabasse ligando depois e tudo tivesse saído do jeito que queria). Sabia que Willem se preocupava com a série aparentemente infinita de artigos, os pedidos incessantes de entrevistas, as especulações e os segmentos televisivos, as colunas de fofocas e os editoriais que sua revelação provocara e com os quais se depararam ao voltar aos Estados Unidos, e que, como Kit lhes dissera, eles seriam incapazes de controlar ou de encerrar: simplesmente teriam de esperar até as pessoas se cansarem do assunto, o que podia levar meses. (Willem normalmente não lia os artigos que saíam sobre ele, mas eram muitos: quando ligavam a televisão, quando entravam na internet, quando abriam o jornal, ali estavam eles – artigos sobre Willem e o que ele agora representava.) Quando falavam ao telefone – Willem no Texas, ele em Greene Street – podia sentir que Willem tentava não dizer o quanto estava nervoso e sabia que fazia isso para que ele não se sentisse culpado.

– Converse comigo, Willem – finalmente falou. – Prometo que não vou me culpar. Eu juro.

Depois de ter repetido aquilo todos os dias por uma semana, Willem acabou se abrindo, e, embora *tenha* se sentido culpado – cortava-se depois de cada telefonema –, não pediu para Willem tranquilizá-lo, não fez Willem se sentir pior do que já se sentia; apenas ouvia e tentava acalmá-lo o máximo que podia. *Parabéns*, congratulava-se quando desligavam, sempre que mantinha sua boca fechada apesar de seus próprios medos. *Bom trabalho*. Depois, entocava a ponta da lâmina numa das cicatrizes, levantando a pele com o canto da lâmina até conseguir cortar a carne macia por baixo.

Ele acredita ser um bom sinal que o filme que Willem está filmando em Londres no momento seja, como diria Kit, um filme gay.

– Normalmente eu o recusaria – disse Kit a Willem. – Mas o roteiro é bom demais para deixarmos passar.

O filme se chama A *maçã envenenada* e trata dos últimos anos da vida de Alan Turing, depois de ter sido preso por indecência e quimicamente castrado. Ele idolatrava Turing, é claro, como faziam todos os matemáticos, e quase chegara às lágrimas ao ler o roteiro.

– Você tem de fazer esse papel, Willem – dissera.

– Não sei – respondera Willem, sorrindo –, *outro* filme gay?

– *Duetos* foi um sucesso – lembrou ele.

E fora mesmo: maior do que qualquer um pudesse ter imaginado. Mas aquela era uma discussão de certa forma indolente, pois sabia que Willem já decidira aceitar o papel, e ele estava orgulhoso dele, com uma expectativa quase infantil de vê-lo atuando, como sempre ficava em relação aos filmes de Willem.

No sábado seguinte à partida de Willem, Malcolm o encontra no apartamento e os dois seguem de carro para o norte, quase no limite de Garrison, onde estão construindo uma casa. Willem comprara o terreno – quase trezentos mil metros quadrados, com um lago e uma floresta particulares – três anos atrás, e por três anos ele permanecera intocado. Malcolm desenhara os projetos e Willem os aprovara, mas nunca dissera a Malcolm para começar as obras. Mas, certa manhã, cerca de dezoito meses atrás, ele encontrou Willem à mesa da sala de jantar estudando os desenhos de Malcolm.

Willem estendeu a mão para ele, sem tirar os olhos dos papéis, e ele a segurou e deixou que Willem o puxasse para sentar a seu lado.

– Acho que deveríamos fazer isto – disse Willem.

E então se encontraram outra vez com Malcolm, que desenhou novos projetos: a casa original tinha dois andares, um edifício moderno com telhado inclinado, mas a nova casa tinha só um andar e era, em sua maior parte, de vidro. Ele se ofereceu para pagar por ela, mas Willem recusou. Os dois entraram numa discussão sem fim, Willem argumentando que não vinha contribuindo em nada com a manutenção de Greene Street, e ele argumentando que não se importava.

– Jude – disse Willem, finalmente –, nós nunca brigamos por causa de dinheiro. Não vamos começar agora.

Sabia que Willem estava certo: a amizade deles nunca fora medida pelo dinheiro. Nunca conversavam sobre dinheiro quando não tinham nada – sempre considerou o que ganhava como sendo também de Willem –, e agora que isso havia mudado, sentia-se da mesma maneira.

Oito meses antes, quando Malcolm preparava o terreno, ele e Willem foram até a propriedade e circularam por ela. Sentia-se extraordinariamente bem naquele dia e até deixara que Willem segurasse sua mão enquanto desciam um pequeno monte, partindo do ponto onde ficaria a casa. Depois viraram à esquerda, na direção da floresta que abraçava o lago. A floresta era mais densa do que haviam imaginado, e a terra estava tão coberta de folhas de pinheiro que afundavam o pé a cada passo que davam, como se o solo debaixo deles fosse feito de algo borrachudo, lamacento e meio inflado de ar. Era um terreno difícil para ele, que apertou a mão de Willem com mais força, mas, quando Willem lhe perguntou se queria parar, ele balançou a cabeça. Cerca de vinte minutos mais tarde, depois de andarem por quase metade do lago, chegaram a uma clareira que parecia saída de um conto de fadas, o céu acima deles escuro com as copas verde-escuras dos abetos, e o solo sob seus pés formado pelo tapete macio das folhas das árvores. Pararam ali, olhando ao redor, permanecendo calados até Willem dizer:

– Devíamos construir a casa aqui.

E ele sorriu, mas algo se retorceu em seu corpo, uma sensação como se todo seu sistema nervoso estivesse sendo arrancado pelo umbigo, pois se lembrou da outra floresta onde antes pensara em morar e percebeu que agora finalmente a teria: uma casa no bosque, com água por perto e uma pessoa que o amava. Sentiu então um calafrio, um tremor que percorreu seu corpo, e Willem olhou para ele.

— Está com frio? — perguntou.

— Não — respondeu. — Mas vamos em frente. — E assim fizeram.

Desde então, passou a evitar a mata, mas adorava ir ao terreno e gostava de trabalhar com Malcolm outra vez. Ele ou Willem vão até lá a cada dois fins de semana, embora saiba que Malcolm prefere quando é ele quem vai, já que Willem se mostra completamente desinteressado pelos detalhes do projeto. Confia em Malcolm, mas Malcolm não quer confiança: quer alguém a quem possa mostrar o mármore prateado e listrado que encontrou numa pequena pedreira nas cercanias de Esmirna, e com quem possa discutir quanto daquele mármore seria suficiente; e a quem possa fazer sentir a fragrância do cipreste de Gifu que escolheu para a banheira; e que possa examinar os objetos — martelos; chaves inglesas; alicates — que encravara como crustáceos fossilizados nos pisos de concreto. Além da casa e da garagem, há também uma piscina ao ar livre e, no celeiro, uma piscina coberta: a casa estará pronta em pouco mais de três meses; já a piscina e o celeiro, na primavera seguinte.

Ele inspeciona a casa com Malcolm, passando as mãos pelas superfícies, ouvindo Malcolm dar instruções ao empreiteiro sobre todos os reparos que precisam ser feitos. Como sempre, fica impressionado vendo Malcolm trabalhar; ele nunca se cansa de ver seus amigos em ação, mas a transformação de Malcolm foi a mais satisfatória que testemunhou, mais até que a de Willem. Naqueles momentos, lembra quão meticulosa e cuidadosamente Malcolm construía suas casas imaginárias e sua seriedade ao fazê-lo; certa vez, quando estavam no segundo ano da universidade, JB ateara (acidentalmente, alegaria mais tarde) fogo numa delas quando estava chapado, e Malcolm ficara tão furioso e magoado que quase caíra no choro. Ele seguiu Malcolm quando ele saiu correndo do Hood e sentou-se com ele nos degraus da biblioteca, no ar frio.

— Sei que é bobagem — disse Malcolm depois de se acalmar. — Mas elas são importantes para mim.

— Eu sei — respondeu ele. Sempre amara as casas de Malcolm; ainda tinha a primeira que Malcolm fizera para ele tantos anos atrás, no seu décimo sétimo aniversário. — Não é bobagem.

Sabia o valor que as casas tinham para Malcolm: eram uma afirmação de controle, uma lembrança de que, apesar de todas as incertezas da vida, havia uma coisa que ele podia manipular perfeitamente e que sempre poderia expressar o que ele era incapaz de dizer com palavras.

– Com o que *Malcolm* precisa se preocupar? – perguntava JB a eles quando Malcolm se mostrava ansioso em relação a algo.

Mas ele sabia: preocupava-se porque estar vivo era sinônimo de se preocupar. A vida era assustadora; era desconhecida. Nem mesmo o dinheiro de Malcolm poderia imunizá-lo completamente. A vida aconteceria para ele, e ele teria de tentar reagir a ela, assim como os outros três. Todos eles – Malcolm com suas casas, Willem com suas namoradas, JB com suas pinturas e ele com suas lâminas – buscavam consolo, algo que lhes pertencesse exclusivamente, algo para manter distante a grandeza aterrorizante e a impossibilidade do mundo, a inexorabilidade de seus minutos, de suas horas, de seus dias.

Nos últimos tempos, Malcolm vinha trabalhando em cada vez menos residências; na verdade, o viam muito menos do que antigamente. A Bellcast agora tinha sedes em Londres e Hong Kong, e, embora Malcolm cuidasse da maior parte dos negócios nos Estados Unidos – planejava agora uma nova ala no museu da universidade onde estudaram –, era cada vez mais raro encontrá-lo. Mas ele mesmo supervisiona a casa deles, e nunca faltara ou adiara qualquer compromisso. Quando deixam o terreno, ele coloca a mão no ombro de Malcolm.

– Mal – diz –, não sei como agradecer. – E Malcolm sorri.

– Este é o meu projeto favorito, Jude – diz ele. – Para meus amigos favoritos.

De volta à cidade, deixa Malcolm em Cobble Hill, atravessa a ponte e segue rumo ao norte, para o escritório. Aquele é o último prazer que encontra nas ausências de Willem: poder ficar no trabalho por mais tempo e até mais tarde. Sem Lucien, o trabalho é ao mesmo tempo mais e menos agradável – menos, porque, embora ainda veja Lucien, que se aposentou para levar uma vida de, como o próprio dizia, jogador de golfe fajuto em Connecticut, sente falta de conversar com ele diariamente, das tentativas de Lucien de intimidá-lo e provocá-lo; e mais, pois descobriu que gosta de chefiar o departamento, gosta de fazer parte do conselho de remuneração da firma, decidindo como os lucros da empresa serão compartilhados a cada ano.

– Quem poderia prever toda essa sua fome por poder, hein, Jude? – perguntou Lucien quando ele admitira o prazer que aquilo lhe proporcionava.

Ele protestara: não era bem assim, disse a Lucien. Apenas ficava satisfeito em ver o que realizara a cada ano, como suas horas e dias no escritório – suas e de todos os outros – se traduziam em números, e aqueles números, em dinheiro, e o dinheiro, nas coisas que faziam parte das vidas de seus colegas: suas casas, suas despesas, suas férias, seus carros. (Não contou esta parte a Lucien, pois ele o acharia romântico e lhe faria um sermão zombeteiro e sarcástico sobre sua inclinação sentimentalista.)

A Rosen Pritchard sempre fora importante para ele, mas, depois de Caleb, se tornara fundamental. Em sua vida na firma, ele era avaliado apenas pelos clientes que conquistava, pelo trabalho que fazia: ali, não havia passado ou deficiências. Sua vida ali começava em que faculdade de direito havia estudado e o que fizera por lá; terminava com cada realização diária, com a soma de horas faturáveis de cada ano, com cada novo cliente que conseguia atrair. Na Rosen Pritchard, não havia espaço para o irmão Luke, ou para Caleb, ou para o Dr. Traylor, ou para o mosteiro, ou para o orfanato; ali, eles eram irrelevantes, eram detalhes externos, nada tinham a ver com a pessoa que criara para si. Ali, não era alguém que se escondia no banheiro, cortando a si mesmo, mas sim uma série de números: um número para representar quanto dinheiro levara à firma, outro para a quantidade de horas que faturara; um terceiro englobando o número de pessoas que comandava, e um quarto por quanto as recompensava. Era algo que nunca conseguira explicar aos amigos, que ficavam espantados e sentiam pena dele por trabalhar tanto; jamais conseguiu que entendessem que era naquele escritório, cercado de trabalho e de pessoas que, como ele bem sabia, achavam quase mortalmente tediosas, que se sentia mais humano, no auge de sua dignidade e invulnerabilidade.

Willem volta para casa duas vezes ao longo das filmagens para passar fins de semana prolongados; mas, num desses fins de semana, ele está com gastroenterite, e, no outro, Willem está com bronquite. Nas duas vezes – como acontece sempre que ele ouve Willem entrar no apartamento, chamando seu nome – precisa lembrar a si mesmo de que aquela era sua vida e que, nesta vida, Willem está voltando para casa e para ele. Nesses momentos, sente que sua aversão ao sexo é uma mesquinharia, que deve estar exagerando ao lembrar o quanto é ruim e, mesmo se não estiver, tudo o que tem a fazer é só se esforçar mais e sentir menos pena de si mesmo. *Seja forte,* briga consigo mesmo ao dar um beijo de despedida em Willem ao término daqueles fins de semana. *Não ouse arruinar isto tudo. Não ouse reclamar de algo que você nem merece.*

E então, certa noite, menos de um mês antes da data em que Willem deve voltar para casa de vez, ele acorda e se vê no compartimento de carga de um enorme caminhão, e a cama sob seu corpo é uma colcha azul suja dobrada ao meio, e cada osso seu está sendo sacudido à medida que o caminhão se arrasta pela estrada. Ah, não, pensa ele, ah, não, e levanta e corre para o piano e começa a tocar todas as partitas de Bach de que consegue se lembrar, fora de ordem, alto e rápido demais. Recorda-se da fábula que o irmão Luke lhe contou durante uma das aulas de piano, sobre uma senhora de idade que tocava seu alaúde cada vez mais rápido para fazer os duendes do lado de fora da sua casa dançarem até virarem lama. O irmão Luke contara aquela história para ilustrar uma mensagem – a de que ele precisava acelerar o ritmo –, mas ele sempre gostara daquela imagem, e, às vezes, quando sentia o surgimento de uma lembrança intrusa, apenas uma única lembrança, fácil de ser controlada e dispensada, cantava ou tocava para fazê-la ir embora, usando a música como um escudo entre os dois.

Estava no primeiro ano da faculdade de direito quando sua vida começou a lhe aparecer em forma de lembranças. Enquanto fazia algo rotineiro – como preparar o jantar, catalogar os livros na biblioteca, decorar um bolo na Batter, procurar um artigo para Harold –, uma cena aparecia repentinamente à sua frente, um espetáculo idiota feito exclusivamente para ele. Naqueles anos, as lembranças eram quadros, não narrativas, e ele via uma única imagem repetida por dias: um diorama do irmão Luke em cima dele, ou então um dos conselheiros do orfanato, que costumavam agarrá-lo quando ele passava, ou um cliente esvaziando os trocados dos bolsos da calça e colocando-os no pratinho sobre a mesa de cabeceira que o irmão Luke deixava ali com aquele propósito. Às vezes, as lembranças eram ainda mais breves e vagas: a meia azul de um cliente, com estampa de cabeças de cavalos, que ele usava até mesmo na cama; a primeira refeição na Filadélfia que o Dr. Traylor lhe dera (um hambúrguer; uma porção de batatas fritas); um travesseiro de lã avermelhado na casa do Dr. Traylor, para o qual não conseguia olhar sem se lembrar de carne dilacerada. Quando aquelas lembranças se anunciavam, sentia-se desorientado: sempre levava um momento para se lembrar de que aquelas cenas não apenas faziam parte de sua vida, mas eram sua vida. Naqueles tempos, ele as deixava interrompê-lo, e havia ocasiões em que despertava do feitiço e via sua mão ainda enrolada no cone de plástico que usava para decorar o biscoito à sua frente, ou ainda segurando o livro, metade para dentro e metade para fora da prateleira. Foi naquela época que começou a compreender o quanto da sua vida ele aprendera a simplesmente apagar, até mesmo dias depois do acontecido, e também que, de alguma forma, em algum ponto, perdera aquela capacidade. Sabia que era o preço para desfrutar da vida, que, se quisesse estar alerta às coisas nas quais agora encontrava prazer, teria também de aceitar aquele custo. Porque, por mais surpreendentes que fossem aquelas lembranças, sua vida lhe voltando pouco a pouco, sabia que as suportaria se aquilo significasse que poderia também ter amigos, que poderia manter a capacidade de encontrar consolo nos outros.

Pensava naquilo como uma leve divisão entre dois mundos, em que algo enterrado brotava da terra argilosa e revirada e pairava sobre sua cabeça, esperando ser reconhecido e reivindicado por ele. Suas próprias reaparições eram provocadoras: *Aqui estamos*, pareciam lhe dizer. *Achou mesmo que deixaríamos você nos abandonar? Achou mesmo que não voltaríamos?* Por fim, acabou reconhecendo também o quanto havia editado – editado e reconfigurado, remodelado em algo mais fácil de ser aceito – até mesmo dos últimos anos: o filme ao qual assistira no terceiro ano da faculdade sobre dois policiais que contavam a um universitário que o homem que o machucara havia morrido na prisão na verdade não era um filme – era sua vida, e ele era o universitário, e estava no pátio do Hood, e os dois policiais eram as pessoas que o haviam encontrado e prendido o Dr. Traylor naquela noite no campo, e o haviam levado ao hospital e se certificado de que o Dr. Traylor fosse para a cadeia, e eles o procuraram para lhe dizer pessoalmente que não tinha mais nada a temer.

– Muito chique este lugar – dissera um dos policiais, olhando para o belo campus ao seu redor, para seus velhos prédios de tijolos, por onde se podia andar em total segurança. – Estamos orgulhosos de você, Jude.

Mas ele ofuscara aquela lembrança, alterando-a de modo que o policial dissesse apenas "Estamos orgulhosos de você", deixando seu nome de fora, assim como ele deixara para trás o pânico que agora se lembrava de ter sentido vividamente apesar da notícia, o pavor de pensar que alguém pudesse perguntar mais tarde quem eram aquelas pessoas com quem estava falando, a inadequação quase nauseante de sua antiga vida se intrometendo de maneira tão física no seu presente.

Com o tempo, aprendeu a lidar com as lembranças. Não podia evitá-las – depois que começaram, nunca mais pararam –, mas passou a prever com maior eficácia sua chegada. Tornou-se capaz de diagnosticar o momento ou o dia em que sabia que algo o visitaria, e tinha de identificar o modo como a lembrança queria ser abordada: será que ela queria brigar, ser tranquilizada ou apenas receber atenção? Determinava o tipo de tratamento que ela desejava, e depois determinava como a faria ir embora, como a faria voltar para aquele outro lugar.

Era capaz de conter uma pequena lembrança, mas, à medida que os dias se passam e ele espera por Willem, reconhece que aquela lembrança é como uma enguia comprida, escorregadia e impossível de ser capturada, abrindo caminho dentro dele feito uma serra, batendo a cauda contra seus órgãos para que ele sinta a lembrança como algo vivo e doloroso, para que sinta as pancadas carnudas e potentes contra seu intestino, seu coração, seus pulmões. As lembranças às vezes eram assim, e aquelas eram as mais difíceis de serem laçadas e encurraladas, e a cada dia pareciam aumentar dentro dele, até sentir seu corpo preenchido não só de sangue, músculos, água e ossos, mas pela própria lembrança, expandindo-se feito um balão e inflando até as pontas dos dedos. Depois de Caleb, percebera que havia algumas recordações que simplesmente não conseguiria controlar e que seu único recurso seria esperar até que elas esgotassem suas energias e então nadassem de volta para a escuridão de seu subconsciente, deixando-o novamente em paz.

E assim ele aguarda, deixando a lembrança – as quase duas semanas que passou em caminhões, tentando ir de Montana a Boston – ocupá-lo, como se sua mente e seu corpo fossem um motel, cujo único hóspede era aquela recordação. Seu desafio naquele período era cumprir a promessa que fizera a Willem de não se cortar, e, para isso, estabelecera um cronograma rígido e cansativo para o intervalo entre meia-noite e quatro da manhã, as horas mais perigosas. No sábado, prepara uma lista do que fazer a cada noite durante as próximas semanas, alternando entre nadar e cozinhar e tocar piano e fazer doces e trabalhar no estúdio de Richard e separar suas roupas velhas e as de Willem e fazer uma limpa nas estantes de livros e prender os botões soltos da camisa de Willem, o que poderia pedir à Sra. Zhou, mas que ele próprio era perfeitamente capaz de fazer, e remover os detritos que haviam se acumulado na gaveta próximo ao forno: pedaços de arame, elásticos grudentos, alfinetes e caixas de fósforo. Prepara caldo de galinha e almôndegas de carne de cordeiro para o retorno de Willem e os congela, e assa pães para Richard levar à cozinha solidária da qual ambos participam do quadro administrativo e cujas finanças ele ajuda a administrar. Depois de deixar a massa do pão crescendo, ele senta à mesa e lê alguns de seus romances preferidos, com suas palavras, tramas e personagens reconfortantes, acolhedores e inalterados. Sente vontade de ter um animal de estimação – um cachorro estúpido e agradecido, arfando e sorrindo; uma gata frígida, encarando-o como se o julgasse com seus olhos oblíquos e alaranjados –, alguma outra criatura viva no apartamento com a qual pudesse falar, algo cujos passos leves o trariam de volta a si. Passa a noite toda trabalhando e, pouco antes de desabar na cama, ele se corta – uma vez no braço esquerdo, outra, no direito –, e, quando acorda, está cansado, mas também orgulhoso por ter se mantido intacto.

Então faltam duas semanas para Willem voltar para casa, e, bem quando a lembrança está desaparecendo, encerrando sua hospedagem até a próxima vez em que desejar visitá-lo, as hienas retornam. Ou talvez retornar seja a palavra errada, pois, desde que Caleb as introduzira em sua vida, elas jamais o deixaram. Agora, no entanto, não o perseguem mais, pois sabem que não precisam: a vida dele é uma vasta savana, e elas o cercam. Esparramam-se na grama amarelada, dependuram-se preguiçosamente nos galhos mais baixos dos baobás, que brotam dos troncos feito tentáculos, e o espreitam com seus olhos atentos e amarelos. Estão sempre ali e, depois que ele e Willem começaram a fazer sexo, elas se multiplicaram; nos dias ruins, nos dias em que se sentia particularmente desconfortável com o ato, multiplicavam-se ainda mais. Naqueles dias, conseguia sentir seus bigodes se contraírem à medida que avançava lentamente pelo território delas, conseguia sentir seu escárnio desinteressado: sabe que pertence a elas, e elas também sabem disso.

Por mais que deseje intensamente a folga do sexo que o trabalho de Willem proporciona, sabe que isso não adianta muito, pois a readmissão naquele mundo é sempre difícil; também era assim em seus tempos de menino, quando a única coisa pior que o ritmo do sexo era se reajustar ao ritmo do sexo.

– Não vejo a hora de voltar para casa e te ver – diz Willem quando se falam e, embora não haja qualquer insinuação de lascívia em seu tom de voz, embora não tenha sequer mencionado nada nesse sentido, ele sabe por experiência própria que Willem vai querer fazer sexo na noite em que voltar, e que irá querer mais sexo do que o habitual pelo restante da primeira semana após o seu retorno, e que vai desejar ainda mais porque ambos estiveram doentes nas duas folgas que Willem passou em casa, o que impedira qualquer tentativa.

– Eu também – diz ele.

– Como andam os cortes? – pergunta Willem, com delicadeza, como se estivesse perguntando como estavam as árvores de bordo de Julia, ou sobre o tempo. Sempre faz aquela pergunta ao fim das conversas, como se o assunto pouco despertasse seu interesse e o mencionasse apenas por educação.

– Tudo bem – responde ele, como sempre faz. – Só fiz dois esta semana – acrescenta, dizendo a verdade.

– Ótimo, Judy – diz Willem. – Graças a deus. Eu sei que é difícil, mas estou orgulhoso de você.

Willem sempre soa aliviado naqueles momentos, como se estivesse esperando ouvir – o que provavelmente estava – uma resposta completamente diferente: *Nada bem, Willem. Me cortei tanto ontem à noite que meu braço esquerdo acabou caindo completamente. Não quero que fique surpreso quando me vir.* Sente então uma mistura de orgulho genuíno, tanto pela grande confiança que Willem deposita nele quanto por estar de fato falando a verdade, e também uma tristeza enervante e profunda por Willem precisar fazer aquele tipo de pergunta e por aquilo ser algo que os deixasse realmente orgulhosos. Outras pessoas têm orgulho do talento, da beleza ou do físico de seus namorados. Já Willem sente orgulho quando seu namorado consegue passar mais uma noite sem se cortar com uma lâmina.

Chega enfim uma noite em que ele sabe que seus esforços não o satisfarão mais: precisa se cortar, de maneira vasta e severa. As hienas estão começando a soltar pequenos uivos, ganidos agudos que parecem sair de outras criaturas dentro delas, e ele sabe que a única coisa que as acalmará será sua dor. Pensa no que fazer: Willem estará em casa dentro de uma semana. Caso se corte agora, as lacerações não fecharão completamente antes de seu retorno, e Willem ficará zangado. Mas se *não* fizer algo – não sabe. Precisa se cortar, precisa. Já esperou demais, percebe; achou que conhecia bem a si mesmo; fora irrealista.

Levanta da cama e caminha pelo apartamento vazio, entrando na cozinha silenciosa. A programação da noite – biscoitos para Harold; organizar os agasalhos de Willem; estúdio de Richard – brilha na bancada, ignorada, mas convidativa, implorando para ser atendida, e a salvação que oferece é tão insubstancial quanto o papel em que foi impressa. Fica parado por um instante, incapaz de se mover, até que se encaminha, lenta e relutantemente, na direção da porta que dá para a escada, destrancando-a, e então, após uma nova pausa, a abre.

Não abria aquela porta desde a noite com Caleb, e agora se inclina sobre sua boca, olhando para dentro de sua escuridão, agarrando-se ao batente como fizera naquela noite, refletindo se seria capaz de fazer aquilo. Sabe que dessa forma saciaria as hienas. Mas há algo de tão degradante naquilo, tão extremo, tão doente, que ele sabe que, caso siga em frente, terá ultrapassado um determinado limite e de fato se tornado alguém que precisa de internação. Finalmente, desgruda do batente, com as mãos tremendo, e fecha a porta com força, batendo o ferrolho e se afastando rapidamente.

No dia seguinte, no trabalho, ele desce com outro sócio, Sanjay, e um cliente, para que este possa fumar. A firma tem alguns clientes fumantes, e, quando eles descem, ele os acompanha e continuam a reunião na calçada. Lucien acreditava que os fumantes se sentiam mais confortáveis e relaxados enquanto fumavam, o que os tornava mais suscetíveis de serem manipulados naqueles momentos, e, embora tenha rido quando Lucien lhe disse aquilo, ele sabe que provavelmente está certo.

Está na cadeira de rodas aquele dia porque seus pés latejam, ainda que deteste que os clientes o vejam tão debilitado.

– Acredite em mim, Jude – disse Lucien quando ele expressou essa preocupação em voz alta anos atrás –, os clientes o verão como o mesmo babaca implacável, esteja você sentado ou de pé, então, pelo amor de deus, fique em sua cadeira.

Do lado de fora, o ar está frio e seco, o que faz seus pés doerem menos por algum motivo, e, enquanto os três conversam, ele se pega encarando, hipnotizado, a pequena chama alaranjada na ponta do cigarro do cliente, que pisca para ele, tornando-se opaca e brilhante à medida que o cliente exala e inala. Repentinamente, lhe vem à cabeça o que fazer, mas a revelação é seguida quase na mesma hora por uma pancada seca no estômago, pois sabe que trairá Willem e não só que irá traí-lo, mas também que terá de mentir para ele.

Era sexta-feira, e, no caminho para o consultório de Andy, ele pensa em seu plano, animado e aliviado por ter encontrado uma solução. Andy está bem-humorado e combativo, e ele se deixa distrair por Andy, por sua energia. A certa altura, ele e Andy começaram a falar de suas pernas como se falassem de um parente problemático e caprichoso, mas que ao mesmo tempo não podia ser abandonado e precisava de cuidados constantes. "Essas velhas cretinas", é como Andy as chama e, quando o fez pela primeira vez, ele caiu na risada diante da precisão do apelido, com sua sugestão de exasperação que sempre ameaçava ofuscar o afeto implícito e relutante.

– Como vão essas velhas cretinas? – pergunta Andy agora.

Ele sorri e diz:

– Preguiçosas, sugando todas as minhas energias, como sempre.

Mas sua mente também está ocupada pelo que pretende fazer.

– E o que sua metade melhor tem a dizer ultimamente? – pergunta Andy.

E ele então esbraveja:

– O que quer dizer com isso?

Andy o olha com curiosidade.

– Nada – responde. – Só queria saber como vai Willem.

Willem, pensa ele, e só ouvir seu nome já o enche de angústia.

– Ele está bem – diz, em voz baixa.

No final da consulta, como sempre, Andy examina seus braços, e desta vez, assim como nas últimas, solta um grunhido de aprovação.

– Conseguiu mesmo cortar o hábito – fala. – Sem trocadilho.

– Você me conhece... estou sempre tentando me aperfeiçoar – diz ele, mantendo o tom jocoso, mas Andy olha em seus olhos.

– Eu sei – diz, com a voz suave. – Sei que deve ser difícil, Jude. Mas fico feliz, de verdade.

Durante o jantar, Andy reclama do novo namorado de seu irmão, a quem detesta.

– Andy – diz ele –, você não pode odiar *todos* os namorados de Beckett.

– Eu sei, eu sei – responde Andy. – É que ele é tão fútil, e Beckett podia encontrar algo muito melhor. Contei a você que ele chamou Proust de Praust, não contei?

— Várias vezes – diz ele, sorrindo para si mesmo. Conhecera esse novo e criticado namorado de Beckett, um aspirante a paisagista jovial e cativante, num jantar na casa de Andy três meses atrás. – Mas, Andy... eu o achei simpático. E ele ama Beckett. De qualquer forma, acha mesmo que vai passar muito tempo discutindo Proust com ele?

Andy solta um suspiro.

— Você está parecendo Jane – resmunga.

— Bem – diz ele, sorrindo novamente –, talvez devesse dar ouvidos a Jane. – Ele cai na risada, sentindo-se leve como não se sentia por semanas, e não somente pela expressão ranzinza de Andy. – Há coisas piores que não ser completamente versado em No caminho de Swann, sabia?

No carro, voltando para casa, pensa em seu plano, mas percebe que terá de esperar, pois irá alegar que se queimou num acidente culinário. Caso algo dê errado e precise de atendimento médico, Andy lhe perguntaria por que estava cozinhando se haviam jantado juntos naquela mesma noite. Amanhã então, pensou; fica para amanhã. Dessa maneira, pode escrever um e-mail a Willem naquela noite e mencionar que tentaria fazer as bananas-da-terra fritas de que JB gostava: uma decisão semiespontânea que acabará dando terrivelmente errado.

Você sabe que é assim que os doentes mentais fazem seus planos, diz a voz seca e depreciativa dentro dele. *Sabe que esse planejamento é algo que só uma pessoa doente faria.*

Pare com isso, diz ele à voz. *Pare. O fato de eu saber que o plano é doentio significa que eu não sou.* Diante de tal declaração, a voz gargalha alto: por se mostrar tão defensivo, por sua lógica de uma criança de seis anos, por sua repulsa diante da palavra "doente", por seu medo de que ela seja vinculada a ele. Mas nem mesmo a voz, e o desgosto zombeteiro e presunçoso que ela tem por ele, o detém.

Na noite seguinte, veste uma camiseta de manga curta de Willem e vai à cozinha. Prepara tudo de que vai precisar: o azeite de oliva; um palito de fósforo longo. Coloca o antebraço esquerdo na pia, como se fosse uma ave a ser depenada, e escolhe uma área alguns centímetros acima da palma da mão, antes de pegar a folha de papel-toalha que embebera em azeite e esfregá-la na pele, formando um círculo do tamanho de um damasco. Encara por alguns segundos a mancha reluzente de gordura e então respira fundo e raspa o palito de fósforo na lateral da caixa, aproximando a chama da pele até ela pegar fogo.

A dor é – o que é a dor? Desde o episódio do carro, não houve um só dia em que não sofresse algum tipo de dor. Às vezes, a dor é infrequente, branda ou intermitente. Mas está sempre presente.

– Precisa ter cuidado – sempre lhe diz Andy. – Você se acostumou tanto à dor que perdeu a capacidade de reconhecer quando pode ser indício de algo pior. Por isso, mesmo que na escala seja apenas um cinco ou um seis, caso a aparência seja *esta* – estavam falando de uma das feridas em suas pernas, em torno da qual percebera que a pele ganhava um tom cinza-preto tóxico, como se estivesse apodrecendo –, você tem de imaginar que, para a maioria das pessoas, seria um nove ou um dez, e nessa hora você precisa, e precisa *mesmo*, vir me ver. Tudo bem?

Mas aquela dor é uma dor que ele não sente há décadas, e ele grita e grita mais e mais. Vozes, rostos, fragmentos de lembranças, associações estranhas rodopiam em sua mente: o cheiro do azeite de oliva fumegante o conduz à recordação de um prato de *funghi* assados que ele e Willem comeram em Perugia, o que o leva a uma exposição de Tintoretto que ele e Malcolm visitaram quando tinham seus vinte e poucos anos no Frick, o que o leva a um garoto no orfanato a quem todos chamavam de Frick, embora ele nunca tenha descoberto o porquê, uma vez que o nome do garoto era Jed, o que o leva às noites no celeiro, o que o leva a um monte de feno num campo vazio e coberto de névoa na fronteira de Sonoma, sobre o qual ele e o irmão Luke fizeram sexo, o que o leva a, e a, e a, e a, e a. Sente o cheiro de carne queimada e desperta do transe, olhando descontrolado para o fogão como se tivesse deixado algo ali, uma fatia de bife esquecida na frigideira, mas não há nada, e ele percebe que o cheiro vem de si mesmo, que é seu próprio braço que está cozinhando debaixo dele, e isso o leva finalmente a abrir a torneira, e a água esguichando na queimadura, a fumaça oleosa que sobe dela, o faz gritar outra vez. Ele então, novamente descontrolado, estica o braço direito, enquanto o esquerdo permanece inerte na pia, como se fosse um membro amputado e depositado numa bacia de metal em forma de rim, e agarra o pote de sal no armário em cima do fogão, choramingando, e esfrega um punhado dos cristais pontiagudos sobre a queimadura, o que reativa a dor e a transforma em algo mais branco que o branco, e é como se encarasse o sol e ficasse cego.

Quando acorda, está no chão, com a cabeça encostada no armário da pia. Pernas e braços tremem; está febril, mas ao mesmo tempo frio, e comprime o corpo contra o armário como se ele fosse algo macio, como se fosse consumi-lo. Por trás de suas pálpebras fechadas, vê as hienas, lambendo seus focinhos como se tivessem literalmente se alimentado dele. *Felizes?*, pergunta a elas. *Estão felizes?* Elas não podem responder, é claro, mas estão atordoadas e saciadas; ele consegue ver a vigilância delas esmaecer, seus grandes olhos se fecharem de satisfação.

No dia seguinte, tem febre. Leva uma hora para chegar da cozinha à cama; seus pés estão muito doloridos, e ele não consegue se arrastar sobre os braços. Praticamente não dorme, mas perde e recobra a consciência, com a dor o atingindo feito a maré, às vezes recuando o suficiente para que consiga acordar, às vezes consumindo-o sob uma onda cinzenta e imunda. Mais tarde naquela noite, consegue ficar acordado por tempo suficiente para olhar para o braço, onde encontra um grande círculo crestado, preto e virulento, como se fosse um pedaço de terra no qual houvesse praticado algum ritual oculto e aterrorizante: onde tivesse queimado uma bruxa, talvez. Ou feito algum sacrifício animal. Uma invocação de espíritos. Não parece mais pele (e, na verdade, não é), mas sim algo que jamais foi pele: como madeira, como papel, como macadame, queimados até virarem cinza.

Quando chega a segunda-feira, ele já sabe que a ferida vai infeccionar. Na hora do almoço, troca o curativo que fizera na noite anterior e, ao tirar as ataduras, sua pele também se rompe, e ele enfia seu lenço de bolso na boca para não gritar. Mas há coisas caindo do seu braço, coágulos com a consistência de sangue, mas da cor do carvão, e ele senta no chão do banheiro, embalando o corpo para a frente e para trás, com o estômago empurrando para fora comida velha e ácidos, e o braço empurrando para fora sua própria doença, suas próprias excreções.

No dia seguinte, a dor é pior e ele sai mais cedo do trabalho para ver Andy.

– Meu deus – diz Andy ao ver a ferida, e pela primeira vez fica em absoluto silêncio, o que o deixa apavorado.

– Pode dar um jeito? – sussurra ele, pois, até aquele ponto, nunca achara que seria capaz de se ferir a ponto de não ter mais jeito. Subitamente, imagina Andy lhe dizendo que perderá o braço, e a primeira coisa que pensa é: o que vou dizer a Willem?

Mas "sim" é a resposta de Andy.

– Vou fazer o que posso e depois terá de ir para o hospital. Deite-se.

Ele obedece e deixa Andy irrigar a ferida, limpá-la e enfaixá-la, e deixa-o se desculpar quando solta um grito.

Fica ali por uma hora e, quando finalmente consegue sentar – Andy lhe deu uma injeção para anestesiar a área –, os dois permanecem calados.

– Vai me contar como acabou com uma queimadura de terceiro grau na forma de um círculo perfeito? – finalmente pergunta Andy, e ele ignora seu sarcasmo frio e declama a história que criara: as bananas-da-terra, o azeite pegando fogo.

Faz-se então um novo silêncio, que é diferente de um modo que ele não consegue explicar, mas do qual não gosta. E então Andy diz, com a voz bem baixa:

– Está mentindo, Jude.

– Como assim? – pergunta, com a garganta repentinamente seca, apesar do suco de laranja que está tomando.

– Está mentindo – repete Andy, ainda no mesmo tom, e ele desliza para fora da maca. A garrafa de suco escorrega de sua mão e se espatifa no chão enquanto ele se dirige para a porta.

– Pare – diz Andy, e ele está frio e furioso. – Jude, me conte agora, merda. *O que você fez?*

– Já falei – diz ele –, já falei.

– *Não* – insiste Andy. – Me diga o que você fez, Jude. Diga as palavras. *Diga.* Quero ouvir você dizer.

– *Já falei* – grita ele, e tem uma sensação horrível: seu cérebro esmurra o crânio, os pés se agitam, cheios de lingotes de ferro derretido, e o braço parece ter um caldeirão fervilhante carbonizado dentro dele. – Me deixe sair, Andy. *Me deixe sair.*

– *Não* – diz Andy, também gritando. – Jude, você... você... – Ele para, e ele também, ambos esperando o que Andy irá dizer. – Você está doente, Jude – diz, com a voz grave e agitada. – Está louco. Esse comportamento é insano. É o tipo de comportamento que poderia e deveria deixá-lo internado por anos. Está doente, doente e louco, e precisa de ajuda.

– Não *ouse* me chamar de louco – berra ele –, não *ouse*. Eu não sou louco, *não sou*.

Mas Andy o ignora.

– Willem volta na sexta, certo? – pergunta, embora já saiba a resposta. – Você tem uma semana a partir de hoje para contar a ele, Jude. Uma semana. Caso contrário, eu mesmo vou contar.

– Pela *lei*, você não pode fazer isso, Andy – grita ele, e tudo gira à sua frente. – Vou processá-lo e arrancar tanto dinheiro que não vai nem...

– Melhor checar a jurisprudência recente, senhor *advogado* – chia Andy para ele. – *Rodriguez versus Mehta*. Dois anos atrás. Se um paciente que foi internado involuntariamente volta a tentar provocar algum dano grave contra si mesmo, o médico responsável tem o direito, ou melhor, a *obrigação*, de informar o cônjuge ou o parente mais próximo, quer o paciente dê a porra do consentimento ou não.

Diante disso, ele fica em silêncio, oscilando de dor, de medo e de choque pelo que Andy acabara de lhe dizer. Os dois ainda estão parados na sala de exames, a sala onde esteve tantas, tantas vezes, mas sente agora as pernas dobrarem debaixo de si, consegue sentir a angústia tomar conta de seu corpo, a raiva esmorecer.

– Andy – diz ele, e consegue ouvir o tom de súplica em sua voz –, por favor, não conte para Willem. Por favor. Se contar, ele vai me deixar.

Ao dizer essas palavras, sabe que é verdade. Não sabe por que Willem irá deixá-lo, pelo que fez ou por ter mentido, mas sabe que está certo. Willem irá deixá-lo, por mais que tenha feito o que fez para que pudesse continuar fazendo sexo, pois, se parasse com o sexo, sabe que Willem também o deixaria.

– Desta vez, não, Jude – diz Andy, e embora não esteja mais gritando, seu tom é soturno e determinado. – Não vou lhe dar cobertura desta vez. Você tem uma semana.

– Mas não é problema dele – insiste, desesperado. – É um problema meu.

– É aí que está, Jude – diz Andy. – Isso é, *sim*, problema dele. Isso é fazer parte de um maldito relacionamento, ou ainda não entendeu? Não deu para perceber que você não pode fazer o que bem quiser? Não deu para perceber que, quando se machuca, também o está machucando?

– Não – nega ele, balançando a cabeça, agarrando a lateral da maca com a mão direita para tentar se manter de pé. – Não. Eu faço isso a mim mesmo para *não* machucar Willem. Faço isso para poupá-lo.

– Não – diz Andy. – Se você arruinar isso, Jude... se continuar mentindo para uma pessoa que te ama, que *realmente* te ama, que sempre quis vê-lo exatamente como você é... então só *terá* a si mesmo para culpar. Pois *será* culpa sua. E será culpa sua não por causa de quem você é, ou pelo que lhe fizeram, ou pelas doenças que tem, ou pelo que acha que parece, mas sim pelo jeito como se comporta, porque não confia em Willem o suficiente para conversar com ele honestamente, para estender a ele a generosidade e a fé que ele sempre, *sempre* estendeu a você. Sei que você acha que o está poupando, mas não está. Você é egoísta. É egoísta, teimoso, orgulhoso, e vai arruinar a melhor coisa que já aconteceu em sua vida. Não consegue entender?

Pela segunda vez na noite, ele fica sem palavras e só quando começa, finalmente, a desabar, de tão cansado que está, é que Andy estende os braços e o agarra pela cintura, e a conversa chega ao fim.

Ele passa os três dias seguintes no hospital, por insistência de Andy. Vai ao trabalho durante o dia e volta à noite, quando Andy o readmite. Há dois sacos plásticos pendurados sobre ele, um para cada braço. Sabe que um deles contém glicose. O segundo contém alguma outra coisa, algo que ameniza e suaviza a dor e que deixa o sono obscuro e imóvel, como os céus azuis-escuros numa xilogravura japonesa retratando o inverno, sob o qual só se vê neve e um viajante silencioso usando um chapéu de palha.

É sexta-feira. Ele volta para casa. Willem chegará por volta das dez da noite, e, embora a Sra. Zhou já tenha feito a faxina, ele quer ter certeza de que não haja qualquer prova, que escondeu todos os indícios, por mais que, sem um contexto, os indícios – sal, palitos de fósforo, azeite de oliva, papel-toalha – não sejam realmente indícios, mas apenas símbolos da vida conjunta, coisas que ambos utilizam diariamente.

Ele ainda não decidiu o que fazer. Tem até o domingo seguinte – implorara a Andy por mais nove dias, convencendo-o de que, devido ao feriado e porque seguiriam de carro até Boston na quarta-feira seguinte para o Dia de Ação de Graças, precisava daquele tempo – fosse para contar a Willem ou (embora não tenha dito isso) para convencer Andy a mudar de ideia. Os dois desfechos parecem igualmente impossíveis. Mas vai tentar mesmo assim. Um dos problemas de ter dormido tanto nas últimas noites é que teve pouco tempo para pensar em como lidar com a situação. Sente que se tornou um espetáculo para si mesmo, com todos os seres que nele habitam – a criatura que lembra um furão; as hienas; as vozes – assistindo para ver o que ele irá fazer, para que possam julgá-lo e zombar dele, dizendo que está errado.

Ele senta no sofá da sala de estar para esperar. Quando abre os olhos, Willem está sentado ao seu lado, sorrindo para ele e dizendo seu nome, e ele o abraça, tendo o cuidado de não deixar o braço esquerdo exercer qualquer tipo de pressão, e, naquele exato momento, tudo parece ao mesmo tempo possível e indescritivelmente difícil.

Como posso viver minha vida sem isto?, pergunta a si mesmo.

E depois: *O que vou fazer?*

Nove dias, resmunga a voz dentro dele. *Nove dias.* Mas ele a ignora.

– Willem – diz em voz alta, de dentro do aconchego dos braços de Willem. – Você voltou, você voltou. – E ele exala o ar longamente, na esperança de que Willem não sinta o tremor. – Willem – repete vez após a outra, deixando o nome preencher sua boca. – Willem, Willem. Você não sabe o quanto senti sua falta.

—

O melhor de partir é voltar para casa. Quem disse isso? Não ele, mas poderia muito bem ter sido, pensa ao circular pelo apartamento. É meio-dia: uma terça-feira, e amanhã vão de carro para Boston.

Se você ama seu lar – e mesmo se não ama –, não há nada mais aconchegante, mais confortável, mais prazeroso, do que aquela primeira semana depois de voltar. Naquela semana, até mesmo as coisas que normalmente o irritariam – o barulho do alarme de algum carro tocando sem parar às três da manhã; os pombos que aparecem para se amontoar e arrulhar no parapeito da janela atrás da sua cama quando você tenta dormir até mais tarde – parecem lembrá-lo de sua própria permanência, de como a vida, a sua vida, sempre será benévola e permitirá seu retorno a ela, não importa quanto tenha se distanciado ou por quanto tempo a tenha deixado.

Na mesma semana, as coisas de que você já gosta parecem, por sua simples existência, dignas de comemoração: o vendedor de nozes caramelizadas em Crosby Street, que sempre retribui seu aceno quando você passa por ele durante a corrida; o sanduíche de falafel carregado de picles de rabanete do *food truck* no seu quarteirão, pelo qual você acordou salivando uma noite em Londres; o apartamento em si, com a luz do sol que galopa de um lado para o outro ao longo do dia, com suas coisas, sua comida, sua cama, seu chuveiro e seus cheiros.

E, é claro, existe a pessoa para quem você volta: seu rosto, seu corpo, sua voz, seu perfume, seu toque, o jeito como ele espera você terminar de falar, não importa o quanto esteja demorando, antes de abrir a boca, o jeito como seu sorriso se abre lentamente em seu rosto e o faz se lembrar do nascer da lua, o quão claramente ele sentiu sua falta e o quão claramente está feliz por ter você de volta. E, quando se é particularmente sortudo, há também as coisas que essa pessoa fez para você durante sua ausência: o modo como encontra na despensa, no congelador e na geladeira tudo aquilo que você gosta de comer, o uísque que gosta de beber. Você encontra o agasalho que achava ter perdido no teatro no ano anterior, lavado, dobrado e em seu devido lugar na prateleira. Encontra a camisa cujos botões estavam caindo, só que agora os botões estão bem-costurados e firmes. Encontra sua correspondência empilhada em um lado da escrivaninha dele; encontra o contrato para uma campanha publicitária que fará na Alemanha para uma marca de cerveja austríaca, com as observações dele nas margens para que você discuta com seu advogado. E não há qualquer menção a essas coisas, o que o faz saber que tudo foi feito com um prazer genuíno e o faz saber que parte da razão – uma pequena parte, mas ainda assim uma parte – pela qual você ama estar naquele apartamento e naquele relacionamento é porque essa outra pessoa está sempre o transformando num lar para você e que, ao lhe dizer isso, ele não se sentirá ofendido, mas satisfeito, e você fica feliz, pois você queria mesmo agradecer. E nesses momentos – passada quase uma semana desde que voltou para casa –, você começa a se questionar por que viaja tanto, e se questiona também se, depois que as obrigações do ano seguinte forem cumpridas, não deveria passar um período mais longo ali, que era o seu lugar.

Mas você também vai saber – como ele sabe – que parte daquelas ausências constantes é uma espécie de reação. Depois que seu relacionamento com Jude se tornou público, enquanto ele, Kit e Emil ainda esperavam para ver o que aconteceria em seguida, sentiu a mesma insegurança que o acometia quando jovem: e se nunca mais voltasse a ter trabalho? E se tudo acabasse? E, embora as coisas tenham, como podia ver agora, seguido em frente quase sem qualquer obstáculo perceptível, um ano se passou até que acreditasse realmente que as circunstâncias não haviam mudado, que ainda era quem sempre fora, desejado por alguns diretores e indesejado por outros ("Isso é besteira", disse Kit, pelo que Willem se sentiu grato. "Qualquer pessoa gostaria de trabalhar com você."), e, de qualquer forma, ainda era o mesmo ator de antes, nem melhor, nem pior.

Mas, mesmo que lhe fosse permitido continuar sendo o mesmo ator, não lhe era permitido ser a mesma pessoa, e, nos meses depois que foi declarado gay – e nunca refutou aquilo; não tinha um assessor de imprensa para emitir aqueles tipos de negações e declarações –, ele se viu em posse de mais identidades do que tivera em muito tempo. Por boa parte de sua vida adulta, fora colocado em circunstâncias que exigiam a destituição de funções: deixara de ser irmão, deixara de ser filho. Mas, agora, com uma simples revelação, tornara-se um homem gay; um ator gay; um ator gay do primeiro escalão; um ator gay não ativista do primeiro escalão; e, finalmente, um ator gay do primeiro escalão traidor da causa. Mais ou menos um ano atrás, ele se encontrara para jantar com um diretor chamado Max, a quem conhecia havia muitos anos, e, durante o jantar, Max tentou convencê-lo a fazer um discurso num jantar de gala beneficente para uma organização pelos direitos dos gays, no qual ele próprio se declararia gay. Willem sempre apoiara aquela organização, e disse a Max que ficaria feliz em apresentar um prêmio ou patrocinar uma mesa – como vinha fazendo todo ano pela última década –, mas que não sairia do armário, pois não acreditava que houvesse um armário de onde sair: ele não era gay.

– Willem – disse Max –, você está num relacionamento, num relacionamento sério, com um homem. Essa é a própria *definição* de gay.

– Não estou num relacionamento com um homem – falou, ouvindo como suas palavras soavam absurdas –, estou num relacionamento com Jude.

– Ah, meu deus – resmungou Max.

Soltou um suspiro. Max era dezesseis anos mais velho que ele; crescera numa época em que a política da identidade se tornava sua própria identidade, e podia entender os argumentos de Max – e das outras pessoas que davam palpites e insistiam para que ele abrisse o jogo, e depois o acusavam de autodepreciação, de covardia, de hipocrisia e de negação diante de sua recusa; entendia também que passara a representar algo que nunca pedira para representar; entendia que querer ou não aquela responsabilidade era algo quase acidental. Mas, ainda assim, não podia fazer aquele papel.

Jude lhe dissera que nem ele nem Caleb contaram a ninguém em suas vidas sobre o outro e, embora a discrição de Jude fosse motivada pela vergonha (e a de Caleb, ou ao menos Willem assim esperava, por uma parcela, ainda que ínfima, de culpa), ele também sentia que seu relacionamento com Jude só existia para eles próprios e mais ninguém: parecia algo sagrado, conquistado, único. Claro que isso era ridículo, mas era assim que se sentia – ser um ator em sua posição era ser, sob muitos aspectos, uma posse, era ser disputado, discutido e criticado por qualquer um que quisesse dizer alguma coisa, qualquer coisa, sobre seu talento, sua aparência ou seu trabalho. Mas aquele relacionamento era diferente: ali, interpretava um papel para uma só pessoa, e aquela pessoa era seu único público, e ninguém mais participava, por mais que pensassem o contrário.

Seu relacionamento também parecia algo sagrado porque apenas recentemente – nos últimos seis meses, mais ou menos – ele pegara o ritmo da coisa. A pessoa que ele achava conhecer acabara se revelando, sob alguns aspectos, uma pessoa diferente da que ele via, e foi necessário algum tempo para que compreendesse quantas facetas ainda teria de ver: era como se a figura que sempre pensara ser um pentágono fosse, na verdade, um dodecaedro, com muitos lados e fractais, e muito mais difícil de ser medida. Apesar disso, nunca lhe passou pela cabeça desistir: manteve-se firme, por amor, por lealdade, por curiosidade. Mas não foi fácil. Na verdade, às vezes era absurdamente difícil e, de certa forma, continuava sendo. Quando prometeu a si mesmo que não tentaria consertar Jude, ele se esqueceu de que desvendar alguém é *querer* consertá-lo: diagnosticar um problema e depois não tentar resolvê-lo parecia não só uma negligência, mas também algo imoral.

A principal questão era o sexo: a vida sexual deles e a atitude de Jude diante da questão. Quase no final do período de dez meses em que ele e Jude estavam juntos e no qual esperou até que Jude estivesse pronto (o período mais longo de celibato que enfrentou desde seus quinze anos, que encarou em parte como um desafio a si próprio, assim como algumas pessoas paravam de comer pão ou massa porque seus namorados e namoradas também haviam parado), ele começou a se preocupar seriamente com o rumo daquilo tudo e a questionar se sexo não seria algo que Jude simplesmente era incapaz de fazer. De certa forma, ele sabia, e sempre soubera, que Jude fora abusado, que alguma coisa terrível (ou talvez mais de uma) lhe acontecera, mas, para sua própria vergonha, era incapaz de encontrar as palavras para abordar o assunto com ele. Dissera a si próprio que, mesmo que *pudesse* encontrar as palavras, Jude não conversaria sobre aquilo com ele até estar pronto, mas a verdade, e Willem sabia disso, era que era covarde demais, e sua covardia era a única razão real para não agir. Mas, depois que voltou do Texas e os dois acabaram fazendo sexo, ele ficou aliviado, e aliviado também por ele ter gostado tanto quanto ele próprio, e por não ter acontecido nada tenso ou fora do normal, e, quando acabou descobrindo que Jude tinha uma habilidade sexual muito maior do que imaginara, permitiu sentir-se aliviado uma terceira vez. Não conseguia compreender, no entanto, *como* Jude podia ter tanta experiência: será que Richard estava certo e Jude vinha levando uma vida dupla todo aquele tempo? Aquela parecia uma explicação muito simples. Ainda assim, a alternativa – que Jude teria acumulado aquele conhecimento antes de se conhecerem, o que significaria que aquelas teriam sido lições aprendidas na infância – era demais para ele. E, assim, para sua grande culpa, ele não disse nada. Preferiu acreditar na teoria que deixava sua vida menos complicada.

Certa noite, porém, teve um sonho em que ele e Jude acabavam de fazer sexo (o que tinham feito) e Jude estava ao seu lado, chorando, tentando inutilmente ficar em silêncio, e ele sabia, mesmo no sonho, o motivo por trás daquele choro: ele odiava o que estava fazendo; odiava o que Willem o estava forçando a fazer. Na noite seguinte, fez uma pergunta direta a Jude: *Você gosta de fazer sexo?* E ele esperou, sem saber qual seria a resposta, até Jude dizer sim, o que o deixou novamente aliviado: a ficção poderia continuar, o equilíbrio entre os dois permaneceria inalterado, ele não precisaria ter uma conversa que não saberia por onde começar, quanto mais conduzir. Imaginou um barquinho, um bote, flutuando descontrolado sobre as ondas, mas que então se estabilizava e singrava placidamente, por mais que as águas debaixo dele fossem escuras e cheias de monstros e de campos de algas que a cada corrente ameaçavam puxar o pobre barquinho para as profundezas do oceano, onde desapareceria soltando borbulhas e se perderia.

Mas, de vez em quando, em circunstâncias muito esporádicas e aleatórias para serem lembradas com precisão, havia momentos em que via o rosto de Jude enquanto penetrava seu corpo, ou então depois, sentindo seu silêncio, tão sombrio e absoluto que era quase gasoso, e sabia que Jude mentira para ele: fizera-lhe uma pergunta para a qual só havia uma reposta aceitável, e Jude lhe dera aquela resposta, mas não dissera a verdade. E então passava a argumentar consigo mesmo, tentando justificar seu comportamento, e também se reprovando por ele. Mas, quando era realmente sincero, sabia que havia um problema.

Embora não conseguisse bem articular qual seria o problema: afinal, Jude sempre parecia querer fazer sexo quando ele tinha vontade. (Será que aquilo, por si só, já não seria razão para desconfiar?) Mas nunca conhecera alguém que se opusesse com tanta veemência às preliminares, que não quisesse nem ouvir falar de sexo, que nem mesmo pronunciava a palavra.

– Isso é constrangedor, Willem – dizia Jude quando ele tentava. – Vamos só fazer.

Sentia muitas vezes que o sexo entre os dois era cronometrado e que sua missão era fazer o que tinha de fazer da maneira mais rápida e eficiente possível e nunca mais tocar no assunto. Ficava menos preocupado com a falta de ereções de Jude do que com a curiosa sensação que às vezes tinha – indefinível e contraditória demais para ser nomeada em palavras – de que, a cada relação, ele se aproximava mais de Jude, mesmo que Jude se distanciasse cada vez mais dele. Jude dizia todas as coisas certas; emitia todos os sons certos; era carinhoso e solícito; mas, ainda assim, Willem sabia que algo, que *alguma coisa*, estava errado. Achava aquilo tudo desconcertante; as pessoas sempre gostaram de fazer sexo com ele – o que estaria acontecendo então? Por outro lado, aquilo só o fazia ter mais vontade, nem que fosse apenas para encontrar respostas, ainda que também as temesse.

Da mesma maneira que sabia que havia um problema na vida sexual dos dois, sabia também – sabia sem saber, sem que alguém lhe dissesse – que os cortes de Jude tinham a ver com sexo. Aquela percepção sempre lhe dera calafrios, assim como sua velha e aflita maneira de se eximir – *Willem Ragnarsson, o que acha que está fazendo? Você é burro demais para entender o que está acontecendo* – de uma investigação mais profunda, de enfiar o braço no lodaçal de cobras e centopeias entrelaçadas que era o passado de Jude para encontrar aquele livro de muitas páginas, revestido de plástico amarelo, que poderia explicar alguém cuja essência ele acreditava compreender. Pensava então em como nenhum deles – nem ele, nem Malcolm, nem JB, nem Richard, nem mesmo Harold – tivera a coragem de tentar. Haviam encontrado outras desculpas para que não precisassem sujar as mãos. Andy era o único que podia alegar o contrário.

Ainda assim, para ele era fácil fingir, ignorar o que sabia, pois, na maior parte do tempo, fingir era fácil: porque eram amigos, porque gostavam da companhia um do outro, porque amava Jude, porque tinham uma vida juntos, porque sentia atração por ele, porque o desejava. Mas havia o Jude que conhecia à luz do dia, e até mesmo no nascer e no pôr do sol, e também o Jude que possuía seu amigo por algumas horas todas as noites, e aquele Jude, ele temia às vezes, era o verdadeiro Jude: o que assombrava o apartamento deles sozinho, aquele a quem vira afundar a lâmina lentamente no braço, com os olhos arregalados de agonia, aquele a quem nunca conseguia alcançar, não importasse quantas vezes o tranquilizasse, quantas ameaças fizesse. Às vezes parecia que era aquele Jude que realmente conduzia o relacionamento dos dois, e, quando se fazia presente, ninguém, nem mesmo Willem, conseguia mandá-lo embora. Mesmo assim, ele se mantinha firme: mandaria aquele outro embora, com a intensidade, o vigor e a determinação do seu amor. Sabia que estava sendo infantil, mas todos os atos de teimosia são infantis. Naquele caso, a teimosia era sua única arma. Paciência; teimosia; amor: tinha de acreditar que aquilo seria o bastante. Tinha de acreditar que seriam mais fortes do que qualquer hábito de Jude, não importava por quanto tempo ou com quanta diligência fosse praticado.

Às vezes recebia de Andy e Harold uma espécie de relatório de progresso, e ambos lhe agradeciam sempre que o viam, o que ele achava desnecessário, mas reconfortante, pois aquilo queria dizer que as mudanças que *ele* achava ter percebido em Jude – uma expansividade maior; uma certa diminuição do acanhamento físico – não eram coisas só da sua imaginação. Mas também se sentia completamente sozinho, sozinho com suas novas suspeitas sobre Jude e o tamanho de suas dificuldades, sozinho com o conhecimento de não conseguir ou querer abordar essas dificuldades da maneira adequada. Em alguns momentos, chegou bem perto de entrar em contato com Andy e perguntar o que deveria fazer, se as decisões que vinha tomando eram certas. Mas não o fez.

Em vez disso, permitiu que seu otimismo inato obscurecesse seus temores e fizesse do relacionamento deles algo fundamentalmente alegre e radiante. Frequentemente era acometido pela sensação – que também experimentara em Lispenard Street – de que estavam brincando de casinha, de que estava vivendo uma fantasia juvenil onde fugia do mundo e de suas regras com seu melhor amigo e moravam juntos em alguma estrutura inadequada, mas perfeitamente cômoda (um vagão de trem; uma casa na árvore), que não deveria ser um lar, mas se transformara em um por causa da convicção que seus ocupantes tinham nela. O Sr. Irvine não estivera completamente errado, pensava naqueles dias em que sua vida parecia uma festa do pijama sem fim, uma festa que já durava quase três décadas, e que lhe dava a sensação empolgante de terem se safado de uma boa, de algo que deveriam ter abandonado muito tempo atrás: você ia a uma festa e, quando alguém dizia algo ridículo, você olhava para o outro lado da mesa, e ele olhava de volta para você, sem qualquer expressão, erguendo de maneira extremamente sutil a sobrancelha, e você tinha de beber rapidamente um pouco de água para não cair na risada e cuspir a comida em sua boca, e, depois, já em seu apartamento – seu belo apartamento, que de tão belo chegava a ser ridículo, e que vocês dois amavam com uma intensidade que beirava o vexatório, por motivos que nunca precisavam explicar um ao outro –, vocês relembravam todo aquele jantar horrível, rindo tanto que você começava a associar felicidade com dor. Ou então tinha a oportunidade de discutir seus problemas toda noite com alguém mais inteligente e mais ponderado que você, ou de falar sobre o espanto e o desconforto contínuos que ambos sentiam, mesmo depois de tantos anos, por terem dinheiro, uma fortuna absurda, digna de vilões de histórias em quadrinhos, ou de viajar de carro até a casa dos pais dele, e um dos dois colocava para tocar no som do carro uma seleção de músicas bizarras, junto à qual os dois cantavam alto, sendo extravagantemente bobos quando adultos como nunca foram quando crianças. À medida que envelhecia, você percebia que eram pouquíssimas as pessoas com quem gostava de passar mais de alguns dias junto, mas, mesmo assim, ali estava você, ao lado de alguém com quem gostaria de ficar por anos, mesmo quando ele enfrentava suas fases mais opacas e confusas. Então: feliz. Sim, ele era feliz. Não precisava pensar duas vezes, não mesmo. Era, como sabia, uma pessoa simples, a mais simples de todas, e ainda assim acabara com a pessoa mais complicada de todas.

– Tudo o que quero – dissera a Jude numa noite, tentando explicar a satisfação que borbulhava dentro dele naquele momento, como água numa chaleira azul-brilhante – é um trabalho de que goste, um lugar para morar e alguém que me ame. Está vendo só? Simples.

Jude rira, melancólico.

– Willem – disse ele –, isso também é tudo o que quero.

– Mas você já tem isso – falou, em voz baixa, e Jude ficou em silêncio.

– Sim – respondeu, finalmente. – Tem razão. – Mas não parecia convicto.

Na noite daquela terça-feira, os dois estão deitados lado a lado, meio falando e meio calados, numa das quase conversas vagas que travavam quando ambos queriam ficar acordados, mas ao mesmo tempo estavam morrendo de sono, quando Jude diz seu nome com uma espécie de seriedade que o faz abrir os olhos.

– O que foi? – pergunta, e o rosto de Jude está tão imóvel, tão sóbrio, que ele fica assustado. – Jude? – diz ele. – Me diga.

– Willem, você sabe que venho tentando não me cortar. – E Willem concorda com a cabeça e espera. – E vou continuar me esforçando – continua Jude. – Mas, às vezes... às vezes, pode ser que eu não consiga me controlar.

– Eu sei – diz ele. – Sei que está se esforçando. Sei o quanto é difícil para você.

Jude então desvia o olhar, e Willem vira de lado e o abraça.

– Só quero que entenda caso eu cometa um erro – explica Jude, com a voz abafada.

– Mas é claro que vou entender – diz ele. – Jude... é claro que vou. – Faz-se um longo silêncio, e ele espera para ver se Jude dirá mais alguma coisa. Ele é magro, com os músculos longos de um corredor de maratona, mas, nos últimos seis meses, ficou ainda mais magro, quase tão magro quanto ao receber alta do hospital, e Willem o abraça um pouco mais forte. – Você perdeu mais peso – diz.

– É o trabalho – responde Jude, e os dois ficam novamente calados.

– Acho que deveria comer mais – fala. Teve de ganhar peso para interpretar Turing e, embora já tenha perdido uma parte, sente-se enorme ao lado de Jude, algo inflado e expansivo. – Andy vai pensar que não estou cuidando bem de você e vai gritar comigo – acrescenta, e Jude emite um ruído que ele acha ser uma risada.

Na manhã seguinte, na véspera do Dia de Ação de Graças, os dois estão alegres – ambos gostam de dirigir – e colocam no bagageiro a mala e as caixas de biscoitos, tortas e pães que Jude assou para Harold e Julia. Partem cedo, e o carro sai saltitando a leste pelas ruas de paralelepípedos do SoHo, para em seguida zunir pela estrada Franklin D. Roosevelt, cantando ao som da trilha sonora de *Duetos*. Nas cercanias de Worcester, param num posto de gasolina, e Jude entra na loja para comprar balas de hortelã e água para eles. Willem espera no carro, folheando o jornal e, quando o telefone de Jude toca, ele o pega, vê quem está ligando e atende.

– Já contou para Willem? – ouve a voz de Andy perguntar antes mesmo de poder dizer alô. – Você tem mais três dias a partir de hoje, Jude, caso contrário, eu mesmo vou contar. Estou falando sério.

– Andy? – diz ele, e faz-se então um silêncio abrupto e contundente.

– Willem – diz Andy. – Caralho.

Ao fundo, ouve a voz extasiada de uma criança pequena dizer "O tio Andy falou palavrão", e então Andy praguejar novamente e ele ouve uma porta deslizar.

– Por que atendeu o telefone de Jude? – pergunta Andy. – Onde ele está?

– Estamos indo para a casa de Harold e Julia – diz. – Ele foi comprar água. – Do outro lado da linha, silêncio. – Me contar o quê, Andy? – pergunta ele.

– Willem – diz Andy, e para. – Não posso falar. Prometi que deixaria ele mesmo contar.

– Bem, ele não me contou nada – diz Willem, sentindo seu corpo ser tomado por estratos de emoções: medo, sobre uma camada de irritação, sobre uma camada de medo, sobre uma camada de curiosidade, sobre uma camada de medo. – Andy, é melhor você me dizer – fala. Algo dentro dele começa a entrar em pânico. – É alguma coisa ruim? – pergunta. E então começa a suplicar: – Andy, não faça isso comigo.

Ele ouve Andy respirar lentamente.

– Willem – diz, em voz baixa. – Pergunte a ele como realmente queimou o braço. Preciso ir.

– Andy! – grita. – Andy! – Mas ele já desligou.

Willem vira a cabeça e, olhando pela janela, vê Jude caminhando em sua direção. A queimadura, pensa: o que tem a queimadura? Jude se queimou quando tentou fazer as bananas-da-terra fritas que JB adora.

– Maldito JB – praguejara, vendo a atadura enrolada no braço de Jude. – Sempre causando problema. – E isso fez Jude rir. – Mas, falando sério agora – disse –, você está bem, Judy?

Jude respondera que sim: tinha ido ao consultório de Andy e lhe fizeram um enxerto com uma espécie de pele artificial. Os dois tiveram uma discussão na hora, pois Jude não lhe contara como a queimadura fora grave – pelo e-mail de Jude, pensou que tinha sido algo superficial, nunca algo digno de merecer um enxerto –, e discutiram novamente naquela manhã, quando Jude insistira em dirigir, embora o braço ainda estivesse claramente dolorido, mas: qual era o problema da queimadura? E então, de repente, percebe que só há uma maneira de interpretar as palavras de Andy, e tem de abaixar a cabeça rapidamente, pois fica tonto como se alguém tivesse acabado de lhe dar um soco.

– Desculpe – diz Jude, ajeitando-se no banco. – A fila demorou uma eternidade. – Ele tira as balinhas da sacola e então se vira e o vê. – Willem? – pergunta. – O que aconteceu? Você parece péssimo.

– Andy ligou – responde ele, observando o rosto de Jude ficar tenso e assustado. – Jude – diz, e sua própria voz parece distante, como se falasse das profundezas de um desfiladeiro –, como você queimou o braço?

Só que Jude não responde, apenas o encara. *Isso não está acontecendo*, diz a si mesmo.

Mas é claro que está.

– Jude – repete ele –, como você queimou o braço?

Jude só consegue continuar olhando para ele, com os lábios cerrados, e Willem pergunta mais uma vez, e outra. Até que finalmente grita:

– Jude! – surpreendendo-se com sua própria ira, e Jude abaixa a cabeça. – Jude! Me diga! *Quero saber agora!*

E então Jude diz algo com a voz tão baixa que ele não consegue ouvir.

– *Mais alto!* – grita com ele. – *Não estou ouvindo*.

– Eu mesmo me queimei – finalmente diz Jude, num tom quase inaudível.

– Como? – pergunta, transtornado, e a resposta de Jude vem num tom de voz tão baixo que ele não ouve a maior parte, mas ainda assim consegue distinguir algumas palavras: *azeite, fósforo, fogo*.

– *Por quê?* – berra ele, desesperado. – *Por que* fez isso, Jude?

Está com tanta raiva – de si mesmo, de Jude – que, pela primeira vez desde que o conheceu, tem vontade de esmurrá-lo, consegue ver seu punho acertando o nariz de Jude, sua bochecha. Quer ver o rosto dele arrebentado e quer ser ele mesmo a fazê-lo.

– Estava tentando não me cortar – diz Jude, bem baixinho, e isso renova sua fúria.

– Então a culpa é minha? – pergunta. – Está fazendo isso para me castigar?

– Não – implora Jude –, não, Willem, não... Eu só...

Mas ele o interrompe.

– Por que nunca me contou quem é o irmão Luke? – ouve a si mesmo perguntar.

Pode ver que Jude fica chocado.

– O quê? – pergunta.

– Você prometeu que ia me contar – diz. – Lembra? Era o meu *presente de aniversário*. – As últimas palavras soam mais sarcásticas do que fora sua intenção. – Me conte – diz ele. – Conte agora mesmo.

– Não consigo, Willem – diz Jude. – Por favor. Por favor.

Vê que Jude está agoniado, mas ainda assim insiste.

– Você teve quatro anos para pensar num jeito de me contar – diz, e, quando Jude tenta colocar a chave na ignição, ele estica o braço e a toma de sua mão. – Acho que já adiou o suficiente. Pode me contar agora. – E então, como não há qualquer reação, grita mais uma vez com Jude: – *Me conte*.

– Era um dos irmãos do mosteiro – sussurra Jude.

– E? – berra Willem com ele. *Mas eu sou muito burro mesmo*, pensa, mesmo enquanto está gritando. *Eu sou muito, muito, muito burro. Quanta ingenuidade*. E então, simultaneamente: *ele está com medo de mim. Estou gritando com alguém que amo e fazendo com que tenha medo de mim.* Lembra-se subitamente de quando gritara com Andy, muitos anos atrás: *Você está com raiva porque não consegue pensar num jeito de curá-lo, por isso está jogando a culpa para cima de mim.* Ah, deus, pensa ele. Ah, deus. Por que estou fazendo isto?

– E eu fugi com ele – diz Jude, agora com a voz tão tênue que Willem precisa se curvar para ouvi-lo.

– E? – insiste ele, mas pode ver que Jude está prestes a cair no choro, e então resolve parar subitamente, refestelando-se no banco, exausto e chateado consigo mesmo e também subitamente assustado: e se a próxima pergunta que fizer for a que finalmente abrirá os portões, e tudo que sempre quis saber sobre Jude, tudo que nunca quis confrontar, finalmente começar a sair? Passam um bom tempo ali parados, e o carro se enche com suas respirações trêmulas. Willem sente a ponta dos dedos se entorpecerem. – Vamos embora – diz, rompendo o silêncio.

– Para onde? – pergunta Jude, e Willem olha para ele.

– Estamos a apenas uma hora de Boston – diz. – E eles estão nos esperando.

E Jude acena com a cabeça, enxuga o rosto com o lenço e pega a chave da mão de Willem, tirando o carro lentamente do posto de gasolina.

Enquanto seguem pela estrada, ele tem uma súbita visão do que realmente significa atear fogo a si próprio. Pensa nas fogueiras que acendeu quando era escoteiro, as pirâmides de gravetos que formava em volta de um bolo de jornal, o modo como as chamas reluzentes faziam o ar ao redor oscilar, sua beleza assustadora. E então pensa em Jude ateando fogo à própria pele, imagina o fogo laranja consumindo sua carne, e se sente enjoado.

– Encoste o carro – arqueja para Jude, e Jude sai da estrada fazendo os pneus cantarem. Ele se curva para fora e vomita até não ter mais nada para expelir.

– Willem – ouve Jude dizer, e o som de sua voz o enfurece e o entristece ao mesmo tempo.

Seguem em silêncio pelo resto da viagem e, quando Jude para o carro aos solavancos na frente da garagem de Harold e Julia, um olha para o outro por um breve instante, e é como se ele estivesse olhando para alguém que nunca vira antes. Olha para Jude e vê um homem bonito, com mãos e pernas compridas e um belo rosto, do tipo que você olha e não consegue parar, e, se conhecesse aquele homem numa festa ou num restaurante, falaria com ele, pois isso seria uma desculpa para continuar olhando para seu rosto, e nunca pensaria que aquele homem seria alguém que se cortava de tal maneira que a pele em seus braços nem parecia mais pele, mas cartilagem, ou que tivesse namorado com uma pessoa que lhe dera uma surra tão feia que poderia tê-lo matado, ou que, numa certa noite, tivesse esfregado azeite na pele para que a chama que aproximou do próprio corpo queimasse com mais intensidade e rapidez, e que tirou aquela ideia de alguém que já lhe fizera exatamente aquilo, anos atrás, quando ele era criança e não fizera nada além de surrupiar algo brilhante e irresistível da mesa de um tutor abominado e abominável.

Ele abre a boca para dizer algo quando ouvem Harold e Julia lhes dando as boas-vindas, e os dois piscam e se viram e saem do carro, armando seus rostos de sorrisos ao fazê-lo. Enquanto dá um beijo em Julia, pode ouvir Harold, atrás dele, dizer a Jude:

– Você está bem? Tem certeza? Parece meio avoado. – E Jude murmura um sim.

Ele segue para o quarto com a mala deles, e Jude vai direto para a cozinha. Tira as escovas de dente e as máquinas de barbear dos dois e as coloca no banheiro. Depois, deita na cama.

Dorme a tarde inteira; está abalado demais para fazer qualquer outra coisa. O jantar será só para os quatro, e ele se olha no espelho, rapidamente treinando seu sorriso, antes de se juntar aos outros na sala. Durante o jantar, Jude fica a maior parte do tempo em silêncio, mas Willem tenta falar e ouvir como se tudo estivesse normal, por mais difícil que seja, pois sua cabeça só consegue pensar no que descobrira horas antes.

Mesmo em meio à raiva e ao desespero, percebe que Jude não colocou quase nada no prato. Mas, quando Harold diz:

– Jude, você precisa comer mais; está muito magro. Certo, Willem?
– E olha em sua direção em busca do apoio e da tentativa de persuasão que ele normalmente, instintivamente, ofereceria, mas Willem apenas dá de ombros.

– Jude já está bem grandinho – diz, estranhando a própria voz. – Sabe bem o que é melhor para ele.

Do canto do olho, pode ver Julia e Harold trocarem olhares enquanto Jude fita o prato de cabeça baixa.

– Comi bastante enquanto cozinhava – diz ele, e todos sabem que não é verdade, pois Jude nunca belisca enquanto cozinha, tampouco permite que os outros o façam: "A KGB da beliscada", era como JB o chamava. Ele vê Jude colocar distraidamente a mão sobre o agasalho, bem no ponto onde estava a queimadura, e em seguida levanta a cabeça e encontra Willem o encarando, o que o faz tirar a mão e olhar mais uma vez para baixo.

De alguma forma conseguem sobreviver ao jantar, e, enquanto lava a louça com Julia, Willem mantém a conversa leve, atendo-se a tópicos recentes. Em seguida, vão para a sala de estar, onde Harold o esperava para assistir à partida de futebol americano da semana anterior, que gravara. Na entrada da sala, ele para: normalmente, se espremeria ao lado de Jude na gigantesca poltrona fofa que haviam imprensado próximo ao que chamavam de A Poltrona de Harold, mas, naquela noite, não consegue sentar ao lado de Jude – mal consegue olhar para ele. No entanto, se não o fizer, Julia e Harold saberão com certeza que há algo de muito errado entre os dois. Mas, enquanto hesita, Jude se levanta e, como se pudesse prever seu dilema, anuncia que está cansado e vai dormir.

– Tem certeza? – pergunta Harold. – A noite só está começando.

Mas Jude responde que sim e dá um beijo de boa-noite em Julia, acenando vagamente na direção de Harold e Willem, e mais uma vez ele percebe a troca de olhares entre Julia e Harold.

Julia acaba se retirando em seguida – nunca conseguiu entender o fascínio que as pessoas sentem pelo futebol americano –, e, depois que sai, Harold pausa o jogo e olha para ele.

– Está tudo bem entre vocês? – pergunta, e Willem faz que sim com a cabeça. Mais tarde, quando ele também está para se retirar, Harold estica o braço e segura sua mão quando Willem passa. – Sabe, Willem – diz, apertando sua palma –, Jude não é o único a quem amamos.

Ele acena com a cabeça mais uma vez, com a visão embaçada, e dá boa-noite a Harold antes de deixar a sala.

O quarto deles está em silêncio, e Willem para por um instante, estudando a forma de Jude sob a coberta. Sabe que ele não está dormindo de verdade – está imóvel demais para isso –, mas sim fingindo, e então finalmente se despe, dobrando as roupas no descanso da cadeira perto da cômoda. Quando deita na cama, percebe que Jude ainda está acordado, e os dois ficam ali deitados por um longo período, cada um em seu lado da cama, ambos com medo do que ele, Willem, pode dizer.

Ele dorme, no entanto, e, quando acorda, o quarto está ainda mais quieto, um silêncio real dessa vez. Por hábito, vira para o lado de Jude na cama e, abrindo os olhos, vê que Jude não está ali e que, na verdade, o lado da cama onde ele dorme está frio.

Ele senta. Ele levanta. Ouve um pequeno ruído, baixo demais até para ser chamado de ruído, e então se vira e encontra a porta do banheiro fechada. Mas está tudo escuro. Ele segue até a porta mesmo assim; gira a maçaneta com força, abre-a com um empurrão, e a toalha que foi enfiada sob a porta para bloquear a luz a segue feito um trem. E ali, encostado na banheira, encontra Jude, como ele já sabia que encontraria, completamente vestido, com os olhos arregalados e assustados.

– Onde está? – vocifera ele, embora estivesse com vontade de gemer, de chorar: por seu fracasso, por aquela peça terrível e grotesca que encena noite após noite, da qual ele é, mesmo sem querer, o único espectador, pois, mesmo quando não há público, a peça é apresentada diante de uma casa vazia, e seu artista solitário é tão diligente e dedicado que nada pode impedi-lo de exercer seu ofício.

– Não estou fazendo nada – diz Jude, e Willem sabe que está mentindo.

– Onde está, Jude? – pergunta, agachando à sua frente e segurando suas mãos: nada. Mas Willem sabe que ele estava se cortando: sabe pelo tamanho de seus olhos, pelo tom cinza dos lábios, pelo jeito como as mãos tremem.

– Não estou, Willem, não estou – diz Jude.

Os dois falam aos sussurros para não acordar Julia e Harold no andar de cima. E então, antes de poder pensar, ele investe contra Jude, tentando arrancar suas roupas, e Jude resiste, mas não consegue usar o braço esquerdo e também não está no auge de suas forças. Os dois gritam um com o outro, sem emitir qualquer som. Ele então monta em Jude, pressionando os joelhos sobre seus ombros do modo como um instrutor de luta lhe ensinara no set certa vez, um método que, como sabe, paralisa a vítima e também machuca, e depois começa a puxar as roupas de Jude, que se debate freneticamente embaixo dele, ameaçando-o e em seguida implorando para que parasse. Willem pensa, não sem motivo, que qualquer pessoa assistindo à cena acharia que aquilo era um estupro, mas não é isso que está fazendo, lembra a si mesmo: está tentando encontrar a lâmina. E então ouve o tinido de metal contra o ladrilho, e a segura entre os dedos pelo fio, jogando-a para trás. Volta então a despir Jude, arrancando suas roupas com uma eficiência brutal que surpreende até ele mesmo, mas é só quando abaixa a cueca de Jude que encontra os cortes: são seis, em listras paralelas horizontais precisas, no alto da coxa esquerda. Ele solta Jude, fugindo dele como se estivesse doente.

– Você... está... louco – diz lentamente, sem emoção na voz, quando seu choque inicial esmaece um pouco. – Você enlouqueceu, Jude. Fazer cortes logo na perna. Você *sabe* o que pode acontecer; você *sabe* que pode infeccionar. Em que *diabos* estava pensando? – Ele arqueja de cansaço, de tristeza. – Você está doente – diz, e então se dá conta, vendo Jude mais uma vez como um estranho, do quanto ele está magro, perguntando a si mesmo como não percebera aquilo antes. – Você está doente. Precisa ser hospitalizado. Precisa...

– Pare de tentar me *consertar*, Willem – esbraveja Jude. – O que eu sou para você? Por que está comigo, afinal? Não sou seu *maldito* projeto de caridade. Estava muito bem sem você.

– Ah, é? – pergunta. – Desculpe se não estou sendo o namorado ideal, Jude. Sei que prefere relacionamentos carregados de sadismo, certo? Talvez pudesse me encaixar nos seus padrões se o chutasse escada abaixo algumas vezes.

Ele vê Jude se encolher, comprimindo o corpo contra a banheira, e nota algo em seus olhos perder o brilho e se fechar.

– Não sou *Hemming*, Willem – sussurra Jude, irritado. – Não sou o aleijado que você vai salvar para compensar o outro, que não conseguiu.

Isso faz com que ele se desestabilize, e então se levanta e se afasta, pegando a lâmina e jogando-a com força contra o rosto de Jude, que levanta os braços para se proteger. A lâmina bate em sua palma e cai.

– Muito bem – diz, arfando. – Pode se cortar até virar uma merda de farrapo. Você ama mais os cortes do que a mim, de qualquer forma.

Ele sai, desejando poder bater a porta, mas só pode descontar no interruptor de luz, que desliga.

De volta ao quarto, pega seus travesseiros e uma das cobertas da cama e se joga no sofá. Se pudesse ir embora de uma vez, é isso que faria, mas a presença de Harold e Julia o impede, e por isso ele fica. Vira-se de rosto para baixo e grita, com vontade, encostando a boca no travesseiro, esmurrando e chutando as almofadas como uma criança fazendo pirraça, e a raiva se mistura a um arrependimento tão completo que ele perde o ar. Muitas coisas passam pela sua cabeça, mas ele não consegue articular ou distinguir nenhuma delas, e três fantasias sucessivas giram velozmente em sua mente: entrar no carro, fugir e nunca mais falar com Jude; voltar ao banheiro e abraçá-lo até fazê-lo se acalmar, até conseguir curá-lo; ligar para Andy imediatamente, naquele mesmo instante, e internar Jude assim que amanhecer. Mas não faz nada disso. Simplesmente continua a esmurrar e chutar em vão, como se estivesse nadando no mesmo lugar.

Até que finalmente para e fica imóvel, e então, após o que parece um longo período, ouve Jude se arrastar quarto adentro, devagar e em silêncio, como um animal surrado, um cachorro, talvez, alguma criatura mal-amada que vive apenas para ser abusada, e em seguida o ranger da cama quando ele se deita.

A noite longa e feia segue aos solavancos e ele dorme, um sono superficial e furtivo, e, quando acorda, o sol ainda não nasceu, mas, mesmo assim, veste a roupa e calça os tênis de corrida para sair, completamente esgotado, tentando não pensar em nada. Enquanto corre, lágrimas, de frio ou de tudo o mais, borram intermitentemente sua visão, e ele esfrega os olhos com raiva e segue em frente, forçando-se a ir mais rápido, inalando o ar em goles grandes e punitivos, sentindo sua dor nos pulmões. Quando volta para casa, entra no quarto e encontra Jude ainda deitado em seu lado da cama, todo encolhido, e por um segundo imagina, horrorizado, que possa estar morto. Está quase dizendo seu nome quando Jude se mexe um pouco, dormindo, e então ele segue para o chuveiro e toma banho. Depois, guarda a roupa de corrida na mala, se veste e vai até a cozinha, fechando a porta com cuidado às suas costas. Na cozinha, encontra Harold, que lhe oferece uma xícara de café, como sempre faz, e então ele, como vem fazendo desde que começou a se relacionar com Jude, balança a cabeça, ainda que, naquele momento, o simples cheiro de café – seu calor amadeirado, como a casca de uma árvore – desperte nele vontade quase voraz. Harold não sabe por que ele parou de beber café, apenas que parou, e sempre procura, como diz, levá-lo de volta ao caminho da tentação, e, ainda que normalmente tivesse brincado com ele, naquela manhã não o faz. Não consegue nem olhar para Harold de tanta vergonha. Também está ressentido: pela expectativa velada, mas, segundo sente, inabalável, de Harold em achar que ele sempre saberá o que fazer em relação a Jude; a decepção, o desdém que, sabe, Harold sentiria por ele caso soubesse o que dissera e fizera durante a noite.

– Você não parece bem – diz Harold.

– Não estou – responde. – Harold, eu sinto muito. Kit me mandou uma mensagem ontem, tarde da noite, dizendo que o diretor com quem eu encontraria esta semana vai deixar a cidade hoje à noite; preciso voltar para Nova York.

– Ah, não, Willem. É mesmo? – começa Harold, e, naquele momento, Jude entra na cozinha, e Harold diz: – Willem falou que vocês precisam voltar para a cidade esta manhã.

– Você pode ficar – diz ele a Jude, sem levantar os olhos da torrada em que está passando manteiga. – Fique com o carro. Mas eu preciso ir.

– Não – responde Jude, após um breve silêncio. – É melhor eu voltar também.

– Que tipo de Ação de Graças é essa? Vocês comem e vão embora? O que vou fazer com todo aquele peru? – diz Harold, mas seu ultraje teatral é menos escandaloso que o normal, e Willem pode vê-lo olhar para os dois alternadamente, tentando entender o que está acontecendo, o que há de errado.

Ele espera Jude se aprontar, tentando jogar conversa fora com Julia e ignorar as perguntas veladas de Harold. Em seguida, parte primeiro na direção do carro, para deixar claro que vai dirigir, e, enquanto se despedem, Harold olha para ele e abre a boca, mas logo a fecha, preferindo dar-lhe um abraço.

– Vão com cuidado – diz.

No carro, ele ainda está fervilhando e continua a acelerar, até lembrar a si mesmo de que deve ir mais devagar. Não são nem oito da manhã, é Dia de Ação de Graças, e a estrada está vazia. Ao seu lado, Jude está virado na direção oposta, com o rosto colado à janela: Willem ainda não olhou para ele, não sabe que expressão carrega, não vê as manchas debaixo dos olhos que – segundo Andy lhe dissera no hospital – são indícios de que Jude está exagerando nos cortes. Sua raiva aumenta e diminui a cada quilômetro: às vezes vê Jude mentindo para ele – e se dá conta de que mentia o tempo todo –, e sua ira toma seu corpo feito óleo quente. E às vezes pensa no que disse, no modo como se comportou, em toda aquela situação, no fato de que a pessoa que ama é tão cruel consigo mesma, e sente tanto remorso que tem de agarrar o volante para manter o foco. Pensa: será que ele está certo? *Será* que o vejo como Hemming? E então pensa: não. Aquilo é um delírio de Jude, pois não consegue entender por que alguém poderia querer estar com ele. Não era verdade. Mas a explicação não lhe traz nenhum conforto; pelo contrário, o deixa mais infeliz.

Assim que passam por New Haven, ele para o carro. Normalmente, a passagem por New Haven é uma oportunidade para recontar suas histórias favoritas de quando dividiu um apartamento com JB na pós--graduação: a vez que foi obrigado a ajudar JB e Henry Young Asiático a montar sua exposição de guerrilha com carcaças de carne penduradas do lado de fora da faculdade de medicina. A vez que JB cortou seus dreads e os deixou na pia até Willem finalmente limpá-la duas semanas depois. A vez que ele e JB dançaram por quarenta minutos seguidos ao som de techno para que Greig, amigo de JB e videoartista, pudesse gravá-los.

– Conte aquela em que JB encheu a banheira de Richard de girinos – pedia Jude, sorrindo de expectativa. – Conte aquela de quando você namorou a menina lésbica. Conte aquela em que JB entrou de penetra naquela orgia feminista.

Mas, dessa vez, nenhum dos dois abre a boca, e eles atravessam New Haven em silêncio.

Willem sai do carro para encher o tanque e ir ao banheiro.

— Não vou parar depois daqui — avisa a Jude, que não ainda não se mexeu, mas Jude apenas balança a cabeça, e Willem bate a porta com força, sentindo sua raiva voltar.

Chegam a Greene Street antes do meio-dia, saindo do carro em silêncio, entrando no elevador em silêncio, entrando no apartamento em silêncio. Willem leva a mala para o quarto; às suas costas, ouve Jude sentar ao piano e tocar algo — Schumann, reconhece ele, Fantasia em Dó maior; uma música bastante vigorosa para alguém tão abatido e desamparado, pensa ele, azedo — e percebe que precisa sair do apartamento.

Nem mesmo tira o casaco. Apenas volta para a sala de estar com as chaves.

— Vou sair — diz, mas Jude não para de tocar. — Está me ouvindo? — grita. — Estou saindo.

Jude então levanta a cabeça e para de tocar.

— Quando você volta? — pergunta, com a voz baixa, e Willem sente sua determinação esmorecer.

Mas se lembra do quanto está zangado.

— Não sei — responde. — Não espere por mim.

Ele bate no botão do elevador. Há uma pequena pausa e em seguida Jude volta a tocar.

E então ele está lá fora, no mundo, e todas as lojas estão fechadas, e nada se ouve no SoHo. Caminha até a West Side Highway e a sobe em silêncio, com seus óculos escuros e o cachecol que comprou em Jaipur (um para Jude, cinza, e outro para ele, azul), feito com uma lã de caxemira tão macia que prende até mesmo nos fios de barba mais curtos, em volta do pescoço com barba por fazer. Ele caminha e caminha; depois, não conseguirá sequer se lembrar no que pensou, se é que pensou em algo. Quando sente fome, vira a oeste para comprar uma fatia de pizza, que come na rua, quase sem sentir o gosto, antes de voltar para a estrada. Este é o meu mundo, pensa ao parar de frente para o rio e olhar para Nova Jersey na outra margem. Este é o meu mundinho, e não sei o que fazer nele. Sente-se preso, mas como pode se sentir preso se não consegue nem mesmo lidar com o pequeno espaço que ocupa? Como pode esperar algo mais se não consegue compreender o que acha que compreendia?

A noite cai, abrupta e rápida, e o vento está mais forte, mas ele continua a caminhar. Quer calor, comida, um lugar com pessoas sorrindo. Mas não suporta a ideia de entrar num restaurante, não sozinho em pleno Dia de Ação de Graças, não no humor em que se encontra: alguém irá reconhecê-lo e ele não terá forças para aguentar o papo furado, a cordialidade e a educação que aquele tipo de situação exige. Seus amigos sempre o provocaram sobre a invisibilidade que alegava ter, sua convicção de que podia manipular de alguma maneira sua visibilidade, sua chance de ser reconhecido, mas ele tinha plena certeza de que funcionava, mesmo sendo continuamente provado do contrário. Ele agora vê aquela convicção como mais uma prova de como sempre engana a si mesmo, de seu modo de fingir constantemente que o mundo se alinhará à sua visão: que Jude vai melhorar só porque ele quer. Que ele o entende porque gosta de pensar que sim. Que pode andar pelo SoHo sem ninguém saber quem ele é. Mas, na verdade, é um prisioneiro: de seu trabalho, de seu relacionamento e, principalmente, de sua própria ingenuidade deliberada.

Ele finalmente compra um sanduíche e pega um táxi até Perry Street, para o seu apartamento que quase já não é mais seu: na verdade, em algumas semanas deixará mesmo de ser, pois o vendeu a Miguel, seu amigo espanhol, que vai passar mais tempo nos Estados Unidos. Mas, naquela noite, ele ainda lhe pertence, e Willem entra com cuidado, como se o apartamento pudesse ter se deteriorado, pudesse ter criado monstros desde a última vez que ali estivera. É cedo, mas ele tira a roupa mesmo assim, e tira as roupas de Miguel da *chaise longue* de Miguel, e tira a coberta de Miguel da cama de Miguel, e deita na *chaise longue*, deixando o desamparo e a confusão daquele dia assentarem – fora só um dia, mas tanta coisa acontecera! – e então se põe a chorar.

Enquanto chora, seu telefone toca e ele levanta, achando que poderia ser Jude, mas não: é Andy.

– Andy – choraminga ele –, eu fiz merda, fiz merda. Fiz uma coisa horrível.

– Willem – diz Andy, num tom suave. – Tenho certeza de que não é tão ruim assim como está pensando. Tenho certeza de que está sendo duro demais consigo mesmo.

Então ele conta tudo a Andy, parando aqui e ali, explicando o que aconteceu, e, quando termina, Andy fica em silêncio.

– Ah, Willem – suspira ele, mas não parece zangado, apenas triste. – Tudo bem. Foi *mesmo* tão horrível quanto você achou que era. – E, por algum motivo, aquilo o faz rir um pouco, mas também o faz gemer.

– O que devo fazer? – pergunta, e Andy volta a suspirar.

– Se quiser continuar com ele, se eu fosse você voltaria para casa e conversaria – responde, lentamente. – E, se *não* quiser mais ficar com ele... eu voltaria e conversaria mesmo assim. – Ele faz uma pausa. – Willem, eu sinto muito.

– Eu sei – diz ele. E então, quando Andy se despede, ele o interrompe. – Andy – fala –, me diga a verdade: ele tem algum tipo de doença mental?

Faz-se um longo silêncio, até que Andy responde:

– Acredito que não, Willem. Ou, melhor dizendo: não acho que exista qualquer coisa errada com ele em termos químicos. Acho que sua loucura é algo causado por si próprio. – Ele não diz nada. – Faça ele se abrir com você, Willem – diz. – Se vocês conversarem, acho que vai... acho que vai entender por que ele é do jeito que é.

E então, ele subitamente entende que precisa voltar para casa e logo já está se vestindo e correndo porta afora, chamando um táxi e entrando nele, saindo e entrando no elevador, abrindo a porta e entrando no apartamento, que está em silêncio, um silêncio inquietante. No caminho, tivera uma visão repentina, que mais parecia uma premonição, de que Jude havia morrido, de que havia se matado, e ele corre pelo apartamento gritando seu nome.

– Willem? – ouve, e corre para o quarto, com a cama ainda arrumada, e então vê Jude no canto esquerdo do closet, encolhido no chão, encarando a parede.

Mas não tenta adivinhar por que está ali, simplesmente se joga no chão ao seu lado. Não sabe se tem permissão para tocá-lo, mas o faz mesmo assim, abraçando-o.

– Desculpe – diz para a parte de trás da cabeça de Jude. – Desculpe, desculpe. O que falei não é verdade; eu ficaria em frangalhos se você se machucasse. Eu *estou* em frangalhos. – Ele solta o ar. – E nunca, jamais, deveria ter usado força física contra você. Jude, eu sinto muito.

– Eu também sinto muito – sussurra Jude, e os dois ficam em silêncio. – Desculpe pelo que falei. Desculpe por ter mentido para você, Willem.

Nenhum dos dois fala nada por um bom tempo.

– Você se lembra de quando me disse que tinha medo de ser uma série de surpresas desagradáveis para mim? – pergunta Willem, e Jude faz levemente que sim com a cabeça. – Pois você não é – diz. – Não é. Mas estar com você é como estar numa paisagem incrível – continua, falando devagar. – Você acha que é uma coisa, uma floresta, e então de repente tudo muda, e se transforma num campo, numa selva, ou num penhasco de gelo. E todas essas paisagens são belas, mas também estranhas, e não tem um mapa, não entende como passou de um terreno para outro de maneira tão abrupta, e não sabe quando será a próxima transição, e não tem os equipamentos de que precisa. E então segue caminhando, tentando se ajustar à medida que avança, mas na verdade não sabe bem o que está fazendo, e muitas vezes acaba cometendo erros, erros terríveis. É mais ou menos essa a sensação.

Ficam em silêncio.

– Então, basicamente – diz Jude, por fim –, basicamente está dizendo que sou a Nova Zelândia.

Ele leva um segundo para perceber que Jude está brincando e, quando o faz, começa a rir, desvairadamente, de alívio e tristeza, virando para Jude e beijando-o.

– Sim – diz ele. – Sim, você é a Nova Zelândia.

Voltam a ficar em silêncio, e sérios, mas pelo menos estão olhando um para o outro.

– Você vai embora? – pergunta Jude, com a voz tão baixa que Willem mal consegue ouvi-lo.

Ele abre a boca; fecha-a. Estranhamente, apesar de tudo em que pensou e não pensou ao longo do último dia e noite, não cogitou ir embora, e agora reflete sobre o assunto.

– Não – responde ele. E então: – Acho que não. – E vê Jude fechar os olhos e logo depois abri-los, concordando com a cabeça. – Jude – diz ele, e as palavras vêm à sua boca à medida que as pronuncia e, enquanto fala, sabe que está fazendo a coisa certa –, acho mesmo que você precisa de ajuda, de um tipo que eu não sei como oferecer. – Respira fundo. – Quero que você concorde em se internar voluntariamente ou então que comece a se consultar com o Dr. Loehmann duas vezes por semana.

Ele observa Jude por um bom tempo; não consegue identificar o que ele está pensando.

– E se eu não quiser fazer nenhum dos dois? – pergunta Jude. – Daí você vai embora?

Ele balança a cabeça.

– Jude, eu te amo – diz. – Mas não posso... não posso aceitar esse tipo de comportamento. Não vou suportar ficar ao seu lado e ver você fazer essas coisas a si mesmo caso ache que interpretaria minha presença como uma forma de aprovação tácita. Então. Sim. Acho que iria.

E, mais uma vez, os dois se calam. Jude se vira e deita de costas.

– Se eu contar para você o que aconteceu comigo – começa, hesitante –, se eu contar tudo sobre o que não consigo falar... se eu contar para você, Willem, ainda assim teria que fazer essas coisas?

Willem olha para ele e balança a cabeça outra vez.

– Ah, Jude – fala. – Sim. Sim, ainda assim. Mas espero que me conte mesmo assim, de verdade. Seja o que for; seja o que for.

Ficam novamente em silêncio, e, dessa vez, o silêncio se transforma em sono. Os dois se encaixam um no outro e dormem e dormem até Willem ouvir a voz de Jude falando com ele, e então acorda e ouve Jude falar. Levará horas, pois Jude às vezes é incapaz de continuar, então Willem vai esperar, abraçando-o com tanta força que Jude não conseguirá respirar. Duas vezes ele tentará se desvencilhar, e Willem o prenderá no chão e irá segurá-lo ali até que se acalme. Como estão no closet, não poderão saber que horas são, apenas que um dia chegou e se foi, pois terão visto tapetes de sol se desenrolarem e entrarem pelas portas do closet vindos do quarto e do banheiro. Willem ouvirá histórias que são inimagináveis, que são abomináveis; pedirá licença, três vezes, para ir ao banheiro e estudar seu rosto no espelho e lembrar a si mesmo de que só precisa encontrar coragem para ouvir, mas, ainda assim, sentirá vontade de tapar os ouvidos e de tapar a boca de Jude para fazer as histórias cessarem. Estudará a parte de trás da cabeça de Jude, pois Jude não conseguirá olhar para ele, e imaginará a pessoa que achava conhecer se desfazer em destroços, com nuvens de poeira soprando ao seu redor, enquanto ali perto, equipes de artesãos, tentarão reconstruí-lo com outro material, outra forma, como uma pessoa diferente da pessoa que estivera de pé por anos e anos. Mais e mais histórias são contadas, deixando um rastro de imundície: sangue e ossos e sujeira e doenças e tormento. Depois que Jude terminar de lhe contar sobre o tempo que passou com o irmão Luke, Willem perguntará outra vez se ele gosta realmente de fazer sexo, nem que seja um pouco, nem que seja ocasionalmente, e esperará por muitos e longos minutos até Jude responder que não, que detesta, que sempre detestou, e ele assentirá com a cabeça, devastado, mas aliviado por conhecer a verdadeira resposta. E então Willem perguntará, sem nem mesmo saber onde aquela pergunta vinha se escondendo, se ele sente atração por homens, e Jude lhe dirá, após um período de silêncio, que não tem certeza, que sempre fizera sexo com homens e por isso presumira que sempre faria.

– Tem interesse em fazer sexo com mulheres? – perguntará ele, e verá, após mais um longo período de silêncio, Jude balançar a cabeça.

– Não – dirá ele. – É tarde demais para isso, Willem, já me cansei. Chega.

E ele entenderá, como se esbofeteado, a verdade naquela declaração, o que o fará parar. Cairão no sono novamente, e dessa vez seus sonhos serão horríveis. Sonhará que é um dos homens nos quartos de motel, perceberá que se comportou como um deles; acordará com os pesadelos e será Jude quem terá de acalmá-lo. Finalmente levantarão do chão – será tarde de sábado, e eles estarão deitados no closet desde a noite de quinta-feira –, tomarão banho e comerão algo, alguma coisa quente e reconfortante, e irão direto da cozinha para o escritório, onde ele ouvirá Jude deixar uma mensagem para o Dr. Loehmann, cujo cartão Willem manteve na carteira por todos aqueles anos, e o sacará, feito um mágico, em segundos, e de lá irão para a cama, onde ficarão deitados, olhando um para o outro, ambos com medo de fazer perguntas: ele, de pedir a Jude para terminar a história; Jude, de perguntar a ele se irá embora, pois sua partida agora parece inevitável, apenas uma questão de logística.

E então continuam a se olhar sem parar, até o rosto de Jude se tornar quase insignificante como rosto para ele: é uma série de cores, de planos e de formas, organizados de tal maneira a proporcionar prazer a outras pessoas, mas nada a seu dono. Ele não sabe o que vai fazer. Está atordoado com tudo o que ouviu, por entender a enormidade de seus equívocos, por estender sua compreensão para além do que é imaginável, por saber que todos os seus edifícios cuidadosamente sustentados haviam agora sido destruídos sem qualquer possibilidade de reparo.

Mas, por enquanto, os dois estão na cama deles, no quarto deles, no apartamento deles, e ele estica o braço e pega a mão de Jude, segurando-a delicadamente.

– Você me contou como chegou a Montana – ouve sua própria voz dizer. – Me diga, então: o que aconteceu depois?

Aquela era uma época sobre a qual raramente pensava, sua fuga para a Filadélfia, pois fora um período em que estivera tão desligado de si próprio que, mesmo enquanto vivia sua vida, sentia como se fosse um sonho, algo não muito real; houve ocasiões naquelas semanas em que abria os olhos e de fato não conseguia discernir se o que acabara de acontecer realmente acontecera ou se havia apenas imaginado. Era um dom útil, aquele sonambulismo persistente e indestrutível, e o protegera, mas então aquela habilidade, assim como sua capacidade de esquecer, também o abandonara, e ele nunca mais a recuperaria.

Notara aquela suspensão pela primeira vez no orfanato. Às vezes era acordado à noite por um dos conselheiros e o seguia até o escritório no andar de baixo, onde sempre havia um deles de plantão, e lá fazia o que quer que eles quisessem. Quando acabavam, era acompanhado de volta ao quarto – um cômodo pequeno, com uma cama beliche, que ele dividia com um menino com deficiência mental, lento, gordo e de aparência assustada, sujeito a ataques de raiva, e que, como ele sabia, às vezes também era levado pelos conselheiros à noite – e trancafiado novamente. Havia alguns meninos que eram usados pelos conselheiros, mas, além de seu colega de quarto, ele não sabia quem eram os outros, apenas que existiam. Ficava praticamente mudo durante aquelas sessões, e quando se ajoelhava, agachava ou deitava, pensava num relógio redondo, com o ponteiro dos segundos deslizando impassivelmente ao seu redor, contando os giros até terminar. Mas nunca implorava, nunca fazia qualquer apelo. Nunca barganhava, fazia promessas ou chorava. Não tinha forças para isso; não tinha a determinação – não agora, não mais.

Foi alguns meses depois do seu fim de semana na casa dos Leary que ele tentou fugir. Tinha aulas na escola pública às segundas, terças, quartas e sextas, e, naqueles dias, um dos conselheiros o esperava no estacionamento e o levava de volta para o orfanato. Temia o fim das aulas, temia a viagem de volta para casa: nunca sabia qual conselheiro encontraria e, quando chegava ao estacionamento e via quem era, seus passos às vezes se tornavam mais lentos, mas era como se fosse um ímã, algo controlado por íons, não por sua vontade, e acabava atraído para o carro.

Mas, certa tarde – isso foi em março, pouco antes de completar quatorze anos –, ele dobrou a esquina e viu o conselheiro, um homem chamado Rodger, que era o mais cruel, o mais exigente, o mais perverso de todos, e acabou parando. Pela primeira vez em muito tempo, algo nele demonstrou resistência e, em vez de continuar na direção de Rodger, esgueirou-se de volta para a entrada da escola e, depois, quando teve certeza de que ninguém o via, saiu correndo.

Não havia se preparado para aquilo, não tinha um plano, mas aparentemente uma parte impetuosa dele vinha fazendo observações enquanto o restante de sua mente permanecia encapsulado num casulo macio e grosso de sono, e ele se viu correndo na direção do laboratório de ciências, que estava sendo reformado, passando por baixo de uma cortina de lona azul que protegia um lado exposto do prédio, para depois rastejar pelo espaço de pouco menos de meio metro que separava a parede interior, caindo aos pedaços, da nova parede exterior de cimento que construíam ao redor. O espaço mal dava para ele se espremer, e ele se entocou o mais fundo que conseguiu, colocando-se cuidadosamente em posição horizontal e certificando-se de que seus pés não estavam à vista.

Deitado ali, tentou decidir o que faria a seguir. Rodger o esperaria e, quando não aparecesse, acabaria procurando por ele. Mas, se conseguisse passar a noite ali, se conseguisse esperar até que tudo ao seu redor estivesse em silêncio, então poderia escapar. Não conseguia avançar além disso no seu plano, embora tivesse discernimento o suficiente para saber que suas chances eram ínfimas: não levava consigo alimentos ou dinheiro, e, embora fossem apenas cinco da tarde, já fazia bastante frio. Sentia as costas, as pernas e as palmas das mãos, todas as partes encostadas no concreto, perderem a sensibilidade, sentia os nervos se transformando em milhares de picadas. Mas também sentia, pela primeira vez em anos, a emoção vertiginosa de tomar uma decisão, ainda que estúpida ou mal planejada ou improvável. De repente, as picadas deixaram de parecer um castigo e se tornaram uma comemoração, como centenas de fogos de artifício em miniatura estourando dentro dele e para ele, como se seu corpo o estivesse lembrando quem era e o que ainda tinha: a si mesmo.

Ficou ali por duas horas, até o cachorro do segurança o encontrar e ser arrastado para fora pelos pés, enquanto suas palmas arranhavam os blocos de concreto, aos quais se agarrou mesmo então, a esta altura sentindo tanto frio que tropeçava ao andar, e seus dedos ficaram tão congelados que não conseguia abrir a porta do carro. Assim que entrou, Rodger se virou e lhe deu um murro no rosto, e o sangue que escorreu do nariz era espesso, quente e reconfortante, e o gosto em seus lábios estranhamente nutritivo, feito sopa, como se seu corpo fosse algo milagroso e autorregenerativo, determinado a se salvar.

Naquela noite, o levaram ao celeiro, para onde o levavam algumas noites, e o espancaram tanto que ele perdeu a consciência quase assim que a surra teve início. Acabou passando a noite no hospital, para onde voltou algumas semanas mais tarde, quando as feridas infeccionaram. Naquelas semanas, deixaram-no em paz e, embora tenham dito no hospital que ele era um delinquente, que era problemático, que era encrenqueiro e mentiroso, as enfermeiras o trataram bem: uma delas, uma mulher mais velha, sentara ao lado de sua cama e segurara um copo de suco de maçã com um canudo para que ele pudesse beber sem levantar a cabeça (teve de deitar de lado para que pudessem limpar suas costas e drenar as feridas).

– Não me importa o que você fez – lhe disse ela numa noite, depois de trocar seus curativos. – Ninguém merece isso. Está me ouvindo, meu rapaz?

Então me ajude, ele queria dizer. *Por favor, me ajude*. Mas não falou nada. Estava envergonhado demais.

Ela sentou novamente ao lado dele e colocou a mão em sua testa.

– Tente se comportar, tudo bem? – dissera, mas com um tom afetuoso. – Não quero vê-lo aqui outra vez.

Me ajude, novamente quis dizer quando ela saiu do quarto. *Por favor. Por favor*. Mas não conseguiu. Nunca mais a viu.

Mais tarde, já adulto, questionaria se não teria inventado essa enfermeira, se não a conjurara por desespero, um simulacro de generosidade quase tão bom quanto algo real. Argumentava consigo mesmo: se ela existisse, se realmente existisse, não teria contado a alguém sobre ele? Não teria enviado alguém para ajudá-lo? Mas suas recordações desse período eram levemente embaçadas e pouco confiáveis e, à medida que os anos foram se passando, ele viria a compreender que estava, como sempre, tentando fazer de sua vida, de sua infância, algo mais aceitável, mais normal. Acordava assustado de um sonho com os conselheiros e tentava se reconfortar: *Você só era usado por dois deles*, dizia a si mesmo. *Talvez três. Os outros não faziam nada. Não eram todos cruéis com você.* E então tentava, por dias, se lembrar de quantos realmente foram: seriam dois? Ou três? Por anos, não conseguiu entender por que aquilo era tão importante para ele, por que significava tanto, por que estava sempre tentando argumentar com suas próprias lembranças, por que passava tanto tempo questionando os detalhes do que acontecera. E então ele entendeu: era por pensar que, se pudesse convencer a si mesmo de que as coisas não haviam sido tão ruins quanto se lembrava, podia também convencer a si mesmo de que era uma pessoa menos perturbada, de que estava mais perto de ser uma pessoa sã, do que temia ser.

Finalmente o mandaram de volta para o orfanato, e, na primeira vez que viu suas costas, se retraíra, afastando-se tão rapidamente do espelho do banheiro que acabara escorregando numa área onde os ladrilhos estavam molhados e caindo. Naquelas primeiras semanas após a surra, quando a cicatriz ainda estava se formando, um monte de carne estufada surgiu em suas costas e, na hora do almoço, quando sentava sozinho, os outros meninos o açoitavam com bolinhas molhadas de guardanapo, visando-o como se fosse um alvo, comemorando cada vez que o acertavam. Até aquele ponto, nunca pensara especificamente sobre sua aparência. Sabia que era feio. Sabia que era um lixo. Sabia que era doente. Mas nunca se considerara grotesco. Mas agora era. Parecia haver certa inevitabilidade naquilo, em sua vida: que a cada ano se transformaria em algo pior – mais repulsivo, mais depravado. A cada ano, seu direito à humanidade diminuía; a cada ano, deixava aos poucos de ser uma pessoa. Mas não se importava mais; não podia se dar ao luxo.

No entanto, era difícil viver sem se importar com nada, e ele se viu curiosamente incapaz de se esquecer da promessa feita pelo irmão Luke, de que aos dezesseis anos sua antiga vida chegaria ao fim e uma nova vida se iniciaria. Sabia, de verdade, que o irmão Luke estava mentindo, mas não conseguia deixar de pensar naquilo. *Dezesseis*, pensava consigo mesmo à noite. *Dezesseis. Quando eu tiver dezesseis anos, tudo isso vai acabar.*

Perguntara uma vez ao irmão Luke como seria a vida deles depois que completasse dezesseis anos.

— Você irá para a faculdade — respondera Luke, de imediato, e ele ficara animado com a perspectiva.

Perguntou onde estudaria, e Luke deu o nome da universidade que ele próprio frequentara (embora, ao chegar àquela universidade, tenha procurado pelo nome do irmão Luke – Edgar Wilmot – e não encontrado registro algum comprovando que estudara ali, o que o deixou aliviado, aliviado por não ter nada em comum com o irmão, embora tivesse sido ele quem o fizera imaginar que um dia pudesse estar ali).

– Também vou mudar para Boston – continuou o irmão Luke. – E estaremos casados, então vamos morar num apartamento fora do campus.

Às vezes, os dois conversavam sobre isso: as matérias que estudaria, as coisas que o irmão Luke fizera quando estava na universidade, os lugares para onde viajariam depois que ele se formasse.

– Talvez um dia a gente tenha um filho juntos – disse o irmão Luke uma vez, e ele enrijeceu na hora, pois sabia, sem o irmão precisar dizer, que o irmão Luke faria a esse filho-fantasma o mesmo que fizera a ele, e se lembrou de que pensara que aquilo nunca aconteceria, que ele nunca permitiria que aquela criança imaginária, aquela criança que nem mesmo existia, um dia pudesse existir, nunca deixaria outra criança chegar perto do irmão Luke. Lembrou-se de que pensara em proteger aquele filho, e, por um breve e terrível momento, desejou nunca fazer dezesseis anos, pois sabia que, assim que fizesse, o irmão Luke precisaria de outra pessoa, e aquilo era algo que ele não podia deixar acontecer.

Mas agora o irmão Luke estava morto. A criança-fantasma estava a salvo. Podia completar dezesseis anos sem problema. Podia completar dezesseis anos e não ter mais problemas.

Os meses se passaram. Suas costas cicatrizaram. Agora, um segurança esperava por ele depois das aulas e o acompanhava até o estacionamento para esperar o conselheiro responsável. Um dia, no fim do semestre de outono, o professor de matemática conversou com ele após o término da lição: ele já havia pensado em ir para a universidade? Podia ajudá-lo; podia ajudá-lo a chegar lá – poderia estudar em algum lugar excelente, algum lugar de primeira classe. E, ah, como ele queria aquilo, como queria ir embora, como queria ir para a universidade. Naqueles tempos, estava dividido entre tentar se resignar ao fato de que sua vida seria para sempre como era, e a esperança, por menor, mais estúpida e teimosa que fosse, de que poderia ser algo diferente. O equilíbrio – entre resignação e esperança – mudava a cada dia, a cada hora, às vezes a cada minuto. Estava sempre, sempre tentando decidir como deveria se sentir – se suas ideias deveriam se concentrar em aceitação ou em fuga. Naquele momento, olhou para o professor e, quando estava prestes a responder – *Sim; sim, me ajude* –, algo o impediu. O professor sempre fora gentil com ele, mas não havia algo naquela gentileza que o fazia lembrar o irmão Luke? E se a oferta de ajuda do professor tivesse um preço? Argumentou consigo mesmo enquanto o professor esperava sua resposta. *Mais uma vez não vai lhe fazer mal*, disse a parte desesperada dentro dele, a parte que queria ir embora, a parte que contava cada dia até os dezesseis anos, a parte da qual a outra parte dele zombava. *É só mais uma vez. Ele é outro cliente. Agora não é hora de começar a sentir orgulho.*

Mas, no fim, acabou ignorando aquela voz – estava tão cansado, tão ferido, tão exausto de ser decepcionado – e balançou a cabeça.

– A universidade não é para mim – disse ao professor, com a voz fina do esforço de mentir. – Obrigado. Mas não preciso da sua ajuda.

– Acho que está cometendo um grande erro, Jude – disse o professor, após certo silêncio. – Promete que vai pensar mais? – E ele esticou a mão e tocou seu braço, o que o fez dar um salto para trás. O professor olhou de um jeito estranho para ele, que deu as costas e escapuliu da sala de aula, enquanto o corredor se transformava em borrões bege.

Naquela noite, foi levado ao celeiro. O celeiro não era mais usado como tal, mas sim como um lugar para armazenar os projetos das aulas de trabalhos manuais e de mecânica – nas baias se viam carburadores montados pela metade, carcaças de caminhões consertados pela metade e cadeiras de balanço lixadas pela metade, que o orfanato vendia em troca de dinheiro. Estava na baia das cadeiras de balanço, e, enquanto um dos conselheiros ia e vinha dentro dele, ele saiu de si e voou para o alto das baias, para as vigas do telhado, onde parou, olhando para a cena que se desenrolava lá embaixo, vendo o maquinário e os móveis que pareciam uma escultura alienígena, o chão empoeirado de terra e os pedaços soltos de feno, reminiscências da vida original do celeiro que eles aparentemente eram incapazes de apagar definitivamente, as duas pessoas que formavam uma estranha criatura de oito patas, uma em silêncio, a outra barulhenta, grunhindo, estocando, enérgica. Em seguida, voou pela janela redonda bem no alto da parede, passando pelo orfanato, por seus campos, eram tão belos e verdes e amarelos quando as mostardas-dos-campos brotavam no verão, e agora, em dezembro, ainda eram belos à sua própria maneira, uma enorme área cintilante de um branco lunar, com a neve tão fresca e nova que ninguém pisara sobre ela ainda. Voou por sobre tudo aquilo, e por paisagens sobre as quais lera, sem nunca as ter visto, por montanhas tão limpas que se sentia limpo só de contemplá-las, por lagos tão grandes quanto oceanos, até flutuar sobre Boston, descendo em círculos por aquela série de prédios que enfeitava a margem do rio, um vasto anel de estruturas pontuadas por quadrados verdes, para onde iria e seria remodelado, e onde sua vida começaria, onde poderia fingir que tudo que viera antes fora parte da vida de outra pessoa, ou uma série de enganos que nunca deveriam ser discutidos, nunca deveriam ser inspecionados.

Quando voltou a si, o conselheiro estava em cima dele, dormindo. Seu nome era Colin e vivia bêbado, como era o caso naquela noite, e seu bafo quente e fermentado soprava contra o rosto dele. Ele estava nu; Colin vestia um agasalho e nada mais, e, por um tempo, ficou ali, sob o peso de Colin, respirando também, esperando que ele acordasse para que fosse conduzido de volta ao quarto e pudesse se cortar.

Foi então que, sem pensar, quase como se fosse uma marionete, com braços e pernas mexendo-se involuntariamente, serpeou até sair de baixo de Colin, rápido e silencioso, vestindo-se às pressas, e então, novamente sem planejar, tirou o casaco de penas de Colin do gancho no interior da baia e o colocou com um movimento dos ombros. Colin era muito maior que ele, mais gordo e mais musculoso, mas tinham quase a mesma altura, e o casaco era menos frágil do que aparentava. Em seguida, pegou o jeans de Colin do chão e sacou sua carteira, e depois o dinheiro dentro dela – não contou quanto tinha, mas dava para ver, pela finura do maço, que não era muito –, e o enfiou no bolso da própria calça, e saiu correndo. Sempre fora um bom corredor, ligeiro, silencioso e determinado – quando o via na pista, o irmão Luke sempre dizia que ele devia ser descendente de moicanos –, e agora corria para fora do celeiro, cujas portas se abriam para a noite reluzente e tranquila, olhando em volta ao sair e então, não vendo ninguém, partindo em direção ao campo nos fundos do dormitório do orfanato.

Oitocentos metros separavam o dormitório da estrada e, embora normalmente sentisse dor após o que aconteceu no celeiro, naquela noite não sentia nada, apenas júbilo, uma sensação de supervigilância que parecia ter sido conjurada particularmente para aquela noite, para aquela aventura. No limite da propriedade, jogou-se no chão e rolou por baixo do arame farpado, enrolando as mangas do casaco de Colin nas mãos e segurando os rolos de arame por cima de si, de modo a poder escapar por baixo deles. Uma vez livre e seguro, seu júbilo apenas se intensificou, e ele correu e correu na direção que sabia ser leste, rumo a Boston, para longe do orfanato, do Oeste, de tudo. Sabia que uma hora teria de deixar aquela estrada, que era estreita e, na maior parte, de terra, e seguir para a rodovia, onde ficaria mais exposto, mas também mais anônimo, e desceu rapidamente pelo monte que levava ao bosque denso e escuro que separava a estrada da interestadual. Correr na grama era mais difícil, mas foi em frente mesmo assim, mantendo-se próximo à beira da floresta, de modo que, se algum carro passasse, pudesse se jogar para dentro dela e se esconder atrás de uma árvore.

Como adulto, como um adulto aleijado, e depois como um adulto aleijado realmente aleijado, como alguém que não podia nem mais andar, como alguém para quem correr era um truque de mágica, tão impossível quanto voar, ele recordaria daquela noite com espanto: como fora ágil, como fora veloz, como fora incansável, como fora sortudo. Tentaria calcular por quanto tempo correra aquela noite – pelo menos por duas horas, pensou, talvez três –, por mais que, no momento, não estivesse nem mesmo pensando nisso, focando-se apenas no fato de que precisava se afastar o máximo possível do orfanato. O sol começou a despontar no céu, e ele correu para dentro do bosque, que era fonte de temores para muitos dos meninos mais novos, e também tão denso e sombrio que até ele sentiu medo, e ele não era de se assustar com a natureza, mas a penetrara o máximo que pôde, tanto porque precisava atravessar o bosque para chegar à interestadual, quanto por saber que, quanto mais escondido estivesse em suas profundezas, menos chance teria de ser encontrado, até finalmente escolher uma árvore grande, uma das maiores, como se suas dimensões oferecessem uma promessa de segurança, como se pudessem vigiá-lo e protegê-lo, e se enfiou entre as raízes e dormiu.

Quando acordou, já estava escuro outra vez, ainda que não soubesse ao certo se era final da tarde, final da noite ou início da manhã. Voltou a abrir caminho em meio às árvores, cantarolando para se confortar e para se anunciar ao que quer que o esperasse, para mostrar que era destemido, e, quando enfim foi cuspido pelo bosque para o outro lado, ainda estava escuro, o que o fez concluir que, na verdade, era noite, e que dormira o dia todo, e saber disso o fez se sentir mais forte e mais enérgico. *Dormir é mais importante que comer*, advertiu a si mesmo, pois estava faminto, e depois ordenou às pernas: *Movam-se*. E foi o que fizeram, correndo monte acima rumo à interestadual.

Em algum ponto dentro do bosque, chegara à conclusão de que só haveria um meio de chegar a Boston. Assim, posicionou-se no acostamento da estrada e, quando o primeiro caminhão parou e ele subiu a bordo, sabia o que teria de fazer quando o caminhão parasse, e foi o que fez. Repetiria aquilo uma vez após a outra; às vezes os caminhoneiros lhe davam comida ou dinheiro, outras vezes, não. Todos tinham pequenos ninhos para si próprios no compartimento de carga do caminhão, e deitavam ali, e, às vezes, depois de terminarem, os caminhoneiros o levavam um pouco mais adiante, enquanto ele dormia, com o mundo se movendo embaixo dele num terremoto perpétuo. Em postos de gasolina, comprava coisas para comer e esperava, até que uma hora alguém o escolhia – alguém sempre o escolhia –, e ele subia no caminhão.

– Para onde vai? – perguntavam.

– Boston – respondia ele. – Meu tio mora lá.

Às vezes, sentia uma desonra tão intensa pelo que fazia que tinha vontade de vomitar: sabia que nunca poderia alegar que fora coagido; fez sexo com aqueles homens por sua própria vontade, deixou que fizessem o que quisessem, exerceu suas habilidades com entusiasmo e maestria. Às vezes, era prático: estava fazendo o que tinha de fazer. Não havia outro jeito. Aquele era o seu talento, seu único grande talento, e o estava usando para chegar a um lugar melhor. Estava usando a si mesmo para salvar a si mesmo.

Às vezes, os homens queriam ficar com ele por mais tempo e o levavam para um quarto de motel, onde imaginava o irmão Luke o esperando no banheiro. Às vezes, falavam com ele – tenho um filho da sua idade, diziam; tenho uma filha da sua idade –, e ele ouvia tudo deitado. Às vezes, assistiam à televisão até estarem prontos para partir novamente. Alguns eram cruéis com ele; alguns o faziam ter medo de acabar morto, ou tão machucado que não conseguiria escapar, e, naqueles momentos, ficava apavorado, ansiando desesperadamente pelo irmão Luke, pelo mosteiro, pela enfermeira que lhe tratara tão bem. Mas a maioria não era nem cruel, nem bondosa. Eram clientes, e ele lhes dava o que queriam.

Anos depois, quando se tornou capaz de rever aquelas semanas com mais objetividade, ficou estupefato pelo quanto fora estúpido, por quão estreita fora sua ótica: por que não escapara, simplesmente? Por que não pegara o dinheiro que ganhara e comprara uma passagem de ônibus? Tentava e tentava se lembrar do quanto ganhara e, embora soubesse que não era muito, achava que talvez fosse o bastante para comprar uma passagem para algum lugar, *qualquer lugar*, mesmo que não fosse Boston. Mas, na época, aquilo simplesmente não lhe passara pela cabeça. Era como se todo seu estoque de desenvoltura, cada pedacinho de coragem, tivessem sido usados na fuga do orfanato, e, uma vez deixado aos seus próprios cuidados, simplesmente permitiu que outros ditassem os rumos de sua vida, seguindo um homem atrás do outro, como lhe fora ensinado. E, de todas as coisas que se obrigou a mudar na sua vida quando adulto, seria esta ideia, a de que podia criar ao menos uma parte do próprio futuro, a lição mais difícil que aprenderia, mas também seria a mais satisfatória.

Certa vez, esteve com um homem que fedia tanto, e era tão grande e suado, que quase mudou de ideia, mas, embora o sexo tenha sido horrível, o homem o tratou bem depois, comprando-lhe um sanduíche e um refrigerante, e fizera perguntas reais sobre ele, ouvindo atentamente as suas respostas inventadas. Passou duas noites com aquele homem, e, enquanto ele dirigia, ouvia música country e cantava junto: tinha uma bela voz, grave e clara, e lhe ensinou as letras, e ele se viu cantando junto, com a estrada lisa debaixo deles.

— Meu deus, que voz bonita você tem, Joey — disse o homem, e ele, que era fraco, que era patético, permitiu que aquele comentário o enternecesse; devorou aquele carinho como um rato devoraria um pedaço de pão bolorento.

No segundo dia, o homem perguntou se queria seguir com ele; estavam em Ohio e infelizmente não iria mais para o leste, mas para o sul, e ficaria feliz caso quisesse continuar com ele, garantindo que o trataria bem. Ele recusou a oferta do homem, que assentiu com a cabeça, como se já esperasse aquela resposta, e lhe deu um maço de dinheiro e o beijou, o primeiro daqueles homens a fazê-lo.

— Boa sorte para você, Joey — falou, e, mais tarde, depois que o homem partiu, ele contou o dinheiro e viu que era mais do que esperava, mais do que ganhara nos dez dias anteriores.

Depois, quando o homem seguinte se revelou bruto, quando foi violento e grosseiro, desejou ter seguido com o outro; de uma hora para outra, Boston parecia ser menos importante do que a ternura, do que alguém que o protegesse e lhe tratasse bem. Lamentou suas más escolhas, o modo como parecia incapaz de valorizar as pessoas que de fato lhe foram boas: pensou outra vez no irmão Luke, no modo como jamais o surrara ou gritara; como nunca o xingara.

A certa altura, contraiu uma doença, mas não sabia se era algo do tempo que passou na estrada ou do orfanato. Fazia os homens usarem preservativos, mas alguns diziam que usariam e depois não usavam, e ele se debatia e gritava, mas não havia nada que pudesse fazer. Sabia, por experiência própria, que precisaria de um médico. Fedia; sentia tanta dor que mal conseguia andar. Nos limites da Filadélfia, decidiu tirar uma folga – precisava de uma. Fez um buraquinho na manga do casaco de Colin, enrolou o dinheiro em forma de tubo e o empurrou para dentro, fechando o buraco com um alfinete que encontrara num dos quartos de motel. Desceu do último caminhão, embora não soubesse então que aquele seria o último; na época, pensou: só mais um. Só mais um para chegar a Boston. Detestava ter de parar agora que estava tão perto, mas sabia que precisava de ajuda; havia esperado o máximo que conseguira.

O caminhoneiro havia parado num posto de gasolina próximo da Filadélfia – não queria passar por dentro da cidade. Lá, ele se dirigiu lentamente ao banheiro; tentou se limpar. A doença o deixava cansado; estava com febre. A última coisa de que se lembra daquele dia – era final de janeiro, pensou; ainda fazia frio e, agora havia também um vento úmido e pungente que parecia esbofeteá-lo – foi de caminhar até o limite do posto, onde havia uma arvorezinha, sem vida, sem amor e sem ninguém, e de sentar-se apoiado nela, repousando as costas no casaco de Colin, agora imundo, contra seu tronco alto, fino e pouco convincente, e de fechar os olhos, esperando que, ao tirar uma soneca, talvez se sentisse pelo menos um pouco mais forte.

Quando acordou, sabia que estava no banco de trás de um carro e que esse carro estava em movimento, e ouviu Schubert tocando, e permitiu que aquilo o confortasse, pois era algo que conhecia, algo familiar em meio a tanta estranheza, em um carro estranho, dirigido por um estranho, um estranho que ele não tinha nem forças para sentar e examinar, numa paisagem estranha, rumo a um destino desconhecido. Quando acordou novamente estava numa sala, uma sala de estar, e olhou ao redor: para o sofá onde estava sentado, a mesa de centro à frente dele, as duas poltronas, a lareira de pedra, tudo em tons marrons. Levantou-se, ainda tonto, mas menos tonto, e, ao fazê-lo, percebeu um homem parado à porta, observando-o, um homem um pouco mais baixo que ele, e magro, mas com uma barriga protuberante e quadris férteis e inchados. Usava óculos com armações pretas de plástico na parte de cima e a própria lente na de baixo, e os cabelos tonsurados, cortados bem rentes e macios, como um casaco de vison.

– Venha à cozinha comer alguma coisa – disse o homem numa voz baixa e neutra, e ele obedeceu, seguindo-o lentamente e entrando numa cozinha que, exceto pelos ladrilhos e pelas paredes, também era marrom: mesa marrom, armários marrons, cadeiras marrons. Sentou na cadeira à cabeceira da mesa, e o homem colocou um prato à sua frente, com um hambúrguer, uma porção de batatas fritas e um copo cheio de leite. – Normalmente não compro fast food – disse o homem, e olhou para ele.

Não sabia o que dizer.

– Obrigado – respondeu, e o homem acenou com a cabeça.

– Coma – falou, e ele obedeceu, e o homem sentou do lado oposto da mesa e o observou. Normalmente aquilo o deixaria envergonhado, mas, naquele momento, estava faminto demais para se importar.

Quando terminou, se refestelou na cadeira e agradeceu mais uma vez ao homem, e mais uma vez o homem assentiu com a cabeça, e então ficaram em silêncio.

– Você é um prostituto – disse o homem, e ele corou e baixou o olhar para a mesa, para sua madeira marrom e brilhosa.

– Sim – admitiu.

O homem soltou um pequeno ruído, uma fungadinha.

– Há quanto tempo você é prostituto? – perguntou, mas ele não conseguiu responder e ficou calado. – E então? – perguntou o homem. – Dois anos? Cinco anos? Dez anos? A vida inteira? – Parecia impaciente, ou quase impaciente, mas sua voz era tranquila e ele não gritava.

– Cinco anos – falou, e o homem emitiu o mesmo ruído.

– Você está com uma doença venérea – disse o homem –, posso sentir o cheiro. – E ele se encolheu, abaixando a cabeça e assentindo com um gesto. O homem suspirou. – Bem – disse –, você teve sorte. Sou médico, e, por acaso, tenho alguns antibióticos em casa. – O homem levantou e se encaminhou com passos firmes até um dos armários, voltando com um frasco laranja de plástico, de onde tirou um comprimido. – Tome isto – falou, e ele obedeceu. – Termine seu leite – disse o homem, e ele o terminou, e então o homem saiu da cozinha e ele esperou até que voltasse. – E então? – disse o homem. – Venha comigo.

Ele obedeceu, sentindo suas pernas bambas, e foi atrás do homem até uma porta do outro lado da sala de estar, que o homem destrancou e abriu. Ele hesitou, e o homem soltou um cacarejo impaciente.

– Entre – falou. – É um quarto.

Ele fechou os olhos, cansado, e os abriu novamente. Começou a se preparar para a crueldade do homem; os mais calmos sempre eram cruéis.

Quando chegou à porta, viu que ela dava para um porão, e havia uma série de degraus íngremes, feito uma escada de armar, pela qual teria de descer, e então parou mais uma vez, desconfiado, e o homem fez seu estranho ruído de inseto novamente e o empurrou, não com força, pela base da coluna, e ele desceu a escada tropeçando.

Esperava encontrar um calabouço, escorregadio, gotejante, frio e úmido, mas era um quarto de verdade, com um colchão coberto por roupas de cama e um tapete azul redondo embaixo, e estantes junto à parede esquerda, feitas com a mesma madeira sem acabamento dos degraus da escada e cheias de livros. A iluminação no ambiente era muito clara, daquela mesma maneira intensa e implacável que lembrava os hospitais e delegacias de polícia por onde passara, e havia uma janelinha, do tamanho de um dicionário, no alto da parede dos fundos.

– Deixei umas roupas ali para você – disse o homem, e ele viu, dobradas sobre o colchão, uma camisa e uma calça de moletom, assim como uma toalha e uma escova de dente. – O banheiro fica ali – disse o homem, apontando para o canto direito nos fundos do quarto.

E então lhe deu as costas para ir embora.

– Espere – gritou para o homem, e o homem parou no meio da escada e olhou para ele, que começou, sob o seu olhar, a desabotoar a camisa. Algo então mudou no rosto do homem e ele subiu mais alguns degraus.

– Você está doente – falou. – Precisa melhorar antes. – E então saiu do quarto, fechando a porta atrás de si.

Ele dormiu naquela noite, tanto pela falta do que fazer quanto pela exaustão. Na manhã seguinte, acordou e sentiu o cheiro de comida, e levantou gemendo e subiu lentamente a escada, onde encontrou uma bandeja de plástico com um prato de ovos escaldados, duas fatias de bacon, um pãozinho, um copo de leite, uma banana e outro comprimido branco. Suas pernas ainda estavam muito trêmulas para que levasse a bandeja para baixo sem derrubá-la, por isso sentou ali, num dos degraus de madeira inacabada, e comeu seu café da manhã e tomou o comprimido. Depois de descansar, levantou para abrir a porta e levar a bandeja à cozinha, mas a maçaneta não girou, pois a porta estava trancada. Havia um buraco quadrado na parte de baixo da porta, uma passagem para gatos, supôs, embora não tivesse visto gato algum, e ele levantou a cortina de borracha e colocou a cabeça para fora.

– Olá? – chamou. Lembrou que não sabia o nome do homem, o que não era incomum, pois nunca sabia o nome deles. – Senhor? Oi? – Mas não houve resposta, e percebeu pelo silêncio da casa que estava sozinho.

Deveria ter entrado em pânico, ou se apavorado, mas nada disso aconteceu. Sentiu apenas um enorme cansaço, e deixou a bandeja no alto da escada e começou a descer lentamente, voltando para a cama, onde caiu novamente no sono.

Cochilou pelo resto do dia e, quando acordou, o homem estava parado diante dele mais uma vez, observando-o, e ele sentou abruptamente.

– Jantar – disse o homem, e ele o seguiu até o andar de cima, ainda em suas roupas emprestadas, muito largas na cintura e muito curtas nas mangas e nas pernas, pois não encontrara suas próprias roupas quando as procurou. Meu dinheiro, lembrou, mas estava confuso demais para pensar além disso.

Sentou mais uma vez na cozinha marrom, e o homem lhe deu seu comprimido, e um prato com bolo de carne marrom, uma colherada de purê de batatas e brócolis, e serviu outro prato para si mesmo, e os dois comeram em silêncio. O silêncio não o deixava nervoso – normalmente, ficava agradecido por ele –, mas o silêncio daquele homem era mais próximo da introspecção, do mesmo jeito que um gato fica em silêncio e observa, observa, observa, com o olhar tão fixo que você não sabe o que ele está vendo até saltar repentinamente e prender algo sob sua pata.

– Que tipo de médico é você? – perguntou, hesitante, e o homem olhou para ele.

– Psiquiatra – disse o médico. – Sabe o que é?

– Sim – respondeu ele.

O homem fez seu ruído outra vez.

– Gosta de ser prostituto? – perguntou, e ele sentiu, inexplicavelmente, lágrimas em seus olhos, mas então piscou e elas desapareceram.

– Não – disse.

– Então por que faz isso? – perguntou o homem, e ele balançou a cabeça. – Fale – disse o homem.

– Não sei – respondeu, e o homem bufou. – É o que sei fazer – disse, finalmente.

– E você é bom? – perguntou o homem, e mais uma vez sentiu aquela aguilhoada, ficando em silêncio por um longo tempo.

– Sim – falou, e aquela foi a pior admissão que já fizera, a palavra mais difícil que já tivera de pronunciar.

Quando acabaram, o médico o acompanhou à porta e lhe deu o mesmo empurrão para dentro.

– Espere – disse ao homem, enquanto ele fechava a porta. – Meu nome é Joey. – E, como o homem não disse nada, apenas o olhou, acrescentou: – Qual é o seu?

O homem continuou olhando em sua direção, mas agora estava, pensou ele, quase sorrindo, ou pelo menos estava prestes a fazer algum tipo de expressão. Mas não a fez.

– Dr. Traylor – respondeu, fechando a porta rapidamente atrás de si, como se a informação fosse um pássaro que pudesse sair voando se não fosse presa ali dentro, com ele.

No dia seguinte, se sentiu menos dolorido, menos febril. Quando levantou, no entanto, percebeu que ainda estava fraco, cambaleou e tentou agarrar o ar, mas, no fim, não caiu. Foi até as estantes, examinando os livros, todos brochuras, inchados e deformados pelo calor e pela umidade, cheirando levemente a mofo. Encontrou uma cópia de *Emma*, que vinha lendo durante uma aula na escola antes de fugir, e carregou o livro lentamente escada acima, onde encontrou o ponto onde havia parado e leu enquanto tomava o café da manhã e engolia seu comprimido. Dessa vez, encontrou também um sanduíche, enrolado num papel-toalha, com a palavra "Almoço" escrita em letras pequenas no papel. Depois de comer, desceu com o livro e o sanduíche e deitou na cama, lembrando-se do quanto sentia falta de ler, do quanto estava agradecido por aquela oportunidade de deixar sua vida para trás.

Dormiu outra vez; acordou outra vez. À noite, sentiu-se exausto, e uma parte da dor havia voltado, e, quando o Dr. Traylor abriu a porta para ele, demorou um bom tempo para subir os degraus. Não disse nada durante o jantar, tampouco o Dr. Traylor, mas, quando se ofereceu para ajudar com os pratos ou para cozinhar, o Dr. Traylor olhou para ele.

– Você está doente – falou.
– Me sinto melhor – disse. – Posso ajudar na cozinha se quiser.
– Não, quero dizer... você está doente – disse o Dr. Traylor. – Tem uma doença. Não posso deixar alguém doente tocar na minha comida. – E ele abaixou a cabeça, humilhado.

Fez-se silêncio.

– Onde estão seus pais? – perguntou o Dr. Traylor, e ele balançou a cabeça outra vez. – *Fale* – disse o Dr. Traylor, e dessa vez soou impaciente, embora não tenha levantado a voz.

– Não sei – gaguejou –, nunca tive pais.

– Como virou prostituto? – perguntou o Dr. Traylor. – Você mesmo começou com isso ou alguém o ajudou?

Ele engoliu, sentindo a comida em seu estômago virar uma pasta.

– Alguém me ajudou – sussurrou.

Fez-se silêncio.

– Não gosta quando chamo você de prostituto – disse o homem, e dessa vez ele conseguiu erguer a cabeça e olhar em sua direção.

– Não – falou.

– Entendo – disse o homem. – Mas *é* isso o que é, não? Embora pudesse chamá-lo de outra coisa, caso prefira: de puta, talvez. – Ele ficou calado outra vez. – Melhor assim?

– Não – sussurrou novamente.

– Então – disse o homem – vai ser prostituto mesmo, tudo bem? – E olhou para ele, que finalmente concordou com a cabeça.

Naquela noite, no quarto, procurou algo com que se cortar, mas não havia nada afiado em todo o ambiente, absolutamente nada; até mesmo as páginas dos livros eram inchadas e moles. Assim, apertou as unhas com o máximo de força nas panturrilhas, dobrando o corpo e estremecendo com o esforço e o desconforto, até finalmente conseguir perfurar a pele, para então arrastar a unha para a frente e para trás sobre o corte com o intuito de torná-lo maior. Só conseguiu fazer três incisões na perna direita antes de ser dominado pelo cansaço e pegar novamente no sono.

Na terceira manhã, sentiu-se claramente melhor: mais forte, mais alerta. Tomou seu café da manhã e leu seu livro, depois colocou a bandeja de lado e enfiou a cabeça para fora pela portinhola e tentou com insistência passar também os ombros. Mas, independentemente dos ângulos que tentava, simplesmente era grande demais, e a passagem, pequena demais, e acabou desistindo.

Depois de um descanso, enfiou a cabeça pelo buraco outra vez. Tinha uma visão direta da sala de estar, à sua esquerda, e da cozinha, à direita, e olhou para todos os lados em busca de pistas. A casa era muito limpa; dava para ver por toda aquela limpeza que o Dr. Traylor morava sozinho. Se espichasse o pescoço, podia ver, na extremidade esquerda, uma escada levando a um segundo andar, e, passando por ela, a porta da frente, mas não conseguia enxergar quantas fechaduras tinha. A casa, no entanto, era definida sobretudo por seu silêncio: não se ouviam os tiques de um relógio nem o barulho de carros ou de pessoas do lado de fora. Podia ser uma casa flutuando no espaço, de tão quieta que era. O único barulho vinha da geladeira, emitindo seu zumbido intermitente, mas, quando isso parava, o silêncio era absoluto.

Porém, por mais inexpressiva que fosse, a casa também o fascinava: era apenas a terceira casa em que já estivera. A segunda fora a dos Leary. A primeira fora a de um cliente, um cliente muito importante, dissera-lhe o irmão Luke, nas cercanias de Salt Lake City, que pagou mais caro pois não queria ir ao quarto do motel. Era uma casa enorme, toda de arenito e vidro, e o irmão Luke o acompanhara, escondendo-se no banheiro – um banheiro tão grande quanto os quartos dos motéis onde se hospedavam – do quarto onde ele e o cliente fizeram sexo. Mais tarde, já adulto, teria fetiches com casas, especialmente a sua, embora, antes mesmo de ter Greene Street, ou a Casa-Lanterna, ou o apartamento em Londres, de meses em meses se presenteava com uma revista sobre casas, sobre pessoas que passaram suas vidas tornando lugares bonitos ainda mais bonitos, e ele virava as páginas devagar, estudando cada fotografia. Seus amigos riam dele por causa disso, mas não se importava: sonhava com o dia em que teria uma casa só sua, com coisas que eram absolutamente suas.

Naquela noite, o Dr. Traylor o deixou sair de novo, e de novo foi para a cozinha, com a refeição e os dois comeram em silêncio.

– Estou me sentindo melhor – arriscou-se a dizer. E então, como o Dr. Traylor não dissesse nada, acrescentou: – Se quiser fazer alguma coisa.

Era realista o bastante para saber que não seria liberado para ir embora sem recompensar o Dr. Traylor de alguma forma; mas era esperançoso o bastante para acreditar que talvez pudesse de fato ser liberado.

Mas o Dr. Traylor balançou a cabeça.

– Pode até se sentir melhor, mas ainda está doente – falou. – Os antibióticos levam dez dias para eliminar a infecção. – Ele tirou da boca uma espinha de peixe, que de tão fina era transparente, e a colocou no canto do prato. – Não venha me dizer que essa é a primeira doença venérea que pega – falou, erguendo o olhar em sua direção, e ele corou outra vez.

Naquela noite, pensou no que faria. Quase tinha forças para correr, pensou. No próximo jantar, seguiria o Dr. Traylor e, quando ele virasse de costas, correria até a porta, sairia e procuraria ajuda. Havia alguns problemas com esse plano – ainda não tinha suas roupas; não tinha sapatos –, mas sabia que havia algo de errado com aquela casa, havia algo de errado com o Dr. Traylor, e precisava ir embora dali.

Tentou conservar sua energia no dia seguinte. Estava ansioso demais para ler e precisou se controlar para não ficar andando em círculos. Não comeu o sanduíche do dia, guardando-o no bolso da calça de moletom emprestada para ter algo com o que se alimentar caso precisasse se esconder por um longo período. No outro bolso, enfiou o saco plástico que forrava o cesto de lixo do banheiro – achou que poderia rasgá-lo ao meio e transformá-lo em sapato quando estivesse a salvo, fora do alcance do Dr. Traylor. E então esperou.

Mas, naquela noite, não pôde sequer sair do quarto. De seu posto próximo à portinhola, viu as luzes da sala de estar sendo acesas, sentiu o cheiro da comida no fogo.

– Dr. Traylor? – chamou. – Olá? – Mas tudo estava em silêncio, exceto pelo som da carne tostando na frigideira e as notícias da noite na televisão. – Dr. Traylor! – chamou. – Por favor, por favor!

Nada aconteceu e, depois de chamar e chamar, se cansou e desceu pesadamente os degraus.

Naquela noite, sonhou que, no andar de cima da casa, havia uma série de outros quartos, todos com camas baixas e tapetes redondos de tufos debaixo delas, e em cada cama havia um menino: alguns dos meninos eram mais velhos, pois estavam na casa havia bastante tempo, e outros eram mais novos. Nenhum deles sabia da existência dos outros; nenhum deles podia ouvir os outros. Percebeu que não conhecia as dimensões físicas da casa, e, no sonho, ela virava um arranha-céu, abarrotada com centenas de quartos, de celas, cada uma com um menino diferente, todos esperando que o Dr. Traylor os libertasse. Acordou sem ar e correu para o alto da escada, mas, quando empurrou a portinhola, ela não se mexeu. Quando a ergueu, viu que o buraco fora fechado com um pedaço de plástico cinza, e, por mais força que fizesse para empurrá-la, ela não se movia.

Não sabia o que fazer. Tentou ficar acordado o resto da noite, mas caiu no sono e, quando acordou, encontrou a bandeja com o café da manhã, o almoço e dois comprimidos: um para a manhã, outro para a noite. Pegou os comprimidos entre os dedos e refletiu – se não os tomasse, não ficaria bom, e o Dr. Traylor só encostaria nele se estivesse bem. Mas, se não os tomasse, não melhoraria, e sabia por experiência própria o quanto se sentiria mal, como ficaria quase inimaginavelmente imundo, como se todo o seu ser, por dentro e por fora, fosse pulverizado com excremento. Começou a balançar o corpo. *O que devo fazer*, perguntou, *o que devo fazer?* Pensou no caminhoneiro gordo, aquele que o tratara bem. *Me ajude*, implorou a ele, *me ajude*.

Irmão Luke, suplicou, *me ajude, me ajude.*

Mais uma vez, pensou: tomei a decisão errada. Deixei um lugar onde pelo menos tinha o ar livre, a escola, e onde sabia o que aconteceria comigo. Agora não tenho mais nada disso.

Você é tão burro, disse a voz dentro dele, *você é tão burro*.

Por seis dias as coisas se repetiram: a comida aparecia quando estava dormindo. Tomou os comprimidos; não podia deixar de tomá-los.

No décimo dia, a porta se abriu e lá estava o Dr. Traylor. Ficou tão alarmado, tão surpreso, que foi apanhado despreparado, mas, antes de conseguir se levantar, o Dr. Traylor fechou a porta e partiu em sua direção. Sobre um ombro, carregava um atiçador de lareira, relaxadamente, como alguém carregaria um bastão de beisebol, e, à medida que se aproximava, ele foi ficando apavorado: para que seria? O que lhe seria feito com aquilo?

– Tire a roupa – disse o Dr. Traylor com o mesmo tom inexpressivo, e ele obedeceu, e o Dr. Traylor tirou o atiçador de lareira do ombro, e ele se abaixou, instintivamente, cobrindo a cabeça com os braços. Ouviu o médico fazer seu barulhinho molhado. E então o Dr. Traylor desafivelou seu cinto e parou diante dele. – Abaixe minha calça – falou, e ele obedeceu, mas, antes que pudesse começar, o Dr. Traylor cutucou seu pescoço com o atiçador. – Se tentar alguma coisa – falou –, morder, *ou qualquer coisa*, vou bater na sua cabeça com isto até você virar um vegetal, está me entendendo?

Ele acenou com a cabeça, petrificado demais para dizer qualquer coisa.

– *Fale* – gritou o Dr. Traylor, e ele levou um susto.

— Sim — engoliu em seco. — Sim, entendi.

Tinha medo do Dr. Traylor, é claro; tinha medo de todos eles. Mas nunca lhe passara pela cabeça lutar com os clientes, nunca pensara em desafiá-los. Eram poderosos, e ele, não. E o irmão Luke o treinara bem. Era obediente demais. Era, como o Dr. Traylor o fizera admitir, um bom prostituto.

Todo dia era a mesma coisa, e, embora o sexo não fosse pior do que fora antes, ele continuava convicto de que aquilo era um prelúdio, que uma hora a coisa se tornaria muito pior, muito mais estranha. Ouvira histórias do irmão Luke — tinha visto vídeos — sobre as coisas que as pessoas faziam umas às outras: os objetos que usavam, brinquedinhos e armas. Ele mesmo havia experimentado algumas delas, uma vez ou outra. Mas sabia que, sob muitos aspectos, tivera sorte: fora poupado. O terror do que podia vir pela frente era, sob muitos aspectos, pior do que o terror do sexo propriamente dito. À noite, imaginava coisas que nem sabia imaginar, e começava a arfar de pânico, e suas roupas — que agora eram outras, mas ainda não as suas — ficavam pegajosas de suor.

Ao fim de uma sessão, ele perguntou ao Dr. Traylor se podia ir embora.

— Por favor — disse. — Por favor.

Mas o Dr. Traylor alegou que lhe dera dez dias de hospedagem e que ele precisaria pagar por aqueles dez dias.

— E depois posso ir? — perguntou, mas o médico já saía porta afora.

No sexto dia de seu pagamento, pensou num plano. Por um segundo ou dois — não mais que isso —, o Dr. Traylor colocava o atiçador debaixo do braço esquerdo e desafivelava o cinto com a mão direita. Se conseguisse calcular o tempo corretamente, podia golpear o médico no rosto com um livro e tentar correr para fora. Teria de ser muito rápido; teria de ser muito ágil.

Esquadrinhou os livros nas estantes, desejando outra vez que alguns deles tivessem a capa dura, em vez de serem aqueles tijolos grossos de brochuras. Um livro pequeno, sabia, seria mais como um tapa, seria mais manejável, e então finalmente acabou optando por uma cópia de *Dublinenses*: era fino o bastante para que conseguisse segurar, flexível o bastante para estalar contra um rosto. Enfiou-o debaixo do colchão, mas depois se deu conta de que não precisava se preocupar em escondê-lo; podia simplesmente deixá-lo ao seu lado. Foi o que fez, e esperou.

E então veio o Dr. Traylor com seu atiçador de lareira e, quando começou a desafivelar o cinto, ele deu um salto e golpeou o rosto do médico com o máximo de sua força, e ouviu e sentiu o médico gritar e o atiçador cair no chão de cimento, provocando um tinido, e a mão do médico segurando seu tornozelo, mas ele se desvencilhou com um chute e subiu cambaleando a escada, abriu a porta e correu. Na porta da frente, se deparou com um monte de fechaduras e quase chorou enquanto seus dedos desajeitados jogavam os trincos para lá e para cá, e em seguida já estava do lado de fora e correndo, correndo mais rápido que nunca. *Você consegue, você consegue*, gritou a voz na sua cabeça, finalmente o encorajando, e depois, com urgência, *Mais rápido, mais rápido, mais rápido*. Conforme se sentia melhor, as refeições que o Dr. Traylor lhe dava tornavam-se cada vez menores, o que significava que estava sempre fraco, sempre cansado, mas agora se sentia vividamente alerta e corria, gritando por ajuda. Mas, enquanto corria e gritava, pôde ver que ninguém ouviria seus apelos: não havia nenhuma outra casa à vista e, embora esperasse encontrar árvores, não achou nenhuma, somente faixas desertas de terra, sem nenhum lugar para se esconder. Sentiu então o quanto fazia frio e como as coisas penetravam nas solas de seus pés, mas, ainda assim, continuou correndo.

Ouviu então atrás de si outro par de passos estapeando o solo, e um chocalhar metálico familiar, e sabia que era o Dr. Traylor. Não chegou a gritar com ele, nem a ameaçá-lo, mas, quando virou a cabeça para ver se o médico estava próximo – e estava bem próximo, apenas alguns metros atrás dele –, tropeçou e caiu, suas bochechas batendo contra a estrada.

Ao cair, toda sua energia o abandonou, uma revoada de pássaros batendo as asas ruidosamente e voando rápido para longe, e ele viu que o chocalhar metálico vinha do cinto desafivelado do Dr. Traylor, que o retirou da calça e usou para bater nele, que se encolheu enquanto era açoitado e açoitado e açoitado. Durante todo o tempo, o médico não abriu a boca, e tudo o que ele ouvia eram as respirações do Dr. Traylor, suas arfadas de cansaço ao bater cada vez com mais força em suas costas, pernas e pescoço.

De volta a casa, a surra continuou, e, ao longo dos dias seguintes, das semanas seguintes, apanhou mais. Não regularmente – ele nunca sabia quando podia voltar a acontecer –, mas com certa frequência, o que, junto à falta de comida, contribuía para deixá-lo sempre tonto, sempre fraco: sentia que nunca mais teria forças para correr outra vez. Como temia, o sexo também se tornou pior, e foi obrigado a fazer coisas sobre as quais jamais conseguiu falar, para ninguém, nem mesmo para si próprio, e, mais uma vez, embora não fosse sempre aterrorizante, era o bastante para que vivesse sob uma constante névoa de medo, para que soubesse que morreria na casa do Dr. Traylor. Uma noite, sonhou que era um homem, um adulto de verdade, mas ainda estava no porão esperando pelo Dr. Traylor, e sabia no sonho que algo lhe acontecera, que perdera a cabeça, que se tornara igual ao seu colega de quarto no orfanato, e acordou e rezou, pedindo para morrer logo. Durante o dia, enquanto dormia, sonhava com o irmão Luke e, quando acordava daqueles sonhos, percebia o quanto o irmão Luke o protegera, o quanto o tratara bem e quão bondoso fora para com ele. Foi mancando até o alto da escada de madeira e se jogou de lá, e então subiu mais uma vez e repetiu o gesto.

E, então, um dia (três meses depois? Quatro? Mais tarde, Ana lhe contaria que o Dr. Traylor dissera que foi doze semanas depois que o encontrara no posto de gasolina), o Dr. Traylor anunciou:

– Cansei de você. Você é imundo e me causa repulsa, por isso quero que vá embora.

Não conseguiu acreditar. Mas então se lembrou de falar.

– Tudo bem – disse –, tudo bem. Vou embora agora.

– Não – disse o Dr. Traylor –, você vai embora da forma como eu quiser que vá.

Por vários dias, nada aconteceu, e ele presumiu que aquilo também fosse mentira, e ficou feliz por não ter se animado muito, por ter finalmente aprendido a reconhecer uma mentira quando a ouvia. O Dr. Traylor passou a servir suas refeições em folhas dobradas do jornal do dia, e um dia olhou a data e viu que era seu aniversário.

– Tenho quinze anos – anunciou para o quarto silencioso, e, ao se ouvir dizendo aquelas palavras, as esperanças, as fantasias, as impossibilidades que só ele sabia existirem por trás delas, sentiu-se enjoado. Mas não chorou; sua capacidade de não chorar era seu único feito, a única coisa de que podia se orgulhar.

E, então, um dia, o Dr. Traylor desceu com seu atiçador.

– Levante – falou, e lhe deu uma espetadela nas costas com o atiçador enquanto subia os degraus tateando, caindo de joelhos e levantando de novo e tropeçando de novo e levantando de novo. Foi cutucado durante todo o caminho até a porta da frente, que estava entreaberta, só um pouco, e depois para fora, para a noite. Ainda estava frio e úmido, mas, mesmo assustado, conseguiu reconhecer que o clima estava mudando, que, mesmo que o tempo tivesse parado para ele, continuara a correr para o resto do mundo, no qual as estações marchavam indiferentes; sentia o ar tornando-se verde. Perto dele havia uma moita nua com um galho preto, mas de sua ponta brotavam bubões de um lilás pálido, e ele a estudou freneticamente, tentando guardar aquela imagem na mente, antes que fosse cutucado para seguir em frente.

No carro, o Dr. Traylor abriu o porta-malas e o espetou novamente com o atiçador, e ele ouviu os ruídos que ele próprio soltava, parecidos com soluços, mas não estava chorando, e entrou no bagageiro, embora estivesse tão fraco que foi preciso que o Dr. Traylor o ajudasse, segurando a manga de sua camisa com as pontas dos dedos para não precisar realmente tocá-lo.

O Dr. Traylor deu a partida no carro. O porta-malas era limpo e grande, e ele rolava de um lado para o outro ali dentro, sentindo quando dobravam esquinas, subiam montes, desciam montes, e depois seguiam por longos trechos de estrada plana e lisa. Então o carro desviou à esquerda, e ele quicou sobre alguma superfície irregular, e o carro parou.

Por um tempo, três minutos – ele contou – nada aconteceu, e ele ouviu e ouviu, mas não conseguiu escutar nada, apenas sua própria respiração, seu próprio coração.

O porta-malas foi aberto, e o Dr. Traylor o ajudou a sair, puxando-o pela camisa, e o empurrou para a frente do carro com o atiçador.

– Fique aqui – falou, e ele obedeceu, tremendo, observando o médico voltar para o carro, abaixar a janela e se inclinar para fora. – Corra – disse o médico, e, quando ele continuou ali parado, congelado, acrescentou: – Você gosta de correr, não é mesmo? Então corra. – Foi quando o Dr. Traylor ligou o motor e ele finalmente despertou e correu.

Estavam num campo, um enorme quadrado árido de terra onde em algumas semanas nasceria grama, mas agora não havia nada, apenas remendos de gelo superficial que quebravam sob seus pés feito cerâmica, e pedrinhas brancas que brilhavam feito estrelas. O campo tinha um declive no meio, muito sutil, e à sua direita ficava a estrada. Não conseguia ver o quanto a estrada era grande, apenas que havia uma, mas nenhum carro passava por ela. À sua esquerda, o campo era cercado com arame farpado, mas estava distante e não conseguia enxergar o que havia do outro lado do arame.

Correu, e o carro veio logo atrás. De início, sentiu-se bem com a sensação de correr, de estar ao ar livre, de estar fora daquela casa: até mesmo aquilo, o gelo que parecia vidro sob seus pés, o vento estapeando seu rosto, o toque do para-lama cutucando a parte de trás de suas pernas, até mesmo aquilo tudo era melhor que a casa, que aquele quarto com suas paredes de concreto e uma janela tão pequena que nem podia ser chamada de janela.

Correu. O Dr. Traylor o seguia, e às vezes acelerava, e ele corria mais rápido, mas não conseguia correr como antes, e caiu, e depois caiu de novo. Toda vez que caía o carro desacelerava, e o Dr. Traylor gritava, não com raiva, nem mesmo em voz alta:

– Levante. Levante e corra; levante e corra, ou então vamos voltar para casa. – E ele se forçava a ficar de pé e a correr novamente.

Correu. Não sabia que aquela seria a última vez na vida que correria, e, bem mais tarde, pensaria: se soubesse, teria conseguido correr mais rápido? Mas aquela, obviamente, era uma pergunta impossível, uma não pergunta, um axioma sem solução. Voltou a cair, uma vez após a outra, e, na décima segunda vez, moveu a boca e tentou dizer algo, mas nada saiu.

– Levante – ouviu o homem dizer. – Levante. A próxima vez que cair será a última. – E ele levantou mais uma vez.

A essa altura não estava mais correndo, mas andava e tropeçava, arrastava-se para longe do carro, e o carro continuava a acertá-lo, cada vez com mais força. Alguém faça isso parar, pensou, faça parar. Lembrou-se – quem lhe contara aquilo? um dos irmãos, mas qual? – da história de um menininho triste, um menino, lhe disseram, em condições muito piores que as dele, que, depois de se comportar bem por tanto tempo (outra diferença entre ele e o menino), rezou uma noite para que Deus o levasse: Estou pronto, disse o menino da história, estou pronto, e um anjo, terrível e de asas douradas, com olhos que ardiam de fogo, apareceu e envolveu o menino com suas asas, e o menino se transformou em cinzas e se foi, libertado deste mundo.

Estou pronto, disse ele, *estou pronto*, e esperou pelo anjo, com sua beleza impressionante e assustadora, que chegaria para salvá-lo.

Na última vez que caiu, não conseguiu levantar novamente.

– Levante! – ouviu o Dr. Traylor berrar. – Levante!

Mas não conseguia. Ouviu então o motor ser ligado de novo e sentiu os faróis vindo em sua direção, dois raios de fogo como os olhos do anjo, e virou a cabeça para o lado e esperou, e o carro veio para cima dele, depois por cima dele, e acabou.

E aquele foi o fim. Depois disso, virou adulto. Deitado no hospital, com Ana sentada ao seu lado, fez algumas promessas a si mesmo. Analisou os erros que cometera. Nunca soubera em quem confiar: seguira qualquer um que lhe houvesse mostrado qualquer tipo de generosidade. Depois daquilo, porém, decidiu que mudaria isso. Não confiaria mais nas pessoas com tanta rapidez. Não faria mais sexo. Não esperaria mais ser salvo.

– Nunca mais será tão ruim – costumava-lhe dizer Ana no hospital. – As coisas nunca mais serão ruins assim outra vez.

E, embora ele soubesse que ela falava da dor, também gostava de pensar que falava da sua vida em geral: de que a cada ano as coisas melhorariam. E estava certa: as coisas melhoraram. E o irmão Luke também estava certo, pois, aos dezesseis anos, sua vida mudou. Um ano após o Dr. Traylor, estava na universidade com a qual sonhara; a cada dia que não fazia sexo, tornava-se cada vez mais limpo. Sua vida se tornava mais improvável ano após ano. A cada ano, sua sorte se multiplicava e se intensificava, e ele se surpreendia vez após vez com as coisas e as generosidades que lhe eram concedidas, pelas pessoas que entravam em sua vida, pessoas tão diferentes das pessoas que conhecera que pareciam de uma espécie completamente diferente: como, afinal, podiam o Dr. Traylor e Willem serem classificados como o mesmo tipo de criatura? E quanto ao padre Gabriel e Andy? E ao irmão Luke e Harold? Será que o que existia no primeiro grupo também fazia parte do segundo, e, se fizesse, como poderia aquele segundo grupo ter escolhido agir de outra forma, como podiam ter escolhido se tornarem o que se tornaram? As coisas não só haviam se corrigido; tinham também se revertido, num grau quase absurdo. Saíra do nada para chegar a uma recompensa quase constrangedora. Lembrava-se, então, da afirmação de Harold, de que a vida compensava as perdas, e ele enxergaria a verdade por trás daquilo, embora às vezes parecesse que a vida não apenas o compensara pelo que acontecera, mas o fizera com extravagância, como se sua própria vida estivesse lhe implorando perdão, como se o estivesse soterrando com riquezas, o sufocando com todas as coisas belas, maravilhosas e desejadas, de modo que não se ressentisse dela, que permitisse que ela o levasse adiante. E assim, à medida que os anos foram se passando, ele quebrou sua promessa vez após vez. *Acabou* seguindo as pessoas que eram boas para ele. *Voltou* a confiar nas pessoas. *Voltou* a fazer sexo. *Esperava* por sua salvação. E estava certo em fazê-lo: não sempre, é claro, mas na maior parte do tempo. Ignorou o que o passado lhe ensinou e, com mais frequência do que merecia, acabou sendo recompensado por isso. Não se arrependeu de nada, nem mesmo do sexo, pois o fizera com esperança, e para deixar alguém feliz, alguém que lhe dera tudo.

Numa noite pouco depois que ele e Willem se tornaram um casal, foram a um jantar na casa de Richard, um encontro animado e descontraído, só com pessoas que amavam e pessoas de quem gostavam – JB, Malcolm, Henry Young Negro, Henry Young Asiático, Phaedra, Ali, e todos seus namorados e suas namoradas, seus maridos e suas esposas. Ele estava na cozinha, ajudando Richard a preparar a sobremesa, quando JB entrou, um pouco bêbado, e colocou o braço sobre seus ombros e lhe deu um beijo na bochecha.

– Pois é, Judy – falou –, no fim você acabou tendo tudo, não é mesmo? A carreira, o dinheiro, o apartamento, o homem. Como foi ter tanta sorte? – JB sorriu para ele, que devolveu o sorriso.

Ficou feliz por Willem não estar ali para ouvir aquele comentário, pois sabia que Willem se irritaria com o que ele via como inveja por parte de JB, por sua convicção de que todos tinham, e tiveram, uma vida mais fácil que a dele, e que ele, Jude, fora abençoado de uma maneira que ninguém mais fora.

Mas não era assim que ele via as coisas. Sabia que aquilo, em parte, era o modo de JB ser irônico, de parabenizá-lo pela sorte que eles dois sabiam que, sim, era excessiva, mas também profundamente apreciada. E, para ser sincero, também se sentia lisonjeado pela inveja de JB: para JB, ele não passava de um aleijado que estava sendo recompensado cosmicamente por um período ruim; era alguém igual a JB, alguém em quem JB via apenas as coisas a serem invejadas, nunca as coisas dignas de pena. E, além disso, JB estava certo: *como* foi ter tanta sorte? *Como* acabou tendo tudo aquilo que tinha? Nunca saberia; sempre questionaria a si mesmo.

– Não sei, JB – falou, passando-lhe o primeiro pedaço de bolo e sorrindo para ele, enquanto da sala de jantar ouvia a voz de Willem dizer algo e em seguida a explosão de risos de todos os outros, um som de puro deleite. – Mas, você sabe, sempre tive sorte na vida.

3

O NOME DA MULHER é Claudine e ela é amiga de uma amiga de uma conhecida, uma designer de joias, o que é uma espécie de exceção para ele, que normalmente só dorme com pessoas da própria indústria, mais acostumadas, ou mais condescendentes, com situações temporárias.

Tem trinta e três anos, cabelos longos e pretos que ficam mais claros nas pontas, e mãos pequeninas, como as de uma criança, nas quais usa anéis que ela mesma fez, de ouro escuro e pedras cintilantes; antes de fazerem sexo, ela os tira por último, como se esses anéis, e não sua calcinha, fossem o que cobrissem suas partes mais íntimas.

Os dois vêm dormindo juntos – não saindo, pois ele não sai com ninguém – por quase dois meses, o que é outra exceção para ele, que sabe que terá de terminar com aquilo em breve. Dissera a ela quando começaram que seria apenas sexo, que amava outra pessoa, que não poderia passar a noite inteira com ela, jamais, e ela pareceu não se importar; pelo menos disse que não se importava e que também amava outra pessoa. Mas ele não viu qualquer sinal de outro homem no apartamento dela, e, quando lhe envia mensagens, ela está sempre disponível. Outro sinal de alerta: precisa mesmo acabar com aquilo.

Agora, ele beija a testa dela e senta.

– Preciso ir – diz.

– Não – pede ela. – Fique. Só mais um pouquinho.

– Não posso – diz ele.

– Cinco minutos – insiste ela.

– Cinco – concorda ele, e volta a deitar. Mas, depois de cinco minutos, ele a beija novamente na bochecha. – Preciso mesmo ir – diz a ela, que faz um barulho, um ruído de protesto e resignação, e vira para o lado.

Ele vai ao banheiro dela, toma um banho e enxagua a boca, volta e lhe dá outro beijo.

– Te mando uma mensagem – diz, enojado pelo modo como foi reduzido a um vocabulário constituído quase em sua totalidade por clichês. – Obrigado por me receber.

Em casa, ele caminha em silêncio pelo apartamento escuro e, no quarto, tira a roupa, deita na cama soltando um gemido, gira e abraça Jude, que acorda e se vira para ele.

– Willem – diz ele –, você voltou. – E Willem o beija para sufocar a culpa e a tristeza que sente ao ouvir o alívio e a alegria na voz de Jude.

– Claro – responde. Sempre volta para casa; nunca deixou de voltar.

– Desculpe pela hora.

É uma noite quente, úmida e sem vento, mas, mesmo assim, ele aperta Jude como se tentasse se esquentar, entrelaçando suas pernas nas dele. Amanhã, diz a si mesmo, vai terminar com Claudine.

Nunca discutiram o assunto, mas ele sabe que Jude sabe que está fazendo sexo com outras pessoas. Até mesmo deu sua permissão. Isso foi depois daquele terrível Dia de Ação de Graças, quando, após anos de ofuscação, Jude se revelou a ele completamente, os farrapos de nuvens que sempre o encobriram sendo abruptamente varridos. Por muitos dias, não soube o que fazer (além de ele mesmo voltar correndo para a terapia; ligou para o seu psiquiatra um dia depois de Jude ter sua primeira consulta com o Dr. Loehmann), e sempre que olhava para Jude, trechos de sua narrativa lhe voltavam à mente, e ele o estudava secretamente, perguntando-se como chegara de onde partira até onde estava agora, como se tornara aquela pessoa quando tudo em sua vida o levava para outro caminho. A admiração que sentiu por ele, então, o desespero e o horror, era algo que as pessoas sentiam por ídolos, não por outros seres humanos, pelo menos não os seres humanos que conhecia.

– Sei como se sente, Willem – disse Andy numa de suas conversas particulares –, mas ele não quer que você o admire; quer que o veja como é. Quer que você diga que a vida dele, por mais inconcebível que seja, ainda é uma vida. – Fez uma pausa. – Está entendendo o que quero dizer?

– Estou – disse ele.

Nos primeiros dias turvos após a história de Jude, sentiu que Jude estava muito quieto na sua presença, como se tentasse não chamar atenção para si mesmo, como se não quisesse lembrar Willem do que ele agora sabia. Certa noite, cerca de uma semana depois, estavam em meio a um jantar silencioso quando Jude disse, em voz baixa:

– Você não consegue mais nem olhar para mim.

Willem ergueu a cabeça e viu seu rosto, pálido e assustado, e arrastou a cadeira para perto de Jude e sentou ali, olhando para ele.

– Desculpe – murmurou. – Tenho medo de dizer algo estúpido.

– Willem – disse Jude, e ficou em silêncio. – Acho que acabei virando um cara bem normal, levando-se em conta tudo, não acha? – E Willem ouviu a tensão, e a esperança, em sua voz.

– Não – respondeu ele, e Jude estremeceu. – Acho que você virou um cara extraordinário, levando-se, ou não, em conta tudo. – E Jude finalmente sorriu.

Naquela noite, conversaram sobre o que fariam.

– Lamento muito, mas você não vai se livrar de mim – começou, e, quando viu o alívio de Jude, praguejou contra si mesmo por não ter deixado claro antes que não iria embora. Ele então se recompôs, e os dois falaram sobre questões físicas· até onde podia ir, o que Jude não queria fazer.

– Podemos fazer o que você quiser, Willem – disse Jude.

– Mas você não gosta – rebateu ele.

– Mas devo isso a você – disse Jude.

– Não – disse Willem. – Não deveria parecer uma obrigação; e, além do mais, você não me deve nada. – Ele parou. – Se não é excitante para você, também não é para mim – acrescentou, embora, por mais que aquilo o deixasse envergonhado, ele *ainda* quisesse fazer sexo com Jude. Não o faria, não mais, não se Jude não quisesse, mas aquilo não queria dizer que, de uma hora para outra, deixaria de ter vontade.

– Mas você sacrificou tanto para estar comigo – disse Jude após um período de silêncio.

– Como o quê? – perguntou, curioso.

– Sua normalidade – disse Jude. – Sua aceitação social. A tranquilidade de vida. Até mesmo o café. Não posso acrescentar sexo a essa lista.

Conversaram e conversaram, e ele finalmente conseguiu convencê-lo, conseguiu fazer Jude definir o que de fato gostava (não era muito).

– Mas o que você vai fazer? – perguntou Jude.

– Ah, eu vou ficar bem – falou, sem que ele próprio realmente tivesse certeza disso.

— Sabe, Willem — disse Jude —, você obviamente deveria dormir com quem quisesse. Eu só — ele hesitou —, sei que é egoísmo de minha parte, mas só queria que não me contasse.

— Não é egoísmo — falou, esticando o braço pela cama para tocá-lo. — E eu não faria uma coisa dessas, nunca.

Isso foi há oito meses, e, nesses oito meses, as coisas melhoraram: não, pensou Willem, de acordo com a sua versão anterior do que era melhorar, na qual ele fingia que tudo estava bem e ignorava todas as provas inconvenientes ou as suspeitas que sugeriam o contrário, mas melhoraram de verdade. Podia ver que Jude realmente estava mais relaxado: sua inibição física era menor, ele estava mais carinhoso, e ambas as coisas aconteceram porque ele sabia que Willem o libertara do que ele via como uma obrigação. Cortava-se com uma frequência muito menor. Agora não precisava que Harold ou Andy lhe confirmassem que Jude estava melhor: agora sabia por conta própria que era verdade. A única dificuldade era que ainda desejava Jude, e às vezes tinha de lembrar a si mesmo para não avançar, pois estava se aproximando dos limites do que Jude conseguia tolerar, e se forçava a parar. Naqueles momentos, ficava zangado, não com Jude, nem consigo mesmo — nunca se sentiu culpado por ter vontade de fazer sexo, e não se sentia culpado por ter vontade agora —, mas com a vida, com o modo como conspirara para fazer com que Jude tivesse medo de algo que ele sempre associou a prazer e nada mais.

Tomava cuidado ao escolher com quem dormiria: selecionava pessoas (mulheres, na verdade: quase todas foram mulheres) que, ele sentia ou sabia, por experiência própria, que só estavam interessadas nele por causa do sexo e, assim, seriam discretas. Muitas vezes elas ficavam confusas, e ele não as culpava.

— Não namora com um homem? — perguntavam, e ele respondia que sim, mas era um relacionamento aberto. — Então não é mesmo gay? — perguntavam.

E ele respondia:

— Não, não de verdade.

As mulheres mais jovens tinham mais facilidade em aceitar isso: já haviam tido namorados (ou tinham namorados) que também dormiram com outros homens; elas mesmas tinham dormido com outras mulheres.

— Ah — diziam, e normalmente paravam por aí. Se tinham outras dúvidas, outras perguntas, não as faziam.

Essas mulheres mais jovens – atrizes, assistentes de maquiagem, assistentes de figurino – também não queriam um relacionamento com ele; muitas vezes, não queriam relacionamento algum. Às vezes, lhe faziam perguntas sobre Jude – como se conheceram, como ele era –, e Willem respondia, e ficava saudoso, sentindo falta dele.

Mas tomava muito cuidado para não deixar essa vida interferir na vida que tinha em casa. Certa vez, uma nota que não citava nomes foi publicada numa coluna de fofoca – e repassada a ele por Kit – que claramente falava dele, e, depois de refletir se deveria contar alguma coisa a Jude ou não, no fim preferiu não dizer nada; Jude nunca veria a nota, e não havia motivo para tornar algo que Jude sabia acontecer na teoria em algo que teria que confrontar na prática.

JB, no entanto, *vira* o artigo (Willem acreditava que outras pessoas também o viram, mas JB foi o único a de fato mencioná-lo para ele) e lhe perguntou se era verdade.

– Não sabia que vocês dois tinham um relacionamento aberto – falou, com um tom mais de curiosidade que de acusação.

– Sim, sim – disse, casualmente. – Desde o início.

Ficava triste, obviamente, por ter que separar sua vida sexual e sua vida em casa em dois mundos distintos, mas tinha idade suficiente agora para saber que em todo relacionamento havia algo irrealizado e decepcionante, algo que precisava ser buscado em outro lugar. Seu amigo Roman, por exemplo, era casado com uma mulher que, embora fosse bela e fiel, era conhecida por ser pouco inteligente: não entendia os filmes em que Roman atuava e, ao falar com ela, você se pegava conscientemente reajustando a velocidade, a complexidade e o conteúdo da conversa, pois muitas vezes ela parecia confusa quando o assunto girava em torno de política, ou economia, ou literatura, ou arte, ou gastronomia, ou arquitetura, ou o meio ambiente. Sabia que Roman estava a par daquela deficiência, tanto em Lisa como no seu relacionamento.

– Ah, quer saber – disse ele uma vez a Willem, espontaneamente –, se eu quiser bater um bom papo, posso conversar com meus amigos, não é mesmo?

Roman fora um dos seus primeiros amigos a casar, e, na época, Willem ficara fascinado e incrédulo por sua escolha. Mas agora sabia: você sempre sacrificava algo. A questão era o que você sacrificava. Sabia que, para algumas pessoas – JB; Roman, provavelmente –, seu sacrifício seria algo impensável. Tempos atrás, também seria para ele.

Ultimamente, vinha pensando com frequência numa peça que encenara na pós-graduação, escrita por uma mulher carrancuda e esforçada da divisão de dramaturgia, que depois alcançaria grande sucesso como autora de filmes de espionagem, mas que, nos tempos da pós-graduação, tentava escrever dramas no estilo de Pinter sobre casais infelizes. *Se isso fosse um filme*, tratava de um casal infeliz – ele, um professor de música clássica; ela, uma libretista – que morava em Nova York. Como o casal estava na casa dos quarenta (na época, uma terra grisalha, a uma distância impossível e inimaginavelmente austera), eram desprovidos de humor e viviam em constante nostalgia por seus dias de juventude, quando a vida ainda parecia cheia de promessas e de esperança, quando eram românticos, quando a própria vida era um romance. Ele interpretava o marido e, embora tenha percebido havia muito tempo que a peça, na verdade, era terrível (ela incluía falas como: "Isto aqui não é *Tosca*, sabia? Isto aqui é a *vida!*"), jamais se esqueceu do monólogo final que declamava no segundo ato, quando a esposa anunciava que queria ir embora, que não se sentia realizada no casamento, que tinha certeza de que alguém melhor esperava por ela:

SETH: Mas você não entende, Amy? Está errada. Um relacionamento nunca proporciona *tudo*. Ele proporciona *algumas* coisas. Você pensa em tudo o que quer em uma pessoa – a química sexual, por exemplo, ou uma boa conversa, ou apoio financeiro, ou compatibilidade intelectual, ou gentileza, ou fidelidade – e escolhe três. *Três* – e basta. Talvez quatro, se tiver sorte. O resto você tem de procurar em outro lugar. Só nos filmes você encontra alguém que lhe proporciona todas as coisas. Mas não estamos num filme. No mundo real, você tem de determinar três qualidades com as quais quer passar o resto da vida e então procurá-las em outra pessoa. Essa é a vida real. Não vê que é uma armadilha? Se continuar procurando por tudo, vai acabar com nada.
AMY: [chorando] E o que você escolheu?
SETH: Não sei. [exausto] Não sei.

Na época, ele não acreditou nessas palavras, pois, na época, tudo parecia de fato possível: estava com vinte e três anos e todos eram jovens, bonitos, inteligentes e glamorosos. Todos achavam que seriam amigos por décadas, para sempre. Mas, para a maioria das pessoas, aquilo obviamente não acontecera. À medida que envelhecia, você percebia que as qualidades que valorizava nas pessoas com quem dormia ou namorava não eram necessariamente as qualidades com as quais você gostaria de viver, ou de ter ao seu lado, ou atravessar seus dias. Se fosse esperto, e se tivesse sorte, você compreendia isso e aceitava. Descobria quais qualidades eram mais importantes para você e as procurava, aprendia a ser realista. Todos eles escolheram de maneira diversa: Roman quisera beleza, candura e flexibilidade; Malcolm, pensava ele, quisera confiabilidade, competência (Sophie era assustadoramente eficiente) e compatibilidade estética. E ele? Ele quisera amizade. Conversas. Bondade. Inteligência. Quando tinha trinta e poucos anos, olhava para o relacionamento de algumas pessoas e fazia a pergunta que despertava (e continuava a despertar) inúmeras discussões em jantares: como aquilo dava certo? Agora, no entanto, quase aos quarenta e oito anos, ele enxergava os relacionamentos das pessoas como reflexos de seus desejos mais intensos e, ao mesmo tempo, mais impenetráveis, nos quais esperanças e inseguranças se tornavam algo físico, na forma de outra pessoa. Ele agora olhava para casais – em restaurantes, na rua, em festas – e se perguntava: por que vocês estão juntos? O que identificaram como sendo essencial um para o outro? O que falta em vocês que desejam que outra pessoa lhes forneça? Ele agora acreditava que uma relação bem-sucedida era aquela em que ambas as pessoas reconheceram o que de melhor a outra tinha a oferecer e escolheram também dar valor a isso.

E talvez não fosse coincidência, mas se viu duvidando da terapia – de suas promessas, de suas premissas – pela primeira vez. Nunca questionara antes que a terapia fosse, na pior das hipóteses, um tratamento benigno: quando era mais jovem, chegou até mesmo a considerá-la uma forma de luxo, vendo aquele direito de falar sobre sua vida, basicamente sem ser interrompido, por cinquenta minutos, como uma prova de que havia, de certa forma, se tornado alguém cuja vida era digna daquela demorada consideração, daquele ouvinte dedicado. Mas agora tinha consciência de sua própria impaciência com o que começara a enxergar como o pedantismo sinistro da terapia, sua sugestão de que a vida pudesse de alguma forma ser reparável, de que havia uma norma social e que o paciente era conduzido para se conformar a ela.

– Você parece estar se contendo, Willem – disse Idriss, seu psicólogo havia anos, e ele ficou em silêncio. A terapia, os terapeutas, prometiam uma rigorosa ausência de julgamento (mas não seria aquilo uma impossibilidade, falar com alguém e não ser julgado?), mas, ainda assim, por trás de cada pergunta havia um cutucão, que o empurrava, leve mas inexoravelmente, para o reconhecimento de algum defeito, para a solução de algum problema que você nem sabia existir. Ao longo dos anos, teve amigos que juravam que suas infâncias foram felizes, que seus pais eram basicamente amorosos, até a terapia despertá-los para o fato de que não foram, de que não eram. Ele não queria que aquilo lhe acontecesse; não queria que lhe dissessem que aquele contentamento não era um contentamento real, mas sim uma ilusão.

– E, como se sente diante do fato de Jude não querer fazer sexo nunca mais? – perguntou Idriss.

– Não sei – respondeu. Mas sabia, e disse: – Queria que ele quisesse, pelo seu próprio bem. Fico triste por ele não experimentar uma das melhores experiências da vida. Mas acho que ele conquistou o direito de abdicar.

À sua frente, Idriss ficou calado. A verdade era que não queria que Idriss tentasse diagnosticar o que havia de errado em seu relacionamento. Não queria que lhe dissesse como consertá-lo. Não queria tentar forçar Jude, ou a si mesmo, a fazer algo que nenhum dos dois queria só porque era esperado deles. Sentia que seu relacionamento era diferente, mas funcional: não queria que lhe dissessem o contrário. Ele às vezes se questionava se não fora apenas a falta de criatividade – dele e de Jude – que os fizera pensar que sua relação precisava de fato incluir sexo. Mas parecia, na época, o único modo de expressar um grau mais profundo de sentimento. A palavra "amigo" era tão vaga, tão ineficaz e insatisfatória – como a mesma palavra que usava para descrever o que Jude era para ele poderia também servir para descrever sua relação com India ou os Henry Youngs? Por isso escolheram outra forma de relacionamento, mais familiar, que não funcionou. Mas agora estavam inventando seu próprio tipo de relacionamento, um tipo que não era reconhecido oficialmente pela história ou imortalizado em poemas e canções, mas que achavam mais verdadeiro e menos restritivo.

Não mencionou, no entanto, seu ceticismo crescente em relação à terapia para Jude, pois parte dele ainda acreditava em seu funcionamento para pessoas doentes de verdade, e Jude – ele finalmente conseguira admitir para si mesmo – era uma pessoa doente de verdade. Sabia que Jude detestava ir ao terapeuta; após as primeiras consultas, voltara tão quieto, tão retraído, que Willem teve de lembrar a si mesmo que estava forçando Jude a ir para o seu próprio bem.

Até que finalmente não conseguiu mais se controlar.

– Como estão indo as coisas com o Dr. Loehmann? – perguntou uma noite, cerca de um mês depois de Jude começar.

Jude soltou um suspiro.

– Willem – falou –, por quanto tempo ainda quer que eu vá?

– Não sei – falou. – Não parei para pensar nisso.

Jude o estudou.

– Então achou que eu continuaria indo para sempre – falou.

– Bem – disse. (Na verdade, pensara mesmo aquilo.) – É tão ruim assim? – Fez uma pausa. – É por causa de Loehmann? Quer procurar outra pessoa?

– Não, não é por causa de Loehmann – disse Jude. – É o processo em si.

Willem também suspirou.

– Veja bem – falou. – Sei que isso é difícil para você. Sei que é. Mas... tente aguentar um ano, Jude, tudo bem? Um ano. E tente de verdade. Depois, veremos.

Jude prometeu.

E então, na primavera, ele viajou para filmar, e os dois estavam conversando pelo telefone uma noite quando Jude falou:

– Willem, quero ser sincero com você, então preciso lhe contar uma coisa.

– Tudo bem – disse ele, segurando o fone com mais força.

Estava em Londres, filmando *Henry & Edith*. Interpretava – com doze anos de antecedência e quase trinta quilos a menos, apontara Kit, mas quem se importava com aqueles detalhes? – Henry James, no início de sua amizade com Edith Wharton. O filme, na verdade, era meio que a história de uma viagem na estrada, rodado na maior parte na França e no sul da Inglaterra, e ele vinha filmando as cenas finais.

– Não estou orgulhoso disto – ouviu Jude dizer. – Mas faltei às minhas últimas quatro consultas com o Dr. Loehmann. Ou melhor: fui, mas não fui.

– Como assim? – perguntou.

— Bom, eu vou — disse Jude —, mas então... então fico sentado no carro e leio durante a sessão inteira, e, quando a sessão termina, volto para o escritório.

Ele ficou em silêncio, e Jude também, e então os dois caíram na risada.

— O que está lendo? — perguntou, quando finalmente conseguiu falar.

— *Introdução ao narcisismo* — admitiu Jude, e os dois começaram a gargalhar novamente, com tanta força que Willem precisou sentar.

— Jude... — começou ele finalmente, e Jude o interrompeu.

— Eu sei, Willem — falou. — Eu sei. Vou voltar. Foi uma estupidez. Simplesmente não consegui ter forças para comparecer nestas últimas vezes; não sei por quê.

Quando desligou, ainda estava sorrindo, e, ao ouvir a voz de Idriss em sua mente — "E, Willem, o que você pensa sobre o fato de Jude não ir quando prometeu que iria?" —, ele balançou a mão diante do rosto, como se abanando as palavras para longe. As mentiras de Jude; seu próprio autoengano — ambos, constatou, eram formas de autoproteção, praticadas desde a infância, hábitos que o ajudaram a fazer do mundo algo mais digerível do que às vezes era. Mas Jude agora tentava mentir menos, e tentava aceitar que havia certas coisas que nunca se conformariam às suas ideias de como a vida deveria ser, não importava com quanta intensidade desejasse isso ou fingisse que pudesse acontecer. Por isso, sabia que, na verdade, a terapia teria um impacto limitado no caso de Jude. Sabia que Jude continuaria a se cortar. Sabia que nunca conseguiria curá-lo. A pessoa a quem amava era doente, e sempre seria, e sua responsabilidade não era torná-lo melhor, mas sim menos doente. Jamais conseguiria fazer Idriss entender aquela mudança de perspectiva; às vezes, nem ele conseguia entender.

Naquela noite, estivera com uma mulher, a diretora de arte, e, enquanto permaneciam deitados, ele respondeu a todas as perguntas de sempre: explicou como conheceu Jude; explicou quem ele era, ou pelo menos deu a versão de quem ele era que criara para responder a perguntas como aquelas.

— Este lugar é lindo — disse Isabel, e ele olhou para ela de soslaio, um pouco desconfiado; JB, ao ver o apartamento, dissera que ele parecia ter sido estuprado pelo Grande Bazar, e Isabel, segundo ele ouvira o diretor de fotografia proclamar, tinha um excelente gosto. — De verdade — falou ela, vendo a expressão dele. — É bonito.

– Obrigado – falou.

O apartamento era dele; dele e de Jude. Compraram-no fazia apenas dois meses, quando se tornou evidente que ambos passariam mais tempo trabalhando em Londres. Ele ficara encarregado de encontrar algo e, como a responsabilidade era sua, escolheu deliberadamente a tranquila e altamente entediante Marylebone – não por sua beleza sóbria ou pela conveniência, mas pela grande oferta de médicos na vizinhança.

– Ah – dissera Jude, estudando a lista dos ocupantes do prédio enquanto esperavam o agente imobiliário para lhes mostrar o apartamento que Willem escolhera –, veja só o que há logo abaixo do apartamento: uma clínica de cirurgia ortopédica. – Ele olhou para Willem, erguendo uma sobrancelha. – É uma coincidência interessante, não é?

Willem sorriu.

– Não é? – perguntou.

Mas, por trás da brincadeira, havia algo que nenhum dos dois conseguira abordar, não apenas durante seu relacionamento, mas na amizade entre eles como um todo: o fato de que, a certa altura, e não sabiam quando, mas um dia a condição de Jude pioraria. O que aquilo significava, especificamente, Willem não sabia ao certo, porém, como parte de seu novo empenho em ser sincero, tentava se preparar, preparar a ambos, para um futuro que não podia prever, para um futuro em que Jude talvez não conseguisse andar, talvez não conseguisse ficar de pé. E, assim, finalmente, o espaço no quarto andar na Harley Street se tornou a única opção possível; de todos os imóveis que vira, aquele era o que mais se aproximava de Greene Street: um apartamento que ocupava todo o andar, com portas e corredores largos, cômodos espaçosos e quadrados, e banheiros que podiam ser convertidos para acomodar uma cadeira de rodas (a clínica ortopédica no andar de baixo foi o argumento decisivo e impossível de ser ignorado de que aquele lugar deveria ser deles). Compraram o apartamento; ele levou para lá todos os tapetes, lâmpadas e cobertores que acumulou em sua vida profissional e que haviam sido guardados em caixas no porão de Greene Street; e, antes de voltar a Nova York após o fim das gravações, um dos jovens ex-funcionários de Malcolm que se mudara para Londres para trabalhar na filial da Bellcast começaria a reformá-lo.

Ah, pensava ele sempre que via os projetos para Harley Street, às vezes era tão difícil, tão triste, viver na realidade. Foi lembrado disso na última vez que se encontrou com o arquiteto, quando perguntou a Vikram por que não manteriam as velhas janelas com molduras de madeira na cozinha que davam para o pátio de tijolos, com sua visão dos telhados de Weymouth Mews.

– Não podemos mantê-las? – perguntou. – São tão bonitas.

– Elas *são* bonitas – concordou Vikram –, mas é muito difícil abrir essas janelas de uma posição sentada. Elas exigem um bom apoio das pernas.

Ele percebeu que Vikram levara a sério o que o instruíra a fazer na primeira conversa que tiveram: presumir que eventualmente um dos habitantes do apartamento pudesse ter sua mobilidade seriamente limitada.

– Ah – respondeu Willem, e piscou os olhos, rápido. – Certo. Obrigado. Obrigado.

– De nada – disse Vikram. – Eu te prometo, Willem, este lugar vai ser aconchegante para vocês dois. – Ele tinha uma voz suave e gentil, e Willem não sabia dizer se a tristeza que sentiu naquele momento vinha da bondade do que Vikram dissera, ou da bondade com a qual dissera aquilo.

Ele se lembra disso agora, em Nova York. É fim de julho; ele convenceu Jude a tirar um dia de folga, e os dois seguiram para a casa no norte do estado. Há semanas, Jude vem se sentindo cansado e atipicamente fraco, mas então, repentinamente, recuperou as forças, e era em dias como esse – quando o céu lá no alto era de um azul vívido, o ar, quente e seco, os campos em volta da casa parecendo amanteigados por tapetes de mil-folhas e prímulas, as pedras em volta da piscina frias sob seus pés, Jude cantando para si mesmo na cozinha enquanto preparava limonada para Harold e Julia, que foram com eles – que Willem se pegava voltando ao velho hábito de fingir. Naqueles dias, sucumbia a uma espécie de encanto, um estado em que sua vida parecia impossível de ser melhorada e, o que era paradoxal, perfeitamente remediável: claro que Jude não ficaria pior. Claro que podia ser reparado. Claro que Willem seria a pessoa a repará-lo. Claro que era possível; claro que era provável. Dias assim pareciam não ter noite e, se não havia noite, não havia cortes, não havia tristeza, não havia nada a temer.

– Está sonhando com um milagre, Willem – diria Idriss se soubesse o que estava pensando, e sabia que sonhava.

Mas, por outro lado, pensava, o que em sua vida – e também na vida de Jude – não era um milagre? Ele deveria ter continuado em Wyoming, deveria estar trabalhando num rancho agora. Jude deveria ter acabado...

onde? Numa prisão, ou num hospital, ou morto, ou pior. Mas não foi o que aconteceu. Não era um milagre que alguém basicamente comum pudesse viver uma vida na qual ganhava milhões fingindo ser outras pessoas, que nessa vida essa pessoa voasse de cidade em cidade, que passasse os dias tendo cada desejo seu atendido, trabalhando em contextos artificiais nos quais era tratado como o potentado de um país pequeno e corrupto? Não era um milagre ser adotado aos trinta anos, encontrar pessoas que o amavam tanto que queriam reivindicá-lo para si? Não era um milagre ter sobrevivido ao insobrevivível? Não era a amizade um milagre em si, o encontro com outra pessoa que fazia o mundo solitário de certa forma parecer menos solitário? Não era aquela casa, aquela beleza, aquele conforto, aquela vida, um milagre? Quem poderia então culpá-lo por desejar mais um, por desejar que, apesar de saber da improbabilidade, apesar da biologia, e do tempo, e da história, pudessem ser a exceção, que aquilo ocorrido com outras pessoas com os mesmos tipos de problemas de Jude não aconteceriam a ele, que, apesar de Jude já ter superado tanta coisa, ainda pudesse superar só mais uma?

Está sentado na beira da piscina, conversando com Harold e Julia, quando sente, abruptamente, aquele vazio estranho em seu estômago que lhe vem de tempos em tempos, mesmo quando ele e Jude estão na mesma casa: a impressão de sentir a falta dele, um desejo esquisito e pungente de vê-lo. E, por mais que nunca vá lhe dizer isso, é desse jeito que Jude o faz se lembrar de Hemming – aquela consciência que às vezes o tocava, leve como asas, de que as pessoas que ama são mais temporais, de certa forma, do que as outras, de que ele as tomou emprestadas e que, um dia, serão reivindicadas de volta.

– Não vá embora – dizia a Hemming em seus telefonemas, na época em que Hemming estava morrendo. – Não me deixe, Hemming. – Mesmo que as enfermeiras que seguravam o telefone o tivessem instruído a dizer exatamente o oposto a Hemming: que não havia problema em partir; que Willem o estava libertando. Mas não conseguia.

E também não conseguiu quando Jude estava no hospital, delirando tanto por causa dos medicamentos que seus olhos corriam de um lado para o outro com tanta rapidez, o que o assustou mais do que qualquer outra coisa.

– Deixe-me ir, Willem – implorou Jude na época –, deixe-me ir.

– Não posso, Jude – chorou. – Não posso fazer isso.

Ele agora balança a cabeça para se livrar da lembrança.

– Vou dar uma olhada nele – diz a Harold e Julia, mas então ouve a porta de vidro deslizar e se abrir, e todos os três se viram e olham para o alto do morro e veem Jude com uma bandeja de drinques, e todos os três se levantam para ajudá-lo. Mas há um certo momento, antes de começarem a subir o declive e de Jude começar a caminhar na direção deles, em que todos ficam imóveis em suas posições, o que o faz lembrar de um set, no qual toda cena pode ser refeita, todo erro pode ser corrigido, todo infortúnio pode ser filmado outra vez. E, naquele momento, eles estão de um lado do quadro, e Jude, do outro, mas todos sorriem uns para os outros, e o mundo parece não conter outra coisa além de candura.

–

A última vez na vida que caminhou com suas próprias forças – que caminhou de verdade; não se apoiando na parede de um cômodo a outro; não se arrastando pelos corredores da Rosen Pritchard; não avançando centímetro por centímetro do saguão à garagem, afundando no carro com um gemido de alívio – foi nas férias que tiraram no Natal. Tinha quarenta e seis anos. Estavam no Butão: uma boa escolha, concluiria mais tarde, para sua série derradeira de caminhadas (embora não soubesse disso então), pois era um país onde todos andavam. As pessoas que encontraram ali, incluindo um velho conhecido deles dos tempos da faculdade, Karma, que agora era ministro da Silvicultura, falavam sobre caminhar não em termos de quilômetros, mas sim em termos de horas.

– Ah, sim – disse Karma –, quando meu pai era pequeno, costumava caminhar por quatro horas para visitar a tia nos fins de semana. E depois caminhava outras quatro horas para voltar para casa.

Ele e Willem ficaram maravilhados com aquilo, embora, mais tarde, também tenham concordado: a paisagem era tão bonita, com sua série de parábolas íngremes e arborizadas, o céu lá no alto de um azul delicado e claro, que o tempo gasto caminhando por ali devia passar de maneira mais rápida e agradável do que o tempo gasto caminhando em qualquer outro lugar.

Não se sentiu no auge de sua forma naquela viagem, mas pelo menos conseguia se locomover. Nos meses anteriores, vinha se sentindo mais fraco, mas não de uma maneira realmente específica, não de uma maneira que pudesse sugerir algum problema maior. Simplesmente perdia energia mais rápido; sentia-se dolorido, não ardido, mas sim como se fosse uma pontada constante e fraca de dor que o seguia enquanto dormia e estava lá para saudá-lo quando acordava. Era como a diferença, contou a Andy, entre um mês salpicado de tempestades e um mês em que chovia diariamente: não forte, mas sem parar, uma espécie de desconforto, deprimente e irritante. Em outubro, teve de usar a cadeira de rodas todo dia, no que se tornou o maior número de dias consecutivos em que precisou depender dela. Em novembro, embora estivesse bem o bastante para ir ao jantar do Dia de Ação de Graças na casa de Harold, sentia uma dor tão forte que o impediu de sentar à mesa para comer e acabou passando a noite no quarto, deitado o mais imóvel possível, semiconsciente das visitas que Harold, Willem e Julia faziam para ver como ele estava, semiconsciente de se desculpar por estragar o feriado deles, semiconsciente da conversa abafada entre eles três e Laurence e Gillian, James e Carey, que ele entreouvia da sala de jantar. Depois disso, Willem quis cancelar a viagem, mas ele insistiu, e ficou feliz por isso – pois sentiu que havia algo de regenerativo na beleza da paisagem, na pureza e no silêncio das montanhas, em ver Willem cercado por riachos e árvores, que sempre era onde parecia mais à vontade.

As férias foram boas, mas, no fim, já estava pronto para voltar. Um dos motivos por que conseguiu convencer Willem a irem foi que seu amigo Elijah, que agora administrava um fundo de cobertura que ele representava, iria de férias para o Nepal com a família, e os dois poderiam partir e voltar a Nova York em seu avião. Teve medo de que Elijah estivesse animado para conversar, mas não estava, e ele dormiu, agradecido, durante a viagem de volta quase inteira, com os pés e as costas ardendo de dor.

Um dia depois de voltarem a Greene Street, não conseguiu levantar da cama. Sentia tanta dor que seu corpo inteiro parecia um longo nervo exposto, desbastado em cada extremidade; tinha a sensação de que, se uma gota de água caísse sobre ele, todo seu ser fervilharia e chiaria em resposta. Raramente se sentia tão exausto, tão dolorido que não conseguia nem sentar, e pôde ver que Willem – perto de quem fazia um esforço especial, para que não se preocupasse – ficou alarmado, e ele teve de implorar para que não chamasse Andy.

– Tudo bem – disse Willem, relutante –, mas, se não estiver melhor amanhã, vou ligar para ele. – Ele assentiu com a cabeça e Willem soltou um suspiro. – Que droga, Jude – falou –, eu *sabia* que não deveríamos ter ido.

Mas, no dia seguinte, ele melhorou: melhorou o bastante para levantar da cama, pelo menos. Não conseguia andar; durante o dia todo, as pernas, os pés e as costas pareciam ter sido atravessados por parafusos de ferro, mas se forçou a conversar e a se mover, embora, quando Willem saía do quarto ou lhe dava as costas, sentisse seu rosto desmoronar de cansaço.

E então as coisas ficaram assim, e os dois acabaram se acostumando: embora precisasse da cadeira de rodas diariamente, tentava andar o máximo que pudesse todo dia, mesmo que fosse só até o banheiro, e se certificava de conservar sua energia. Quando cozinhava, juntava antes tudo de que precisaria na bancada à sua frente, de modo a não precisar ir e vir à geladeira; recusava convites para jantares, festas, inaugurações, eventos beneficentes, dizendo às pessoas, dizendo a Willem, que tinha muito trabalho e não poderia comparecer, mas, na verdade, ia para casa e se deslocava pelo apartamento com sua cadeira de rodas, aquele apartamento punitivamente grande, parando para descansar quando precisava, cochilando na cama para ter força o bastante dentro de si para conversar com Willem quando ele voltasse.

No fim de janeiro, finalmente decidiu se consultar com Andy, que o ouviu e depois o examinou minuciosamente.

– Não há nada de *errado* com você, no sentido literal – falou ao terminar. – Só está envelhecendo.

– Ah – falou, e os dois ficaram calados, pois o que poderiam dizer?

– Bem – continuou, finalmente –, talvez eu acabe tão fraco que consiga convencer Willem de que não tenho mais energia para ir ao Dr. Loehmann. – Porque, certa noite, naquele outono, prometera a Willem, de maneira estúpida, bêbada, romântica até, que se consultaria com o Dr. Loehmann por mais nove meses.

Andy soltou um suspiro, mas também sorriu.

– Você reclama de tudo – falou.

Agora, no entanto, se lembra desses tempos com carinho, pois, em todos os outros aspectos que importavam, aquele inverno foi glorioso. Em dezembro, Willem foi indicado a um grande prêmio por seu trabalho em *A maçã envenenada*; em janeiro, o venceu. Depois foi novamente indicado para um prêmio maior e ainda mais prestigioso, e venceu novamente.

Estava em Londres, a trabalho, na noite em que Willem foi premiado, e colocou o despertador para tocar às duas da manhã para poder acordar e assistir à cerimônia pela internet; quando o nome de Willem foi chamado, ele soltou um berro, e viu Willem, radiante, dar um beijo em Julia – a quem levara como acompanhante – e subir os degraus até o palco, e ouviu enquanto ele agradecia aos produtores, ao estúdio, Emil, Kit, ao próprio Alan Turing, Roman, Cressy, Richard, Malcolm e JB, e "aos meus sogros, Julia Altman e Harold Stein, por sempre me fazerem sentir como se também fosse um filho para eles, e por fim, e também o mais importante, a Jude St. Francis, meu melhor amigo e o amor da minha vida, por tudo".

Teve de se esforçar para parar de chorar depois de ouvir aquilo e, quando conseguiu falar com Willem, meia hora depois, teve de fazer um novo esforço.

– Estou tão orgulhoso de você, Willem – falou. – Eu sabia que ia vencer, eu sabia.

– Você sempre acha isso.

Willem caiu na risada, e ele também, pois Willem estava certo: sempre achava. Sempre achava que Willem merecia ser agraciado com qualquer prêmio a que fosse indicado; quando isso não acontecia, ficava verdadeiramente perplexo – colocando a política e as preferências de lado, como os juízes, as pessoas que votavam, podiam renegar o que era claramente uma atuação superior, um ator superior, uma pessoa superior?

Em suas reuniões na manhã seguinte – nas quais teve de se controlar, não para não chorar, mas sim para não sorrir, entorpecida e incessantemente –, seus colegas o parabenizaram e perguntaram outra vez por que não fora à cerimônia, e ele balançou a cabeça.

– Esse tipo de coisa não é para mim – falou, e não era mesmo; de todas as premiações, de todas as estreias, de todas as festas a que Willem ia a trabalho, comparecera somente a duas ou três. No último ano, quando Willem foi entrevistado por uma revista literária séria para um longo artigo, ele desaparecia sempre que sabia que o repórter estaria presente. Sabia que Willem não se ofendia com aquilo, que atribuía sua ausência a seu senso de privacidade. E, embora fosse verdade, aquele não era o único motivo.

Uma vez, pouco depois de se tornarem um casal, uma fotografia dos dois saiu num artigo do *Times* sobre Willem e sua primeira participação numa trilogia de filmes de espionagem. A foto era da inauguração da quinta, e bastante adiada, mostra de JB, "O sapo e a rã", que consistia exclusivamente em imagens deles dois, muito borradas e muito mais abstratas que as obras anteriores de JB. (Não sabiam bem o que pensar do título da série, embora JB alegasse ser algo carinhoso. "Arnold Lobel?", guinchara para eles quando lhe perguntaram a respeito. *"Alô-ôu?"* Mas nem ele, nem Willem haviam lido os livros de Lobel quando criança, e tiveram de sair para comprá-los para entender a referência.) Curiosamente, foi essa mostra, mais até do que a matéria inicial na revista *New York* sobre a nova vida de Willem, que tornou o relacionamento deles real para seus colegas e conhecidos, apesar do fato de que a maioria dos quadros advinha de fotografias tiradas antes de se tornarem um casal.

Foi também essa mostra que marcou, como depois diria JB, sua ascensão: eles sabiam que, apesar de suas vendas, de suas críticas, de suas bolsas e prêmios, JB sentia-se atormentado por Richard ter ganhado uma retrospectiva de sua carreira num museu (assim como acontecera a Henry Young Asiático), e ele, não. Mas, depois de "O sapo e a rã", algo mudou para JB, do jeito como algo mudara para Willem depois de *O tribunal de plátano*, do jeito como o museu em Doha mudara as coisas para Malcolm, até mesmo do jeito – se quisesse se vangloriar – como o processo da Malgrave e Baskett mudara as coisas para ele. Era só quando colocava os pés fora do seu firmamento de amigos que percebia que aquela mudança, aquela mudança pela qual todos esperavam e receberam, era mais rara e mais preciosa do que sabiam. De todos eles, apenas JB tinha certeza de que *merecia* aquela mudança, que sem sombra de dúvida aquilo lhe aconteceria; ele, Willem e Malcolm não se mostravam assim tão seguros, e então, quando a receberam, ficaram atordoados. Mas, embora JB tenha sido quem mais precisou esperar para que sua vida mudasse, estava calmo quando isso finalmente aconteceu – algo nele parecia ter sido desarmado; tornou-se, pela primeira vez desde que o conheceram, mais relaxado, e o humor constante e mordaz que crepitava dele feito estática foi desmagnetizado e aplacado. Ele ficou feliz por JB; ficou feliz por ele ter agora o tipo de reconhecimento que desejava, o tipo de reconhecimento que JB deveria ter recebido depois de "Segundos, Minutos, Horas, Dias".

– A questão é qual de nós é o sapo e qual é a rã – dissera Willem depois de verem a mostra pela primeira vez, no estúdio de JB, e lerem os compassivos livros um para o outro naquela madrugada, gargalhando histericamente ao fazê-lo.

Ele sorrira; estavam deitados na cama.

– Obviamente, eu sou a rã – disse.

– Não – rebateu Willem –, acho que você é o sapo; seus olhos são da mesma cor da pele dele.

Willem parecia tão sério que ele sorriu.

– *Esse* é o seu argumento? – perguntou. – E o que você tem em comum com a rã?

– Acho que, na verdade, tenho uma jaqueta igual à dele – disse Willem, e os dois caíram no riso outra vez.

Mas, na verdade, sabia: ele *era* a rã, e ver a fotografia dos dois juntos no *Times* o fez se lembrar disso. Aquilo não o incomodava por causa dele próprio – vinha tentando se importar menos com suas próprias aflições –, mas por causa de Willem, pois sabia que formavam um casal incompatível, um casal distorcido, e sentia-se constrangido por ele, e tinha medo de que sua mera presença pudesse de alguma forma ser prejudicial. Por isso, tentava se manter longe dele em público. Sempre acreditou que Willem era capaz de torná-lo melhor, mas, ao longo dos anos, passou a temer: se Willem podia torná-lo melhor, isso não significava também que ele podia deixar Willem pior? E, pelo mesmo raciocínio, se Willem era capaz de torná-lo alguém menos difícil de se olhar, ele também não podia transformar Willem em algo feio? Sabia que não havia lógica naquilo, mas pensava assim da mesma forma, e, às vezes, enquanto se arrumavam para sair, ele se olhava de soslaio no espelho do banheiro, sua expressão apatetada e feliz, tão absurda e grotesca quanto um macaco vestido em roupas caras, e sentia vontade de esmurrar o espelho.

Mas o outro motivo pelo qual temia ser visto com Willem era por causa da exposição que aquilo ocasionava. Desde seu primeiro dia na universidade, temia que algum dia alguém do seu passado – um cliente; um dos garotos do orfanato – tentasse contatá-lo, tentasse extorquir algo dele em troca de silêncio.

– Ninguém vai fazer isso, Jude – tranquilizara-o Ana. – Eu prometo. Para fazer isso, teriam de admitir como o conheceram.

Mas ele sempre teve medo e, ao longo dos anos, alguns fantasmas se anunciaram. O primeiro chegou pouco depois que começou a trabalhar na Rosen Pritchard: apenas um cartão-postal, de alguém que afirmava conhecê-lo do orfanato – alguém com um nome comum e que não ajudava em nada, Rob Wilson, alguém de quem não se lembrava –, e, por uma semana, ele ficou em pânico, quase sem conseguir dormir, enquanto sua cabeça desenrolava cenários que pareciam tão aterrorizantes quanto inevitáveis. E se esse Rob Wilson contatasse Harold, e se contatasse seus colegas da firma e lhes contasse quem ele era, contasse sobre as coisas que fizera? Mas ele se forçou a não reagir, a não fazer o que queria – escrever uma notificação judicial quase histérica para que parasse de procurá-lo, que não provaria nada além de sua própria existência, e da existência do seu passado –, e nunca mais recebeu notícias de Rob Wilson.

Mas, depois que algumas fotos suas ao lado de Willem apareceram na imprensa, recebeu outras duas cartas e um e-mail, todos enviados ao trabalho. Uma das cartas e o e-mail eram novamente de homens que afirmavam conhecê-lo do orfanato, porém, mais uma vez, não reconheceu seus nomes, e nunca respondeu, e eles nunca voltaram a procurá-lo. Mas a segunda carta continha uma cópia de uma fotografia, em preto e branco, de um menino despido numa cama, com uma qualidade tão baixa que não conseguia identificar se era ele ou não. E com essa carta ele fez o que lhe disseram para fazer muitos anos antes, quando era uma criança num leito de hospital na Filadélfia, caso algum de seus clientes descobrisse quem ele era e tentasse estabelecer alguma comunicação: colocou a carta num envelope e a enviou ao FBI. Sempre sabiam onde ele estava, aquele departamento, e a cada quatro ou cinco anos um agente aparecia em seu local de trabalho para lhe mostrar fotografias, para perguntar se ele se lembrava de um ou outro homem, homens que, mesmo depois de décadas, ainda estavam sendo descobertos como amigos e comparsas do Dr. Traylor, do irmão Luke. Raramente recebia qualquer aviso prévio quanto a essas visitas e, ao longo dos anos, aprendeu o que devia fazer nos dias seguintes para neutralizá-las, como precisava se cercar de pessoas, de eventos, de barulho e algazarra, de indícios da vida onde agora habitava.

Nesse período em que recebeu e se desfez da carta, sentiu-se vividamente envergonhado e intensamente sozinho – isso foi antes de contar a Willem sobre sua infância, e nunca explicara bem a Andy o contexto das coisas a ponto de ele compreender o terror que estava vivendo –, e então finalmente contratou uma agência de investigações (embora não a mesma que atendia à Rosen Pritchard) para descobrir tudo o que pudesse sobre ele. A investigação levou um mês, mas, no fim, não foi encontrado nada de conclusivo, ou pelo menos nada que pudesse identificá-lo de maneira conclusiva como quem um dia foi. Só então se permitiu relaxar e acreditar, enfim, que Ana tinha razão, e aceitar que, no geral, seu passado fora apagado tão completamente que era como se nunca tivesse existido. As pessoas que mais o conheciam, que haviam testemunhado e participado dele – o irmão Luke; o Dr. Traylor; até mesmo Ana –, estavam mortas, e os mortos não podem contar nada a ninguém. *Você está a salvo*, lembrava a si mesmo. E, embora estivesse, aquilo não significava que tivesse deixado de ser cauteloso; não significava que deveria querer ver sua fotografia em revistas e jornais.

Ele aceitou que sua vida com Willem seria assim, é claro, mas às vezes queria que fosse diferente, que pudesse ser menos circunspecto quanto a reivindicar Willem publicamente da mesma forma como Willem o reivindicara. Em momentos de ócio, revia o vídeo de Willem fazendo seu discurso vez após outra, sentindo a mesma euforia que sentira quando Harold o chamara de filho pela primeira vez na frente de outra pessoa. *Isso é real*, pensou na época. *Não é algo da minha cabeça*. E agora, o mesmo delírio: realmente pertencia a Willem. Fora ele mesmo quem dissera.

Em março, com o fim da temporada de prêmios, ele e Richard deram uma festa para Willem em Greene Street. Um grande carregamento de vãos de portas e bancos de teca entalhados acabara de ser retirado do quinto andar, e Richard pendurou gambiarras cheias de lâmpadas pelo teto e perfilou jarros de vidro com velas junto a todas as paredes. O zelador do estúdio de Richard levou duas das maiores mesas de trabalho para cima, e ele contratou um bufê e um barman. Convidaram todos em quem conseguiram pensar: todos os seus amigos em comum, e todos os de Willem também. Harold e Julia, James e Carey, Laurence e Gillian, Lionel e Sinclair vieram de Boston; Kit veio de Los Angeles. Carolina, de Yountville, Phaedra e Citizen, de Paris, as amigas de Willem, Cressy e Susannah, vieram de Londres, Miguel, de Madri. Ele se forçou a ficar de pé e caminhar pela festa, na qual pessoas que conhecia apenas das histórias de Willem – diretores, atores e dramaturgos – o abordavam e diziam que ouviam falar dele fazia anos, e que era bom finalmente conhecê-lo, que já estavam começando a achar que Willem o tivesse inventado, e, por mais que tenha rido, também se sentiu triste por achar que deveria ter ignorado seus medos e se envolvido mais na vida de Willem.

Tantas pessoas ali não se viam havia tantos anos, então aquela foi uma festa bem agitada, o tipo de festa que frequentavam quando eram jovens, com pessoas gritando para as outras em meio ao barulho da música que um dos assistentes de Richard, um DJ amador, tocava, e, depois de algumas horas, ele se sentiu exausto e se apoiou na parede norte do ambiente e ficou assistindo a todos dançarem. No meio da confusão, viu Willem dançando com Julia e sorriu, observando-os, antes de perceber que Harold estava de pé do outro lado do ambiente, também os observando, também sorrindo. Harold então o viu e levantou seu copo para ele, que ergueu o seu em resposta, e depois ficou observando enquanto Harold abria caminho em sua direção.

— Bela festa — gritou Harold em seu ouvido.

— É quase tudo coisa do Richard — gritou de volta, mas, quando estava prestes a acrescentar algo, a música ficou mais alta, e ele e Harold olharam um para o outro, caíram na risada e deram de ombros.

Por um tempo, simplesmente ficaram ali, de pé, ambos sorrindo, olhando os dançarinos passarem feito borrões diante deles. Estava cansado, com dor, mas nada disso importava; seu cansaço parecia algo doce e cálido, a dor era familiar e esperada, e, naqueles momentos, ganhava consciência de que era capaz de ser feliz, de que a vida era feita de mel. Então a música mudou, tornando-se etérea e lenta, e Harold berrou que ia tirar Julia das garras de Willem.

— Vá — disse a ele, mas, antes de Harold deixá-lo, algo o fez estender as mãos e abraçá-lo, e essa foi a primeira vez que tocou Harold voluntariamente após o incidente com Caleb. Pôde ver que Harold ficou atordoado e depois maravilhado, e sentiu a culpa percorrer seu corpo, e se afastou o mais rápido que conseguiu, enxotando Harold para a pista de dança após esse seu gesto.

Havia um ninho de sacos de juta com enchimento de algodão num dos cantos, que Richard colocara ali para as pessoas descansarem, e estava a caminho deles quando Willem apareceu e segurou-lhe a mão.

— Vem dançar comigo — disse.

— Willem — ralhou com ele, sorrindo —, sabe que eu não sei dançar.

Willem então olhou para ele, apreciando-o.

— Vem comigo — falou, e ele seguiu Willem até o lado leste do loft, e então para o banheiro, onde Willem o puxou para dentro e fechou e trancou a porta atrás deles, colocando seu drinque na beira da pia.

Ainda ouviam a música — uma canção que fora popular na época em que estavam na universidade, constrangedora, mas ao mesmo tempo tocante com seu sentimentalismo incontrito, melosa e sincera –, mas, no banheiro, ela era abafada, como se fosse cantada em algum vale distante.

– Coloque os braços em volta de mim – disse Willem, e ele obedeceu. – Mexa seu pé direito para trás quando eu avançar com meu pé esquerdo – disse em seguida, e ele obedeceu.

Por um tempo, os dois se moveram de maneira lenta e desajeitada, olhando um para o outro, em silêncio.

– Está vendo? – perguntou Willem, em voz baixa. – Está dançando.

– Não sou muito bom – balbuciou, constrangido.

– É perfeito – disse Willem, e, embora a essa altura seus pés estivessem tão doloridos que começasse a transpirar devido à disciplina de que precisava para não gritar, continuou se movendo, mas tão minimamente que, ao final da canção, os dois estavam apenas oscilando, sem tirar os pés do chão, e Willem o abraçava para que não caísse.

Quando emergiram do banheiro, ouviram os gritos de um grupo de pessoas próximo a eles, e ele corou – a última e derradeira vez que fizera sexo com Willem havia sido quase dezesseis meses atrás –, mas Willem sorriu e levantou seu braço como se fosse um pugilista que acabara de ganhar uma luta.

E então chegou o mês de abril, e seu quadragésimo sétimo aniversário, e depois maio, quando lhe afloraram duas feridas, uma em cada panturrilha, e Willem partiu para Istambul para filmar a segunda parte de sua trilogia de espionagem. Contou a Willem sobre as feridas – vinha tentando lhe contar as coisas à medida que aconteciam, mesmo aquelas que não considerava tão importantes –, e Willem ficou chateado.

Mas ele não ficou preocupado. Quantas daquelas feridas já tivera ao longo dos anos? Dezenas; dúzias. A única coisa que mudara era o tempo que levava tentando dar um jeito nelas. Agora ia ao consultório de Andy duas vezes por semana – toda terça, na hora do almoço, e às noites de sexta –, uma vez para o desbridamento e outra para um tratamento de ferida a vácuo, feito pela enfermeira de Andy. Andy sempre achou que sua pele fosse frágil demais para o tratamento, no qual um pedaço de espuma esterilizada era encaixado sobre a ferida aberta e a embocadura era movida sobre ela para sugar os tecidos mortos e moribundos para dentro da espuma, feito uma esponja, mas, nos últimos anos, conseguira suportá-lo bem, e o tratamento se mostrou mais eficaz que o desbridamento por si só.

À medida que envelhecia, as feridas – sua frequência, sua gravidade, seu tamanho, o nível de desconforto que provocavam – foram piorando. Fazia muito tempo, décadas, dos dias em que conseguia caminhar grandes distâncias quando as tinha. (A lembrança de ir de Chinatown até o Upper East Side – embora sentindo dor – com uma daquelas feridas era tão estranha e remota que nem parecia pertencer a ele, mas sim a outra pessoa.) Quando era mais jovem, podia levar algumas semanas para as feridas se curarem. Mas agora levava meses. De todas as coisas erradas que havia nele, a que menos o incomodava eram aquelas úlceras; ainda assim, jamais conseguiu se acostumar à aparência delas. E embora, obviamente, não tivesse medo de sangue, a visão do pus, da podridão, da tentativa desesperada de seu corpo em se curar matando parte de si próprio, ainda o perturbava mesmo depois de tantos anos.

Quando Willem voltou para casa de vez, ele não estava melhor. Agora havia quatro feridas em suas panturrilhas, o maior número que já tivera de uma só vez, e, embora ainda tentasse caminhar diariamente, às vezes simplesmente ficar de pé já era algo difícil, e tinha cuidado em espaçar seus esforços, em determinar quando tentava caminhar porque achava que conseguiria e quando tentava caminhar para provar a si mesmo que ainda era capaz. Podia sentir que havia perdido peso, podia sentir que estava mais fraco – não conseguia nem mesmo nadar toda manhã –, mas teve certeza disso quando viu o rosto de Willem.

– Judy – disse Willem, com a voz baixa, ajoelhando-se ao seu lado no sofá. – Queria que tivesse me contado.

Mas, de uma maneira engraçada, não havia nada a contar: ele era assim. E, se não pelas pernas, pelos pés e pelas costas, sentia-se bem. Sentia-se – embora hesitasse em dizer aquilo sobre si mesmo: parecia uma declaração tão ousada – mentalmente são. Voltara a se cortar somente uma vez por semana. Ouvia-se assobiar enquanto tirava as calças à noite, examinando a área em volta do curativo para se certificar de que não havia fluidos vazando. As pessoas se adaptam a qualquer coisa que seus corpos lhe imponham; ele não era exceção. Se seu corpo estivesse bem, você esperava que ele lhe atendesse, com excelência e consistência. Se não estivesse, suas expectativas eram diferentes. Ou isso, pelo menos, era o que estava tentando aceitar.

Pouco depois de voltar no fim de julho, Willem lhe deu permissão para encerrar sua relação majoritariamente silenciosa com o Dr. Loehmann – mas só porque realmente não tinha mais tempo. Quatro horas de sua semana agora eram gastas em consultórios médicos – duas com Andy, duas com Loehmann –, e ele precisava recuperar duas daquelas horas para poder ir duas vezes por semana ao hospital, onde tirava as calças, jogava a gravata sobre o ombro e era empurrado para dentro de uma câmara hiperbárica, um caixão de vidro onde ficava deitado, trabalhando, na esperança de que o oxigênio concentrado emitido ao seu redor pudesse ajudar a acelerar a cura. Sentia-se culpado por seus dezoito meses com o Dr. Loehmann, nos quais revelara quase nada e passara a maior parte do tempo protegendo infantilmente sua privacidade, tentando não falar, desperdiçando tanto o seu tempo quanto o do psiquiatra. Mas um dos poucos assuntos sobre os quais *conversaram* foram suas pernas – não como as feridas foram provocadas, mas a logística para cuidar delas –, e, em sua última sessão, o Dr. Loehmann perguntou o que aconteceria se não melhorasse.

– Terei de amputá-las, acho – respondeu, tentando parecer casual, embora obviamente não fosse algo casual, e não havia nada para achar: sabia, do mesmo jeito que tinha certeza de que um dia morreria, que o faria sem suas pernas.

Só esperava que não acontecesse logo. *Por favor*, às vezes ele implorava às pernas, deitado na câmara de vidro. *Por favor. Me deem só mais alguns anos. Me deem mais uma década. Deixem-me viver meus quarenta anos, meus cinquenta anos, intacto. Vou cuidar de vocês, prometo.*

Ao fim do verão, sua nova crise de doenças e de tratamento já havia se tornado tão banal para ele que nem mesmo se deu conta do quanto Willem podia se sentir afetado por ela. No início de agosto, conversaram sobre o que fariam (alguma coisa? nada?) para o quadragésimo nono aniversário de Willem, e Willem disse que achava que deviam fazer algo mais discreto aquele ano.

– Bem, vamos fazer algo grande no ano que vem, para os seus cinquenta – falou. – Quer dizer, se eu ainda estiver vivo até lá. – E foi só quando ouviu o silêncio de Willem que ergueu os olhos do fogão e, ao ver sua expressão, reconheceu o erro que cometera. – Willem, desculpe – falou, desligando o fogo e iniciando sua lenta e dolorosa caminhada na direção dele. – Desculpe.

– Não pode fazer esse tipo de piada, Jude – disse Willem, e ele o abraçou.

– Eu sei – falou. – Me perdoe. Estava sendo estúpido. É claro que vou estar aqui no ano que vem.

– E por muitos anos.

– E por muitos anos.

Agora é setembro, e ele está deitado na maca de exame do consultório de Andy, com suas feridas expostas e ainda abertas feito romãs, e passa as noites deitado ao lado de Willem na cama. Muitas vezes tem consciência da improbabilidade do relacionamento deles, e muitas vezes se sente culpado por sua relutância em realizar uma das obrigações básicas da vida a dois. De vez em quando pensa em tentar novamente, e então, quando tenta dizer as palavras a Willem, se interrompe, e outra oportunidade passa em silêncio. Mas sua culpa, por maior que seja, não consegue oprimir sua sensação de alívio nem seu senso de gratidão: pois ter conseguido manter Willem apesar de suas inabilidades é um milagre, e ele tenta, de todas as outras maneiras possíveis, sempre expressar a Willem o quanto lhe é agradecido.

Numa noite, acorda suando em tamanha profusão que o lençol sob seu corpo parece ter sido arrastado por uma poça, e, ainda desnorteado, levanta antes de se lembrar de que não consegue ficar de pé, e cai. Willem então acorda e vai buscar o termômetro, esperando acima dele enquanto ele mantém o termômetro sob sua língua.

– Trinta e nove – diz ele, examinando-o, e coloca a palma da mão em sua testa. – Mas você está congelando. – Willem olha para ele, preocupado. – Vou ligar para Andy.

– Não ligue para Andy – pede ele, e, apesar da febre, dos calafrios e do suor, se sente normal; não se sente doente. – Só preciso de uma aspirina.

Então Willem vai buscar, lhe traz uma camisa, tira a roupa, refaz a cama, e os dois voltam a dormir, com Willem abraçado a ele.

Na noite seguinte, acorda mais uma vez com febre, mais uma vez com calafrios, mais uma vez suando.

– As pessoas andam doentes no escritório – diz a Willem dessa vez. – Alguma espécie de virose. Devo ter pego.

Mais uma vez, ele toma a aspirina; mais uma vez, isso ajuda; mais uma vez, ele volta a dormir.

O dia seguinte é uma sexta-feira, e ele vai ao consultório de Andy para a limpeza das feridas, mas não menciona a febre, que desaparece durante o dia. Naquela noite, Willem está fora, jantando com Roman, e ele vai para cama cedo, tomando uma aspirina antes de dormir. Seu sono é tão profundo que nem mesmo ouve Willem chegar, mas, quando acorda na manhã seguinte, está tão suado que parece que saiu de baixo do chuveiro, e seus braços e suas pernas estão anestesiados e tremendo. Ao seu lado, Willem ronca suavemente, e ele senta, devagar, passando as mãos pelos cabelos molhados.

Sente-se realmente melhor naquele sábado. Vai para o trabalho. Willem vai almoçar com um diretor. Antes de deixar o escritório à noite, envia uma mensagem de texto a Willem e lhe diz para convidar Richard e India para irem comer sushi no Upper East Side, num restaurantezinho aonde ele e Andy vão às vezes após a consulta. Ele e Willem têm dois restaurantes favoritos de comida japonesa perto de Greene Street, mas ambos têm escadas e, por isso, não conseguem comer lá há meses, pois os degraus são um obstáculo para ele. Naquela noite, come bem e, mesmo quando o cansaço bate no meio da refeição, sabe que está se divertindo, que se sente grato por estar naquele ambiente pequeno e aconchegante, com suas lanternas de luzes amarelas sobre ele e a placa de madeira, parecida com uma sandália japonesa, sobre a qual são depositadas linguetas de sashimis de cavalinha – o preferido de Willem – à sua frente. Em determinado momento, ele se apoia na lateral de Willem, por cansaço e carinho, mas nem percebe que o faz até sentir Willem mover o braço e colocá-lo sobre seus ombros.

Mais tarde, acorda na cama, desnorteado, e vê Harold sentado próximo dele, encarando-o.

– Harold – diz –, o que está fazendo aqui?

Mas Harold não fala, apenas se joga sobre ele, que percebe, com um solavanco de perplexidade, que Harold está tentando tirar suas roupas. *Não*, diz a si mesmo. *Não Harold. Não pode ser.* Aquele é um de seus medos mais profundos, mais repulsivos e mais secretos, e agora está se tornando realidade. Mas então seus velhos instintos despertam: Harold é outro cliente, e ele vai lutar para mandá-lo embora. Então grita, se retorcendo, girando os braços e o que consegue das pernas, tentando intimidar e desorientar aquele Harold silencioso e determinado à sua frente, gritando pelo irmão Luke em busca de ajuda.

E então, de repente, Harold desaparece e é substituído por Willem, que aproxima o rosto do seu, dizendo algo que não consegue entender. Mas, atrás da cabeça de Willem, ele vê Harold outra vez, com sua expressão estranha e sombria, e volta a lutar. Em cima dele, ouve palavras, ouve Willem falar com alguém, e registra, mesmo em meio ao próprio temor, que Willem também está com medo.

– Willem – grita. – Ele está tentando me machucar; não deixe ele me machucar. Willem. Me ajude. Me ajude. Me ajude... Por favor.

Depois não há nada – um período de escuridão –, e, quando acorda novamente, está no hospital.

– Willem – anuncia ele para o quarto, e então Willem surge, de imediato, sentado na beira da cama, segurando sua mão. Um tubo de plástico serpenteia nas costas de uma das mãos, e da outra também.

– Cuidado – diz Willem –, os tubos.

Passam um tempo em silêncio, e Willem acaricia sua testa.

– Ele estava tentando me atacar – finalmente confessa a Willem, tropeçando nas palavras. – Nunca pensei que Harold faria isso comigo, jamais.

Sente Willem enrijecer.

– Não, Jude – diz ele. – Harold não estava lá. Você estava delirando por causa da febre; não aconteceu.

Ele fica aliviado e aterrorizado ao ouvir isso. Aliviado por saber que não era verdade; aterrorizado porque parecia tão real, tão vívido. Aterrorizado pelo que aquilo dizia sobre ele, sobre o que pensa e sobre quais são seus medos, por imaginar algo assim de Harold. Até onde podia chegar a crueldade de sua própria mente para tentar convencê-lo a se voltar contra alguém que ele precisara se esforçar tanto para confiar, alguém que nunca lhe demonstrara nada além de bondade? Sente lágrimas em seus olhos, mas precisa perguntar a Willem:

– Ele não faria isso comigo, faria, Willem?

– Não – diz Willem, com a voz cansada. – Nunca, Jude. Harold nunca, jamais, faria isso a você, por nada neste mundo.

Quando acorda novamente, percebe que não sabe que dia é, e, quando Willem lhe diz que é segunda-feira, ele entra em pânico.

– Trabalho – afirma. – Preciso ir.

– Nem fodendo – diz Willem, incisivo. – Já liguei para eles, Jude. Você não vai a lugar algum, não até Andy descobrir o que está acontecendo.

Harold e Julia chegam mais tarde, e ele se força a retribuir o abraço de Harold, embora não consiga olhar para ele. Por sobre o ombro de Harold, vê Willem, que o tranquiliza, acenando com a cabeça.

Estão todos juntos quando Andy chega.

– Osteomielite – lhe diz, com a voz baixa. – Uma infecção óssea.

Ele explica o que vai acontecer: terá de ficar no hospital por pelo menos uma semana – "Uma *semana*!", exclama ele, e os quatro começam a gritar com ele antes mesmo que tenha uma chance de continuar seu protesto – ou possivelmente duas, até conseguirem controlar a febre. Os antibióticos serão dispensados por um cateter central, mas as outras dez ou onze semanas serão de tratamento ambulatorial. Todo dia uma enfermeira irá aplicar a terapia intravenosa: o tratamento levará uma hora, e ele não pode faltar nem uma só vez. Quando tenta protestar novamente, Andy o interrompe:

– Jude – diz ele. – Isso é sério. De verdade. Estou pouco me fodendo para a Rosen Pritchard. Se quiser continuar tendo pernas, me obedeça e siga minhas instruções, está me entendendo?

Ao seu redor, os outros ficaram em silêncio.

– Sim – falou, finalmente.

Uma enfermeira aparece para prepará-lo, de modo que Andy possa introduzir o cateter venoso central, que será inserido na veia subclávia, diretamente abaixo da clavícula direita.

– O acesso a essa veia é complicado, pois fica bem profunda – diz a enfermeira, abaixando a gola da camisola dele e limpando um quadrado de sua pele. – Mas você tem sorte de ter o Dr. Contractor. Ele é muito bom com agulhas; nunca erra.

Ele não está preocupado, mas sabe que Willem, sim, e segura a mão dele enquanto Andy perfura sua pele com a agulha de metal frio e depois insere o rolo de fio-guia dentro dele.

– Não olhe – diz a Willem. – Está tudo bem. – E então Willem olha fixamente para o seu rosto, que ele tenta manter imóvel e sereno até Andy terminar e colar com fita o tubo fino de plástico do cateter ao seu peito.

Ele dorme. Achou que poderia trabalhar do hospital, mas se sente mais exausto do que imaginou, mais atordoado e, depois de falar com os chefes das várias juntas e com alguns de seus colegas, não tem forças para mais nada.

Harold e Julia vão embora – têm aulas e horas no escritório a serem cumpridas –, mas, a não ser por Richard e algumas pessoas do trabalho, não contam a ninguém que ele foi hospitalizado; não vai ficar muito tempo ali, e Willem decidiu que ele precisa mais de sono do que de visitas.

Ainda está febril, mas um pouco menos, e não sofreu nenhum novo episódio de delírio. E, estranhamente, apesar de tudo o que está acontecendo, ele se sente, se não otimista, ao menos calmo. Todos ao seu redor vêm se mostrando tão sérios, tão comedidos, que ele se sente determinado a desafiá-los de alguma maneira, a desafiar a gravidade da situação em que continuam a dizer que ele se encontra.

Não se lembra de quando foi que ele e Willem começaram a se referir ao hospital como Hotel Contractor, em homenagem a Andy, mas parece que sempre o fizeram.

– Cuidado – dizia-lhe Willem já nos tempos de Lispenard Street, quando estava cortando um pedaço de bife que algum chef empolgado do Ortolan surrupiara para Willem no fim do expediente –, esse cutelo é bem afiado, e, se você arrancar um dedão, teremos de ir ao Hotel Contractor.

Ou então outra vez, quando foi hospitalizado por causa de uma infecção cutânea, e enviara uma mensagem de texto a Willem (que estava em algum outro lugar, filmando) dizendo: "Estou no Hotel Contractor. Nada sério, mas não queria que soubesse por M ou JB." Agora, no entanto, quando tenta fazer piadas com o Hotel Contractor – reclamando sobre os serviços cada vez piores de comidas e bebidas do hotel; sobre a parca qualidade da roupa de cama – Willem não responde.

– Não é engraçado, Jude – esbraveja ele numa noite de sexta-feira, enquanto esperam Harold e Julia chegarem com o jantar. – Queria que você parasse de brincar com essas merdas. – Ele então fica em silêncio, e os dois se olham. – Fiquei apavorado – diz Willem, em voz baixa. – Você estava tão mal, e eu não sabia o que ia acontecer, fiquei apavorado.

– Willem – diz ele, delicadamente –, eu sei. E fico grato por ter você. – Ele se apressa, antes que Willem possa dizer que não precisa que se sinta grato, precisa que ele leve a situação a sério. – Vou obedecer a Andy, prometo. Juro que estou levando isso a sério. E juro que não estou desconfortável. Estou bem. Vai ficar tudo bem.

Passados dez dias, Andy verifica que a febre foi eliminada, e ele recebe alta e é mandado para casa por dois dias para descansar; volta ao escritório na sexta-feira. Sempre resistira à ideia de ter um motorista – gostava ele mesmo de dirigir; gostava da independência, do isolamento –, mas, agora, o assistente de Willem contratou um, um homem pequeno e sério chamado Sr. Ahmed, e ele dorme tanto no trajeto de ida quanto no de volta do trabalho. O Sr. Ahmed também busca sua enfermeira, uma mulher chamada Patrizia, que raramente fala, mas é muito gentil, e todo dia, à uma da tarde, ela o encontra na Rosen Pritchard. Seu escritório lá é todo de vidro e dá para o restante do andar, e ele abaixa a persiana para ter privacidade e tira o paletó, a gravata e a camisa, e deita no sofá de camiseta e se cobre com uma manta, e Patrizia limpa o cateter e checa a pele ao redor para se certificar de que não há sinais de infecção – nenhum inchaço, nenhuma vermelhidão –, e então insere o tubo intravenoso e espera o remédio gotejar no cateter e deslizar para dentro de suas veias. Enquanto esperam, ele trabalha e ela tricota ou lê uma revista de enfermagem. Logo aquilo também se torna normal: toda sexta-feira ele vê Andy, que faz o desbridamento das feridas e depois o examina, mandando-o para o hospital após a consulta para tirar raios X a fim de que possa acompanhar a infecção e se certificar de que não esteja se espalhando.

Eles não podem viajar nos fins de semana, pois ele tem de seguir com o tratamento, mas, no início de outubro, após quatro semanas de antibióticos, Andy anuncia que andou conversando com Willem e, se não se importar, ele e Jane vão passar o fim de semana com eles em Garrison, e o próprio Andy administrará o remédio.

É maravilhoso, e raro, sair da cidade, voltar à casa deles, e os quatro desfrutam da companhia um do outro. Ele até se sente bem o bastante para mostrar um pouco da propriedade a Andy, que só estivera ali na primavera ou no verão, mas o lugar fica diferente no outono: natural, triste, adorável, o telhado do celeiro coberto de folhas amarelas de gingko, parecendo construído com folhas de ouro.

No jantar daquele domingo à noite, Andy pergunta a ele:

– Você já se deu conta de que nos conhecemos há mais de trinta anos, certo?

– Sim. – Ele sorri.

Na verdade, ele comprou um presente para Andy – um safári de férias para ele e a família, quando quiserem – para comemorar a data, embora não tenha lhe contado ainda.

– Trinta anos sendo desobedecido – resmunga Andy, e os outros riem. – Trinta anos de recomendações médicas inestimáveis, baseadas em anos de experiência e treinamento nas melhores instituições, só para serem ignoradas por um *advogado de litígios corporativos* que decidiu que sua compreensão da biologia humana é superior à minha.

Quando param de rir, Jane diz:

– Mas você sabe, Andy, se não fosse por Jude, eu nunca teria me casado com você. – Ela se vira para ele e diz: – Na faculdade de medicina, sempre achei que Andy fosse um babacaególatra, Jude; era tão arrogante, tão insuportavelmente imaturo. – "O quê!", protesta Andy, fazendo-se de ofendido. – Presumi que se tornaria um daqueles cirurgiões típicos, sabe, "nem sempre certo, mas sempre seguro". Mas então o ouvi falar sobre você, sobre quanto ele o amava e respeitava, e pensei que ele pudesse ter mais a oferecer. E eu estava certa.

– Estava mesmo – diz ele a ela, depois que todos riem outra vez. – Você estava certa. – E todos olham para Andy, que fica constrangido e se serve de outra taça de vinho.

Uma semana depois, Willem começa os ensaios para seu novo filme. Um mês antes, quando ele adoeceu, Willem desistiu do projeto, que foi adiado para esperar por ele, e, agora que as coisas estavam novamente estáveis, ele voltou à produção. Ele não entendia por que Willem desistira para início de conversa – o filme é uma refilmagem de *Almas atormentadas*, e a maior parte das cenas será rodada bem do outro lado do rio, em Brooklyn Heights –, mas fica aliviado por Willem estar de volta ao trabalho, e não em cima dele, parecendo preocupado e perguntando se ele tem certeza de que tem energia para fazer qualquer uma das tarefas básicas (ir ao mercado; preparar uma refeição; ficar até tarde no trabalho) que ele quer fazer.

No início de novembro, volta ao hospital com febre, mas fica apenas por duas noites até receber nova alta. Patrizia tira seu sangue toda semana, mas Andy lhe disse que precisará ter paciência; infecções ósseas levam bastante tempo para serem erradicadas, e ele provavelmente não terá ideia se ficou realmente curado até o fim do ciclo de doze semanas. Mas, fora isso, tudo segue em frente: ele vai ao trabalho. Faz seu tratamento na câmara hiperbárica. Faz o tratamento a vácuo em suas feridas. Faz o desbridamento. Um dos efeitos colaterais dos antibióticos é diarreia; outro, náusea. Vem perdendo peso numa velocidade que até ele sabe ser problemática; manda ajustar oito de suas camisas e dois de seus ternos. Andy receita bebidas hipercalóricas destinadas a crianças malnutridas, e ele as engole cinco vezes por dia, bebendo água em seguida para tirar o gosto de giz que cobria sua língua. Exceto pelas horas que passa no escritório, tem consciência de estar mais obediente do que jamais foi, de prestar atenção a todos os avisos de Andy, de seguir cada recomendação sua. Ainda tenta não pensar em como esse episódio pode acabar, tenta não se preocupar, mas, nos momentos de escuridão e silêncio, repete o que Andy lhe disse numa de suas últimas consultas:

– Coração: perfeito. Pulmões: perfeito. Visão, audição, colesterol, próstata, glicemia, pressão, lipídios, funcionamento renal, funcionamento do fígado, funcionamento da tiroide: tudo perfeito. Seu corpo está preparado para trabalhar com todas as forças que tem por você, Jude; garanta que ele o faça.

Ele sabe que aquilo não dá a medida completa de quem é – a circulação, por exemplo: imperfeita; reflexos: imperfeitos; qualquer coisa ao sul de sua virilha: comprometida –, mas tenta se consolar com as garantias de Andy, tenta lembrar a si mesmo de que podia ser pior, que ainda é, basicamente, uma pessoa saudável, uma pessoa sortuda.

Final de novembro. Willem termina *Almas atormentadas*. Vão passar o Dia de Ação de Graças no apartamento de Harold e Julia no Alto Manhattan, e, embora os dois estejam vindo à cidade a cada dois fins de semana para vê-lo, ele sente que ambos se esforçam ao máximo para não dizer nada sobre sua aparência, para não implicar com ele por comer pouco no jantar. A semana da Ação de Graças também marca a última semana do tratamento com antibióticos, e ele se submete a outra bateria de exames de sangue e raios X antes de Andy lhe dar permissão para parar. Despede-se de Patrizia no que espera ser pela última vez e lhe dá um presente para lhe agradecer seus cuidados.

Embora suas feridas tenham diminuído, não diminuíram tanto quanto Andy esperava, e, sob sua recomendação, passam o Natal em Garrison. Prometem a Andy que será uma semana sossegada; não haverá ninguém na cidade, de qualquer forma, e serão apenas eles dois e Harold e Julia.

– Seus dois objetivos são: comer e dormir – diz Andy, que vai visitar Beckett em São Francisco para as festividades. – Quero vê-lo com dois quilos a mais na primeira sexta-feira de janeiro.

– Dois quilos é muito – diz ele.

– Dois – repete Andy. – E, depois, o ideal será ganhar mais sete.

No dia do Natal em si, um ano depois que ele e Willem caminharam pelo espinhaço de uma montanha baixa e sinuosa em Punakha, que os levava aos fundos da cabana de caça do rei, uma estrutura simples de madeira que aparentava ser usada por peregrinos chaucerianos, não pela família real, ele diz a Harold que quer dar uma volta. Julia e Willem saíram para andar a cavalo no rancho de um conhecido ali perto, e ele se sente mais forte do que vem se sentindo há um bom tempo.

– Não sei, Jude – diz Harold, cauteloso.

– Vamos lá, Harold – insiste ele. – Só até o primeiro banco. – Malcolm colocou três bancos ao longo do caminho que abriu em meio à floresta até os fundos da casa; um deles fica localizado a cerca de um terço do percurso em volta do lago; o segundo fica na metade; e o terceiro, na marca de dois terços. – A gente vai devagar, e eu levo a bengala.

Faz anos que não precisa usar a bengala, desde quando era adolescente, mas, agora, precisa dela para qualquer distância superior a cinquenta metros. Harold finalmente concorda, e ele agarra o cachecol e o casaco antes que Harold possa mudar de ideia.

Uma vez ao ar livre, sua euforia aumenta. Ele ama aquela casa: ama sua aparência, ama sua tranquilidade e, acima de tudo, ama o fato de ser sua e de Willem, tão diferente de Lispenard Street quanto se possa imaginar, mas, assim como aquele primeiro lugar, era algo que construíram juntos e compartilhavam. A casa, que dá para uma segunda floresta, é formada por uma série de cubos de vidro, e, antes dela, vem uma longa estrada que serpenteia pelo bosque, de modo que, em determinados ângulos, você só enxerga partes dela e, em outros ângulos, ela desparece completamente. À noite, quando está iluminada, brilha como uma lanterna, que foi como Malcolm a batizou em sua monografia: a Casa-Lanterna. Os fundos dão para um gramado amplo e, além dele, um lago. Aos pés do gramado fica uma piscina, com placas de ardósia para manter a água sempre fria e límpida, mesmo nos dias mais quentes, e no celeiro fica a piscina coberta e uma sala de estar; todas as paredes do celeiro podem ser erguidas e retiradas da estrutura, de modo que todo o interior seja exposto ao ar livre, às moitas de peônias e lilases que florescem ao redor no início da primavera; às panículas de glicínias que pendem do teto no início do verão. Do lado direito da casa fica um campo que se pinta de vermelho com papoulas em julho; à esquerda fica outro, no qual ele e Willem espalharam milhares de sementes de flores silvestres: cosmos, margaridas, dedaleiras e cenouras selvagens. Num fim de semana pouco depois que a casa ficou pronta, eles passaram dois dias andando pelos bosques diante e atrás da casa, plantando lírios-do-vale próximo aos outeiros musgosos em volta das árvores de carvalho e olmo, e espalhando sementes de hortelã pelo caminho. Sabiam que Malcolm não aprovava seus esforços paisagísticos – achava-os sentimentais e banais – e, embora compreendessem que Malcolm provavelmente estava certo, tampouco se importavam. Na primavera e no verão, quando o ar era tomado pelas fragrâncias, muitas vezes pensavam em Lispenard Street, em sua feiura agressiva, e em como naquela época não teriam sequer a imaginação visual para conjurar um lugar como aquele, onde a beleza era tão descomplicada, tão inegável, que às vezes parecia uma ilusão.

Ele e Harold partem em direção à floresta, onde a estradinha rústica faz o percurso ser mais fácil do que era antes das obras. Mesmo assim, tem de se concentrar, pois o caminho só é limpo uma vez por estação e, no intervalo entre os meses, fica tomado por mudas, samambaias, galhos e restos arbóreos.

Não estão nem ainda na metade do caminho até o primeiro banco quando percebe que cometeu um erro. Suas pernas começam a latejar logo que terminam de atravessar o gramado, e agora seus pés também estão latejando, e cada passo é uma agonia. Mas ele não diz nada, apenas segura a bengala com mais força, tentando equilibrar o desconforto, e segue em frente, rangendo os dentes e projetando a mandíbula. Quando finalmente chegam ao banco – na verdade, um pedregulho de calcário cinza-escuro –, ele se sente tonto, e ficam ali sentados por um longo tempo, conversando e olhando para o lago, que ganhou um tom prateado com o ar gelado.

– Está frio – diz Harold num certo momento, e está mesmo; ele sente a frieza da pedra atravessar sua calça. – É melhor voltarmos para casa.

– Tudo bem. – Ele engole em seco, levanta-se, e sente de imediato uma pontada quente de dor perfurando seus pés e subindo pelo corpo, o que o faz arfar, mas Harold não percebe.

Deram apenas trinta passos mata adentro quando ele faz Harold parar.

– Harold – diz –, eu preciso... eu preciso... – Mas não consegue terminar.

– Jude – diz Harold, e ele vê sua preocupação. Harold pega seu braço esquerdo e o passa pelo pescoço, segurando sua mão. – Apoie-se em mim o máximo que puder – orienta, passando o outro braço pela sua cintura, e ele concorda com a cabeça. – Pronto? – E ele volta a acenar com a cabeça.

Consegue dar mais vinte passos – passos tão lentos, emaranhando os pés nas folhas – antes de simplesmente não conseguir mais se mover.

– Não consigo, Harold – diz ele, e, a essa altura mal consegue falar, pois a dor é tão insuportável, tão completamente diferente de qualquer coisa que tenha sentido num bom tempo. Desde sua passagem pelo hospital na Filadélfia que suas pernas, suas costas e seus pés não doem tanto, e ele se desvencilha de Harold e desaba no chão da floresta.

– Ah, meu deus, Jude – diz Harold, que se curva sobre ele e o ajuda a sentar com as costas apoiadas numa árvore.

Ele pensa no quanto foi estúpido, no quanto foi egoísta. Harold tem setenta e dois anos. Não deveria pedir assistência física a um homem de setenta e dois anos, mesmo a um homem de setenta e dois anos com uma saúde admirável. Não consegue abrir os olhos, pois o mundo está girando ao seu redor, e ouve Harold pegar seu telefone e tentar ligar para Willem, mas a floresta é muito densa, e o sinal, muito fraco, o que faz Harold praguejar.

– Jude – ouve Harold dizer, mas sua voz está muito baixa. – Tenho de voltar a casa para pegar sua cadeira de rodas. Desculpe. Logo estarei de volta.

Ele acena levemente a cabeça e sente Harold abotoar seu casaco, sente-o colocar suas mãos para dentro dos bolsos, sente-o enrolar algo em suas pernas; o próprio casaco de Harold, ele percebe.

– Já volto – diz Harold. – Já volto.

E ouve os pés de Harold correrem para longe, os galhos e as folhas estalando ao se romperem e se esmigalharem debaixo dele.

Vira a cabeça para o lado e o chão debaixo de seu corpo oscila, perigosamente, e ele vomita, tossindo tudo o que comeu durante o dia, sentindo o resto de vômito deslizar pelos lábios e escorrer pela bochecha. Sente-se então um pouco melhor, e apoia a cabeça na árvore outra vez. Lembra-se do tempo que passou na floresta quando fugiu do orfanato, como torceu para que as árvores o protegessem, e tem a mesma esperança agora. Tira uma das mãos do casaco, tateia em busca da bengala e a aperta com toda a força. Por trás de suas pálpebras, pingos cintilantes de luz explodem feito confetes e depois se apagam formando borrões oleosos. Ele se concentra no som de sua respiração e em suas pernas, que ele imagina como grandes pedaços rústicos de madeira, perfurados por dúzias de longos parafusos de metal, cada um da grossura de um polegar. Imagina os parafusos sendo retirados ao contrário, cada um girando lentamente para fora dele e aterrissando com um tinido ressonante no chão de cimento. Vomita outra vez. Está com muito frio. Sente que começa a ter espasmos.

E então ouve alguém correndo em sua direção e pelo cheiro sabe que é Willem – seu doce perfume de sândalo –, antes mesmo de ouvir sua voz. Willem o segura e, ao levantá-lo, tudo volta a oscilar, e ele acha que vai vomitar, mas não vomita, e coloca o braço direito em volta do pescoço de Willem e apoia o rosto sujo em seu ombro, e se deixa ser carregado. Pode ouvir Willem arfando – mesmo que seja mais leve que Willem, os dois têm a mesma altura e ele sabe o quanto deve ser difícil manejá-lo, com sua bengala, ainda na mão, batendo nas coxas de Willem, e suas panturrilhas se chocando contra as costelas de Willem – e fica aliviado ao sentir que está sendo colocado em sua cadeira de rodas, ouvindo as vozes de Willem e Harold sobre sua cabeça. Ele dobra o corpo, apoiando a testa nos joelhos, e é empurrado para fora da floresta e morro acima até a casa, e, uma vez lá dentro, é colocado na cama. Alguém tira seus sapatos, ele grita e recebe um pedido de desculpas; alguém limpa seu rosto; alguém coloca suas mãos sobre uma bolsa de água quente; alguém enrola suas pernas com mantas. Acima de si, ouve a raiva de Willem – "Por que concordou com essa merda? Você *sabe* que ele não pode fazer essas merdas!" – e as respostas apologéticas e entristecidas de Harold – "Eu sei, Willem. Sinto muito. Fui um imbecil. Mas ele queria tanto sair". Ele tenta falar, tenta defender Harold, tenta dizer a Willem que a culpa é sua, que insistiu para Harold acompanhá-lo, mas não consegue.

– Abra a boca – ordena Willem, e ele sente um comprimido, amargo feito metal, sendo colocado em sua língua. Sente um copo de água ser inclinado em seus lábios. – Engula – diz Willem, e ele o faz, e logo em seguida o mundo deixa de existir.

Quando acorda, ele se vira e vê Willem ao seu lado na cama, fitando-o.

– Desculpe – sussurra, mas Willem não diz nada. Ele estica o braço e passa a mão pelos cabelos de Willem. – Willem – diz –, não foi culpa de Harold. Fui eu que o forcei a ir.

Willem bufa.

– Mas é claro – diz. – Mesmo assim, ele não devia ter concordado.

Ficam em silêncio por um longo tempo, e ele pensa no que precisa falar, no que sempre pensou, mas jamais conseguiu articular.

– Sei que isto vai soar ilógico para você – diz a Willem, que volta a olhar para ele. – Mas, mesmo depois de todos esses anos, ainda não consigo me ver como um deficiente. Quero dizer... eu sei que sou. Eu sei que sou. E sou há pelo menos o dobro de tempo do que não fui. Esse é o único jeito como você me viu: como alguém que... que precisa de ajuda. Mas eu me lembro de mim mesmo como alguém que podia andar quando bem quisesse, como alguém que podia correr.

"Acho que todas as pessoas que se tornam deficientes pensam que algo lhes foi roubado. Mas acredito que sempre senti que... que se reconhecer que *sou* deficiente, terei me rendido ao Dr. Traylor, e então terei permitido que o Dr. Traylor determinasse o rumo da minha vida. Por isso, finjo que não sou; finjo que sou quem eu era antes de conhecê-lo. E sei que isso não é racional ou prático. Mas, principalmente, lamento por isso porque... porque sei que é egoísta. Sei que meu fingimento traz consequências para você. Então... eu vou parar. – Ele respira fundo, fecha e abre os olhos. – Sou uma pessoa incapacitada – diz. – Sou um deficiente físico."

F., por mais tolo que pareça – afinal, tem quarenta e sete anos; teve trinta e dois anos para admitir isso a si próprio –, sente-se prestes a cair no choro.

– Ah, Jude – diz Willem, puxando-o para perto. – Eu sei que você lamenta. Sei que é difícil. Entendo por que nunca quis admitir isso; de verdade. Só fico preocupado com você; às vezes, acho que me importo mais com você continuar vivo do que você mesmo.

Ele estremece ao ouvir isso.

– Não, Willem – diz. – Quero dizer... talvez em determinado ponto. Mas não agora.

– Então me prove – responde Willem, após um silêncio.

– Vou provar – diz ele.

Janeiro; fevereiro. Está mais atarefado do que nunca. Willem está ensaiando uma peça. Março: duas novas feridas se abrem, ambas na perna direita. Agora a dor é excruciante; agora não levanta mais da cadeira de rodas, a não ser para tomar banho, ir ao banheiro, pôr e tirar a roupa. Faz um ano, mais, desde a última vez que teve uma folga da dor nos pés. E, mesmo assim, toda manhã ao acordar, ele os coloca no chão e, por um segundo, fica esperançoso. Talvez hoje se sinta melhor. Talvez hoje a dor tenha diminuído. Mas nunca se sente melhor; nunca se sente melhor. E, ainda assim, tem esperança. Abril: seu aniversário. A temporada da peça tem início. Maio: voltam os suores noturnos, a febre, os tremores, o frio, o delírio. E ele volta ao Hotel Contractor. E volta o cateter, agora do lado esquerdo do peito. Mas, dessa vez, há uma mudança: dessa vez, a bactéria é diferente; dessa vez, precisará receber os antibióticos por via intravenosa a cada oito horas, e não vinte e quatro. E volta Patrizia, agora duas vezes por dia: às seis da manhã, em Greene Street; às duas da tarde, na Rosen Pritchard; e às dez da noite, novamente em Greene Street, quem faz o serviço é uma enfermeira noturna, Yasmin. Pela primeira vez em todo seu tempo de amizade, ele assiste a apenas uma exibição da peça de Willem: seus dias são tão segmentados, tão controlados pelos medicamentos, que simplesmente não consegue ter tempo de vê-la uma segunda vez. Pela primeira vez desde que esse ciclo começou um ano atrás, ele se sente caindo em desespero; sente-se desistindo. Precisa lembrar a si mesmo de que tem de provar a Willem que quer continuar vivo, quando tudo que deseja, na verdade, é parar. Não porque está deprimido, mas porque está exausto. Ao fim de uma consulta, Andy olha para ele com uma expressão estranha e lhe diz que não sabe se ele percebeu, mas faz um mês desde a última vez que se cortou, e ele pensa naquilo. Andy tem razão. Vem se sentindo cansado demais, esgotado demais, para pensar em se cortar.

– Bem – diz Andy. – Fico feliz. Mas lamento que tenha sido esse o motivo pelo qual parou, Jude.

– Eu também – diz ele. Ambos ficam em silêncio, ambos, ele receia, saudosos dos dias em que se cortar era seu problema mais grave.

Agora é junho, agora é julho. As feridas nas pernas – as antigas, que tem há mais de um ano, e as mais recentes, que tem desde março – não se curaram. Mal diminuíram. E é então, logo após o fim de semana do Quatro de Julho, logo após o fim da temporada de Willem, que Andy pergunta se pode conversar com ele e Willem. E como sabe o que Andy vai dizer, ele mente e diz que Willem anda ocupado, que Willem não tem tempo, como se, ao adiar a conversa, pudesse também adiar seu futuro, mas, no início da noite de um sábado, ele volta para casa do escritório e os encontra ali no apartamento, esperando por ele.

O discurso é o que ele espera. Andy recomenda – recomenda fortemente – a amputação. Andy é delicado, muito delicado, mas dá para ver, pelo modo como ensaiou sua fala, pela formalidade, que está nervoso.

– Sempre soubemos que este dia chegaria – começa Andy –, mas isso não torna as coisas mais fáceis. Jude, só você sabe quanta dor e quanto incômodo é capaz de suportar. Não posso lhe dizer o quanto é. Mas *posso* lhe dizer que já foi mais longe do que a maioria das pessoas iria. Posso lhe dizer que você foi extremamente corajoso... e não faça essa cara: você foi;

você é... e posso lhe dizer que não consigo imaginar o quanto você vem sofrendo.

"Mas, colocando tudo isso de lado, e mesmo que se sinta capaz de seguir adiante, existem alguns fatos a serem considerados. Os tratamentos não estão funcionando. As feridas não estão se curando. O fato de você ter passado por duas infecções ósseas em menos de um ano é alarmante para mim. Tenho medo de que você desenvolva uma alergia a um dos antibióticos, e aí estaremos realmente fodidos. E, mesmo se isso não acontecer, você não está tolerando os medicamentos tão bem quanto eu esperava: perdeu peso demais, uma quantidade preocupante, e toda vez que o vejo está um pouco mais fraco.

"O tecido nas partes superiores das coxas parece saudável o bastante para me deixar confiante quanto a poupar os dois joelhos. E, Jude, eu prometo que sua qualidade de vida vai melhorar de imediato se amputarmos. Não vai mais sentir dor nos pés. Você nunca teve úlceras nas coxas, e não acho que haja qualquer receio iminente de que apareçam. As próteses disponíveis hoje em dia são tão infinitamente superiores ao que eram até mesmo há dez anos que, na verdade, é provável que seu modo de caminhar melhore, se torne mais natural com elas do que é agora com suas próprias pernas. A cirurgia é bem simples, só dura umas quatro horas, e eu mesmo a farei. E o período de internação é curto: menos de uma semana no hospital, e colocaremos próteses temporárias em você imediatamente."

Andy para, colocando as mãos nos joelhos, e olha para os dois. Por um bom tempo, ninguém fala nada, e então Willem começa a fazer perguntas, perguntas inteligentes, perguntas que ele deveria estar fazendo: Quanto tempo dura o período de recuperação ambulatorial? Que tipo de fisioterapia precisaria fazer? Quais são os riscos associados à cirurgia? Ele ouve sem muito interesse as respostas, que já conhece, mais ou menos, tendo pesquisado sobre aquelas mesmas perguntas, sobre aquelas mesmas circunstâncias, todo ano, desde que Andy lhe fizera aquela sugestão pela primeira vez, dezessete anos atrás.

Finalmente ele os interrompe.

– E, se eu disser não? – pergunta, e consegue ver a surpresa tomar o rosto dos dois.

– Se disser não, vamos seguir com tudo que estamos fazendo e torcer para que acabe dando certo – diz Andy. – Mas, Jude, é sempre melhor passar por uma amputação quando pode *decidir* fazê-la, não quando é obrigado. – Ele faz uma pausa. – Se tiver uma infecção sanguínea, se tiver uma sepse, então *teremos* que amputar, e não poderei garantir que manterá os joelhos. Não poderei garantir que não perca alguma outra extremidade... um dedo, uma das mãos... ou que a infecção não vá se espalhar para além da parte inferior das pernas.

– Mas não pode garantir que vou manter os joelhos nem mesmo agora – rebate ele, petulante. – Não pode garantir que não terei uma sepse no futuro.

– Não – admite Andy. – Mas, como disse, acho que há uma boa chance de que *consiga* mantê-los. E acho que, se removermos a parte do seu corpo que está infeccionada de maneira tão grave, isso ajudará a prevenir futuras doenças.

Todos voltam a ficar em silêncio.

– Isso parece uma escolha que não é bem uma escolha – resmunga. Andy suspira.

– Como falei, Jude – diz ele –, *é* uma escolha. É a *sua* escolha. Não tem que decidir amanhã, nem mesmo esta semana. Mas quero que pense muito bem a respeito.

Andy vai embora, e ele e Willem ficam a sós.

– Precisamos falar disso agora? – pergunta ele, quando finalmente consegue olhar para Willem, e Willem balança a cabeça.

Lá fora, o céu está ganhando tons rosados; o pôr do sol será longo e belo. Mas ele não quer beleza. Sente uma vontade repentina de poder nadar, mas não nada desde a primeira infecção óssea. Não fez coisa alguma. Não foi a lugar nenhum. Teve de passar seus clientes londrinos para um colega, pois seu tratamento intravenoso o acorrentou a Nova York. Seus músculos desapareceram: é só carne flácida e osso; move-se feito um velho.

– Estou indo para a cama – diz a Willem.

E Willem diz, em voz baixa:

– Yasmin estará aqui em duas horas. – Isso o faz ter vontade de chorar.

– Certo – responde, olhando para o chão. – Bem. Vou tirar uma soneca, então. Vou acordar quando Yasmin chegar.

Naquela noite, depois de Yasmin ir embora, ele se corta pela primeira vez em bastante tempo; assiste ao sangue que escorre pelo mármore e entra no ralo. Sabe o quanto aquilo parece irracional, seu desejo de manter as pernas, as pernas que lhe causaram tantos problemas, que lhe custaram tantas horas, tanto dinheiro, tanta dor para manter. Mas, ainda assim: são suas. São as suas pernas. São ele. Como pode voluntariamente mutilar parte de si mesmo? Sabe que já cortou tanto de si ao longo dos anos: carne, pele, cicatrizes. Mas, de algum jeito, isso é diferente. Se sacrificar suas pernas, estará admitindo para o Dr. Traylor que ele venceu; estará se rendendo a ele, àquela noite no campo, com o carro.

E também é diferente porque sabe que, depois de perdê-las, não terá mais como fingir. Não terá mais como fingir que um dia voltará a andar, que algum dia ficará bom. Não terá mais como fingir que não é deficiente. E, mais uma vez, seu nível de aberração aumentará. Será alguém que é definido, em primeiro lugar e sempre, pelo que não tem.

E está cansado. Não quer ter de aprender a andar outra vez. Não quer se esforçar para ganhar peso que ele sabe que acabará perdendo, mais peso além do peso que lutou para recuperar depois da primeira infecção óssea, peso que voltou a perder com a segunda. Não quer voltar ao hospital, não quer acordar desorientado e confuso, não quer ser visitado por terrores noturnos, não quer explicar a seus colegas que está doente mais uma vez, não quer os meses e meses de fraqueza, de luta para reconquistar seu equilíbrio. Não quer que Willem o veja sem as pernas, não quer lhe dar mais um desafio, mais uma coisa grotesca a ser superada. Quer ser normal, tudo o que sempre quis foi ser normal, mas a cada ano ele se afasta mais e mais da normalidade. Sabe que é uma falácia pensar na mente e no corpo como duas entidades separadas e rivais, mas não consegue evitar. Não quer que seu corpo vença mais uma batalha, que tome a decisão por ele, que o deixe tão desamparado. Não quer depender de Willem, ter de pedir a ele que o levante e o coloque na cama porque seus braços se tornarão inúteis e moles, que o ajude a usar o banheiro, que veja o que restou de suas pernas transformado em tocos. Ele sempre acreditou que haveria alguma espécie de aviso antes daquele ponto, que seu corpo o alertaria antes de piorar seriamente. Ele sabe, de verdade, que este último ano e meio *foi* seu aviso – um aviso longo, lento, consistente e impossível de ser ignorado –, mas escolheu, do alto de sua arrogância e de sua estúpida esperança, não o ver como realmente era. Escolheu acreditar que, por sempre ter se recuperado, voltaria a fazê-lo, uma vez mais. Concedeu a si mesmo o privilégio de supor que sua sorte fosse ilimitada.

Três noites depois, acorda com febre novamente; vai para o hospital novamente; recebe alta novamente. A febre foi causada por uma infecção em volta do cateter, que é removido. Um novo é inserido em sua veia jugular interna, formando uma protuberância que nem mesmo o colarinho da camisa consegue camuflar por completo.

Na sua primeira noite de volta em casa, está costeando por seus sonhos quando abre os olhos e vê que Willem não está ao seu lado na cama, e se coloca na cadeira de rodas e desliza para fora do quarto.

Ele vê Willem antes de Willem vê-lo; está sentado à mesa de jantar, com a luz acesa em cima dele, as costas para as estantes de livros, encarando a sala. Há um copo de água à sua frente, e o cotovelo está apoiado na mesa, a mão segurando o queixo. Ele olha para Willem e vê o quanto está exausto, o quanto está velho, com seus cabelos claros esbranquiçados. Conhece Willem há tanto tempo, olhou para o seu rosto tantas vezes, que não consegue vê-lo de uma nova maneira: o rosto dele lhe é mais familiar que o seu próprio. Conhece cada expressão sua. Sabe o que significam os diferentes sorrisos de Willem; quando o vê ser entrevistado na televisão, sempre sabe quando ele está sorrindo porque está realmente se divertindo e quando está sorrindo para ser educado. Sabe quais de seus dentes têm coroas e quais deles Kit o mandou usar um aparelho ortodôntico para corrigi-los quando ficou claro que seria um astro, quando ficou claro que não participaria apenas de peças e filmes independentes, mas teria um tipo diferente de carreira, um tipo diferente de vida. Mas ele olha agora para Willem, para seu rosto, que ainda é belo, mas também cansado, o tipo de cansaço que achou que só ele vinha sentindo, e percebe que Willem também o sente, que a vida dele – a vida de Willem com ele – se tornou uma espécie de estorvo, uma série de doenças, visitas hospitalares e medo, e sabe o que vai fazer, o que tem de fazer.

– Willem – diz ele, e vê Willem despertar com um solavanco de seu transe e olhar para ele.

– Jude – diz Willem. – O que houve? Está passando mal? Por que saiu da cama?

– Vou fazer o que Andy disse – responde, e imagina que os dois são atores numa peça, conversando um com o outro a uma longa distância, e então se aproxima dele. – Vou fazer – repete, e Willem acena com a cabeça, e então os dois colam as testas uma na outra, e ambos começam a chorar. – Sinto muito – diz a Willem, e Willem balança a cabeça, esfregando a testa na dele.

– Eu sinto muito – devolve Willem. – Sinto muito, Jude. Muito mesmo.

– Eu sei – diz ele, e é verdade.

No dia seguinte, telefona para Andy, que fica aliviado, mas também emudecido, como se por respeito a ele. As coisas acontecem rapidamente depois disso. Escolhem uma data: a primeira que Andy propõe é o aniversário de Willem, e, embora ele e Willem tenham concordado em comemorar seu quinquagésimo aniversário quando ele estiver melhor, não quer que a cirurgia aconteça no dia em si. Por isso, marca para o fim de agosto, na semana anterior ao Dia do Trabalho, na semana anterior à qual costumam ir a Truro. Na reunião seguinte do conselho administrativo, faz um breve pronunciamento, explicando que aquela é uma operação voluntária, que se ausentará do escritório por apenas uma semana, no máximo dez dias, que não é nada de mais, que vai ficar bem. Depois, anuncia ao seu departamento; normalmente não faria isso, diz a eles, mas não quer que seus clientes se preocupem, não quer que pensem que se trata de algo mais sério do que é, não quer ser alvo de rumores e boatos (mesmo sabendo que será). Ele revela tão pouco sobre si mesmo no trabalho que, quando o faz, pode ver as pessoas se mexerem e se inclinarem para a frente em suas cadeiras, e quase pode vê-las espichar um pouco as orelhas. Conhece todos os maridos, esposas, namorados e namoradas, mas nenhum deles conhece Willem. Jamais convidou Willem para um dos retiros da firma, para as festas de fim de ano, para os piqueniques de verão anuais.

– Você os detestaria – diz a Willem, embora saiba que não é bem o caso: Willem consegue se divertir em qualquer lugar. – Acredite em mim.

E Willem sempre deu de ombros.

– Eu adoraria ir – sempre respondia, mas ele nunca permitiu.

Sempre disse a si mesmo que estava protegendo Willem de uma série de eventos que ele certamente acharia tediosos, mas nunca pensou que Willem pudesse se sentir magoado por sua recusa em incluí-lo, que pudesse querer fazer parte de sua vida além de Greene Street e de seus amigos. Ele agora enrubesce, pensando nisso.

– Alguma pergunta? – diz ele, sem esperar de fato por uma, quando vê um dos sócios mais jovens, um homem frio, mas assustadoramente eficiente, chamado Gabe Freston, levantar a mão. – Freston? – diz.

– Só queria dizer que sinto muito por isso, Jude – responde Freston, e, ao seu redor, todos murmuram, concordando.

Ele quer tornar aquele momento mais leve, e dizer – porque é verdade – "Esta é a primeira vez que o vejo ser tão sincero desde que lhe falei quanto seria sua gratificação no ano passado, Freston", mas não o faz, apenas respira fundo.

– Obrigado, Gabe – diz. – Obrigado a todos vocês. Agora, todo mundo de volta ao trabalho. – E eles se dispersam.

A cirurgia será numa segunda-feira, e, embora fique no escritório até tarde na sexta, não vai no sábado. Naquela tarde, faz a mala que levará para o hospital; naquela noite, ele e Willem jantam no minúsculo restaurante japonês onde celebraram a Última Ceia pela primeira vez. Suas sessões finais com Patrizia e Yasmin foram na quinta-feira; Andy telefona cedo no sábado para dizer que está com os raios X e que, embora a infecção não tenha recuado, tampouco se espalhou.

– Obviamente, isso não será um problema depois de segunda – diz, e ele engole em seco, com dificuldade, do mesmo jeito que fez quando Andy lhe disse no início da semana: "Não vai mais sentir essa dor no pé depois de segunda que vem."

Ele se lembra então de que não é o problema que será erradicado; é a *fonte* do problema que será erradicada. Não se trata da mesma coisa, mas ele supõe que deve ficar agradecido, finalmente, por essa erradicação, venha ela como vier.

Faz sua última refeição no domingo às sete da noite; a cirurgia será às oito da manhã do dia seguinte, então não deve mais comer, tomar remédios ou beber pelo resto da noite.

Uma hora depois, ele e Willem descem de elevador até o térreo para sua última caminhada com suas próprias pernas. Fizera Willem lhe prometer aquele passeio, e, antes mesmo de começarem – vão seguir para o sul em Greene Street por um quarteirão até a Grand, depois a oeste por outro quarteirão até a Wooster, depois subirão a Wooster por quatro quarteirões até a Houston, depois voltarão a leste até Greene e então ao sul até o apartamento –, não tem certeza de que conseguirá terminar. No alto, o céu está da cor de hematomas, e ele se lembra, subitamente, de quando foi forçado a sair na rua, nu, por Caleb.

Ergue a perna esquerda e começa. Descem pela rua silenciosa e, na Grand, quando estão virando à direita, ele segura a mão de Willem, o que nunca faz em público, mas agora a aperta com força, e eles viram novamente à direita e começam a subir pela Wooster.

Ele queria tanto completar o percurso, mas, por outro lado, sua incapacidade em fazê-lo – na Spring, ainda a dois quarteirões da Houston,

Willem dá uma olhadela para ele e, mesmo sem perguntar, começa a conduzi-lo a leste, de volta a Greene Street – lhe traz a certeza: está tomando a decisão certa. Ele se defrontou com o inevitável e fez a única escolha que poderia, não só pelo bem de Willem, mas pelo seu próprio. A caminhada foi quase insuportável, e, quando volta ao apartamento, fica surpreso em sentir seu rosto tomado por lágrimas.

Na manhã seguinte, Harold e Julia encontram os dois no hospital, com um ar triste e assustado. Pode ver que estão tentando se mostrar firmes por ele; abraça e beija os dois, garante que vai ficar bem e que não há nada com que se preocupar. É levado então para ser preparado. Desde o atropelamento, os pelos de sua perna passaram a crescer de maneira irregular, ao redor e entre as cicatrizes, mas, agora, raspam tudo acima e abaixo das rótulas. Andy chega, segura seu rosto entre as mãos e lhe dá um beijo na testa. Não fala nada, apenas pega um marcador e desenha uma série de traços, como sinais de código Morse, em arcos invertidos alguns centímetros abaixo da parte inferior dos joelhos, depois diz que voltará em breve, mas que fará Willem entrar.

Willem se aproxima, senta à beira da cama e os dois ficam em silêncio, de mãos dadas. Está prestes a dizer algo, a fazer alguma piada sem graça, quando Willem começa a chorar, e não apenas a chorar, mas a urrar, recurvando-se e gemendo, soluçando como jamais viu alguém soluçar.

– Willem – diz ele, desesperado. – Willem, não chore; eu vou ficar bem. De verdade. Não chore. Willem, não chore. – Ele senta na cama e abraça Willem. – Ah, Willem – suspira, também próximo às lágrimas. – Willem, eu vou ficar bem. Prometo.

Mas não consegue acalmá-lo, e Willem chora e chora.

Sente que Willem está tentando dizer algo e esfrega suas costas, pedindo que repita.

– Não vá embora – ouve Willem dizer. – Não me deixe.

– Prometo que não vou – diz ele. – Eu prometo. Willem: é uma cirurgia simples. Sabe que tenho de voltar para Andy continuar a me dar lições de moral, não sabe?

E é então que Andy aparece.

– Prontos, meninos? – pergunta, e então vê e ouve Willem. – Ah, deus – diz, aproximando-se e juntando-se ao abraço. – Willem – começa –, prometo que vou cuidar dele como se fosse meu, tudo bem? Sabe que não vou deixar nada acontecer com ele?

– Eu sei – ouvem Willem gargarejar, finalmente. – Eu sei, eu sei.
Por fim, conseguem acalmar Willem, que se desculpa e enxuga os olhos.

– Me desculpem – diz Willem, mas ele balança a cabeça e puxa a mão de Willem até levar o rosto dele para perto do seu, dando-lhe um beijo de despedida.

– Não precisa se desculpar – diz ele.

Do lado de fora da sala de cirurgia, Andy abaixa a cabeça para perto da dele e o beija de novo, dessa vez na bochecha.

– Não vou poder tocar em você depois disso – diz ele. – Vou ficar estéril. – Os dois sorriem, subitamente, e Andy balança a cabeça. – Não está ficando um pouco velho demais para esse tipo de humor pueril? – pergunta.

– E *você* não está? – pergunta. – Tem quase sessenta anos.

– Nunca.

No instante seguinte, estão na sala de cirurgia e ele olha fixamente para o brilhante disco de luz branca sobre sua cabeça.

– Olá, Jude – diz uma voz atrás dele, e ele vê que é o anestesista, um amigo de Andy chamado Ignatius Mba, que conheceu num dos jantares de Andy e Jane.

– Olá, Ignatius – responde.

– Quero que conte de dez a zero para mim – diz Ignatius, e ele começa, mas, depois do sete, não consegue mais contar; a última coisa que sente é um formigamento nos dedos do pé direito.

Três meses depois. É o Dia de Ação de Graças outra vez, e eles o estão celebrando em Greene Street. Willem e Richard cozinharam tudo, prepararam tudo, enquanto ele dormia. Sua recuperação vinha sendo mais difícil e complicada que o esperado, e ele contraiu infecções duas vezes. Por um tempo, teve de usar um tubo de alimentação. Mas Andy estava certo: manteve os dois joelhos. No hospital, quando acordava, dizia a Harold e Julia, dizia a Willem, que sentia como se um elefante estivesse sentado em seus pés, balançando para a frente e para trás sobre suas ancas até os ossos dele virarem pó, até virarem algo mais fino que cinzas. Mas eles nunca lhe disseram que imaginava aquilo; diziam apenas que a enfermeira tinha acrescentado um analgésico ao soro intravenoso justamente para melhorar isso e que logo se sentiria melhor. Ele agora tem essas dores--fantasmas com uma frequência cada vez menor, mas não desapareceram completamente. E continua muito cansado, continua muito fraco, por isso Richard colocou uma poltrona de veludo malva com rodinhas – uma que India às vezes usa para seus modelos – para ele na cabeceira da mesa, de modo que possa repousar a cabeça em seus encostos quando se sentir exaurido.

No jantar estão Richard e India, Harold e Julia, Malcolm e Sophie, JB e sua mãe e Andy e Jane, cujos filhos foram visitar o irmão de Andy em São Francisco. Ele dá início a um brinde, agradecendo a todos tudo que lhe deram e fizeram por ele, mas, antes de chegar à pessoa a quem mais quer agradecer – Willem, sentado à sua direita –, sente que não consegue continuar e ergue os olhos do papel para os amigos e vê que todos estão prestes a chorar, por isso para.

Ele está desfrutando do jantar, divertindo-se ao ver como as pessoas não param de colocar colheradas de comidas diferentes em seu prato, mesmo que não tenha comido muito na primeira vez que se serviu, mas sente muito sono e, no fim, acaba se entocando na poltrona e fecha os olhos, sorrindo enquanto ouve a conversa familiar, as vozes familiares, ocuparem o ar ao seu redor.

A certa altura, Willem percebe que ele está quase adormecendo, e ele o ouve se levantar.

– Muito bem – diz ele –, está na hora de sua despedida de diva. – E vira a poltrona da mesa e começa a empurrá-la na direção do quarto, e ele usa suas últimas forças para responder às risadas de todos, àquele canto de despedidas, para espiar de um dos encostos da poltrona e sorrir para eles, deixando seus dedos seguirem-no num aceno gracioso e teatral.

– Fiquem – grita ao ser levado para longe deles. – Por favor, fiquem. Por favor, fiquem e conversem com Willem. – E eles concordam; não são nem sete da noite, afinal; ainda têm horas e horas. – Eu amo vocês – grita, e eles exclamam de volta que o amam, todos ao mesmo tempo, e, mesmo naquele coro, ele consegue distinguir a voz de cada um.

Na porta do quarto, Willem o levanta – ele perdeu bastante peso, e, sem as próteses, é só ossos, até mesmo Julia consegue levantá-lo – e o carrega para a cama, ajuda-o a se despir, ajuda-o a retirar suas próteses temporárias, cobre-o com o lençol. Serve um copo de água para ele e lhe dá seus comprimidos: um antibiótico, um punhado de vitaminas. Ele engole todos sob o olhar de Willem, que senta ao seu lado na cama por um tempo, sem tocar nele, apenas por perto.

— Prometa que vai voltar lá e ficar acordado até tarde — diz a Willem, que dá de ombros.

— Talvez eu fique aqui com você — responde ele. — Todos parecem estar se divertindo sem mim. — E então, como não poderia deixar de ser, ouvem uma explosão de risos vindos da sala, e um olha para o outro e sorriem.

— Não — diz ele —, prometa. — E, por fim, Willem concorda. — Obrigado, Willem — diz, mal articulado, com os olhos se fechando. — Hoje foi um dia bom.

— Foi mesmo, não foi? — ouve Willem dizer, e então começar a falar outra coisa, mas não ouve o que é, pois caiu no sono.

Naquela noite, seus sonhos o despertam. É um dos efeitos colaterais de um antibiótico específico que toma, esses sonhos, e, dessa vez, são piores do que nunca. Noite após noite, ele sonha. Sonha que está nos quartos de motel, que está na casa do Dr. Traylor. Sonha que ainda tem quinze anos, que os últimos trinta e três anos nem aconteceram. Sonha com clientes específicos, incidentes específicos, com coisas de que nem sabia se lembrar. Sonha que ele mesmo se tornou o irmão Luke. Sonha, vez após vez, que Harold é o Dr. Traylor e, quando acorda, se sente envergonhado por atribuir tal comportamento a Harold, mesmo em seu subconsciente, e, ao mesmo tempo, teme que aquele sonho possa ser real e se força a se lembrar da promessa de Willem: *Nunca, jamais, Jude. Ele nunca faria isso com você, por nada neste mundo.*

Às vezes, os sonhos são tão vívidos, tão reais, que ele leva minutos, uma hora, para voltar à vida, para se convencer de que a vida de sua consciência é de fato a vida real, sua vida real. Às vezes, acorda tão distante de si mesmo que não consegue nem se lembrar de quem ele é.

— Onde estou? — pergunta, desesperado. E depois: — Quem sou eu? Quem sou eu?

E então ele ouve, tão próximo ao ouvido que parece que a voz tem origem dentro de sua própria cabeça, o feitiço sussurrado de Willem.

— Você é Jude St. Francis. Você é meu amigo mais antigo e amado. É filho de Harold Stein e Julia Altman. É amigo de Malcolm Irvine, de Jean-Baptiste Marion, de Richard Goldfarb, de Andy Contractor, de Lucien Voigt, de Citizen van Straaten, de Rhodes Arrowsmith, de Elijah Kozma, de Phaedra de los Santos, dos Henry Youngs.

"Você é nova-iorquino. Mora no SoHo. É voluntário numa ONG de artes; é voluntário numa cozinha solidária.

"É um nadador. Um confeiteiro. Um cozinheiro. Um leitor. Tem uma bela voz, embora não cante ultimamente. É um excelente pianista. É um colecionador de arte. Escreve lindas mensagens para mim quando viajo. É paciente. É generoso. É o melhor ouvinte que conheço. É a pessoa mais inteligente que conheço, sob todos os aspectos. É a pessoa mais corajosa que conheço, sob todos os aspectos.

"É advogado. É o chefe do departamento de litígios da Rosen Pritchard & Klein. Ama seu trabalho; se dedica bastante a ele.

"É um matemático. É um lógico. Tentou me ensinar, várias e várias vezes.

"Foi tratado de uma maneira horrível. Mas conseguiu dar a volta por cima. Sempre foi você mesmo."

Willem fala e fala, enfeitiçando-o de modo a trazê-lo de volta para si, e, durante o dia – às vezes, dias depois –, ele se lembra de trechos do que Willem falou e os guarda no coração, tanto pelo que ele disse quanto pelo que não disse, pelo jeito como não o definiu.

Mas, à noite, fica aterrorizado demais e perdido demais para reconhecer isso. Seu pânico é real demais, desgastante demais.

– E quem é você? – pergunta, olhando para o homem que o abraça, que está descrevendo alguém que ele não reconhece, alguém que parece ter tanto, alguém que parece ser uma pessoa tão invejável e amada. – Quem é você?

O homem também tem uma resposta para essa pergunta.

– Sou Willem Ragnarsson – diz ele. – E nunca vou desistir de você.

—

– Estou indo – diz a Jude, mas depois não se move. Uma libélula, brilhosa feito um escaravelho, zumbe sobre eles. – Estou indo – repete, mas ainda não se move, e só na terceira vez que diz é que consegue finalmente se levantar da espreguiçadeira, inebriado pelo ar quente, e enfiar os pés em seus mocassins.

– Limões – diz Jude, erguendo a cabeça para ele e protegendo os olhos do sol.

– Certo – responde, e se curva, tira os óculos escuros de Jude, beija suas pálpebras e recoloca os óculos. O verão, sempre disse JB, é a estação de Jude: sua pele escurece e seus cabelos clareiam até ficarem quase do mesmo tom, deixando seus olhos de um verde sobrenatural, e Willem tem de se controlar para não o tocar demais. – Volto num instante.

Ele se arrasta morro acima até a casa, bocejando, coloca seu copo de chá e gelo meio derretido na pia e pisoteia os seixos da entrada da casa até o carro. Este é um daqueles dias de verão em que o ar está tão quente, tão seco, tão imóvel, e o sol lá no alto, tão branco, que não é tanto uma questão de ver o que o cerca, mas sim de ouvir, sentir o cheiro, o gosto: o zumbido de cortador de grama das abelhas e gafanhotos, o aroma suave e picante dos girassóis, o sabor estranhamente mineral que o calor deixa na língua, como se tivesse chupado pedras. O calor é debilitante, mas não de um jeito opressivo, apenas de um jeito que deixa os dois sonolentos e indefesos, de um jeito que faz do torpor algo não apenas aceitável, mas necessário. Quando fica quente assim, eles passam horas deitados ao lado da piscina, sem comer, mas bebendo – jarras de chá gelado de menta para o café da manhã, litros de limonada para o almoço, garrafas de vinho Aligoté para o jantar –, e deixam todas as janelas e todas as portas da casa abertas, os ventiladores de teto girando, até que, à noite, quando finalmente fecham tudo, prendem ali dentro a fragrância dos campos e das árvores.

Aquele é o sábado antes do Dia do Trabalho, e normalmente estariam em Truro, mas nesse ano alugaram uma casa para Harold e Julia nas cercanias de Aix-en-Provence para o verão inteiro, enquanto eles dois passam o feriado em Garrison. Harold e Julia chegarão – talvez com Laurence e Gillian, talvez não – amanhã, mas, hoje, Willem vai buscar Malcolm, Sophie, JB e seu namorado, Fredrik, com quem vive terminando e voltando, na estação de trem. Viram os amigos pouquíssimas vezes nos últimos meses: JB recebeu uma bolsa e passou os últimos seis meses na Itália, e Malcolm e Sophie andam tão ocupados com a construção de um novo museu de cerâmica em Xangai que a última vez que todos se viram foi em abril, em Paris – ele estava filmando por lá, e Jude viajou de Londres, onde estava trabalhando, e JB, de Roma, e Malcolm e Sophie decidiram passar uns dois dias na cidade no caminho de volta para Nova York.

Quase todo verão ele pensa: este é o melhor verão. Mas este verão, ele sabe, realmente é o melhor. E não apenas o verão: a primavera, o inverno, o outono. À medida que envelhece, tende a pensar cada vez mais na vida como uma série de retrospectivas, avaliando cada estação que passa como se fosse uma safra de vinho, dividindo os anos que acabou de viver em eras históricas: os Anos de Ambição. Os Anos de Insegurança. Os Anos de Glória. Os Anos de Ilusão. Os Anos de Esperança.

Jude sorriu quando ele lhe contou isso.

– E em que era estamos agora? – perguntou, e Willem sorriu de volta para ele.

– Não sei – falou. – Ainda não inventei um nome para ela.

Mas ambos concordavam que pelo menos haviam deixado para trás os Anos Terríveis. Dois anos atrás, ele passava aquele mesmo fim de semana – o fim de semana do Dia do Trabalho – num hospital no Upper East Side, olhando pela janela com um ódio tão intenso que lhe causava náuseas para os assistentes, enfermeiras e médicos em seus pijamas verde-jade que se reuniam do lado de fora do prédio, comendo, fumando e falando ao telefone como se não houvesse nada de errado, como se acima deles não houvesse pessoas em diversos estágios de morte, incluindo a pessoa dele, que naquele momento se encontrava num coma induzido, com a pele formigando de febre, que abrira os olhos pela última vez quatro dias antes, um dia depois de sair da cirurgia.

– Ele vai ficar bem, Willem – continuava a balbuciar Harold para ele, Harold, que geralmente se preocupava mais do que Willem passara a se preocupar. – Ele vai ficar bem. Foi o que Andy disse.

E Harold foi em frente, repetindo feito um papagaio para Willem tudo aquilo que ele já ouvira da boca de Andy, até Willem finalmente explodir.

– Por deus, Harold, me dá um tempo. Você acredita em tudo o que Andy fala? *Parece* que ele está melhorando? *Parece* que ele vai ficar bem?

E viu então o rosto de Harold mudar, sua expressão de desespero, suplicante e frenética, o rosto de um homem velho e esperançoso, e, tomado pelo remorso, se aproximou dele e o abraçou.

– Desculpe – disse a Harold, aquele Harold que já perdera um filho, que tentava convencer a si mesmo de que não perderia outro. – Sinto muito, Harold, eu sinto muito. Me perdoe. Estou sendo um babaca.

– Você não é um babaca, Willem – disse Harold. – Mas não pode me dizer que ele não vai melhorar. Não pode me dizer isso.

– Eu sei – falou. – Claro que vai melhorar – disse ele, soando como Harold, um Harold que ecoava Harold para Harold. – Claro que vai. – Mas, dentro dele, sentia o garatujar carrancudo do medo: claro que não existia claro. Nunca existira. *Claro* desaparecera dezoito meses antes. *Claro* deixara a vida deles para sempre.

Sempre foi otimista, mas, naqueles meses, seu otimismo o abandonou. Cancelara todos os seus projetos pelo resto do ano, mas, à medida que o outono foi se arrastando, desejou que ainda os tivesse; desejou que ainda tivesse algo com que se distrair. No fim de setembro, Jude deixou o hospital, mas estava tão magro, tão frágil, que Willem tinha medo de tocá--lo, tinha medo até de olhar para ele, medo de ver como as maçãs de seu rosto agora se projetavam de tal maneira que lançavam uma sombra permanente em volta da boca, medo de ver o modo como podia observar a pulsação de Jude no vazio escavado de sua garganta, como se houvesse algo vivo dentro dele tentando sair a pontapés. Podia sentir Jude tentando reconfortá-lo, tentando fazer piadas, e aquilo o deixava ainda mais assustado. Nas poucas ocasiões em que deixava o apartamento – "Precisa sair", dissera-lhe Richard, com firmeza, "senão vai enlouquecer, Willem" –, ficava tentado a desligar o telefone, pois, toda vez que tocava e ele via que era Richard (ou Malcolm, ou Harold, ou Julia, ou JB, ou Andy, ou os Henry Youngs, ou Rhodes, ou Elijah, ou India, ou Sophie, ou Lucien, ou quem quer que estivesse com Jude por aquela hora em que perambulava distraidamente pelas ruas, ou se exercitava no térreo, ou, algumas poucas vezes, tentava permanecer imóvel durante uma sessão de massagem ou se manter sentado durante um almoço com Roman ou Miguel), dizia a si mesmo: *Acabou. Ele está morrendo. Está morto,* e esperava um segundo, depois outro, antes de atender ao telefone e ouvir que a ligação era apenas para reportar a situação: Jude havia comido sua refeição. Ou não havia. Estava dormindo. Parecia enjoado. Até que finalmente teve de pedir a eles: só me liguem se for algo sério. Não me interessa se têm dúvidas e telefonar é mais rápido; vocês têm de me enviar uma mensagem de texto. Se telefonarem, vou pensar o pior. Pela primeira vez na vida, ele entendeu, de maneira visceral, o que as pessoas queriam dizer quando falavam que o coração foi à boca, embora não fosse só o coração que ele sentisse, mas todos seus órgãos sendo empurrados para cima, tentando passar por sua garganta, suas entranhas misturadas de aflição.

As pessoas sempre falavam de cura como algo previsível e progressivo, uma linha diagonal firme partindo do canto inferior esquerdo de um gráfico para o superior direito. Mas a cura de Hemming – que não terminou em cura alguma – não fora assim, e tampouco a de Jude: a cura deles era uma cordilheira de picos e vales, e, no meio de outubro, depois que Jude voltou ao trabalho (ainda assustadoramente magro, ainda assustadoramente fraco), houve uma noite em que ele acordou com uma febre tão alta que começou a ter convulsões, e Willem teve a certeza de que aquele era o momento, de que aquele era o fim. Percebeu então que, apesar do medo, nunca se preparara de verdade, nunca pensara realmente no que aquilo significaria, e, embora não fosse de sua natureza implorar, naquele instante ele implorou, para alguém ou algo que não sabia nem se acreditava. Prometeu ter mais paciência, mais gratidão, menos palavrões, menos vaidade, menos sexo, menos indulgência, menos reclamações, menos autocentrismo, menos egoísmo, menos medo. Quando Jude sobreviveu, o alívio de Willem foi tão completo, tão punitivo, que ele desabou, e Andy lhe receitou um remédio contra a ansiedade e o mandou a Garrison para passar o fim de semana com JB como companhia, deixando Jude aos cuidados dele mesmo e de Richard. Willem sempre achou que, diferentemente de Jude, soubesse aceitar ajuda quando lhe ofereciam, mas se esquecera dessa qualidade num momento crucial, e ficou feliz e agradecido por seus amigos terem se esforçado para lembrá-lo.

Na época do Dia de Ação de Graças, as coisas haviam se tornado... se não boas, pelo menos tinham deixado de ser ruins, o que eles aceitavam como se fosse a mesma coisa. Porém, só mais tarde, olhando em retrospecto, foi que conseguiram enxergá-lo como uma espécie de fulcro, como o período em que primeiro houve dias, depois semanas, e depois um mês inteiro sem que algo piorasse, em que reconquistaram a habilidade de acordar a cada dia não com medo, mas com determinação, em que finalmente, cautelosamente, conseguiram conversar sobre o futuro, conseguiram se preocupar não apenas em chegar ao fim do dia, mas com os dias que ainda nem imaginavam. Foi só então que conseguiram conversar sobre o que precisava ser feito, foi só então que Andy começou a traçar planos concretos – planos com objetivos estabelecidos em prazos de um mês, dois meses, seis meses – que estipulavam quanto peso ele queria que Jude ganhasse, quando colocariam as próteses permanentes, quando queria que ele desse os primeiros passos, quando queria vê-lo andando de novo. Uma vez mais, voltaram ao fluxo da vida; uma vez mais, aprenderam a obedecer ao calendário. Em fevereiro, Willem já voltava a ler roteiros. Em abril, em seu quadragésimo nono aniversário, Jude já voltara a andar – devagar, sem elegância, mas andando – e parecia novamente uma pessoa normal. No aniversário de Willem, em agosto, quase um ano após a cirurgia, seu modo de andar, como Andy previra, era melhor – mais melífluo e confiante – do que com suas próprias pernas, e ele parecia, mais uma vez, melhor do que uma pessoa normal: parecia ele mesmo de novo.

– Ainda não fizemos a festança dos seus cinquenta anos – lembrou Jude durante o jantar de seu quinquagésimo primeiro aniversário, o jantar de aniversário que Jude preparou, depois de passar horas de pé no fogão, sem ajuda, sem demonstrar qualquer sinal aparente de fadiga. Willem sorriu.

– Isto aqui é tudo o que quero – falou, e era verdade.

Parecia tolice comparar a sua experiência de dois anos exaustivos e brutais à própria experiência de Jude, mas, ainda assim, ele se sentiu transformado por eles. Era como se o seu desespero tivesse dado origem a uma sensação de invencibilidade; sentia que tudo de distante e irrelevante fora queimado dentro dele, deixando apenas um núcleo de aço exposto, indestrutível e ao mesmo tempo maleável, capaz de suportar qualquer coisa.

Passaram o aniversário dele em Garrison, só os dois, e, naquela noite, depois do jantar, desceram ao lago e ele tirou as roupas e pulou do deque na água, que cheirava e parecia uma enorme piscina de chá.

– Venha – disse a Jude, e então, quando ele hesitou, acrescentou: – Como aniversariante, eu ordeno.

E Jude se despiu lentamente, tirou as próteses e por fim se jogou da beira do deque usando as mãos, e Willem o agarrou. À medida que Jude melhorava fisicamente, também se envergonhava cada vez mais do próprio corpo, e Willem sabia, ao ver como Jude se tornava introspectivo às vezes, e o cuidado com que se encobria quando tirava ou colocava as pernas, o quanto ele estava lutando para aceitar sua nova aparência. Quando estava mais fraco, deixava Willem ajudá-lo a se despir, mas, agora que se sentia mais forte, Willem só o via nu de relance, só por acidente. Mas ele decidiu ver o acanhamento de Jude como uma espécie de melhora, pois era ao menos uma prova de sua força física, prova de que conseguia entrar e sair do chuveiro sozinho, deitar e levantar da cama sozinho – coisas que teve de reaprender a fazer, coisas que antes não tinha energia para fazer sem ajuda.

Agora, flutuavam pelo lago, nadando ou se agarrando um ao outro em silêncio, e, depois que Willem saiu da água, Jude fez o mesmo, subindo no deque com o apoio dos braços, e os dois ficaram ali sentados por um tempo, em meio ao ar ameno do verão, ambos nus, ambos olhando para as extremidades afuniladas das pernas de Jude. Era a primeira vez em meses que via Jude sem roupa, e não sabia o que dizer, então acabou simplesmente colocando o braço em torno dele e o puxando para perto, e aquela foi (pensou ele), no fim das contas, a coisa certa a se dizer.

Ainda tinha medo, intermitentemente. Em setembro, algumas semanas antes de partir para o seu primeiro projeto em mais de um ano, Jude acordou mais uma vez com febre e, dessa vez, não pediu a Willem para não ligar para Andy, e Willem não pediu sua permissão para fazê-lo. Foram direto ao consultório de Andy, que pediu raios-X, exames de sangue, tudo, e os dois esperaram ali, cada um deitado numa maca em salas de exame diferentes, até o radiologista ligar e dizer que não havia sinal algum de infecção óssea, e o laboratório ligar e dizer que não havia nada de errado.

– Rinofaringite – disse Andy, sorrindo. – Um resfriado comum.

Mas colocou a mão na parte de trás da cabeça de Jude, e todos pareceram aliviados. Como despertara rápido, angustiosamente rápido, o instinto de medo que sentiam; o próprio medo era um vírus dormente que nunca conseguiriam afastar de vez. Alegria, tranquilidade: tiveram que as reaprender, que as reconquistar. Mas nunca teriam que reaprender a ter medo; aquilo estaria vivo dentro dos três, uma doença compartilhada, uma malha fina que se entrelaçara ao DNA deles.

E então ele partiu para a Espanha, para a Galícia, para filmar. Desde que o conheceu, sempre soube que Jude queria fazer o Caminho de Santiago um dia, a rota de peregrinação medieval que terminava na Galícia.

– Vamos começar em Somport, nos Pirineus – dissera Jude (isso foi antes de qualquer um dos dois ter ido à França) –, e seguiremos para oeste. Vai levar semanas! Passaremos as noites naqueles albergues comunitários para peregrinos sobre os quais li e sobreviveremos à base de pão preto, sementes de cominho, iogurte e pepino.

– Não sei – disse ele, embora na época tivesse pensado menos nas limitações de Jude. Era jovem demais então, eles dois eram, para acreditar realmente que Jude pudesse ter limitações; estava pensando mais em si mesmo. – Parece bem cansativo, Judy.

– Então vou ter que carregar você – respondeu Jude de imediato, e Willem sorriu. – Ou vamos encontrar um burro e *ele* vai carregar você. Na verdade, Willem, todo o sentido está em fazer o percurso *a pé*, não montado.

À medida que envelheciam, à medida que se tornava cada vez mais claro que o sonho de Jude seria somente um sonho, suas fantasias quanto ao Caminho ficavam mais elaboradas.

– A história é a seguinte – dizia Jude. – Quatro desconhecidos: uma monja taoísta chinesa que começa a aceitar sua sexualidade; um ex-presidiário britânico que acaba de ser libertado e escreve poesias; um ex-vendedor de armas cazaque de luto pela morte da esposa; e um americano belo e sensível, mas problemático, que largou a universidade, e este é você, Willem; todos eles se encontram ao longo do Caminho e dão início a uma amizade para a vida inteira. Você vai filmar em tempo real, então a filmagem só vai durar o mesmo que a caminhada. E você vai ter de caminhar o tempo todo.

Àquela altura, ele sempre estava rindo.

– O que acontece no fim? – perguntou ele.

– A monja taoísta acaba se apaixonando por uma ex-oficial do exército israelense que conhece na trilha, e as duas voltam para Tel Aviv e abrem um bar para lésbicas chamado Radclyffe's. O presidiário e o vendedor de armas terminam juntos. E o seu personagem vai conhecer pelo caminho uma garota sueca virginal, porém secretamente safada, e juntos abrirão uma pousada chique nos Pirineus, e todo ano o grupo original se juntará ali para uma reunião.

– Qual o nome do filme? – perguntou ele, sorrindo.

Jude pensou.

– *Santiago Blues* – falou, e Willem caiu na risada outra vez.

Desde então, sempre mencionavam de passagem *Santiago Blues*, cujo elenco se transformara, para encaixá-lo à medida que envelhecia, mas cuja premissa e locação nunca mudavam.

– Como é o roteiro? – perguntava Jude sempre que ele recebia algo novo, e Willem suspirava.

– Bom – dizia. – Não é do nível de *Santiago Blues*, mas é bom.

E então, depois daquele Dia de Ação de Graças crucial, Kit, a quem Willem mencionara a determinada altura o seu interesse e o de Jude pelo Caminho, lhe enviou um roteiro com um bilhete que dizia apenas "*Santiago Blues!*". E, embora não fosse exatamente *Santiago Blues* – graças a deus, ele e Jude concordaram, era bem melhor –, era de fato situado no Caminho, seria de fato filmado parcialmente em tempo real e de fato começava nos Pirineus, em Saint-Jean-Pied-de-Port, e terminava em Santiago de Compostela. *As estrelas sobre são Tiago* seguia dois homens, ambos chamados Paul, ambos interpretados pelo mesmo ator: o primeiro era um monge francês do século XVI percorrendo a rota a partir de Wittenburg, às vésperas da Reforma Protestante; o segundo era um pastor dos dias de hoje, vindo de uma cidadezinha americana, que começava a questionar sua própria fé. Exceto por alguns personagens menores, que entrariam e sairiam da vida dos dois Pauls, o papel dele seria o único.

Ele deu o roteiro a Jude para que o lesse, e, ao terminar, Jude suspirou.

– É brilhante – disse, entristecido. – Eu queria poder acompanhar você nisso tudo, Willem.

– Eu também queria que você pudesse – disse ele, em voz baixa.

Queria que Jude tivesse sonhos mais fáceis, sonhos que poderiam ser realizados, sonhos que Willem pudesse ajudá-lo a realizar. Mas os sonhos de Jude sempre envolviam movimento: envolviam caminhar por distâncias impossíveis ou atravessar terrenos impossíveis. E, por mais que agora pudesse caminhar, e embora sentisse menos dor do que Willem se lembrava de vê-lo sentindo em anos, Jude nunca, e os dois sabiam disso, teria uma vida sem dor. O impossível continuaria sendo impossível.

Ele jantou com o diretor espanhol, Emanuel, que, mesmo jovem, já era bastante reconhecido, e que, apesar da complexidade e da melancolia do roteiro, se mostrou jovial e animado, repetindo sem parar que estava abismado por ele, Willem, ter aceitado participar do seu filme e que sonhava em trabalharem juntos. Já ele, por sua vez, contou a Emanuel sobre *Santiago Blues* (Emanuel caiu na risada quando Willem descreveu o roteiro. "Nada mau!", falou, e Willem também riu. "Mas a *intenção* é ser ruim!", corrigiu ele a Emanuel). Contou também que Jude sempre quisera fazer o Caminho; como se sentia honrado por poder fazê-lo por ele.

– Ah – disse Emanuel, provocando. – Acho que esse é o homem por quem você arruinou sua carreira, estou certo?

Ele sorriu de volta.

– Sim – falou. – Ele mesmo.

Os dias de *As estrelas sobre são Tiago* eram muito longos e, como prometera Jude, caminhava-se bastante (havia também uma caravana de trailers que seguia a equipe lentamente, em vez dos burros). O sinal do celular era falho em algumas partes, por isso ele escrevia mensagens para Jude, o que, de qualquer forma, parecia mais apropriado, mais condizente com uma peregrinação, e, pela manhã, enviava fotos do café da manhã (pão preto com sementes de cominho, iogurte, pepinos) e do trecho da estrada que ele percorreria naquele dia. Boa parte do caminho passava por cidades movimentadas, e, assim, em alguns lugares, desviavam a rota para o campo. Todo dia ele escolhia algumas pedrinhas brancas às margens da estrada e as colocava num pote para levar para casa; à noite, sentava no quarto do hotel com os pés enrolados em toalhas quentes.

As filmagens foram encerradas duas semanas antes do Natal, e ele voou até Londres para algumas reuniões, e depois de volta a Madri para encontrar Jude, onde alugaram um carro e dirigiram rumo ao sul, pela Andaluzia. Numa cidade situada num penhasco bem alto que dava para o mar, eles pararam para encontrar Henry Young Asiático, a quem observaram se arrastando ladeira acima, acenando para eles com os dois braços quando os viu, terminando os últimos cem metros com uma arrancada.

– Graças a deus vocês me deram uma oportunidade para sair daquela porra de casa – falou.

Henry passara o último mês morando num retiro para artistas ao pé do morro, num vale cheio de laranjeiras, mas, atipicamente para ele, detestara as outras seis pessoas na colônia, e, enquanto comiam pratos de rodelas de laranja flutuando num licor feito com seu próprio suco, cobertas de canela, cravo em pó e amêndoas, riram das histórias de Henry e de seus colegas artistas. Mais tarde, depois de se despedirem e prometerem que o veriam no mês seguinte em Nova York, os dois caminharam lentamente pela cidade medieval, onde toda estrutura parecia um cubo de sal branco e brilhante, e onde gatos listrados descansavam pelas ruas e mexiam a ponta do rabo enquanto pessoas empurrando carrinhos rangiam lentamente em torno deles.

Na noite seguinte, nas cercanias de Granada, Jude disse que tinha uma surpresa para ele, e os dois entraram no carro que os esperava em frente ao restaurante, Jude com o envelope marrom que mantivera ao seu lado durante o jantar inteiro.

– Aonde vamos? – perguntou. – O que tem nesse envelope?

– Você vai ver – disse Jude.

Subiram e desceram pelo morro, até o carro parar diante da entrada arqueada da Alambra, onde Jude entregou ao guarda uma carta, que o guarda analisou, e depois acenou com a cabeça, e o carro atravessou as portas e parou, e os dois saíram e ficaram ali parados no pátio silencioso.

– É seu – disse Jude, timidamente, apontando com a cabeça para as construções e jardins lá embaixo. – Pelas próximas três horas, pelo menos.
– E então, quando Willem não conseguiu dizer nada, ele continuou, em voz baixa: – Lembra?

Ele fez um aceno sutil com a cabeça.

– Mas é claro – respondeu, também em voz baixa.

Aquele sempre foi o modo como a própria jornada deles pelo Caminho deveria acabar: com uma viagem de trem ao sul para visitar a Alambra. E, ao longo dos anos, mesmo sabendo que a caminhada nunca aconteceria, ele nunca estivera na Alambra, nunca tirara um dia ao fim de uma filmagem ou outra para ir até ali, pois estava esperando por Jude para fazer isso com ele.

– Um dos meus clientes – disse Jude, antes que ele pudesse perguntar. – Você defende a pessoa e acaba descobrindo que o padrinho dela é o ministro da Cultura da Espanha, que permite que você faça uma generosa contribuição ao fundo de conservação da Alambra em troca do privilégio de vê-la sozinho. – Ele sorriu para Willem. – Falei que faria algo para os seus cinquenta anos; ainda que tenha levado um ano e meio para isso. – Levou a mão ao braço de Willem. – Willem, não chore.

– Não vou chorar – disse. – Sei fazer outras coisas na vida além de chorar, sabia? – Embora não tivesse mais certeza de que aquilo era verdade.

Ele abriu o envelope que Jude lhe entregou, e dentro dele havia um pacote, e ele desfez o laço e rasgou o papel de presente e encontrou um livro feito à mão, organizado em capítulos – "A fortaleza"; "O Palácio dos Leões"; "Os jardins"; "Generalife" –, cada um com páginas contendo anotações feitas à mão por Malcolm, que escrevera sua tese sobre a Alambra e a visitava anualmente desde seus nove anos de idade. Entre cada capítulo havia o desenho de um dos detalhes do complexo – uma moita de jasmim cheia de florezinhas brancas, uma fachada de pedra pontilhada com lajes de cobalto – colado às páginas, cada um dedicado a ele e assinado por alguém que conheciam: Richard; JB; India; Henry Young Asiático; Ali. Agora, sim, ele caiu no choro, sorrindo e chorando, até Jude dizer que era melhor irem em frente, pois não podiam passar o tempo inteiro ali na entrada, chorando, e ele o agarrou e o beijou, sem se importar com os guardas silenciosos vestidos de preto atrás deles.

– Obrigado – falou. – Obrigado, obrigado, obrigado.

E lá foram os dois pela noite silenciosa, com a lanterna de Jude projetando uma linha de luz diante deles. Entraram pelos palácios, onde o mármore era tão antigo que a estrutura parecia ter sido esculpida em manteiga branca e macia, e pelos salões de recepção com seus tetos abobadados tão altos que os pássaros voavam em curvas sem fazer barulho pelo espaço, e com suas janelas tão simétricas e perfeitamente postadas que o ambiente se iluminava com a luz da lua. À medida que avançavam, paravam para consultar as anotações de Malcolm, para examinar detalhes que passariam despercebidos caso não fossem alertados para eles, para se darem conta de que estavam numa sala onde, mil anos atrás, ou mais, um sultão ditara sua correspondência. Estudavam as ilustrações, comparando as imagens ao que viam à sua frente. Na página oposta aos desenhos dos amigos havia uma anotação de cada um explicando quando visitaram a Alambra pela primeira vez e por que escolheram desenhar o que desenharam. Tiveram aquela sensação, a mesma que tinham muitas vezes quando eram jovens, de que todos que conheciam haviam visto tanto do mundo, e eles, não, e, embora soubessem que aquilo deixara de ser verdade, ainda tinham a mesma sensação de espanto diante da vida de seus amigos, do quanto fizeram e vivenciaram, de como sabiam aproveitá-la bem, de como eram talentosos em registrá-la. Nos jardins da seção do Generalife, entraram num espaço que fora cortado em forma de um labirinto de ciprestes, e ele começou a beijar Jude, com mais insistência do que se permitira em um bom tempo, mesmo ouvindo, sutilmente, as batidas dos sapatos de um dos guardas pelo caminho de pedras.

De volta ao hotel eles continuaram, e Willem se ouviu pensando que, na versão cinematográfica daquela noite, estariam fazendo sexo àquela altura, e estava quase, quase para dizer isso em voz alta quando voltou a si e parou, afastando-se de Jude. Mas era como se tivesse dito mesmo assim, pois os dois ficaram em silêncio por um tempo, olhando um para o outro, e então Jude disse, em voz baixa:

– Willem, podemos fazer, se você quiser.

– *Você* quer? – perguntou, finalmente.

– Claro – disse Jude, mas Willem percebeu, pelo jeito como abaixou a cabeça e pela leve mudança em sua voz, que estava mentindo.

Por um segundo, pensou que podia fingir, que deixaria a si mesmo ser convencido de que Jude dizia a verdade. Mas não podia.

– Não – falou, e saiu de cima dele. – Acho que já nos divertimos bastante por esta noite.

Ao seu lado, ouviu Jude soltar o ar e, enquanto caía no sono, o ouviu sussurrar, "Desculpe, Willem", e tentou a dizer a Jude que entendia, mas, àquela altura, estava mais inconsciente que consciente, e não conseguiu dizer as palavras.

Mas aquela foi a única tristeza do período, e a fonte de suas tristezas era diferente: para Jude, ele sabia, a tristeza nascia de uma sensação de fracasso, de uma certeza – que Willem jamais conseguiu afastar – de que não estava cumprindo suas obrigações. Para ele, a tristeza era pelo próprio Jude. Ocasionalmente, Willem se permitia imaginar como teria sido a vida de Jude caso o sexo fosse algo que ele viesse a descobrir por si só, em vez de ter sido forçado a aprender – mas aquela não era uma linha de raciocínio útil, e o chateava demais. Assim, tentava não pensar no assunto. Mas ele estava sempre ali, entremeando a amizade deles, suas vidas, como um filão de turquesa encravado numa pedra.

Nos intervalos, porém, havia normalidade, rotina, e as duas eram melhores que sexo ou excitação. Havia o fato de que Jude caminhara – com passos lentos, mas firmes – por quase três horas seguidas naquela noite. Havia, lá em Nova York, suas vidas, as coisas que costumavam fazer, sendo retomadas, pois agora Jude tinha forças para tal, pois agora conseguia se manter acordado durante uma peça de teatro, uma ópera ou um jantar, pois conseguia subir os degraus até a porta da frente de Malcolm em Cobble Hill, pois conseguia andar pela calçada desnivelada para chegar ao prédio de JB em Vinegar Hill. Havia a tranquilidade de ouvir o despertador de Jude tocar às cinco e meia, de ouvi-lo sair para nadar de manhã, o alívio de olhar para dentro de uma caixa na bancada da cozinha e ver que estava cheia de suprimentos médicos – embalagens sobressalentes de tubos de cateter, emplastros de gaze esterilizada e sobras de proteínas hipercalóricas que só recentemente Andy dissera a Jude para deixar de ingerir – que Jude devolveria a Andy, que a doaria para o hospital. Em alguns momentos, lembrava como, havia dois anos daquele exato dia, ele voltava para casa do teatro e encontrava Jude na cama, dormindo, tão fragilizado que às vezes parecia que o cateter sob sua camisa era na verdade uma artéria, que estava sendo constante e irreversivelmente talhado até sobrarem só nervos, vasos e ossos. Às vezes se lembrava daqueles momentos e sentia uma espécie de desorientação: seriam mesmo eles aquelas pessoas lá atrás? Onde foram parar essas pessoas? Será que ressurgiriam? Ou seriam agora pessoas completamente diversas? E então imaginava que aquelas pessoas não haviam partido, mas estavam dentro deles, esperando até voltarem à tona, para reivindicar seus corpos e suas mentes; eram agora identidades em remissão, mas sempre estariam ali.

Como as doenças os tinham visitado havia relativamente pouco tempo, ainda se lembravam de ficar gratos por cada dia que passavam sem grandes acontecimentos, mesmo que tivessem se acostumado a esperar por eles. Na primeira vez em meses que viu Jude em sua cadeira de rodas, que o viu levantar do sofá enquanto assistiam a um filme porque tinha um episódio de dor e preferia estar sozinho, Willem ficou perturbado, e teve de se forçar a se lembrar de que aquilo, também, fazia parte de quem Jude era: alguém cujo corpo o traía, e sempre seria assim. No final, a cirurgia não mudara aquilo – mudara apenas a reação de Willem. E, quando se deu conta de que Jude voltara a se cortar – não com frequência, mas regularmente –, teve de se forçar a lembrar, mais uma vez, que aquele era quem Jude era, e que a cirurgia também não mudara aquilo.

– Talvez devêssemos chamar esta era de Os Anos Felizes – foi o que disse a Jude certa manhã, apesar de tudo. Era fevereiro, nevava, e eles estavam deitados na cama, o que agora faziam até tarde toda manhã de domingo.

– Não sei – disse Jude, e, embora enxergasse apenas o contorno de seu rosto, Willem pôde ver que ele estava sorrindo. – Isso não seria instigar um pouco o destino? Vamos dar esse nome e meus dois braços vão acabar caindo. E, além disso, esse nome já está sendo usado.

E estava mesmo – aquele era o título do projeto seguinte de Willem; na verdade, o projeto para o qual viajaria dali a uma semana: seis semanas de ensaios, seguidas por onze semanas de filmagens. Mas aquele não era o título original. O título original era *O dançarino no palco*, mas Kit acabara de lhe contar que os produtores o haviam mudado para *Os anos felizes*.

Ele não gostou daquele novo título.

– É tão cínico – disse a Jude, depois de reclamar, primeiro para Kit e depois para o diretor. – Tem algo de azedo e irônico nele.

Isso foi algumas noites antes; estavam deitados no sofá, depois de sua aula diária e completamente exaustiva de balé, e Jude massageava seus pés. Ele interpretaria Rudolf Nureyev nos últimos anos de sua vida, começando por sua nomeação como diretor de balé na Ópera de Paris em 1983, passando pelo diagnóstico de HIV e culminando em quando percebeu os primeiros sintomas da doença, um ano antes de morrer.

– Entendo o que você quer dizer – falou Jude, depois que ele finalmente terminou seu discurso. – Mas talvez esses tenham sido realmente os anos felizes para ele. Era livre; tinha um trabalho que amava; estava treinando jovens dançarinos; deu uma reviravolta numa companhia inteira. Estava criando algumas de suas melhores coreografias. Ele e aquele dançarino dinamarquês...

– Erik Bruhn.

– Isso. Ele e Bruhn ainda estavam juntos, pelo menos por mais um tempinho. Viveu um monte de coisas com que provavelmente nem sonhara quando era mais novo, e ainda era jovem o bastante para aproveitar tudo: o dinheiro, o reconhecimento e a liberdade artística. O amor. A amizade. – Ele enterrou os nós dos dedos na sola do pé de Willem, que estremeceu. – Isso, para mim, parece uma vida feliz.

Os dois ficaram em silêncio por um tempo.

– Mas estava doente – disse Willem, no fim.

– Não naquela época – lembrou Jude. – Não ativamente, pelo menos.

– Não, talvez, não – falou. – Mas estava morrendo.

Jude sorriu para ele.

– Ah, morrendo – disse, desdenhoso. – Todos estamos morrendo. Ele apenas sabia que sua morte viria antes do que esperava. Mas isso não significa que não foram anos felizes, que não foi uma vida feliz.

Ele então olhou para Jude e teve a mesma sensação que às vezes tinha quando pensava, quando realmente pensava, em Jude e em como fora sua vida: uma tristeza, assim poderia chamá-la, mas não uma tristeza digna de pena; era uma tristeza maior, que parecia englobar todas as pessoas pobres e sofridas, os bilhões que não conhecia, todos vivendo suas vidas, uma tristeza que se misturava com um assombro e uma admiração diante do quanto os seres humanos do mundo inteiro lutavam para tentar viver, mesmo nos dias mais difíceis, mesmo sob circunstâncias tão desafortunadas. A vida é tão triste, pensava nesses momentos. É tão triste, e, ainda assim, todos a vivemos. Todos nos agarramos a ela; todos procuramos algo que nos console.

Mas não disse isso, é claro, apenas sentou, segurou o rosto de Jude e o beijou, e depois desabou sobre os travesseiros.

– Como ficou assim tão esperto? – perguntou a Jude, que sorriu para ele.

– Forte demais? – perguntou Jude em resposta, ainda massageando o pé de Willem.

– Não o bastante.

Ele então virou Jude na cama para si.

– Acho que temos de ficar com Os Anos Felizes – disse. – Vamos ter de arriscar que seus braços caiam. – E Jude riu.

Na semana seguinte, viajou para Paris. Foi uma das filmagens mais difíceis que já fez; ele tinha um dublê, um dançarino de verdade, para as sequências mais elaboradas, mas também dançava em algumas passagens, e alguns dias – dias em que levantava bailarinas de verdade no ar, espantando-se ao constatar como eram densas, como tinham músculos rijos – foram tão exaustivos que à noite só tinha forças para se jogar na banheira e depois para levantar e sair dela. Nos últimos anos, ele se vira inconscientemente inclinado a aceitar papéis que exigiam cada vez mais do seu físico, e sempre ficava admirado, e grato, pelo jeito heroico como seu corpo atendia a cada demanda sua. Ganhara uma nova consciência do que ele representava, e, agora, ao esticar o braço para trás enquanto saltava, podia sentir como cada músculo dolorido ganhava vida por ele, como lhe permitia fazer qualquer coisa que quisesse, como nada dentro dele jamais quebrara, como todas as suas vontades eram satisfeitas. Sabia que não era o único que sentia aquilo, aquela gratidão: quando iam a Cambridge, ele e Harold jogavam tênis todos os dias, e ele sabia, mesmo sem jamais conversarem sobre isso, o quanto ambos passaram a se sentir agradecidos por seus corpos, o quanto o ato de golpearem com força e sem pensar, cruzando a quadra para acertar a bola, passou a significar para os dois.

Jude foi visitá-lo em Paris no fim de abril, e, embora Willem tivesse prometido que não faria nada de elaborado para seu quinquagésimo aniversário, ele planejou um jantar-surpresa mesmo assim, e, além de JB e Malcolm e Sophie, Richard, Elijah, Rhodes, Andy, Henry Young Negro, Harold e Julia também compareceram, além de Phaedra e Citizen, que o ajudaram no planejamento. No dia seguinte, Jude foi visitá-lo no set, numa das poucas vezes que fez isso. Trabalhavam naquela manhã numa cena em que Nureyev tentava corrigir o cabriole de um jovem bailarino e, depois de instruí-lo repetidas vezes, finalmente demonstrava como executá-lo; mas, numa cena anterior, que ainda não haviam filmado e que precederia imediatamente esta, ele acaba de ser diagnosticado com HIV, e, ao saltar, abrindo as pernas, acaba caindo, e o estúdio fica em silêncio ao seu redor. A cena terminava focalizando o rosto de Willem, um momento em que ele precisava transmitir a súbita admissão de Nureyev de que entendera que iria morrer, e então, um segundo depois, sua decisão de ignorar tal conhecimento.

Filmaram várias tomadas dessa cena, e, após cada uma, Willem ia para um canto até conseguir respirar normalmente outra vez, e cabeleireiros e maquiadores se alvoroçavam em torno dele, enxugando o suor do rosto e do pescoço. Quando estava pronto, voltava à sua marcação no set. Quando o diretor ficou satisfeito com a cena, ele já estava ofegante, mas satisfeito também.

– Perdão – desculpou-se, finalmente indo até Jude. – O tédio das filmagens.

– Não, Willem – disse Jude. – Foi incrível. Você estava tão lindo. – Pareceu hesitar por um instante. – Quase não acreditei que era você.

Ele pegou a mão de Jude e a apertou com a sua, o que, como sabia, era o máximo de afeto que Jude toleraria em público. Mas nunca sabia como Jude se sentia ao testemunhar tais demonstrações de esforço físico. Na primavera anterior, durante um de seus términos com Fredrik, JB saíra com o diretor de uma conhecida companhia de dança moderna, e todos foram assistir ao seu espetáculo. Durante o solo de Josiah, Willem olhara de soslaio para Jude e vira que ele se inclinava de leve para a frente, apoiando o queixo na mão, observando o palco com tanta atenção que se assustara quando Willem colocara a mão em suas costas.

– Desculpe – sussurrara Willem.

Mais tarde, na cama, Jude estava bastante quieto, e Willem imaginara o que estaria pensando: estaria chateado? Saudoso? Infeliz? Mas parecia grosseiro pedir a Jude que dissesse em voz alta algo que talvez não conseguisse articular para si mesmo, por isso não o fizera.

Eram meados de junho quando voltou a Nova York, e, na cama, Jude olhou para ele, estudando-o.

– Você agora tem o corpo de um bailarino – disse, e no dia seguinte ele se examinou no espelho e viu que Jude tinha razão.

Naquela mesma semana, fizeram um jantar no terraço, que eles e Richard e India haviam finalmente reformado, onde Richard e Jude plantaram grama e árvores frutíferas, e Willem mostrou a todos um pouco do que aprendera, sentindo seu acanhamento se transformar em empolgação à medida que fazia *jetés* pelo deque, sob os aplausos de seus amigos às suas costas, enquanto o sol sangrava noite adentro acima deles.

– Mais um talento oculto – disse Richard depois, sorrindo para ele.

– Eu sei – concordou Jude, também sorrindo para ele. – Willem é cheio de surpresas, mesmo depois de todos esses anos.

Mas eram todos cheios de surpresas, como ele já havia descoberto. Quando eram jovens, só tinham seus segredos a oferecer uns aos outros: as confissões eram como a moeda corrente, e as revelações, uma forma de intimidade. Esconder de seus amigos os detalhes da sua vida era considerado, em primeiro lugar, um mistério, e, depois, uma espécie de mesquinharia, algo que, como ficava claro, impossibilitava uma amizade verdadeira.

– Tem algo que você não está me contando, Willem – acusava JB ocasionalmente. E: – Está escondendo segredos de mim? Não confia em mim? Pensei que fôssemos próximos.

– Nós somos, JB – dizia ele. – E não estou escondendo nada de você.

E não estava: não havia nada a esconder. De todos eles, somente Jude tinha segredos, segredos reais, e, por mais que no passado Willem se frustrasse pelo que parecia uma relutância em revelá-los, jamais pensou que não fossem próximos por causa disso; aquilo nunca prejudicou sua capacidade de amá-lo. Foi uma lição difícil de aceitar, aquela ideia de que nunca desfrutaria de Jude por completo, de que amaria alguém que continuaria desconhecido e inacessível a ele em aspectos fundamentais.

No entanto, Jude ainda estava sendo descoberto por ele, mesmo trinta e quatro anos depois de se conhecerem, e Willem ainda ficava fascinado com o que aprendia. Naquele mês de julho, pela primeira vez, ele o convidou para o churrasco anual de verão da Rosen Pritchard.

– Não precisa ir, Willem – acrescentou Jude imediatamente depois de convidá-lo. – Vai ser muito, muito chato.

– Duvido – falou. – E eu vou.

O churrasco aconteceu no terreno de uma antiga e enorme mansão à margem do Hudson, uma prima mais elegante da casa onde filmara *Tio Vânia*, e a firma toda – parceiros, sócios, funcionários e suas famílias – foi convidada. Enquanto caminhavam pelo gramado dos fundos cheio de trevos em direção às pessoas, sentiu-se abrupta e atipicamente tímido, com a total consciência de ser um intruso, e quando, alguns minutos depois, Jude foi arrancado de sua companhia pelo presidente da firma, alegando que precisava ter uma conversa sobre alguns negócios, rápida, mas urgente, Willem precisou resistir para não tentar segurar Jude, que virou e lhe deu um sorriso de desculpas, levantando a mão – *Cinco minutos* – ao sair.

Sentiu-se então agradecido pela presença de Sanjay, um dos poucos colegas de Jude a quem conhecera e que, no ano anterior, se juntara a ele como codiretor do departamento, para que Jude pudesse se concentrar em atrair novos clientes, enquanto Sanjay cuidava dos detalhes administrativos e gerenciais. Ele e Sanjay ficaram no alto da encosta, olhando para o grupo lá embaixo, e Sanjay apontava os vários sócios e jovens funcionários a quem ele e Jude detestavam. (Alguns desses advogados condenados se viravam e viam Sanjay olhando para eles, e Sanjay acenava de volta, alegremente, balbuciando para Willem coisas horríveis sobre a incompetência e a falta de desenvoltura deles.) Começou a notar que as pessoas lançavam olhares para ele e depois viravam a cabeça, e uma mulher, que subia a encosta, desviou-se deselegantemente na direção oposta ao vê-lo ali parado.

– Dá para ver que estou fazendo sucesso aqui – brincou Willem com Sanjay, que sorriu para ele.

– Eles não se sentem intimidados por você, Willem – disse. – Sentem-se intimidados por Jude. – Abriu um sorriso. – E, tudo bem, por você também.

Finalmente, Jude lhe foi devolvido, e eles conversaram com o presidente ("Sou um grande fã") e Sanjay por um tempo antes de descerem a encosta, onde Jude o apresentou a algumas das pessoas de quem ouvira falar ao longo dos anos. Um dos paralegais pediu para tirar uma foto ao seu lado, e, depois dele, outras pessoas também pediram, e, quando Jude foi levado para longe outra vez, ele se viu ouvindo a um dos sócios do departamento fiscal, que começou a descrever as sequências de ação que o próprio Willem fizera em seu segundo filme de espionagem. Em determinado ponto do monólogo de Isaac, ele olhou para o outro lado do gramado e cruzou com o olhar de Jude, que mexeu a boca para se desculpar, e Willem balançou a cabeça e sorriu, mas depois puxou a orelha esquerda – o velho sinal dos dois –, e, embora não esperasse, quando olhou novamente, viu Jude marchando em sua direção.

– Com licença, Isaac – disse, com firmeza –, tenho de pegar Willem emprestado por um instante. – E o puxou para longe. – Sinto muito, Willem – sussurrou enquanto se afastavam –, a ineptidão social parece especialmente alta hoje; está se sentindo como um panda no zoológico? Por outro lado, eu *falei* para você que seria horrível. Podemos ir embora daqui a dez minutos, prometo.

– Não, está tudo bem – falou. – Estou me divertindo.

Ele sempre achou revelador observar Jude naquela outra vida que levava, em volta das pessoas que o tinham por mais horas num dia do que o próprio Willem. Mais cedo, ele vira Jude caminhar na direção de um grupo de jovens advogados que zurravam espalhafatosamente ao assistir a algo no telefone de um deles. Mas, quando viram Jude se aproximar, um cutucou o outro e todos ficaram em silêncio e comportados, cumprimentando-o com uma empolgação tão grande e forçada que Willem estremeceu, e só depois de Jude passar por eles foi que voltaram a se amontoar sobre o telefone, mais contidos dessa vez.

Quando Jude foi levado para longe dele pela terceira vez, Willem já se sentia confiante o suficiente para se apresentar a um pequeno grupo de pessoas que orbitavam em torno dele num círculo vago, sorrindo em sua direção. Conheceu uma mulher asiática alta, chamada Clarissa, e se lembrou de que Jude falara dela com aprovação.

– Ouvi muitas coisas boas sobre você – disse ele, e o rosto de Clarissa se transformou, com um sorriso radiante e aliviado.

– Jude falou de *mim*? – perguntou ela.

Conheceu um sócio, de cujo nome não se lembrava, que lhe falou que *Mercúrio Negro 3081* foi o primeiro filme para maiores de dezoito anos a que assistiu, o que o fez se sentir extremamente velho. Conheceu outro sócio do departamento de Jude que contou ter cursado duas matérias ensinadas por Harold na faculdade de direito e tinha vontade de saber como Harold era, de verdade. Conheceu os filhos das secretárias de Jude, o filho de Sanjay e dezenas de outras pessoas, poucas das quais já conhecia de nome, sendo que a maioria, não.

Era um dia quente, sem vento e brilhante e, embora tivesse bebido regularmente durante a tarde inteira – limonada, água, prosecco, chá gelado –, o evento foi tão agitado que, ao partirem duas horas depois, nenhum dos dois tivera oportunidade de comer nada, e pararam numa barraca de frutas e verduras para comprar milho e grelhá-los com abobrinhas e tomates da horta de casa.

– Descobri bastante coisa sobre você hoje – disse a Jude enquanto jantavam sob o céu azul-escuro. – Descobri que a maior parte da firma morre de medo de você e que todos acham que, se puxarem meu saco, posso elogiá-los para você. Descobri que sou mais velho do que imaginava. Descobri que você tem razão: trabalha *mesmo* com um monte de nerds.

Jude estava sorrindo, mas, ao ouvir isso, começou a gargalhar.

– Viu só? – perguntou. – Eu te avisei, Willem.

– Mas eu me diverti bastante – falou. – De verdade! Quero ir de novo. Mas, na próxima vez, acho que devíamos levar JB e deixar a Rosen Pritchard escandalizada. – E Jude gargalhou novamente.

Aquilo fazia quase dois meses, e, desde então, ele começou a passar a maior parte do seu tempo na Casa-Lanterna. Como presente antecipado por seu aniversário de cinquenta e dois anos, pediu que Jude tirasse todos os sábados de folga pelo resto do verão, e Jude aceitou: toda sexta ele seguia de carro até a casa; toda segunda de manhã voltava à cidade. Como Jude usava o carro durante a semana, Willem alugou – em parte como piada, embora no fundo estivesse gostando de passear com ele – um conversível com uma cor alarmante que Jude chamava de "vermelho-piranha". Nos dias de semana, ele lê, nada, cozinha e dorme; terá um outono cheio pela frente, e sabe, pelo modo como se sente revigorado e calmo, que estará pronto.

No mercado, enche um saco de papel com limões, e depois outro com limões-sicilianos, compra mais água com gás e segue para a estação de trem, onde espera, apoiando a cabeça no banco e fechando os olhos até ouvir Malcolm gritando seu nome, e então se ajeita.

– JB não veio – diz Malcolm, parecendo irritado, quando Willem cumprimenta a ele e a Sophie com um beijo. – Ele e Fredrik terminaram hoje de manhã, talvez. Mas talvez não tenham terminado, pois ele disse que virá amanhã. Não consegui bem entender o que estava acontecendo.

Willem resmunga.

– Vou ligar para ele de casa – diz. – Olá, Soph. Vocês já almoçaram? Podemos começar a cozinhar assim que chegarmos em casa.

Malcolm e Sophie não tinham almoçado, então Willem liga para Jude e lhe diz para começar a ferver a água para o macarrão, mas Jude já havia começado.

– Comprei os limões – diz. – E JB só vem amanhã; teve algum problema com Fredrik que Mal não conseguiu entender bem. Quer ligar para ele e descobrir o que está acontecendo?

Ele coloca as malas de seus amigos no banco de trás e Malcolm entra, dando uma olhada no porta-malas.

– Que cor interessante – diz.

– Obrigado – responde. – Chama-se "vermelho-piranha".

– É mesmo?

A credulidade persistente de Malcolm o faz abrir um sorriso.

– Sim – diz ele. – Pronto, pessoal?

Enquanto Willem dirige, os três conversam sobre há quanto tempo não se viam, sobre o quanto Sophie e Malcolm estão felizes por voltarem para casa, sobre as desastrosas aulas de direção de Malcolm, sobre o clima perfeito que fazia, sobre como o ar tinha um cheiro doce, que lembrava feno. O melhor verão, pensa ele outra vez.

O percurso entre a estação e a casa leva trinta minutos, um pouco menos se ele correr, mas ele não corre, pois a estrada em si é bela. E, ao atravessar o último grande cruzamento, nem chega a ver o caminhão que vem à toda em sua direção depois de avançar o sinal, e, quando o sente, um tremendo choque amassa o carro no lado do passageiro, onde Sophie está sentada, e ele já está voando, sendo arremessado pelo ar.

– Não! – grita, ou pelo menos acha que grita, e então, num instante, vê num lampejo o rosto de Jude: apenas seu rosto, com a expressão ainda indecisa, arrancado do corpo e suspenso contra um céu escuro. Seus ouvidos e sua cabeça se enchem com o ribombar do metal se retorcendo, com a explosão dos vidros, com seus próprios urros inúteis.

Mas seus últimos pensamentos não se voltam para Jude, e sim para Hemming. Ele vê a casa onde morou quando criança, e, sentado em sua cadeira de rodas no centro do gramado, logo antes do ponto onde começava a descida para os estábulos, Hemming, fitando-o com um olhar fixo e constante, do tipo que jamais conseguiu lhe dar em vida.

Ele está na entrada da garagem da família, onde a estrada de terra encontra o asfalto e, quando vê Hemming, é assolado pela saudade.

– Hemming! – grita, e então, sem fazer sentido: – Espere por mim!

E ele começa a correr na direção do irmão, tão rápido que, depois de um tempo, nem sente mais os pés tocarem o solo debaixo de si.

[VJ]

Caro camarada

1

UM DOS PRIMEIROS FILMES de que Willem participou foi um projeto chamado *Vida após a morte*. A obra era uma versão da história de Orfeu e Eurídice, narrada sob perspectivas alternadas e filmada por dois diretores diferentes e altamente conceituados. Willem interpretava O., um jovem músico em Estocolmo cuja namorada acabara de morrer e que passava a ter a ilusão de que, ao tocar certas melodias, ela aparecia ao seu lado. Uma atriz italiana, Fausta, interpretava E., a namorada morta de O.

A graça do filme era que, enquanto O. encarava o nada, chorava e sofria por seu amor na Terra, E. se divertia para valer no inferno, onde pôde, finalmente, deixar de se comportar: podia parar de cuidar da mãe ranzinza e do pai estressado; podia parar de ouvir as lamúrias dos clientes que tentava ajudar como advogada de indigentes, que nunca lhe agradeciam; podia parar de dar ouvidos à lenga-lenga interminável de seus amigos autocentrados; podia parar de animar seu namorado meigo, mas perpetuamente sorumbático. Estava agora no submundo, onde a comida era farta e onde as árvores estavam sempre tombando com o peso dos frutos, onde podia fazer comentários ferinos sobre os outros sem qualquer consequência, um lugar onde ela até mesmo atraía a atenção do próprio Hades, interpretado por um ator grande e musculoso chamado Rafael.

Vida após a morte dividiu os críticos. Alguns adoraram: amaram o modo como o filme conseguia mostrar como duas culturas diversas viam a vida de maneiras tão fundamentalmente diferentes (a história de O. foi filmada por um famoso diretor sueco em tons escuros de cinza e azul; a história de E. foi contada por um diretor italiano conhecido por sua exuberância estética), ao mesmo tempo que incutia toques sutis de autoparódia; amaram as mudanças de tons; amaram o modo enternecido e inesperado com que o filme oferecia consolo aos vivos.

Já outros detestaram: acharam-no incongruente tanto no timbre quanto em sua paleta; odiaram o tom de sátira ambivalente; odiaram o número musical de que E. participa no inferno, ao mesmo tempo que seu pobre O. dedilha no mundo de cima suas composições frias e minimalistas.

Mas, por mais que o debate sobre o filme (que praticamente ninguém nos Estados Unidos viu, mas sobre o qual todos tinham uma opinião) tenha sido acalorado, havia uma unanimidade em pelo menos uma questão: os dois protagonistas, Willem Ragnarsson e Fausta San Filippo, estavam fantásticos e teriam grandes carreiras no futuro.

Ao longo dos anos, *Vida após a morte* foi reconsiderado, repensado e reavaliado, e, quando Willem tinha uns quarenta e poucos anos, o filme passou a ser oficialmente adorado, um favorito entre as obras de seus diretores, um símbolo do tipo de cinema colaborativo, irreverente, destemido e ao mesmo tempo divertido que pouquíssimas pessoas ainda pareciam interessadas em fazer. Willem participara de um conjunto tão vasto de filmes e peças que ele sempre teve interesse em saber quais eram os preferidos das pessoas, para depois reportar suas descobertas a Willem: os advogados e sócios mais jovens e do sexo masculino na Rosen Pritchard gostavam dos filmes de espionagem, por exemplo. As mulheres gostavam de *Duetos*. Os funcionários temporários, muitos deles também atores, gostavam de *A maçã envenenada*. JB gostava de *Os invencidos*. Richard gostava de *As estrelas sobre são Tiago*. Harold e Julia gostavam de *Os detetives de lacunas* e *Tio Vânia*. E os alunos de cinema, que eram os menos tímidos na hora de abordar Willem em restaurantes ou nas ruas, invariavelmente gostavam de *Vida após a morte*.

– É um dos melhores filmes de Donizetti – diziam, cheios de si.

Ou:

– Deve ter sido fantástico ser dirigido por Bergesson.

Willem sempre foi educado.

– Concordo – dizia, e o aluno de cinema ficava radiante. – Foi mesmo. Foi fantástico.

Este ano marca o vigésimo aniversário de *Vida após a morte*, e, num dia de fevereiro, ele põe o pé fora de casa e se depara com o rosto de Willem, aos trinta e três anos, colado às laterais dos prédios, em cartazes na traseira dos ônibus, em repetições warholianas perfiladas em longas séries junto a andaimes. É sábado, e, embora tivesse intenção de caminhar um pouco, ele dá meia-volta e retorna ao apartamento, onde deita na cama novamente e fecha os olhos até cair no sono outra vez. Na segunda, ele senta no banco de trás do carro e o Sr. Ahmed o leva pela Sexta Avenida, e, quando vê o primeiro cartaz, afixado numa vitrine vazia, ele fecha os olhos e os mantém fechados até sentir o carro parar e ouvir o Sr. Ahmed anunciar que chegaram ao escritório.

Naquela mesma semana, ele recebe um convite do MoMA; aparentemente, *Vida após a morte* será o primeiro filme exibido num festival de uma semana em junho em homenagem à obra de Simon Bergesson e, ao término da sessão, haverá um debate com a presença dos dois diretores, e também de Fausta, e esperam que ele possa comparecer. E – embora saibam que já tenham feito esta oferta antes – também ficariam muito felizes caso ele pudesse participar do debate e falar sobre as experiências de Willem durante a filmagem. Aquilo o faz parar: *tinham* eles o convidado antes? Acha que sim. Mas não consegue se lembrar. Recorda muito pouco dos últimos seis meses. Ele olha agora para as datas do festival: de três a onze de junho. Fará planos para sair da cidade nesse período; precisa sair. Willem trabalhara em outros dois filmes com Bergesson – tinham uma relação amistosa. Ele não quer mais ter de ver cartazes com o rosto de Willem, ter de ler seu nome no jornal novamente. Não quer ter de ver Bergesson.

Naquela noite, antes de dormir, primeiro ele vai até o lado de Willem no closet, que ainda não esvaziou. Ali estão as camisas de Willem em seus cabides, os suéteres nas prateleiras, e os sapatos enfileirados na parte de baixo. Pega a camisa xadrez de que precisa, vinho com linhas amarelas, que Willem costumava vestir em casa na primavera, e a joga sobre a cabeça. Mas, em vez de passar os braços pelas mangas, ele amarra as mangas à sua frente, deixando a camisa parecida com uma camisa de força, e assim pode fingir – caso se concentre – que são os braços de Willem a abraçá-lo. Deita-se na cama. Aquele ritual o deixa constrangido, mas só o faz quando do realmente precisa, e, nesta noite, ele realmente precisa.

Fica deitado, acordado. De vez em quando, leva o nariz até a gola para tentar cheirar o que sobrou de Willem naquela camisa, mas cada vez que a veste, o perfume se torna mais suave. Esta é a quarta camisa de Willem que usa, e toma muito cuidado para preservar sua fragrância. As três primeiras camisas, que ele usou quase toda noite por meses, não têm mais o cheiro de Willem; têm o cheiro dele. Às vezes ele tenta se consolar com o fato de que seu próprio perfume era algo que Willem lhe dera de presente, mas tal consolo nunca dura muito tempo.

Antes mesmo de se tornarem um casal, Willem sempre levava algo para ele de onde quer que tivesse ido para filmar, e, quando voltou da *Odisseia*, trouxe consigo dois frascos de água de colônia que mandou fazer no ateliê de um perfumista famoso em Florença.

– Sei que pode parecer um pouco estranho – falou. – Mas alguém – e ele sorriu para si mesmo, sabendo que Willem estava falando de uma garota – me falou disso e achei interessante.

Willem explicou como tivera de descrevê-lo ao especialista: de que cores gostava, de quais sabores, de que partes do mundo; e que o perfumista criara aquela fragrância para ele.

Sentiu o aroma: era verde e levemente picante, com um final rústico e intenso.

– Vetiver – disse Willem. – Experimente – E ele o fez, passando um pouco na mão, pois na época não deixava Willem ver seus pulsos.

Willem o cheirou.

– Gostei – disse ele –, caiu bem em você. – E os dois ficaram subitamente acanhados naquele instante.

– Obrigado, Willem – falou. – Adorei.

Willem também encomendara uma fragrância para si mesmo. A dele tinha sândalo como base, e ele logo começou a associá-lo a madeira: sempre que sentia aquele cheiro – especialmente quando estava bem distante: na Índia, a trabalho; no Japão; na Tailândia – pensava em Willem e se sentia menos só. À medida que os anos foram se passando, os dois continuaram encomendando aquelas fragrâncias do perfumista de Florença e, dois meses atrás, uma das primeiras coisas que fez quando teve a presença de espírito para pensar nisso foi encomendar uma grande quantidade da água de colônia personalizada de Willem. Ficou tão aliviado, tão agitado, quando o pacote finalmente chegou, que suas mãos tremiam ao rasgar os invólucros e abrir a caixa. Já sentia Willem se afastando dele; já sabia que tinha de tentar mantê-lo por perto. Mas, por mais que tenha borrifado – com cuidado; não queria usar muito – o perfume na camisa de Willem, não foi a mesma coisa. No fim das contas, não era apenas a água de colônia que fazia as roupas de Willem cheirarem a Willem: era ele, seu próprio ser. Naquela noite, deitara na cama com uma camisa encharcada de sândalo, um odor tão intenso que subjugou todos os outros, que destruiu completamente o que sobrara de Willem. Naquela noite, chorara, pela primeira vez em bastante tempo, e, no dia seguinte, aposentou aquela camisa, dobrando-a e guardando-a numa caixa no canto do closet para não contaminar as outras roupas de Willem.

A água de colônia, o ritual com a camisa: são duas peças da armação de andaimes, por mais oscilante e frágil que seja, que ele aprendeu a erguer para poder seguir em frente, para continuar vivendo a vida. Ainda que muitas vezes sinta que não está propriamente vivendo, apenas existindo, sendo levado pelos dias em vez de se mover através deles por si próprio. Mas não se castiga muito por isso; meramente existir já é difícil o bastante.

Foram precisos meses para descobrir o que funcionava. Por um tempo, devorou todas as noites os filmes de Willem, assistindo-lhes até adormecer no sofá, acelerando a projeção até as cenas em que Willem falava. Mas o diálogo, a atuação de Willem em si, pareciam deixá-lo mais longe de Willem, não mais perto, até que ele finalmente descobriu que era melhor simplesmente dar pausa em determinada imagem, com o rosto de Willem parado, olhando para ele, que por sua vez o fitava até seus olhos arderem. Depois de fazer isso por um mês, percebeu que precisaria ter mais cuidado ao analisar esses filmes, para que não perdessem a potência. E então ele começou pelo primeiro filme de Willem – *A garota das mãos de prata* –, ao qual assistiu obsessivamente, toda noite, parando e reiniciando o filme, congelando certas imagens. Nos fins de semana, ele lhe assistia por horas, desde o momento em que o céu mudava da noite para o dia até bem depois de escurecer novamente. Depois, percebeu que seria perigoso assistir àqueles filmes cronologicamente, pois a cada um que via ficaria mais próximo da morte de Willem. Por isso, agora escolhia o filme do mês aleatoriamente, o que se mostrou mais seguro.

Mas a maior e mais sustentável ficção que inventou para si mesmo foi fingir que Willem simplesmente estava em algum outro lugar, filmando. A filmagem é muito longa, mas tem um fim, e um dia ele voltará. Aquela era uma ilusão difícil, pois nunca houve uma filmagem na qual ele e Willem não se falassem ou trocassem e-mails ou mensagens de texto (ou todos os três) todos os dias. Sente-se grato por ter mantido muitos dos e-mails de Willem, e, por um período, foi capaz de ler essas velhas mensagens à noite e fingir que acabara de recebê-las: mesmo quando queria ler todos os e-mails de uma só vez, não o fez, tendo o cuidado de ler apenas um por vez. Mas sabia que aquilo não o satisfaria para sempre – precisaria ser mais criterioso no modo como concederia aqueles e-mails a si mesmo.

Agora lê um, e apenas um, por semana. Pode ler mensagens que já lera nas semanas anteriores, mas não as que ainda não leu. Essa é outra regra.

Mas isso não resolveu a maior questão acerca do silêncio de Willem: que circunstâncias, questionava a si mesmo enquanto nadava pela manhã, enquanto parava, distraído, diante do fogão à noite, esperando a chaleira apitar, poderia impedir Willem de se comunicar com ele durante uma gravação? Finalmente, conseguiu criar uma situação. Willem estava rodando um filme sobre um grupo de cosmonautas russos durante a Guerra Fria, e, nesse filme de fantasia, eles de fato estariam no espaço, pois a película era financiada por um industrial russo, bilionário e possivelmente louco. E, assim, Willem estaria longe, circulando quilômetros acima dele, dia e noite, querendo voltar para casa e impedido de se comunicar com ele. Também ficava constrangido com aquele filme imaginário, com seu desespero, mas, ao mesmo tempo, aquilo parecia plausível o suficiente para poder se enganar e acreditar que era real por longos períodos, às vezes por muitos dias. (Sentiu-se então agradecido à logística e às realidades do trabalho de Willem por serem, em muitos casos, quase inacreditáveis: a própria improbabilidade da indústria o ajudava a acreditar agora, quando precisava.)

Qual seria o nome do filme?, imaginava Willem perguntando, imaginava Willem sorrindo.

Caro camarada, respondeu a Willem, pois era dessa forma que ele e Willem se chamavam às vezes em e-mails – *Caro companheiro; Caro Jude Haroldovich; Caro Willem Ragnaravovich* –, algo que começaram quando Willem filmava o primeiro segmento de sua trilogia de espionagem, passado na Moscou dos anos 1960. Em sua imaginação, *Caro camarada* levaria um ano para ser filmado, embora soubesse que teria de fazer uma readaptação: já era março, e, em sua fantasia, Willem voltaria para casa em novembro, mas sabia que não seria capaz de encerrar aquela farsa tão cedo. Sabia que teria de imaginar regravações, atrasos. Sabia que teria de inventar uma sequência, algum motivo pelo qual Willem ficaria longe ainda por mais tempo.

Para aumentar a credibilidade da fantasia, escrevia um e-mail a Willem toda noite contando o que aconteceu durante o dia, como faria caso Willem estivesse vivo. Toda mensagem terminava do mesmo modo: *Espero que a filmagem esteja correndo bem. Sinto muito a sua falta. Jude.*

Foi no mês de novembro anterior que ele finalmente saiu de seu estupor, quando a realidade da ausência de Willem começou a ressoar de verdade. Foi então que descobriu que estava com problemas. Ele se lembra muito pouco dos meses anteriores; se lembra muito pouco do dia em si. Lembra-se de terminar a salada de macarrão, de rasgar as folhas de manjericão sobre a tigela, de olhar para o relógio e se perguntar por onde andavam. Mas não ficou preocupado: Willem gostava de voltar para casa pelas estradas secundárias, e Malcolm gostava de tirar fotos, então talvez tivessem parado, talvez tivessem perdido a noção da hora.

Ligou para JB e o ouviu reclamar de Fredrik; cortou alguns melões para a sobremesa. Àquela altura, já estavam muito atrasados, por isso ligou para o telefone de Willem, que tocou sem nenhuma resposta. Ficou irritado: onde poderiam estar?

E então ficou ainda mais tarde. Andava de um lado para o outro. Ligou para o telefone de Malcolm, para o telefone de Sophie: nada. Ligou para Willem outra vez. Ligou para JB: teriam ligado para ele? Tivera alguma notícia deles? Mas JB não sabia de nada.

– Não se preocupe, Judy – falou. – Tenho certeza de que foram tomar um sorvete ou algo assim. Ou talvez tenham todos fugido juntos.

– Rá – disse ele, mas sabia que havia algo de errado. – Tudo bem. Ligo para você mais tarde, JB.

E então, assim que terminou de falar com JB, a campainha tocou e ele parou, aterrorizado, pois ninguém tocava a campainha deles, jamais. A casa era difícil de ser encontrada; você tinha de se esforçar para achá-la, e depois tinha de caminhar da estrada principal – uma caminhada bem longa – se ninguém abrisse o portão para você, e ele não ouvira o zumbido do portão da frente. Ah, deus, pensou. Ah, não. Não. Mas a campainha tocou outra vez, e ele se viu andando na direção da porta e, quando a abriu, o que registrou não foi tanto as expressões dos policiais, mas o fato de estarem removendo seus chapéus, e foi então que soube.

Ele se perdeu depois disso. Sua consciência vinha só em lampejos, e os rostos das pessoas que via – o de Harold, o de JB, o de Richard, o de Andy, o de Julia – eram os mesmos rostos que se lembrava de quando tentara se matar: as mesmas pessoas, as mesmas lágrimas. Tinham chorado então, e choravam agora, e, em alguns momentos, ele ficava atordoado; pensava que aquela última década – seus anos com Willem, a perda de suas pernas – talvez fosse apenas um sonho, que talvez ainda estivesse na ala psiquiátrica. Lembra-se de ser informado de algumas coisas ao longo daqueles dias, mas não se lembra de como foi informado, pois não se lembra de ter conversado com ninguém. Mas deve ter conversado. Foi informado de que fez o reconhecimento do corpo de Willem, mas que não deixaram que visse seu rosto – ele fora arremessado do carro e batera de cabeça contra uma árvore a nove metros de distância, do outro lado da estrada, e seu rosto fora destruído, todos os ossos quebrados. Por isso, o identificou por uma marca de nascença na panturrilha esquerda e por um sinal no ombro direito. Foi informado de que o corpo de Sophie foi esmigalhado – "obliterado" foi a palavra que ouviu alguém dizer – e de que Malcolm teve sua morte cerebral decretada e foi mantido vivo por aparelhos por quatro dias até seus pais fazerem a doação dos órgãos. Foi informado de que todos usavam o cinto de segurança; que o carro alugado – aquela *porra* daquele estúpido carro alugado – estava com os air bags defeituosos; que o motorista do caminhão, um caminhão de uma cervejaria, estava completamente bêbado e avançou o sinal vermelho.

Na maior parte do tempo, estava dopado. Estava dopado quando foi ao funeral de Sophie, do qual não se lembrava de nada, nem de um único detalhe; no de Malcolm, também estava dopado. No de Malcolm, lembra-se de que o Sr. Irvine o agarrou, o sacudiu e o abraçou com tanta força que quase o sufocou, segurando-o e chorando até que alguém – Harold, provavelmente – disse algo e ele o soltou.

Sabia que fizeram algum tipo de funeral para Willem, uma cerimônia simples; sabia que Willem foi cremado. Mas não se lembra de nada disso. Não sabe quem organizou tudo. Não sabe nem mesmo se compareceu, e tem medo de perguntar. Lembra-se de que Harold lhe disse a certa altura que não havia problema se ele não falasse em sua homenagem, que podiam fazer uma cerimônia memorial para Willem mais tarde, quando ele estivesse pronto. Lembra-se de assentir com a cabeça, lembra-se de ter pensado: mas eu nunca estarei pronto.

Em certo ponto, voltou ao trabalho: no fim de setembro, achava. Àquela altura, já sabia o que tinha acontecido. Ele sabia. Mas tentava não saber, e, na época, isso ainda era fácil. Não leu os jornais; não assistiu às notícias. Duas semanas depois da morte de Willem, ele e Harold estavam andando pela rua e passaram por uma banca de jornal, e ali, à sua frente, havia uma revista com o rosto de Willem estampado e duas datas, e ele percebeu que a primeira era o ano em que Willem nascera, e a segunda, o ano em que morrera. Ficou ali parado, olhando fixamente, e Harold o pegou pelo braço.

– Vamos, Jude – disse, com delicadeza. – Não olhe. Venha comigo. – E ele o seguiu, obediente.

Antes de voltar ao escritório, instruíra Sanjay:

– Não quero que ninguém me dê as condolências. Não quero nenhum tipo de menção. Não quero que ninguém mencione o nome dele, nunca.

– Tudo bem, Jude – disse Sanjay, em voz baixa, com o ar assustado. – Entendo.

E todos obedeceram. Ninguém disse que sentia muito. Ninguém tocou no nome de Willem. Ninguém jamais toca no nome de Willem. E agora ele queria que o dissessem. Ele mesmo não consegue dizê-lo. Mas queria que alguém o fizesse. Às vezes, ouve na rua alguém dizer algo que lembra seu nome – "William!", chama uma mãe pelo filho – e ele se vira, avidamente, na direção da voz.

Naqueles meses iniciais havia questões práticas que lhe ofereciam algo para fazer, que enchiam seus dias de raiva, o que, por sua vez, lhes dava forma. Ele processou o fabricante do carro, o fabricante dos cintos de segurança, o fabricante do air bag, a locadora de carros. Processou o caminhoneiro e a companhia para a qual ele trabalhava. Ficou sabendo pelo advogado do caminhoneiro que ele tinha um filho com uma doença crônica; uma ação judicial arruinaria a família. Mas ele não se importou. Antes, teria se importado; mas, agora, não. Sentia-se bruto e implacável. Que ele seja destruído, pensou. Que seja arruinado. Que ele sinta o que eu sinto. Que perca tudo, todas as coisas importantes para ele. Queria arrancar cada centavo de todos eles, de todas as companhias, de todas as pessoas que trabalhavam para elas. Queria deixá-las desesperadas. Queria deixá-las sem nada. Queria que vivessem na miséria. Queria que se sentissem perdidas em suas próprias vidas.

Foram processados, todos eles, por tudo que Willem teria recebido caso pudesse viver pelo tempo normal, e aquele era um valor absurdo, um valor espantoso, e ele não conseguia olhar para aquele número sem se desesperar: não pelo somatório em si, mas pelos anos que representava.

Fariam um acordo com ele, disse seu advogado, um especialista em ações de responsabilidade civil, conhecido por sua agressividade e venalidade, chamado Todd, com quem trabalhara no jornal estudantil da faculdade de direito, e os acordos seriam generosos.

Generosos; não generosos. Ele não se importava. Tudo o que importava era que os fizesse sofrer.

– Acabe com eles – ordenou a Todd, com a voz rouca de ódio, e Todd pareceu assustado.

– Pode deixar, Jude – disse ele. – Não se preocupe.

Não precisava do dinheiro, é claro. Tinha o seu. E, exceto pelos presentes financeiros que queria dar ao assistente de Willem e a seu afilhado, e as quantias que seriam doadas a várias instituições de caridade – as mesmas instituições para as quais Willem contribuía todo ano, além de outra: uma fundação que ajudava crianças exploradas –, tudo o que Willem tinha fora deixado para ele: era o negativo da imagem de seu próprio testamento. Anteriormente, naquele ano, ele e Willem haviam financiado duas bolsas de estudo na universidade em que estudaram em homenagem aos aniversários de setenta e cinco anos de Harold e Julia: uma para o curso de direito, em homenagem a Harold; a outra para o curso de medicina, em homenagem a Julia. Fizeram o financiamento juntos, e Willem deixara dinheiro suficiente num fundo para que fossem vitalícias. Repartiu o resto da herança de Willem: assinou os cheques para as instituições de caridade, fundações, museus e organizações que Willem designara como seus beneficiários. Deu aos amigos de Willem – Harold e Julia; Richard; JB; Roman; Cressy; Susannah; Miguel; Kit; Emil; Andy; mas não a Malcolm, não mais – os itens (livros, quadros, lembranças de filmes e peças, obras de arte) que ele deixara para cada um. Não havia qualquer surpresa no testamento de Willem, embora às vezes ele desejasse que houvesse – como ficaria feliz ao descobrir algum filho secreto, a quem conheceria e que teria o sorriso de Willem; como ficaria assustado, e ao mesmo tempo animado, ao encontrar uma carta secreta com alguma confissão de longa data. Como ficaria agradecido por uma desculpa para odiar Willem, para se ressentir dele, por um mistério a ser resolvido que pudesse ocupar anos de sua vida. Mas não havia nada. A vida de Willem chegara ao fim. Estava tão limpo na morte quanto estivera em vida.

Pensou que estivesse se saindo bem, ou pelo menos bem o suficiente. Um dia, Harold telefonou e lhe perguntou o que queria fazer no Dia de Ação de Graças, e, por um momento, não conseguiu entender do que Harold estava falando, o que aquelas palavras – Ação de Graças – significavam.

– Não sei – disse ele.

– É na semana que vem – disse Harold, com o novo tom de voz baixo que agora todos usavam com ele. – Quer passar aqui em casa, ou podemos ir até a sua, ou então ir a algum outro lugar?

– Acho que não vou poder – falou. – Estou com muito trabalho, Harold.

Mas Harold insistiu.

– Qualquer lugar, Jude – disse ele. – Com quem você quiser. Ou sem ninguém. Mas precisamos ver você.

– Não vão se divertir na minha companhia – disse, finalmente.

– Não vamos nos divertir sem a sua companhia – disse Harold. – Ou com qualquer outra. Por favor, Jude. Onde você quiser.

Acabaram indo para Londres. Ficaram no apartamento. Sentiu-se aliviado em sair do país, onde veria cenas de famílias na televisão, e seus colegas se queixando alegremente dos filhos, das esposas, dos maridos e dos sogros. Em Londres, a data era só mais um dia comum. Saíram para passear, os três. Harold preparou refeições ambiciosas e desastrosas, que ele comeu. Dormiu e dormiu. Depois voltaram para casa.

E então, num domingo de dezembro, ele acordou e soube: Willem se fora. Willem o deixara para sempre. Nunca mais voltaria. Ele nunca mais o veria. Nunca mais ouviria a voz de Willem, nunca mais sentiria seu cheiro, nunca mais sentiria seu abraço. Nunca mais teria a oportunidade de tirar de cima de si o peso de uma de suas lembranças, chorando de vergonha ao fazê-lo, nunca mais acordaria com um solavanco de um de seus sonhos, cegado pelo terror, e sentiria a mão de Willem em seu rosto, a voz de Willem sobre si: "Você está seguro, Judy, está seguro agora. Acabou; acabou; acabou." E então ele chorou, chorou para valer, chorou pela primeira vez desde o acidente. Chorou por Willem, por quanto deve ter se assustado, pelo quanto deve ter sofrido, por sua breve e pobre vida. Mas, acima de tudo, chorou por si mesmo. Como continuaria a viver sem Willem? Toda a sua vida – sua vida após o irmão Luke, sua vida após o Dr. Traylor, sua vida após o mosteiro, os quartos de motel, o orfanato e os caminhões, que era a única parte da sua vida que contava – tivera a presença de Willem. Não houvera um só dia desde seus dezesseis anos, quando conhecera Willem no quarto que dividiram no Hood Hall, onde não se comunicara com Willem de alguma forma. Mesmo quando brigavam, continuavam a se falar.

– Jude – havia dito Harold –, isso *vai* passar. Eu juro. Eu juro. Agora parece que não, mas vai.

Todos diziam isso: Richard e JB e Andy; as pessoas que lhe mandavam cartões. Kit. Emil. Tudo o que diziam era que passaria. Mas, embora tivesse discernimento suficiente para não dizer isso em voz alta, pensava para si mesmo: Não vai. Harold tivera Jacob por cinco anos. Ele tivera Willem por trinta e quatro. Não havia comparação. Willem foi a primeira pessoa que o amou, a primeira pessoa que não o viu como um objeto a ser usado ou digno de pena, mas como algo diferente, como um amigo; foi a segunda pessoa que sempre, sempre foi bondosa com ele. Se não tivesse Willem, não teria nenhum deles – nunca teria conseguido confiar em Harold se não tivesse confiado em Willem primeiro. Não conseguia conceber a vida sem ele, pois Willem definira o que sua vida era e o que poderia ser.

No dia seguinte, fez o que nunca fizera antes: telefonou para Sanjay e disse que não iria ao trabalho pelos próximos dois dias. Depois, deitou-se na cama e chorou, gritando no travesseiro até perder a voz completamente.

Mas, a partir daqueles dois dias, encontrou outra solução. Agora, ficava até bem tarde no trabalho, tão tarde que via o sol nascer do seu escritório. Faz isso todos os dias da semana e nos sábados também. No domingo, dorme até o mais tarde que consegue e, quando acorda, toma um comprimido, que não só o faz dormir outra vez, mas tritura até a obsolescência qualquer sinal de vigília. Dorme até que o efeito do comprimido passe, depois toma banho, volta para a cama e toma um comprimido diferente, que torna o sono superficial e vítreo, e dorme até segunda-feira de manhã. Quando chega segunda, completa vinte e quatro horas sem comer, às vezes mais, e ele fica trêmulo e distraído. Nada e vai ao trabalho. Se teve sorte, passou o domingo sonhando com Willem, pelo menos um pouquinho. Comprou um travesseiro longo e robusto, tão longo quanto o comprimento de um homem, feito para servir de apoio para mulheres grávidas ou pessoas com problemas nas costas, e ele o veste com uma das camisas de Willem e o abraça quando dorme, mesmo que em vida fosse Willem quem o abraçava. Ele se odeia por fazer aquilo, mas não consegue parar.

Sabe, vagamente, que seus amigos o estão observando, preocupados com ele. A certa altura emergiu que um dos motivos por que se lembrava tão pouco dos dias após o acidente foi por estar internado no hospital para que não tentasse o suicídio. Ele agora atravessa seus dias cambaleando e se pergunta por que, na verdade, não está se matando. Essa, afinal, é a hora para isso. Ninguém o culparia. Mesmo assim, não o faz.

Pelo menos ninguém o manda seguir em frente. Ele não quer seguir em frente, não quer seguir para algo novo: quer continuar exatamente naquele estágio, para sempre. Pelo menos ninguém lhe diz que está em negação. A negação é o que o sustenta, e ele tem medo do dia em que suas ilusões perderão a capacidade de convencê-lo. Pela primeira vez em décadas, não estava se cortando. Quando não se corta, fica entorpecido, e precisa continuar entorpecido; precisa que o mundo não se aproxime muito dele. Finalmente conseguiu alcançar o que Willem sempre quisera; tudo o que foi preciso foi que Willem fosse tirado dele.

Em janeiro, teve um sonho em que ele e Willem estavam na casa no norte do estado, preparando o jantar e conversando: algo que fizeram centenas de vezes. Mas, no sonho, embora pudesse ouvir a própria voz, não ouvia a de Willem – via sua boca se mexer, mas não ouvia nada do que dizia. Então acordou, se jogou na cadeira de rodas e seguiu o mais rápido que pôde até o escritório, onde fez uma pesquisa em seus antigos e-mails, procurando até encontrar algumas mensagens de voz de Willem que se esquecera de apagar. As mensagens eram curtas, nada reveladoras, mas ele as ouviu uma vez após a outra, chorando, com o corpo dobrado de tristeza, e a própria banalidade das mensagens – "Ei. Judy. Estou indo na feira comprar alho-silvestre. Quer alguma outra coisa? Me avise." – era algo precioso, pois era prova de sua vida juntos.

– Willem – diz em voz alta para o apartamento, pois, às vezes, quando a situação ficava muito ruim, falava com ele. – Volte para mim. Volte.

Ele não tem qualquer sentimento da síndrome de sobrevivência, mas sim uma incompreensão de sobrevivência: sempre, sempre teve a certeza de que morreria antes de Willem. Todos sabiam disso. Willem, Andy, Harold, JB, Malcolm, Julia, Richard: morreria antes de todos eles. A única dúvida era como – seria por suas próprias mãos, seria por uma infecção. Mas ninguém pensou que Willem, logo Willem, fosse morrer antes dele. Não havia nenhum plano naquele sentido, nenhuma contingência. Caso pensasse que aquela seria uma possibilidade, caso não fosse uma ideia tão absurda, teria feito planos. Teria feito gravações com a voz de Willem falando com ele e as guardaria. Teria tirado mais fotografias. Teria tentado destilar a própria química corporal de Willem. Teria levado ele, logo após acordar, para o perfumista de Florença.

– Aqui – teria dito. – Isso. Essa fragrância. Quero que a coloque num frasco.

Jane lhe disse uma vez que, quando era mais nova, sentia um medo tremendo de que o pai morresse, por isso fez cópias digitais secretas dos ditados de seu pai (ele também era médico) e as guardou em pen drives. E, quando seu pai finalmente morreu, quatro anos atrás, ela os redescobriu, e sentou numa sala para reproduzi-los, ouvindo seu pai ditar receitas com sua voz calma e paciente. Como invejava Jane por aquilo; como queria ter pensado em fazer o mesmo.

Pelo menos tinha os filmes de Willem, e seus e-mails, e as cartas que ele lhe escrevera ao longo dos anos e que guardou, todas. Pelo menos tinha as roupas de Willem, e artigos sobre Willem, que também guardara. Pelo menos tinha os quadros que JB pintou de Willem; pelo menos tinha fotografias de Willem: centenas delas, embora só se concedesse uma certa quantidade. Resolveu que permitiria a si mesmo ver dez delas por semana, e as olharia por horas e horas. Ficava a seu critério ver uma por dia ou todas as dez de uma só vez. Tinha pavor que seu computador pifasse e ele perdesse aquelas imagens; fez inúmeras cópias das fotografias e guardou os discos em vários lugares: em seu cofre em Greene Street, em seu cofre na Casa-Lanterna, em sua mesa na Rosen Pritchard, na sua caixa no cofre do banco.

Nunca vira Willem como um catalogador minucioso de sua própria vida – ele também não era –, mas, num domingo do início de março, ele abre mão de seu sono dopado e vai a Garrison. Só esteve na casa duas vezes após aquele dia de setembro, mas os jardineiros continuam fazendo a manutenção e os bulbos começam a brotar junto à estradinha, e, quando entra na casa, encontra um vaso com ramos de figueira cortados na bancada da cozinha e para, fitando-os: teria ele enviado uma mensagem de texto à caseira para avisar que iria até lá? Provavelmente, sim. Mas, por um momento, ele imagina que no início de cada semana alguém passa por lá e coloca um novo arranjo de flores na bancada e, no final de cada semana, outra semana em que ninguém aparece para vê-las, elas são jogadas fora.

Vai ao escritório, onde haviam colocado mais armários para que Willem também pudesse guardar seus arquivos e sua papelada ali. Senta no chão, tira o casaco com um movimento dos ombros e depois respira fundo e abre a primeira gaveta. Ali estão pastas de arquivos, cada uma rotulada com o nome de uma peça ou de um filme, e dentro de cada pasta está a versão do roteiro para as filmagens, com as anotações de Willem. Em algumas, encontra os organogramas de dias em que algum ator que ele sabia que Willem admirava em particular contracenaria com ele: lembra-se do quanto Willem ficou animado em O *tribunal de plátano*, de como lhe enviara uma foto com o organograma do dia em que seu nome aparecia logo abaixo do nome de Clark Butterfield. "Dá para acreditar nisso?!", dizia a mensagem.

Claro que dá, respondera ele.

Vai passando pelos arquivos, pegando-os aleatoriamente e esquadrinhando minuciosamente seus conteúdos. As três gavetas seguintes contêm todas as mesmas coisas: filmes, peças, outros projetos.

Na quinta gaveta, encontra um arquivo em que se lê "Wyoming", quase todo de fotos, sendo que a maioria ele já vira antes: fotos de Hemming; fotos de Willem com Hemming; fotos de seus pais; fotos dos irmãos que Willem não conheceu: Britte e Aksel. Há um segundo envelope com uma dúzia de fotos só de Willem, apenas Willem: fotos da escola, Willem com uniforme de escoteiro, Willem com uniforme do time de futebol americano. Ele olha fixamente para aquelas imagens, com as mãos fechadas em punhos, antes de colocá-las de volta no envelope.

Há também outras coisas no arquivo de Wyoming: uma redação da terceira série, escrita com a letra cursiva cuidadosa de Willem, sobre *O mágico de Oz*, que o faz sorrir; um cartão de aniversário desenhado à mão para Hemming, que o faz ter vontade de chorar. A certidão de óbito da mãe; a do pai. Uma cópia do testamento deles. Algumas cartas, dele para os pais, dos pais para ele, todas em sueco – essas ele coloca de lado para serem traduzidas.

Sabe que Willem nunca escreveu um diário, mas, ainda assim, quando olha no arquivo em que se lê "Boston", acha, por algum motivo, que encontrará algo. Mas não há nada. Só mais fotografias, todas já vistas por ele: de Willem, tão resplandecentemente lindo; de Malcolm, com um ar desconfiado e levemente selvagem, em seu penteado afro malsucedido, de fios longos e finos, que tentara cultivar durante a universidade; de JB, parecendo essencialmente o mesmo de agora, alegre e com bochechas gordas; dele, com um ar assustado, fechado, magro demais, com suas terríveis roupas enormes e com seus terríveis cabelos compridos, com seu aparelho ortopédico que aprisionava suas pernas num abraço preto e esponjoso. Ele para diante de uma foto dos dois sentados no sofá da sala que dividiam no Hood, em que Willem se inclinava em sua direção e olhava para ele, sorrindo, claramente dizendo algo, e ele, rindo com a mão sobre a boca, algo que aprendera a fazer depois que um dos conselheiros do orfanato dissera que tinha um sorriso feio. Parecem criaturas diferentes, não apenas pessoas diferentes, e ele tem de guardar a foto de volta no arquivo rapidamente antes que a rasgue ao meio.

Agora começa a sentir dificuldade para respirar, mas segue em frente. No arquivo "Boston" e no arquivo "New Haven", encontra críticas de jornais universitários sobre as peças em que Willem atuou. Ali está também o artigo sobre a performance artística de JB inspirada em Lee Lozano. E também, o que é comovente, a única prova de cálculo em que Willem tirou oito, uma prova para a qual ele o preparara por meses.

E então coloca a mão novamente na gaveta, em grande parte ocupada não por uma pasta simples, mas uma daquelas sanfonadas, do tipo que usam na firma. Ele a tira de dentro e vê que está marcada apenas com seu nome, e a abre lentamente.

Lá dentro, está tudo: cada uma das cartas que escrevera a Willem, cada e-mail importante impresso. Os cartões de aniversário que dera a Willem. Fotografias suas, algumas das quais nunca vira antes. A edição da *Artforum* com *Jude com cigarro* na capa. Um cartão de Harold escrito logo após a adoção, agradecendo a Willem por ter comparecido e o presente. Há um artigo sobre um prêmio que ele ganhou na faculdade de direito, que ele certamente não enviou a Willem, mas que alguma outra pessoa obviamente o fizera. No fim das contas, não precisou catalogar sua vida – Willem vinha fazendo aquilo para ele durante o tempo inteiro.

Mas por que Willem se importava tanto com ele? Por que quis passar tanto tempo ao seu lado? Nunca entendera aquilo antes, e agora nunca entenderá.

Às vezes, acho que me importo mais com você continuar vivo do que você mesmo, lembra-se de Willem dizer, e respira fundo e estremece.

E assim vai, aquele detalhamento de sua vida, e, quando olha na sexta gaveta, encontra outra pasta sanfonada, igual à primeira, rotulada "Jude II", e, atrás dela, "Jude III" e "Jude IV". Mas, àquela altura, não consegue mais olhar. Guarda os arquivos com cuidado, fecha as gavetas, tranca os armários. Coloca as cartas de Willem e de seus pais num envelope, e depois dentro de outro envelope, para proteção. Pega os ramos de figueira, envolve as pontas cortadas com um saco plástico, joga na pia a água do vaso onde estavam, tranca a casa e volta para a cidade, com os ramos no banco ao seu lado. Antes de subir para o apartamento, entra no estúdio de Richard, enche uma das latas de café vazias com água e coloca os ramos, deixando-os em sua mesa de trabalho para que ele os encontre pela manhã.

Chega então o final de março; ele está no escritório. É noite de sexta-feira; ou melhor, manhã de sábado. Ele se vira do computador e olha pela janela. Tem uma visão clara do Hudson e, acima do rio, pode ver o céu embranquecer. Fica ali parado por um bom tempo, olhando fixamente para o rio sujo e cinzento, para as revoadas de pássaros em círculos. Volta ao trabalho. Pode sentir, nesses últimos meses, que mudou, que as pessoas têm medo dele. Nunca foi uma presença jovial no escritório, mas agora sabe que se tornou melancólico. Agora está mais impiedoso. Sente que se tornou mais frio. Ele e Sanjay costumavam almoçar juntos, quando resmungavam sobre os colegas, mas agora não consegue conversar com ninguém. Ele atrai clientes novos. Faz seu serviço, faz mais do que precisa – mas pode ver que ninguém gosta de estar perto dele. Ele precisa da Rosen Pritchard; estaria perdido sem o seu trabalho. Mas não encontra nele mais prazer algum. Não tem problema, tenta dizer a si mesmo. O trabalho não é um prazer, não para a maioria das pessoas. Mas era para ele, antigamente, e agora não é mais.

Dois anos atrás, quando se recuperava da cirurgia e se sentia exausto, tão exausto que Willem tinha de colocá-lo e tirá-lo da cama, ele e Willem conversavam certa manhã. Devia estar frio do lado de fora, pois se lembra da sensação aconchegante e segura que sentiu, e de se ouvir dizendo:

– Queria poder ficar aqui deitado para sempre.

– Então fique – respondeu Willem. (Aquele era um diálogo frequente entre os dois: o despertador tocava e ele levantava. "Não vá", sempre dizia Willem. "Por que tem de levantar, afinal? Para onde vai, sempre correndo?")

– Não posso – disse, sorrindo.

– Ouça – disse Willem –, por que não larga seu emprego?

Ele riu.

– Não posso largar meu emprego – respondeu.

– Por que não? – perguntou Willem. – Além da total falta de estímulo intelectual e da perspectiva de me ter como única companhia, me dê um bom motivo.

Ele sorriu outra vez.

– Então não há um bom motivo – falou. – Porque eu gostaria de ter você como minha única companhia. Mas o que eu faria o dia todo, sendo sustentado?

– Pode cozinhar – disse Willem. – Ler. Tocar piano. Fazer algum trabalho voluntário. Viajar comigo. Me ouvir reclamar dos atores que detesto. Fazer limpezas de pele. Cantar para mim. Me presentear com um fluxo constante de elogios.

Ele caíra na risada, e Willem se juntara a ele. Mas, agora, ele pensa: Por que *não* larguei meu trabalho? Por que deixei Willem ir para longe de mim por todos aqueles meses, por todos aqueles anos, quando podia ter viajado com ele? Por que passei mais horas na Rosen Pritchard do que passei com Willem? Mas, agora, a escolha fora feita para ele, e a Rosen Pritchard é tudo o que tem.

Então pensa: por que nunca dei a Willem o que devia ter dado? Por que o fiz procurar em outros lugares por sexo? Por que não pude ter mais coragem? Por que não pude cumprir minha obrigação? Por que ele ficou comigo mesmo assim?

Volta para Greene Street para tomar banho e dormir por algumas horas: voltará ao escritório naquela tarde. No caminho para casa, abaixando os olhos para os cartazes de *Vida após a morte*, ele checa suas mensagens: Andy, Richard, Harold, Henry Young Negro.

A última mensagem é de JB, que telefona ou manda mensagens de texto pelo menos duas vezes por semana. Ele não sabe por quê, mas não tolera ver JB. Na verdade, o detesta, com um ódio mais puro do que já sentiu por alguém num bom tempo. Tem plena consciência do quanto isso é irracional. Tem plena consciência de que JB não tem culpa, nem um pouco. O ódio não faz sentido. JB nem estava no carro naquele dia; em hipótese alguma, mesmo sob a lógica mais deturpada, ele tem qualquer responsabilidade. E, mesmo assim, na primeira vez que viu JB em um estado consciente, ele ouviu uma voz em sua mente dizer, clara e calmamente, *Devia ter sido você, JB*. Não repetiu isso, mas seu rosto deve tê-lo traído, pois JB se aproximava para abraçá-lo e subitamente parou. Só viu JB duas vezes desde então, ambas na companhia de Richard, e em ambas as ocasiões teve de se controlar para não dizer nada de maldoso, nada de imperdoável. E, ainda assim, JB continua a telefonar, sempre deixa mensagens, e suas mensagens são sempre as mesmas: "Ei, Judy, sou eu. Só queria saber como está. Tenho pensado bastante em você. Gostaria de te ver. É isso. Te amo. Tchau." E, como sempre faz, vai digitar a mesma resposta a JB: "Oi, JB, obrigado pela mensagem. Desculpe por andar tão afastado; tenho tido muito trabalho. Entro em contato com você em breve. Com amor, J." Mas, apesar da mensagem, não tem a menor intenção de falar com JB, talvez nunca mais. Tem algo de muito errado com esse mundo, pensa, um mundo onde, dentre eles quatro – ele, JB, Willem e Malcolm –, as duas melhores pessoas, os dois mais bondosos e atenciosos, morreram, e os dois piores exemplos de humanidade sobreviveram. Pelo menos JB tem talento; merece viver. Mas não consegue pensar em nenhum motivo por que ele mesmo mereceria.

– Só sobramos nós, Jude – disse-lhe JB a certa altura –, pelo menos temos um ao outro.

E ele pensou, em outro daqueles comentários que rapidamente lhe vinham à cabeça, mas que conseguia se impedir de expressar: *Eu trocaria você por ele*. Trocaria qualquer um deles por Willem. JB, na mesma hora. Richard e Andy – coitados de Richard e Andy, que faziam tudo por ele! –, na mesma hora. Até mesmo Julia. Harold. Trocaria qualquer um deles, todos eles, para ter Willem de volta. Ele pensa em Hades, com sua exuberante robustez italiana, se extasiando com E. pelo submundo. *Tenho uma proposta para você*, diz a Hades. *Cinco almas em troca de uma. Como pode recusar?*

Num domingo de abril, está dormindo quando ouve uma batida, alta e insistente, e ele acorda, grogue, e então se vira de lado, segurando o travesseiro sobre a cabeça e mantendo os olhos fechados, até as batidas pararem. Por isso, quando sente alguém tocar seu braço de leve, ele grita, se vira de qualquer jeito e vê que é Richard, sentado ao seu lado.

– Desculpe, Jude – diz Richard. E depois: – Passou o dia todo dormindo?

Ele engole em seco e senta, ainda meio deitado. Aos domingos, mantém todas as persianas abaixadas, todas as cortinas fechadas; nunca sabe dizer se na verdade é noite ou dia.

– Sim – diz. – Estou cansado.

– Bem – recomeça Richard, após um silêncio. – Me desculpe por entrar assim desse jeito. Mas você não atendia o telefone, e eu queria que você descesse para jantar comigo.

– Ah, Richard, eu não sei – responde, tentando pensar em alguma desculpa. Richard tem razão: ele desliga o telefone, todos os seus telefones, quando se fecha em seu casulo aos domingos, de modo que nada interrompa seu sono, suas tentativas de encontrar Willem em seus sonhos. – Não estou me sentindo muito bem. Não vou ser uma boa companhia.

– Não estou esperando me divertir, Jude – diz Richard, abrindo um sorriso sutil para ele. – Venha. Você precisa comer alguma coisa. Seremos só nós dois; India foi passar o fim de semana na casa de uma amiga no norte do estado.

Os dois ficam em silêncio por um longo tempo. Ele olha ao redor do quarto, olha a cama desarrumada. O ar cheira a ambiente fechado, a sândalo e ao calor que irradia do aquecedor.

— Vamos lá, Jude — diz Richard, com a voz baixa. — Venha jantar comigo.

— Tudo bem — aceita ele, por fim. — Tudo bem.

— Tudo bem — repete Richard, levantando. — Vejo você lá embaixo em meia hora.

Ele toma banho e desce com uma garrafa de Tempranillo, pois lembra que Richard gosta desse vinho. No apartamento, é enxotado com um aceno da cozinha, então senta à longa mesa que domina o espaço, que pode e já acomodou vinte e quatro pessoas, e acaricia o gato de Richard, chamado Bigode, que saltou em seu colo. Lembra-se da primeira vez que viu o apartamento, com seus lustres pendurados e suas enormes esculturas de cera; ao longo dos anos, se tornou mais domesticado, mas ainda é inegavelmente a cara de Richard, com sua paleta de branco-osso e amarelo-cera, apesar de agora as pinturas de India, abstrações brilhantes e violentas de nus femininos, ornarem as paredes, e há tapetes pelo chão. Faz meses desde a última vez que esteve dentro deste apartamento, quando antes costumava visitá-lo ao menos uma vez por semana. Ainda vê Richard, é claro, mas só de passagem; na maior parte do tempo, tenta evitá-lo, e, quando Richard o chama para jantar ou o convida para fazer uma visita, ele sempre diz que está muito ocupado, muito cansado.

— Não conseguia me lembrar se você gostava do meu famoso *seitan* frito, então acabei comprando escalopes — diz Richard, colocando um prato à frente dele.

— Eu gosto do seu famoso *seitan* — diz, embora não lembre o que é, nem se gosta ou não. — Obrigado, Richard.

Richard serve duas taças de vinho e depois ergue a sua.

— Feliz aniversário, Jude — diz, num tom solene, e ele percebe que Richard está certo: hoje é seu aniversário.

Harold vinha telefonando e mandando e-mails com uma frequência incomum até mesmo para ele, e, exceto por respostas apressadas, nem mesmo lhe retornou as ligações. Sabe que Harold ficará preocupado com ele. Recebeu mais mensagens de texto também de Andy e de outras pessoas, e agora sabe por quê, e começa a chorar: pela bondade de todos, que ele retribuiu tão parcamente, por sua solidão, pela prova de que a vida, apesar de seus esforços para deixá-la, acabou seguindo em frente. Fez cinquenta e um anos, e Willem está morto há oito meses.

Richard não diz nada, apenas senta ao seu lado no banco e o abraça.

– Sei que não vai ajudar – diz, por fim –, mas eu também te amo, Jude.

Ele balança a cabeça, incapaz de falar. Nos últimos anos, passou de sentir vergonha por chorar a chorar constantemente sozinho, a chorar na frente de Willem, e, agora, o declínio final de sua dignidade, a chorar na frente de qualquer um, a qualquer momento, por qualquer motivo.

Ele se apoia no peito de Richard e chora em sua camisa. Richard é outra pessoa cuja amizade sólida e irrestrita, juntamente com a compaixão que sentia por ele, sempre o deixaram perplexo. Sabe que parte dos sentimentos de Richard por ele é entrelaçada a seus sentimentos por Willem, o que consegue entender: fizera uma promessa a Willem, e Richard leva suas obrigações a sério. Mas existe algo na firmeza de Richard, em sua completa confiabilidade, que – aliado à sua altura, ao seu próprio tamanho – o faz pensar nele como uma espécie de gigantesco deus-árvore, um carvalho em forma humana, algo sólido, remoto e indestrutível. A relação entre os dois não é muito loquaz, mas foi Richard que se tornou o amigo de sua vida adulta, que se tornou, de certa maneira, não só um amigo, mas um pai, embora fosse só quatro anos mais velho. Um irmão, então: alguém cuja confiabilidade e senso de decência são invioláveis.

Finalmente, consegue parar e se desculpa, e, depois de se limpar no banheiro, os dois jantam, lentamente, bebendo o vinho, conversando sobre o trabalho de Richard. Ao fim da refeição, Richard volta da cozinha com um bolinho empelotado, no qual enfiou seis velas.

– Cinco mais um – explica Richard.

Ele se força a sorrir, então; sopra as velas; Richard corta fatias para os dois. O bolo é farelento, grudento, mais parecido com uma broa do que com um bolo, e os dois comem suas fatias em silêncio.

Ele se levanta para ajudar Richard com os pratos, mas, quando Richard lhe diz para subir, se sente aliviado, pois está exausto; aquele é o máximo de socialização que travou desde o Dia de Ação de Graças. Na porta, Richard lhe dá algo, um pacote embrulhado em papel pardo, e depois o abraça.

– Ele não ia querer vê-lo infeliz, Judy – diz, e ele acena a cabeça colada à bochecha de Richard. – Ele detestaria ver você assim.
– Eu sei – responde.
– E me faça um favor – diz Richard, ainda abraçado a ele. – Ligue para JB, tudo bem? Sei que é difícil para você, mas... ele também amava Willem, você sabe. Não como você, eu sei, mas ainda assim o amava. E Malcolm. JB sente a falta dele.
– Eu sei – repete ele, com as lágrimas subindo aos olhos mais uma vez. – Eu sei.
– Volte no domingo que vem – diz Richard, e lhe dá um beijo. – Ou em qualquer outro dia, de verdade. Sinto falta de ver você.
– Pode deixar – diz. – Richard: obrigado.
– Feliz aniversário, Jude.
Ele pega o elevador para subir. De uma hora para outra, ficou tarde. De volta ao apartamento, vai ao escritório e senta no sofá. Há uma caixa que ele não abriu, enviada pelo correio expresso por Flora semanas atrás; dentro está a herança que Malcolm deixou para ele e para Willem – que agora também é dele. A única coisa com que a morte de Willem ajudou foi a amenizar o choque e o horror da morte de Malcolm, mas, ainda assim, ele não conseguiu abrir a caixa.
Mas fará isso agora. Antes, porém, desembrulha o presente de Richard e vê que é um pequeno busto de Willem, esculpido em madeira sobre uma base pesada de ferro preto, e ele perde o fôlego, como se recebesse um golpe. Richard sempre afirmou ser terrível com esculturas figurativas, mas ele sabe que não é verdade, e aquela obra prova isso. Ele desliza os dedos sobre os olhos de Willem, incapazes de ver, pela superfície de seus cabelos, e depois disso, leva-os ao nariz e sente o cheiro de sândalo. Na parte de baixo da base, foi gravado: "Para J em seu 51º. Com amor. R."
Ele cai no choro outra vez; para. Coloca o busto sobre a almofada ao seu lado e abre a caixa. De início, tudo o que vê são chumaços de jornal, e ele tateia cuidadosamente até suas mãos se fecharem em torno de algo sólido, que ele tira da caixa: é a maquete da Casa-Lanterna, com as paredes feitas de buxo, que antes ficava no escritório da Bellcast, ao lado das maquetes de todos os outros projetos que a firma já construíra. A maquete tem cerca de sessenta centímetros quadrados, e ele a apoia no colo antes de aproximá-la do rosto, olhando através de suas janelas de acrílico, levantando o teto e fazendo seus dedos caminharem pelos cômodos.

Ele enxuga os olhos e coloca a mão dentro da caixa outra vez. A próxima coisa que encontra é um envelope recheado de fotos deles, de todos os quatro, ou então dele e de Willem: na universidade, em Nova York, em Truro, em Cambridge, em Garrison, na Índia, na França, na Islândia, na Etiópia – nos lugares onde viveram, nas viagens que fizeram. A caixa não é muito grande, mas ele continua retirando coisas: dois livros delicados e raros de desenhos de casas japonesas feitos por um ilustrador francês; uma pequena pintura abstrata de um jovem artista britânico a quem ele sempre admirou; um desenho maior do rosto de um homem feito por um conhecido pintor americano de quem Willem sempre gostou; dois dos primeiros blocos de rascunhos de Malcolm, com páginas e páginas de suas estruturas imaginárias. Até que, finalmente, tira o último item da caixa, algo enrolado em camadas de jornais, que ele remove lentamente.

Ali, nas suas mãos, está Lispenard Street: o apartamento deles, com suas proporções esquisitas e o segundo quarto improvisado; os corredores estreitos e a cozinha minúscula. Pode ver que aquele é um dos primeiros trabalhos de Malcolm, pois as janelas são feitas de papel vegetal, e não de velino ou acrílico, e as paredes são de papelão, não de madeira. E, nesse apartamento, Malcolm colocou móveis, cortados e dobrados a partir de papel-cartão: seu futon cheio de calombos sobre a base de concreto; o sofá com molas quebradas que encontraram na rua; a poltrona com rodas barulhenta presenteada pelas tias de JB. Só o que falta é um ele de papel, um Willem de papel.

Ele coloca Lispenard Street no chão, junto aos pés. Fica sentado sem se mover por um longo tempo, de olhos fechados, deixando sua imaginação voltar no tempo e viajar: há muita coisa naqueles anos que ele não romantiza, não agora, mas, na época, quando não sabia pelo que esperar, não sabia que a vida poderia ser melhor que Lispenard Street.

– E se nunca tivéssemos saído de lá? – perguntava Willem a ele de vez em quando. – E se eu nunca tivesse alcançado o sucesso? E se você continuasse na Promotoria? E se eu ainda estivesse trabalhando no Ortolan? Como seriam nossas vidas agora?

– Qual a teoria que interessa a você nesse caso, Willem? – perguntava ele, sorrindo. – Se estaríamos juntos?

– Claro que estaríamos juntos – dizia Willem. – Essa parte seria igual.

– Bem – respondia ele –, então a primeira coisa que faríamos seria derrubar aquela parede e reivindicar nossa sala de estar. E a segunda seria comprar uma cama decente.

Willem caía na risada.

– E também processaríamos o proprietário para finalmente colocar um elevador que funcionasse, de uma vez por todas.

– Certo, esse seria o passo seguinte.

Fica sentado, esperando sua respiração voltar ao normal. Depois, liga o telefone e verifica as chamadas perdidas: Andy, JB, Richard, Harold e Julia, Henry Young Negro, Rhodes, Citizen, Andy outra vez, Richard outra vez, Lucien, Henry Young Asiático, Phaedra, Elijah, Harold outra vez, Julia outra vez, Harold, Richard, JB, JB, JB.

Ele liga para JB. É tarde, mas JB dorme tarde.

– Oi – diz quando JB atende, ouvindo a surpresa em sua voz. – Sou eu. É uma boa hora para conversarmos?

2

PELO MENOS UM SÁBADO por mês ele tira metade do expediente de folga do trabalho e vai ao Upper East Side. Quando parte de Greene Street, as butiques e lojas da vizinhança ainda não abriram; quando volta, já estão fechadas. Nesses dias, consegue imaginar o SoHo que Harold conheceu quando criança: um lugar de venezianas fechadas e despovoado, um lugar sem vida.

Sua primeira parada é no prédio da Park com a rua 78, onde pega o elevador até o sexto andar. A empregada o deixa entrar no apartamento, e ele a segue até o escritório dos fundos, que é ensolarado e grande, onde Lucien está esperando – não por ele, necessariamente, mas está esperando.

Há sempre um café da manhã tardio servido para ele: fatias finas de salmão defumado e minúsculas panquecas de trigo sarraceno uma vez; um bolo branco com cobertura de limão na outra. Jamais consegue se forçar a comer, embora, às vezes, quando se sente especialmente desamparado, aceite um pedaço de bolo da empregada e segure o prato no colo pela visita inteira. Mas, embora não coma nada, ele bebe uma xícara atrás da outra de chá, cuja infusão está sempre do jeito que ele gosta. Lucien também não come nada – já foi alimentado antes – nem bebe.

Ele agora se aproxima de Lucien e pega sua mão.

– Olá, Lucien – diz.

Estava em Londres quando a esposa de Lucien, Meredith, telefonou: foi na semana da retrospectiva de Bergesson no MoMA, e ele havia planejado sair da cidade a trabalho. Lucien tivera um derrame, contara Meredith; sobreviveria, mas os médicos ainda não sabiam a extensão dos danos.

Lucien ficou hospitalizado por duas semanas e, quando recebeu alta, estava claro que as sequelas eram graves. E, embora ainda não tenham se passado nem cinco meses, continuam sendo: os traços do lado esquerdo do rosto parecem estar derretendo, e ele tampouco consegue usar o braço e a perna direitos. Ainda fala, consideravelmente bem, mas sua memória desapareceu, os últimos vinte anos o desertaram completamente. No início de julho, caiu e bateu a cabeça, entrando em coma; agora, não tem equilíbrio nem para andar, e Meredith organizou a mudança da casa onde moravam em Connecticut para o apartamento que tinham na cidade, onde podiam estar mais perto do hospital e de suas filhas.

Ele acha que Lucien gosta de suas visitas, ou pelo menos não se importa com elas, mas não sabe ao certo. Lucien certamente não sabe quem é ele: é alguém que aparece em sua vida e depois desaparece, e toda vez precisa se reapresentar.

– Quem é você? – pergunta Lucien.

– Jude – diz ele.

– Agora, refresque minha memória – diz Lucien, agradavelmente, como se estivessem se conhecendo numa festa –, de onde o conheço?

– Você foi meu mentor – explica.

– Ah – diz Lucien. E então se faz silêncio.

Nas primeiras semanas, tentou fazer com que Lucien se lembrasse de sua própria vida: falava sobre a Rosen Pritchard, sobre as pessoas que conheciam, sobre os casos que discutiram. Depois, percebeu que a expressão que acreditara – em sua própria esperança tola – ser de reflexão, era, na verdade, de medo. Por isso, agora ele não fala sobre nada do passado, ou nada do passado que compartilharam, pelo menos. Deixa Lucien conduzir a conversa e, embora não entenda as referências que Lucien faz, sorri para ele e finge entender.

– Quem é você? – pergunta Lucien.

– Jude – diz ele.

– Agora, refresque minha memória, de onde o conheço?

– Você foi meu mentor.

– Ah, na Groton!

– Sim – diz, tentando sorrir para ele. – Na Groton.

Às vezes, no entanto, Lucien olha para ele.

– Mentor? – pergunta. – Sou jovem demais para ser seu mentor!

Outras vezes, não pergunta nada, simplesmente começa a conversa já no meio, e ele tem de esperar até encontrar pistas suficientes para determinar o papel que lhe foi atribuído – o antigo namorado de uma das filhas, um colega de faculdade ou um amigo do country club –, antes de conseguir responder adequadamente.

Nessas horas, ele descobre mais sobre a juventude de Lucien que jamais lhe fora revelado antes. Apesar de Lucien não ser mais Lucien, pelo menos não o Lucien que conheceu. Este Lucien é vago e inexpressivo; é liso, sem arestas, feito um ovo. Até mesmo a voz, aquele coaxar curioso com o qual Lucien costumava proferir suas frases, cada uma delas uma declaração, a pausa que costumava fazer entre elas, pois se acostumara às risadas das pessoas; seu modo particular de estruturar parágrafos, começando e terminando cada um deles com uma piada, que não era uma piada de verdade, mas um insulto encoberto por uma capa de seda, está diferente. Mesmo quando trabalhavam juntos, sabia que o Lucien do trabalho não era o Lucien do country club, mas nunca conheceu aquele outro Lucien. E, agora, finalmente, o conheceu, o conhece; é a única pessoa que conhece. Este Lucien fala sobre o tempo, sobre golfe, sobre velejar, sobre impostos, mas as leis fiscais que menciona são de vinte anos atrás. Nunca faz qualquer pergunta sobre ele: quem é, o que faz, por que às vezes está numa cadeira de rodas. Lucien fala, e ele sorri e acena com a cabeça, com as mãos em volta da xícara de chá, que esfria. Quando as mãos de Lucien tremem, ele as segura, sabendo que isso o ajuda quando suas próprias mãos tremem: Willem costumava fazer isso, e respirar com ele, o que sempre o acalmava. Quando Lucien baba, ele pega a ponta do guardanapo e limpa a saliva. Diferentemente dele, no entanto, Lucien não parece constrangido por tremer e babar, e ele se sente aliviado por isso. Também não fica constrangido por Lucien, mas fica constrangido por não poder fazer mais para ajudá-lo.

– Ele adora ver você, Jude – sempre diz Meredith, mas ele não acha que isso seja realmente verdade.

Às vezes, acha que continua a aparecer ali mais por causa de Meredith do que por Lucien, e percebe que as coisas são assim, que têm de ser assim: você não visita os perdidos, visita as pessoas em busca dos que se perderam. Lucien não está ciente disso, mas ele se lembra de que era assim quando ficou doente, tanto da primeira vez quanto da segunda, e Willem cuidou dele. Como ficava agradecido ao acordar e encontrar alguém que não Willem sentado ao seu lado.

– Roman está com ele – dizia Malcolm ou Richard, ou: – Ele e JB saíram para almoçar. – E ele então relaxava.

Nas semanas posteriores à amputação, quando tudo o que queria era desistir, os momentos em que achava que Willem talvez estivesse sendo consolado eram os únicos em que se sentia feliz. Por isso, senta com Meredith depois de sentar com Lucien, e os dois conversam, embora ela também não pergunte nada sobre sua vida, o que para ele não é um problema. Ela se sente só; ele também. Ela e Lucien têm duas filhas: uma mora em Nova York, mas vive entrando e saindo de clínicas de reabilitação; a outra, também advogada, mora na Filadélfia com o marido e três filhos.

Conheceu as duas filhas, que são uma década mais jovens do que ele, mais ou menos, embora Lucien tenha a idade de Harold. Quando foi visitar Lucien no hospital, a mais velha, a que mora em Nova York, olhou em sua direção com tanto ódio que ele quase deu um passo para trás, e depois disse à irmã:

– Ah, olha quem está aqui: o queridinho do papai. Que surpresa.

– Vê se cresce, Portia – reclamou a mais nova. Para ele, disse: – Jude, obrigada por ter vindo. Lamento por Willem.

– Obrigada por vir, Jude – diz Meredith agora, dando-lhe um beijo de despedida. – Nos vemos em breve?

Ela sempre faz essa pergunta, como se ele um dia pudesse lhe dizer que não.

– Sim – diz ele. – Mando um e-mail para você.

– Faça isso – responde ela, acenando para ele, que atravessa o corredor a caminho do elevador.

Sempre tem a sensação de que ninguém mais os visita, mas como isso seria possível? Por favor, que isso não seja possível, suplica. Meredith e Lucien sempre tiveram muitos amigos. Promoviam jantares. Não era incomum ver Lucien deixar o escritório usando black tie, revirando os olhos ao se despedir dele com um aceno.

– Caridade – explicava. – Festa. – Ou: – Casamento. – Ou: – Jantar.

Sempre fica exausto depois dessas visitas, mas, ainda assim, caminha, sete quarteirões ao sul e um quarto de quarteirão a leste, até a casa dos Irvine. Por meses ele evitou os Irvine, até que, no mês passado, no aniversário de um ano, eles o convidaram, junto a Richard e a JB, para jantar na casa deles, e ele sabia que teria de ir.

Era o fim de semana depois do Dia do Trabalho. As quatro semanas anteriores – quatro semanas que incluíram o dia em que Willem teria completado cinquenta e três anos; o dia em que Willem morrera – estavam entre as piores pelas quais já passara. Sabia que seriam ruins; tentou se planejar de acordo. A firma precisava de alguém para ir a Pequim, e, embora soubesse que deveria ter ficado em Nova York – estava trabalhando num caso que precisava mais dele do que os negócios em Pequim –, ele se voluntariou mesmo assim, e lá foi. De início, teve esperança de que pudesse estar a salvo: o torpor confuso do jet lag era às vezes indistinguível do torpor confuso de sua dor, e havia outras coisas que eram tão desconfortáveis fisicamente – incluindo o calor, que por si só já o deixava confuso, confuso e ensopado – que ele achou que conseguiria se distrair. Mas então, certa noite, próximo ao fim da viagem, estava sendo levado de carro de volta ao hotel após um longo dia de reuniões quando, olhando pela janela, viu, brilhando no alto da rua, um cartaz enorme com o rosto de Willem. Era um comercial de cerveja que Willem fizera dois anos antes, divulgado somente no leste da Ásia. Mas havia pessoas presas por cordas ao topo do cartaz, e ele se deu conta de que estavam apagando o rosto de Willem. Subitamente perdeu o ar, quase pedindo ao motorista para parar, mas aquilo não seria possível de qualquer forma – estavam no meio da estrada, sem saída ou lugares onde encostar, por isso teve de permanecer sentado, imóvel, com o coração entrando em erupção dentro de si, contando as batidas que faltavam para chegar ao hotel, agradecer ao motorista, descer, atravessar o saguão, subir pelo elevador, descer pelo corredor e entrar em seu quarto, onde, antes de conseguir pensar, começou a se lançar contra a parede fria de mármore do chuveiro, com a boca aberta e os olhos fechados, chocando-se sem parar até sentir tanta dor que parecia que cada vértebra saíra do lugar.

Naquela noite, ele se cortou louca e incontrolavelmente, e, quando começou a tremer demais para continuar, esperou, limpou o chão e bebeu um pouco de suco para recuperar as energias, e então começou tudo outra vez. Depois de três sessões como essa, ele se arrastou até o canto do boxe e chorou, cruzando os braços sobre a cabeça, deixando os cabelos pegajosos de sangue, e, naquela noite, acabou dormindo ali, coberto com uma toalha no lugar do cobertor. Fizera aquilo algumas vezes quando criança, quando sentia como se estivesse explodindo, separando-se de si mesmo como uma estrela que morria, e sentia a necessidade de se entocar no menor espaço que encontrasse, para que seus próprios ossos se compactassem. Mais tarde, saía cuidadosamente de baixo do irmão Luke e se enrolava como uma bola sob a cama, no carpete imundo do motel, cheio de pontas soltas e pregos que o arranhavam, grudento de preservativos usados e estranhas manchas úmidas, ou então dormia na banheira ou no armário, o mais encolhido possível.

– Meu pobre bichinho de batata – dizia o irmão Luke quando o encontrava dessa maneira. – Por que está fazendo isso, Jude? – Agia com bondade e preocupação, mas ele nunca conseguiu explicar seus motivos.

Conseguiu, de alguma forma, chegar ao fim da viagem; conseguiu, de alguma forma, sobreviver um ano. Na noite da morte de Willem, ele sonhou com vasos de vidro implodindo, com o corpo de Willem sendo projetado pelo ar, com seu rosto se esmigalhando contra a árvore. Acordou sentindo tanta falta de Willem que achou que estava ficando cego. Um dia depois de voltar para casa, viu o primeiro cartaz de *Os anos felizes*, que fora rebatizado com seu nome original: *O dançarino no palco*. Alguns dos cartazes traziam o rosto de Willem, com os cabelos compridos como os de Nureyev, a camiseta cavada colada no peito, o pescoço longo e imponente. Outros traziam imagens monumentais de um pé – o pé do próprio Willem, como ele sabia – erguido sobre a ponta, *en pointe*, num close tão próximo que dava para ver as veias e os pelos, os músculos finos e retesados e os tendões grossos e bojudos. *Estreia no Dia de Ação de Graças*, diziam os cartazes. Ah, deus, pensou ele, e voltou para dentro, ah, deus. Queria que as lembranças parassem; tinha medo do dia em que isso acontecesse. Nas últimas semanas, tivera a sensação de que Willem estava se afastando dele, mesmo que a dor se recusasse a diminuir sua intensidade.

Na semana seguinte, foram à casa dos Irvine. Decidiram, de maneira velada, que deveriam chegar juntos, e os três se encontraram no apartamento de Richard. Ele deu as chaves do carro a Richard, e Richard os levou. Ficaram todos em silêncio, até mesmo JB, e ele estava muito nervoso. Tinha a impressão de que os Irvine estavam com raiva dele; tinha a impressão de que merecia aquela raiva.

O jantar tinha sido preparado com todos os pratos preferidos de Malcolm, e, enquanto comiam, ele sentia o Sr. Irvine olhando fixamente em sua direção e imaginou se ele não estaria pensando o que ele mesmo sempre pensava: por que Malcolm? Por que não ele?

A Sra. Irvine sugeriu que todos na mesa compartilhassem alguma lembrança de Malcolm, e ele ficou ali sentado, ouvindo os outros – a Sra. Irvine, que contou uma história sobre a visita que fizeram ao Panteão, quando Malcolm tinha seis anos, e cinco minutos depois de saírem perceberam que Malcolm havia sumido e correram de volta para dentro, encontrando-o sentado no chão, olhando fixamente para a cúpula; Flora, que contou uma história em que Malcolm, quando estava na segunda série, se apropriou de sua casa de bonecas no sótão, retirando todas as bonecas e enchendo a casa com pequenos objetos, dezenas de cadeiras, mesas e sofás, e até móveis que nem nome tinham, que fizera com argila; JB, a história sobre como todos eles voltaram ao Hood do feriado de Ação de Graças um dia mais cedo e invadiram o dormitório para que fosse todo deles, e como Malcolm acendera a lareira da sala de estar a fim de assarem linguiças para o jantar –, e, quando chegou a sua vez, contou a história de como, ainda em Lispenard Street, Malcolm construíra para eles uma estante de livros que repartia a minúscula sala de estar num retângulo tão apertado que, quando você estava sentado no sofá e esticava as pernas, as esticava para dentro da própria estante. Mas ele queria a estante, e Willem dera sua aprovação. Assim, Malcolm apareceu com as tábuas mais baratas possíveis, sobras da serraria, e ele e Willem as levaram ao terraço e montaram a estante lá, para que os vizinhos não reclamassem das marteladas, e depois a levaram para baixo e a instalaram.

Mas, quando o fizeram, Malcolm percebeu que tinha errado em seus cálculos e a estante era dez centímetros mais larga, o que fazia a beira do móvel se projetar para o corredor. Ele não se importou, nem tampouco Willem, mas Malcolm queria consertar.

– Não precisa, Mal – lhe disseram os dois. – Está bom, está ótimo.

– Não está bom – disse Malcolm, chateado. – Não está ótimo.

Finalmente, conseguiram convencê-lo, e Malcolm foi embora. Ele e Willem pintaram a estante com um vermelho vibrante e a carregaram com seus livros. Até que, no domingo seguinte, Malcolm apareceu novamente, com um ar determinado.

– Não consigo parar de pensar nisso – falou.

Colocou sua sacola no chão, de onde tirou uma serra tico-tico, e começou a cortar a estrutura. Os dois começaram a gritar, até perceberem que ele faria a alteração necessária, quer eles o ajudassem ou não. Assim, lá se foi a estante de volta para o terraço; e lá veio ela de volta escada abaixo, e, dessa vez, estava perfeita.

– Sempre penso nesse incidente – falou, enquanto os outros ouviam. – Pois ele mostra bem o quanto Malcolm levava seu trabalho a sério, e como sempre se esforçou para fazê-lo com perfeição, respeitando o material, fosse ele mármore ou madeira compensada. Mas também acho que mostra bem o quanto ele respeitava o espaço, *qualquer* espaço, mesmo um apartamento horrível, irreparável e deprimente em Chinatown: até mesmo aquele espaço merecia respeito.

"E mostrava bem o quanto ele respeitava os amigos, o quanto ele queria que todos morássemos no lugar que imaginara para nós: um lugar tão belo e vívido quanto suas casas imaginárias eram para ele."

Ele parou. O que queria contar – mas que achava não ser capaz de ir até o fim – era o que entreouvira Malcolm dizer enquanto Willem reclamava por ter de carregar a estante de volta para o lugar e ele estava no banheiro recolhendo os pincéis e tintas debaixo da pia.

– Se eu tivesse deixado do jeito que estava, ele poderia tropeçar e cair, Willem – sussurrara Malcolm. – Você ia querer isso?

– Não – admitira Willem, após uma pausa, soando envergonhado. – Não, claro que não. Você está certo, Mal.

Malcolm, percebeu ele, foi o primeiro do grupo a reconhecer que ele era deficiente; Malcolm já sabia disso antes mesmo de ele próprio saber. Sempre teve consciência disso, mas nunca o fez sentir qualquer constrangimento. Malcolm só tentara tornar sua vida mais fácil, e, durante algum tempo, ele se ressentira por causa disso.

Quando estavam indo embora, o Sr. Irvine colocou a mão em seu ombro.

– Jude, pode ficar mais um tempinho? – perguntou. – Vou pedir a Monroe que o leve até em casa.

Tinha de concordar, e foi o que fez, dizendo a Richard que podia levar o carro de volta a Greene Street. Ficaram um tempo sentados na sala de estar, somente ele e o Sr. Irvine – a mãe de Malcolm estava na sala de jantar com Flora e seu marido e os filhos –, conversando sobre sua saúde, a saúde do Sr. Irvine, Harold e seu trabalho, quando o Sr. Irvine começou a chorar. Ele então levantou e foi sentar ao lado do Sr. Irvine, colocando a mão hesitantemente em suas costas, sentindo-se estranho e tímido, sentindo as décadas deslizarem de baixo dele.

O Sr. Irvine sempre fora uma figura intimidadora para todos eles em suas vidas adultas. Sua altura, sua compostura, suas feições grandes e fortes – parecia saído de uma fotografia de Edward Curtis, e era assim que todos o chamavam: "O Chefe".

– O que o Chefe vai dizer sobre isto, Mal? – perguntara JB quando Malcolm contara a eles que pediria demissão da Ratstar e todos tentavam convencê-lo a agir com moderação.

Ou (JB novamente):

– Mal, pode perguntar ao Chefe se posso usar o apartamento quando eu passar por Paris no mês que vem?

Mas o Sr. Irvine não era mais o Chefe: embora ainda fosse coerente e sensato, estava com oitenta e nove anos, e seus olhos escuros ganharam aquele mesmo tom cinza inominável que só quem é muito jovem ou muito velho tem: a cor do mar do qual viemos, a cor do mar para o qual voltamos.

– Eu o amava – disse o Sr. Irvine a ele. – Você sabe disso, Jude, não sabe? Sabe que eu o amava.

– Eu sei – falou.

Era o que sempre dizia a Malcolm:

– É claro que seu pai te ama, Mal. Claro que ama. Todo pai ama os filhos.

E, uma vez, quando Malcolm estava bem chateado (não conseguia se lembrar mais por quê), esbravejara com ele:

– Como se você soubesse alguma coisa sobre esse assunto, Jude. – E fizera-se um silêncio, e então Malcolm, arrependido, começara a se desculpar com ele. – Desculpe, Jude – pedira. – Mil desculpas.

E ele ficara sem ter o que dizer, pois Malcolm tinha razão, não sabia nada daquele assunto. O que sabia vinha de livros, e os livros mentiam, embelezavam as coisas. Aquela foi a pior coisa que Malcolm já lhe dissera, e, embora nunca tenha voltado a mencionar aquilo para Malcolm, Malcolm o mencionara para ele, uma vez, logo após a adoção.

– Nunca vou esquecer o que falei para você – dissera.

– Deixa isso pra lá, Mal – respondera ele, embora soubesse exatamente a que Malcolm se referia. – Você estava chateado. Já faz muito tempo.

– Mas foi errado – dissera Malcolm. – E eu estava errado. Sob todos os ângulos.

Ali, sentado com o Sr. Irvine, pensou: queria que Malcolm tivesse vivido este momento. Este momento devia ser de Malcolm.

Assim, ele agora visita os Irvine depois de visitar Lucien, e as visitas não são muito diferentes. Ambas são viagens ao passado, ambas giram em torno de homens velhos falando sobre lembranças que ele não compartilha, sobre contextos com os quais não tem familiaridade. Mas, por mais que essas visitas o deprimam, ele se sente obrigado a fazê-las: ambas são para ver pessoas que sempre lhe concederam tempo e conversa quando ele precisava, mas não sabia como pedir. Quando tinha vinte e cinco anos e era novo na cidade, morara na casa dos Irvine, e o Sr. Irvine conversava com ele sobre o mercado financeiro, sobre direito, e lhe dava conselhos: não conselhos sobre como pensar, mas sim conselhos sobre como ser, sobre como ser uma curiosidade num mundo que muitas vezes não tolera curiosidades.

– As pessoas vão pensar certas coisas de você pelo modo como anda – dissera-lhe certa vez o Sr. Irvine, e ele abaixara o olhar. – Não – falara.
– Não olhe para baixo, Jude. Não tem nada com o que se envergonhar. Você é um rapaz brilhante, e será brilhante, e será recompensado por ser brilhante. Mas, se agir como alguém fora do lugar, se agir como se quisesse se desculpar por como você é, então as pessoas também o irão tratar assim. – Ele respirara fundo. – Acredite em mim.

Seja firme o quanto quiser, disse o Sr. Irvine. *Não tente fazer as pessoas gostarem de você. Nunca tente ser mais agradável para deixar seus colegas mais confortáveis.* Harold o ensinara a pensar como um advogado, mas o Sr. Irvine o ensinara a se comportar como um. E Lucien reconhecera ambas essas capacidades, e as apreciava.

Naquela tarde, sua visita aos Irvine é rápida, pois o Sr. Irvine está cansado, e, na saída, ele esbarra com Flora – Flora Fabulosa, de quem Malcolm sentia tanto orgulho e inveja –, e os dois conversam por alguns minutos antes que ele vá embora. É início de outubro, mas ainda faz calor, com manhãs de verão e tardes escuras e invernais, e, ao subir pela Park Avenue na direção do carro, lembra-se de como costumava passar seus sábados ali vinte anos atrás: mais. Depois, voltava a pé para casa e, no caminho, parava de vez em quando numa confeitaria famosa e cara de que gostava, na Madison Avenue, e comprava pão com nozes – um único pão custava o mesmo valor que ele se dispunha a pagar por uma refeição naquela época –, que ele e Willem comiam com manteiga e sal. A confeitaria ainda está ali, e agora ele vira a oeste, saindo da avenida para comprar um daqueles pães, que, por algum motivo, parecem ter mantido o preço, pelo menos em sua memória, ao passo que todo o restante se tornou mais caro. Antes de começar suas visitas aos sábados a Lucien e aos Irvine, não consegue se lembrar da última vez que esteve naquela vizinhança durante o dia – suas consultas com Andy são à noite –, e agora ele se demora, olhando as belas crianças que correm pelas calçadas limpas e largas, as belas mães que seguem logo atrás delas, as tílias sobre sua cabeça, cuja sombra dá a suas folhas um amarelo pálido e relutante. Passa pela rua 75, onde costumava dar aulas a Felix, Felix, que agora tem inacreditáveis trinta e três anos e não canta mais numa banda punk, mas, o que é ainda mais inacreditável, é gerente de *hedge funds*, como fazia seu pai.

No apartamento, ele corta o pão, fatia um pouco de queijo, leva o prato à mesa e o encara fixamente. Está fazendo um esforço real para fazer refeições de verdade, para readquirir os hábitos e as práticas dos vivos. Mas comer se tornou algo difícil para ele. Seu apetite desapareceu, e tudo tem gosto de cola, ou do purê de batatas em pó que serviam no orfanato. Ele faz um esforço, porém. Comer é mais fácil quando ele tem de se apresentar para um público, por isso, toda sexta-feira ele janta com Andy, e todo sábado, com JB. E começou a aparecer todo domingo na casa de Richard – juntos, os dois preparam um dos pratos vegetarianos de Richard, e depois India se junta a eles à mesa.

Também voltou a ler jornais, e agora ele empurra para o lado o pão e o queijo e abre a seção de artes com cuidado, como se ela pudesse mordê-lo. Dois domingos atrás, se sentiu confiante e abriu com determinação a primeira página, apenas para se deparar com um artigo sobre o filme que Willem devia ter começado a filmar no último mês de setembro. O texto falava sobre como tiveram de procurar outro ator, sobre como havia grandes elogios iniciais da crítica e como o protagonista fora rebatizado em homenagem a Willem, e ele fechou o jornal, foi para a cama e segurou um travesseiro sobre a cabeça até conseguir levantar de novo. Ele sabe que pelos próximos dois anos será confrontado por artigos, cartazes, letreiros e comerciais de filmes que Willem deveria ter filmado nos últimos doze meses. Mas hoje não há nada no jornal além de um anúncio de página inteira de *O dançarino no palco*, e ele olha para o rosto de Willem, quase em tamanho real, por um longo tempo, colocando a mão sobre os olhos dele e depois a erguendo. Se isso fosse um filme, pensa, o rosto começaria a falar com ele. Se fosse um filme, levantaria a cabeça e Willem estaria à sua frente.

Às vezes, pensa: estou melhor. Estou melhorando. Às vezes, acorda cheio de resolução e vigor. Hoje é o dia, pensa. Hoje será o primeiro dia em que realmente vou melhorar. Hoje será o dia em que vou sentir menos falta de Willem. E então algo acontece, algo tão simples quanto entrar no closet e ver a prateleira solitária com as camisas de Willem, à espera, mas que nunca mais serão vestidas, e sua ambição e sua esperança se dissolvem, e ele cai em desespero mais uma vez. Às vezes, pensa: Eu consigo. Mas, agora, cada vez mais, ele sabe: não consegue. Fez uma promessa a si mesmo de todo dia encontrar um motivo para seguir em frente. Alguns desses motivos são pequenos, são sabores de que gosta, sinfonias de que gosta, pinturas de que gosta, prédios de que gosta, óperas e livros de que gosta, lugares que quer visitar, seja novamente ou pela primeira vez. Alguns desses motivos são obrigações: porque devia. Porque consegue. Porque Willem gostaria. E algumas das razões são grandes: por causa de Richard. Por causa de JB. Por causa de Julia. E, especialmente, por causa de Harold.

Pouco menos de um ano depois de tentar se suicidar, ele e Harold foram dar uma volta. Era o Dia do Trabalho; estavam em Truro. Lembra-se de estar com dificuldade para andar naquele fim de semana; lembra-se de pisar com cuidado pelas dunas; lembra-se de sentir que Harold tentava não o tocar, tentava não o ajudar.

Até que, finalmente, sentaram e descansaram, olhando para o oceano, e conversaram: sobre um caso no qual estava trabalhando, sobre Laurence, que iria se aposentar, sobre o novo livro de Harold. E então Harold disse, subitamente:

— Jude, quero que me prometa que não vai fazer isso outra vez. — E foi o tom de Harold, severo, sendo que Harold raramente era severo, que o fez olhar para ele.

— Harold — começou ele.

— Eu tento não pedir nada a você — disse Harold —, pois não quero que ache que me deve qualquer coisa: e não deve. — Ele se virou e olhou para Harold, cuja expressão também era severa. — Mas estou pedindo isso. Estou pedindo a você. Precisa me prometer.

Ele hesitou.

— Eu prometo — disse, finalmente, e Harold assentiu com a cabeça.

— Obrigado — falou.

Nunca mais mencionaram aquela conversa e, mesmo sabendo que não era algo muito coerente, não queria quebrar a promessa que fizera a Harold. Às vezes, parecia que essa promessa — esse contrato verbal — era a única coisa que o impedia de tentar novamente, embora soubesse que, se decidisse fazer aquilo de novo, não seria uma tentativa: dessa vez, daria certo. Sabia como faria; sabia que funcionaria. Desde a morte de Willem, pensava naquilo quase diariamente. Sabia a linha do tempo que precisaria seguir, sabia como planejaria ser encontrado. Dois meses atrás, numa semana muito ruim, reescreveu seu testamento para que agora passasse a ideia de um documento que representava uma pessoa que morrera com desculpas a serem pedidas, cujas heranças seriam como tentativas de pedir perdão. E, por mais que não tivesse intenção de fazer valer esse testamento – como lembra a si mesmo –, tampouco o mudou.

Ele torce por uma infecção, algo rápido e fatal, algo que o mate e o exima de culpa. Mas não há infecção alguma. Desde a amputação, não teve mais úlceras. Ainda sente dor, porém não mais – menos, na verdade – do que sentia antes. Está curado, ou pelo menos tão curado quanto pode ficar.

Por isso, não há qualquer motivo real para se consultar com Andy uma vez por semana, mas ele o faz mesmo assim, pois sabe que Andy tem medo de que ele se mate. *Ele* tem medo de acabar se matando. Então, toda sexta-feira, vai ao Alto Manhattan.

Na maioria dessas sextas-feiras, eles se encontram apenas para jantar, exceto na segunda sexta do mês, quando o jantar é precedido por uma consulta. Aqui, tudo é igual: apenas a falta de seus pés, de suas panturrilhas, prova que as coisas mudaram. Sob outros aspectos, voltou a ser a pessoa que era décadas atrás. Sente-se envergonhado de novo. Tem medo de ser tocado. Três anos antes de Willem morrer, finalmente conseguira pedir a ele que passasse o creme nas cicatrizes em suas costas, o que Willem fazia, e, por um tempo, ele se sentiu diferente, como uma cobra com sua nova pele. Mas, agora, obviamente, não há ninguém para ajudá-lo, e as cicatrizes voltaram a esticar e se avolumar, tecendo em suas costas uma série de limitações elásticas.

Agora, ele sabe: as pessoas não mudam. Ele não pode mudar. Willem pensou ter se transformado pela experiência de ajudá-lo em sua recuperação; ficara surpreso com suas próprias reservas, com sua própria tolerância. Mas ele – ele e todos os demais – sempre soubera que Willem já possuía essas características. Aqueles meses talvez tenham esclarecido Willem para si mesmo, mas as qualidades que descobriu não foram surpresa para ninguém além do próprio Willem. Da mesma maneira, perder Willem também foi esclarecedor para ele. Em seus anos com Willem, conseguira convencer a si mesmo de que era outra pessoa, alguém mais feliz, alguém mais livre e mais corajoso. Mas agora Willem se foi, ele voltou a ser quem era vinte, trinta, quarenta anos atrás.

E então, mais uma sexta-feira. Ele vai ao consultório de Andy. A balança: Andy suspira. As perguntas: suas respostas, uma série de sins e nãos. Sim, está se sentindo bem. Não, nenhuma dor além do normal. Não, nenhum sinal de úlceras. Sim, um episódio de dor entre cada dez dias e duas semanas. Sim, está conseguindo dormir. Sim, está encontrando as pessoas. Sim, está comendo. Sim, três refeições por dia. Sim, todo dia. Não, ele não sabe por que continua perdendo peso. Não, não quer pensar em ir ao Dr. Loehmann de novo. A inspeção dos braços: Andy os vira com as mãos, à procura de novos cortes, mas não encontra nenhum. Na semana depois de sua volta de Pequim, na semana depois de ter perdido o controle, Andy olhou para ele e ficou sem ar, e ele também olhara para baixo, lembrando-se de como as coisas ficaram feias algumas vezes, de como ficaram loucas. Mas Andy não disse nada, apenas o limpou e, depois de terminar, segurou as mãos dele nas suas.

– Um ano – disse Andy.

– Um ano – ecoou ele. E os dois ficaram em silêncio.

Depois da consulta, dobram a esquina para ir a um pequeno restaurante italiano de que gostam. Andy sempre o observa nesses jantares e, quando acha que ele não está pedindo comida suficiente, pede outro prato para ele e depois o pressiona até que coma. Mas, neste jantar, ele pode ver que Andy está nervoso com alguma coisa: enquanto esperam pela comida, Andy bebe, rapidamente, e fala sobre futebol americano, mesmo sabendo que ele não se interessa e que nunca conversam sobre esse assunto. Andy às vezes conversava sobre esportes com Willem, e ele os ouvia debaterem sobre um time ou outro, sentados à mesa e comendo pistaches, enquanto ele preparava a sobremesa.

– Desculpe – diz Andy, finalmente. – Estou falando demais. – Chegam as entradas, e eles comem em silêncio antes de Andy respirar fundo. – Jude – diz ele –, vou largar a clínica.

Ele estava cortando sua berinjela, mas agora para, colocando o garfo sobre a mesa.

– Não em breve – acrescenta Andy, rapidamente. – Não pelos próximos três anos, mais ou menos. Mas vou trazer um sócio este ano para que o processo de transição seja o mais tranquilo possível: para os funcionários, mas especialmente para os meus pacientes. Ele vai assumir mais e mais a carga de pacientes a cada ano. – Faz uma pausa. – Acho que você vai gostar dele. Sei que vai. Vou continuar sendo seu médico até o dia em que parar, e vou lhe avisar bem antes de isso acontecer. Mas quero que você o conheça, para ver se existe alguma química entre vocês dois. – Andy abre um sorrisinho, mas ele não consegue sorrir de volta. – E, se não houver, por qualquer motivo, então teremos tempo de sobra para encontrar outra opção para você. Tenho duas outras pessoas em mente que sei que poderiam concordar em lhe fazer o tratamento completo. E não vou a lugar nenhum antes de encontrarmos uma solução para você.

Ele ainda não consegue dizer nada, não consegue nem levantar a cabeça para olhar para Andy.

– Jude – ouve Andy dizer, com a voz baixa, suplicante. – Eu queria poder continuar para sempre, pelo seu bem. Você é o único por quem eu gostaria de poder ficar. Mas estou cansado. Tenho quase sessenta e dois anos, e sempre jurei a mim mesmo que me aposentaria antes dos sessenta e cinco. Eu...

Mas ele o interrompe.

– Andy – diz –, é claro que você deve se aposentar quando quiser. Não precisa me dar uma explicação. Fico feliz por você. De verdade. Eu só... Eu só vou sentir sua falta. Você é tão bom para mim. – Faz uma pausa. – Eu dependo tanto de você – admite, no fim.

– Jude – começa Andy, mas depois se cala. – Jude, eu sempre serei seu amigo. Sempre estarei disponível para ajudá-lo, seja no âmbito médico ou em qualquer outro. Mas você precisa de alguém que envelheça ao seu lado. Esse profissional que vou trazer tem quarenta e seis anos; ele estará disponível para cuidar de você pelo resto da sua vida, se você quiser.

– Contanto que eu morra nos próximos dezenove anos – se ouve dizer. Faz-se outro silêncio. – Desculpe, Andy – diz ele, chocado com o tamanho de sua infelicidade, com o seu comportamento mesquinho. Sempre soube, afinal, que a certa altura Andy se aposentaria. Mas percebe agora que nunca pensou que estaria vivo para testemunhar isso. – Desculpe – repete. – Não me dê ouvidos.

– Jude – diz Andy, baixinho. – Sempre vou estar ao seu lado, de um jeito ou de outro. Prometi isso a você tempos atrás, e vou manter minha promessa agora.

"Veja bem, Jude – continua ele, após uma pausa. – Sei que não vai ser fácil para você. Sei que ninguém mais conseguirá recriar nossa história.

Não estou sendo arrogante; apenas acho que ninguém o entenderá por completo, inevitavelmente. Mas vamos chegar o mais perto possível. E quem conseguiria não amar você? – Andy sorri novamente, e, mais uma vez, ele não consegue retribuir o sorriso. – De qualquer forma, quero que você conheça esse cara novo: Linus. É um bom médico e, o que é tão importante quanto, uma boa pessoa. Não vou contar a ele nada específico sobre você; só quero que o conheça, está bem?"

E, assim, na sexta-feira seguinte, ele vai ao Alto Manhattan e no consultório de Andy encontra outro homem, baixo, bonito e com um sorriso que o faz se lembrar de Willem. Andy os apresenta e eles apertam as mãos.

– Ouvi falar bastante de você, Jude – diz Linus. – É um prazer finalmente conhecê-lo.

– O prazer é meu – responde ele. – Parabéns.

Andy os deixa para que conversem a sós, o que fazem, meio sem jeito, brincando e dizendo que aquilo parece um encontro às escuras. Linus só foi informado sobre sua amputação, e eles a discutem brevemente, assim como a osteomielite que a precedeu.

– Esses tratamentos são de matar – diz Linus, mas não demonstra qualquer sinal de pena pela perda de suas pernas, o que ele aprecia. Linus trabalhou numa clínica comunitária sobre a qual ouvira Andy falar; parece realmente admirar Andy e animado por trabalhar com ele.

Não há nada de errado com Linus. Pode ver, pelas perguntas que faz e pelo respeito com que as faz, que se trata de um bom médico, e provavelmente uma boa pessoa. Mas também sabe que jamais conseguirá se despir na frente de Linus. Não consegue se imaginar tendo as conversas que tem com Andy com qualquer outra pessoa. Não consegue se imaginar permitindo tanto acesso ao seu corpo, aos seus medos. Quando pensa em alguém vendo seu corpo outra vez, se sente intimidado: desde a amputação, só olhou para si mesmo uma vez. Observa o rosto de Linus, seu sorriso desconcertante que lembrava o de Willem, e, embora só tenha cinco anos a mais que Linus, se sente séculos mais velho, como algo quebrado e dissecado, algo que alguém veria e rapidamente jogaria uma lona por cima novamente.

– Levem este aqui embora – diriam. – Não tem mais jeito.

Pensa nas conversas que precisará ter, nas explicações que precisará dar: sobre suas costas, seus braços, suas pernas, suas doenças. Sente-se tão exausto de seus próprios medos, de suas próprias trepidações, mas, por mais cansado que esteja deles, não consegue deixar de alimentá-los. Pensa em Linus folheando lentamente seus registros, vendo as anotações de anos, de décadas, que Andy fez sobre ele: listas de cortes, de feridas, dos remédios que tomou, da erupção de suas infecções. Anotações sobre sua tentativa de suicídio e as súplicas de Andy para que se consultasse com o Dr. Loehmann. Sabe que Andy registrou aquilo tudo; sabe o quanto ele é meticuloso.

– Precisa conversar com alguém – costumava dizer Ana e, à medida que envelheceu, decidiu interpretar aquela sentença de forma literal: para um alguém.

Um dia, pensava, de alguma maneira, encontraria um jeito de contar para alguém, para uma pessoa. E ele então encontrou uma pessoa, alguém em quem confiava, e aquela pessoa morreu, e ele não tinha mais forças para contar sua história novamente. Mas, de qualquer jeito, todo mundo não contava sua vida – contava de verdade – para apenas uma pessoa? Quantas vezes poderiam esperar que ele se repetisse, quando a cada nova narração ele tirava as roupas de sua pele e a carne de seus ossos, até ficar vulnerável feito um ratinho rosado? Percebe, então, que jamais conseguirá se consultar com outro médico. Irá ao consultório de Andy pelo tempo que puder, pelo tempo que Andy lhe permitir. E, depois disso, não sabe – pensará no que fazer quando chegar a hora. Por enquanto, sua privacidade e sua vida ainda são suas. Por enquanto, ninguém precisa saber. Seus pensamentos estão voltados para Willem de tal maneira – tentando recriá-lo, fixar seu rosto e sua voz na mente, mantê-lo presente – que seu passado está mais distante do que nunca: está no meio de um lago, tentando ficar na superfície; não consegue pensar em voltar à margem e ter de viver com suas lembranças outra vez.

Não quer ir jantar com Andy naquela noite, mas vai mesmo assim, e se despede de Linus quando vão embora. Seguem para o restaurante japonês em silêncio, sentam-se em silêncio, pedem a comida e esperam em silêncio.

– O que achou? – finalmente pergunta Andy.
– Ele se parece um pouco com Willem – diz.
– Acha mesmo? – diz Andy, e ele dá de ombros.
– Um pouco – diz. – O sorriso.
– Ah – diz Andy. – Acho que sim. É verdade. – Faz-se outro silêncio.
– Mas o que você achou? Sei que às vezes é difícil ter uma ideia após um

único encontro, mas ele parece ser uma pessoa com quem você talvez possa se entender?

– Acho que não, Andy – diz, finalmente, e percebe a decepção de Andy.

– Sério, Jude? Do que você não gostou nele? – Mas ele não responde, e, no fim, Andy solta um suspiro. – Lamento – diz. – Esperava que você pudesse se sentir à vontade perto dele para ao menos considerar a possibilidade. Pode pelo menos pensar um pouco mais? Talvez possa dar a ele uma outra chance? No meio-tempo, tem esse outro cara, Stephan Wu, que eu acho que talvez você devesse conhecer. Ele não é ortopedista, mas acho que isso pode até acabar sendo melhor; com certeza é o melhor médico internista com quem já trabalhei. E tem também esse cara chamado...

– Por deus, Andy, pare – ouve a raiva em sua voz, uma raiva que não sabia ter. – Pare. – Olha para cima e se depara com o rosto perturbado de Andy. – Está assim com tanta pressa para se livrar de mim? Não pode me dar um tempo? Deixar que eu absorva isso aos poucos? Não vê como isso é difícil para mim? – Ele sabe o quanto está sendo egoísta, irracional e autocentrado, e fica triste, mas não consegue se segurar e então levanta, esbarrando na mesa. – Me deixe em paz – diz a Andy. – Se não vai ficar ao meu lado, então me deixe em paz.

– Jude – diz Andy, mas ele já se afastou da mesa, e nessa hora a garçonete chega com a comida, e ele ouve Andy praguejar e o vê tirar a carteira enquanto cambaleia para fora do restaurante.

O Sr. Ahmed não trabalha às sextas-feiras, pois ele mesmo dirige até o consultório de Andy, mas, agora, em vez de voltar para o carro, estacionado na frente do consultório, ele acena para um táxi, entra rapidamente e vai embora antes que Andy consiga alcançá-lo.

Naquela noite, desliga os telefones, se entope de remédios e se enfia na cama. Acorda no dia seguinte, envia mensagens para JB e Richard dizendo que não está bem e terá de cancelar os jantares com eles, e então toma mais remédios até chegar a segunda-feira. Segunda, terça, quarta, quinta. Ele ignora todos os telefonemas, mensagens e e-mails de Andy, todos os seus recados, mas, embora não esteja mais zangado, apenas com vergonha, não consegue suportar ter de se desculpar mais uma vez, não suporta sua própria maldade, sua própria fraqueza.

– Estou com medo, Andy – tem vontade de dizer. – O que vou fazer sem você?

Andy adora doces, e, na tarde de quinta-feira, ele pede a uma de suas secretárias para encomendar uma quantidade absurda e ridícula de chocolates na loja preferida de Andy.

– Quer mandar um bilhete? – pergunta a secretária, e ele balança a cabeça. – Não – diz –, só o meu nome.

Ela concorda com a cabeça e se vira para sair, mas ele a chama de volta, pega um papel na mesa e rabisca *Andy – estou totalmente envergonhado. Por favor, me perdoe. Jude*, e o passa a ela.

Mas, na noite seguinte, não se encontra com Andy; vai para casa e prepara o jantar para Harold, que está na cidade numa de suas visitas inesperadas. A primavera anterior foi o último semestre de Harold como professor, e ele só foi se dar conta disso em setembro. Ele e Willem sempre falaram sobre dar uma festa para Harold quando ele finalmente se aposentasse, como fizeram para Julia quando ela se aposentou. Mas ele se esqueceu e não fez nada. E depois se lembrou e continuou sem fazer nada.

Está cansado. Não tem vontade de ver Harold. Mas prepara o jantar mesmo assim, um jantar que ele sabe que não irá comer, e o serve a Harold, para depois se sentar.

– Não está com fome? – pergunta Harold a ele, que balança a cabeça. – Almocei às cinco da tarde hoje – mente. – Vou comer mais tarde.

Ele observa Harold comendo e nota como está velho, como a pele em suas mãos se tornou tão macia e acetinada quanto a de um bebê. Cada vez tem mais consciência de que tem um ano a mais, dois anos a mais, e, agora, seis anos a mais do que tinha Harold quando se conheceram. E, ainda assim, apesar de todos esses anos, aos seus olhos, Harold se mantém obstinadamente com quarenta e cinco; a única coisa que mudou foi sua percepção do quanto, exatamente, quarenta e cinco anos é velho. É constrangedor admitir isso a si mesmo, mas só recentemente ele começou a pensar que existe uma possibilidade, até mesmo a probabilidade, de que viva mais que Harold. Já viveu mais do que imaginava; não é provável que viva ainda mais?

Lembra-se de uma conversa que tiveram quando completou trinta e cinco.

– Estou na meia-idade – falou, e Harold caiu na risada.

– Você é jovem – afirmou ele. – É tão jovem, Jude. Só estaria na meia-idade se planejasse morrer aos setenta. E é melhor não fazer isso. Não vou estar no clima para ir ao seu funeral.

– Você terá noventa e cinco – disse. – Está mesmo planejando continuar vivo até lá?

– Vivo e cheio de energia, recebendo os cuidados de um grupo de jovens enfermeiras bem-apessoadas, e não no clima para ir a um velório longo e tedioso.

Ele finalmente sorriu.

– E quem vai pagar por esse esquadrão de jovens enfermeiras bem-apessoadas?

– Você, é claro – disse Harold. – Você e suas pilhagens das grandes indústrias farmacêuticas.

Mas, agora, ele teme que isso não acabe acontecendo. Não me deixe, Harold, pensa, mas aquele é um pedido sem vida ou ânimo, e ele não espera ser atendido, feito mais por hábito do que por esperança propriamente dita. Não me deixe.

– Não está falando nada – diz Harold agora, e ele volta a se concentrar.

– Desculpe, Harold – responde. – Estava viajando um pouco.

– Deu para ver – diz Harold. – Eu disse que Julia e eu estamos pensando em passar mais tempo aqui, na cidade, em morar no Alto Manhattan em tempo integral.

Ele pisca.

– Está falando em se mudarem para cá?

– Bem, ainda vamos manter a casa em Cambridge – diz Harold –, mas sim. Estou pensando em ministrar um seminário em Columbia no outono que vem, e gostamos de vir para cá. – Harold olha para ele. – Pensamos que seria bom para estarmos mais perto de você, também.

Ele não sabe o que pensar sobre isso.

– Mas e a vida de vocês por lá? – pergunta. A notícia o deixa desconcertado. Harold e Julia adoram Cambridge; nunca pensou que pudessem se mudar. – E quanto a Laurence e Gillian?

– Laurence e Gillian sempre vêm à cidade, assim como todos os outros. – Harold o estuda novamente. – Não parece muito feliz com a notícia, Jude.

– Desculpe – diz ele, olhando para baixo. – Mas só espero que não estejam se mudando para cá por causa... por causa de mim. – Faz-se silêncio. – Não quero parecer presunçoso – diz, finalmente. – Mas, se *for* por minha causa, então não precisa, Harold. Eu estou bem. Estou bem.

– Está mesmo, Jude? – pergunta Harold, bem baixinho, e ele se levanta de repente, rapidamente, e vai até o banheiro próximo à cozinha, onde senta no assento do vaso sanitário e leva o rosto às mãos.

Ouve Harold esperando no outro lado da porta, mas não diz nada, e Harold também não. Finalmente, alguns minutos depois, quando consegue se recompor, abre a porta outra vez e os dois se olham.

– Tenho cinquenta e um anos – diz a Harold.

– E o que significa isso? – pergunta Harold.

– Significa que posso tomar conta de mim mesmo – diz ele. – Significa que não preciso de ninguém para me ajudar.

Harold suspira.

– Jude – diz ele –, não há uma data de validade para precisar de ajuda, para precisar das pessoas. Não se chega a uma certa idade e daí acaba.

– Os dois ficam em silêncio novamente. – Está tão magro – continua Harold, e, como ele não responde, pergunta: – Qual a opinião de Andy?

– Não posso continuar tendo esta mesma conversa para sempre – diz ele, finalmente, com a voz áspera e rouca. – Não posso, Harold. E você também não. Sinto que tudo o que faço é decepcionar você, e lamento por isso, lamento por tudo isso. Mas estou tentando de verdade. Estou fazendo o meu melhor. Lamento que não seja bom o bastante. – Harold tenta interromper, mas ele continua falando. – Esse é quem eu sou. Eu sou assim, Harold. Lamento ser um problema para você. Lamento estar arruinando a sua aposentadoria. Lamento não ser mais feliz. Lamento não ter superado a morte de Willem. Lamento ter um trabalho que você não respeita. Lamento ser um nada. – Ele não sabe mais o que está dizendo; não sabe mais como se sente; tem vontade de se cortar, de desaparecer, de deitar e nunca mais levantar, de se jogar no espaço. Odeia a si mesmo; tem pena de si mesmo; se odeia por ter pena de si mesmo. – Acho melhor você ir – diz. – É melhor ir embora.

– Jude – diz Harold.

– Por favor, vá – insiste ele. – Por favor. Estou cansado. Preciso ficar sozinho. Por favor, me deixe sozinho.

E então ele dá as costas para Harold e levanta, esperando, até ouvir Harold se afastar dele.

Depois que Harold vai embora, ele pega o elevador até o terraço. Há um muro de pedra, à altura do peito, que cerca o perímetro do prédio, e se apoia nele, engolindo o ar fresco, colocando as palmas sobre o alto do muro para tentar fazer com que parem de tremer. Pensa em Willem, em como ele e Willem costumavam subir ao terraço à noite e ficar em silêncio, apenas olhando para os apartamentos das outras pessoas lá embaixo. Da extremidade sul do terraço, quase conseguiam enxergar a laje do velho prédio onde moraram em Lispenard Street; às vezes fingiam que podiam ver não somente o prédio, mas eles mesmos lá dentro, versões anteriores de si próprios, encenando uma peça de suas vidas cotidianas.

— Deve haver uma fenda no contínuo espaço-tempo — dizia Willem com sua voz de herói de filme de ação. — Você está aqui ao meu lado, e ainda assim... *posso ver você andando por aquele muquifo de apartamentinho*. Meu deus, St. Francis: *Você está entendendo o que está acontecendo aqui?!*

Naquela época, ele sempre caía no riso, mas, ao relembrar agora, não consegue rir. Atualmente, seu único prazer são as lembranças de Willem, porém, ao mesmo tempo, elas são sua maior fonte de dor. Queria poder esquecer as coisas de maneira tão completa quanto Lucien: que Willem existiu, sua vida com ele.

Parado ali na cobertura, pensa no que fez: foi irracional. Irritou-se com alguém que, mais uma vez, lhe ofereceu ajuda, alguém por quem é grato, alguém a quem se sente em dívida, alguém a quem ama. Por que estou agindo assim?, pensa. Mas não existe resposta.

Permita que eu melhore, pede. *Permita que eu melhore ou me deixe pôr um fim em tudo.* Sente como se estivesse num quarto frio de cimento, de onde se projetam várias saídas, e uma a uma ele vai batendo as portas, trancando-se no quarto, eliminando as chances de escapar. Mas por que está fazendo isso? Por que está se fechando naquele lugar que odeia e teme quando existem outros lugares para onde poderia ir? Isso, pensa, é seu castigo por depender dos outros: um a um eles o deixarão, e ele ficará sozinho de novo, e dessa vez será pior, pois se lembrará de que já foi melhor. Tem a sensação, uma vez mais, de que sua vida está andando para trás, de que ele está se tornando cada vez menor, a caixa de cimento encolhendo em torno dele até sobrar um espaço tão apertado que terá de se acocorar, pois, caso se deite, o teto descerá em cima dele e será sufocado.

Porém, antes de ir para a cama, escreve uma mensagem a Harold se desculpando por seu comportamento. Passa o sábado trabalhando; passa o domingo dormindo. E uma nova semana começa. Na terça-feira, recebe uma mensagem de Todd. O primeiro dos processos está sendo concluído, e receberá valores altíssimos, mas até mesmo Todd sabe que é melhor não dizer a ele para comemorar. Suas mensagens, por telefone ou e-mail, são curtas e precisas: o nome da companhia pronta para fazer um acordo, o valor proposto e um "parabéns" contido.

Na quarta-feira, deveria passar na organização sem fins lucrativos dos artistas, onde ainda faz trabalho *pro bono*, mas, em vez disso, encontra JB no Whitney, no Baixo Manhattan, onde sua retrospectiva está sendo exibida. Essa mostra é outro souvenir do passado fantasmagórico: passou quase os últimos dois anos nos estágios de planejamento. Quando JB lhes contou sobre ela, os outros três deram uma pequena festa para ele em Greene Street.

– Bem, JB, você sabe o que isso significa, não sabe? – perguntara Willem, gesticulando na direção dos dois quadros, *Willem e a garota* e *Willem e Jude, Lispenard Street, II*, da primeira mostra de JB, pendurados lado a lado na sala de estar deles. – Assim que a exposição se encerrar, estes dois aqui vão direto para a Christie's. – E todos caíram na risada, sendo JB o que mais gargalhou, orgulhoso, radiante e aliviado.

Aqueles quadros, ao lado de *Willem, Londres, 8 de outubro, 9:08*, de "Segundos, Minutos, Horas, Dias", que ele comprou, e *Jude, Nova York, 14 de outubro, 7:02*, comprado por Willem, e também das outras obras que eles tinham, de "Todos Que Já Conheci", "O guia do narcisista para a autodepreciação" e "O sapo e a rã", e de todos os desenhos, as pinturas e os rascunhos de JB que os dois ganharam e guardaram, alguns desde os tempos de universidade, estarão na mostra no Whitney, assim como outras obras jamais exibidas.

Haverá também uma mostra paralela de novos quadros na galeria de JB, e três semanas antes ele esteve no estúdio de JB em Greenpoint para vê-los. A série é intitulada "O aniversário de ouro" e é uma crônica das vidas dos pais de JB, juntos, antes de ele nascer e num futuro imaginário, no qual os dois continuavam vivendo até a velhice. Na verdade, a mãe de JB continua viva, assim como suas tias, mas, nesses quadros, o pai de JB também está vivo, embora, na realidade, ele tenha morrido aos trinta e seis anos. A série contém apenas dezesseis quadros, muitos deles menores em escala que as obras anteriores de JB e, enquanto caminhava pelo estúdio de JB, olhando para aquelas cenas de fantasia doméstica – o pai, aos sessenta anos, cortando uma maçã enquanto a mãe prepara um sanduíche; o pai, aos setenta anos, sentado no sofá lendo o jornal e, ao fundo, as pernas da mãe descendo um lance de escadas –, não conseguiu deixar de ver também o que fora sua vida e o que poderia ter sido. Eram precisamente essas cenas que mais lhe faziam falta em sua própria vida com Willem, os momentos esquecíveis e intermediários em que nada parecia estar acontecendo, mas cuja ausência era singularmente impreenchível.

Intercalados aos retratos, havia naturezas-mortas dos objetos que fizeram parte da vida conjunta dos pais de JB: dois travesseiros sobre uma cama, ambos levemente afundados como se alguém tivesse passado a parte de trás de uma colher numa tigela de creme coalhado; duas xícaras de café, com uma das bordas levemente manchada de batom rosa; um porta-retratos com uma fotografia de um JB adolescente ao lado do pai: o único aparecimento de JB naquelas pinturas. Ao ver essas imagens, ele mais uma vez ficou admirado em como JB compreendia perfeitamente o que era uma vida a dois, o que era a sua vida, como tudo em seu apartamento – a calça de moletom de Willem, ainda pendurada na borda do cesto de roupa suja; a escova de dentes de Willem, ainda esperando no copo sobre a pia do banheiro; o relógio de Willem, com o mostrador estilhaçado do acidente, ainda intocado sobre a mesinha de cabeceira – se tornara totêmico, uma série de runas que só ele conseguia ler. A mesa de cabeceira de Willem na Casa-Lanterna se tornara uma espécie de altar involuntário em homenagem a ele: havia a caneca em que bebeu pela última vez, os óculos de aros pretos que começara a usar recentemente, o livro que estava lendo, ainda aberto com a capa para cima, na posição em que o deixara.

– Ah, JB – suspirou ele, e, embora quisesse dizer algo mais, não conseguiu.

Mas JB lhe agradeceu mesmo assim. Agora ficavam mais calados na presença um do outro, e ele não sabia se aquele era quem JB havia se tornado ou se aquele era quem JB havia se tornado perto dele.

Ele agora bate à porta do museu e é recepcionado por um dos assistentes de estúdio de JB, que estava esperando por ele e lhe diz que JB está supervisionando a instalação no último andar, mas que ele pode começar pelo sexto e ir subindo para encontrá-lo, o que ele faz.

As galerias nesse piso são dedicadas aos primeiros trabalhos de JB, incluindo juvenília; há uma grade inteira com desenhos emoldurados da infância de JB, incluindo uma prova de matemática na qual JB desenhara a lápis pequenos e adoráveis retratos do que, supostamente, seriam seus colegas de classe: meninos de oito e nove anos curvados sobre suas carteiras, comendo doces, alimentando pássaros. Ele não solucionara nenhum dos problemas, e no alto da folha havia um zero, vermelho e brilhante, e ao lado uma observação: "Cara Sra. Marion: a senhora pode ver aqui qual é o problema. Por favor, venha conversar comigo. Atenciosamente, Jamie Greenberg. P.S.: Seu filho tem um talento imenso." Ele sorri ao olhar para a folha, a primeira vez que se sente sorrir em bastante tempo. Num cubo de acrílico sobre uma base no meio do salão estão alguns objetos de "O Kwotidiano", incluindo a escova coberta de cabelos que JB nunca lhe devolveu, e ele sorri novamente, olhando para eles, pensando nos fins de semana que dedicaram a procurar sobras de cabelo.

O restante do piso é dedicado a imagens de "Os meninos", e ele caminha lentamente pelas salas, olhando para os quadros de Malcolm, dele, de Willem. Ali estão eles dois no quarto de Lispenard Street, ambos sentados em suas camas, olhando diretamente para a câmera de JB, Willem com um sorrisinho; e ali estão eles de novo na mesa de carteado, ele trabalhando num relatório, Willem lendo um livro. Ali estão eles numa festa. Ali está ele com Phaedra; ali está Willem com Richard. Ali está Malcolm com a irmã, Malcolm com os pais. Ali está *Jude com cigarro*, ali está *Jude, após doença*. Ali está uma parede com esboços feitos com tinta e nanquim daquelas imagens, esboços deles. Ali está a fotografia a partir da qual foi pintado *Jude com cigarro*: ali está ele – aquela expressão em seu rosto, os ombros curvados – um estranho para si mesmo, e ao mesmo tempo imediatamente reconhecível para si mesmo.

As paredes das escadas entre os pisos estão cheias de obras intersticiais, desenhos e pinturas pequenas, estudos e experimentações, que JB fez entre uma série e outra. Ele vê o retrato que JB fez dele para Harold e Julia, para sua adoção; vê os desenhos dele em Truro, dele em Cambridge, de Harold e Julia. Ali estão eles quatro; ali estão as tias de JB, a mãe e a avó; ali está o Chefe e a Sra. Irvine; ali está Flora; ali está Richard, e Ali, e os Henry Youngs, e Phaedra.

No piso seguinte: "Todos Que Já Conheci Todos Que Já Amei Todos Que Já Odiei Todos Que Já Fodi"; "Segundos, Minutos, Horas, Dias." Atrás dele, ao redor dele, os instaladores passam, fazendo ajustes com suas mãos cobertas por luvas brancas, afastando-se e estudando as paredes. Mais uma vez ele sobe pela escadaria. Mais uma vez ele olha para cima e lá vê, uma vez após a outra, desenhos dele: do rosto dele, dele em pé, dele na cadeira de rodas, dele com Willem, dele sozinho. Aquelas eram obras que JB fizera quando não estavam se falando, quando ele abandonara JB. Há desenhos de outras pessoas também, mas a maioria é dele: dele e de Jackson. Um após o outro, Jackson e ele, um tabuleiro de damas deles dois. As imagens dele são nostálgicas, pálidas, a lápis, a tinta e nanquim, ou aquarelas. As de Jackson são acrílicos, com linhas grossas, mais soltas e mais raivosas. Há um desenho dele bem pequeno, num papel do tamanho de um cartão-postal, e, quando o examina com mais atenção, vê que algo foi escrito em cima dele, e depois apagado: "Querido Jude", consegue ler, "por favor" – mas não há nada mais depois daquela palavra. Ele se vira, com a respiração acelerada, e vê a aquarela de um arbusto de camélias que JB lhe enviou quando estava no hospital, depois de tentar se matar.

No piso seguinte: "O guia do narcisista para a autodepreciação." Essa foi a mostra com menor sucesso comercial de JB, e ele pode entender por quê: olhar para aquelas obras, para sua ira insistente e sua autodepreciação, deixava quem as via em estado de estupefação e desconforto de uma maneira quase intolerável. *O crioulo*, chamava-se um dos quadros. *O bufão*; *O vagabundo*; *O Steppin Fetchit*. Em todos eles, JB, com sua pele brilhosa e escura, os olhos saltados e amarelados, dança, uiva ou gargalha, com as gengivas terríveis, enormes, rosadas feito carne de peixe, enquanto ao fundo Jackson e seus amigos emergem em meia formação de trevas dignas de Goya, em tons marrons e cinza, todos cacarejando para ele, batendo palmas, apontando e rindo. A última pintura dessa série se chama *Até os macacos ficam tristes*, e mostra JB usando um elegante chapéu fez vermelho e uma jaqueta vermelha encolhida com dragonas, sem as calças, pulando sobre uma perna só num armazém vazio. Ele se demora nesse piso, estudando as pinturas, piscando os olhos, com a garganta fechando, e em seguida se dirige à escadaria uma última vez.

Chega então ao último andar, e ali encontra mais gente, e por um tempo ele fica num canto, observando JB conversar com os curadores e seu galerista, rindo e gesticulando. As galerias desse piso contêm, em sua maioria, imagens de "O sapo e a rã", e ele passa de uma a outra sem as ver realmente, mas se lembrando da experiência de tê-las visto pela primeira vez, no estúdio de JB, quando ele e Willem eram novos um para o outro, quando sentiu como se novos órgãos estivessem surgindo em seu corpo

– um segundo coração, um segundo cérebro – para acomodar aquele excesso de sentimentos, o milagre que era sua vida.

Está olhando fixamente para uma das pinturas quando JB finalmente o vê e se aproxima, e ele abraça JB com força e lhe dá os parabéns.

– JB – diz ele –, estou tão orgulhoso de você.

– Obrigado, Judy – agradece JB, sorrindo. – Também estou orgulhoso de mim, caramba. – E então ele para de sorrir. – Queria que eles estivessem aqui – diz.

Ele balança a cabeça.

– Eu também – consegue dizer.

Ficam um tempo em silêncio.

– Venha – diz então JB, e pega sua mão e o leva para o outro lado do piso, passando pelo galerista de JB, que acena para ele, e por um último caixote de desenhos emoldurados que estão sendo desencaixotados, até uma parede onde a proteção de plástico-bolha de uma tela está sendo cuidadosamente cortada. JB se posiciona junto a Jude diante dela, e, quando o plástico é retirado, ele vê que é uma pintura de Willem.

O quadro não é grande, apenas 120 por 90 centímetros, na horizontal. É de longe a pintura mais precisamente realística que JB já produziu em anos, com cores ricas e densas, e pinceladas que deixavam os cabelos de Willem finos como plumas. O Willem daquela pintura parece com Willem pouco antes de morrer: ele tem a impressão de estar vendo Willem nos meses anteriores ou posteriores à filmagem de *O dançarino no palco*, quando seus cabelos estavam mais longos e escuros do que eram na vida real. Depois de *Dançarino*, conclui, pois o suéter que está usando, verde-escuro como a cor das folhas de magnólia, é uma peça que ele se lembra de ter comprado para Willem em Paris quando foi visitá-lo por lá.

Ele dá um passo para trás, ainda olhando. Na pintura, o torso de Willem se direciona para quem o está vendo, mas o rosto está virado para a direita, quase de perfil, e ele se inclina sobre algo ou alguém e sorri. E, como conhece os sorrisos de Willem, sabe que Willem foi capturado olhando para algo que ama, sabe que, naquele instante, Willem estava feliz. O rosto e o pescoço de Willem dominam a tela e, embora o fundo seja mais insinuado que mostrado, sabe que Willem está na mesa deles; sabe pelo jeito como JB desenhou a luz e as sombras no rosto de Willem. Ele tem a sensação de que, se disser o nome de Willem, o rosto no quadro se voltará para ele e responderá; tem a sensação de que, se esticar a mão e acariciar a tela, sentirá sob seus dedos os cabelos de Willem, sua franja de cílios.

Mas não faz isso, é claro, apenas olha para cima e vê JB sorrindo para ele, triste.

– A placa com o nome do quadro já foi colocada – diz JB, e ele vai lentamente até a parede atrás do quadro e vê o título, *Willem ouvindo Jude contar uma história, Greene Street*, e se sente perder o fôlego; parece que seu coração é feito de algo mole e frio, como carne moída, e está sendo espremido dentro de um punho, o que faz alguns pedaços caírem, esparramando-se pelo chão próximo aos seus pés.

Sente uma tontura repentina.

– Preciso sentar – diz, finalmente, e JB o conduz até a quina, para o outro lado da parede onde Willem será pendurado, onde há um pequeno corredor sem saída. Ele senta meio apoiado num dos caixotes e abaixa a cabeça, colocando as mãos sobre as coxas. – Desculpe – consegue dizer. – Desculpe, JB.

– É para você – diz JB, com a voz baixa. – Quando a mostra for encerrada, Jude. É seu.

– Obrigado, JB – diz ele.

Força-se a ficar de pé, sentindo tudo dentro dele oscilar. Preciso comer alguma coisa, pensa. Quando foi a última vez que comeu? No café da manhã, pensa, mas o de ontem. Ele estica a mão na direção do caixote para se equilibrar, para fazer com que sua cabeça e a coluna parem de balançar; vem tendo aquela sensação com mais frequência, como se flutuasse para longe, num estado próximo ao êxtase. *Me leve para algum lugar*, ouve a voz dentro dele dizer, mas não sabe para quem está dizendo isso, ou para onde quer ir. *Me leve, me leve*. Está pensando nisso, com os braços cruzados, quando JB de repente o pega pelos ombros e beija sua boca.

Ele se desvencilha.

– Que *diabos* está fazendo? – pergunta, cambaleando para trás e esfregando a boca com as costas da mão.

– Jude, me desculpe, isso não significa nada – diz JB. – É só que você está parecendo tão... tão triste.

– E é isso o que você faz? – cospe contra JB, que dá um passo em sua direção. – Não *ouse* me tocar, JB.

Ao fundo, ouve os instaladores, o galerista de JB, os curadores conversando. Ele dá outro passo, dessa vez na direção da quina da parede. Vou desmaiar, pensa, mas não desmaia.

– Jude – diz JB, e então, com o rosto mudando –, Jude?

Mas ele está se afastando de JB.

– Fique longe de mim – diz. – Não me toque. Me deixe em paz.

– Jude – diz JB em voz baixa, seguindo-o –, você não está com uma cara boa. Deixe eu te ajudar. – Mas ele continua andando, tentando fugir de JB. – Me desculpe, Jude – continua JB. – Me desculpe.

Ele percebe o grupo de pessoas movendo-se feito uma manada para o outro lado do piso, quase sem notar sua saída, e JB ao seu lado; é como se não existissem.

Mais vinte passos até o elevador, calcula ele; mais dezoito passos; dezesseis; quinze; quatorze. Debaixo dele, o chão se tornou um pião em fim de rotação, oscilando em seu eixo; Dez; nove; oito.

– Jude – diz JB, que não para de falar –, deixe eu te ajudar. Por que não fala mais comigo?

Chega ao elevador; aperta o botão com a palma da mão; apoia-se na parede, rezando para conseguir se manter de pé.

– Fique longe de mim – berra para JB. – Me deixe em paz.

O elevador chega; as portas se abrem. Ele dá um passo na direção delas. Seu jeito de andar agora é diferente: a perna esquerda ainda é a dominante, sempre, e ele ainda a levanta mais alto que o normal – isso não mudou, isso foi ditado pelo atropelamento. Mas, agora, não arrasta mais a perna direita e, como suas próteses são bem-articuladas – muito mais do que eram seus próprios pés –, ele consegue sentir o pé se mover ao deixar o contato com o chão, o toque belo e complicado quando encosta no solo novamente, seção por seção.

Mas, quando está cansado, quando está desesperado, ele se vê voltando inconscientemente ao antigo modo de andar, cada pé aterrissando de uma só vez, como uma placa, sobre o chão, com a perna direita se inclinando atrás dele. E, ao entrar no elevador, esquece que suas pernas de aço e fibra de vidro são projetadas para serem usadas com mais nuance do que está aplicando e acaba tropeçando e caindo.

– Jude! – ouve JB gritar, e como está fraco demais, por um momento tudo fica escuro e vazio, e, quando recobra a visão, percebe que o bando de pessoas ouviu JB gritar e agora caminha em sua direção.

Vê também o rosto de JB em cima dele, mas está cansado demais para interpretar sua expressão. *Willem ouvindo Jude contar uma história*, pensa, e o quadro aparece diante dele: o rosto de Willem, o sorriso de Willem, mas Willem não está olhando para ele, está olhando para outro lugar. E se, pensa ele, o Willem do quadro estiver na verdade *procurando* por ele? Sente uma necessidade repentina de parar à direita da pintura, de sentar numa cadeira na linha de visão de Willem, de nunca deixar aquele quadro sozinho. Lá está Willem, aprisionado para sempre numa conversa unilateral. Aqui está ele, em vida, também aprisionado. Pensa em Willem, sozinho em seu quadro, noite após noite no museu vazio, esperando e esperando que ele lhe conte uma história.

Me perdoe, Willem, diz ao Willem na sua cabeça. *Me perdoe, mas tenho que deixá-lo agora. Me perdoe, mas preciso ir embora.*

– Jude – diz JB. As portas do elevador estão se fechando, mas JB estica o braço para ele.

Mas ele o ignora, fica de pé e encosta num canto do elevador. As pessoas estão bem perto agora. Todos se movem muito mais rápido que ele.

– Fique longe de mim – diz a JB, mas ele está calado. – Me deixe em paz. Por favor, me deixe em paz.

– Jude – repete JB. – Me desculpe.

E ele começa a dizer alguma outra coisa, mas, quando o faz, as portas do elevador se fecham – e ele finalmente fica sozinho.

3

ELE NÃO COMEÇOU AQUILO de maneira consciente, não mesmo, mas, ainda assim, quando compreende o que está fazendo, também não para. São meados de novembro, e ele sai da piscina, após sua sessão de natação matinal, e, ao se apoiar nas barras de metal que Richard mandou instalar em volta da piscina para ajudá-lo a subir e a sair de sua cadeira de rodas, o mundo desaparece.

Quando acorda novamente, só dez minutos se passaram. Num momento eram seis e quarenta e cinco da manhã e ele se apoiava nas barras para sair; no momento seguinte, são seis e cinquenta e cinco e ele está de bruços no piso de borracha preta, esticando os braços na direção da cadeira de rodas, enquanto seu torso deixa uma mancha molhada no chão. Ele geme, sentando, e espera até o ambiente voltar ao normal, antes de tentar – dessa vez com sucesso – se levantar.

A segunda vez acontece alguns dias depois. Acabou de chegar em casa do escritório, e já é tarde. Cada vez mais, sente como se a Rosen Pritchard fosse sua fonte de energia, e, assim que deixa suas dependências, o mesmo acontece com suas forças: no momento em que o Sr. Ahmed fecha a porta traseira do carro, ele cai no sono e só acorda quando é entregue em Greene Street. Mas, ao caminhar pelo apartamento escuro e silencioso naquela noite, ele é tomado por uma sensação de deslocamento, tão debilitante que por um momento para, piscando os olhos, confuso, antes de ir até o sofá na sala de estar e se deitar. Ele só quer descansar, só por uns minutos, só até conseguir ficar de pé outra vez, mas, quando abre os olhos de novo, já é dia e a sala de estar se cobre de uma luz cinzenta.

A terceira vez acontece na manhã de segunda-feira. Ele acorda antes do despertador e, embora esteja deitado, sente tudo ao seu redor e dentro de si se remexer, como se fosse uma garrafa com água pela metade, flutuando num oceano de nuvens. Nas últimas semanas, nem precisou se encher de remédios aos domingos: chega em casa do seu jantar com JB no sábado, deita na cama e só acorda quando Richard vem chamá-lo no dia seguinte. Quando Richard não vem – como aconteceu neste domingo; ele e India estão visitando os pais dela no Novo México –, ele dorme o dia inteiro, a noite inteira. Não sonha com nada, e nada o desperta.

Sabe o que está acontecendo, é claro: não está comendo o suficiente. Não o faz há meses. Alguns dias come bem pouquinho – um pedaço de fruta; um pedaço de pão –, em outros não come absolutamente nada. Não que tenha decidido parar de comer – só não tem mais interesse, não consegue. Não tem fome, por isso não come.

Naquela segunda, porém, ele o faz. Ele levanta, cambaleia até o térreo. Ele nada, mas mal, devagar. Depois, ele volta para o apartamento e prepara o café da manhã. Ele senta e come, olhando fixamente para o apartamento, com os jornais dobrados sobre a mesa ao seu lado. Ele abre a boca, ele coloca uma garfada de comida, ele mastiga, ele engole. Ele age com movimentos mecânicos, mas subitamente pensa no quanto aquele processo é grotesco, colocar algo na boca, movê-lo com a língua, engolir o bolo coberto de saliva que se forma, e então para. Mesmo assim, ele promete a si mesmo: vou comer, mesmo que não queira, pois estou vivo, e é isso que devo fazer. Mas ele se esquece, e se esquece de novo.

E então, dois dias depois, algo acontece. Acabou de voltar para casa, tão exausto que sente que vai se decompor, como se estivesse evaporando pelo ar, tão insubstancial que parece ser feito não de sangue e osso, mas de vapor e névoa, quando vê Willem de pé à sua frente. Abre a boca para falar, mas então pisca os olhos e Willem desaparece, e ele começa a balançar para a frente e para trás, com os braços esticados.

– Willem – diz em voz alta para o apartamento vazio. – Willem. – Ele fecha os olhos, como se pudesse conjurá-lo dessa forma, mas Willem não volta.

No dia seguinte, porém, ele o faz. Está mais uma vez em casa. Mais uma vez é noite. Mais uma vez não comeu nada. Está deitado na cama, olhando fixamente para a escuridão do quarto. E então surge Willem, abruptamente, bruxuleando feito um holograma, seus contornos borrados de luz, e, embora Willem não esteja olhando para ele – olha para algum outro lugar, olha para a porta, olha com tanta determinação que ele tem vontade de seguir a linha de visão de Willem, para ver o que Willem vê, mas sabe que não pode piscar, não pode virar a cabeça, ou Willem o deixará –, vê-lo já é o suficiente, sentir que de alguma forma ele ainda existe, que seu desaparecimento talvez não seja um estado permanente no fim das contas. Finalmente, acaba tendo de piscar, e Willem desaparece uma vez mais.

Mas não fica tão perturbado, pois agora sabe: se não comer, se conseguir resistir até o ponto que antecede o colapso, começará a ter alucinações, e suas alucinações podem ser de Willem. Naquela noite, ele adormece contente, a primeira vez que sente algum contentamento em quase quinze meses, pois agora sabe que pode chamar Willem de volta; agora sabe que a capacidade de evocar Willem está sob seu controle.

Ele cancela a consulta com Andy para poder ficar em casa e fazer um experimento. Essa é a terceira sexta-feira consecutiva em que não vê Andy. Desde aquela noite no restaurante, os dois vêm se tratando com educação, e Andy não mencionou mais Linus, ou qualquer outro médico, embora tenha dito que voltaria a tocar no assunto em seis meses.

– Não é questão de querer me livrar de você, Jude – disse ele. – E sinto muito, de verdade, se você viu dessa maneira. Só estou preocupado. Só quero ter certeza de que encontraremos alguém que o agrade, alguém que eu saiba que o deixará à vontade.

– Eu sei, Andy – falou. – E agradeço por isso; de verdade. Tenho me comportado mal e descontei em você.

Mas ele sabe que precisa ter cuidado: sentiu o sabor da raiva, e sabe que tem de controlá-la. Pode senti-la, esperando para explodir boca afora num enxame de abelhas prontas para atacar. Onde aquela raiva estava se escondendo?, se pergunta ele. Como pode fazê-la desaparecer? Ultimamente, seus sonhos têm envolvido violência, coisas terríveis acontecendo às pessoas que detesta, às pessoas que ama: vê o irmão Luke sendo colocado dentro de um saco cheio de ratos barulhentos e famintos. Vê a cabeça de JB sendo esmurrada contra uma parede e seu cérebro se espalhando feito uma lama cinzenta. Ele está sempre presente nos sonhos, indiferente e vigilante, e, depois de testemunhar a destruição dos outros, dá as costas e vai embora. Acorda com o nariz sangrando, como acontecia quando era criança e continha um ataque de pirraça, com as mãos tremendo e o rosto contorcido numa careta.

Naquela sexta-feira, Willem não aparece para ele. Mas, na noite seguinte, ao sair do escritório para ir jantar com JB, ele vira a cabeça à direita e vê, sentado ao seu lado no carro, Willem. Dessa vez, acha que os contornos de Willem estão mais firmes, um pouco mais sólidos, e ele o fita intensamente até piscar e Willem se dissolver novamente.

Depois desses episódios, ele fica esgotado, e o mundo ao seu redor escurece como se toda a sua força e eletricidade tivessem sido usadas na criação de Willem. Ele instrui o Sr. Ahmed a levá-lo para casa em vez do restaurante; enquanto seguem na direção sul, ele envia uma mensagem de texto a JB dizendo que está passando mal e que não conseguirá ir ao seu encontro. Vem fazendo isso cada vez mais: cancelando seus planos com outras pessoas, com desculpas esfarrapadas e imperdoavelmente de última hora – uma hora antes de um jantar num restaurante onde é difícil conseguir reservar uma mesa, minutos após o horário marcado numa galeria, segundos antes de as cortinas se abrirem num palco. Richard, JB, Andy, Harold e Julia: esses são os remanescentes que ainda entram em contato com ele, persistentemente, uma semana após a outra. Não consegue se lembrar da última vez que falou com Citizen, Rhodes, os Henry Youngs, Elijah ou Phaedra – faz pelo menos semanas. E, por mais que saiba que deveria se importar, ele não se importa. Sua esperança e sua energia não são mais fontes renováveis; suas reservas são limitadas, e ele quer usá-las tentando encontrar Willem, mesmo que a caçada seja elusiva, mesmo diante da probabilidade de fracassar.

E assim ele vai para casa, e espera e espera pela aparição de Willem. Mas isso não acontece, e ele finalmente cai no sono.

No dia seguinte, espera na cama, tentando ficar suspenso entre um estado alerta e o atordoamento, pois é nesse momento (acredita ele) que terá mais chances de evocar Willem.

Na segunda-feira, ele acorda se sentindo ridículo. *Isso precisa parar*, diz a si mesmo. *Precisa voltar ao mundo dos vivos. Está agindo feito um louco. Visões? Sabe o que isso parece?*

Pensa no mosteiro, onde o irmão Pavel gostava de lhe contar a história de uma freira do século XI chamada Hildegard. Hildegard tinha visões; fechava os olhos e objetos iluminados apareciam diante dela; seus dias eram inundados por luz. Mas o irmão Pavel estava menos interessado em Hildegard e mais em sua instrutora, Jutta, que abdicara do mundo material para viver como asceta numa pequena cela, morta para os assuntos dos vivos, viva mas não viva.

— Isso é o que vai acontecer a você se não obedecer — dizia Pavel, e ele ficava horrorizado.

Havia um pequeno barracão de ferramentas no terreno do mosteiro, escuro, frio e cheio de objetos de ferro com uma aparência maligna, todos terminando em forma pontiaguda, de lança, de foice, e, quando o irmão lhe falou de Jutta, ele imaginou que seria forçado a viver no barracão, recebendo apenas comida suficiente para sobreviver, e viveria por anos e anos e anos, quase esquecido, mas não completamente, quase morto, mas não completamente. Mas até mesmo Jutta tinha Hildegard como companhia. Ele não teria ninguém. Como ficara assustado; tinha certeza de que aquilo, um dia, viria a acontecer.

Agora, deitado na cama, ouve a antiga *lied* sendo murmurada para ele. *Eu me tornei perdido para o mundo*, canta, baixinho, *No qual por outro lado desperdicei tanto tempo*.

Mas, embora saiba o quanto está sendo ridículo, não consegue se forçar a comer. O próprio ato lhe causa repulsa. Queria estar acima das vontades, acima das necessidades. Imagina sua vida como um pedaço de sabão, desgastado, usado e alisado até ganhar a forma de uma flecha esguia de ponta cega, que se desintegrava um pouco mais a cada dia.

E então há o que ele não gosta de admitir para si mesmo, mas tem ciência de que se passa por sua cabeça. Não pode quebrar a promessa que fez a Harold — não vai. Mas, se parar de comer, se parar de tentar, o fim será o mesmo, de qualquer forma.

Normalmente sabe o quanto está sendo melodramático, narcisista e irrealista, e pelo menos uma vez por dia se repreende. O fato é que sua capacidade de evocar as especificidades de Willem sem depender de ajuda está cada vez menor: não consegue se lembrar do som da voz de Willem sem antes ouvir uma das mensagens gravadas. Não consegue se lembrar do perfume de Willem sem antes cheirar uma de suas camisas. Assim, teme que esteja sofrendo não tanto por Willem, mas por sua própria vida: por sua pequenez, por sua inutilidade.

Nunca se preocupou com o seu legado, ou nunca pensou se preocupar. E é bom não se preocupar, pois não deixará nada para trás: nada de prédios, pinturas, filmes ou esculturas. Nenhum livro. Nenhum documento. Nenhuma pessoa: nenhum cônjuge, nenhum filho, provavelmente nenhum pai e, se continuar se comportando como vem ultimamente, nenhum amigo. Nem mesmo uma nova lei. Não criou nada. Não fez nada, nada além de dinheiro: o dinheiro que ganhou, o dinheiro que lhe foi dado como compensação por Willem ter sido tirado dele. Seu apartamento reverterá para Richard. As outras propriedades serão dadas ou vendidas, e o valor arrecadado, doado a organizações beneficentes. Suas obras de arte irão para museus, seus livros, para bibliotecas, seus móveis, para quem os quiser. Será como se nunca tivesse existido. Tem a sensação, por mais infeliz que seja, de que nunca foi tão valioso quanto era naqueles quartos de motel, onde pelo menos era único e significativo para alguém, embora o que tivesse a oferecer lhe estava sendo tirado, não dado voluntariamente. Mas ali pelo menos tinha sido real para outra pessoa; o que viam nele era, na verdade, o que ele era. Lá, ele se encontrava em seu estado menos ilusório.

Jamais conseguiu acreditar por completo na interpretação que Willem fazia dele, de alguém corajoso, desenvolto e admirável. Willem dizia aquelas coisas e ele sentia vergonha, como se o estivesse enganando: Quem *era* essa pessoa que Willem descrevia? Mesmo sua confissão não mudou a percepção que Willem tinha dele – na verdade, Willem parecia respeitá-lo mais, e não menos, por causa dela, o que ele nunca entendeu, mas no que conseguiu encontrar consolo. Embora não se tenha convencido, de certa forma era animador que alguém o visse como uma pessoa digna de atenção, que alguém tivesse achado sua vida significativa.

Na primavera antes de Willem morrer, tinham convidado algumas pessoas para jantar – só eles quatro e Richard e Henry Young Asiático –, e Malcolm, numa de suas crises ocasionais de arrependimento pela decisão que ele e Sophie tomaram de não ter filhos, ainda que, como todos o tenham lembrado, eles jamais tenham querido filhos para início de conversa, perguntou:

– Sem eles, eu me pergunto: qual foi o sentido de tudo? Vocês não se preocupam com isso? Como podemos saber que nossas vidas fazem diferença?

– Me perdoe, Mal – disse Richard, servindo-se com o que restava de uma garrafa de vinho enquanto Willem abria outra –, mas acho isso ofensivo. Está dizendo que nossas vidas fazem menos diferença porque não temos filhos?

– Não – disse Malcolm. Depois, pensou. – Bem, talvez.

– Eu sei que a *minha* vida faz diferença – disse Willem, repentinamente, e Richard sorriu para ele.

– Claro que a *sua* vida faz diferença – disse JB. – Você faz coisas que as pessoas *realmente* querem ver, diferentemente de mim e de Malcolm, Richard e o Henry aqui.

– As pessoas querem ver o que fazemos – disse Henry Young Asiático, parecendo magoado.

– Estava falando das pessoas fora de Nova York, Londres, Tóquio e Berlim.

– Ah, elas. Mas quem se importa com *essas* pessoas?

– Não – disse Willem, depois que todos pararam de rir. – Sei que minha vida faz diferença porque – e aqui ele parou, parecendo acanhado, e ficou em silêncio por um momento antes de continuar –, porque sou um bom amigo. Eu amo meus amigos, me importo com eles, e acho que os faço felizes.

A sala ficou em silêncio, e, por alguns segundos, ele e Willem se entreolharam por sobre a mesa, e as outras pessoas, o próprio apartamento, desapareceu: eram duas pessoas em duas cadeiras, e ao redor deles não havia nada.

– A Willem – finalmente disse ele, e levantou a taça, seguido por todos os outros. – A Willem! – repetiram, e Willem sorriu para ele.

Naquela mesma noite, depois que todos já haviam saído e os dois estavam na cama, ele falou a Willem que estava certo.

– Fico feliz por você saber que sua vida faz diferença – disse a ele. – Fico feliz por não ser algo de que eu precise convencê-lo. Fico feliz por você saber como é maravilhoso.

– Mas sua vida faz tanta diferença quanto a minha – disse Willem. – Você também é maravilhoso. Não sabia disso, Jude?

Na época, ele balbuciou algo, algo que Willem pudesse interpretar como concordância, mas, depois que Willem caiu no sono, ele ficou acordado. Sempre lhe pareceu um tipo de problema um tanto luxuoso, um privilégio, na verdade, refletir se uma vida fazia diferença ou não. Não achava que a sua fizesse. Mas aquilo não o incomodava tanto assim.

E, por mais que não tenha se atormentado quanto à validade de sua vida, *sempre* se questionou por que ele, por que tantos outros, continuavam vivendo; às vezes era difícil se convencer de que isso era necessário, mas tantas pessoas, tantos milhões, bilhões, de pessoas, viviam sob uma angústia que ele não conseguia estimar, com privações e doenças que, de tão extremas, chegavam a ser obscenas. E ainda assim elas seguiam em frente. Então, seria a determinação em continuar vivo não uma escolha, mas sim uma implementação evolucionária? Haveria algo na mente em si, uma constelação de neurônios endurecidos e marcados feito tendões, que impedia os humanos de fazerem o que a lógica tantas vezes lhes mostrava ser o caminho a seguir? Por outro lado, até mesmo aquele instinto não era infalível – ele o vencera uma vez. Mas o que teria acontecido a ele depois? Teria enfraquecido ou se tornado mais resiliente? Será que sua vida ainda era sua, a ponto de poder escolher se continuaria vivendo?

Sabia, desde o hospital, que era impossível convencer alguém a viver por si próprio. Mas, muitas vezes, achava que seria um tratamento mais eficaz fazer com que as pessoas sentissem com maior urgência a necessidade de viver pelos outros: aquele, para ele, sempre foi o argumento mais convincente. O fato era que se sentia em dívida com Harold. Sentia-se em dívida com Willem. E, se eles queriam que ele continuasse vivo, então era isso que faria. Na época, à medida que se arrastava dia após dia, suas motivações lhe eram turvas, mas agora reconhecia que fizera aquilo por eles, e aquele raro altruísmo era algo de que, no fim das contas, podia se orgulhar. Não entendia por que desejavam que continuasse vivo, apenas que queriam isso, e por isso o fez. Em algum momento, aprendeu a redescobrir o contentamento, até mesmo a alegria. Mas não foi assim no princípio.

E, agora, novamente ele acha a vida cada vez mais difícil, cada dia um pouco menos tolerável que o anterior. Em seu dia a dia há uma árvore, preta e morrendo, com um só galho se projetando à direita, a prótese única de um espantalho, e é nesse galho que está pendurado. Acima dele há sempre uma chuva serenando, o que deixa o galho escorregadio. Mas continua agarrado, por mais cansado que esteja, pois debaixo dele há um buraco aberto na terra, tão profundo que não consegue ver onde termina. Tem pavor de se soltar, pois sabe que cairá no buraco, mas sabe que isso uma hora acontecerá, sabe que deve se soltar: está cansado demais. Suas forças diminuem um pouco, só um pouquinho, a cada semana.

É então com culpa e arrependimento, mas também com um senso de inevitabilidade, que trapaceia na promessa que fez a Harold. Trapaceia quando diz a Harold que foi a Jacarta a trabalho e não poderá visitá-lo no Dia de Ação de Graças. Trapaceia quando deixa crescer a barba, esperando disfarçar, assim, a magreza em seu rosto. Trapaceia quando diz a Sanjay que está bem e que só teve uma gastroenterite. Trapaceia quando diz à sua secretária que não precisa que ela peça o almoço para ele, pois já comeu algo no caminho para o escritório. Trapaceia quando cancela todos os encontros marcados para o próximo mês com Richard, JB e Andy, alegando que tem muito trabalho. Trapaceia sempre que deixa a voz sussurrar para ele, espontaneamente, *Falta pouco agora, falta pouco*. Não está tão iludido a ponto de achar que vai conseguir literalmente morrer de fome – mas acredita que haverá um dia, agora mais perto do que nunca, em que estará tão fraco que tropeçará, cairá e arrebentará a cabeça no piso de cimento do saguão de Greene Street, quando contrairá um vírus e não terá forças para se recuperar.

Ao menos uma de suas mentiras é verdadeira: ele tem *mesmo* muito trabalho. Tem um argumento de apelação para dali a um mês, e se sente aliviado por poder passar tanto tempo na Rosen Pritchard, onde nunca lhe aconteceu nada de mau, onde até mesmo Willem sabe que não deve perturbá-lo com uma de suas aparições imprevisíveis. Uma noite, ele ouve Sanjay resmungar para si mesmo ao passar correndo pelo seu escritório – "Caralho, ela vai me matar" –, e levanta a cabeça e percebe que não é mais noite, mas dia, e o Hudson está se besuntando de um tom alaranjado. Vê isso, mas não sente nada. Ali, sua vida é suspensa; ali, pode ser qualquer um, pode estar em qualquer lugar. Pode ficar o tempo que quiser. Ninguém está esperando por ele, ninguém ficará decepcionado se ele não telefonar, ninguém ficará zangado se ele não for para casa.

Na sexta-feira anterior ao julgamento, ele está trabalhando até tarde quando uma de suas secretárias aparece e diz que um visitante o espera na recepção, um certo Dr. Contractor, e ele gostaria que o mandasse subir? Ele para, sem saber o que fazer; Andy vem lhe telefonando, mas ele não retorna as chamadas, e sabe que ele simplesmente não irá embora.

– Sim – diz a ela. – Leve-o à sala de reuniões do bloco sudeste.

Ele espera naquela sala de reuniões, que não tem janelas e é a mais privada de todas, e, quando Andy chega, ele vê sua boca se cerrar, mas os dois apertam as mãos feito estranhos, e só quando a secretária vai embora é que Andy levanta e vai na sua direção.

– Fique de pé – ordena ele.

– Não consigo – diz.

– Por que não?

– Minhas pernas doem – diz, mas não é verdade. Não consegue ficar de pé porque suas próteses não encaixam mais.

– O bom dessas próteses é que são muito sensíveis e leves – disse o protesista quando foi tirar suas medidas. – O ruim é que as aberturas não têm muita elasticidade. Se ganhar ou perder mais de dez por cento do seu peso corporal, o que, no seu caso, significaria ganhar ou perder entre seis quilos e meio e sete quilos, terá de reajustar seu peso ou fazer novas próteses. Por isso, é importante se manter no peso.

Passou as últimas três semanas na cadeira de rodas, e, embora continue usando as próteses, elas são meramente ilustrativas, algo para preencher as calças; não se encaixam mais a ponto de poderem ser usadas, e ele está exausto demais para marcar uma consulta com o protesista, exausto demais para ter a conversa que sabe que precisará ter com ele, exausto demais para conjurar explicações.

– Acho que está mentindo – diz Andy. – Acho que perdeu tanto peso que as próteses estão escorregando para fora das pernas, não estou certo? – Mas ele não responde. – Quanto peso perdeu, Jude? – pergunta Andy. – Da última vez que nos vimos, você já estava cinco quilos e meio abaixo do peso. Quanto está agora? Nove? Mais? – Faz-se um novo silêncio. – Que diabos está fazendo? – pergunta Andy, com a voz ainda mais baixa. – O que está fazendo a si mesmo, Jude? Está com uma aparência péssima – continua Andy. – Está terrível. Parece doente. – Ele para. – Diga alguma coisa – fala. – *Diga alguma coisa*, cacete, Jude.

Ele conhece o ritual daquela interação: Andy grita com ele. Ele grita com Andy. Chegam a um *détente*, que no fim não muda coisa alguma, que nada mais é que uma pantomima: ele se submeterá a algo que não é uma solução, mas que fará Andy se sentir melhor. E então algo pior acontecerá, e a pantomima revelará ser exatamente isso, e ele será coagido a fazer algum tratamento que não quer fazer. Harold será chamado. Ele ouvirá lições de moral, lições de moral, lições de moral, e mentirá e mentirá e mentirá. O mesmo ciclo, o mesmo ciclo, de novo e de novo e de novo, um procedimento tão previsível quanto os homens que entravam nos quartos de motel, cobriam a cama com seus lençóis, faziam sexo com ele e iam embora. E depois vinha outro, e mais outro. No dia seguinte: a mesma coisa. Sua vida é uma série de padrões lúgubres: sexo, cortes, isso, aquilo. Consultas com Andy, consultas no hospital. Não dessa vez, decide ele. É neste momento que faz algo diferente; é neste momento que escapa.

– Você está certo, Andy – diz ele, com a voz mais calma e sem emoção que consegue evocar, a voz que usa no tribunal. – Perdi peso. E lamento não ter ido ao consultório antes. Não fui porque sabia que você ficaria chateado. Mas tive uma gastroenterite terrível, que não conseguia mandar embora, mas passou. Estou comendo, juro. Sei que pareço péssimo. Mas juro que estou me cuidando. – Ironicamente, ele *vem* comendo mais nas últimas duas semanas; precisa aguentar até o julgamento. Não quer desmaiar no meio do tribunal.

Depois disso, o que Andy pode dizer? Ainda está desconfiado. Mas não há nada que possa fazer.

– Se não vier me ver na semana que vem, voltarei aqui – diz Andy antes da secretária conduzi-lo à saída.

– Ótimo – responde ele, ainda usando um tom agradável. – Daqui a duas terças-feiras. O julgamento já terá acabado até lá.

Quando Andy vai embora, ele se sente momentaneamente triunfante, como se fosse um herói num conto de fadas e tivesse acabado de derrotar um perigoso inimigo. Mas é claro que Andy não é seu inimigo, e ele está apenas sendo ridículo, e sua sensação de vitória é seguida por desespero. Sente, como vem acontecendo com uma frequência cada vez maior, que sua vida é algo que lhe aconteceu, e não algo em cuja criação exerceu qualquer papel. Jamais conseguiu imaginar o que sua vida poderia ser; mesmo quando criança, mesmo quando sonhava com outros lugares, com outras vidas, não conseguia visualizar como seriam esses outros lugares e outras vidas; acreditou em tudo o que lhe disseram sobre quem ele era e quem se tornaria. Mas seus amigos, Ana, Lucien, Harold e Julia: eles imaginaram sua vida para ele. Eles o viram de uma maneira diferente daquela como ele sempre se viu; permitiram que acreditasse em possibilidades que nunca teria concebido. Via sua vida como o axioma da igualdade, mas eles o viam como outro enigma, que não tinha nome – *Jude* $= x$ –, e atribuíram um valor a x que o irmão Luke, os conselheiros do orfanato e o Dr. Traylor nunca deram ou o encorajaram que atribuísse a si mesmo. Queria poder acreditar nas provas deles do modo como acreditam; queria que tivessem lhe mostrado como chegaram a suas soluções. Acredita que, se soubesse como solucionaram a equação, saberia por que deveria continuar vivendo. Tudo de que precisa é uma resposta. Tudo de que precisa é ser convencido uma vez. A solução não precisa ser elegante; só precisa ser explicável.

Chega o julgamento. Ele vai bem. Em casa, naquela sexta-feira, desliza em sua cadeira de rodas até o quarto, até a cama. Passa o fim de semana inteiro num sono estranho e misterioso, mais um voo que um sono, movendo-se levemente entre os domínios da memória e da fantasia, da inconsciência e da vigília, da ansiedade e da esperança. Aquele não é o mundo dos sonhos, pensa, mas algum outro lugar, e, embora tenha noção dos momentos em que acorda – vê o lustre em cima dele, as cobertas à sua volta, o sofá com a estampa de samambaia à sua frente –, não é capaz de distinguir quando as coisas aconteceram em suas visões e quando aconteceram de verdade. Ele se vê levando uma lâmina ao braço e talhando a carne, mas o que sai do corte são bobinas de metal, estofamento e crina de cavalo, e percebe que passou por uma mutação, que agora não é mais nem humano, e se sente aliviado: no fim, não precisará quebrar sua promessa a Harold; foi enfeitiçado; sua culpabilidade desapareceu com sua humanidade.

Isso é real?, lhe pergunta a voz, baixinha e esperançosa. *Agora somos inanimados?*

Mas ele mesmo não tem a resposta.

Vez após outra, ele vê o irmão Luke, o Dr. Traylor. Quanto mais fraco fica, quanto mais se afasta de si mesmo, com mais frequência os vê, e, embora Willem e Malcolm tenham se tornado opacos para ele, o mesmo não aconteceu ao irmão Luke e ao Dr. Traylor. Sente que seu passado é um câncer, que deveria ter sido tratado muito tempo atrás, mas foi ignorado. E agora o irmão Luke e o Dr. Traylor passaram por uma metástase, agora são grandes e opressivos demais para que consiga eliminá-los. Agora, quando aparecem, são silenciosos: param na sua frente, sentam, lado a lado, no sofá do quarto, olhando para ele, e isso é pior do que se falassem, pois sabe que estão tentando decidir o que fazer com ele, e sabe que o que decidirem será pior do que possa imaginar, pior do que o que aconteceu antes. Num determinado ponto, ele os vê sussurrando um para o outro, e sabe que estão falando dele.

– Parem – grita para os dois –, parem, parem! – Mas eles o ignoram, e, quando tenta levantar para mandá-los embora, não consegue. – Willem – ouve sua voz chamar –, me proteja, me ajude; mande-os embora, mande-os para longe.

Mas Willem não vem, e ele se dá conta de que está sozinho, e tem medo, escondendo-se debaixo da coberta e mantendo-se o mais imóvel possível, certo de que voltou no tempo e será obrigado a reviver sua vida em sequência. *Uma hora vai melhorar*, promete a si mesmo. *Lembre-se, os anos bons vieram depois dos ruins.* Mas não consegue passar por aquilo mais uma vez; não consegue viver novamente aqueles quinze anos, aqueles quinze anos cuja meia-vida foi tão longa e ressonante que determinou tudo o que ele se tornou e fez.

Quando finalmente acorda por completo na segunda-feira, sabe que cruzou alguma espécie de limite. Sabe que está perto, que está passando de um mundo a outro. Perde a consciência duas vezes simplesmente tentando subir na cadeira de rodas. Desmaia a caminho do banheiro. E, mesmo assim, de alguma forma, não se machuca; de alguma forma, ainda está vivo. Ele se veste, e o terno e as camisas que mandou ajustar um mês atrás já estão largos. Coloca os tocos das pernas dentro das próteses e desce para encontrar o Sr. Ahmed.

No trabalho, tudo está igual. É início de ano; as pessoas estão voltando das férias. Durante a reunião do conselho administrativo, ele bate com os dedos nas coxas para se manter alerta. Sente suas mãos escorregarem do galho.

Sanjay vai embora mais cedo naquela noite; ele também. Aquele é o dia da mudança de Harold e Julia, e ele prometeu ir ao Alto Manhattan visitá-los. Não os vê há mais de um mês e, embora não consiga mais estipular sua aparência, hoje coloca camadas adicionais de roupas – uma camiseta, sua camisa, um suéter, um cardigã, seu paletó, seu casaco –, de modo a aparentar um volume maior. No prédio de Harold, o porteiro acena para que entre e ele sobe, tentando não piscar, pois piscar faz a tontura piorar. Diante da porta, ele para e leva a cabeça às mãos até se sentir bem o bastante, e então gira a maçaneta, entra e olha.

Estão todos ali: Harold e Julia, é claro, mas também Andy, JB, Richard e India, os Henry Youngs, Rhodes, Elijah, Sanjay e os Irvine também, todos parados e empoleirados em diversos móveis, como se fosse uma sessão de fotos, e, por um segundo, teme não conseguir conter o riso. E então se pergunta: será que estou sonhando com isso? Será que estou acordado? Lembra-se da visão que teve em que era um colchão velho e pensa: ainda sou de verdade? Ainda estou consciente?

– Cristo – diz ele, quando finalmente consegue falar. – Que diabos é isso?

– Exatamente o que você acha que é – ouve Andy dizer.

– Não vou ficar aqui para isso – tenta dizer, mas não consegue.

Não consegue se mover. Não consegue olhar para nenhum deles: em vez disso, olha para as mãos – a esquerda com a cicatriz, a direita, normal

– enquanto Andy fala em cima dele. Todos o estão observando há semanas – Sanjay vinha anotando os dias em que o vira comer no escritório, Richard entrava em seu apartamento para ver se havia comida na geladeira.

– Medimos a perda de peso em graus – ouve Andy dizer. – Uma perda entre um e dez por cento do peso corporal representa o Primeiro Grau. Uma perda entre onze e vinte por cento entra no Segundo Grau. O Segundo Grau é quando consideramos colocar o paciente num tubo de alimentação. Sabe disso, Jude, pois já lhe aconteceu antes. E posso dizer, só de olhar, que você está no Segundo Grau. No mínimo.

Andy fala sem parar, e ele acha que começa a chorar, mas não consegue produzir lágrimas. Tudo saiu tão errado, pensa; como tudo foi sair tão errado? Como pôde se esquecer completamente de quem era quando estava com Willem? É como se aquela pessoa tivesse morrido com Willem e que só lhe restasse seu eu fundamental, alguém de quem jamais gostou, alguém tão incapaz de ocupar a vida que ele tem, a vida que, de algum jeito, construiu, apesar de si mesmo.

Finalmente ergue a cabeça e vê Harold olhando fixamente em sua direção, vê que Harold está de fato chorando, em silêncio, olhando e olhando para ele.

– Harold – diz ele, embora Andy ainda esteja falando –, me liberte. Me liberte da promessa que fiz. Não me obrigue mais a fazer isso. Não me obrigue a seguir em frente.

Mas ninguém o liberta: nem Harold, nem qualquer outra pessoa. Em vez disso, é capturado e levado ao hospital, e lá, no hospital, ele começa a lutar. Minha última luta, pensa, e luta com mais forças que nunca, com a mesma força com que lutava no mosteiro quando criança, tornando-se o monstro que sempre disseram que era, uivando e cuspindo nos rostos de Harold e Andy, arrancando o tubo intravenoso da mão, sacudindo o corpo na cama, tentando arranhar os braços de Richard, até que finalmente uma enfermeira, praguejando, espeta uma agulha nele, e é sedado.

Acorda com os pulsos amarrados à cama, sem as próteses, também sem as roupas, com um chumaço de algodão sobre a clavícula, onde sabe que um cateter foi inserido. A mesma coisa mais uma vez, pensa ele, tudo igual, tudo igual, tudo igual.

Mas, dessa vez, não é igual. Dessa vez, não lhe dão escolhas. Dessa vez, é ligado a um tubo de alimentação, que atravessa seu abdômen e entra pelo estômago. Dessa vez, é forçado a voltar ao Dr. Loehmann. Dessa vez, será observado a cada refeição: Richard o vigiará enquanto toma seu café da manhã. Sanjay acompanhará seu almoço e, se ficar no escritório até tarde, sua janta. Harold ficará de olho nele nos fins de semana. Só poderá ir ao banheiro uma hora após o término de cada refeição. Terá de se consultar com Andy toda sexta-feira. Terá de ver JB todo sábado. Terá de ver Richard todo domingo. Terá de ver Harold sempre que Harold mandar. Se for flagrado pulando alguma refeição, ou alguma sessão, ou jogando comida fora de alguma maneira, será hospitalizado, e essa hospitalização não irá durar só algumas semanas; irá durar meses. Terá de ganhar um mínimo de treze quilos e meio, e só terá permissão para parar depois de manter esse peso por seis meses.

E assim começa sua nova vida, uma vida em que ele deixou para trás a humilhação, a tristeza, a esperança. Essa é uma vida em que o rosto cansado de seus amigos cansados o vigiam enquanto ele come omeletes, sanduíches, saladas. Que sentam diante dele para vê-lo enrolar o macarrão com o garfo, afundar a colher na polenta, raspar a carne presa a ossos. Que olham para seu prato, para sua tigela, e acenam a cabeça – sim, ele pode ir – ou a balançam: *Não, Jude, você tem de comer mais que isso.* No trabalho, ele toma decisões e as pessoas as obedecem, mas, então, à uma da tarde o almoço é entregue em seu escritório, e, durante a meia hora seguinte – embora ninguém mais na firma saiba disso –, suas decisões não valem nada, pois Sanjay tem poder absoluto, e ele deve obedecer a tudo que disser. Sanjay, com uma mensagem para Andy, pode mandá-lo para o hospital, onde irão amarrá-lo outra vez e forçar comida para dentro dele. Todos podem. Ninguém parece se importar por aquilo não ser o que ele quer.

Vocês todos se esqueceram?, tem vontade de perguntar. *Vocês se esqueceram dele? Esqueceram-se do quanto preciso dele? Esqueceram-se de que não sei como viver sem ele? Quem pode me ensinar? Quem pode me dizer o que fazer agora?*

Foi um ultimato que o mandou para o Dr. Loehmann da primeira vez; é um ultimato que o traz de volta. Ele sempre foi cordial com o Dr. Loehmann, cordial e distante, mas agora é hostil e grosseiro.

– Eu não quero estar aqui – fala quando o médico diz que está feliz em vê-lo novamente e pergunta sobre o que ele gostaria de conversar. – E não minta para mim: você não está feliz em me ver, e eu não estou feliz por estar aqui. Isto é uma perda de tempo, para você e para mim. Estou aqui por obrigação.

– Não precisamos discutir por que está aqui, Jude, não se você não quiser – diz o Dr. Loehmann. – Sobre o que gostaria de falar?

– Nada – esbraveja, e os dois ficam em silêncio.

– Me fale sobre Harold – sugere o Dr. Loehmann, e ele suspira, impaciente.

– Não há nada a ser dito – fala.

Ele vê o Dr. Loehmann às segundas e quintas. Nas noites de segunda, volta ao trabalho depois da consulta. Mas às quintas-feiras é obrigado a ver Harold e Julia, com os quais também é terrivelmente grosseiro: e não apenas grosseiro, mas antipático e maldoso. Comporta-se de uma maneira que o surpreende, de uma maneira que nunca ousou se comportar em sua vida, nem mesmo quando criança, de uma maneira que faria qualquer outra pessoa lhe dar uma surra. Mas não Harold e Julia. Eles nunca o repreendem, nunca o disciplinam.

– Isso é nojento – diz naquela noite, empurrando o ensopado de frango que Harold preparou. – Não vou comer isso.

– Vou trazer algo diferente para você – diz Julia rapidamente, levantando. – O que você quer, Jude? Quer um sanduíche? Ovos?

– Qualquer coisa – diz. – Isso aqui tem gosto de comida de cachorro.

Mas ele está falando com Harold, encarando-o, desafiando-o a recuar, a ceder. Sua pulsação salta na garganta de tanta expectativa: pode ver Harold pulando da cadeira e lhe dando um soco no rosto. Pode ver Harold se debulhando em lágrimas. Pode ver Harold botando-o para fora de sua casa.

– Vá embora da porra desta casa, Jude – dirá Harold. – Saia das nossas vidas e nunca mais volte.

– Ótimo – dirá ele. – Ótimo, ótimo. Não preciso mesmo de você, Harold. Não preciso de nenhum de vocês.

Que alívio será descobrir que, no fim, Harold nunca o quis, que sua adoção foi um capricho, uma tolice que perdera a graça muito tempo atrás.

Mas Harold não faz nenhuma dessas coisas, apenas olha para ele.

– Jude – diz, finalmente, com a voz bem baixa.

– Jude, Jude – zomba ele, grasnindo seu próprio nome para Harold feito uma gralha. – Jude, Jude.

Está tão irritado, tão furioso: não existe palavra para como ele se sente. O ódio frita em suas veias. Harold quer que ele viva, e agora Harold está tendo o que desejou. Agora Harold o está vendo como ele é.

Sabe o quanto eu poderia te machucar?, tem vontade de perguntar a Harold. *Sabia que posso dizer coisas de que você nunca se esquecerá, pelas quais nunca me perdoará? Sabia que tenho esse poder? Sabia que menti para você todos os dias desde que nos conhecemos? Sabe o que eu realmente sou? Sabe com quantos homens já estive, o que deixei que fizessem comigo, as coisas que já estiveram dentro de mim, os ruídos que fiz?* Sua vida, a única coisa que lhe pertence, está sendo possuída: por Harold, que quer mantê-lo vivo, pelos demônios que o arranham por dentro, pendurados em suas costelas, perfurando seus pulmões com suas garras. Pelo irmão Luke, pelo Dr. Traylor. *Para que serve a vida?*, pergunta a si mesmo. *Para que serve a minha vida?*

Ah, pensa ele, será que nunca vou me esquecer? Seria este quem eu sou, afinal, depois de todos esses anos?

Sente seu nariz começar a sangrar e se afasta da mesa.

– Vou embora – diz a eles quando Julia entra na sala com um sanduíche.

Ele vê que ela tirou as cascas e o cortou em triângulos, do jeito que se faz para uma criança, e, por um segundo, ele hesita e quase começa a chorar, mas logo volta a si mesmo e encara Harold novamente.

– Não vai, não – diz Harold, não com raiva, mas sim com firmeza. Ele levanta da cadeira e aponta o dedo para ele. – Vai ficar e terminar sua comida.

– Não vou, não – anuncia ele. – Ligue para Andy, não estou nem aí. Eu vou me matar, Harold, vou me matar, não importa o que você faça, e você não tem como me impedir.

– Jude – ouve Julia sussurrar. – Jude, por favor.

Harold caminha até ele, pegando o prato das mãos de Julia no caminho, e ele pensa: é agora. Levanta o queixo, esperando Harold acertá-lo no rosto com o prato, mas ele não faz isso, apenas coloca o sanduíche à sua frente.

– Coma – diz Harold, com um tom de voz tenso. – Você vai comer isto agora.

Ele pensa, inesperadamente, no dia em que teve seu primeiro episódio de dor na casa de Harold e Julia. Julia estava no mercado, e Harold, no andar de cima, imprimindo a receita inquietantemente complicada de um suflê que disse que faria. Ele deitara na despensa, tentando não bater as pernas de agonia, ouvindo Harold descer a escada e entrar na cozinha.

– Jude? – chamara ele, não o vendo, e, por mais que tenha tentado se manter quieto, fizera alguns barulhos de qualquer forma, e Harold abrira a porta e o encontrara.

Àquela altura, já conhecia Harold havia seis anos, mas sempre tivera cuidado perto dele, temendo mas esperando pelo dia em que seria revelado a ele como realmente era.

– Desculpe – tentara dizer a Harold, mas só conseguiu coaxar.

– Jude – dissera Harold, assustado –, está me ouvindo?

E ele assentira com a cabeça, e Harold também entrara na despensa, desviando das pilhas de papel-toalha e das garrafas de detergente, abaixando-se até o chão e colocando delicadamente a cabeça dele no seu colo, e, por um segundo, ele pensara que aquele era o momento pelo qual sempre esperara de certa forma, no qual Harold abriria o zíper das calças e ele teria de fazer o que sempre fizera. Mas Harold não fizera isso, apenas acariciara sua cabeça, e, depois de um tempo, enquanto se retorcia e grunhia, com o corpo se retesando de dor e o calor tomando suas articulações, percebera que Harold estava cantando para ele. Era uma canção que nunca ouvira antes, mas que instintivamente reconhecera como uma canção infantil, uma canção de ninar, e trepidara, batera a mandíbula e chiara por entre os dentes, abrindo e fechando a mão esquerda, agarrando o gargalo de uma garrafa de azeite de oliva que estava por perto com a direita, enquanto Harold continuava cantando. Deitado ali, tão desesperadamente humilhado, sabia que, depois daquele incidente, Harold se afastaria dele ou então se aproximaria ainda mais. E, como não sabia o que iria acontecer, teve esperança – como nunca tivera antes e nunca voltaria a ter – de que aquele episódio nunca terminasse, de que a canção de Harold nunca acabasse, de que nunca precisasse saber o que viria a seguir.

E agora ele está bem mais velho, Harold está bem mais velho, Julia está bem mais velha, eles são três pessoas velhas, e estão lhe dando um sanduíche de criança, e uma ordem – *Coma* – também usada com crianças. Estamos tão velhos que voltamos a ser jovens, pensa ele, e pega o prato e o arremessa na parede oposta, onde ele se espatifa, espetacularmente. Vê que o sanduíche era de queijo grelhado, vê uma das fatias triangulares bater na parede e depois escorrer por ela, com o queijo branco pingando em pedaços pegajosos.

Agora, pensa ele, quase animado, à medida que Harold se aproxima mais uma vez, agora, agora, agora. E Harold levanta a mão e ele espera receber uma pancada tão forte que sua noite terminará, e ele acordará em sua própria cama e, por um instante, poderá se esquecer daquele momento, poderá se esquecer do que fez.

Mas, em vez disso, ele vê Harold abraçá-lo, e tenta empurrá-lo, mas Julia também o está abraçando, inclinada sobre a carapaça de sua cadeira de rodas, e ele está preso entre os dois.

– Me deixem em paz – rosna para eles, mas sua energia está se dissipando, e ele se sente fraco e faminto. – Me deixem em paz – tenta outra vez, mas suas palavras são disformes e inúteis, tão inúteis quanto seus braços, suas pernas, e ele logo para de tentar.

– Jude – diz Harold para ele, em voz baixa. – Meu pobre Jude. Meu pobre querido.

E, com isso, ele começa a chorar, pois ninguém jamais o chamou de querido, não desde o irmão Luke. Willem às vezes tentava – querido, Willem tentava chamá-lo, amor; mas ele o fazia parar. Aqueles termos carinhosos pareciam imundos para ele, palavras depreciativas e depravadas.

– Meu querido – repete Harold, e ele quer que pare com aquilo; quer que nunca pare com aquilo. – Meu bebê.

E ele chora e chora, chora por tudo que foi, por tudo que podia ter sido, por cada velha ferida, por cada velha alegria, chora pela vergonha e pela felicidade de finalmente poder ser criança, com todos os caprichos, as vontades e as inseguranças de uma criança, pelo privilégio de se comportar mal e ser perdoado, pelo esplendor do afeto, dos carinhos, de serviem-lhe uma refeição e forçarem-no a comê-la, pela capacidade, finalmente, finalmente, de acreditar nas garantias de um pai, de acreditar que ele é especial para alguém, apesar de todos os seus erros e de seu ódio, *por causa* de todos os seus erros e de seu ódio.

O episódio termina com Julia voltando à cozinha e preparando outro sanduíche; termina com ele comendo, realmente faminto pela primeira vez em meses; termina com ele passando a noite no quarto de hóspedes, com Harold e Julia dando-lhe beijos de boa-noite; termina com ele imaginando que talvez o tempo realmente esteja andando para trás e iniciando um novo ciclo, só que nessa versão terá Julia e Harold como pais desde o início, e ninguém sabe o que ele se tornará, apenas que será melhor, que terá mais saúde, que será mais bondoso, que não sentirá a necessidade de lutar tanto contra sua própria vida. Tem uma visão de si mesmo aos quinze anos, correndo para a casa em Cambridge, gritando palavras – "Mãe!

Pai!" – que nunca disse antes, e, embora não consiga imaginar o que deixara aquele seu eu do sonho tão animado (apesar de todo o tempo que passara analisando crianças normais, seus interesses e comportamentos, conhece pouco as especificidades), compreende que está feliz. Talvez esteja usando um uniforme de futebol americano, com os braços e as pernas à mostra; talvez esteja acompanhado por um amigo, por uma namorada. Provavelmente ainda não fez sexo; provavelmente está tentando fazer a cada oportunidade que tem. Pensaria às vezes em quem seria quando crescesse, mas nunca lhe passaria pela cabeça uma vida sem alguém para amar, sexo, seus próprios pés correndo por um campo de grama macia feito um tapete. Todas aquelas horas, todas aquelas horas que passara se cortando, escondendo os cortes, reprimindo as lembranças, o que faria no lugar de todas aquelas horas? Seria uma pessoa melhor, ele sabe. Seria mais amoroso.

Mas, talvez, pensa ele, talvez não seja tarde demais. Talvez possa fingir mais uma vez, e esta última série de fingimentos mudará as coisas para ele, o transformará na pessoa que poderia ter sido. Tem cinquenta e um anos; é velho. Mas talvez ainda tenha tempo. Talvez ainda tenha recuperação.

Ainda pensa nisso na segunda-feira, quando vai ao consultório do Dr. Loehmann, a quem pede desculpas por seu péssimo comportamento na semana anterior – e nas outras semanas também.

E, dessa vez, pela primeira vez, tenta conversar de verdade com o Dr. Loehmann. Tenta responder às suas perguntas, e o faz com sinceridade. Tenta começar a contar uma história que só contou uma vez antes. Só que é muito difícil, não apenas porque a história é quase impossível de ser contada, mas também porque não consegue fazê-lo sem pensar em Willem e em como, na última vez que contou aquela história, estava com alguém que o vira de uma maneira que ninguém mais havia visto desde Ana, com alguém que conseguiu enxergar além do que ele era, e, ainda assim, também o ver em sua totalidade. E então fica triste, sem fôlego, e dá uma guinada com a cadeira de rodas – ainda está uns dois quilos e meio ou três abaixo do peso necessário para voltar a usar as próteses –, pede licença e sai do consultório do Dr. Loehmann, descendo o corredor até o banheiro, onde se tranca, respirando devagar e esfregando a palma da mão no peito, como se para acalmar seu coração. E ali no banheiro, frio e silencioso, entra em seu velho jogo do "se" com ele mesmo: se eu não tivesse ido atrás do irmão Luke. Se não tivesse deixado o Dr. Traylor me levar. Se não tivesse deixado Caleb entrar. Se tivesse escutado mais a Ana.

Vai em frente com o jogo, e suas recriminações ganham ritmo em sua mente. Mas então ele também pensa: se não tivesse conhecido Willem. Se não tivesse conhecido Harold. Se não tivesse conhecido Julia, ou Andy, ou Malcolm, ou JB, ou Richard, ou Lucien, ou tantas outras pessoas: Rhodes, Citizen, Phaedra, Elijah. Os Henry Youngs. Sanjay. Todos os "ses" mais assustadores envolvem pessoas. Todos os bons também.

Finalmente, consegue se acalmar e sai do banheiro. Sabe que podia ir embora. O elevador está ali; podia pedir ao Sr. Ahmed que voltasse para buscar seu casaco.

Mas não é o que faz. Em vez disso, segue na outra direção e volta para o consultório, onde o Dr. Loehmann ainda está sentado em sua poltrona, esperando por ele.

– Jude – diz o Dr. Loehmann. – Você voltou.

Ele respira fundo.

– Sim – responde ele. – Decidi ficar.

[VII]

Lispenard Street

NO SEGUNDO ANIVERSÁRIO DE sua morte, fomos a Roma. Foi um pouco de coincidência, mas, ao mesmo tempo, não: ele sabia e nós sabíamos que ele precisaria sair da cidade, precisaria estar longe do estado de Nova York. E talvez os Irvine tenham sentido o mesmo, pois foi nesse período que marcaram a cerimônia – bem no final de agosto, quando a Europa inteira migra para outro lugar, e lá estávamos nós, voando em direção a ela, àquele continente abandonado por todos os seus pássaros barulhentos, por toda a sua fauna nativa.

Foi na Academia Americana, onde tanto Sophie quanto Malcolm estudaram, e onde os Irvine financiaram uma bolsa para jovens arquitetos. Eles ajudaram a selecionar a primeira beneficiária, uma jovem muito alta e adoravelmente apreensiva de Londres, que construía majoritariamente estruturas temporárias, edifícios de aparência complexa feitos de terra, relvado e papel, destinados a se desintegrar lentamente com o tempo, e foi feito o anúncio da bolsa, que era acompanhada por um prêmio adicional em dinheiro, e houve uma recepção, em que Flora discursou. Além de nós e dos sócios de Sophie e Malcolm na Bellcast, estavam lá Richard e JB, que também estudaram em Roma, e, depois da cerimônia, fomos a um restaurantezinho próximo de que ambos gostavam quando moravam ali, e onde Richard nos mostrou as paredes do prédio que eram etruscas e aquelas que eram romanas. Embora a refeição tenha sido boa, agradável e jovial, também foi silenciosa, e lembro que, a certa altura, levantei a cabeça e vi que nenhum de nós estava comendo, todos com olhares fixos – para o teto, para o prato, um para o outro – e pensando em algo diferente, mas, ao mesmo tempo, como eu sabia, também pensando na mesma coisa.

Na tarde seguinte, Julia tirou uma soneca e nós saímos para passear. Estávamos hospedados do outro lado do rio, próximo às escadarias da Praça de Espanha, mas fizemos o carro atravessar a ponte e nos levar ao Trastevere, onde caminhamos por ruas tão estreitas e escuras que poderiam ser corredores, até finalmente chegarmos a uma praça, minúscula, precisa e adornada apenas pela luz do sol e mais nada, onde sentamos num banco de pedra. Um senhor idoso, com uma barba branca e vestindo um terno de linho, sentou na outra ponta, e nos cumprimentou com um aceno de cabeça, e nós retribuímos o gesto.

Passamos um bom tempo juntos em silêncio, sentados no calor, e então, de repente, ele disse que se lembrava daquela praça, que estivera ali com você antes, e que havia uma sorveteria famosa a duas ruas dali.

– Devo ir lá? – perguntou-me, e sorriu.
– Acho que você já sabe a resposta – falei, e ele se levantou.
– Volto já – disse ele.
– *Stracciatella* – instruí, e ele acenou a cabeça.
– Eu sei – disse.

Nós o observamos partir, o homem e eu, e o homem sorriu para mim, e eu retribuí o sorriso. Não era tão velho assim, percebi: provavelmente tinha poucos anos a mais que eu. E, mesmo assim, jamais consegui (e ainda não consigo) me ver como velho. Falava como se soubesse que o era; lamentava minha idade. Mas era só por comédia, ou para fazer as outras pessoas se sentirem jovens.

– *Lui è tuo figlio?* – perguntou o homem, e acenei com a cabeça.

Sempre fiquei surpreso e feliz quando nos reconheciam pelo que éramos um para o outro, pois não nos parecíamos em nada, ele e eu: mesmo assim, pensava, ou esperava, que houvesse algo na nossa proximidade que representasse um indício mais forte de nossa relação, além da mera semelhança física.

– Ah – disse o homem, olhando para ele novamente antes de dobrar a esquina e desaparecer de vista. – *Molto bello.*

– *Sì* – respondi, sentindo-me subitamente triste.

Ele então fez uma expressão astuciosa e perguntou, ou melhor, declarou:

– *Tua moglie deve essere molto bella, no?* – E sorriu para mostrar que falava aquilo em tom de brincadeira, que era um elogio, que, se eu era um homem comum, também era um homem de sorte, por ter uma esposa tão bonita, que me dera um filho tão bonito, então não deveria me sentir ofendido. Sorri para ele.

– Ela é – falei, e ele sorriu, nada surpreso.

O homem já havia ido embora quando ele voltou – acenando com a cabeça para mim ao partir, apoiando-se em sua bengala – com uma casquinha para mim e uma caixa de isopor com granita de limão para Julia. Queria que tivesse comprado algo para ele também, mas não comprou.

– É melhor irmos – disse ele.

E foi o que fizemos. Naquela noite, fomos dormir cedo, e, no dia seguinte – o dia em que você morreu –, nem mesmo o vimos: ele nos deixou um recado na recepção dizendo que saíra para dar uma volta e que nos veria no dia seguinte, se desculpando, e por todo dia nós também andamos, e, por mais que achasse que poderíamos encontrá-lo – Roma não é uma cidade tão grande assim –, isso não aconteceu, e, naquela noite, enquanto tirávamos a roupa para dormir, me dei conta de que havia procurado por ele em cada rua, em cada multidão.

Na manhã seguinte, lá estava ele no café da manhã, lendo o jornal, pálido, mas sorrindo para nós, e não perguntamos o que fizera no dia anterior e ele tampouco se dispôs a nos contar. Naquele dia, apenas passeamos pela cidade, nós três formando um grupinho espaçoso – grande demais para as calçadas, caminhamos em fila única, alternando-nos na posição de líder –, mas só estivemos em lugares familiares, lugares com bastante movimento, lugares onde não haveria lembranças secretas, que não continham qualquer intimidade. Próximo à Via Condotti, Julia olhou para a minúscula vitrine de uma minúscula joalheria, onde entramos, nós três ocupando todo o espaço, e todos pegamos na mão os brincos que ela admirou na vitrine. Eram fantásticos: de puro ouro, densos e pesados, no formato de pássaros, com pequenos rubis redondos no lugar dos olhos e raminhos dourados nos bicos, e ele os comprou para ela, que ficou envergonhada e maravilhada – Julia nunca foi de usar muitas joias –, mas ele pareceu feliz em poder fazer aquilo, e fiquei feliz por vê-lo feliz, e por vê-la feliz também. Naquela noite, encontramos JB e Richard para um último jantar e, na manhã seguinte, partimos para o norte, para Florença, e ele voltou para casa.

– Vejo você em cinco dias – falei para ele, que acenou com a cabeça.

– Divirtam-se – disse. – Divirtam-se bastante. Vejo vocês em breve.

Ele acenou quando nos levaram embora de carro; nos viramos no banco e acenamos para ele. Lembro-me de torcer para que meu aceno de alguma forma telegrafasse o que eu não podia dizer: *Nem ouse*. Na noite anterior, enquanto ele e Julia conversavam com JB, perguntei a Richard se ele se importaria em me manter atualizado enquanto estivéssemos fora, e Richard concordou. Ele já havia recuperado quase todo o peso que Andy queria, mas passou por dois retrocessos – um em maio, o outro, em julho –, por isso ainda estávamos todos de olho.

Às vezes parecia que vivíamos nossa relação ao contrário, e, em vez de me preocupar menos com ele, eu me preocupava cada vez mais; a cada ano eu tinha mais consciência da fragilidade dele e menos convicção da minha competência. Quando Jacob era bebê, eu me sentia mais seguro a cada mês de sua vida, como se, quanto mais ele ficasse no mundo, mais fundo estaria ancorado a ele, como se, ao ficar vivo, estivesse também reivindicando a própria vida. Era um raciocínio ilógico, é claro, que se mostrou inválido da pior maneira possível. Mas não conseguia deixar de pensar nisso: que a vida se amarrava à vida. Mesmo assim, em determinado ponto da vida dele – depois de Caleb, se eu tivesse que estipular uma data –, passei a ter a impressão de que ele estava num balão de ar quente, preso à terra por uma corda, mas a cada ano o balão forçava mais os laços, pressionando para o alto, tentando flutuar pelos céus. E, lá embaixo, estávamos unidos na tentativa de puxar o balão para baixo, de volta à segurança. E, assim, eu sempre tive medo por ele, e medo dele também.

É possível ter uma relação verdadeira com alguém de quem se tem medo? Claro que sim. Mas ele ainda me assustava, pois ele tinha poder, e eu, não: se ele se matasse, se decidisse partir para longe de mim, eu sabia que sobreviveria, mas sabia também que essa sobrevivência seria difícil; sabia que passaria o resto de meus dias procurando explicações, examinando o passado para avaliar meus erros. E obviamente sabia o quanto sentiria a falta dele, pois, apesar dos ensaios feitos para uma eventual partida, jamais consegui lidar com eles de uma maneira melhor, jamais me habituei a eles.

Depois, voltamos para casa e estava tudo igual: o Sr. Ahmed nos encontrou no aeroporto e nos levou ao apartamento, e ele havia deixado com o porteiro sacolas de comida para que não precisássemos ir ao mercado. O dia seguinte era uma quinta-feira, e ele apareceu e jantamos juntos, e perguntou o que tínhamos visto e feito, e contamos tudo. Naquela noite, estávamos lavando os pratos, e, quando ele foi me passar uma tigela para colocar no lava-louças, ela escorregou de seus dedos e se quebrou no chão.

— *Merda* — gritou ele. — Desculpe, Harold. Sou tão burro. Sou tão desajeitado.

E, por mais que disséssemos que não havia problema, que estava tudo bem, ele foi ficando cada vez mais chateado, tão chateado que suas mãos começaram a tremer, seu nariz começou a sangrar.

— Jude — falei —, está tudo bem. Acontece.

Mas ele balançou a cabeça.

— Não — falou —, sou eu. Eu estrago tudo. Destruo tudo o que toco.

Julia e eu nos entreolhamos por cima dele enquanto ele recolhia os cacos, sem sabermos o que dizer ou fazer: aquela reação era completamente desproporcional ao que havia acontecido. Mas houvera alguns incidentes nos meses anteriores, depois que ele jogara aquele prato na parede, que me fizeram perceber, pela primeira vez na minha vida ao lado dele, o quanto sentia raiva e o quanto precisava se esforçar todos os dias para contê-la.

Depois daquele primeiro incidente com o prato, aconteceu outro, algumas semanas mais tarde. Foi na Casa-Lanterna, aonde ele não ia havia meses. Era de manhã, logo após o café, e Julia e eu estávamos saindo para ir ao mercado, e fui procurá-lo para saber se precisava de algo. Ele estava no quarto, e a porta, levemente entreaberta, e, quando vi o que ele estava fazendo, por algum motivo não chamei seu nome, não fui embora, simplesmente parei junto ao batente, observando em silêncio. Estava com uma prótese, colocando a outra – eu nunca o tinha visto sem elas –, e o vi enfiar a perna esquerda na abertura, puxando a manga de elástico sobre o joelho e a coxa, e depois abaixar as calças sobre elas. Como você sabe, aquelas próteses tinham pés que pareciam apenas a ponta de um sapato e um calcanhar, e eu o vi colocar as meias e depois os sapatos. Em seguida, ele respirou fundo e levantou, e o vi dar um passo, depois outro. Mas mesmo assim pude perceber que havia algo de errado – ainda estavam largas demais; ele ainda estava magro demais –, e, antes que pudesse avisá-lo, ele perdeu o equilíbrio e se jogou de frente na cama, onde ficou deitado sem se mexer por um momento.

Ele então esticou os braços e arrancou as duas pernas, primeiro uma e depois a outra, e, por um segundo – ainda estavam com as meias e os sapatos –, pareceu que aquelas eram suas próprias pernas, e ele acabara de arrancar um pedaço de si mesmo, e meio que esperei ver um jato de sangue formando um arco. Em vez disso, ele pegou uma delas e começou a batê-la contra a cama, repetidamente, grunhindo de esforço, e depois a jogou no chão e sentou na beira do colchão, com o rosto nas mãos, os cotovelos nos joelhos, balançando para a frente e para trás, sem fazer qualquer barulho.

– Por favor – eu o ouvi dizer –, por favor.

Mas não disse nada mais, e eu, para minha vergonha, voltei sorrateiramente para o nosso quarto e sentei na mesma postura que a dele, também esperando por algo que não conhecia.

Naqueles meses, pensei muitas vezes no que eu estava tentando fazer, em como é difícil manter vivo alguém que não quer continuar vivo. Primeiro, você tenta usar a lógica (*Ainda tem muito por que viver*), depois a culpa (*Você me deve isso*), e depois tenta a raiva, as ameaças, as súplicas (*Estou velho; não faça isso a um velho*). Mas, então, quando a pessoa concorda, é preciso que você, o persuasor, entre nos domínios do autoengano, pois pode ver o quanto aquilo está custando a ela, pode ver o quanto ela não quer estar ali, pode ver que o simples ato de existir é exaustivo para ela, e então você tem que dizer a si mesmo todos os dias: estou fazendo a coisa certa. Permitir que ele faça o que quer vai contra as leis da natureza, as leis do amor. Você se apoia nos momentos felizes, os utiliza como prova – *Está vendo? É por isso que vale a pena viver. É por isso que estou fazendo com que ele se esforce* –, mesmo que aquele único momento não possa compensar todos os outros momentos, a maioria dos momentos. Você pensa, como pensei em relação a Jacob, para que serve um filho? Para me dar consolo? Para eu consolá-lo? E, se um filho não pode mais ser consolado, é meu dever lhe dar permissão para partir? E então você pensa novamente: mas isso é abominável. Não consigo.

Então eu tentei, é claro. Tentei e tentei. Mas a cada mês eu o via retroceder. Não se tratava tanto de um desaparecimento físico: em novembro, já havia recuperado o peso, o básico, de qualquer forma, e sua aparência estava, talvez, melhor que nunca. Mas estava mais quieto, bem mais quieto, apesar de sempre ter sido uma pessoa quieta. Só que agora falava muito pouco e, quando estávamos juntos, eu às vezes o pegava olhando para algo que eu não conseguia enxergar, e ele então inclinava a cabeça, bem de leve, como um cavalo faz com as orelhas, e voltava a si.

Uma vez nos encontramos para nosso jantar de quinta-feira, e ele estava com hematomas no rosto e no pescoço, só de um lado, como se estivesse perto de um prédio no final da tarde e o sol projetasse uma sombra em cima dele. Os hematomas eram de um tom marrom-escuro, enferrujado, como sangue seco, e perdi o fôlego.

– O que aconteceu? – perguntei.

– Eu caí – respondeu, lacônico. – Não se preocupe – disse, mas é claro que me preocupei.

E, quando o vi novamente com hematomas, tentei segurá-lo.

– Me conte – falei, e ele se desvencilhou de mim.

– Não há nada para contar – falou.

Ainda não sei o que aconteceu: teria ele feito algo contra si mesmo? Teria deixado alguém fazer aquilo com ele? Não sabia o que era pior. Não sabia o que fazer.

Ele sentia sua falta. Eu também sentia. Todos nós sentíamos. Acho que você deve saber disso, que eu não sentia sua falta só porque você fez dele uma pessoa melhor: sentia sua falta por quem você era. Sentia falta de ver você se divertindo com as coisas que gostava de fazer, fosse comer, ou correr após uma partida de tênis, ou se jogar na piscina. Sentia falta de conversar com você, sentia falta de vê-lo se deslocar pelo ambiente, sentia falta de vê-lo cair no gramado sob um grupinho de netos de Laurence, fingindo não conseguir se levantar por causa do peso deles. (Naquele mesmo dia, a neta mais nova de Laurence, aquela que era apaixonada por você, lhe dera um bracelete de flores de dente-de-leão entrelaçadas, e você agradecera e o usara o dia inteiro, e toda vez que avistava o bracelete no seu pulso, ela saía correndo e afundava o rosto nas costas do pai: também senti falta disso.) Mas o que mais me fazia falta era ver vocês dois juntos; sentia falta de ver você olhando para ele, e ele para você; sentia falta do quanto eram atenciosos um com o outro, do quanto você era carinhoso com ele, de uma maneira espontânea e sincera; sentia falta de vocês ouvindo um ao outro, do jeito que faziam com tanta atenção. O quadro que JB pintou – *Willem ouvindo Jude contar uma história* – era tão verdadeiro, com uma expressão tão precisa: eu sabia o que estava acontecendo no quadro antes mesmo de ler o nome.

E não quero que pense que não houve momentos felizes também, dias felizes, depois que você se foi. Houve menos, é claro. Foram mais difíceis de serem encontrados, de serem ensejados. Mas existiram. Depois de voltarmos da Itália, comecei a ministrar um seminário na Columbia, aberto a estudantes de Direito e alunos de qualquer graduação. O curso se chamava "A filosofia da lei, a lei da filosofia", e as aulas eram compartilhadas com um velho amigo meu, e nelas discutíamos a justiça do Direito, as bases morais do sistema legal e como elas às vezes contrariavam nosso sentido nacional de moralidade: Drayman 241, depois de todos aqueles anos! À tarde, eu saía com amigos. Julia passou a ter aulas de desenho anatômico. Nós dois passamos a trabalhar como voluntários numa organização sem fins lucrativos que ajudava profissionais (médicos, advogados, professores) de outros países (Sudão, Afeganistão, Nepal) a encontrar novos trabalhos em suas áreas, mesmo que esses trabalhos apresentassem uma semelhança meramente tangencial ao que faziam antes: enfermeiros se tornavam auxiliares de enfermagem; juízes se tornavam oficiais de justiça. Ajudei alguns deles a se inscreverem na faculdade de Direito, e, quando os via, conversávamos sobre o que estavam aprendendo, como tal lei era diferente da lei que conheciam.

– Acho que deveríamos trabalhar juntos num projeto – disse a ele naquele outono (ele ainda fazia trabalho *pro bono* para a ONG dos artistas, o que era, percebi quando eu mesmo passei a trabalhar como voluntário por lá, na verdade, mais tocante do que imaginei que seria. Pensava que todos não passavam de um bando de picaretas sem talento tentando levar uma vida criativa quando estava claro que jamais conseguiriam, e, embora fosse exatamente isso, me peguei os admirando tanto quanto ele os admirava: a perseverança que tinham, sua fé cega e destemida. Nada e ninguém podia fazer aquelas pessoas desistirem da vida, de reivindicá-las para si).

– Que tipo de projeto? – perguntou ele.

– Você pode me ensinar a cozinhar – disse a ele, que me deu aquele olhar que tinha, no qual quase sorria mesmo sem sorrir, entretido, mas não pronto para deixar isso transparecer. – Estou falando sério. Cozinhar *de verdade*. Seis ou sete pratos que eu possa ter em meu arsenal.

E então ele me ensinou. Nas tardes de sábado, quando saía do trabalho ou de suas visitas a Lucien e aos Irvine, partíamos para Garrison, sozinhos ou com Richard e India ou JB ou um dos Henry Youngs e suas esposas, e no domingo cozinhávamos algum prato. Meu principal problema, acabamos descobrindo, era a impaciência, minha incapacidade para aceitar o tédio. Saía para procurar algo para ler e esquecia que estava deixando o risoto se transformar numa pasta grudenta, ou me esquecia de virar as cenouras sobre a camada de azeite de oliva e, quando voltava, as encontrava grudadas no fundo da frigideira. (Parecia que muito da arte culinária se baseava em afagar, banhar, monitorar, virar, girar e abrandar:

exigências essas que eu associava à infância humana.) Meu outro problema, me foi informado, era minha insistência em inovar, o que aparentemente é uma garantia de fracasso na confeitaria.

– Isto é química, Harold, não filosofia – continuava a dizer ele, com o mesmo meio sorriso. – Você não pode trapacear mudando a quantidade descrita dos ingredientes e achar que vai ficar do jeito como deveria.

– Talvez fique melhor – falei, mais para diverti-lo; sempre fiquei feliz em bancar o bobo quando achava que aquilo pudesse dar algum prazer a ele; e então ele sorriu, um sorriso de verdade.

– Não vai – falou.

No fim, acabei aprendendo a preparar alguns pratos: aprendi a assar um frango, a fazer ovos *poché* e a grelhar um linguado. Aprendi a fazer bolo de cenoura, o pão com diversos tipos de castanhas que eu gostava de comprar na confeitaria onde ele havia trabalhado em Cambridge: a versão dele era incrível, e por semanas fiz pães e mais pães.

– Excelente, Harold – disse ele um dia, depois de experimentar uma fatia. – Está vendo só? Agora poderá cozinhar sozinho quando estiver com cem anos.

– Como assim, cozinhar sozinho? – perguntei a ele. – Você terá de cozinhar para mim.

E ele sorriu para mim, um sorriso triste e estranho, e não disse nada, e então logo mudei de assunto antes que ele dissesse algo que eu teria de fingir que ele não dissera. Eu sempre tentava mencionar o futuro, fazer planos para anos mais à frente, para que ele se comprometesse com aquilo e eu pudesse fazê-lo honrar seu compromisso. Mas ele era cuidadoso: nunca prometia nada.

– Devíamos fazer alguma aula de música juntos, você e eu – falei, sem saber de fato o que queria dizer com aquilo.

Ele sorriu, de leve.

– Talvez – respondeu. – Claro. Vamos pensar no assunto.

Mas isso era o máximo que se permitia dizer.

Depois de nossa aula de culinária, caminhávamos. Quando estávamos na casa de Garrison, fazíamos o caminho que Malcolm criou: passávamos pelo ponto no bosque onde um dia tive que o deixar apoiado a uma árvore, contorcendo-se de dor, depois pelo primeiro banco, pelo segundo, pelo terceiro. Quando chegávamos ao segundo banco, sempre sentávamos e descansávamos. Ele não precisava descansar, não como antigamente, e caminhávamos tão devagar que eu também não precisava. Mas sempre fazíamos uma parada cerimonial, pois era ali que se tinha a melhor vista da casa, você lembra? Malcolm cortara algumas árvores para que, do banco, você tivesse uma vista direta da casa e, se estivesse no deque dos fundos da casa, teria uma vista direta do banco.

– É uma casa tão linda – falei, como sempre falava e, como sempre, esperei que ele estivesse me ouvindo dizer que sentia orgulho dele: pela casa que construiu e pela vida que construiu dentro dela.

Certa vez, cerca de um mês depois de todos voltarmos da Itália, estávamos sentados naquele banco, e ele me perguntou:

– Você acha que ele era feliz comigo?

Como ele estava tão quieto, achei que tivesse imaginado aquilo, mas então ele olhou para mim e percebi que não.

– Claro que era – respondi. – Tenho certeza de que era.

Ele balançou a cabeça.

– Deixei de fazer tantas coisas – falou, finalmente.

Não entendi o que ele quis dizer com isso, mas me mantive firme.

– O que quer que fosse, sei que não tinha importância – falei. – Sei que ele era feliz com você. Ele me disse. – E ele então olhou para mim. – Eu sei – repeti. – Tenho certeza. – (Você nunca me disse isso, não de maneira explícita, mas sei que vai me perdoar; eu sei que vai. Sei que gostaria que eu dissesse isso a ele.)

Em outra ocasião, ele disse:

– O Dr. Loehmann acha que eu deveria contar algumas coisas para você.

– Que coisas? – perguntei, tomando o cuidado de não olhar para ele.

– Coisas sobre o que eu sou – falou, e então fez uma pausa. – Quem eu sou – corrigiu-se.

– Bem – falei, finalmente. – Eu gostaria de ouvir. Gostaria de saber mais sobre você.

Ele então sorriu.

– Isso soa estranho, não? – perguntou. – "Mais sobre você." Faz tanto tempo que nos conhecemos.

Sempre tive a impressão, durante aquelas conversas, que, embora talvez não houvesse uma única resposta correta, havia na verdade uma única resposta incorreta que, ao ser dada, o levaria a nunca mais dizer nada, e eu sempre tentava calcular qual seria essa resposta para jamais a dizer.

– É verdade – falei. – Mas sempre quero saber mais, quando se trata de você.

Ele olhou para mim rapidamente, e depois para a casa.

– Bem – disse ele. – Talvez eu tente. Talvez escreva algo.

– Vou adorar – falei. – Quando você estiver pronto.

– Pode ser que eu leve um tempo – esclareceu.

– Tudo bem – respondi. – Leve o tempo que precisar.

Um longo tempo era algo bom, pensei: significava anos, anos em que tentaria descobrir o que queria dizer, e, por mais que fossem anos difíceis e torturantes, pelo menos estaria vivo. Foi isso que pensei: que preferia vê-lo sofrendo e vivo a vê-lo morto.

Mas, no fim, não demorou tanto tempo. Era fevereiro, cerca de um ano após nossa intervenção. Se conseguisse manter o peso até o final de maio, deixaríamos de monitorá-lo, e ele poderia parar de ver o Dr. Loehmann se assim desejasse, embora tanto eu quanto Andy acreditássemos que deveria continuar indo. Mas não seria mais uma decisão nossa. Passamos aquele domingo na cidade e, após uma aula de culinária em Greene Street (uma terrine de alcachofra e aspargo), saímos para nossa caminhada.

Era um dia frio, mas sem vento, e descemos por Greene Street até ela se transformar na Church, e seguimos descendo e descendo, passando por TriBeCa, por Wall Street, e chegando quase à ponta da ilha, onde paramos e observamos o rio, com suas águas cinzentas e agitadas. Depois, demos meia-volta e subimos, passando pelas mesmas ruas: de Trinity a Church, de Church a Greene. Ele estava quieto aquele dia, calmo e silencioso, e comecei a tagarelar sobre um homem de meia-idade que conheci no centro de colocação profissional, um refugiado do Tibete, cerca de um ano mais velho que ele, um médico que queria estudar nas faculdades de medicina americanas.

– É uma coisa admirável – disse ele. – É difícil recomeçar do zero.

– Realmente – falei. – Mas você também recomeçou do zero, Jude. Você também é admirável. – Ele deu uma olhada rápida para mim e depois virou o rosto. – Estou falando sério – disse.

Lembrei-me de um dia, cerca de um ano depois que ele recebeu alta do hospital após sua tentativa de suicídio, quando ele estava conosco em Truro. Também havíamos saído para caminhar.

– Quero que me diga três coisas que você acha que faz melhor que os outros – pedira para ele quando sentamos na areia, e ele fizera um

ruído cansado, como se estivesse bufando, enchendo as bochechas de ar e expelindo-o pela boca.
– Agora não, Harold – dissera.
– Vamos lá – insisti. – Três coisas. Três coisas que faz melhor que os outros, e paro de incomodar você. – Mas ele pensou e pensou e ainda assim não conseguiu pensar em nada, e, ouvindo seu silêncio, algo dentro de mim começou a entrar em pânico. – Três coisas que você faça bem, então – corrigi. – Três coisas de que gosta em si mesmo. – Àquela altura, eu estava quase implorando. – Qualquer coisa – falei. – Qualquer coisa.
– Sou alto – finalmente disse. – Ou pelo menos alto o bastante.
– Ser alto é bom – falei, embora estivesse esperando por algo diverso, algo mais qualitativo. Mas decidi que aceitaria aquela resposta: levara tanto tempo para conseguir pensar até mesmo naquilo. – Outras duas. – Mas ele não conseguia pensar em mais nada. Pude ver que ele estava ficando frustrado e constrangido, então deixei o assunto para lá.
Agora, enquanto passávamos por TriBeCa, ele mencionou, de maneira bem casual, que fora convidado a se tornar presidente da firma.
– Meu deus – falei –, isso é fantástico, Jude. Meu deus. Parabéns.
Ele acenou com a cabeça, uma só vez.
– Mas não vou aceitar – falou, e fiquei de boca aberta. Depois de tudo o que dera à porra da Rosen Pritchard, todas aquelas horas, todos aqueles anos, não aceitaria? Ele olhou para mim. – Pensei que fosse ficar feliz – falou, e balancei a cabeça.
– Não – disse a ele. – Eu sei quanta... quanta satisfação o trabalho lhe proporciona. Não quero que pense que o desaprovo, que não sinto orgulho de você. – E ele não disse nada. – Por que não vai aceitar? – perguntei. – Você seria ótimo. Nasceu para isso.
Então estremeceu, não sei bem por quê, e desviou o olhar.
– Não – discordou ele. – Não acho que seria. Foi uma decisão controversa, de qualquer forma, pelo que entendi. Além do mais – começou, e então parou. Por algum motivo, também paramos de andar, como se falar e caminhar fossem atividades opostas, e ficamos ali no frio por um tempo. – Além do mais – continuou –, pensei em deixar a firma daqui a um ano ou dois. – Ele olhou para mim, como se quisesse estudar a minha reação, e depois olhou para cima, na direção do céu. – Pensei talvez em viajar – falou, mas sua voz estava abafada e desanimada, como se estivesse sendo recrutado para uma vida em algum lugar distante cuja ideia não

lhe agradasse muito. – Eu podia ir embora – falou, quase para si próprio. – Tem lugares que eu deveria conhecer.

Eu não sabia o que dizer. Apenas mantinha o olhar nele.

– Posso ir com você – sussurrei, e ele voltou a si e me olhou.

– Sim – concordou, com um tom tão afirmativo que me senti reconfortado. – Sim, você poderia vir comigo. Ou então vocês dois poderiam me encontrar em determinados lugares.

Voltamos a andar.

– Não que eu queira postergar indevidamente seu segundo ato como viajante global – falei –, mas acho que deveria reconsiderar a oferta da Rosen Pritchard. Pode fazer isso por alguns anos e depois pegar um jatinho para as Ilhas Baleares, Moçambique ou para onde quer que queira ir. – Eu sabia que, se ele aceitasse a oferta para ser presidente, não se mataria; era responsável demais para partir deixando assuntos pendentes. – Pode ser? – incitei-o.

Ele então sorriu, aquele seu velho, radiante e lindo sorriso.

– Tudo bem, Harold – falou. – Prometo que vou reconsiderar.

Depois, quando faltavam apenas alguns quarteirões para chegarmos em casa, percebi que estávamos passando por Lispenard Street.

– Ah, deus – falei, tentando me aproveitar de seu bom humor, tentando nos manter animados. – Aqui estamos, no local de todos os meus pesadelos: O Pior Apartamento do Mundo. – Ele riu, e pegamos a direita em Church Street, descendo Lispenard Street por meio quarteirão até pararmos em frente a seu velho edifício. Por um tempo, discursei sem parar sobre o lugar, sobre como era horrível, exagerando e elaborando para causar impacto, para ouvi-lo rir e protestar. – Sempre tive medo de que um incêndio se espalhasse pelo apartamento e vocês dois acabassem mortos – falei. – Tive sonhos em que os paramédicos me telefonavam e diziam que vocês dois haviam sido encontrados roídos até a morte por um bando de ratos.

– Não era *tão* ruim assim, Harold. – Ele sorriu. – Tenho boas memórias daqui, na verdade.

E então nosso ânimo voltou a mudar, e ambos ficamos ali parados, olhando para o prédio e pensando em você, e nele, e em todos os anos que se passaram entre aquele momento e quando eu o conheci, tão jovem, tão incrivelmente jovem, na época apenas mais um aluno, incrivelmente esperto e intelectualmente ágil, mas nada mais, não a pessoa que eu seria incapaz de imaginar que ele se tornaria para mim.

Então ele disse – também estava tentando me fazer me sentir melhor; estávamos fazendo teatro um para o outro:

– Já lhe contei da vez que pulamos do terraço para a escada de incêndio do lado de fora do quarto?

– O quê? – perguntei, surpreso de verdade. – Não, você nunca me contou isso. Acho que me lembraria.

Mas, embora eu nunca pudesse ter imaginado a pessoa que ele se tornaria para mim, sabia como ele me deixaria: apesar de todas as minhas esperanças, apelos, insinuações, ameaças e ideias mágicas, eu sabia. E, cinco meses depois – em 12 de junho, um dia sem qualquer data importante associada a ele, um dia comum –, ele se foi. Meu telefone tocou, e, embora não fosse nenhum horário sinistro da noite, embora nada tivesse acontecido antes que pudesse ser visto como um presságio, eu sabia, eu sabia. E do outro lado da linha estava JB, com a respiração estranha, em erupções aceleradas, e, antes mesmo que contasse, eu sabia. Ele estava com cinquenta e três anos, não fazia nem dois meses que completara cinquenta e três. Injetara ar numa artéria, provocando em si mesmo um derrame, e, por mais que Andy me tenha dito que sua morte foi rápida e indolor, depois fiz uma pesquisa na internet e descobri que ele mentira para mim: precisaria fazer ao menos duas perfurações, com uma agulha de um calibre tão grosso quanto o bico de um beija-flor; teria sido agonizante.

Quando finalmente fui ao apartamento dele, estava todo organizado, as coisas do escritório encaixotadas, a geladeira vazia, e tudo – seu testamento, suas cartas – enfileirado na mesa da sala de jantar, como as placas que marcam os lugares nas mesas de um casamento. Richard, JB, Andy, todos os velhos amigos, seus e dele; estavam todos ali, constantemente, todos nos encontrando e nos mantendo próximos, chocados, mas ao mesmo tempo não, surpresos apenas por termos ficado tão surpresos, devastados, derrotados e, acima de tudo, desolados. Teríamos deixado passar alguma coisa? Poderíamos ter feito algo diferente? Depois do funeral – que estava lotado, com os amigos dele, os seus, e os pais e familiares de todos, os colegas da faculdade de Direito, os clientes, os funcionários e advogados da ONG dos artistas, o conselho da cozinha solidária, uma enorme parcela dos funcionários da Rosen Pritchard, tanto do passado quanto os atuais, incluindo Meredith, que apareceu com um Lucien quase completamente desorientado (que cruelmente continua vivo até hoje, embora numa casa de repouso em Connecticut), nossos amigos e pessoas que eu não teria esperado: Kit, Emil, Philippa e Robin –, Andy se aproximou de mim, chorando, e confessou que achava que as coisas começaram mesmo a sair do rumo para ele quando anunciara que deixaria a clínica, e que aquilo era sua culpa. Eu nem sabia que Andy se aposentaria – ele nunca mencionou aquilo para mim –, mas eu o consolei e disse que não era sua culpa, de maneira alguma, pois sempre fora bom para ele, e eu sempre tive confiança nele.

– Pelo menos Willem não está aqui – dizíamos um para o outro. – Pelo menos Willem não está aqui para ver isso.

Embora, é claro: se você estivesse aqui, ele também não estaria?

Mas, se não posso dizer que não sabia como ele morreria, posso dizer que havia muita coisa que eu não sabia, não imaginava, não poderia saber. Não sabia que Andy morreria três anos depois, de um ataque cardíaco, ou Richard, dois anos depois disso, de câncer no cérebro. Vocês todos morreram tão jovens: você, Malcolm, ele. Elijah, de um derrame, aos sessenta; Citizen, também aos sessenta, de pneumonia. No final, restou, e ainda resta, apenas JB, para quem ele deixou a casa em Garrison e a quem vemos com frequência – lá, ou na cidade, ou em Cambridge. JB tem um namorado sério agora, um homem muito bom chamado Tomasz, um especialista em arte medieval japonesa da Sotheby's, de quem gostamos bastante; sei que você e ele também gostariam. E, embora fique triste por mim mesmo, por nós – é claro –, fico ainda mais triste, muitas vezes, por JB, privado de todos vocês, vivendo o início da velhice sozinho, com novos amigos, certamente, mas sem a maioria dos amigos que o conheceram quando ainda era uma criança. Pelo menos eu o conheço desde seus vinte e dois anos; nos vimos em alguns anos, e em outros, não, talvez, mas nenhum de nós conta os anos em que não nos vimos.

E agora JB tem sessenta e um anos, e eu, oitenta e quatro, e ele está morto há seis anos, e você, há nove. A última exposição de JB se chamava "Jude, sozinho", e era formada por quinze quadros, todos dele retratando momentos imaginários dos anos depois da sua morte, daqueles quase três anos em que ele conseguiu se segurar sem você. Eu tentei, mas não consigo olhar para eles: tento, tento e não consigo.

E havia mais coisas que eu não sabia. Ele estava certo: só nos mudamos para Nova York por causa dele, e, depois de cuidarmos de seu espólio – Richard foi o testamenteiro, embora eu o tenha ajudado –, voltamos para casa em Cambridge, para ficarmos próximos das pessoas que *nos* conheciam fazia muito tempo. Estava cansado de limpar e organizar – ao lado de Richard, JB e Andy, examinamos todos os documentos pessoais dele (não havia muitos), as roupas dele (o que por si só foi de partir o coração, vendo os ternos se tornarem cada vez mais estreitos) e as suas; esquadrinhamos juntos os seus arquivos na Casa-Lanterna, o que levou vários dias, pois parávamos o tempo todo para chorar, exclamar algo ou passar de mão em mão alguma fotografia que nenhum de nós vira antes –, mas, quando voltamos para casa, para Cambridge, o próprio movimento de organização se tornou instintivo, e sentei num sábado para esvaziar as estantes, um projeto ambicioso, no qual logo perdi o interesse, quando encontrei, enfiado entre dois livros, dois envelopes, com nossos nomes escritos com a letra dele. Abri meu envelope, com o coração martelando, e vi meu nome – *Caro Harold* – e li o bilhete de décadas atrás, do dia de sua adoção, e chorei, chegando a soluçar, na verdade, e depois coloquei o disco no computador e ouvi a voz dele, e ainda que eu tivesse chorado de qualquer forma por sua beleza, chorei ainda mais porque vinha dele. E então Julia chegou em casa e me encontrou e leu o bilhete dela, e nós dois choramos mais uma vez.

    Foi só algumas semanas depois disso que consegui abrir a carta que ele nos deixou em sua mesa. Não consegui suportar o peso dela antes; não tinha certeza de que conseguiria agora. Mas a abri. Tinha oito páginas, digitadas, e era uma confissão: sobre o irmão Luke, sobre o Dr. Traylor e sobre o que acontecera a ele. Levamos vários dias para ler, pois, embora fosse curta, também era infinita, e tínhamos de colocar as páginas de lado e nos afastar, para então darmos apoio um ao outro – *Vamos?* – e sentarmos para ler um pouco mais.

    "Sinto muito", escreveu ele. "Por favor, me perdoem. Nunca foi minha intenção enganá-los."

    Ainda não sei o que dizer sobre aquela carta, ainda não consigo pensar nela. Todas aquelas respostas que sempre quis sobre quem e por que ele era, e agora aquelas respostas só atormentam. Que ele tenha morrido tão só é mais do que posso conceber; que tenha morrido achando que nos devia uma desculpa é pior; que tenha morrido ainda acreditando tão obstinadamente em tudo o que disseram sobre ele – depois de você, depois de mim, depois de todos nós que o amamos – me faz pensar que, no fim, minha vida foi um fracasso, que fracassei na única coisa que era importante. É nessa hora que mais converso com você, que desço as escadas à noite e paro diante de *Willem ouvindo Jude contar uma história*, que agora fica pendurado sobre a mesa da nossa sala de jantar.

– Willem – eu lhe pergunto –, você também se sente como eu? Acha que ele era feliz comigo?

Pois ele merecia a felicidade. Não temos qualquer garantia dela, nenhum de nós tem, mas ele a merecia. Mas você apenas sorri, não para mim, mas para além de mim, e nunca tem uma resposta. É também nessa hora que eu queria acreditar em alguma espécie de vida após a vida, que em outro universo, talvez num planetinha vermelho onde não temos pernas, mas caudas, onde nadamos pela atmosfera feito focas, onde o próprio ar nos dá sustentação, composto por trilhões de moléculas de proteína e açúcar, onde tudo o que precisamos fazer é abrir a boca e inalar para continuarmos vivos e saudáveis, talvez vocês dois estejam juntos, flutuando pelo ambiente. Ou talvez ele esteja ainda mais perto: talvez seja aquele gato cinza que começou a sentar diante da casa do nosso vizinho, ronronando quando estico a mão para ele; talvez seja aquele novo filhotinho de cão que vejo puxar a coleira do meu outro vizinho; talvez seja aquela criança que vi correr pela praça alguns meses atrás, gritando de alegria, enquanto os pais soltavam fogo pelas ventas atrás dela; talvez seja aquela flor que brotou subitamente no arbusto de rododendros que eu pensava ter morrido muito tempo atrás; talvez seja aquela nuvem, aquela onda, aquela chuva, aquela bruma. Não é só por ele ter morrido, ou como morreu; é pelo que morreu acreditando. Por isso tento ser amável com tudo o que vejo, e em tudo que vejo, eu vejo ele.

Mas, naquele dia, de volta a Lispenard Street, eu não sabia muito disso. Naquele dia, estávamos apenas parados, olhando para aquele prédio de tijolos vermelhos, e eu fingia que nunca precisei me preocupar com ele, e ele me permitia esse fingimento: de que todas as coisas perigosas que poderia ter feito, todos os modos como poderia partir meu coração, estavam no passado, um material digno de histórias, de que o tempo que ficara para trás era assustador, mas o tempo à nossa frente não o era.

– Vocês pularam do terraço? – repeti. – Por que diabos fariam uma coisa dessas?

– É uma boa história – disse ele. Até sorriu para mim. – Vou lhe contar.

– Por favor – falei.

E então ele contou.

Agradecimentos

Por seus conhecimentos em questões de arquitetura, direito, medicina e cinema, meu grande agradecimento a Matthew Baiotto, Janet Nezhad Band, Steve Blatz, Karen Cinorre, Michael Gooen, Peter Kostant, Sam Levy, Dermot Lynch e Barry Tuch. Um agradecimento especial a Douglas Eakeley, por sua erudição e paciência, e a Priscilla Eakeley, Drew Lee, Eimear Lynch, Seth Mnookin, Russell Perreault, Whitney Robinson, Marysue Rucci e Ronald e Susan Yanagihara, por seu apoio incondicional.

Meu mais profundo agradecimento ao brilhante Michael "Bitter" Dykes, a Kate Maxwell e a Kaja Perina, por trazerem alegria à minha vida, e a Kerry Lauerman, por trazer conforto. Sempre considerei Yossi Milo e Evan Smoak e Stephen Morrison e Chris Upton modelos de como se comportar numa relação amorosa; eu os aprecio e os admiro por muitas razões.

Minha gratidão ao devotado e fiel Gerry Howard e ao inimitável Ravi Mirchandani, que se entregaram à vida deste livro com tamanha generosidade e dedicação, e a Andre Kidd, por acreditar, e a Anna Stein O'Sullivan, por sua indulgência, equanimidade e constância. Agradeço também a todos que ajudaram para este livro ser criado, em especial a Lexy Bloom, Alex Hoyt, Jeremy Medina, Bill Thomas e o Espólio de Peter Hujar.

E meus agradecimentos finais e essenciais: eu não só nunca poderia, como nunca teria, escrito este livro sem as conversas com – e a bondade, a elegância, a empatia, o perdão e a sabedoria de – Jared Hohlt, meu primeiro e meu preferido leitor, meu guardião de segredos e minha Estrela Polar. Sua estimada amizade é o maior presente da minha vida adulta.

Este livro foi composto na tipologia Electra LT
Std em corpo 11,5 pt, e impresso em
papel off-white no Sistema Cameron da
Divisão Gráfica da Distribuidora Record.